金融商品取引法

Financial Instruments and Exchange Law

【第２版】

黒沼悦郎

有斐閣

第2版へのはしがき

本書の初版を平成28年に上梓してから，最初の改訂の機会をえることができた。この4年間に，金融商品取引法を主とする改正が2回あり，金融商品の販売等に関する法律も改正された。

平成29年の金融商品取引法の改正では，選択的な情報開示の規制（いわゆるフェア・ディスクロージャー・ルール）および高速取引行為（HFT）の規制が導入された。令和元年の改正は資金決済に関する法律の改正とセットであり，暗号資産が有価証券に該当する場合の手当て，暗号資産の不公正取引への対応が図られた。令和2年の金融商品の販売等に関する法律の改正は，金融の幅広い分野においてIT企業が顧客を証券会社・保険会社・銀行等につなぐサービスに対応するものであり，これにより法律の名称は「金融サービスの提供に関する法律」に変更される。法律改正以外では，この間，内閣府令の改正により非財務情報の開示の充実が図られ，上場会社のディスクロージャーに影響を及ぼすとともに，金融事業者のコーポレートガバナンス・コードともいえる金融庁「顧客本位の業務運営の原則」の策定と改正がされ，業者の実務に影響を及ぼしている。

第2版では，このような法令の改正や行政・実務の展開を取り上げて解説を加え記載を充実させるとともに，この間に出された判例や学説にも触れ，金融商品取引法の最新の姿を描き出すことを心がけた。

金融商品取引法は以前ほど頻繁には改正されなくなったが，改正項目を見ても分かるように，フィンテックの激動のただなかにある。第2版では，改正項目以外に，AI投資と強制的開示制度との関係，ブロックチェーンなどの分散台帳技術の利用可能性，HFTと相場操縦，ロボアドバイザーといったトピックを取り上げて，解説を試みている。

本書の改訂にあたっては，有斐閣の藤本依子さんと藤原達彦さんに大変お世話になった。ここに深く謝意を表したい。

令和2年10月

黒沼悦郎

初版へのはしがき

本書は，企業の資金調達と国民の資産形成のために資本市場を規律する金融商品取引法の内容を，主として実務家および研究者向けに，体系的に論述したものである。金融商品取引法は，現代の経済社会において重要な役割を果たしており，それゆえ毎年のように改正が行われている。実務家向けの解説書・注釈書がいくつも出版され，学界における研究も進んできている。しかし，実務家向けの書籍では，証券取引法制定以来の研究の成果が十分に生かされていないように思われるし，学者による研究も，判例のある一部のテーマや改正法だけを対象としがちである。そこで本書では，金融商品取引法全体について，それを構成する各制度の趣旨・解釈を明らかにするとともに，学界の研究成果も取り入れつつ，問題点の理論的な解明を試みた。この意味で，本書は金融商品取引法の概説書であるとともに筆者の研究書でもある。

本書は，2章から5章までをディスクロージャー制度，7章から9章までを不公正取引の規制，10章から12章までを業者規制および市場インフラの規制に充てている。金融商品取引法を理解するためには，企業の資金調達の方法や資本市場における投資取引の仕組みなどの前提となる制度の理解が不可欠となるので，これらに関する記述を1章と6章に置いた。また，本書では，説明注を極力避け，これに代えて，詳しい論述を要する事項をColumnとして取り上げて記述している。

本書の刊行にあたっては，有斐閣の藤本依子さんに大変にお世話になった。彼女の適切な助言や暖かい励ましがなければ，本書が世に出ることはなかったであろう。ここに深く謝意を表したい。

平成28年8月

黒沼悦郎

目　次

細　目　次

凡　例

1　法　令

金融商品取引法については，本文中では正式名称を用い，(　) 内については条・項・号のみで示した。その他の法律については六法全書の法令名略語を用いた。

なお，その他の関係法令については以下の略語を用いた。

(1)　政令・府令・省令

施行令	金融商品取引法施行令
外債開示府令	外国債等の発行者の内容等の開示に関する内閣府令
課徴金府令	金融商品取引法第六章の二の規定による課徴金に関する内閣府令
監査証明府令	財務諸表等の監査証明に関する内閣府令
勧誘府令	上場株式の議決権の代理行使の勧誘に関する内閣府令
企業内容等開示府令	企業内容等の開示に関する内閣府令
金商業府令	金融商品取引業者等に関する内閣府令
自社株買付府令	発行者による上場株券等の公開買付けの開示に関する内閣府令
重要情報公開府令	金融商品取引法第二章の六の規定による重要情報の公表に関する内閣府令
証券情報府令	証券情報等の提供又は公表に関する内閣府令
信用取引府令	金融商品取引法第百六十一条の二に規定する取引及びその保証金に関する内閣府令
大量保有府令	株券等の大量保有の状況の開示に関する内閣府令
他社株買付府令	発行者以外の者による株券等の公開買付けの開示に関する内閣府令
定義府令	金融商品取引法第二条に規定する定義に関する内閣府令
店頭デリバティブ取引規制府令	店頭デリバティブ取引等の規制に関する内閣府令
特定有価証券開示府令	特定有価証券の内容等の開示に関する内閣府令
取引規制府令	有価証券の取引等の規制に関する内閣府令
取引所府令	金融商品取引所等に関する内閣府令
内部統制府令	財務計算に関する書類その他の情報の適正性を確保するための体制に関する内閣府令
保証金府令	金融商品取引法第百六十一条の二に規定する取引及びその保証金に関する内閣府令
財務諸表等規則	財務諸表等の用語，様式及び作成方法に関する規則
連結財務諸表規則	連結財務諸表の用語，様式及び作成方法に関する規則

(2)　ガイドライン

企業内容等開示ガイドライン	企業内容等の開示に関する留意事項について（金融庁）

(3) 法　律

更生特例	金融機関等の更生手続の特例等に関する法律
旧独占禁止法適用除外法	私的独占の禁止及び公正取引の確保に関する法律の適用除外等に関する法律

2　裁判例・公刊の判例集

最判昭和44・6・24民集23巻7号1143頁＝最高裁判所昭和44年6月24日判決，最高裁判所民事判例集23巻7号1143頁所収

大　判（決）	大審院判決（決定）
大連判（決）	大審院連合部判決（決定）
最　判（決）	最高裁判所判決（決定）
最大判（決）	最高裁判所大法廷判決（決定）
高　判（決）	高等裁判所判決（決定）
地　判（決）	地方裁判所判決（決定）

民　集	最高裁判所民事判例集，大審院民事判例集
刑　集	最高裁判所刑事判例集，大審院刑事判例集
下民集	下級裁判所民事裁判例集
下刑集	下級裁判所刑事裁判例集
裁判集刑	最高裁判所判例集刑事

3　雑　誌

金　判	金融・商事判例
金　法	金融法務事情
ジュリ	ジュリスト
商　事	商事法務
曹　時	法曹時報
判　時	判例時報
判　タ	判例タイムズ
判　評	判例評論
ひろば	法律のひろば
法　協	法学協会雑誌
法　時	法律時報
法　セ	法学セミナー（法セミ）
民　商	民商法雑誌
論　叢	法学論叢

4 文　献

大　崎	大崎貞和『解説金融商品取引法〔第3版〕』(弘文堂，2007)
川村編	川村正幸編『金融商品取引法〔第5版〕』(中央経済社，2014)
河本＝大武＝川口	河本一郎＝大武泰南＝川口恭弘『新・金融商品取引法読本』(有斐閣，2014)
河本＝関編	河本一郎＝関要編『逐条解説　証券取引法〔3訂版〕』(商事法務，2008)
河本＝龍田編	河本一郎＝龍田節編『金融商品取引法の理論と実務』(別冊金融・商事判例)(経済法令研究会，2007)
神　崎	神崎克郎『証券取引法〔新版〕』(青林書院，1987)
神崎＝志谷＝川口	神崎克郎＝志谷匡史＝川口恭弘『金融商品取引法』(青林書院，2012)
神田監修	神田秀樹監修，野村證券株式会社法務部＝川村和夫編『注解証券取引法』(有斐閣，1997)
岸　田	岸田雅雄『金融商品取引法』(新世社，2010)
黒沼・アメリカ	黒沼悦郎『アメリカ証券取引法〔第2版〕』(弘文堂，2004〔2刷一部補訂，2006〕)
近藤＝吉原＝黒沼	近藤光男＝吉原和志＝黒沼悦郎『金融商品取引法入門〔第4版〕』(商事法務，2015)
鈴木＝河本	鈴木竹雄＝河本一郎『証券取引法〔新版〕』(有斐閣，1984)
田中＝堀口	田中誠二＝堀口亘『コンメンタール証券取引法〔再全訂〕』(勁草書房，1996)
龍　田	龍田節『証券取引法Ⅰ』(悠々社，1994)
松　尾	松尾直彦『金融商品取引法〔第4版〕』(商事法務，2016)
松尾・解説	松尾直彦編『金融商品取引法・関係府令の解説』(別冊商事法務318号，2008)
山下＝神田編	山下友信＝神田秀樹編『金融商品取引法概説』(有斐閣，2008)
逐条解説2008年	池田唯一ほか『逐条解説2008年金融商品取引法改正』(商事法務，2008)
逐条解説2009年	池田唯一ほか『逐条解説2009年金融商品取引法改正』(商事法務，2009)
逐条解説2010年	寺田達史ほか『逐条解説2010年金融商品取引法改正』(商事法務，2010)
逐条解説2011年	古澤知之ほか『逐条解説2011年金融商品取引法改正』(商事法務，2011)
逐条解説2012年	古澤知之＝栗田照久＝佐藤則夫監修，高木悠子ほか編著『逐条解説2012年金融商品取引法改正』(商事法務，2012)
逐条解説2013年	古澤知之ほか監修，斎藤将彦ほか編著『逐条解説2013年金融商品取引法改正』(商事法務，2014)

一問一答	三井秀範＝池田唯一監修，松尾直彦編著『一問一答金融商品取引法〔改訂版〕』（商事法務，2008）
実務論点	松尾直彦＝松本圭介『実務論点金融商品取引法』（金融財政事情研究会，2008）
注釈金商法（3）	岸田雅雄監修『注釈金融商品取引法第3巻』（金融財政事情研究会，2010）
金商法コンメ（1）〜（4）	神田秀樹＝松尾直彦＝黒沼悦郎編『金融商品取引法コンメンタール第1巻〜第4巻』（商事法務，2011〜2016）
大　系	神崎克郎＝龍田節編『河本一郎先生還暦記念・証券取引法大系』（商事法務，1986）
論点大系	黒沼悦郎＝太田洋編著『論点大系金融商品取引法』（第一法規，2014）
百　選	神田秀樹＝神作裕之編『金融商品取引法判例百選』（有斐閣，2013）
会社法百選	岩原紳作ほか編『会社法判例百選〔第3版〕』（有斐閣，2016）
新証券・商品取引百選	鈴木竹雄＝竹内昭夫編『新証券・商品取引判例百選』（有斐閣，1988）

第1章　総　　論

第1節　金融商品取引法の概観

1　金融商品取引法の沿革

金融商品取引法は，企業の資金調達と国民の資産形成・運用に資するために資本市場を規制する法律である。金融商品取引法は，日本が連合国の占領下に置かれていた昭和23（1948）年に，アメリカの連邦法である1933年証券法（Securities Act of 1933）および1934年証券取引所法（Securities Exchange Act of 1934）を参考に「証券取引法」として制定された。証券取引法の一般的な英訳がSecurities and Exchange Actであったことからわかるように，証券取引法は，証券の発行市場を規制する1933年証券法と証券の流通市場を規制する1934年証券取引所法の内容を1本の法律に合わせて規定したものであり，その出発点においてアメリカ法の影響を強く受けていた。その後，証券取引法は，わが国の資本市場の発展に応じて，またアメリカにおける法改正の影響を受けつつ，頻繁に改正され，平成2年改正以降は，EUの証券規制をも参照して改正が行われてきた（本書では，個々の改正については該当する各項目で必要に応じて説明している）[1]。

証券取引法と同様に資本市場およびそのプレーヤーを規制する法律として，

1）　証券取引法の制定とその平成10年改正までについて，黒沼悦郎「証券市場の再生へ――証券取引法の制定とその後の諸改正」北澤先生古稀記念『日本会社立法の歴史的展開』（商事法務，1999）568-632頁参照。

昭和46（1971）年制定の外国証券業者に関する法律（外証法），昭和61（1986）年制定の有価証券に係る投資顧問業の規制等に関する法律（投資顧問業法），昭和62（1987）年制定の抵当証券業の規制等に関する法律（抵当証券業規制法），昭和63（1988）年制定の金融先物取引法があった。平成18年の証券取引法改正は，これらの法律を証券取引法に統合し，また昭和26（1951）年に証券投資信託法として制定され，その後改称されていた「投資信託及び投資法人に関する法律」（投資信託・投資法人法）の一部を取り込んで，法律の名称も金融商品取引法に改称した。この結果，金融商品取引法は資本市場を規律する総合的な法律となった。なお，金融商品取引法という法律名称は，適用範囲に含まれるデリバティブ取引が拡がり，もはや有価証券のみを適用対象とする法律とはいえなくなったため，有価証券とデリバティブの上位概念として，EUの証券規制で用いられていた「金融商品」（Financial Instruments）という用語を採用し，証券取引を金融商品取引に置き換えたものである。そこで，金融商品取引法の英語名称は，Financial Instruments and Exchange Actである。

2　金融商品取引法の体系

金融商品取引法の内容は，情報開示制度（ディスクロージャー制度），不公正取引の禁止，および業者規制に大別される。

⑴　情報開示制度

情報開示制度（第2章～第2章の6，金融商品取引法の章立て〔以下，同じ〕）は，発行者や上場会社といった一定の者に有価証券の価値に関する情報を強制的に開示させる制度であり，ディスクロージャー制度とも呼ばれる。ディスクロージャーは，投資者が発行市場で企業の資金調達に応じたり，流通市場で有価証券の売買を行う際に，投資者に投資判断資料を提供することを目的とする。

ディスクロージャーは，開示義務を負う主体に応じて発行市場開示，流通市場開示，および公開買付け等の開示に分けられる。公開買付けとは，買付者が有価証券の流通市場外で株主などの証券保有者を一斉に勧誘して，有価証券を買い付ける行為をいい，発行市場とちょうど逆の取引が行われることから，証券保有者の投資判断を充実させるためにディスクロージャーが求められる。

情報に基づいた投資判断を投資者に形成させるには，開示義務者と開示情報を定める開示規制だけでは足りず，開示された情報を熟慮する期間を確保したり，投資判断を歪めるような買付方法を禁止するといった取引規制が必要になる。そこで，情報開示制度には取引規制が含まれており，特に公開買付規制では取引規制の比重が大きい。

⑵　不公正取引の禁止

市場で不公正な取引が行われると，市場は有価証券やデリバティブの公正な価格を形成するという機能を発揮することができないし，投資者が市場での取引に参加しなくなってしまう。そこで，市場における不公正な取引が禁止される（第6章ほか）。具体的には，相場操縦の禁止，インサイダー取引の禁止，損失補塡の禁止などがこれに当たる。

相場操縦とは，人為的な取引によって有価証券市場における有価証券の価格を歪める行為をいう。相場操縦が行われると投資者が適正な価格で有価証券を売買できなくなるし，市場取引への投資者の信頼（詐欺的行為が行われていないという信頼）が損なわれる。

インサイダー取引とは，上場会社の役員・職員のように未公表の内部情報に接近できる者が内部情報を用いて有価証券の売買を行うことをいう。インサイダー取引が行われている市場では一般の投資者は取引を控えるだろうから，これを禁止して投資者の市場参加を促す必要がある。損失補塡とは，取引によって投資者に生じた損失を証券会社が補塡する行為をいう。損失補塡が行われると投資者が安易に投資判断を行うようになり，市場における価格形成が適正に行われなくなるから，これを禁止する必要があると一般に説明されている。

⑶　業者規制

金融商品取引において投資者と発行者を結びつける仲介機能を担うのが証券会社を始めとする金融商品取引業者である。金融商品取引法は，金融商品取引業者（第3章），登録金融機関（同章），金融商品仲介業者（第3章の2），信用格付業者（第3章の3）などの行為を適正に行わせるために規制を及ぼしている。このような規制は，銀行法による銀行の規制や保険業法による保険会社の規制に対応する業者規制であるが，金融商品取引法の規制は，いわゆる業者規制にとどまらない。

第1に，金融商品取引が行われる市場制度を構築し支える各種機関（市場インフラ）の組織を定め，その業務を規制する必要がある。金融商品取引所（第5章），外国金融商品取引所（第5章の2），金融商品取引清算機関（第5章の3），証券金融会社（第5章の4），取引情報蓄積機関（第5章の6）の規定がこれに当たる。

第2に，金融商品取引の分野では業者自身による自主規制の仕組みがとられているため，金融商品取引業協会（第4章），投資者保護基金（第4章の2），指定紛争解決機関（第5章の5）についての規定が必要になる。

3　金融商品取引法の規制手法

金融商品取引法は，適用対象分野から分類すると，いわゆる経済法の一領域である。これを規制手法からみると，行政規制，私法規整，および刑罰規定が，分野に応じて，あるいは組み合わさって用いられている。たとえば，発行者が有価証券の募集を行うときは，内閣総理大臣（実際には財務局）が提出された有価証券届出書を審査し，重大な虚偽記載があれば届出の効力を停止する（行政規制）。虚偽記載のある有価証券届出書によって有価証券の募集が行われた場合，発行者の代表者は刑事罰に処せられ（刑罰規定，金商法第8章），発行者には課徴金（金商法第6章の2，**→12章*2*節*5***）が課せられる（行政規制）とともに，投資者は発行者やその関係者に損害賠償を請求することができる（私法規整）。

行政規制は，金融商品取引法で最も頻繁に用いられている規制手法である。金融商品取引に関与する業者に登録を求め，登録業者の行為を規制する（行為ルールを定め，その違反があれば，登録取消し等の行政処分の対象とする）手法が行政規制の代表的なものであるが，金融商品取引法の行政規制は，いわゆる業者を対象とする登録規制だけではない。上の例では発行者（上場会社等）が行政規制の対象になっているし，投資者が公開買付者や大量保有者として対象になることもある。一般の投資家も，インサイダー取引や相場操縦行為を行ったときは，課徴金納付命令という行政処分の対象となる。行政処分が行われるときは，行政手続法，行政不服審査法，行政事件訴訟法等の行政法規が，それぞれの要件に応じて適用される。

私法規整とは，私人間に権利義務関係を設定し，私人にその権利を行使させることを通じて法の目的を達成しようとする手法である。私法規整の代表格は，特定の契約を無効としたり，規制違反に対する損害賠償責任を定めたりする明文の規定であるが，それらは，ディスクロージャー違反（損害賠償），相場操縦の禁止（損害賠償），インサイダー取引の防止規定（利益提供），一定の未公開株の売買契約（無効）等に見られる。

金融商品取引法の私法規整は明文の規定があるものに限られない。金商法の規制に違反する契約が無効とされるかどうか，規制違反が不法行為となり損害賠償請求権を生じさせるかどうかは，金融商品取引法の趣旨を勘案して判断される解釈問題であり，この意味で金融商品取引法は私法の領域に属する問題を多く扱っている。

刑事罰は，ディスクロージャー規制や不公正取引規制といった金融商品取引法の重要な規制の違反に対して科せられ，それらの規制の実効性を確保している。他方，業者に対する行政規制も，たとえば金融庁職員による検査権限の行使を拒み，妨げ，または忌避した者が処罰の対象となるように，実効性が刑事罰によって担保されている。刑罰規定の立法と解釈は刑事法の領域であり，金融商品取引法の刑罰規定の理解にも刑事法の理論や思考が求められる。

以上のように，金融商品取引法は公法・私法・刑事法の総合立法であり，これを業者規制の法とみるのは適切ではない。

第*2*節　資本市場の機能

1　資本市場と金融市場

金融商品取引法は，企業の資金調達と国民の資産運用のための法律であるから，金融商品取引法を理解するには，まず，資本市場の果たしている機能とこれを規制する意義を知る必要がある。

資本市場とは，狭義には，企業が，出資者に返済する必要がなく，そのためリスクのある事業活動に用いることのできる資金（資本性の資金）を，投資者から直接調達する場のことをいうが，本書では，もう少し拡げて，出資者に返済しなければならず，そのため事業の中核的な活動に用いることの難しい負債性の資金を含めて，企業が事業に必要な資金を投資者から直接調達する場（直接金融の場）を意味する語として用いる。企業が資金調達を行う場としては，資本市場のほかに，銀行・保険会社等の金融機関から借入れを行う間接金融（資金の拠出者である預金者・保険契約者から企業が間接的に資金を調達していることからこう呼ばれる）の場があり，これを本書では金融市場と呼ぶことにする。

金融市場では，企業と金融機関とが相対で取引を行う。金融機関は，企業の事業の収益性を評価して，貸付金の返済期限や利率を決定する。したがって，預金者等が拠出した資金が収益の見込みのある事業に流れていくように確保する，いいかえると資源の効率的配分（→***2***(2)）を達成するには，金融機関が企業との交渉により情報を取得し，専門性を発揮して事業の見込みを評価できるよう確保すればよい。このための法制としては，貸付けや担保の徴求を規律する民法，金融機関の専門性を確保するための銀行法，保険業法等の各種の業法がある。

2　資本市場における資金調達のメカニズム

⑴　株式による資金調達

資本市場を通じた資金調達とは，たとえば株式会社が新株を発行したり，社債を発行したりして，資金を調達することをいう。有価証券等へ投資をする組合形式のファンドを作り，広く出資者を募る場合も，投資という事業のための資金を資本市場を通じて調達していることになる。これらの場合に資金調達の可否や条件がどのように決定されるかを考えてみよう。

企業が，株式のような企業の持分を表示する持分証券（equity）を発行する場合，もし調達した資金を用いて行う新規事業が見込みのないものであれば投資資金が失われるおそれがある。そこで投資者は，企業に新規事業に関する情報の開示を求め，企業はこれに応じなければ資金の調達ができない。当該企業の既存の株主は，新規事業に関する新たな情報を考慮して当該事業によって企業価値が増加するかどうかを判断し，企業価値が増加すると判断した場合には，企業価値の増加の見込みを反映した価格でなければ当該株式を売却しないから，流通市場において当該株式の価格（株価）は企業が開示した情報を反映して上昇する。株価が上昇すれば，既存の株主は新規事業に反対する理由がないから，株式の発行が行われることになる。もし，流通市場において新規事業に関する情報を反映して株価が下落すれば，それは新規事業が企業価値を毀損することを意味するから，企業経営者が株主の利益のために行動しているのであれば，そのような新規事業のための資金調達は行われないことになる。

他方，投資者は，発行価額として提示された価格をみて，それが他の投資先とリスクとリターンの点において同等であり，それが自己の望むリスクとリターンの組合せであれば，株式発行に応じる。後述（→**Column 1-7**）のように株式の価値はリスクとリターンの組合せで決定されるが，リスク（予想収益率の分散）が同じ株式であれば，リターン（予想収益率）が同じになるように，割高のＡ株を売って割安のＢ株を購入するといった裁定取引が流通市場で行われて市場価格が調整される。この結果，流通市場で形成される価格で新規株式が発行される限り，投資者はこれを取得することで特別の損失や利益を受けることはない。また，新情報を反映して流通市場で形成された株価よりも低い価額による株式発行は，既存の株主の利益を害するので，上述の理由により行われず，流通市場価格よりも高い価額での株式発行は，他の投資先との比較で投資者にとって不利な条件となるため，投資者は新株発行に応じないであろう。

このように資本市場における株式による資金調達の可否および条件（発行される株式の価額）は，当該資金を用いて行う事業に関する情報が流通市場の株価および発行価額に反映されるという資本市場のメカニズム，および会社経営者が既存株主の利益のために行動するという会社法のメカニズムを通じて達成される。このとき，新規事業への投資および資金調達の可否・条件を決定するのは，理論的には，現在の株主であって，資金調達に応じようとする投資者ではない[2)]。もっとも，会社法のメカニズムが働かず，企業価値を減少させるような新規事業が行われようとする場合に，投資者が資金調達に応じないために企業が必要な資金を調達することができず，新規事業が阻止されることも，現実にはありうる。そのような場合には，資金調達の可否を投資者が決定しているといえる。

(2)　社債発行による資金調達

企業が，新規事業のために社債を発行して，必ず返済しなければならない負債性の資金（debt）を調達しようとするときも，新規事業を行うべきか否か（新規事業の可否ないし社債発行の可否）は，当該事業が企業価値を高めるかどうかによって決定される点で株式発行による資金調達の場合と変わりがない（→(1)）。社債の価値は，社債に対して支払われる利息の利率と満期までの債務不履行（デフォルト）のリスク（社債に対する担保の有無を含む）によって決定される（→**Column 1-5**）ところ，社債のデフォルトリスクは，通常，発行者の倒産可能性と連動しているので，倒産可能性を上昇させるような新規事業を行うことに株主は賛成しないからである。

もっとも，社債の条件は，必ずしも流通市場における当該企業の株式の市場価格に応じて決定されるわけではない。たとえば，新規事業がリスクもリターンも大きなものである場合，当該事業が企業価値を高めるために株式の市場価格を上昇させるが，同時に発行者の事業全体のリスクを高めるために，社債の

2)　Marcel Kahan, "Securities Laws and the Social Costs of 'Inaccurate' Stock Prices," 41 Duke L. J. 977, at 1006 (1992).

発行条件を悪化させることがある[3)]。

上場会社による社債発行にあたって，実際には，引受証券会社のグループが上場会社と交渉して社債の発行条件を決めている。しかし，証券会社は引き受けた社債を売り捌いて投資者に取得させなければ，売れ残るような割高な社債を大量に保有することになるから，投資者の意向を考慮して，市場原理により社債の利率が決定されるといってよい。

以上の社債についての議論は，企業が事業のために発行する他の種類の負債性の資金（debt）についても当てはまる。そして，企業の資金調達は，持分証券（equity）か負債（debt）か，あるいはそれらの性質を兼ね備える商品（たとえば新株予約権付社債）によって行われるから，(1)(2)で論じたメカニズムが企業（資金需要者）の資金調達の際に働いているといえる。このような資金調達のメカニズムを通じて，金融資源がそれを必要とする企業に適した条件で配分されることを，資源の効率的配分という。企業の資金調達の側面からみた資本市場の最も重要な機能は，資源の効率的配分を達成することにあるといえる。

3 投資者からみた資本市場

(1) 発行市場

企業が有価証券を発行する発行市場は，投資者からみると資産運用の場である。企業が発行する有価証券には，社債のように発行者が元利金の支払を約束するものもあるが，社債の返済能力は発行者によって千差万別であり，投資者からみると，一般に，社債は銀行預金よりもリターンは大きいがリスクも大きい資産運用手段である。株式のような持分証券は，原則として払戻しのない有価証券であり，企業が負債を支払った残余の損益が持分証券の所有者に帰属することになるから，投資者からみると，一般に，株式は社債よりもさらにリターンもリスクも高い資産運用手段である。

投資信託その他の集団投資スキームの持分のリターンやリスクは，資本性の資金を供給するもの，負債性の資金を供給するもの，それらの中間のもの等，運用先の資産の経済的性質により異なる。一般的にいえば，株式や社債のような伝統的な投資手段に比べ，集団投資スキームは，投資の仕組みや投資の対象について多様な資産運用手段を提供する点に特徴がある。

---

3) Kahan, supra note 2), at 1011.

このように発行市場は，投資者（資金提供者）からみて，金融市場への資金提供と比較して，リターンやリスクの高い資産運用手段を提供し，また多様な資産運用手段を提供する点に意義がある。

(2) 流通市場

流通市場は，投資者が有価証券の売買やデリバティブ取引を行う場のことをいう。狭義の流通市場は，取引所などの物的施設（その実質は今日ではコンピューターである）に投資者の売買注文を集中し，価格，数量の合致した注文を約定させていくことにより，継続的に売買価格（市場価格）を形成するメカニズムをいうが，そのようなメカニズムがなくても，有価証券の売買が行われる場を広く流通市場ということができる。デリバティブ取引を取引所外で行う場合（店頭デリバティブ取引，→***6*** 節 ***1***）は，当事者のニーズに応じた個性の強い契約が締結されるため，当該契約の当事者が交替する流通市場を観念することは難しい。

有価証券の流通市場は，第1に，投資者に取得した有価証券の換金の場を提供し，投資成果の回収の場を提供する機能を担う。流通市場があれば，短期間しか運用できない資金を有する投資者も，株式や社債といった長期資金の運用手段に投資をすることが可能になり，急な資金需要が生じる可能性のある投資者も，安心して有価証券投資ができる。このことは，発行者にとっては，流通市場があれば，多くの投資者から資金を調達できることを意味する。このため，株式については，投資者から資金を調達する前か（既に上場している会社の場合），資金調達の直後に（新規上場の場合）取引所に株式を上場することが一般的である。社債のうち，普通社債は価格変動が小さいので，取引所に上場されないが，証券会社の店頭で売買が可能であり，広義の流通市場がある。新株予約権付社債は価格変動が大きいため，取引所に上場して，流通市場での投資対象とされている。

運用資産の増減を自由になしうる投資信託については，流通市場における受益証券の売買ではなく，投資者が発行者に受益証券を買い入れさせることによって換金が行われている（→**11** 章 ***1*** 節 ***3*** (3)）。法的に売買が難しい組合持分等についても，解約・脱退による出資の払戻しが認められている。このような換金の仕組みは，有価証券の換金の場の提供という意味で，流通市場と同じ機能を果たしている。

投資者にとっての有価証券の流通市場の第2の機能は，既発行有価証券を売買して資産運用を行う場を提供することにある。新規に発行される有価証券の総額に比べて，既発行有価証券の総額（時価総額＝発行済株式数×株式の市場価格）ははるかに大きい[4]。投資者は有価証券を売買することにより，企業の上げる利益の分配または企業業績に応じた株価の値上りを享受することができる。

このように流通市場は，投資者にとって投資成果の回収の場であり，かつ既発行有価証券への直接投資による資産運用の場でもある。

■ Column 1-1　流通市場の経営規律機能■■

流通市場で決定される株式の市場価格は，*2*(1)で述べたように株式会社の資金調達の可否および条件を決定する。会社情報が株式の市場価格に反映されることにより発揮されるこのような機能は，会社の資金調達の場合に限られない。第1に，会社が行おうとしている新規事業，新たに決定した事業の方針，経営者の交替といった会社の将来に影響を及ぼすあらゆる情報は，それが開示された時に株価の下落を招いたのであれば，当該事項を行うことが株主の利益にならないことを意味している。会社経営者はそのような行動をとってはならないのであり，株価の下落は，経営者が当該行動をとる場合に，株主がその行為を差し止めたり，代表訴訟を提起するなどの会社法のメカニズムを発動させる機会を提供することになる。つまり，流通市場には経営規律機能がある。

第2に，会社の現在の経営において，会社資産が有効に利用されているのであれば，株式にはその1株当たりの純資産額に比して高い価格が付されるはずであり，会社資産が有効に利用されていないのであれば株価は低くなる。株価が低いことは，会社資産が有効に利用されていないことを意味し，それは経営者が無能であるからかもしれない。このような会社を買収し経営者を交替させれば企業価値の増加が望めるため，株価の低い会社は買収の対象になりやすい（→**Column 5-2**）。そこで，流通市場における株式の市場価格は，高株価を維持できるよう効率的な経営を行うインセンティブを会社経営者に与えることになる。これも，流通市場の経営規律機能の一端である。

4　市場の情報効率性

企業の資金調達の場面において，資本市場が資源の効率的な配分（→*2*）を達成するためには，流通市場における有価証券の価格が利用可能なすべての情

4)　東京証券取引所に上場している企業の株式の時価総額は600兆円を超えるが，株式発行（新株予約権の行使を含む）によって上場会社が調達した資金は令和元年1年間で約1.4兆円であった（東証ウェブサイト資料より）。

報を反映していることが必要である。流通市場で形成される価格が情報を反映することを市場の情報効率性（informational efficiency）といい，そのような市場を効率的な市場（efficient market）という[5)]。それでは，現実の証券市場は効率的であろうか。

アメリカでは，1970年に，現実の証券市場が情報に対して効率的であるとする効率的資本市場仮説（Efficient Capital Market Hypothesis: ECMH）が唱えられた[6)]。市場の効率性は，弱度（weak form），準強度（semi-strong form），強度（strong form）の3つの異なったレベルで成立しうると考えられており，これらの効率性を検証する実証研究が行われてきた。

弱度の市場の効率性は，有価証券の過去の価格情報が現在の証券価格にすべて反映されているときに成立する。もし市場が弱度に効率的であると，株価はランダムウォークし，投資者は過去の株価の動向を分析して投資しても超過的収益を上げることができない。すなわち，過去の株価を分析するいわゆるテクニカル分析は意味を持たないことになる。

準強度の市場の効率性は，公開されているすべての情報を有価証券の価格が反映しているときに成立する。もし市場が準強度に効率的であると，投資者は公開情報を分析して投資しても超過的収益を上げることができない。すなわち，発行者に関する公開情報を分析するいわゆるファンダメンタル分析は意味を持たないことになる。

強度の市場の効率性は，有価証券の価格が未公開情報（未公開だが既に発生している情報）を含めてすべての情報を反映しているときに成立する。もし市場が強度に効率的であると，投資者は未公開情報に基づいて投資しても超過的収益を上げることができないので，インサイダー取引（→**7章**）を禁止する意味がなくなる[7)]。

アメリカにおける実証研究の結果は，アメリカの証券市場は弱度および準強度において効率的であるが，強度に効率的であるかどうかは結果が分かれている[8)]。わが国の証券市場については，弱度の効率的市場は成立しているが，準

5）若杉敬明『企業財務』（東京大学出版会，1988）50頁以下。
6）Eugene F. Fama, “Efficient Capital Markets: A Review of Theory and Empirical Work,” 25 J. Finance 383 (1970).
7）若杉・前掲注5）59頁。法律問題の解決のために市場の効率性をどのように考慮すべきかを検討したものとして，湯原心一『証券市場における情報開示の理論』（弘文堂，2016）89-115頁を参照。

強度についてはアメリカほど効率的ではなく，強度型については結論を明確に示すことができない状況である[9]。

資源の効率的配分と最も関係するのは準強度の効率性であるが，準強度の効率性は，公表された情報がどれだけ早く市場価格に反映するかを捉える概念であるため，あるかないかの二者択一ではなく，どの程度効率的かという程度問題である。市場の区分や銘柄によって情報が反映する速度に差があり，同じ銘柄でも情報の内容・質によって速やかに価格に反映するものとそうでないものがある。

他方，1980年代以降，証券市場が効率的でないことを示す実証研究が積みあがってきている。市場が効率的でないことの実証は，①効率的な市場とは不整合な「変則的な事実」（anomalies）の存在，②裁定機会の存在，③株価の過大な変動（volatility）を示すことにより行われている[10]。この結果，長期的には，市場よりも超過した収益を得ることができる戦略が存在することが知られるようになった。

実際の証券市場が効率的かどうかは，実証の問題であり，効率的市場仮説の提唱者であるファーマ教授とその否定論の代表者であるシラー教授が，ともに2013年のノーベル経済学賞を授与されたことが示すように，論争の決着はついていない[11]。

第3節　金融商品取引法の目的

1　目的規定

制定当時の証券取引法は，1条で同法の目的を次のように規定していた。「この法律は，国民経済の適切な運営及び投資者の保護に資するため，有価証

8）1970年代までの実証研究について，若杉明編著『会計情報と資本市場』（ビジネス教育出版社，1984）119-135頁〔若杉敬明＝紺谷典子〕参照。

9）若杉編著・前掲注8）136-163頁。

10）代表的な研究として，Robert J. Shiller, “Do Stock Prices Move Too Much to be Justified by Subsequent Changes in Dividends?” 71 Am. Econ. Rev. 421-436 (1981)。法学者による言及として，岩原紳作「証券市場の効率性とその法的意義」貝塚啓明編『金融資本市場の変貌と国家』（東洋経済新報社，1999）100-101頁。

11）両論を概観したものとして，The Economic Sciences Prize Committee of the Royal Swedish Academy of Sciences, “Understanding Asset Prices” (2013).

券の発行及び売買その他の取引を公正ならしめ，且つ，有価証券の流通を円滑ならしめることを目的とする。」

この1条は，証券取引法が金融商品取引法に改称された平成18年改正によって，次のような規定となった（①等の付番は筆者による）。「この法律は，①企業内容等の開示の制度を整備するとともに，金融商品取引業を行う者に関し必要な事項を定め，金融商品取引所の適切な運営を確保すること等により，②有価証券の発行及び金融商品等の取引等を公正にし，有価証券の流通を円滑にするほか，資本市場の機能の十全な発揮による金融商品等の公正な価格形成等を図り，③もって国民経済の健全な発展及び投資者の保護に資することを目的とする。」

目的規定のうち，①は法の目的というよりも，目的を達成するための方策を定めた部分である。②も③も金融商品取引法の目的であるが，②は直接的具体的な目的を示すのに対し，③はより究極的な目的を示すものと解される[12)]。証券取引法時代と比べ，②に「資本市場の機能の十全な発揮による金融商品等の公正な価格形成等を図り」という目的が加えられたのは，資本市場が大きく発展してきていることを踏まえて，金融商品取引法が市場法としての性格を有することを明確にするためである[13)]。③が「国民経済の適切な運営」から「国民経済の健全な発展」に改められたのは，前者の表現が統制経済を想起させ自由主義国家に相応しくないことと，最近の立法例では後者の表現が圧倒的に多い（100以上の法律で目的規定に用いられている）ことを考慮したものであろう。

金融商品取引法の目的（③）については，*2*で取り上げるような学説の議論がある。

2 学　説

(1) 投資者保護説

河本一郎教授は，証券取引法にいう「国民経済の適切な運営」といっても，「投資者の保護」と無関係な「国民経済の適切な運営」が考えられているわけではなく，「国民経済の適切な運営」は「投資者の保護」の間接の効果であって，法が直接意図しているものは「投資者の保護」であるとする[14)]。そして，

12) 鈴木＝河本41頁，神崎33頁。
13) 小島宗一郎ほか「金融商品取引法の目的・定義規定」商事1772号（2006）18頁。
14) 鈴木＝河本41頁。

ここにいう投資者の保護とは，有価証券の価値自体を保証するものではなく，事実を知らされないことによって被る損害からの保護と，不公正な取引によって被る損害からの保護からなる[15]。

このように解すべき理由として河本教授は，証券取引法の解釈・運用が，国民経済とか国家利益という抽象的で，いかようにも解釈できる概念でなされるべきでないことを挙げる[16]。

投資者保護説の意義は，投資者の保護とは無関係の目的によって証券取引法（金融商品取引法）の解釈・運用がなされてはならないことを強調することにあった。金融庁は，わが国ではリスクマネーの出し手の機能が金融機関に集中したことが平成10年頃のわが国の金融危機を引き起こしたとの認識の下，平成16年頃から国民の金融資金を「貯蓄から投資へ」誘導する政策をとっている。河本教授は，このような政策が2008年の世界的金融危機に際して多くの（高齢の）投資者が零細な資金を失う結果となったと批判し，投資者保護以外の理念を指導原理とすることに警鐘を鳴らした[17]。

たしかに，投資者保護説には，このような政策理念としての意義が認められる。もっとも，平成16年頃から今日まで続く「貯蓄から投資へ」の政策は，この間，金融商品取引制度を投資者にとって使いやすいものとする法改正を実現したのみであり，投資者保護にそぐわない理念に従って金融商品取引法の改正が行われたわけではない。国民の金融資産が貯蓄と投資にどのように振り向けられるかは，資本市場と金融市場の制度間競争によって決定される事柄であり，金融商品取引法が貯蓄と投資の望ましい配分を決定することはできない。

⑵　二 元 説

神崎克郎教授は，国民経済の適切な運営と投資者の保護が，ともに達成されるべき証券取引法の目的であり，必ずしも，その一方が他方の手段となるものではないとする（二元説）[18]。この説は，証券市場を通じた効率的な資源配分を確保することは極めて重要な国家利益であり，それを確保するための公正な市場制度を確立し，維持することは極めて望ましいことであり，このような目的は，投資者保護の目的から当然に導き出せるものではないとする[19]。

15）　鈴木＝河本42頁（注2）。
16）　鈴木＝河本42頁（注2）。
17）　河本一郎「『投資者の保護』か『国民経済の適切な運営』か――『金融商品取引法読本』の執筆を終えて」書斎の窓584号（2009）。
18）　神崎33頁。

また，この説は，国民経済の適切な運営という目的が投資者保護の目的からは当然に導かれない例として，証券業と金融業の分離規定（証取65条，金商33条）を挙げていた[20]。これらの立場は，金融商品取引法の目的についても維持されている[21]。

二元説の意義は，筆者の理解では，国民経済の健全な発展（国民経済の適切な運営）が「証券市場（資本市場）を通じた効率的な資源配分」を意味することを明らかにした点にある。効率的な市場を維持し資源の効率的配分を達成することが，資本市場法の少なくとも１つの目的であることは，今日，広く受け入れられているといってよい[22]。

ただし，二元説が，証券業と金融業の分離規定を「国民経済の適切な運営」から説明しようとしたことは，その意義をあいまいにするものであった。証券業と金融業の分離規定の目的は「預金者の保護」にあり，その目的を資源の効率的配分からは説明することはできない。しかし，これを「国民経済の健全な発展」に含めて捉えることは，投資者保護説がいうように，金融商品取引法の基本的な解釈・立法の方針を誤らせるおそれがある。金融商品取引法の目的から同法のすべての規定を説明できる必要はなく，同法の目的から外れる規定を金融商品取引法に置くことは，なんら問題ではない。当該規定が必要なものであれば，どこかの法令に置かれなければならないからである。

川村正幸教授は，二元説から出発しつつ，金融商品取引法においては投資商品の範囲が拡大され，資本証券以外の投資手段については企業の資金調達や資源の効率的配分と結びつけることが困難であるから，金融商品取引法ではパラダイムの転換があったとする[23]。この見解は，取引所の外部にある市場で行われる取引については，投資者の保護が正面から取り上げられる必要があるという[24]。

⑶　市場法説

上村達男教授は，証券取引法の目的は，公正な価格形成の確保を通じた証券

19）　神崎33-34頁。

20）　神崎35頁（注4）。

21）　神崎＝志谷＝川口12-18頁。

22）　近藤＝吉原＝黒沼7頁，川村編77頁〔川村正幸〕，Zohar Goshen & Gideon Parchomovsky, “The Essential Role of Securities Regulation,” 55 Duke L. J. 711, 713 (2006)。

23）　川村編75-76頁〔川村〕。

24）　川村編78頁〔川村〕。

市場の機能の確保にあり，投資者保護は証券市場の成立条件であるとする（市場法説）[25)]。市場法説の立場からは，投資者保護説も二元説も，取引の相手方である投資者の保護だけが強調され，証券市場の公共財としての意義を十分に捉えられず，また，証券取引法の中核に存在する証券取引所の意義を説明できないと批判される[26)]。

市場法説の意義は，証券市場の機能の重要性を強調し，証券市場の機能の中核が公正な価格形成にあることを指摘した点にある。市場法説は，証券取引法1条の文言から離れるという難点があったが，金融商品取引法は市場法説を採り入れて，「資本市場の機能の十全な発揮による金融商品等の公正な価格形成等」を図ることを法の直接的目的に規定したため，文言上の難点は小さくなった[27)]。市場法説に対しては，金融商品取引法の適用範囲が拡大されたことから，投資者保護は，市場ルールの確立に吸収されない法の目的として考えられる必要があるとの批判がある[28)]。

また，市場法説は，公正な価格形成によって図られる証券市場の機能とはなにかを明らかにしていないきらいがある。もし，市場法説のいう証券市場の機能が資源の効率的配分を意味するのであれば[29)]，市場法説は(5)で述べる私見（統合説）と大きな差異はない。

(4) 新二元説

松尾直彦教授は，金融商品取引法の目的は，投資者の保護と資本市場の健全性の確保であるとする[30)]。この見解は，基本的に市場法説に立ちつつ，市場が機能を発揮するには情報の非対称性・交渉力格差を縮減することが必要になるから，投資者の保護が法の第1の目的となり，投資者の市場に対する信頼を確保するために，資本市場の健全性を確保することが第2の目的となるとする。この見解によると，「国民経済の健全な発展」は上記2つの目的達成の結果として「資する」ものであり，それ自体が目的となるものではないという。

25)　上村達男「証券取引法の目的と体系」企業会計53巻4号（2001）135頁。
26)　上村・前掲注25）134頁。
27)　1条の規定ぶりに対する市場法説からの批判について，上村達男「金融商品取引法――目的規定の意義を中心に」ひろば59巻11号（2006）52頁を参照。
28)　川村編・78頁〔川村〕。
29)　上村達男「証券取引法の基本概念」企業会計53巻5号（2001）89頁は，証券取引法の目的を「資源の適正配分」であるとする。
30)　松尾4頁。

(5) 統合説

以上の諸学説に対し筆者は，金融商品取引法において「国民経済の健全な発展」と「投資者の保護」はともに法の目的であるが，両者は異なる目的ではなく，資源の効率的な配分の達成という点で一致すると考えている（統合説）[31]。

1 節 ***2*** で概観したように金融商品取引法は，情報開示制度，不公正取引規制，および業者規制からなる。これと ***2*** 節で論じた資本市場の機能との関係を整理すると，情報開示制度は，情報に基づいた投資者の判断を確保することにより証券市場の情報効率性を高める制度であることがわかる。

多数の投資者が取引に参加することが証券市場の情報効率性を高めるために必要であるが，他方で，証券市場が情報に対して効率的であっても，市場参加者の数が少なければ，証券市場は企業の資金調達という需要に応えることができない。そして，多数の一般投資家が市場取引に参加するためには，市場で不公正な取引が行われていないことが必要である。金融商品取引法の不公正取引規制は，市場に対する投資者の信頼を確保し，多くの投資者の市場参加を促すことを通じて，資源の効率的配分を達成しようとしていることがわかる。市場が資源の効率的配分を達成するには，市場の情報効率性とともに，手数料や時間の点で市場取引のコストが十分低いこと（取引効率性，operational efficiency）が必要であるが[32]，不公正取引は，投資者を市場取引から遠ざけるという意味で市場取引のコストの１つとみることができるのである[33]。

さらに，金融商品取引法の業者規制のうち，市場インフラの整備に関わる規定は，まさに資源の効率的配分を達成するために置かれているのであり，投資者と市場とを結ぶ仲介業者の行為規制も，投資者が業者との関係で不公正に取り扱われて市場取引に対する信頼を失わないように，いいかえると，取引効率性を高めるために置かれているといえる。なお，この取引効率性は市場の流動性（liquidity）といいかえることもできる。取引コストの高い市場では活発な取引が行われず，流動性が低くなるからである。

以上のように，金融商品取引法の規定から出発して帰納的に目的を探ると，金融商品取引法は資源の効率的配分を目的としているといえる。しかし，その

31）黒沼悦郎「証券取引と投資者保護――投資者保護に関する一考察」名古屋消費者問題研究会編『判例消費者取引法』（商事法務，1992）40頁，近藤＝吉原＝黒沼8頁。これに近い見解として，山下＝神田編8頁〔山下友信〕。

32）若杉・前掲注5）53-54頁。

33）黒沼・前掲注31）40頁。

ことは，二元説のいうように，資源の効率的配分が投資者の保護と別個の目的であることを意味しない。⑵で説明したように，金融商品取引法においては，資源の効率的配分という目的が投資者保護のあり方を方向づけており，その意味で，資源の効率的配分を達成するような市場は，同時に投資者の保護を達成する市場となっているのである[34)]。

ただし，金融商品取引法は，デリバティブ取引を始めとしてさまざまな金融商品を広く適用範囲に取り込んだ（→*4* 節 *2*〜*4*）。それらの金融商品のなかには企業の資金調達と直接の関係のないものも含まれる。そこで，1条にいう「国民経済の健全な発展」とは，資本市場を通じた資源の効率的配分の達成を中核とするものの，それに限定されず，国民の投資活動の促進による経済の発展をも意味すると考える[35)]。

3　金融商品取引法における投資者の保護

金融商品取引法の目的論は，資源の効率的な配分の達成という資本市場の機能と投資者保護との関係について，示唆を与えてくれる。

金融商品取引法では，投資者が自らの判断で金融商品の売買を行い，その結果を負担するという自己責任原則が前提となっている。安全な資産運用を求めて契約を締結する預金者の保護や，不測の事態に備えて契約をする保険契約者の保護とは異なり，自己責任原則を貫くことにより，多様な金融商品の開発を促すことが，投資者の利益につながるからである。

そして，自己責任原則を成立させる前提として，金融商品取引法では，商品の安全性や価値を保証するシステム（規制主義）はとられておらず，金融商品全般について，投資勧誘の際に商品の概要やリスクに関する情報の提供を業者に義務づけるとともに，有価証券については，情報開示制度（ディスクロージャー制度，→*1* 節 *2*⑴）が採用されている（開示主義）。

このように自己責任原則を採用したのは，直接的には，投資者が開示された情報に基づいて投資判断を行うように促すためであり，最終的には，開示主義とあいまって金融商品の価格形成を適正にし，金融商品への投資の適否を市場

34）　近藤＝吉原＝黒沼8頁。

35）　学界における議論として，証券取引法研究会「目的規定・定義規定（その1）」『金融商品取引法の検討(1)』（別冊商事308号，2007）24-27頁〔川口恭弘報告〕，33-38頁を参照。

原理に基づいて決定するためである。このことは，企業の資金調達手段である有価証券については，資源の効率的配分という資本市場の機能を維持することにつながる。

したがって，正しい情報が提供されなかったことによる投資者の損失や，市場価格が人為的に歪められたことによる投資者の損失は塡補されなければならないが，投資判断を誤ったことによる投資者の損失を塡補することは，情報に基づいた投資判断を妨げ市場原理に基づいた価格形成を阻害するので，むしろ禁止されなければならない。このように金融商品取引法における投資者の保護は，資源の効率的配分を達成するために必要な限りで図られるのであり，その結果，資源の効率的配分を達成する市場が同時に投資者の保護を達成していることになる。

■Column 1-2　金融商品取引法における不公正取引の捉え方■■

金融商品取引法の目的を資源の効率的配分の達成と捉えた場合，なにが禁止されるべき不公正取引かということも，証券市場の効率性（情報効率性と取引効率性）を勘案して決まることになる。たとえば，現在の証券市場が強度の効率性（→***2*** **節** ***4***）を有するとは考えがたいので，インサイダーに利得を得させないためにインサイダー取引を禁止する意味があるとしても，まず，インサイダー取引が市場の情報効率性に与える影響を考慮し，インサイダー取引を許容した方が市場が効率的になるのであれば，取引を禁止しないという政策もありうる（**→7章** ***1*** **節** ***2***）。

つぎに，取引効率性（インサイダー取引が投資者の市場に対する信頼を損なうか否か）の考慮では，インサイダー取引自体が本質的に公正か不公正かは重要ではない。インサイダー取引を不公正であると感じ，インサイダー取引が許容されている市場では取引をしたくないと感じる投資者が多いのであれば，インサイダー取引を禁止することが市場の取引効率性を高めることになる（**→7章** ***1*** **節** ***1***）。これに対し，投資者が有価証券の取引を行うのは未公開情報を知っているからであるとの認識が一般的な法域があるとすれば，その法域では，インサイダー取引を許容することが投資者の資本市場への参加を促し，資源の効率的配分に資することになる。同様のことは，相場操縦や損失補塡のような不公正取引の禁止についても当てはまる（**→8章** ***1*** **節** ***1***，**8章** ***4*** **節** ***2***）。

このような捉え方に対しては，公正取引の確保は，投資判断を歪めることにより真実の価値を人為的に損なうことに対する規制とみるべきところ，効率性の観点からは，詐欺や欺瞞が行われるところでは投資者が証券取引を行わなくなるために必要な規制とされ，不公正取引規制の価格形成に対する意義が正当に評価されていないという批判がある[36]。しかし，不公正取引には市場の価格形成を歪めるもの（相場操縦）とそうでないもの（損失補塡）とがあり，不公正取引は常に市場の価格形成を歪めるという理解は妥当ではない。また，上の捉え方によっても，市場の価格形成を歪めるものは市場の情報効率性を害するという観点から否定的に評価されることになるので，批判は当てはまらない。

■Column 1-3　保護の対象となる投資者像■■

金融商品取引法が保護の対象として念頭に置くべき投資者はどのような者であろうか。

効率的資本市場仮説（→*2* 節 *4*）の法律学における反映として，かつては次のような議論が有力であり[37]，筆者もこれに賛同していた[38]。

ディスクロージャー制度が前提とする投資決定の古典的モデルは，投資者は，投資判断をする前に有価証券の発行者の財務状況その他の重要な情報を注意深く分析するというものである。したがって法は，投資者に対してできるだけ多くの情報を平等に提供すればよく，投資者の保護にとっては，当該投資者が正しい情報を知らされていたかどうかが問題になる[39]。これに対し，効率的な市場では，株式の市場価格は発行者の利用しうるすべての情報を反映しているので，公表情報を分析しても超過的利益を得ることはできない。一般の投資者がなしうる最善の道は市場価格を受け入れることである（投資判断のマーケットモデル）。したがって，投資判断のマーケットモデルでは，投資者保護にとって重要なことは，投資者が正しい情報を知らされていたかではなく，市場が正しい情報を知らされていたかどうかである。

しかし，虚偽記載や不公正取引が証券市場における価格形成を歪める結果，投資者に損害を及ぼすという関係が認められるためには，市場が必ずしも効率的である必要はなく，情報が市場価格に影響を及ぼせば足りるとする説[40]が最近では有力であり，この説に賛成したい。そうすると，現実の市場の効率性の程度にかかわらず，金融商品取引法が保護の対象として念頭に置くべき投資者は，市場価格を前提として取引を行う者であり，当該投資者の保護については，市場が正しい情報を反映していたかどうかが基準になるべきだといえよう。

以上とはやや異なる分析も行われている。

36）上村・前掲注25）135 頁。

37）Daniel R. Fischel, "Use of Modern Finance Theory in Securities Fraud Cases Involving Actively Traded Securities," 38 Bus. Law. 1 (1982).

38）黒沼悦郎「証券市場における情報開示に基づく民事責任(3)」法協 106 巻 2 号（1989）132-133 頁，同・前掲注 31）42-44 頁。

39）アメリカの連邦最高裁 Basic 判決の少数意見が，開示情報を見ない投資者を保護することはディスクロージャー政策に反すると述べている（Basic Inc. v. Levinson, 485 U. S. 224, at 259〔1988〕）のは，投資判断の古典的モデルに立脚するものである。

40）Lucian A. Bebchuk & Allen Ferrell, "Rethinking Basic," 69 Bus. Law. 671 (2014).

投資者を，発行者の未公開情報を有するインサイダー，情報を収集・分析して取引をする情報トレーダー（プロ投資家とアナリスト），インデックス投資を行いポートフォリオの入れ替えのために取引をする流動性トレーダー，および情報トレーダーのように振舞うが情報収集・分析力に劣るか，あるいはそもそも非理性的に行動するノイズトレーダーに分類し，このなかで資本市場の効率性と流動性を最もよく改善できるのは情報トレーダーであるから，資本市場法制は情報トレーダーの保護を念頭に組み立てられるべきだとする見解がある[41)]。この見解は，他の投資者が保護されなくてよいというのではなく，他の投資者は，市場の効率性と流動性が増すことにより恩恵を受けるとする。

この見解は，市場の効率性は，公表された情報を逸早く分析し，あるいは自ら情報を収集して投資判断を行うプロ投資家が，一時的にせよ超過的な収益を獲得することによって維持されることに着目し，そのような投資者の保護を通じて市場の効率性を達成しようと構想するものであるといえよう。

第*4*節　金融商品取引法の適用範囲

1　有価証券・デリバティブ取引の効果

金融商品取引法の適用範囲を画する基本的な概念は有価証券とデリバティブ取引である。金融商品取引法は金融商品の定義規定を置いているが（2条24項，**→6節1**），ここにいう金融商品はデリバティブ取引を定義するための技術的概念であり，金融商品取引法の適用範囲を画するものではない。

ある権利が有価証券とされ，ある取引がデリバティブ取引とされることの法的効果は次の3つである。第1に，有価証券については，適用除外に該当しない限り，金融商品取引法第2章のディスクロージャー制度が適用される。有価証券に該当しない権利については，ディスクロージャー規制が適用される余地はない。

第2に，有価証券の売買その他の取引およびデリバティブ取引には不公正取引規制が適用される（157条・158条等）。不公正取引規制のなかには，上場有価証券等，一定の有価証券の取引についてのみ適用される規定もあるが（159条・166条等），少なくとも，有価証券またはデリバティブ取引に該当しないものに

41)　Goshen & Parchomovsky, supra note 22) at 715.

は不公正取引規制は適用されない。

第3に，有価証券またはデリバティブ取引に関する一定の行為を業として行うには，金融商品取引業の登録を要する（29条・2条8項）。

以上の場合において，有価証券概念およびデリバティブ取引の概念は，投資者の保護と国民経済の健全な発展という金融商品取引法の目的を達成するために規制されるべき行為はなにかを画するために用いられている。これに対し，銀行その他の金融機関は，有価証券に関する取引および有価証券関連のデリバティブ取引（有価証券関連業，28条8項）を行うことができないとされている（33条）ために，ある権利が有価証券とされ，ある取引がデリバティブ取引とされると，これらを銀行等の金融機関が取り扱うことができない場合が生じる。ここでは，投資者の保護というよりも預金者の保護のために，銀行等の金融機関が行いえない有価証券関連業を画する目的で，有価証券概念が用いられてきた（→**10章*8*節*2*⑴**）。もっとも，現在では，金融機関が行いえない業務は極めて限定されているので（→**10章*8*節*2*⑵〜⑷**），有価証券の定義やデリバティブ取引の定義を考える際に，金融機関に行わせるべきでない業務とはなにかを考慮する必要はないといえよう。

2　有価証券概念の展開

⑴　投資者保護のための追加指定

証券取引法は，法令に個別に列挙された証券・証書と，政令で定める証券・証書を有価証券としてきた。これは，政令で有価証券を追加することはできるが，政令指定しない限り有価証券が増えないという意味で，限定列挙主義であったといえる。また，証券や証書のように紙片に権利が表示されるものをまず捉え，紙片に権利が表示されていないものについては，それが列挙された有価証券に表示されるべき権利であるときに限って，有価証券とみなすことにしていた（旧2条2項）。

このような有価証券の定義は，証券取引法時代から2つの点で問題があると指摘されてきた。

第1は，限定列挙主義をとっているために，詐欺的なもうけ話に証券取引法の投資者保護の規定をうまく適用できないという批判である[42]。たとえば，不

42)　竹内昭夫「証券取引法上の有価証券」大系21頁以下，森田章『投資者保護の法理』（日本評論社，1990）2頁以下参照。

動産投資によって運用すると称して公衆から資金を募り，実際には資金の横領を企むような場合，これに証券取引法（金融商品取引法）を適用できれば，募集の段階で届出違反を問うことができ（4条），届出違反を理由に，募集を差し止めることができるので（192条），被害が生じるのを未然に防止できる。このような投資計画に証券取引法を適用するには，有価証券の定義に「投資契約」のような一般条項を置くことが考えられる。アメリカの連邦証券法は，証券（securities）の定義として，株式等の伝統的有価証券とともに「投資契約」を列挙し，さらに「その他一般に『証券』といわれているすべての権利または商品」との一般条項を掲げており（1933年証券法2条(a)項(1)号，1934年証券取引所法3条(a)項(10)号），投資契約（investment contract）の内容が判例によって広く解されている（→**Column 1-10**）。金融商品取引法では，集団投資スキーム持分という包括条項を設けたため，詐欺的な商品をうまく規制できるかどうかは，集団投資スキーム持分（2条2項5号，6号）の解釈にかかっている（→***5*** 節 ***4*** (3)）。

■ **Column 1-4　ファンド法制の整備** ■■

ファンド法制の整備の状況をみると，平成3年に「商品投資に係る事業の規制に関する法律」（商品ファンド法）が制定されたが，商品ファンドの持分は有価証券に指定されなかった。また，平成10年に創設された投資信託・投資法人法上の投資法人制度では，対象事業は「有価証券への集団投資」に限定されていた。

これに対し，平成10年制定の「投資事業有限責任組合契約に関する法律」に基づく投資事業有限責任組合の持分を一般投資家へ販売しようという動きに対応して，証券取引法による保護を及ぼすため，平成16年の証券取引法改正では投資事業有限責任組合契約に基づく権利を有価証券に指定した。この改正では，権利の経済的性質が同じであれば同じような保護が投資者に与えられるべきであるとの考えに基づき，投資事業有限責任組合契約だけでなく，それと経済的性質が同じであれば，民法上の組合，商法上の匿名組合，外国法に基づく組合であっても同じに扱うことにした。さらに平成17年には，日本版LLP法（「有限責任事業組合契約に関する法律」）の制定に伴いその持分が，会社法の制定に伴い合同会社の社員権が，それぞれ有価証券とされた。

(2)　金融の証券化・資産の流動化への対応

有価証券の定義の第2の問題は，金融の証券化・資産の流動化に伴い登場してきた新しい投資商品をどう取り扱うかという問題である。この問題に対して，平成4年改正以降の証券取引法は，第1の問題と切り離して対処してきた。すなわち，新しい投資商品については，①投資者保護について個別の法律で対応し有価証券へは指定しない，または，②有価証券に指定して投資者保護のための規定を適用し，当該有価証券の取扱業者を誰にするかについて法律上の手当てをするといった対応が図られてきた。

①の例としては，抵当証券に関する「抵当証券業の規制等に関する法律」[43)]，リース債権・クレジットカード債権の流動化に関する「特定債権等に係る事業の規制に関する法律」[44)]，不動産の証券化に関する「不動産特定共同事業法」[45)]があり，②の例としては，コマーシャルペーパー（Commercial Paper: CP），譲渡性預金証書（Certificate of Deposit: CD），住宅ローン債権信託の流動化商品がある。

このうち①による問題の処理は，投資先の事業内容や証券発行の目的により投資商品の規制が異なることになるため，好ましくないと考えられるようになった。そこで，平成10年制定の「資産の流動化に関する法律」（資産流動化法）は，資産流動化の仕組みを利用する限り，投資先の事業内容にかかわらず投資者が取得する権利に証券取引法による保護が与えられるようにした。

3 デリバティブ取引概念の展開

デリバティブ（derivative）とは，その価値が他の資産や指標の変動から派生するものをいい，金融資産・指標に係るデリバティブを指して金融派生商品ともいう。デリバティブは，保有する金融資産の価格変動リスクに保険をかけること（リスクヘッジ）を目的として，あるいは原資産・原指標の変動を増幅した投機的な利益を得る目的で取引される。

証券取引法は先物取引（→***6*** 節 ***2***(1)）を禁止していないと理解されていたが，第2次世界大戦後，GHQの要求により，いわゆる「証券取引3原則」が市場開設の条件とされ[46)]，証券取引所では先物取引を行えない状況が続いていた。わが国では，昭和50年代の国債大量発行を背景として，金融機関が保有する国債の価格変動リスクをヘッジするために，債券先物取引に関する規定を整備する必要が生じた。そこで，まず昭和56（1981）年制定の新銀行法が，金融機

43） 昭和62年法律114号により制定され，平成18年法律66号により金融商品取引法に統合された。

44） 平成4年法律77号により制定され，平成16年法律154号により廃止された。

45） 平成6年法律77号により制定された。

46） 東京証券取引所「3原則厳守の制約」日本証券経済研究所編『日本証券史資料戦後編第5巻』（日本証券経済研究所，1985）152頁。

関が公共債に関する一定の証券業務を行いうる旨を明らかにした。ついで昭和60 (1985) 年の改正では，上記「証券取引3原則」のうち先物取引の自粛を変更し，証券取引法に先物取引の定義を設け，債券先物取引を証券取引所で行わせることとし，公共債の自己売買業務の認可を受けた金融機関もこれに参加できるようにした。

金融・資本市場の自由化と国際化が進展すると，①為替相場の変動リスクに対応するための通貨の先物取引，②金利の変動リスクに対応するための債券先物取引，③株価の変動リスクに対応するための株価指数等先物取引（→***6*** 節 ***2*** ⑴）が要請される。そこで昭和63 (1988) 年の法改正では，(a)通貨・金利等の有価証券以外の金融商品の先物取引・オプション取引（→***6*** 節 ***2*** ⑴⑵）は，金融先物取引所を創設して行い，金融機関のほか，通貨の現物取引を除いて証券会社の直接参加を認める（金融先物取引法の制定），(b)有価証券の先物取引・オプション取引は，先物市場と現物市場の整合的な管理・運営が望ましいとの観点から，証券取引所で行い，国債・外国国債の先物・オプション取引に限って金融機関の直接参加を認める（証券取引法の改正）こととされた[47]。

平成10年に外国為替業務が完全自由化されて以来，顧客が約定元本の5%から10%程度の証拠金を業者に預託し，差金決済により外国為替の売買を行う取引である外国為替証拠金取引を扱う業者が増加し，顧客との間でトラブルが頻発した。当時の金融先物取引法は，金融先物取引所で行われる取引に限って金融先物取引とし，金融先物取引を扱う業者のみを金融先物取引業者としていたため，外国為替証拠金取引に金融先物取引法を適用することができなかった。そこで平成17年に金融先物取引法を改正し，外国為替証拠金取引やこれに類似する取引を取り扱う業者を金融先物取引業者の定義に含め，業者を登録制の下に置いた。このとき，広告の規制，不招請勧誘の禁止（→**9章** ***2*** 節 ***1***・***3*** ⑴），断定的判断の提供の禁止（→**9章** ***5*** 節 ***2*** ⑴），適合性の原則（→**9章** ***2*** 節 ***2***），自己資本比率規制などの規定が金融先物取引法に設けられた。これにより，規制導入前に投資者被害を生じさせていた業者の多くは，外国為替証拠金取引から撤退した。もっとも，既に投資サービス法の制定に向けた審議が行われており，外国為替証拠金取引も「投資商品」であることから，レバレッジ倍率（証

47）　金融制度調査会・外国為替等審議会報告書「金融先物取引の整備について」（昭和62〔1987〕年11月26日），証券取引審議会報告書「証券先物市場の整備について」（昭和62〔1987〕年5月20日）。

拠金率の逆数をレバレッジ倍率という。証拠金が10% ならレバレッジ比率は10倍となる）を一定以下とするなどの商品内容に対する制限は設けられなかった（その後，レバレッジ倍率は25倍以内に制限された）。

4　平成18年改正

平成18年の投資サービス法制の立法過程においては，投資サービス法制の適用対象は「投資商品」という概念で捉えられてきた。投資商品とは，①金銭の出資，金銭等の償還の可能性を持ち，②資産や指標などに関連して，③より高いリターン（経済的効用）を期待してリスクをとるものをいう[48)]。③のリスクとしては，相場の変動による市場リスク，発行者の財産状況による信用リスクのいずれかがあれば足りるとされた。

この定義では，商品の流通性は投資商品の要件とされないので，譲渡が禁止されている権利も法の適用対象になりうる。出資された金銭が他者によって運用されることは要件とされていないので，商品先物取引などのデリバティブ取引も投資商品に含まれる。さらには，預金や保険商品であっても，高いリターンを期待してリスクをとるものは投資商品に含まれることになる。

しかし，銀行法，保険業法などの他の法律で規制されている商品については，最終的に金融商品取引法の適用対象に含めず，それぞれの業法で手当てをすることにしたので，投資性の高い預金・保険商品・信託，商品先物取引，不動産特定共同事業契約などは，金融商品取引法の適用対象とされなかった。その理由は，各業法における既存の行為規制との重複的適用を避け，行為規制違反の処分や検査を各業法に基づいて一元的に行うようにするためであると説明されている[49)]。

第*5*節　有価証券の内容

1　定義の方式

金融商品取引法では，「投資商品」（→ *4* 節 *4*）のような包括定義のみを置く方式を採用せず，むしろ証券取引法が採用していた伝統的な方式を踏襲した。

48)　金融審議会第一部会「中間整理」（平成17年7月7日）。
49)　澤飯敦＝堀弘＝酒井敦史「行為規制」商事1777号（2006）23頁。

図表 1-1

<table>
<tr><th></th><th>定義の方式</th><th>ディスクロージャー</th><th>業規制</th></tr>
<tr><td>有価証券（2条1項各号）</td><td>個別列挙
政令指定</td><td rowspan="3">適用あり</td><td rowspan="3">第１種金融商品取引業</td></tr>
<tr><td>有価証券表示権利（2条2項柱書）</td><td>個別列挙</td></tr>
<tr><td>みなし有価証券に該当する電子記録移転権利（2条3項）</td><td></td></tr>
<tr><td>2条2項各号のみなし有価証券（電子記録移転権利を除く）</td><td>個別列挙
包括条項
政令指定</td><td>一部に適用あり</td><td rowspan="2">第２種金融商品取引業</td></tr>
<tr><td>デリバティブ取引（2条20項）</td><td>個別列挙
政令指定
（2条24項）</td><td>適用なし</td></tr>
</table>

その方式は，次のような特徴をもっている（**図表 1-1**）。

第１に，「投資商品」の定義は有価証券とデリバティブ取引の双方を含むものであったが，金融商品取引法の適用対象は有価証券（2条1項2項）とデリバティブ取引（2条20項）に分けて定義されている。有価証券とデリバティブ取引の定義を別に置いた理由としては，①有価証券が取引対象であるのに対しデリバティブ取引が取引類型であるという点で定義方法に差があること，②ディスクロージャー制度やインサイダー取引規制がデリバティブ取引には適用されないなど，有価証券とデリバティブ取引とでは適用される規制に差があることが，考えられる。

第２に，有価証券は権利が証券または証書に表示される有価証券（2条1項）と権利が証券または証書に表示されないみなし有価証券（2条2項）に分けられる。２条１項では証券・証書を有価証券とするのに対し，２項では権利そのものを有価証券とするという従来からの不整合は解消されなかった。なお，２条１項にいう証券と証書の区別は必ずしも明らかでないが，私法上の有価証券（権利の行使または譲渡に証券の提示が必要とされるもの）が発行されているものを「証券」，私法上の有価証券とはいえない紙片が発行されているものを「証書」と呼んでいるようである。

第３に，法は，有価証券，みなし有価証券，デリバティブ取引のいずれについても，法律による個別列挙と政令指定により定義する方式を採用した。ただし，みなし有価証券中に「集団投資スキーム持分」という一種の包括条項を挿入したため，この包括条項が広く適用されれば，個別列挙条項，政令指定条項と包括条項を併用する方式であるといえる。

金融商品取引法がこのように3条項を併用した理由としては，①一律に有価証券とされるべき権利については，明確性を確保するために個別列挙し，②投資者保護の必要に応じて柔軟かつ明確に法を適用できるように政令指定条項を置き，③①②ではカバーしきれなかった権利等に緊急に対応するために包括条項を置くという考え方を採用したものと考えられる[50)]。しかし，その結果，政令指定条項と包括条項の関係について難しい解釈問題が生じたことも否定できない（→***2***(8)）。

第4として，みなし有価証券は，有価証券に表示されるべき権利で証券・証書に表示されていないもの（有価証券表示権利）と，2条2項各号のみなし有価証券とに分けられる。有価証券表示権利は，権利の内容が1項の有価証券と同じであることからディスクロージャーの適用対象とし，その取扱いを第1種金融商品取引業としている。つまり，法は，2条1項の有価証券および有価証券表示権利と，2条2項各号のみなし有価証券との2分類を法律適用の基本的区分と考えている。ただし，有価証券表示権利には流通性の高い商品と流通性の低い商品の両方が含まれている（→***3***(1)）。

第5として，令和元年改正は暗号資産（仮想通貨）の規制を見直したが，暗号資産がみなし有価証券に当たる場合の扱いを流通性の高い有価証券と同等に扱うため，2条3項の募集の定義において，これを電子記録移転権利と呼び，ディスクロージャーの対象にするとともに，その取扱いを第一種金融商品取引業とした（→***4***(4)）。

2　2条1項各号の有価証券

金融商品取引法2条1項は，1号から20号に証券または証書が発行される有価証券を個別列挙し，21号に政令指定条項を置いている。以下では，法的経済的な性質によって分類しつつ，各有価証券の内容を説明する。

---

50)　黒沼悦郎「金融商品の種類」河本一郎＝龍田節編『金融商品取引法の理論と実務』別冊金融・商事判例（経済法令研究会，2007）16頁。

(1)　公共債と特殊債

①　国債証券・地方債証券　　国債証券（2条1項1号）は，国がその財政需要を満たすために「国債ニ関スル法律」に基づいて発行する債券で，国に対する金銭債権（国債）を表示する。国債券が発行されず譲渡が口座の振替により行われる振替国債は，有価証券表示権利（2条2項柱書）となる。

国債を保有することによって，投資者は，期間ごとに利息の支払を受け，満期に元本の返済を受けることができる。国債は国が返済義務を負う性質上，債務不履行となる危険（リスク）はないが，国債証券の期中の価格は，無危険資産（債務不履行のない金融資産）の利回りの予測に基づいて変動する。たとえば，当初，年利2％の固定利率で第1回国債を発行したが，次年度に発行した第2回国債（無危険資産）の当初利回りが年3％に上昇すれば，次年度以降，第1回国債を元本と同額で取得しても年3％の利回りを実現できないため，第1回国債の価格は下落する。反対に，期中に無危険資産の利回りが下落すれば，国債の価格は上昇する。

地方債証券（2条1項2号）は，地方公共団体が，その財政需要を満たすために地方自治法に基づいて発行する債券で，地方公共団体に対する金銭債権を表示する。地方債を発行できる条件は地方財政法等によって限定されており，また，起債計画につき政府の監督を受ける。

②　特殊債　　特殊債（2条1項3号）は，特別の法律により法人の発行する債券であり，個別の法律規定に基づいて発行され，当該法人に対する金銭債権を表示する。金融債，政府保証債，および政府保証のない特殊債に分類される。金融債は，長期信用銀行等の金融機関が，長期資金の調達のために発行する債券で，金融機関の発行する社債に相当する。長期信用銀行法によるもののほか，農林中央金庫法，株式会社商工組合中央金庫法等によるものがある。政府保証債は，特殊法人が発行する債券のうち，元利金の返済について政府の保証のあるもので，住宅債券，道路債券などがある。政府保証のない特殊債には，放送法による放送債券がある。

(2)　社　　債

社債券（2条1項5号）は，会社（株式会社，合名会社，合資会社，合同会社をいう。会社2条1号）が会社法または担保付社債信託法に基づいて発行する債券であり（会社676条6号，担信26条），会社に対する金銭債権（社債）を表示する（会社2条23号）。社債の発行は，会社にとって株式または持分の発行，銀行借入れと並んで，事業資金を調達する重要な手段である。保険業を営む相互会社が発行する社債券（保険業61条）も，本号の社債券に含まれる。社債券が発行されず譲渡が口座の振替により行われる振替社債（社債株式振替66条）は，有価証券表示権利（2条2項柱書）となる。

■Column 1-5 社債の価値の評価■■

有価証券の価値は，それを保有することにより将来得られる現金収入（キャッシュ・フロー）を現在価値に割り引いて評価する（将来のキャッシュ・フローを得るために現在，いくら支払うかを評価する)。この評価方法を DCF（Discounted Cash Flow）法という。

たとえば，元本100の社債を購入した者が，毎年6の利息を得ることができ，5年後に元本の返済を受けることができる場合，購入者の得るキャッシュ・フローは，1年目から4年目まではそれぞれ6，5年目は106となる。将来得られるキャッシュ・フローの現在価値は，それを現在保有し他へ投資すれば得られたであろう投資機会の収益率（期待収益率）で割り引かれなければならない。そこで，購入者の期待収益率をn年目のキャッシュ・フローについて r_n とすると，社債の現在価値（PV: Present Value）は次のように表現できる。

$$PV = \frac{6}{1+r_1} + \frac{6}{(1+r_2)^2} + \frac{6}{(1+r_3)^3} + \frac{6}{(1+r_4)^4} + \frac{106}{(1+r_5)^5} \quad (①式)$$

より一般化すると，N年間にわたり毎年Cのキャッシュ・フローを生み，元本Fで償還される社債の現在価値は次の式で表される。

$$PV = \frac{C}{1+r_1} + \frac{C}{(1+r_2)^2} + \cdots\cdots + \frac{C}{(1+r_N)^N} + \frac{F}{(1+r_N)^N} \quad (②式)$$

社債には債務不履行（デフォルト）の危険（リスク）があるので，r_1～r_5 は無危険資産（たとえば国債）の期待収益率に社債の債務不履行の可能性を考慮したリスクプレミアムを上乗せしたものとなる。したがって，無危険資産の利子率が上昇したり，社債の債務不履行リスクが上昇するときは，社債の価格は下落する。社債の現在価値を導くために用いる期待収益率は，当該社債と同等のリスクを有する証券の期待収益率と同じになるが，それは個々の投資者による当該社債の債務不履行の可能性に関する予測に依存する。

■Column 1-6 新株予約権付社債■■

新株予約権付社債は，普通社債（straight bond）に，一定の条件で発行会社の株式を取得できる権利（新株予約権）が付加された特殊の社債である。このうち，社債と新株予約権（ワラント，→(3)②）とを同一の証券に表示させ分離譲渡を認めない非分離型のものは，本号の社債券に含まれる。両者を別々の証券に表示させ分離譲渡を認めるものは，社債券と新株予約権証券のそれぞれに当たる。非分離型の新株予約権付社債では，新株予約権を行使する際に，社債を維持した上で別に現金を払い込むか（社債非償還型），社債を償還して社債の償還額を払込に当てる（社債償還型＝転換社債型新株予約権付社債）。

新株予約権付社債の価格は，社債部分の価値と新株予約権部分の価値（→Column 1-8）から決まる。ところが，社債償還型の新株予約権付社債では新株予約権を行使するためには社債部分の価値を放棄しなければならないから，商品として複雑すぎて新株予約権付社債の発行時に投資者が適切な投資判断をなしえず，不当に低い利率で発行される傾向があるとの見方もある。

(3)　株式，新株予約権，その他の出資証券

①　**株券**　　株券（2条1項9号）は，株式会社に対する株主の出資持分である株式（会社107条・108条）を表示する証券である。株式の権利内容の説明は会社法の教科書に譲る。譲渡制限の付された株式についても，株券が発行される以上，本号に該当する。株券が発行されず譲渡が口座の振替により行われる振替株式（社債株式振替128条1項）は，有価証券表示権利（2条2項柱書）となる（振替株式以外の株券不発行会社の株式も同じ）。

株式発行によって調達した資金は，発行会社にとって原則として返済する必要のない資金であり，それゆえ，企業経営の原動力となる。特殊な権利や制限のない普通株式を有する株主は，事業年度ごとに，会社の純資産の増加分から債権者の債権の引当てとして留保すべき額等を除いた分配可能額の範囲内で配当を受ける権利（配当請求権）を有し，会社の清算時には負債を支払った後の残余財産の分配を受ける権利（残余財産分配請求権）を有する（会社105条1項参照）。

■ Column 1-7　株式の価値の評価■■

株式を保有することによる株主の期待収益率 r は，現在の株価を P_0，1年後の期待株価を P_1，この間の予想配当を D_1 とすると，次の式で表される。

$$r = (P_1 - P_0 + D_1)/P_0$$　（③式）

③式において，$(P_1 - P_0)/P_0$ はキャピタルゲイン，D_1/P_0 はインカムゲインを表

す。③式を変形して，現在の株価と1年後の予想株価，予想配当の関係は次の式で表される。

$P_0 = (D_1 + P_1)/(1+r)$　(④式)

同様に1年後の株価 P_1 についても，$P_1 = (D_2 + P_2)/(1+r)$ が成り立つから，これを④に代入すると，$P_0 = D_1/(1+r) + (D_2 + P_2)/(1+r)^2$

同様の作業を繰り返すと，P_0 は最終期をHとして次の式で表現される。

$P_0 = D_1/(1+r) + D_2/(1+r)^2 + \cdots\cdots + (D_H + P_H)/(1+r)^H$　(⑤式)

株式会社は永続することを予定しており，Hが十分に大きいときは最終項のうち $P_H/(1+r)^H$ は限りなくゼロに近づき無視することができるから，

$$P_0 = \sum_{t=1}^{\infty} \frac{D_t}{(1+r)^t}$$　(⑥式)

ここで，$D_1 = D_2 = \cdots\cdots D_t = D$ ならば，無限等比級数の和の公式を用いて，

$P_0 = D/r$　(⑦式)

⑤⑥⑦から，株式の現在価値は，配当と値上り益という将来のキャッシュ・フローを現在価値に割り引くことによって得られることがわかる（DCF 法）。このときの割引率rは，株式のリスクを考慮したものであり，一般的には社債の期待収益率よりも大きい値をとる。将来の配当は当該会社の将来の利益に依存し，将来の利益は会社の将来の業績に依存するから，投資者は会社の将来の業績と会社の行う事業のリスクを勘案して株式の現在価値を評価することになる。

② **新株予約権証券**　新株予約権証券（2条1項9号）とは，株式会社が発行する新株予約権を表示する証券である（会社288条）。新株予約権とは，新株予約権者が行使したときに，会社が新株を発行し，またはそれに代えて会社の有する自己株式を移転する義務を負う権利をいう（会社2条21号）。新株予約権の利用方法としては，①新株予約権のみの公募発行により資金を調達する，②取締役・従業員を含め広く会社関係者にストックオプションとして付与する，③会社外の第三者に取引の対価として与える，④株主割当てによる資金調達のために株主に無償で割り当てる（ライツ・オファリング，→**2章*1*節*1*(4)**），⑤買収防衛策として利用する等が考えられる。新株予約権の価格は，対象株式の価格の変動を増幅して反映し，権利行使期間を経過すると新株予約権は無価値と

なる。このように，新株予約権証券は株券以上にリスクの高い証券である。

■ Column 1-8　新株予約権の価値の評価■■

新株予約権は，権利行使期間内に行使価額を支払って対象株式を取得することのできる選択権（コールオプション）であるから，新株予約権の保有者のペイオフ（損益）はコールオプション保有者のペイオフに等しい（→Column 1-13）。すなわち，株式の時価が権利行使価額を上回るときはその差額分の利益を得，上回らないときは利得がゼロである。これと同じペイオフを得るためには，借入れをして対象株式に投資をすればよい。株価が上昇したときは借入金の返済分を差し引いた利益が（株価－権利行使価額）に等しく，株価が上昇しなかったときは（株価－借入金の返済額）がゼロになるように，取得する対象株式数を調整することができる。このとき1単位のコールオプションの複製に必要な株式の単位数をオプション・デルタ（option delta）という。そして，同じペイオフが得られる2つの投資は同じ価値を持つことから，オプションの価値を導くことができる。

コールオプションの価値＝（オプション・デルタ×現在の株価）－借入れの現在価値

オプションを正確に複製するためには，投資家が株式の保有ポジションを調整しなければならないが，ブラックとショールズは株価の連続性を仮定し，投資家が連続的に保有ポジションを調整するオプション評価モデルを作り上げた[51]。このモデルによると，コールオプションの価格は，①現在の株価が高いほど，②権利行使日までの期間が長いほど，③無危険資産の利子率が高いほど，④株価の変動率（ボラティリティ）が高いほど，⑤権利行使価額が低いほど，高い。②④は権利行使日に株価が権利行使価額を上回る可能性が高まるからであり，③はオプション行使時まで権利行使価額を支払う必要がない点で，オプションは無利子の貸付けを提供していることになるからである。

なお，ブラック＝ショールズのオプション価格理論は，権利行使日が固定されているヨーロッパ型コールオプションについてのものであるが，満期日まで権利行使をすることができるアメリカ型コールオプション（新株予約権はこれに近い）についても，投資者が賢明であれば権利は満期日まで行使されない（行使する場合には満期日にする）ので，アメリカ型コールオプションは事実上ヨーロッパ型コールオプションと同一と考えてよい[52]。また，株価の連続的な変化に代えて，次期の株

51）公式の内容については，たとえばリチャード・A・ブリーリー＝スチュワート・C・マイヤーズ＝フランクリン・アレン（藤井眞理子＝國枝繁樹監訳）『コーポレート・ファイナンス〔第10版〕下』（日経BP社，2014）56頁を参照。

52）若杉・前掲5）129頁。

価について「上がる」か「下がる」かの2つの可能性だけを想定する二項モデルも，ファイナンスの実務において用いられている。

③　特殊法人に対する出資証券（6号・7号）　個別の法律に基づいて設立された法人が株式会社の株券に相当する出資証券を発行できる旨が法律で定められている場合があるので，法はこれを有価証券としている（2条1項6号）。日銀に対する出資証券がその例である。また，信用金庫等の協同組織金融機関の全国組織に，会員以外からの優先出資の取入れが認められたことに伴い，優先出資を表示させる証券が有価証券とされている（7号）。

⑷　投資信託・投資法人等に関する証券

一般投資家から集めた資金を有価証券・デリバティブ取引・不動産等への投資として合同運用して成果を分配する集団投資スキームを定める制度として，投資信託および投資法人がある（→11章 *1* 節 *1*・*2* 節 *1*）。投資信託の受益証券（2条1項10号）は，投資信託の受益者が，信託財産の運用から生じる収益の分配を受け，その信託財産の償還を受ける権利を表示する証券である（投信6条）。投資証券（2条1項11号）は，投資法人が発行する証券であり，投資法人の社員としての地位（投資口）を表示する（投信2条15号）。投資法人債券（2条1項11号）とは，投資法人が外部からの資金の取入れのために発行する債券であり，投資法人に対する金銭債権を表示する（投信2条19号）。

貸付信託の受益証券（2条1項12号）とは，委託者から受け入れた金銭を主として貸付けまたは手形割引の方法により合同運用する貸付信託の受益者が，信託財産の運用から生じる収益の分配を受け，その信託財産の償還を受ける権利を表示する証券である（貸信2条）。貸付信託は預貯金に代わる資産運用手段として，かつてさかんに利用されたが，資産運用手段の多様化の流れのなかで使い勝手が悪くなり，現在では募集されていない。

金融商品取引法は，投資信託受益証券，投資証券，投資法人債券，貸付信託受益証券の発行と流通に関して投資者の保護を図る必要があることから，これらを有価証券としている。現在，受益証券・投資証券等は振替制度を利用して発行されており，券面が発行されないため，これらの権利は有価証券表示権利（2条2項柱書）として有価証券とみなされる。

⑸　資産の流動化に関する証券

①　資産流動化法上の資産対応証券等　資産の流動化とは，債権や不動

産など特定の資産をその原保有者（オリジネーター）から切り離し，そのキャッシュ・フローや資産価値を裏づけとして投資者に証券を発行することにより流動化を図ることをいう（→**2章*7*節*1***）。平成10年制定の資産流動化法は，流動化の手段として特定目的会社制度と特定目的信託制度を用意した。特定目的会社は，資産対応証券を投資者に発行して得た資金でオリジネーターから資産を取得する。資産対応証券とは，特定目的会社に対する金銭債権を表示する特定社債券（2条1項4号），優先出資社員の持分を表示する優先出資証券（同項8号），および短期資金調達のためのコマーシャルペーパー（CP）である特定約束手形（同項15号）をいう（資産流動化2条2項11項）。特定目的信託において，信託銀行等がオリジネーターから資産の信託を受けて，投資者に対して発行する受益証券も有価証券とされる（2条1項13号）。

② **外国貸付信託の受益証券**　貸付債権信託は，金融機関が貸付債権を信託して，信託の受益権証券を公衆に分売することにより債権の流動化を図るものである。平成4年当時，わが国の金融機関はまだ同様の証券化を行っていなかったので，とりあえず外国のものに限って有価証券とした（2条1項18号）。現在では，資産流動化法上の特定目的信託制度を利用すれば，貸付債権を流動化することができ，その場合の信託の受益証券は2条1項13号により有価証券となる。

③ **受益証券発行信託の受益証券**　平成18年に信託法が改正され，受益権を表示する受益証券を発行することのできる受益証券発行信託が一般的に認められるようになった（それまでは，投資信託・投資法人法，資産流動化法等の特別法がなければ受益証券を発行することができなかった）。受益証券発行信託は資産の流動化に用いることができ，受益証券が流通する可能性があるため，投資者保護のため受益証券が有価証券に加えられた（2条1項14号）。

(6) 金融の証券化に関する証券

① **コマーシャルペーパー**　金融の証券化（securitization）とは，企業金融および資産金融の両分野において，主として，証券の形態を用いることにより資本市場からの資金調達が一般化していく現象をいう。コマーシャルペーパー（CP，2条1項15号，定義府令2条）は，優良企業が短期資金の調達のために振り出す約束手形であり，経済的には銀行による融資の変形物とみることができる。ペーパーレス化が図られたCPは，短期社債として法的性格付けがされており（社債株式振替66条1号），有価証券表示権利として有価証券とみなされ

るので，本号には該当しない。

②　**抵当証券**　　抵当証券（2条1項16号）は，抵当権付債権を小口化して証券に表示したもので，昭和6（1931）年制定の抵当証券法に基づいて発行される。資産の価値を基礎として資金調達を行う資産金融の典型である。抵当証券については抵当証券業規制法により業者規制を行ってきたが，投資者保護を及ぼすために金融商品取引法は抵当証券を新たに有価証券とし，抵当証券業規制法は廃止された。

(7)　**その他の有価証券**

①　**オプション証券**　　オプションを表示する証券（オプション証券）が有価証券とされている（2条1項19号）。オプション証券は，株式等を一定の価格で購入する権利や株価指数の変動に伴う差額を受け取る権利（オプション，→***6*** **節** ***2***(2)）を表示するもので，カバードワラントとも呼ばれる。カバードワラントは，個別株オプション取引や株価指数オプション取引と同様の取引を少額の対価で実現する手段として，証券会社等により提供されている。新株予約権証券もオプションを表示する証券であるが，新株予約権証券は対象となる株式の発行者が発行するのに対し，オプション証券は対象証券等の発行者以外の者が発行する点で異なっている。

②　**預託証券**　　預託証券（2条1項20号）は，有価証券の預託を受けた者が当該有価証券の発行された国以外の国において発行する証券または証書で，預託された有価証券に係る権利を表示する。預託証券は，株式等の国外における流通を円滑にする目的で発行される。本号の預託証券には，日本株を海外で上場するために海外の預託機関が発行する証券（American Depositary Receipt: ADR等）と，海外の株式をわが国で上場するために国内の預託機関が発行する証券（Japan Depositary Receipt: JDR）とが含まれる。

③　**外国証券**　　外国または外国の者の発行する有価証券であっても，わが国で発行され，またはわが国で取引されるのであれば，投資者保護のために日本法が適用されなければならない。そこで2条1項17号は，証券または証書の性質が2条1項1号から9号まで，または12号から16号までに列挙された有価証券の性質を有するものを有価証券とし，これに金融商品取引法を適用することを明らかにしている。このほか，2条10号・11号・18号から20号までは外国証券を含んだ定義規定となっており，結局，外国または外国の者の発行する有価証券で金融商品取引法が適用されないものはない。

(8) 政令で指定された有価証券

流通性その他の事情を勘案し，公益または投資者の保護を確保することが必要と認められるものとして政令で定める証券または証書は有価証券となる（2条1項21号）。

政令指定条項には，「流通性その他の事情を勘案し」との流通性の要件が維持されている（みなし有価証券の場合につき→***4***(6)）。証券・証書が発行される有価証券の流通性は高いという前提で制度が組まれていることを考慮したものであろう。しかし，譲渡制限株式を表示する株券のように，証券・証書が発行されていても流通性の低い有価証券もある。有価証券の流通性が低ければ，投資者は換金の道をそれだけ狭められるのであるから，情報提供による金商法的な保護をより必要としているといえる。立法論としては政令指定の要件から流通性の要件を削除すべきであるが，解釈論としても，「その他の事情」を勘案して幅広く政令指定を行うべきである。

現在，政令によって指定されている有価証券に次のものがある。

① 譲渡性預金証書（Certificate of Deposit: CD）　譲渡性預金証書は，証書の交付によって譲渡できる預金を表示する証書であり，平成4年に有価証券に政令指定された（施行令1条1号）。経済的には，銀行がCPや社債の代替物として資金調達のために発行するものといえる。わが国の金融機関の発行する譲渡性預金（CD）は指名債権であり流通性が乏しいので，外国法人の発行するCDだけが政令指定された。

② 学校債　学校債券は，学校法人が借入れに際して発行する証券または証書で，学校法人に対する金銭債権を表示する。学校債券を私法上の有価証券（無記名証券）であるとした裁判例（最判昭和44・6・24民集23巻7号1143頁）もある。学校法人が幅広い投資者から資金を集めるために学校債券を発行することがありうるので，投資者保護のために，指名債権でない学校債券が金融商品取引法上の有価証券に政令指定された（平成19年，施行令1条2号，定義府令4条）。

3 有価証券表示権利等

(1) 意　義

投資者の投資対象となるものであれば，その権利が証券や証書に表示されていなくても投資者保護を及ぼすべき場合がある。そこで2条2項柱書は，1項各号の有価証券のうち一定のものに表示されるべき権利は，証券が発行されていなくても有価証券とみなすと定めている。これを有価証券表示権利という。「有価証券に表示されるべき権利」とは，通常ならば証券に表示されるような権利という意味である。

具体的に有価証券表示権利に当たるものとしては，登録国債，登録社債，振替社債，株券不発行の株式（振替株式を含む），単元未満株式で株券の発行されていないもの，証券不発行の新株予約権（ストックオプション）等がこれに該当する。

有価証券表示権利は，流通性の高い有価証券として2条1項各号の有価証券と同じ扱いを受ける。すなわち，1項各号の有価証券と同じ要件でディスクロージャー制度の適用を受け（2条3項柱書参照），その取扱いを業とするには第1種金融商品取引業の登録が必要である（28条1項1号）。もっとも，有価証券表示権利には，閉鎖会社の株式で株券が発行されていないもののように流通性の乏しいものも含まれている。

(2)　電子記録債権

平成19年に電子記録債権法が制定され，同法上の電子記録債権を政令指定により2条2項柱書の「みなし有価証券」に追加できる規定が挿入された。電子記録債権は，電子記録を要件とする金銭債権であり，商業手形に代わる決済手段として，また指名債権譲渡に代わる資金調達手段として利用されることが予定されている。したがって，電子記録債権を投資者が取得することは通常考えられないが，電子記録債権が社債類似の資金調達手段として利用される可能性もあることから，金融商品取引法はこれをみなし有価証券に追加できるようにした。現在まで政令指定は行われていない。

4　2条2項各号のみなし有価証券

2条2項各号は，証券または証書に表示されるべき権利以外の権利であっても有価証券とみなして法を適用する権利を列挙し，7号に政令指定条項を置いている。有価証券表示権利以外のみなし有価証券は，平成4年の証券取引法改正で初めて導入されたものであり，平成18年の改正では，有価証券とみなされる権利が大幅に追加・拡充されている。

(1)　信託の受益権

信託の受益権は，信託行為に基づいて受益者が受託者に対して有する権利である（信託2条7項）。信託の受益権が「投資商品」の基準（→*4* 節 *4*）に合致することから，金融商品取引法はこれを有価証券とみなすことにした（2条2項1号）。この点で，信託の受益権は，預金債権や保険契約上の権利と取扱いが異なっている。

平成18年の改正により，信託の受益権一般がみなし有価証券とされた結果，信託業法上の信託受益権販売業者の行為はすべて金融商品取引業として扱われることになったため，信託業法から信託受益権販売業者に関する規定が削除された。信託会社の行う信託の引受けについては，信託業法において委託者・受益者の保護の観点から規制が加えられているため，金融商品取引法の規制対象としていない。具体的には，信託の引受けは「信託受益権の自己募集」に相当する行為であるが，法はこれを金融商品取引業の登録が必要な行為と位置づけなかった（2条8項7号参照）。

⑵　持分会社の社員権

合同会社は，すべての社員が有限責任のみを負い，会社の内部関係については組合的規律が適用される会社である（会社576条4項）。合同会社の社員権は有価証券に表示されないが，自らは業務執行を行わない社員を広く募集することも可能なので，平成17年の合同会社制度導入時に，その社員権を一律にみなし有価証券とした（2条2項3号）。

合名会社は無限責任社員のみからなる会社（会社576条2項），合資会社は無限責任社員と有限責任社員からなる会社（同条3項）であり，いずれも社員が会社の業務執行に関与することが予定されている。合同会社と同様，業務執行を行わない一般投資家を社員として参加させる場合もありうることから，金融商品取引法は，政令で定める場合に限って，その社員権をみなし有価証券とした（2条2項3号）。しかし，合同会社の社員権と，合名・合資会社の社員権を区別して取り扱う合理性はないように思われる。

■ Column 1-9　みなし有価証券となる社員権■■

金融商品取引法2条2項3号を受けて，政令では，社員のすべてが株式会社または合同会社である合名会社の社員権，および無限責任社員のすべてが株式会社または合同会社である合資会社の社員権に限って有価証券とみなすことにした（施行令1条の2）。つまり，出資者のすべてが実質的に有限責任である場合に限定して，これらの持分を有価証券とした。このような合名・合資会社にあっては，投資者は必ずしも事業に関与していないから，投資者として保護の対象とすべきであると考えたのかもしれない[53]。有価証券とみなす範囲をこのように限定することに対しては，合資会社の無限責任社員が株式会社または合同会社でなくても，合資会社の有限責任社員は投資者としての保護を必要としているのではないかという批判[54]がある。

また，この規定による保護を考えると次のような疑問がわく。①有価証券である合名会社の社員権を自然人が譲り受ける取引について，金融商品取引法（たとえば157条）は適用されるのか。②有価証券でない合名会社の社員である自然人が社員権を株式会社に譲渡する取引について，金融商品取引法は適用されるのか。①では譲渡の効力が発生すると社員権が有価証券から非有価証券に変わり，②では非有価証券から有価証券に変わる。①において譲受人を保護するためには，取引の勧誘段階では社員権は有価証券であったから金融商品取引法が適用されると解釈することになるが，そのような解釈は②における譲渡人の保護を否定することになってしまう。

会社法において無限責任社員と有限責任社員の区別は業務執行権の有無と切り離されていること，全員が業務執行に関与する集団投資スキームの持分は有価証券とされていないこと（→(3)②）も考慮すると，責任の態様ではなく業務執行権の有無に着目し，業務執行権を有しない社員は受動的な投資者の地位にあると考え，そのような社員にとって持分会社の持分は有価証券であるとすべきではないだろうか。

(3)　集団投資スキーム持分

①　総　説　2条2項5号は，各種のファンドに金融商品取引法を適用するための包括条項である。集団投資スキーム持分とは，民法上の組合，商法上の匿名組合，投資事業有限責任組合，有限責任事業組合，社団法人の社員権，その他の権利であって，出資した金銭（金銭に類するものとして政令で定めるものを含む）を充てて行う事業から生ずる収益の配当・財産の分配を受けることができる権利をいう。ここに，出資した金銭等を充てて行う「事業」とは，投資を含む概念である。また，収益の配当・財産の分配とは，必ずしも定期的に利益の配当が行われることは必要でなく，残余財産の分配などの形で利益の分配が行われるものであってもよい。

5号の権利は集団投資スキーム持分と呼ばれているが，出資金が合同運用さ

53）　証券取引法研究会「有価証券の定義――政令・内閣府令を受けて」『金融商品取引法の検討(3)』（別冊商事323号，2008）15頁〔前田雅弘発言〕。

54）　証券取引法研究会・前掲注53）14頁〔伊藤靖史発言〕。

れることは要件ではない。たとえばＡがＢに金銭を出資し，Ｂがそれを運用して得た成果をＡとＢとで分配する契約からＡに生ずる権利は本号の権利に当たるので，有価証券とみなされることになる。

特定商品等の預託等取引契約に関する法律（預託取引法）上の預託取引は，いったん購入した現物を預けて運用を委託するものであるから，脱法的なものを除き，「出資」の要件を満たさず集団投資スキーム持分に当たらないとされている[55]。預託取引の利用者も預託取引により投資や利殖を目的としている点は投資取引と変わりがないから，立法論としては預託取引法は金融商品取引法に統合すべきであるが，解釈論としても，購入者が購入した財産の管理・運用を他の者に委託し収益を得るという契約から購入者に生ずる権利は集団投資スキーム持分に当たると解することができよう[56]。

■ Column 1-10　Howey 基準との相違■■

集団投資スキーム持分の定義は，アメリカの判例法（→Howey 基準，→ ***4*** 節 ***2*** (1)）[57]を参考に作られた。Howey 基準は，(a)主として他者の努力によって，(2)収益を得ることを期待して，(3)共同事業に資金を出資することを勧誘される場合に投資契約（証券）が存在するとする。(2)の収益の期待は，証券の価値の値上がりによって利益を得る期待でもよい。

また，アメリカの判例は，権利や契約の内容だけをみて証券性を判断しているのではなく，勧誘に直面した投資者の目にどのように映っているかという契約の外観にも着目している[58]。集団投資スキーム持分の定義は本号のように権利の内容を特定する規定ぶりになったが，適切な範囲で投資者の保護を図るには，契約上の権利の内容ではなく，契約の外観が集団投資スキーム持分の要件を満たしていれば足りると解釈すべきである。そうしないと，契約が無効であり権利が成立していないことを理由に業者を免責させることになってしまう。

同じことは，２条１項各号列挙の有価証券についてもいえるだろう。たとえば，株式会社と称して株券を発行していたが，法的には株式会社として成立していなかった場合には，勧誘を受ける投資者との関係では，株券の勧誘があったとして金融商品取引法を適用すべきであろう[59]。

55）松尾・解説 65 頁〔花水康〕。
56）黒沼悦郎「投資者保護のための法執行」商事 1907 号（2010）45 頁。
57）SEC v. W. J. Howey Co., 328 U. S. 293 (1946)，新証券・商品取引百選 44 頁。
58）黒沼・アメリカ 28 頁参照。
59）黒沼・前掲注 56）45 頁。

②　**適用除外**　　集団投資スキーム持分の定義から除外されるのは，①出資者の全員が出資対象事業に関与する場合として政令で定めるもの，②出資者が拠出した額を超えて配当または財産の分配を受けないもの，③保険業を行う者が保険者となる保険契約・共済契約・不動産特定共同事業契約に基づく権利，および④政令で定める権利である（2条2項5号イ～ニ）。

①は，出資者が受動的な地位になく投資者としての保護を必要としないために適用除外とするものであり，投資クラブ，弁護士事務所などがこれに当たる。政令では，(a)業務執行がすべての出資者の同意を得て行われるか，全出資者の同意を要しない旨の合意がされている場合には，業務執行への同意についてすべての出資者の意思表示が得られていること，かつ(b)出資者のすべてが，出資対象事業に常時従事するか，専門的な能力を発揮して出資対象事業に従事するかのいずれかであることを求めている（施行令1条の3の2）。

②は，より高いリターンを期待するという投資性に乏しいことに着目した適用除外であり，マンション管理組合などが該当する。③は，それぞれの業法で手当てをすることにしたため，集団投資スキーム持分の定義から除外したものである。

④には，(a)保険事業とならない保険契約に基づく権利，(b)国内法に基づいて設立された法人（公益社団法人以外の一般社団法人および公益財団法人以外の一般財団法人を除く）に対する出資または拠出に係る権利，(c)分収林契約に基づく権利，(d)公認会計士・弁護士・司法書士・土地家屋調査士・行政書士・税理士・不動産鑑定士・社会保険労務士・弁理士のみを当事者とし，その者の業務を行う事業を出資対象事業とする組合契約等に基づく権利，(e)会社または子会社の従業員持株会・役員持株会に基づく権利，および(f)内閣府令（定義府令7条1項）で定める権利が挙げられている（施行令1条の3の3）。これらのうち，(a)は上記③（2条2項5号ハ）を補うもの，(d)は上記①（2条2項5号イ）を補うものといえる。

(b)は，法令において行政機関による監督規定が整備されている法人は重畳的に金融商品取引法の規制対象にする必要はないからであると説明されている[60]。しかし，合名・合資会社は行政監督の対象ではないので，この説明では「有価証券とみなされない合名・合資会社の社員権」を集団投資スキーム持分から除

60）　松尾・解説140頁〔松下美帆＝酒井敦史＝館大輔〕。

外することが難しいし，そもそも，行政監督の規定が存在することが投資者保護の必要性を減じるという考え方自体に対して，疑問が呈されている[61)]。(e)は，これが集団投資スキーム持分となると持株会への勧誘を金融商品取引業者等へ委ねなければならず，コスト倒れになることが懸念されたからであろう。(f)としては，拡大従業員持株会・取引先持株会に基づく権利，コンテンツの制作委員会に対する出資が定められている。

■ Column 1-11　借入れに係る金銭債権■■

借入れに係る金銭債権は，集団投資スキーム持分に当たるだろうか。立案担当者は，貸付債権は「出資」の要件を満たさないから当たらないと説明している[62)]。もし，貸付債権が集団投資スキーム持分に当たるのであれば，保険契約上の権利と同様に預金債権を適用除外としておかなければならなかったのにそのような手当てはされていないから，貸付債権は集団投資スキーム持分に当たらないと立案担当者が考えていたことは明らかである。

しかし，金融商品取引法上，なにが「出資」に当たるかは定義されていない。貸付債権でも，利息の額が事業収益に連動するものは，「出資」「収益の配当」といった要件を満たし，集団投資スキーム持分に該当するであろう[63)]。ノンリコースローンのように貸付債権の返済原資が特定の事業から生ずるキャッシュ・フローなどに限定される場合も，貸主は高いリターンを求めてリスクをとっていることになるから，その貸付けは投資の性質を帯びる[64)]。さらに，借主が一定の利息の支払を約していても，利息が確実に支払われるとは限らず，支払われない可能性（債務不履行のリスク）が高ければそれだけ高い利息が求められるから，やはり投資としての性質が出てくる。アメリカの判例[65)]が確定利付きの債権も証券（securities）に当たるとしているのも，同じ理由からである。会社が社債を発行するときに社債権者は金商法による保護を受け，個人が多数の者から借入れをするときに貸主が保護を受けなくてよい理由はない。貸付債権は集団投資スキームの定義に当たると解した上で，銀行等の金融機関に対する預金は，預金保険制度や銀行法等による監督規制によって預金者の保護が十分に図られていることを理由に，集団投資スキーム持分の定義から除外する規定を設けるべきである。

61）藤田友敬「有価証券の範囲」金融商品取引法研究会編『金融商品取引法制の現代的課題』（日本証券経済研究所，2010）27-28頁，証券取引法研究会・前掲注53）11頁〔森田章発言〕。

62）松尾・解説65頁〔花水康〕。

63）藤田・前掲注61）24頁。

64）黒沼・前掲注50）。

65）SEC v. Edwards, 540 U. S. 389 (2004).

(4) 電子記録移転権利

暗号技術を基礎としブロックチェーンなどの分散型台帳技術（DLT）によってその保有や移転が電子的に記録される仮想通貨が，2013年頃から世界各国で発行されるようになり，支払いや決済の手段として用いられている。仮想通貨そのものに本源的価値はないが，その発行や移転の仕組みが情報技術に支えられており強固なこと，および多くの人がこれを用いることによって利便性が向上することから，その価値が生じる。

他方，仮想通貨はマネーロンダリングやテロ資金に用いられる可能性があり，またサイバー攻撃によって記録が失われ顧客の資産が流出する可能性があることから，日本では，平成28年に「資金決済に関する法律」（資金決済法）を改正して規制が導入された。具体的には，仮想通貨と法定通貨の交換を行う仮想通貨交換業者を登録制の下に置き，システムの安全管理体制の構築，マネーロンダリング対策，顧客資産の確実な管理を求めた。

仮想通貨の発行のうち，企業等がトークンと呼ばれるものを電子的に発行し，公衆から法定通貨や仮想通貨の調達を行う行為をICO（Initial Coin Offering）といい，ICOが投資としての性格をもつ場合，仮想通貨による購入であっても，実質的に法定通貨と同視されるスキームについては，集団投資スキーム持分として金融商品取引法の規制対象になると考えられてきた[66]。

ところが，集団投資スキーム持分は流通性が低いという前提で開示規制の対象となっていないところ，ICOのトークンは分散台帳技術を利用して電子的に取引されるため流通性が高く，このままでは投資者保護の目的を達することができない。そこで，令和元年の改正では，暗号資産（同年の資金決済法の改正により「仮想通貨」から名称変更）がみなし有価証券に当たる場合は，募集の定義（2条3項）において1項有価証券（→**2章*2*節*1***）に分類し，これに開示規制を適用することにした。具体的には，2条2項各号に掲げる権利のうち電子情報処理組織を用いて移転することができる財産的価値（電子機器その他の物に電子的方法により記録されるものに限る）に表示されるものを電子記録移転権利といい，募集の定義において，有価証券や有価証券表示権利等と同じ扱いになる（2条3項）。電子記録移転権利の定義は，暗号資産の定義（資金決済法2条5項，→***6*節*1***）から使用用途を除いたものとなっている。また，集団投資スキー

66) 金融庁「ICO（Initial Coin Offering）について～利用者及び事業者に対する注意喚起～」（平成29年10月27日）。

ム持分に当たるには金銭または金銭類似物による出資が必要とされていたところ，暗号資産により出資するものも集団投資スキーム持分に該当しうるように，暗号資産を当該金銭とみなすこととした（2条の2）。このように，暗号資産は有価証券の種類としては列挙されていないが，それが集団投資スキーム持分に当たる場合には有価証券となり，1項有価証券と2項有価証券の中間的な性格を与えられているといえる。

ICOで発行されるトークンには，①決済手段として用いられるペイメント・トークン，②インターネット上の特定のデバイスやサービスの利用に必要なユーティリティ・トークン，および③保有していると配当や利子が得られるアセット・トークンがある。令和元年改正は，これらのうち③のみが集団投資スキームに該当するという解釈を前提としている。そして，これまで日本人が関与したICOで発行されたのは，すべて②であると言われている。

これに対し，アメリカでは，ユーティリティ・トークンにHowey基準（→Column 1-10）を用い，他者の努力により利益を得る合理的な期待があったとして証券法を適用した裁判例がある[67]。日本でユーティリティ・トークンを有価証券と認定するのが難しいのは，集団投資スキーム持分の定義が「収益の配当または財産の分配を受ける権利」を要件としているからである。しかし，支払手段としての機能しかないペイメント・トークンを開示規制の対象とする必要はないが，発行者の企業家的努力によってトークンの価値が上昇するユーティリティ・トークンは，これを開示規制の対象にして投資者に価値を判断させるべきであると考えられる。そこで，企業家的努力による価値の増加を「収益の配当または財産の分配を受ける権利」に読み込むか[68]，集団投資スキーム持分の定義を改めるべきであろう[69]。

⑸　外国みなし有価証券

投資者保護の観点からは，外国で組成された権利をみなし有価証券から除外する理由はない。そこで，外国の者に対する権利で信託の受益権の性質を有するもの，外国法人の社員権で合名・合資・合同会社の社員権の性質を有するもの，外国の法令に基づく集団投資スキーム持分に類するものは，有価証券とみなされる（2条2項2号・4号・6号）。

67）黒沼悦郎「ユーティリティトークンの有価証券性」NBL1158号（2019）6-8頁。
68）黒沼・前掲注67）11頁。
69）河村賢治「ICO規制に関する一考察」金法2095号（2018）52頁。

⑹　政令指定条項

公益・投資者保護のために必要な場合に有価証券とみなす権利を政令指定するための条項である（2条2項7号）。有価証券の政令指定条項（2条1項21号）と比較すると，みなし有価証券の政令指定条項は，列挙された有価証券・みなし有価証券と同様の経済的性質を有することが指定の要件とされており，流通性は要件とされていない。同様の経済的性質を要件とする点は，同じ経済的性質を有する権利の取得者には，たとえ権利の法的性質が異なっていても同様に投資者として扱い保護を与えるという考え方に立つものである。もっとも，みなし有価証券のなかに集団投資スキーム持分が含まれており，そこにはあらゆる経済的性質を有する権利が含まれうるので，同様の経済的性質は政令指定の範囲を限定する意味をほとんど持たないといえよう。

流通性を要件としなかったのは，2条2項各号のみなし有価証券は流通性が低いことを前提としているからとも理解できる。しかし，流通性の低い権利ほど投資者の要保護性は強いから（→***2***⑻），本号が流通性の要件を課していないのは当然と考えるべきであろう。

政令では学校債が指定されている（施行令1条の3の4)。ここにいう学校債とは，学校法人等に対する貸付けに係る債権であって，①利率，弁済期が同一で，複数の者が行う貸付けであり（無利息のものを除く)，②貸付けの全部または一部が，利害関係者（当該学校法人等の設置する学校の在学生・在学生の父母・授業料負担者・卒業生，学校法人等の役員・評議員・職員）以外の者が行う貸付けであるか，または利害関係者以外に対する譲渡が禁止されていないものをいう（同条，定義府令8条)。この定義は，学校債を学校法人等の利害関係者以外の者が保有するか，取得する可能性がある場合に限って有価証券とみなすものである。

もっとも，貸付債権が集団投資スキームに該当すると考えると（→⑶)，学校債をこのように限定する意味が問われることになる。たとえば，上記②の要件を満たさない権利は政令指定されたみなし有価証券には当たらないが，なお集団投資スキーム持分として2条2項5号のみなし有価証券に当たらないか。この問題については，有価証券の政令指定は法の適用範囲の明確性を確保するために行われるものであり，包括条項が適用される権利が政令指定されることを妨げないと考えると（→***1***)，政令指定の範囲から外れた権利であっても包括条項である集団投資スキーム持分に該当するのであれば，みなし有価証券と解するのが法の趣旨に合致する。

5　有価証券の定義のあり方

(1)　学　　説

金融商品取引法における現在の有価証券の定義の方式にいろいろな問題があることは，既に指摘した（→*1*，*4*(3)(6)）。それでは，将来，有価証券の包括的定義を設けるとしたら，どのような考え方によって概念を整理したらよいだろうか。

証券取引法上の有価証券については，企業経営に対する投資上の地位として把握された投資証券とし[70]，あるいは，有価証券を経済的に，貨幣証券，物財証券，資本証券と分類するときの資本証券をいう[71]と捉えるのが従来の通説であった（投資証券説）。通説によれば，絵画や不動産などの単なる投資対象は，企業経営に対する投資という要素を欠くから，有価証券ではないが，逆に，変則的な形態による投資（たとえば，森林を管理してその木材を売却する事業に対する投資上の地位）は，それが企業経営に対する地位と把握される限り，有価証券とされるべきことになる。

この通説の考え方は，資産金融が登場するにあたって若干の修正を要することとなった。資産金融による権利を有価証券に含めるためには，「企業経営における」という限定をとり，単なる「投資上の地位」とすべきことになるが，そうすると今度は絵画や不動産などの投資対象との区別ができなくなる。そこで，投資対象になんらかの加工を施して，資本市場において投資者の投資対象となりうるように仕組まれたもの，すなわち「仕組性」のある投資上の地位を有価証券と捉える説が現れた（仕組性説）[72]。

このような考え方に対し，市場取引の適格性を有価証券の判定基準とする説も有力である（市場性説）。市場性説によれば，取引客体の均一性・同質性・多量性・長期保存性・評価可能性・確実性・信頼性といった要素，およびその取引の有する国民経済的意義の有無が，有価証券の判断基準になる[73]。

市場性説の論者は，有価証券を投資証券と捉える発想は投資者の保護を証券

---

70)　神崎 120-123 頁。

71)　鈴木＝河本 56-59 頁。

72)　神田秀樹「金融の証券化と有価証券概念」商事 1187 号（1989）4 頁以下。

73)　上村・前掲注 29）85 頁以下。

取引法（金融商品取引法）の主たる目的とする考え方に通じ，「変則的な形態による投資」からの投資者の保護を証券取引法の中心目的に据えるものであると投資証券説を批判する。そして，証券取引法の主たる目的を証券市場の公正な価格形成による資源の適正配分とみるならば，そのような証券取引法の中心概念をなす有価証券の特徴は「市場性」に求められなければならないとする[74]。

筆者は，証券取引法の適用対象中，有価証券のみがディスクロージャーの対象とされていること，証券取引法の目的が資源の効率的配分であると解されることから，有価証券とは情報開示により資源の効率的配分を図ることに適した対象であり，それは「投資対象」（仕組性のある投資上の地位）に他ならないが，具体的には「幅広い有価証券概念」を用いて有価証券性を判断すべきであると考えていた[75]。

⑵　集団投資スキーム持分説

金融商品取引法は，「幅広い有価証券概念」を発展させて「集団投資スキーム持分」の定義を設けた。集団投資スキーム持分の定義は，共同事業の要件および譲渡性の要件を外している点で，幅広い有価証券概念よりも広く，包括的な有価証券概念となっている。実際，2条1項および2項に個別列挙された証券・権利は，すべて集団投資スキーム持分の定義に当てはまるのである。他方，デリバティブ取引は「出資財産の他人による運用」という要件を欠いているから，集団投資スキーム持分には該当せず，集団投資スキーム持分の定義規定は，有価証券とデリバティブを区分する定義としても妥当である。

もっとも，当該定義は契約上の権利を有価証券と捉えているので，詐欺により権利があるかのように仮装されていた場合にも，包括規定に該当するように規定を工夫する必要がある[76]。そのような有価証券の包括規定を置いた上で，金融商品取引法による投資者保護の仕組みを及ぼす必要がないもの（預金契約・保険契約等）については，適用除外規定を設ければ足りる。

74）　上村・前掲注 29）89 頁。
75）　近藤光男＝吉原和志＝黒沼悦郎『証券取引法入門〔新訂第2版〕』（商事法務，2003）。
76）　黒沼・前掲注 56）44 頁。

第*6*節　デリバティブ取引の内容

1　デリバティブ取引の種類

デリバティブ取引とは，金融商品・金融指標の先物取引・先渡取引・オプション取引・スワップ取引とクレジットデリバティブのことをいい，行われる場所によって市場デリバティブ取引，店頭デリバティブ取引，外国市場デリバティブ取引に分類される（2条20項～23項）。

金融商品とはデリバティブ取引の原資産となりうるものをいい，具体的には，①有価証券，②預金契約に基づく権利であって政令で定めるもの，③通貨，④暗号資産，⑤商品先物取引法上の商品のうち政令で定めるもの，⑥同一の種類のものが多数存在し，価格の変動が激しい資産のうち政令（施行令1条の17の2）で定めるもの（商品先物を除く），⑦標準物が挙げられている（2条24項）。原資産に預金契約上の権利が挙げられているのは，金利のデリバティブ取引を定義するためであり，預金取引を金融商品取引法の適用対象とするわけではない。平成14年頃から被害が急増した外国為替証拠金取引は，既に平成16年改正金融先物取引法の適用対象になっていたが，金融商品取引法では，通貨に関するデリバティブ取引に当たる。

④は令和元年の改正で加えられた。暗号資産（仮想通貨）の交換業は資金決済法上の登録規制を受けていたが（→**5**節***4***(4)），その後，暗号資産の証拠金取引が行われるようになり，投機を助長するような行為や不公正な取引が見られたので，暗号資産のデリバティブ取引の勧誘に業規制を適用し，また不公正取引規制を適用できるようにするために，デリバティブ取引の原資産に暗号資産を加えたのである[77)]。ここにいう暗号資産とは，不特定の者に対する支払いに使用することができ，かつ，不特定の者を相手方にして売買できる財産的価値であって，電子情報処理組織を用いて移転することができるもの（1号暗号資産），または不特定の者を相手方として1号暗号資産と相互に交換できる財産的価値であって，電子情報処理組織を用いて移転することができるものであり，電子記録移転権利を表示するものを除く（資金決済法2条5項）。電子記録移転

77）　立法経緯につき，金融庁「仮想通貨交換業等に関する研究会報告書」（平成30年12月21日），小澤裕史ほか「金融商品取引法の一部改正の概要――暗号資産を用いた新たな取引および不公正な行為への対応」商事2204号（2019）4頁を参照。

権利を表示する暗号資産はみなし有価証券になるからである。

⑤は，金融商品取引所において商品のデリバティブ取引を行うことを可能にするための規定である（→**6章4節5**）。⑥は政令指定資産であるが，該当するものはない。⑦は，市場デリバティブ取引を円滑にするため，金融商品取引所が利率，償還期限等を標準化して設定する架空の有価証券等であり，国債の標準物がその例である。

金融指標とは，指標を基準とするデリバティブ取引を定義するためのもので，(a)金融商品の価格・利率，(b)気象の観測の成果に係る数値，(c)事業者の事業活動に重大な影響を与える指標または社会経済状況に関する統計数値のうち政令で定めるもの（一部の商品指数を除く），(d)(a)〜(c)に基づく数値をいう（2条25項）。金融指標というが，(b)(c)のように必ずしも金融に係る指標に限定されるものではない。

(a)により，通貨・金利スワップが金融商品取引法の適用対象とされた。(b)は，天候デリバティブを金融商品取引法の適用対象とするものである。たとえば，当事者の一方が一定期間内に気温が一定の数値を超過した日数に応じて相手方に対し金銭を支払うことを約し，あらかじめその対価として相手方から手数料を受領する取引等がこれに該当する[78]。

(c)は，工業品生産指数などのデリバティブ取引を適用対象とするためのものであり，その変動に影響を及ぼすことが不可能または著しく困難なもののみが指定対象となる。指標や統計の基礎となる資料を変更することによって指標・統計数値が変動することもありうるが，デリバティブ取引の当事者がその変動に影響を及ぼすことが著しく困難であれば政令指定できると解すべきであろう。

(d)の例として，株価指数のデリバティブ取引が挙げられる。

2 デリバティブ取引の仕組み

デリバティブ取引には，その性質上，先物・先渡取引，オプション取引，スワップ取引とクレジットデリバティブがある。

(1) 先物・先渡取引

先物取引（futures）とは，将来の一定の時期に取引対象の受渡しと代金の支払を執行することを約束する取引であって，それまでに取引対象の転売または

78) 天候デリバティブの保険業法上の扱いについては，古瀬政敏「保険業法上の保険業と保険デリバティブ」生命保険論集156号（2006）1頁以下を参照。

買戻しを行うことによって，受取額と支払額の差額（差金）の授受によって決済することを認められた取引のうち，金融商品市場においてその開設者が定める基準・方法によって行うものをいう（2条21項1号）。指標に係る先物取引は，現物の引渡しができないのですべて差金決済となる（2条21項2号）。先渡取引（forward）とは，金融商品市場および外国金融商品市場によらないで行う先物取引と同様の性質を有する取引をいう（2条22項1号2号）。

国債の先物取引や外国国債（アメリカの財務省証券等）の先物取引は有価証券の先物取引であり，大阪取引所のTOPIX（東証株価指数）先物取引や日経225先物取引は金融指標の先物取引である。天候デリバティブ（→***1***）は，気象観測数値を参照指標とする先物取引または先渡取引と位置づけられる。先物取引は金融商品・金融指標の価格・指数変動リスクをヘッジする目的や，金融商品・金融指標の将来価格・指数を予想した投機目的で行われる。

■ Column 1-12　先物取引のリスクとリターン■■

多数の銘柄に投資している機関投資家がその保有銘柄の価格変動リスクをヘッジするためには，株価指数先物の売り取引を行えばよい。たとえば，TOPIXの銘柄100億円程度の有価証券を保有するXが，○年9月までの価格変動リスクをヘッジしたいときは，○年9月第2金曜日を期日（限月という）とするTOPIX先物が1000 pt（1 pt＝10000円）のときに，これを限月に1000単位（10000円×1000 pt×1000単位＝100億円分）売却するという約束をする（以下の説明では，手数料は考慮していない）。Xは，限月にTOPIXが800 ptとなれば，その時点のTOPIXの評価額80億円と受取額100億円との差額を取得することができ，この金額で保有有価証券の値下り損20億円を埋め合わせることができる。このようなリスクヘッジを手に入れるためにXは，取引所の定める証拠金を証券会社へ差し入れなければならない。仮に証拠金率を10％とすると，最大100億円分の価格変動リスクを免れるために10億円の拠出が必要になることになる。

先物取引を投機目的で行うYは，たとえば○年9月第2金曜日を限月とするTOPIX先物が1,000 ptのときに，これを1単位（1,000 pt）購入する約束をする。TOPIX先物が1,200ptに上昇すればYはこれを転売して差額の200万円を得ることができる。YがTOPIX先物を800 ptで転売し，または限月にTOPIXが800 ptとなったときは，差額の200万円がYの損失となる。このような損益を得るためにYは証拠金を拠出しているところ，仮に証拠金率を10％とすると，TOPIX構成銘柄の有価証券に投資する場合に比べ，リターンもリスクも10倍になっていることがわかる。

取引所では，同じ金融指標を原資産とし限月を異にする複数の銘柄が上場されている。先物の理論価格Fは，現在の原資産価格をS，限月までの金利をr，この間の原資産の保管費用をSc（金融先物ではほとんどかからない），原資産の収益率（配当利回り等）をdとすると，借入金による原資産の購入との間の裁定取引により，F＝S（1+r+c−d）となる。先物の価格は，理論価格を中心として，限月における当該指標の数値の投資者による予想に基づいて各銘柄の市場価格が決定されるが，限月になると先物価格は現物価格に収れんする。

⑵ オプション取引

オプション取引とは，当事者の一方の意思表示により，当事者間に一定の価格で一定の数量の取引を成立させることができる選択権（オプション〔option〕）を相手方が与え，当事者の一方がこれに対して対価を支払うことを約する取引をいう（2条21項3号・22項3号）。オプションには買付選択権（コールオプション〔call option〕）と売付選択権（プットオプション〔put option〕）があり，前者は，現物を買い付け，先物取引の買建玉を取得する権利を，後者は，現物を売り付け，先物取引の売建玉を取得する権利を意味する。

オプションの購入はリスクヘッジの目的で行われる。たとえば，多数の保有有価証券の値下りリスクをヘッジするには，有価証券指数のプットオプションを購入し，指数が下落した場合にオプションを行使してその時点における指数の値よりも高い価格で売付けを行うことにより，保有有価証券の値下り損を塡補すればよい。先物取引との違いは，オプションの購入取引ではリスクをオプション料に限定できる点にある。

これに対し，オプションの売却は投機目的で行われる。オプションの売方は，買方からの取引代金を受け取る代わりに，買方の権利行使に応じる義務を負い，受け取った取引代金を超える損失を被ることもある。

市場で行われるオプション取引としては，個別株のオプション取引や国債先物のオプション取引，TOPIX（東証株価指数）オプション取引，日経225オプション取引などがある。

■ Column 1-13 オプション取引の損益■■

コールオプションの価値は原資産の価値に比例し，プットオプションの価値は対象資産の価値に反比例するが，オプションの取得者はオプション料を支払っているので，オプション料分だけ損益分岐点は高くなっている（**図表1-2，1-3**）。コールオプションの売却者は，オプション料を取得するが，原資産の価値が権利行使価格を超えるとオプションの保有者による権利行使に応じなければならないため，原資産の価値が高くなるほど損失が拡大する（**図表1-4，1-5**）。

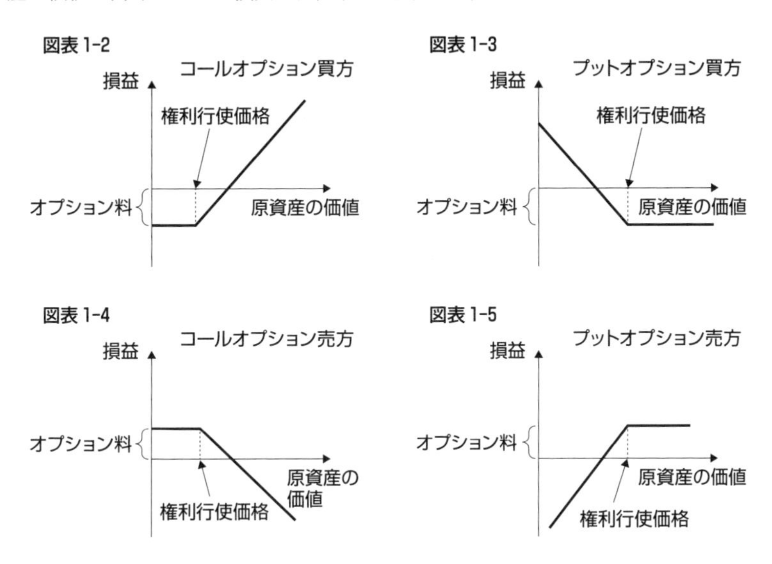

⑶　スワップ取引

スワップ（swap）取引とは，取引当事者において性質や条件の異なる債権や債務を交換したのと同じ効果を生じるように，互いに一定の金銭の支払を約する取引をいう（2条21項4号・22項5号）。証券取引法では有価証券に係るスワップ取引を規制対象としていたが，金商法では，通貨・金利スワップも適用対象に含まれるようスワップ取引の定義規定を拡大した。

⑷　クレジットデリバティブ

債権者が相手方にあらかじめ対価を支払い，債務者の信用悪化を示す一定の事由が発生したときに債権者が相手方から一定の金銭の支払を受けることのできる取引をいう（2条21項5号イ・22項6号イ）。クレジットデリバティブは，法人の信用状態に係る一定の事由の発生を契機とする取引であるため，先物・オプション・スワップとは別類型の取引として定義されている。

3　デリバティブ取引の定義のあり方

有価証券の定義とは異なり，デリバティブ取引の定義は包括的なものになっていない。その理由は，①デリバティブ取引の包括的定義を設けようとすると，その規定内容は極端に抽象的なものとなり，規制の透明性・予見可能性の観点から問題である，②デリバティブ取引の定義は，賭博罪に係る違法性阻却の範囲を画するものでもあるため，罪刑法定主義の観点から明確性が強く要請されると説明されている[79]。

しかし，ある取引がデリバティブ取引に政令指定されたとしても，取引の態様によっては賭博罪の違法性は阻却されないと解すべきであるから，②はデリバティブ取引の包括定義を設けない理由にはならない。また，デリバティブの定義を包括的なものにしておかないと，指定されていない資産・指標を原資産・原指標とするデリバティブが金融商品取引業の規制対象から外れてしまい，業規制による投資者の保護が後追いになる可能性がある。そこで，デリバティブ取引を構成する各取引の原資産・原指標をあらゆる資産・指標とすることによって，デリバティブ取引の包括的な定義を設けるべきである。

■Column 1-14　金融商品の定義のあり方■■

有価証券の包括規定（→*5*節*5*）とデリバティブ取引の包括規定を定めた場合，両者の上位概念である「金融商品」についても包括規定を設けることはできないだろうか。

有価証券とデリバティブ取引を合わせた「金融商品」の定義としては，金融商品取引法の制定過程で用いられていた「投資商品」概念が参考になる（→*4*節*4*）。投資商品の定義は預金契約，信託契約，および保険契約を含むので，銀行・信託・保険の分野を含めた金融サービス法を構想するにあたっても，投資商品概念は有用である。この定義は，投資という性質から証券・預金・信託・保険等の金融商品を捉えるものであり，金融商品の性質のすべてを把握するものではない。しかし，金融商品には，必ずなんらかの投資リスクが備わっているので，投資性の側面から金融商品を包括的に捉え，金融サービス法を構想することは，有益な作業であると考えられる。

79）　小島ほか・前掲注 13）23 頁。

第2章　有価証券の発行と開示

第*1*節　総　　説

1　資金調達の方法

(1)　公募増資

発行者が株式を発行して広く一般の投資者から資金を調達することを，公募という。公募（public offering）は，字義としては募集と同義であるが，本書では「公募」を資金調達の経済的な類型を意味する語として使用し，金融商品取引法2条3項で定義されている法律的な概念である「募集」と区別する。

公募を行うと発行者は発行開示義務および継続開示義務を負うことが多いため（24条1項，→**3章*2*節*1***），株式を例にとると，公募を行う発行者は，事実上，上場会社に限られる。公募，第三者割当て（→(2)），私募（→***2*節*1***）のいずれも，会社法上は「募集株式の発行等」（引き受ける者を募集して行う株式の発行または自己株式の処分）に当たる。株式会社が募集株式の発行等を行う場合には，募集株式の種類・数，発行価額（投資者からみると払込金額），払込みの期日，増加する資本金・資本準備金に関する事項を決定しなければならず（会社199条1項），公開会社（会社2条5号）ではこの決定は取締役会において行う（会社201条1項）。

株式の公募は，広い範囲の投資者から株式を引き受ける者を募るため，発行者が必要とする資金を調達しやすい点にメリットがある。このため，わが国企業の資金調達の方法として公募が一般的となっている。公募では，新規発行株式の発行価額の定め方によっては，既存の株主の利益を損なうおそれがある。たとえば，発行済株式数100万株，1株当たりの市場価格500円の発行者が，新たに100万株の株式を公募発行する場合，発行価額を1株300円と定めると，調達資金を用いた事業により企業価値に変化がないと仮定すると，公募発行後の株価は400円に下落すると考えられるから，既存の株主は1株当たり100円の損失を受けることになる。そこで，株主の利益を守るためには，公募における新規株式の発行価額は既発行株式の市場価格に近接した価格に設定する必要がある。会社法上も，公募による株式の発行価額が株式を引き受ける者にとって特に有利な金額であるとき（有利発行）は，取締役は当該価格で株式を募集する必要性を説明して，株主総会の特別決議による承認を受けなければならないとされている（会社199条3項・201条1項）。もっとも，公募において，株主総会決議を要するほどの有利発行が行われることはまれである。

他方，発行価額をその決定直前の市場価格に一致させた場合，公募手続には一定の期間を要することから，その間に市場価格が下落し，発行価額で株式を引き受ける者がいなくなってしまう可能性がある。そこで，資金調達を成功させる観点からは，市場価格から一定程度ディスカウントした価格を発行価額とする必要がある。このように，公募増資では，発行価額を，既存株主の利益保護と資金調達の便宜（それは最終的に株主の利益となる）との調整を図る観点から決定しなければならないという難しい問題がある。

発行者は，公募において，自ら投資者を勧誘して有価証券を取得させることもできるが，証券会社に募集を委託することが多い。証券会社の顧客網を利用して新規発行証券を取得させ，必要な資金を確実に得るためである。証券会社は引受シンジケート団（引受シ団）を構成し，有価証券の勧誘を行って投資者にこれを取得させるとともに，売残りが生じた場合には，当該有価証券を取得する。引受シ団を構成するのは，売残りリスクを分散させるためである。発行者と証券会社の間の元引受契約には，有価証券を投資者に取得させることを目的として当該有価証券の全部または一部を発行者から取得する総額引受け（21条4項1号，買取引受けともいう）と，有価証券の全部または一部につきこれを取得する投資者がない場合にその残部を発行者から取得する残額引受け（同項2号）とがあり，元引受契約を締結した証券会社を元引受証券会社という。元引受証券会社との間で総額引受けまたは残額引受けを行って売残りリスクを負担する証券会社を下引受証券会社といい，元引受証券会社と下引受証券会社が引受人（2条6項）となる。引受人以外に，売残りリスクの負担は行わないが，投資者への勧誘行為を行う売捌証券会社が加わることもある（**図表 2-1**）。

図表 2-1

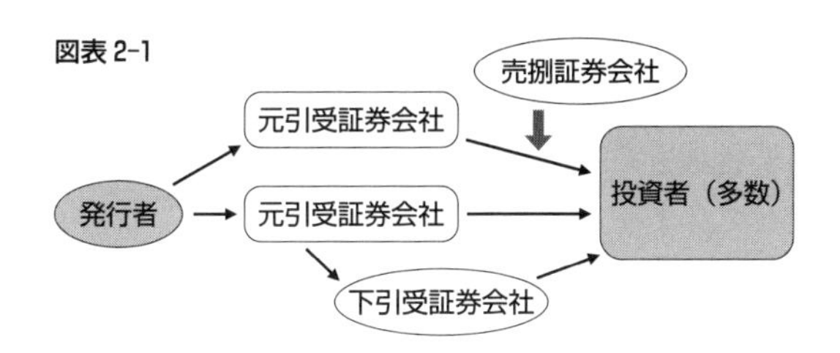

証券会社による引受けが行われる公募では，元引受証券会社が発行者と交渉を行って，発行の条件や手数料を決定する。発行条件（いくらの発行価額でどれだけの量の株式を発行するか）は，証券会社が機関投資家等の需要を調査し，需要を積み上げて発行予定総額に達した発行数と額を基準とするブックビルディング方式が用いられることが多い。

⑵　第三者割当て

発行者が契約により特定の者に株式の割当てを受ける権利を付与して，当該特定の者から資金を得て株式を発行することを，第三者割当てという。発行者が株式を引き受ける者の募集を行いつつ，特定の者に対してのみ株式を割り当てる場合も，第三者割当てに含めてよいだろう。

第三者割当ては，割当先と発行者の間の資本提携・業務提携といった，一般的な事業資金の獲得以外の目的で行われることが多い。発行者が財政的に困難な状況に陥っており，公募増資に応じる一般投資家がいないと予想される場合に，発行者の救済のために金融機関や取引先が第三者割当増資に応じることもある。わが国の上場企業には，株式の上場時には公募増資を行うが，その後は公募を行わず，もっぱら第三者割当てによって資金を調達する者も多い。

発行者の株式の市場価格を下回る価額で第三者割当てを行うと既存の株主の利益を害することは，公募の場合と同じである。第三者割当てが有利発行に当たるときは，株主総会の特別決議を受けなければならないが（会社 199条3項・201条1項），どのような場合に有利発行に当たるかについては，会社法上の議論がある[1]。また，平成26年改正会社法は，支配株主が出現するような第三者割当てについて，総計で10% 以上の議決権を有する株主が反対の通知をしたときは，株主総会の普通決議による承認を求めることにした（会社206条の2）[2]。第三者割当増資は，会社の経営者が株主総会の決議によらずに株主構成を左右することを可能にする手段であり，経営者の支配権維持のために用いられるおそれがあるところから，第三者割当てについて株主の意向を問うための規律である。

このように第三者割当ては，株主総会の決議を経たとしても，会社の株主構成を大きく変更してしまう点に問題がある。

第三者割当てにおいて，証券会社が割当先を発行者に紹介することもあるが，引受け行為を行うことはない。

(3)　株主割当て

発行者が株主に株式の割当てを受ける権利（会社202条1項）を付与し，新規発行株式を既存の株主に引受けさせて行う新株発行の方式を株主割当てという。公募増資と比較すると，株主割当てでは，既発行株式の市場価格が新規発行株式の発行価額を下回っても，株主が「株式の割当てを受ける権利」を換金することができれば，株主が損失を受けることなく発行者が資金を調達することができる点にメリットがある。第三者割当てと比較すると，株主割当てでは，まず既存の株主に持株比率を維持する機会が与えられ，株主構成に関する既存の株主の期待が保護される点でメリットがある。そこで，わが国企業の増資の手段としては，かつては株主割当てが広く用いられていた。

もっとも，株主割当てには次のような問題もある。第1に，「株式の割当てを受ける権利」に譲渡性を持たせることは可能であるが，割当てを受ける権利を適正な価格で譲渡できるとは限らない。その結果，株主割当てが行われると株主は経済的利益を確保するために，新株の払込みを事実上，強制されることになる[3]。理論的には，株主は持株の一部を売却し，または持株の一部を担保として借入れを行い，新株の払込みに充てることによって，新たな出捐をすることなく株主割当増資に応じることができるが，持株の一部を売却するといっても売買単位の制約のためにできない場合があるし，すべての株主が株式担保金融へのアクセスを有するわけではない。実際には，手元資金による払込みの

1）　簡単には，田中亘・会社法百選48-49頁を参照。
2）　解説として，坂本三郎ほか「平成26年改正会社法の解説〔IV〕」商事2044号（2014）4頁以下参照。
3）　浜田道代「企業金融と多数決の限界」商事1398号（1995）31頁以下。

できない株主は，市場価格を下回る価格で行われる株主割当てについて，持株の経済的価値の低下を甘受しなければならなかった。

第2に，新規発行株式を引き受けずに「割当てを受ける権利」を失権させる株主がいると，発行者は必要とする資金の全部を調達することができず，資金調達の目的が達せられない。このため，資金調達の確実を期すために株主割当てと公募増資を並行させて行う実務も見られたが，そうであれば当初より公募を行った方が手間がかからないといえる。

このように，上場企業にとって株主割当ての方法による資金調達はあまり合理的でないが，今日でも株主割当ての事例が散見される。それらの事例では一定割合の失権株が発生しており，株主割当ては，上場企業が事業に必要なまとまった資金を調達するためではなく，少しでも良いから追加出資を株主から求める手段として用いられていることがわかる。

株主割当てでは，発行者と株主との間の取引を証券会社が仲介することはない。

⑷　ライツ・オファリング

上に述べた株主割当てのデメリットを緩和する手法として，ライツ・オファリングが登場した。ライツ・オファリングとは，株主に新株予約権（ライツ）を無償で割当てて（会社 277 条・278 条）行う株主割当増資をいう。ライツ・オファリングでは，無償交付された新株予約権を取引所市場に上場するので，新株を取得したくない者は市場で新株予約権を売却して，既存の株式に生じた経済的な不利益を回復することができ，新株の払込みを経済的に強制されるということがない。たとえば，1 株の市場価格が 500 円である X 社の株式について，X が既存の株主に対し，300 円の払込みによって 1 株を取得できる新株予約権を株式数と同数，無償割当てしたとする。新株予約権が全部行使された場合の X の株価は 400 円になると予想されるため，新株予約権は取引所市場において 1 個 100 円前後で取引されるであろう。募集株式の発行に応じたくないか新株の払込金額を用意できない株主は，市場で新株予約権を 1 個 100 円で売却することにより，持株に生じる価値の低下（500 円－400 円）を回復することができる。

また，未行使の新株予約権があるときは，新株予約権に付した取得条項に従って発行者がこれを取得した上で，発行者と証券会社等との間の合意に従い，発行者がこれを証券会社に譲渡し，証券会社が新株予約権を行使して新株の払込みを行う。このような行為をコミットメント（確約）といい，コミットメントを行えば，発行者は予定していた資金を確実に調達することができる。

このようにライツ・オファリングは，公募と比較すると，新株予約権の権利行使価格を株式の市場価格と無関係に決定しても既存の株主の利益を害しない点にメリットがあり，第三者割当てと比較すると，株主構成を大きく変更しない点にメリットがある。また，従来の株主割当てのデメリットを免れているところから，新しい資金調達方法として注目された。そこで，ライツ・オファリングを円滑に行うことができるようにするために，平成23年の金商法改正により，①目論見書作成義務の免除（→*4*節*3*），②コミットメント行為を元引受けとする規制（→10章*1*節*2*(2)）を導入するとともに，平成26年改正会社法では，新株予約権無償割当ての株主への通知時期を遅らせてライツ・オファリングに要する期間の短縮を図っている（会社279条2項）。

実際には，ライツ・オファリングが導入当初に予定されていたような利用のされ方をせず問題を生じていることについては，後述する（→6章*5*節*2*(3)）。

(5)　社債の発行

会社が社債の発行により資金を調達するときには，募集社債の総額，各社債の金額・利率，募集社債の償還の方法・期限，利息支払の方法・期限，社債券を発行するか否か等を決定する（会社676条）。この決定は，公開会社では取締役会が行うのが原則であるが（同362条4項5号），一定の場合には決定を取締役または執行役に委任することができる（同399条の13第5項・416条4項）。社債の発行は，会社にとって多額・長期の借入れであることが通常なので，会社の重要な業務執行の決定に当たるが，他方で，市場の金利状況をみて機動的に資金を調達する必要があるからである。

新株予約権付社債の新株予約権の払込金額を特に有利な条件で行わせるときは，株主総会の承認を受けなければならない（会社238条3項）。新株予約権付社債の有利発行が行われると，募集株式の有利発行と同様，既存の株主の利益を損なうことがあるからである。

普通社債は上場されないため（→1章*2*節*3*(2)），上場会社でなくても普通社債を公募によって発行することができるし，実際にも行われている。ただし，社債を募集した発行者は継続開示義務を負うことになり（→3章*2*節*1*(3)），それを避けたければ，適格機関投資家私募（→*2*節*3*(1)）や少人数私募（→*2*節*3*(4)）により社債を発行する必要がある。

社債の発行会社が総社債者のために担保を設定するときは，信託契約によらなければならないから（担信2条1項），信託の受託会社が必要となる。担保付社債の受託会社になれるのは，信託兼営銀行，信託会社，その他内閣総理大臣の免許を受けた者であり（同3条・4条），これらの者が社債権者のために社債の管理を行う（同2条2項）。社債に担保が付されていないときは，各社債の金額が1億円以上の場合または社債権者数が50名未満の場合（不設置債）を除き，発行者は社債管理者を設置しなければならない（会社702条）。社債管理者は，発行者の委託を受けて，社債権者のために，弁済の受領，債権の保全その他の社債の管理を行う者をいい（同条），社債管理者になれるのは，銀行，信託会社，および担保付社債信託法3条の免許を受けた者に限られる（会社703条，会社則170条）。発行会社が不設置債を発行する場合，社債の管理について社債管理者よりも限定された権限と機能を有する社債管理補助者を置くこともできる（会社714条の2）。社債管理補助者には，社債管理者の資格要件を満たす者のほか，弁護士および弁護士法人がなることができる。

社債の募集については，かつては社債の発行に関与する銀行・証券会社で構成する起債会が，社債を発行できる会社の条件や発行する社債の条件（適債基準）を定めて，社債発行の調整を行ってきた。これには，戦後復興期および高度成長期に資金を基幹産業に優先的に配分するという効果があったが，安定成長期に入ると不必要な規制であると考えられるようになり，適債基準は平成8年に完全に撤廃された。

社債の公募においても，証券会社の引受シ団が構成されることが多い。その場合の証券会社と発行者との関係については(1)の記載が当てはまる。社債の条件は，発行者の財務状態のほか社債募集契約の内容を市場の需要に照らして，発行者と引受シ団との交渉により決定されることになる。

2　発行市場の規制の必要性

(1)　発行市場の機能の維持

発行市場において，企業や事業に関する豊富な情報を有する発行者と投資者との間では，情報の大きな非対称性が存在している。しかし，投資者は，発行者が十分な情報を開示しなければ有価証券を取得しないか，より低い価格でしか有価証券の発行に応じないから，情報の非対称性それ自体は，発行開示を強制する根拠とはならない。もっとも，以下に述べるように発行市場では，①発行市場を成り立たせるという観点，および②販売圧力によって投資判断が歪められることのないようにするという観点から，情報開示規制が必要になると考えられる。

質の高い事業を行う発行者は，当該事業に関する情報を自ら正しく開示することによって，投資者から資金を調達することができる。これに対し相対的に質の低い事業を行う発行者は，虚偽の情報を開示したり，不都合な情報を開示しないことにより，自らが質の高い事業を行う発行者であると投資者に信じ込ませることができれば，質の高い発行者と同等の条件によって資金を調達することができる。強制的な情報開示制度がないと，質の低い発行者によるこのような行動が可能になる。

他方，投資者は，真実を開示する発行者とそうでない発行者とを区別することができないから，あらゆる発行者について，情報が適切に開示されていないリスクを考慮し，低い価格でなければ新規発行証券を引き受けない。この結果，真実を開示する質の高い発行者にとって，資本市場は，銀行借入などの間接金融により資金を調達する場合に比べて条件の悪い資金調達の場となってしまい，質の高い発行者は資本市場を利用しなくなる（これを「逆選択」〔adverse selection〕という）。そうすると，資本市場で資金調達を行おうとする発行者は，虚偽の開示をする必要のある質の低い発行者ばかりとなってしまい，投資者はますます新規発行証券の価値を割り引いて評価するようになる。こうして，資本市場は企業の資金調達の場という機能を果たせなくなってしまう[4)]。そこで，企業の資金調達の場としての発行市場を成り立たせるために，発行市場における情報開示が必要とされるのである。

(2)　販売圧力からの保護

投資者が公募に応じて有価証券を取得するときは，流通市場で有価証券を取得する場合に比べて，さまざまな理由により販売圧力（selling pressure，投資者にとっては購入圧力）を受けるために，情報に基づく投資判断を確保して投資者を保護する必要性が高いと考えられる[5)]。販売圧力が生じる理由を，場合を分けて説明しよう。

第１に，発行者が初めて株式を上場する際（これを株式公開という）に株式の公募（IPO: Initial Public Offering）を行うときは，一般に将来性のある企業でな

---

4)　近藤＝吉原＝黒沼 104 頁。

5)　神崎＝志谷＝川口 202 頁。

ければ上場できないし，投資者が取得できる株式数に限りがあるため，発行者が初めて情報開示を行うのであり投資者に情報が行き渡っていないにもかかわらず，投資者が情報に基づかずに投資決定を行ってしまう可能性がある。その意味でIPOは，投資者の購入圧力が最も高くなる公募である。

第2に，上場企業が事業に必要な資金を調達するために株式を発行するときは，既に同種の株式が上場されており，発行者の開示情報は株価に反映されているから，理論的には，公募に応じる投資者が不適正な価格で株式を取得することはないはずである（→1章2節2⑴）。しかし，実際の公募では，資金調達を成功させる必要から，市場価格を若干下回る公募価格が設定されるため（→1⑴），投資者はディスカウント価格で有価証券を取得しようとして，開示情報を十分に吟味せずに新株に飛びつくおそれがある。

第3に，有価証券の公募に際して証券会社が引受けを行うときは，証券会社はより多くの有価証券を投資者に販売することができればより多くの引受手数料を得ることができるし，引受人（引受証券会社）としての評判を高めることができるから，投資者に対して熱心に有価証券の取得の勧誘を行い，販売圧力が生じる。もし，当該有価証券が，内容に比べて発行価額が割高であり，引き受けた有価証券の全部を投資者に販売することができなければ，引受証券会社は売れ残った割高の有価証券を保有しなければならないから，割高な有価証券ほど熱心な取得勧誘が行われるおそれがある。売捌業務を行う証券会社も，販売手数料を取得するために，取得勧誘を熱心に行うであろう。これらの販売圧力があるために，有価証券の募集に応じようとする投資者は，情報に基づかずに投資決定をしてしまう可能性がある。

以上のような販売圧力に直面した投資者に対し，投資判断に必要な情報を提供し，情報に基づいた投資決定を確保することを通じて効率的な資源配分を達成するために，法は発行開示規制を設けているのである。

以上は，有価証券の公募の場合に発行開示が必要となる理由であるが，発行開示は有価証券の「売出し」や組織再編に伴う有価証券の発行・交付の場合にも求められる。これらの場合に発行開示が必要となる理由は，それぞれの箇所で述べる（→2節2⑴，6節1）。

3　発行開示規制の概要

有価証券を多数の者に分売する際に情報開示が求められるのは，勧誘を受ける投資者が情報に基づいた投資決定を行えるようにするためである。企業の資金調達のために発行される有価証券への投資判断に必要な情報とは，①調達した資金を用いて行う新規事業に関する情報と，②発行者に関する情報であろう。①は，継続開示にはない，発行開示に特有の情報であり，②が必要になるのは，新規有価証券の取得者（新株主等）が新規事業の成果を既存の有価証券保有者（既存の株主等）と分け合うからである。

これらの情報を有しているのは発行者なので，発行開示義務は発行者を名宛人とする（4条1項）。

発行開示規制を発動するかどうかの決め手は，投資者が情報を必要としているかどうかと発行者のコストである。まず，有価証券の発行に際して投資者に対する勧誘が行われない場合には開示を強制する必要がないので，法は勧誘行為を捉えた募集の概念を定めている（2条3項，**→2節*1***）。投資者の数が少なくて投資者に取引力がある場合，投資者に専門的知識がある場合にも，開示を強制する必要はないので，これらを「私募」として発行開示規制の対象から除外する（**→2節*3***）。

つぎに，発行者は，必要な情報を収集して開示書類を整え，財務計算に関する書類に監査を受けるなど，発行開示には大きなコストがかかるし，発行開示を行った一定の場合には，発行者は継続開示義務を負うことになり（**→3章2節*1***），引き続き継続開示のコストを負担しなければならない。そこで，法は，発行開示に伴うこのような発行者のコストを勘案して，発行開示規制の適用範囲を限定するほか（**→2節*6***），記載内容にも差を設けている（**→3節*4***）。

発行開示は，有価証券届出書と目論見書という2つの手段により行われる。有価証券届出書は，一定の場所で公衆の縦覧に供される間接開示の手段であり，目論見書は有価証券の取得者に交付される直接開示の手段である。両者が提供する情報はほぼ同じであるが，その機能には差がある（**→4節*1***）。

情報開示規制は，単に項目を定めて発行者に開示義務を課すだけでは役に立たない。行政による審査，専門家による監査，発行者の内部統制，虚偽記載に対する民刑事ならびに行政上の制裁が，開示情報の正確性を確保する。これらについては**4章**で扱う。

投資判断に資する情報が投資者に提供されても，投資者が当該情報に基づかないで投資決定をしてしまうと，発行市場は資源を効率的に配分することができず，また投資者は自己の望む資産運用手段を得ることができない。そこで法は，発行者と投資者との取得契約や証券会社の勧誘行為を規制している。このような発行開示の取引規制の概要については，***5*節*1***で説明する。

4　適用除外証券

有価証券でありながら，ディスクロージャー制度（発行開示および継続開示，金商法第2章の規定）の適用が除外されるものが3条に列挙されている。それらは，①国債証券（2条1項1号），②地方債証券（同項2号），③特殊債（同項3号），④特殊法人に対する出資証券（同項6号），⑤貸付信託の受益証券（同項12号），⑥主として有価証券に対する投資を行うものを除く集団投資スキーム持分等（2条2項各号），⑦政府保証債（3条4号），⑧政令で定める有価証券（3条5号）である。

ディスクロージャーの適用除外証券とされる理由は，それぞれの有価証券によって異なる。国債および政府保証債に適用除外を認めるのは，債務不履行の危険性が極めて低いことに求められている[6]。しかし，国債の価格は無危険資産に対して投資者が要求する利回りの額によって変動するから（→**1章*5*節*2*(1)**），投資者は，無危険資産の利回りに関する情報を欲しているといえる。しかし，そのような情報は，一国の経済に関するあらゆる情報を含むからディスクロージャーの対象とするのに適さないし，あらゆる有価証券の価値評価にも関わる情報でもある。そこで，国債については，投資判断に必要な情報の開示をディスクロージャーの対象にすることが難しいことが，適用除外とされた理由といえよう[7]。地方債証券も，一般的には，起債条件が限定されている（→**1章*5*節*2*(1)**）ため債務不履行の危険性が低いといえる。しかし，地方債については債務不履行の危険がないとはいえないから，投資者は地方自治体の財政状況に関する情報を欲しており，また，そのような情報はディスクロージャーの対象とするのに適している。地方債の適用除外は見直しの余地がある[8]。

特殊債，特殊法人に対する出資証券，および貸付信託の受益証券は，それぞれの法律によって投資者保護のための規制がされているために，ディスクロージャーの適用除外とされている。ただし，投資者の保護を図る必要が認められ

---

6)　神崎＝志谷＝川口120頁注(3)。

7)　外国国債には原則としてディスクロージャーが適用されるが，そこでは発行国の概要が開示されるだけである（外債開示府令第2号様式参照）。

8)　神崎＝志谷＝川口120頁注(3)。若林泰伸「地方債証券の情報開示規制の適用除外」正井先生古稀祝賀『企業法の現代的課題』（成文堂，2015）575頁。

る場合には，政令によってディスクロージャーの適用対象とされ（3条2号），現在，社会医療法人の発行する社会医療法人債券がこれに指定されている（施行令2条の8）。社会医療法人債券は，社会医療法人が収益事業を行うために発行する社債類似の債券であり（医療法54条の2第1項），投資者の投資対象となりうるのでディスクロージャーの対象とされた。

集団投資スキーム持分を代表とする2条2項各号のみなし有価証券については，主として有価証券に対する投資を行うもの（有価証券投資事業権利）以外のものが，ディスクロージャーの適用除外証券とされた。みなし有価証券を適用除外としたのは，一般的に流通性に乏しく，その情報を公衆縦覧により広く開示する必要性が低いからであると説明されている[9]。しかし，流通性に乏しければその分リスクが大きいから，情報に基づいた投資判断をみなし有価証券の取得者に行わせる必要性が増すのであり，流通性に乏しいことはディスクロージャーを免除する理由にはならない（→**2節 *1***）。また，有価証券投資事業権利を適用除外としなかったのは，いわゆる投資ファンドに関する情報が当該ファンドの出資者はもとより，証券市場における他の投資者の投資判断にとっても重要な情報だからであると説明されている[10]。しかし，ファンドに関する情報が出資者にとって重要なのは事業ファンドでも変わりがないし，ディスクロージャー制度は，投資ファンドの投資対象となる上場株式の発行者や当該上場株式へ投資する者の利益を図るための制度ではないはずである[11]。

■ Column 2-1　ディスクロージャーに代わる業者規制 ■■

集団投資スキーム持分であって有価証券投資事業権利以外のものとは，主としてデリバティブ取引に対する投資を行うファンドの持分と，事業ファンドの持分を意味する。これらのファンド持分の取得者にはディスクロージャー制度による保護は与えられないが，代わりに業者規制による保護が与えられる。

集団投資スキーム持分を販売する際に，金融商品取引業者は契約締結前交付書面を投資者に交付しなければならず（37条の3），持分を500人以上の者に取得させる募集に該当するときは（→**2節 *1***），特別に，当該契約締結前交付書面を内閣総理大臣に届け出なければならないとされている（同条3項）。投資ファンド以外のファンドにはディスクロージャー制度が適用されないので，有価証券届出書の作成・

9）谷口義幸＝野村昭文「企業内容等開示制度の整備」商事1773号（2006）40頁。
10）谷口＝野村・前掲注9）43頁。
11）黒沼悦郎「金融商品取引法の適用範囲と開示制度」金法1779号（2006）14頁。

提出も投資者に対する目論見書の交付も行われないが，目論見書に代えて契約締結前交付書面（→9章3節3(1)）を投資者に交付し，有価証券届出書に代えて契約締結前交付書面を内閣総理大臣に提出する仕組みが採られている[12]。そして，集団投資スキーム持分に係る契約締結前交付書面の記載内容は，商品内容やリスクの開示にとどまらず，出資対象事業の運営や経理に関する情報を含んでおり（金商業府令87条），投資者に対する提供情報としては十分なものとなっている（→Column 9-7）。もっとも，契約締結前交付書面の虚偽記載に対する特別の民事責任規定や課徴金制度の適用はなく罰則も軽いので，ディスクロージャー制度と同等の投資者保護の実効性があるとはいえない[13]。

政令で定める適用除外証券には，日本の加盟する条約により設立された機関が発行する債券で，当該条約により国内における募集・売出しにつき政府の同意を要するものが指定されている（施行令2条の11）。国際復興開発銀行（世界銀行）債，アジア開発銀行債券などがこれに該当する。債券の元本の償還や利払いについて政府が十分に監督することから，投資者保護に欠けるところはないものとして適用除外とされた。

第2節　発行開示の発動

1　募集の概念

有価証券の募集をするには，発行者が有価証券届出書を内閣総理大臣に提出しなければならない（4条1項）。有価証券届出書の提出義務を発動させる「募集」概念は，流通性の高い1項有価証券（2条1項各号の有価証券，同条2項の有価証券表示権利・電子記録債権，および電子記録移転権利）と流通性の低い2項有価証券（電子記録移転権利以外の2条2項各号のみなし有価証券）とで，分けて定義されている（→1章5節4(4)）。

1項有価証券の募集とは，新たに発行される有価証券の取得の申込みの勧誘のうち，①多人数向け勧誘に該当する場合，および②適格機関投資家私募，特

12）黒沼悦郎「金融商品の種類」河本一郎＝龍田節編『金融商品取引法の理論と実務』（経済法令研究会，2007）17頁。

13）上村達男＝神田秀樹＝犬飼重仁『金融サービス市場法制のグランドデザイン』（東洋経済新報社，2007）240頁〔河村賢治〕。

定投資家私募，少人数私募のいずれにも該当しない場合である（2条3項1号2号）。①について発行開示が必要とされるのは販売圧力が生じるからであるが（→*1*節*2*(2)），これに該当しなくても，厳しい転売制限が置かれる②の私募（→*3*）に当たらないときは，有価証券の転得者を保護するために発行開示が発動される。多人数向け勧誘とは，50人以上に取得勧誘する場合をいい（施行令1条の5），50人の算定から，適格機関投資家（2条3項1号，→*3*(1)）の数は除外される（同号）。

2項有価証券の募集とは，新たに発行される有価証券の取得の申込みの勧誘のうち，相当程度多数の者が有価証券を所有することとなる場合として政令で定める場合をいい（2条3項3号），政令では500人以上が所有することとなる場合を定めている（施行令1条の7の2）。

2項有価証券の募集を1項有価証券の募集と比較すると，①勧誘対象者の数ではなく取得者の数を基準とし，②50人ではなく500人を基準とし，③私募が想定されていない点で差異がある。①は，ファンドの組成の際に投資者の需要を踏まえて内容を確定させていく方法がとられる場合が多いので，いつの時点が取得の申込の勧誘に当たるか判定することが難しいからであると説明されている[14]。ファンド組成段階の交渉が勧誘行為に該当するとなると，勧誘対象者の数がたやすく人数基準を超えてしまい，ファンド組成の交渉が，禁止されている有価証券届出書提出前の勧誘（4条1項）に該当してしまうからである。たしかに，取得者の数を基準として募集の定義を定めれば，取得者数を限定することによって私募を維持することができ，届出前の勧誘が禁止されることもない。勧誘を受けたが有価証券を取得しなかった投資者は情報開示を受けなかったことにより利益を侵害されておらず，1項有価証券の募集の定義についても証券取得者の数を基準とすべきであるとの立法論もある[15]。しかし，最終的に証券を取得する者が少人数であっても勧誘対象者が多数である場合には販売圧力が生じ，勧誘に直面した投資者は投資判断に資する情報を欲しているといえるから，募集の定義は勧誘対象者の数を基準とし，もし，ファンドの組成段階において投資者との交渉が不可欠であるならば，一定の交渉を勧誘行為から除外する方策をとるべきである。

②は，1項有価証券は流通性が高いので，発行の際に50人未満の者に勧誘

14）谷口＝野村・前掲注9）43頁。
15）神崎＝志谷＝川口215頁。

された有価証券が転売されて，たとえば500人以上の者の手に入る蓋然性が高いが，2項有価証券は流通性が低いので，500人近くの者に販売してもそれが転売されて500人以上の者に取得される蓋然性が低いと考えられたからである。しかし，500人近い最初の取得者は，投資判断に直面しているのであり，有価証券の流通性が低いことは発行開示を免除する理由にならない[16)]。取得者数を500人とすると，多くの集団投資被害が対象外になるとの指摘もある[17)]。

均一の条件で行われるものでない取得勧誘も募集に該当する。したがって，現在は行われていないが，取引所有価証券市場で，発行者が新たに発行する有価証券を売却する際に，関係者が投資者に対し市場を通じて当該有価証券を取得するよう勧誘を行えば募集に当たることになる。

■ Column 2-2　ライツ・オファリングと募集■■

ライツ・オファリング（→*1*節*1*(4)）では，株主に対する無償割当てによって新株予約権が発行され，割当てを受けた株主または流通市場で新株予約権を取得した者が予約権を行使して払込みを行うことにより会社が資金を調達する。一般に，「取得の申込みの勧誘」にいう「取得」とは有償の取得を意味するが，新株予約権無償割当てでは新株予約権の行使時の払込みを含めて考える必要があり，株主割当てによる株式の募集と同様であることから，新株予約権無償割当ては新株予約権の取得勧誘に該当すると解されていた（企業内容等開示ガイドライン2―3）。ライツ・オファリングについても，この解釈に基づき，新株予約権の無償割当時に発行開示が必要であるとされた[18)]。しかし，新株予約権無償割当てを受ける株主は投資判断に直面しておらず，株主は権利行使時にその判断を誤ったとしても損失を被ることはない（→Column 4-11）。むしろ，情報提供による保護を必要としているのは流通市場で新株予約権を取得しようとする投資者であることを考慮すると[19)]，流通市場における新株予約権の取得の勧誘が（新株予約権または株式の）募集に該当すると解すべきではないだろうか。このように解するメリットは，流通市場で新株予約権を取得した者に，金商法17条および21条による保護を及ぼすことにある（→*5*節*4*(2)，Column 4-11）。

16）　黒沼・前掲注12）18頁。

17）　桜井健夫＝上柳敏郎＝石戸谷豊『新・金融商品取引法ハンドブック〔第3版〕』（日本評論社，2011）210頁。

18）　賛成する見解として，前田雅弘「ライツ・オファリングに係る制度整備」金融商品取引法研究会編『金融商品取引法制の潮流』（日本証券経済研究所，2015）9頁。

19）　筆者は，大証金融商品取引法研究会「ライツ・オファリングにかかる金融商品取引法の改正について(1)」（研究会記録8号，2012）4頁において，株主は新株予約権の行使について投資判断資料を欲していると考えたが，本文のように考えを改める。

2 売出しの概念

⑴ 定　義

有価証券の売出しとは，有価証券の保有者（売出人）が当該有価証券を売り付ける際に，その取得の勧誘を行うことをいう。売出しの典型は，株式会社が株券を金融商品市場に上場するに際して，流通株式数を増やすために，創業者等の大株主が持株を多数の者に分売する行為である。有価証券の売出しに際しては，募集（→*1* 節 *2* ⑵）と同様に，証券会社が引受けを行うことがある。非上場有価証券の売出しや証券会社の引受けが行われる売出しについて，購入者に対する販売圧力が生じるので，金融商品取引法は，募集と同様に，売出しを発行開示規制の対象としている。

有価証券の売出しをするには，発行者が有価証券届出書を内閣総理大臣に提出しなければならない（4条1項）。売出しも，1項有価証券と2項有価証券とで分けて定義されている。1項有価証券の売出しとは，既に発行された有価証券の売付けの申込みまたは買付けの申込みの勧誘（売付け勧誘等という）のうち，①50人以上の者を相手方として行う場合，および②適格機関投資家私売出し，特定投資家私売出し，少人数私売出しのいずれにも該当しない場合をいう（2条4項1号2号，施行令1条の8)。2項有価証券の売出しとは，既に発行された有価証券の売付け勧誘等のうち，当該有価証券を500人以上が所有することとなる場合をいう（2条4項3号，施行令1条の8の5)。

募集と売出しの違いは，募集では，有価証券の売主の地位に立つ発行者が開示義務者となるのに対し，売出しでは，開示義務者と売主（売出人）との地位が通常分離している点にある（**図表 2-2**)。創業者等の大株主が売出人となるのであれば，発行者に有価証券届出書を作成・提出させることができると考えられるため，開示義務者と売出人とが異なっても通常は不都合が生じない。しかし，発行者の協力が得られなければ有価証券の大量の分売ができないのは不合

図表 2-2

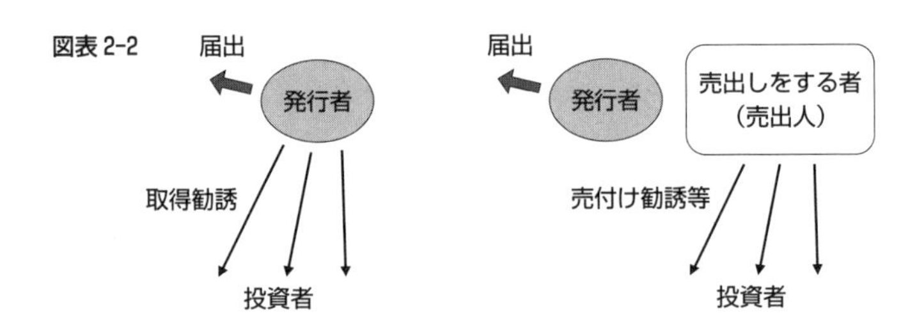

理であるから，売出人が発行者に有価証券届出書の提出を請求できる旨の規定を置くべきである[20]。

1項有価証券と2項有価証券の定義の相違のうち，人数基準およびその対象者の相違については，*1* で述べたことが当てはまる。

■Column 2-3　自己株式の分売■■

発行者は一定の手続を経て，有価証券市場の内外で自己株式を取得することができ，保有する自己株式を募集株式の発行と同じ手続により分売することができる（会社199条）。自己株式の分売は募集であろうか，売出しであろうか。募集株式は新規発行証券であり，自己株式は既発行証券であることに着目すれば，自己株式の分売は売出しとなる。実務も自己株式の分売を売出しと扱っていた（企業内容等開示ガイドライン旧2-4）。

しかし，自己株式の分売と募集株式の発行とでは，発行者が資金を調達するという経済実態に差がないから同一の規制に服せしめるべきであり，自己株式の分売を売出しと扱うと，重要な投資判断資料である「手取金の使途」（→*3* 節 *2*(2)）が有価証券届出書に記載されず投資者保護上問題であるから，自己株式の分売は募集として開示規制の対象とすべきであった[21]。金融商品取引法2条4項は，売出しに該当する行為のうち取得勧誘類似行為を募集の概念に含めることにしており（2条3項），現在，自己株式の分売は取得勧誘類似行為に指定されている（定義府令9条1号）。

(2)　売出しの定義からの除外

平成4年の改正で，募集の定義から「均一の条件で」という文言が削除されたが，売出しの定義には当該文言が維持された。50人以上に既発行有価証券の売付けの勧誘をすると「売出し」に該当するのでは，証券会社が通常の売買を行う場合に発行者が有価証券届出書を提出することが必要となって不都合だからであった。

その後，有価証券市場における売買取引を売出しの定義から除外するなどの手当てがされたため，売出しの定義から「均一の条件で」という要件を削除しても問題は少なくなった。他方，募集と売出しの定義の相違を利用して，海外

20）　神崎＝志谷＝川口279頁参照。

21）　証券取引法研究会「金庫株と証券取引法改正――相場操縦規制」『金庫株解禁に伴う商法・証券取引法』（別冊商事251号，2002）55頁〔黒沼悦郎報告〕。

で発行した有価証券を1日おいて国内に持ち込み，勧誘する相手方49人ごとに売出価格をわずかに変えて勧誘を行うことにより，開示規制を免れる例（one-day seasoningという）が見られた。そこで，平成21年に，売出しの定義から「均一の条件で」を削除するとともに，売出しの定義からの除外事由を拡大し，また，売出しの定義に該当する場合にも有価証券届出書の提出を免除する事由を拡大するなど（→***6***(4)）の改正が行われた[22]。募集の定義からの除外事由がないのに対し，売出しの定義からの広範な除外事由が必要になるのは，募集が，新たに発行される有価証券に関する勧誘行為であり発行者の協力が必要であるのに対し，売出しは，既に発行された有価証券に関する勧誘行為であり，誰でも行うことができるから，ディスクロージャー規制を及ぼす必要のない場合もこれに含まれてしまうことによる。

現在，売出しの定義から除外される行為には，①取得勧誘類似行為として募集の規制を適用する行為（→**Column 2-3**），②行為の性質を考慮し2条4項柱書の内閣府令で定めるものと，③取引の性質を考慮し2条4項柱書の政令で定める取引に係るものがある。②としては，証券会社が取引所外で行った上場株券等の売買に関する情報を，加入する金融商品取引業協会へ通知する行為（67条の18），当該情報を金融商品取引業協会が会員証券会社に対して通知する行為（67条の19）などがある（定義府令13条の2）。これらは，取引所外取引（→**Column 6-17**）の透明性を高めるために行われる情報提供であり，除外規定がなくても，解釈上，売付け勧誘等に当たらないであろう[23]。

③としては，(a)取引所市場における有価証券の売買，(b) PTS（→**6章*3*節*2*** (1)）による上場有価証券の売買，(c)業者やプロ投資家の間で行われる上場有価証券のブロックトレード，(d)海外発行証券の業者間取引，(e)「有価証券の発行者・発行者の役員・発行者の主要株主・主要株主の役員・発行者の子会社・子会社の役員・金融商品取引業者等」以外の者が所有する譲渡制限のない有価証券の売買などがある（施行令1条の7の3）。これらの取引に係る売付け勧誘等は，たとえそれが50人以上に対して行われても「売出し」に該当しない。これらの取引は，当事者間に情報の格差がないこと，販売圧力が生じていないこ

22）改正法の考え方について，金融審議会金融分科会第一部会「ディスクロージャー・ワーキング・グループ」報告「開示諸制度の見直しについて」（平成20年12月17日）を参照。

23）黒沼悦郎「プロ向け市場の創設・売出し概念の見直し」ジュリ1390号（2009）49頁。

とを基準として選び出されたものである。(e)は，上場有価証券の取引所外取引や非上場有価証券の取引について，一般の投資者間の取引を広く開示規制の適用除外とするものである。発行者の関係者または証券会社（金融商品取引業者等）と投資者との間の取引は，情報の非対称性，販売圧力が存在すると考えられることから，有価証券の売出しとして開示規制の対象となる[24]。

■ Column 2-4　取引所市場における有価証券の売買と販売圧力■■

上述のように，取引所市場における有価証券の売買について勧誘が行われても，「売出し」に該当しない（施行令1条の7の3第1号）。その理由は，投資者にとって基本的に十分な投資情報の入手が可能であり投資者保護に欠けるところがないと説明されている[25]。しかし，この説明が，上場有価証券については継続開示が行われているので発行開示は不要であるという趣旨であれば，おかしい。上場会社が上場有価証券の募集を行うときには，有価証券届出書等による発行開示が行われるからである（→*1*節*1*(1)）。

たしかに，取引所市場において有価証券の売買取引を行うとき，売買当事者間に情報の格差が生じていないことが多いであろう。しかし，売出人が市場を通じて大量の有価証券を売却するときには，有価証券の市場価格が下落しないように，証券会社に委託して投資者に対し当該有価証券の買付けを勧誘することが行われるだろう。このように新たに市場に流入する有価証券の数が多く，これを消化させるために勧誘が行われ「販売圧力」が生じているのであれば，投資者はディスクロージャーによる保護を必要としている。売出しの要件に「均一の条件」が付されていた時代にも，市場価格による売出しは，販売圧力を生じるがゆえに「均一の条件」を満たすと解する見解が唱えられていた[26]。証券会社が日常的に行っている自己売買業務は，有価証券の取引を円滑に成立させるために行うものであり，販売圧力を生じないからディスクロージャーが不要なのである。したがって，売出しの定義から除外される取引所取引およびPTS取引の範囲は，売付数量と買付数量の差が極端に開かない場合に限定して解釈すべきである[27]。

24）谷口義幸「「有価証券の売出し」に係る開示規制の見直しの概要（上）」商事1902号（2010）40頁。
25）谷口＝野村・前掲注9）45頁。
26）神崎克郎「開示制度の適用範囲」ルイ・ロス＝矢澤惇監修『アメリカと日本の証券取引法（上）』（商事法務研究会，1975）156頁，龍田節「証券取引の法的規制」竹内昭夫ほか『現代の経済構造と法』（筑摩書房，1975）499頁。
27）黒沼悦郎「ディスクロージャーに関する一省察」江頭先生還暦『企業法の理論（下）』（商事法務，2007）623頁。

3 私　　募

(1) 適格機関投資家私募（プロ私募）

有価証券投資に関する専門的知識がある者（プロ投資家）は，投資判断に必要な情報を自ら収集して投資判断を下すことができるから，有価証券の募集・売出しに際して発行者に対して情報の開示を法によって強制する必要がない。発行者としても，プロ投資家に勧誘して有価証券を発行することにより，発行開示やこれを契機とする継続開示義務を負うことなく資金を調達することができれば，資金調達のコストを節約することができる。そこで，平成4年の証券取引法改正は，適格機関購入者（qualified institutional buyer）向けに発行される証券について私募を認める米国SEC規則144A条を参考にして[28]，適格機関投資家私募を導入した。

1項有価証券の取得を適格機関投資家のみを相手方として勧誘する場合であって，当該有価証券がその取得者から適格機関投資家以外の者に譲渡されるおそれが少ないものとして政令で定める場合には，勧誘行為（適格機関投資家向け勧誘）は募集とされない（2条3項2号イ）。2項有価証券については，プロ私募制度は設けられていない。プロ向けファンドの特例（適格機関投資家等特例業務，→**11章*3*節*3***）を利用できるからである。

ここに適格機関投資家とは，有価証券に対する投資に係る専門的知識および経験を有する者として内閣府令で定める者をいい，内閣府令では20数類型にわたって適格機関投資家を定めている（定義府令10条）。主な適格機関投資家として，①有価証券関連業・投資運用業を行う金融商品取引業者，投資法人，銀行，保険会社，協同組織金融機関，②直近の有価証券残高が10億円以上である法人のうち金融庁長官に届出を行った者，③1年以上の有価証券取引の経験を有し，直近の有価証券残高が10億円以上である個人のうち金融庁長官に届出を行った者，④有価証券残高が10億円以上である組合・匿名組合・有限責任事業組合・外国法令に基づく組合等の業務執行組合員等である法人・個人で，他のすべての組合員等の同意を得て金融庁長官に届出を行った者，⑤外国の法令に準拠して外国において，有価証券関連業・投資運用業・銀行業・保険業・信託業（管理型信託業を除く）を行う者で資本金等が一定額以上である者の

28）　アメリカの私募について詳しくは，松原正至「米国における私募の概念と規制方法（上）（下）」島法37巻2号，3号（1993），青木浩子「証券取引の国際化にともなう各国証券開示規制の展開(1)～(7)」法協115巻7～12号，116巻1号（1998～99）参照。

うち，金融庁長官に届出を行った者，⑥外国の政府・政府機関・地方公共団体・中央銀行および日本が加盟している国際機関のうち，金融庁長官に届出を行った者がある。

適格機関投資家の範囲は，平成4年の導入以来，拡大されてきていたが，平成18年改正により飛躍的に拡大した。また，適格機関投資家の概念は，当初は私募の範囲を決定するためだけに用いられていたが，現在では，目論見書の交付義務の区分（→**5**節***3***(2)），前述のプロ向けファンドの特例（投資運用業の規制）などにも用いられている。

適格機関投資家には，届出によって初めてそう扱われる者がある。このように届出を求めたのは，適格機関投資家と扱われることは当該投資者に不利な側面もあるので，その者の同意を得るためであり，単なる同意ではなく金融庁長官への届出を求めたのは，発行者や金融商品取引業者が，取引の相手方が適格機関投資家に当たるか否かを確かめることができるようにするためである。有価証券残高が10億円以上である法人または個人は，有価証券投資に係る専門的知識があるとは必ずしもいえない。しかし，そのような多額の有価証券投資を行っている者は，投資のために専門家のアドバイスを受けることができると考えられることから，届出により適格機関投資家となる道が開かれているのである。

(2)　プロ私募証券の転売制限

適格機関投資家向け勧誘を私募と認めるためには，適格機関投資家に取得された有価証券がディスクロージャーなしに一般の投資者の手に渡ることのないように確保する必要がある。そこで2条3項2号イは，当該有価証券が適格機関投資家以外の者（以下，本節において「一般投資家」という）に譲渡されるおそれが少ないものとして政令で定める場合に限って私募としている。

政令では，①株券・新株予約権証券・投資証券等，②新株予約権付社債券，③その他の有価証券に大別して転売制限を定めている（施行令1条の4，定義府令11条）。①②のようなエクイティ関連商品は，株券に対して特定の者以外への転売を禁止する形の転売制限を付すことが難しいことから，従来，プロ私募の対象から除外されていた。しかし，ベンチャー企業の育成を目的として，平成15年の府令改正により，エクイティ関連商品のプロ私募が認められた[29]。

29）　改正趣旨につき，金融審議会金融分科会第一部会「証券市場の改革促進」（平成14年12月16日），同「ディスクロージャー・ワーキング・グループ」報告を参照。

①については，(a)株券，新株予約権証券の対象株券，または投資証券について，発行者が24条１項各号に基づく継続開示義務を負っておらず（すなわち，非開示証券であること），(b)当該有価証券を取得した者が適格機関投資家以外の者に譲渡を行わない旨を定めた譲渡に係る契約を締結することを取得の条件として，取得勧誘が行われる必要がある（施行令１条の４第１号）。②については，(a)新株予約権の対象株券が非開示証券であり，(b)社債券に適格機関投資家以外への譲渡を禁止する旨が明白となる名称が付されており，転売制限が付されている旨が当該有価証券に記載されている必要がある（同条２号）。

③のうちプロ私募の可能性がある普通社債について見ると，いずれも転売制限（一般投資家への譲渡が禁止されること）が明白となる名称を付すとともに，記名社債では，転売制限を社債券および交付書面へ記載することが求められるが，無記名社債では，取得者において社債の登録を請求すること，および取得者が一般投資家へは譲渡しないと約することを取得の条件として勧誘を行うことで足り，振替社債では，一般投資家へは譲渡しないという取得者の約束だけで足りる（施行令１条の４第３号，定義府令11条）。普通社債のプロ私募については，発行者が非開示会社であることは要件とされていないので，上場会社もプロ私募により普通社債を発行することができる。

■Column 2-5　転売制限の実効性■■

上記①(b)の要件は，適格機関投資家Ａに株券等の取得を勧誘する際に，Ａが適格機関投資家以外の者に転売しないことを条件とすることで，適格機関投資家以外の者への転売を防止しようとするものである。しかし，Ａがこの条件に違反して株券等をＢに譲渡すると，Ｂは当該株券等を有効に取得できるので，転売制限に実効性があるか疑問である。②(b)の要件も同様の趣旨から設けられたものであるが，転売制限証券であることを知りつつこれを取得した者の権利行使を発行者が拒むことによって転売制限の実効性を高めることが期待される。もっとも，発行者が有価証券届出書を提出していないのに，プロ私募証券を適格機関投資家以外の者に勧誘する行為（適格機関投資家取得有価証券一般勧誘，４条２項）は罰則をもって禁止されており（197条の２第１号），罰則による威嚇が，転売の防止に最も効果的であるといえる。

これに対して①(a)および②(a)の要件は，開示の行われていない有価証券であれば流通性に乏しいであろうことを理由にディスクロージャーを免除するものではない。プロ私募は投資者の属性に着目した私募であり，適格機関投資家の間で私募証券が譲渡されることを法は許容しているからである[30]。(a)の要件は，むしろ，発行者が継続開示義務を負っている開示会社である場合には，既にディスクロージャーを行っているのであるから，プロ私募による発行開示コストの削減を認める必要性がないことから課せられたものといえる。

プロ私募証券の取得者がこれを適格機関投資家に転売するときは，相手方に対し，当該有価証券について開示が行われていないこと，転売が制限されていること等を告知しなければならない（23条の13）。相手方が取得する有価証券の転売を大きく制限されることになるからである。説明は省略するが，このような告知義務は私募・私売出しのすべてに課されている（同条）。

プロ私募証券を適格機関投資家以外の者に取得させるには，発行者が内閣総理大臣に有価証券届出書を提出していなければならない（4条2項1号）。プロ私募証券が開示なしに一般投資家の手に渡ることを防ぐとともに，もし発行者の協力が得られればプロ私募証券の転売を広く認めるための規制である。

(3)　特定投資家私募

平成4年改正は，発行開示なしに発行されたプロ私募証券が適格機関投資家の間で流通することを予想して，適格機関投資家私募（プロ私募）の制度を創設したが，実際にはプロ私募証券が発行されることも流通することも稀であった。そこで，平成20年改正は，わが国の金融・資本市場の競争力を強化するために，プロ向け市場の創設のための制度を整備した（→**6章*4*節*3***）。プロ向け市場への上場へ向けた有価証券の募集・売出しやプロ向け市場へ上場した発行者の資金調達には，適格機関投資家よりも広い範囲の者が含まれる特定投資家（2条31項，説明は後述→**9章*7*節*2*(1)**）が参加し，法定の開示規制（発行開示および継続開示）が免除されるため，開示規制を発動させる募集・売出しの定義から特定投資家向け勧誘（特定投資家私募）を除外することにした。

①特定投資家のみを相手方とする1項有価証券の取得の勧誘であって，②金融商品取引業者等が発行者からの委託により行うものであり，③当該有価証券が特定投資家以外の者に譲渡されるおそれが少ない場合に該当するものは，募集の定義から除外される（2条3項2号ロ）。②が，発行者の委託を要件としたのは，プロ向け市場の取引対象となることにつき発行者の同意を求めるためで

30）　黒沼悦郎「発行開示と引受業務に関する諸問題」証券取引法研究会編『近年の証券規制を巡る諸問題』（日本証券経済研究所，2004）142頁。

あり，金融商品取引業者等が行うことを要件としたのは，相手方が特定投資家等の要件を満たしているか否かをチェックさせるためである。③の転売制限の方法は，転売の範囲が特定投資家であるほかは，適格機関投資家私募の場合と同様である（施行令1条の5の2，→(2))。

特定投資家私募が通常の私募と異なるのは，発行者が特定証券情報を相手方に提供しまたは公表しなければ，勧誘をすることができない点にある（27条の31第1項)。公表のほか提供でもよいとしたのは，私募証券の情報は相手方に対する直接の提供で足りると考えられたからである。もっとも，これは私募であるから，有価証券届出書の効力発生前の取引禁止（15条1項）や目論見書の交付義務（同条2項，→**5節3**(1)）は課されない。特定証券情報の内容については後述する（→**6章4節3**)。

(4)　少人数私募

有価証券の所得勧誘の相手方が少数であれば，通常，相手方は発行者に関する情報を有しているか，そうでないとしても，一人当たりの取得額が大きくなるから，相手方は発行者から情報を取得する取引力を有していると考えられる。そこで，相手方が少数の場合は，法によって一律の開示を発行者に強制する必要性が乏しいので，発行開示を課さないこととした。これを少人数向け勧誘または少人数私募という。少人数向け勧誘が私募に当たることは，多人数向け勧誘が募集に当たることを裏側から述べたものである（2条3項参照)。1項有価証券については勧誘対象者が50人未満である場合，2項有価証券については取得者が500人未満である場合に，少人数私募となる。

1項有価証券の勧誘対象者数から適格機関投資家の数は除外される（2条3項1号)。ベンチャー企業への投資においては，基本的に適格機関投資家向けに有価証券を発行するが，適格機関投資家以外の者が少数でも勧誘対象者に含まれていると私募とならない不都合を解消するために，平成15年に府令が改められたものである[31)]。問題は，多数の適格機関投資家とともに勧誘を受ける一般投資家は，法によるディスクロージャーを必要としていないほど情報を獲得する力があると認められるか否かである。アメリカのレギュレーションDでは，少人数私募における一般投資家に対し，売付け時より相当期間前の時点で，発行者・その事業・私募証券に関する情報を提供しなければならないとし，その

31）　金融審議会・前掲注29）参照。

情報の内容を定めている（SEC規則502条）。多数の適格機関投資家のなかにいる一般投資家の情報獲得能力が不十分であれば，一般投資家に情報提供請求権を付与することも考えるべきであろう[32]。

■Column 2-6　期間通算■■

1項有価証券を30人に勧誘して取得させ，その直後に25人に勧誘して取得させる場合のように，有価証券の募集を分割することによってディスクロージャーを免れることができるようでは，募集にディスクロージャーを要求する法の趣旨に反する。そこで，過去6か月間の同一種類の有価証券の発行に係る勧誘対象者と合算して50人以上となる場合には，少人数私募の要件を満たさないとされている（2条3項2号ハ括弧書，施行令1条の6）。この規定によると，上の例で，2回目の25人に対する勧誘が募集となり，勧誘を行うには有価証券届出書の提出が求められる。しかし，これでは1回目の勧誘対象者の保護が図られない点で問題が残る[33]。1回目の勧誘時から2回目の勧誘を予定していた場合には，通算規定を経ずに，1回目から勧誘対象者が50人以上である募集に該当すると解すべきであろう。

同一種類でない有価証券については期間通算が行われない。有価証券の種類が同一かどうかは，有価証券の種類ごとに内閣府令で定められている（定義府令10条の2第2項）。しかし，発行開示が求められるのは販売圧力が生じるためであるから，販売圧力が生じるような勧誘を広く合算すべきである。たとえば，同じ資金需要を満たすために異なった種類の有価証券が同時期に発行される場合には，資金を発行者に確実に得させるために販売圧力が生じると考えられるから，期間通算の規定によらずに，勧誘対象者の数を合算すべきであろう。

なお，2項有価証券については期間通算の規定がなく，取得者数を合算するか否かは，複数回の取得勧誘または異なった種類の有価証券の取得勧誘が同一の取得勧誘に当たるかという解釈問題となる。

(5)　少人数私募の転売制限

少人数私募により発行された有価証券が譲渡されて多数の者の手に渡ることになると，開示情報なしに当該有価証券の発行を認めた少人数私募の趣旨が没却される[34]。そこで，1項有価証券については，少人数の取得者から多数の者

---

32)　黒沼・前掲注30) 137頁。

33)　証券取引法研究会「平成4年証券取引法の改正について(18)――募集・売出しの定義(1)」インベストメント48巻2号（1995）67頁〔黒沼悦郎報告〕，70頁〔神崎克郎発言〕。

34)　清水一夫「ディスクロージャー制度の改正に関する解説(1)」商事1324号（1993）17頁。

に譲渡されるおそれが少ない場合に限って，少人数私募が認められる（2条3項2号ハ）。これは，①株券，新株予約権証券，投資証券，②新株予約権付社債券，③その他の有価証券に分けて規定されている（施行令1条の7）。

①については，(a)株券，予約権の対象となる株券，または投資証券について，発行者が24条1項各号に基づく継続開示義務を負っていないこと（すなわち，非開示証券であること）のみが条件である（施行令1条の7第2号イ）。取得者の数を制限するには後述のように一括譲渡以外の譲渡を禁止する必要があるが，株券にそのような譲渡制限を付すことは難しいので，継続的な情報開示が行われていなければ，事実上，株券が譲渡されることが少ないと考えたのである。②については，(a)予約権の対象となる株券が非開示証券であること，(b)社債が記名式であり，券面に一括譲渡以外の譲渡が禁止される旨（転売制限）が記載されていること，(c)社債券が50枚未満であり，分割が禁止されているか，取得者に交付される書面に転売制限が記載されていることが，少人数私募の条件とされている（施行令1条の7第2号ロ，定義府令13条1項2項）。一括譲渡以外の譲渡のみを禁止するのは，一括譲渡であれば当該有価証券の保有者が50人以上にならないからであり，社債券の枚数を制限し分割を禁止するのも同趣旨である。③のうち普通社債の転売制限を見ると，社債券が発行されるものは，記名式かつ転売制限の記載，枚数制限かつ分割禁止，交付書面上の転売制限の記載のいずれかの要件を満たせばよく，振替社債については，転売制限を示す名称が付されているか，口数が50口未満で分割が禁止されていれば足りる（施行令1条の7第2号ハ，定義府令13条3項）。これらを見ると，私募の要件として求められる転売制限の内容は，少人数私募により発行された有価証券が50人以上の者に保有される事態が生じるのを確実に防止できるほどの厳格なものではない。

■ Column 2-7　上場会社の第三者割当増資■■

上記①(a)の要件から，上場会社の第三者割当増資は少人数私募に該当せず，発行者は発行開示義務を負うことになる。第三者割当先は，通常，取引力があるので情報開示を必要としていない。したがって，この規制は，第三者割当先を保護しようとするものではなく，第三者割当先が増資株を転売する場合の転売先を情報開示によって保護しようとするものと理解される。第三者割当てに少人数私募を利用できないので，その転売についても少人数私募の転売制限を課すことができないからである。

しかし，増資先が転売を行う時期は増資の直後とは限らないから，①第三者割当増資の際に有価証券届出書を提出させるだけでは，転売時の情報開示を確保することはできない。アメリカの連邦証券規制では，募集と売出しを区別せず，公衆に分売する目的で発行者から有価証券を取得する者はすべて引受人（underwriter）と扱い，引受人による分売は登録届出書（有価証券届出書に相当）の適用除外を受けることができないとしている（証券法4条(a)項1号）。もっとも，分売目的を認定するのが難しいため，SEC は規則 144 を制定して，転売制限を付した上で証券の登録を免除している。

また，②転売の段階で転得者が情報開示を必要としているのは，多数の者に対する勧誘が行われるなど，転売段階で販売圧力が生じる場合に限られる。①②を考慮すると，第三者割当増資を少人数私募の対象としつつ，転売段階で転売が売出しに該当する場合には，売出しの開示を求めるのがよいと思われる[35]。このような観点からみると，現在の売出し規制は，発行者・主要株主・金融商品取引業者等以外の者が行う上場有価証券の売買は，多数の者に対する勧誘によって行われても規制の対象にならない点（→2(2)）で不十分である。

勧誘対象者に適格機関投資家が含まれている場合には，当該有価証券が一般投資家に譲渡されることにより多数の者の手に渡る事態が生じるのを防止しなければならない。そこで，プロ私募と同様の転売要件を満たさなければ，勧誘対象者数から適格機関投資家の数を除くことができない（2条3項1号，施行令1条の4）。

2項有価証券については，転売制限の有無にかかわらず，500 人未満の者を取得予定者とする勧誘行為は募集に当たらない。

4 私売出し

(1) 適格機関投資家私売出し

平成 21 年改正は，既発行有価証券の売付け勧誘等について，募集についての私募に対応する私売出しの制度を整備した。私売出しの制度は，有価証券の大量保有者が発行開示義務を負うことなく有価証券の分売を行い，そうして分売された有価証券を一定の投資者の間で流通させることを可能にする。これにより募集と売出しの制度的な非対称がかなり改善された。平成 21 年改正で新

35)　黒沼・前掲注 27) 618-622 頁，川口恭弘「新株発行等に関する規制――金商法の視点から」商事 2041 号（2014）62 頁。

設された私売出しには，適格機関投資家私売出しと少人数私売出しがあり，これら以外に平成20年改正で導入された特定投資家私売出しがある。

適格機関投資家に限定して既発行証券の売付け勧誘等を行うときは，発行開示が免除される（2条4項2号イ）。適格機関投資家私売出しの仕組みは，適格機関投資家私募（2条3項2号イ）と同様であり，適格機関投資家以外の者に譲渡されることを防ぐため，適格機関投資家以外の者への譲渡を禁止する転売制限が付される（施行令1条の7の4）。

私売出しは，発行開示なしに有価証券の転売を認める制度であるから，少人数私募で発行された有価証券を適格機関投資家私売出しにより転売することも認められる。この場合には，発行段階で付された少人数私募に係る転売制限を消滅させ，新たに適格機関投資家以外への転売制限を付すことになるが，既存の証券所有者に不測の不利益を与えないために，その所有者には少人数私募の転売制限に従った譲渡の機会も認められる[36)]。

(2)　特定投資家私売出し

プロ向け市場への上場のために，創業者等が有価証券を特定投資家向けに分売する場合や，プロ向け市場に上場している証券をその保有者が特定投資家向けに分売する場合に，売出しに当たらないための要件が「特定投資家私売出し」である（2条4項2号ロ）。その内容は，転売の範囲が特定投資家であることのほかは，適格機関投資家私売出しと同じである（施行令1条の8の2）。

特定投資家私売出しを行うには，発行者が特定証券情報を相手方に提供しまたは公表しなければならないこと（27条の31第1項）は，特定投資家私募（→***3*** (3)）の場合と同じである。

(3)　少人数私売出し

1か月以内に50人未満の者に既発行証券の売付け勧誘等を行う場合には，相手方は投資判断に必要な情報を入手できると考えられるところから，売出しに該当せず発行開示が免除される（2条4項2号ハ）。50人の通算期間を1か月と募集の通算期間（6か月）よりも短期にしたのは，購入がキャンセルされた分の売出しをほどなくして行う必要がある等の実務の要請を踏まえたものである[37)]。少人数私募の場合と同様，少人数私売出しでは，少人数私売出しによって譲渡された有価証券が多数の者に譲渡されることを防ぐため，一括譲渡以外

---

36)　逐条解説2009年143-144頁。

37)　金融審議会・前掲注22) 10-11頁。

の譲渡を禁止する制限（株券等の場合は非開示証券であり，特定投資家向けでないという条件）が付される（施行令1条の8の4）。

■ Column 2-8　海外発行証券の国内における少人数私売出し ■■

私売出し証券の流通段階では，複数の金融商品取引業者等が各々，同一の有価証券を販売するため，各金融商品取引業者等は全体の勧誘対象者数を把握することができない。このため，ある有価証券について複数の少人数私売出しが行われ，全体で50人以上の一般投資家が当該有価証券を取得することがありうる。そこで，日本証券業協会に少人数私売出しの登録制度を設け，海外発行証券を国内に持ち込む金融商品取引業者等に当該銘柄の国内所有者数の通知義務を課し，国内所有者数が1000人を超えないことを，少人数私売出しの要件とした（施行令1条の8の4第4号）。

流通段階に入った有価証券の売買については販売圧力は生じていないので，その開示の要否はどれくらい多くの証券所有者がいれば情報開示を強制するのが適当かという観点から判断される。開示なしに発行・分売された有価証券については，所有者数が1000人になると発行者に継続開示義務を課す外形基準が設けられているが（24条1項4号，→**3章*2*節*1*(4)**），外国証券はその適用対象とされていない。そこで，上記のように国内所有者数1000人を基準として海外発行証券の国内持込みを禁じる措置をとることは望ましいが，本来は，外形基準の適用範囲を外国証券に拡大することによって同じ目的を達成すべきである[38]。

5　有価証券届出書の提出を要するその他の場合

募集・売出し以外に，発行者が内閣総理大臣に有価証券届出書を提出していなければすることのできない行為として次のものがある（***5*節**で説明する組織再編成を除く）。

第1は，プロ私募・私売出し，または少人数私募・私売出し（適格機関投資家の数を除くことにより私募・私売出しとなる場合に限る）によって取得した有価証券を，適格機関投資家が適格機関投資家以外の者に対して売り付ける場合である（4条2項，適格機関投資家取得有価証券一般勧誘）。これらの勧誘行為は，プロ私募・私売出し，少人数私募・私売出しの転売規制に違反する行為であるが，発行者が有価証券届出書を提出すればすることができる。提出を要する有価証券届出書は，勧誘の時を基準とする最新のものでなければならない。ただし，

38）黒沼・前掲注23）52頁。

転売時に多数の者に対する勧誘行為が行われるなど「販売圧力」が生じていることは要件ではないので，たとえば適格機関投資家がプロ私募証券を1名の一般投資家に勧誘する場合であっても，発行者による有価証券届出書の提出が必要になる。

第2は，特定投資家私募・私売出しによって取得した有価証券を，特定投資家等が特定投資家等以外の者に対して売り付ける行為（4条3項，特定投資家等取得有価証券一般勧誘）である。この場合も，特定投資家等が1名の一般投資家に勧誘するには，発行者が有価証券届出書を提出していなければならない。

少人数私募・私売出しによって取得した有価証券を，一括譲渡以外の方法で転売すると，転売制限の違反となるが，これを適法に行うために有価証券届出書の提出を求める規定はない。したがって，転売時に発行者が有価証券届出書を提出しても，転売制限違反の瑕疵は治癒されない。また，転売が有価証券の売出しに該当するときは，売出しのための有価証券届出書の提出が求められる（→***2***）。

なお，適格機関投資家取得有価証券一般勧誘および特定投資家等取得有価証券一般勧誘は，一定の条項を除いて募集または売出しと同様に扱われる（4条4項）。以下，本書においても，これらの一般勧誘が募集または売出しに含まれるときは，その旨を記載しない。目論見書の作成・交付義務に係る条項（13条・15条2項～6項）は除かれているので，適格機関投資家または特定投資家等が一般勧誘の相手方に目論見書を交付する義務はない。

6　有価証券届出書の提出義務の免除

(1)　総　　説

有価証券の募集または売出しに該当するが，発行者が有価証券届出書を内閣総理大臣に提出する必要がない場合が，4条但書に定められている。有価証券届出書の提出が求められなければ発行者は継続開示義務を負うこともないから（24条1項3号），届出書の提出義務の免除は，ディスクロージャーの免除とほとんど同義である。ただし，相手方に対する情報提供のために，目論見書の交付が必要とされる場合があり（→(3)），その場合には，発行者が目論見書を作成する必要があるから，発行者にとっての発行開示の負担は届出書を提出する場合とほとんど変わりがない。

以下では，いかなる理由で届出書の提出義務が免除されるかを事由ごとに説明する。なお，組織再編成についての届出書提出義務の免除（4条1項2号）は**6**節**2**⑷で説明する。

⑵　非上場会社におけるストックオプションの付与

勧誘の相手方が当該有価証券に関する情報を既に取得し，または容易に取得することができる場合には，法によるディスクロージャーを発行者に強制する必要はない。適格機関投資家が有価証券投資に対する一般的な知識・経験を有している者であるのに対し，ここで想定している相手方は，特定の有価証券に関する知識を有する者である。そのような場合として金融商品取引法は，会社が，会社またはその完全子会社の取締役・会計参与・監査役・執行役・使用人を相手方として，譲渡制限の付された新株予約権の取得勧誘または売付け勧誘等を行う場合を定める（4条1項1号，施行令2条の12，企業内容等開示府令2条1項2項）。業績連動型報酬としてのストックオプションを想定した規定であり，非上場会社が50人以上の者にストックオプションを付与しても発行開示義務を負わず，その結果，継続開示義務を負わないようにするため（24条1項3号参照）に設けられた。発行会社や子会社の役員・使用人であれば，発行会社について詳しいか，情報を容易に入手できるとの考えに基づいている。

⑶　開示の行われている有価証券の売出し

ある有価証券に関して開示が行われている場合に，当該有価証券の売出しを行うには発行者が有価証券届出書を提出する必要がない（4条1項3号）。ここに「開示が行われている場合」とは，①当該有価証券について既に行われた募集・売出しに関する届出，既に行われたプロ私募証券・特定投資家向け証券の一般勧誘に関する届出が効力を生じている場合，②当該有価証券と同一の発行に係る有価証券について既に行われた売出し，または当該有価証券と同種の有価証券について既に行われた募集・売出し，プロ私募証券・特定投資家向け証券の一般勧誘に関する届出が効力を生じている場合，③当該有価証券または同種の有価証券について既に行われた発行登録の効力が生じており，発行登録追補書類が提出されている場合，④当該有価証券が募集・売出しを経ないで上場または店頭登録されており，24条3項の規定により既に有価証券報告書を提出している場合，⑤当該有価証券が外形基準に該当し，既に有価証券報告書を提出している場合等をいう（4条7項，企業内容等開示府令6条，外債開示府令3条の2，特定有価証券開示府令7条）。

①②の場合からは，24条1項但書の規定により継続開示義務が免除されて

いる場合は除かれる。①～⑤の場合には，有価証券届出書または有価証券報告書によって，新たに売出しの対象となる有価証券についての情報の大部分が既に投資者一般に対して開示されているということができる。

開示の行われている有価証券の売出しの場合には，届出が免除されるほか，目論見書の作成・交付義務も免除される（13条1項，企業内容等開示府令11条の4)。ただし，株式，新株予約権などのエクイティ関連商品については，発行者，発行者の関係者，または売出しに係る引受人である金融商品取引業者が売出しを行う場合には，目論見書の作成・交付義務は免除されない（同条項)。エクイティ関連商品の判断には発行者に関する情報が重要であるところ，発行者の関係者等は発行者の未公開情報に接近できるので，情報の非対称性と販売圧力を解消するために，目論見書の作成・交付が求められるのである[39]。

■Column 2-9　開示の行われている有価証券の募集との相違■■

開示の行われている有価証券の募集を行うとき――たとえば，上場会社が資金調達のための株式の募集を行うとき――は，有価証券届出書を提出し，目論見書を作成しなければならない。それでは，開示の行われている有価証券の売出しをするのに，有価証券届出書の提出義務も目論見書の作成義務も免除されるのはなぜだろうか。

かつては，開示の行われている有価証券の売出しをする場合に，届出義務は免除されていたが，目論見書の作成・交付義務は免除されていなかった。したがって，発行者にとっては，有価証券届出書とほぼ同内容の目論見書を作成しなければならないのであるから，大きなコスト減にはならない。そこで，届出が免除される意味は，発行者が届出書の効力発生（→***5*節*2*(2)**）を待たずに，直ちに有価証券を売出しにより売り付けることができるという点にあった。

有価証券の募集の場合，発行者が手取金を入手するので，手取金の使途の開示が投資判断にとって重要になり，その情報を投資者が咀嚼するのに時間を要する。売出しの場合は，売出人が手取金をどう使おうと有価証券の価値には影響がないから，手取金の使途は投資判断にとって重要でなく，開示の対象とされていない。そこで，開示の行われている有価証券の売出しでは，売出しに際して追加的に開示される情報を投資者が短期間で咀嚼できるため，待機期間（→***5*節*2*(2)**）の省略を認めたものと理解されていた。

平成21年改正は，開示の行われている有価証券については，投資者がEDINET

---

39)　谷口義幸「『有価証券の売出し』に係る開示規制の見直しの概要（下)」商事1903号(2010) 35頁。

（→**Column 2-11**）によって開示情報を容易に取得することができることから，原則として目論見書の作成・交付義務をも免除した。しかし，上述のように，発行者，発行者の関係者，売出しの引受人が売出しを行うときは，目論見書の作成・公表義務は免除されないから，その限りで上記の説明は平成21年改正後も妥当すると考えられる。

⑷　外国証券売出し

平成21年改正により，海外で発行された有価証券を国内に持ち込んで投資者に取得させる行為は広く「売出し」に該当するようになったが，海外発行証券のなかには海外に流通市場が存在し，証券に関する情報を入手しやすいものもある。そこで，海外発行証券のうち，わが国の投資者にとって情報の取得が容易であるものについては，法定開示義務を免除し（4条1項4号），代わりに，金融商品取引業者等に「簡易な情報提供」を求めることにした（27条の32の2，→*5*節*5*）。この場合に，有価証券届出書提出義務の免除を受けることのできる売出しを「外国証券売出し」という。国内発行証券については，「開示の行われている証券の売出し」は届出義務が免除されているが（→⑶），これを外国で開示の行われている証券の売出しに，条件付きで拡大するものといえる[40]。

届出義務が免除される「外国証券売出し」の範囲は，①インターネット等により，当該外国証券の国内における売買価格の情報を容易に取得できる，②外国において当該証券が継続して売買されている，③インターネット等により，当該証券の発行者に関する情報を容易に取得できることを共通する要件として，有価証券の種類ごとに政令で定められている（施行令2条の12の3）[41]。ただし，仕組債や証券化商品のように，評価の難しい有価証券は，届出義務の免除対象とされない（同条）。

「簡易な情報提供」によって提供されるような情報が国内において既に十分に周知されている外国証券については，簡易な情報提供なしに有価証券届出書の提出義務が免除される（4条1項4号，27条の32の2第1項但書，証券情報府令13条）。その典型は外国国債である。

⑸　少額免除

募集や売出しの規模が小さくても，開示書類の作成・届出には一定の費用が

40）　黒沼・前掲注23）50頁。
41）　規制の詳細につき，谷口・前掲注39）28-32頁を参照。

かかる。また，届出を要する募集または売出しを行った有価証券については，一定の期間，発行者に継続開示義務が課せられるため（24条1項3号，**→3章2節*1*(3)**），少額の募集・売出しについても届出を要求すると，継続開示義務を負担するだけの余力のない新興企業が資本市場から資金調達を行う道を閉ざしてしまう。そこで法は，発行者の負う開示コストを考慮して，発行価額・売出価額の総額が1億円未満の有価証券の募集・売出しについては，募集・売出しの届出を要しないとした（4条1項5号）。ディスクロージャーの要否の基準を，情報を欲する投資者がいるか否かではなく発行者のコストの大小に求めることは，発行者の負担が最終的に株主などの有価証券保有者の負担に帰すること，および資本市場の利用を促進する上記の観点から是認されるのであり，金融商品取引法の趣旨（投資者保護）に反するものではない。

少額免除の基準額の設定は，政策的な判断である。証券取引法の昭和46(1971)年改正で募集・売出しともに1億円未満を基準額としたが，物価水準を考慮して昭和63(1988)年改正で基準額が5億円未満に引き上げられた。平成10年改正では，基準額を1億円未満に引き下げて規制を強化するとともに，発行価額・売出価額の総額が1億円以上5億円未満の募集・売出しについては，簡略な記載の有価証券届出書の提出を認め（5条2項），その後に提出が求められる有価証券報告書も簡略な記載で足りるとした（24条2項，**→*3*節*4*(1)**）。これは，1億円以上5億円未満の資金調達需要のある未上場の発行者が，私募ではなく公募によって資金を調達するよう促すための規定である。

■ Column 2-10　脱法の防止■■

少額免除の制度趣旨からは，1億円未満の募集・売出しを数回に分けて行い，届出なしに総額1億円以上の募集・売出しをすることを防止しなければならない。そこで法は，①同一の種類の有価証券について，過去1年以内に行われた募集または売出しの総額と合算した金額が1億円以上となる場合，②勧誘対象者の数を期間通算する（**→Column 2-6**）ことにより募集に該当する場合で，過去6か月以内の同種の新規発行証券の発行価額と合算した金額が1億円以上となる場合，③同一種類の有価証券の募集・売出しが並行して行われ合計額が1億円以上となる場合等に，1億円未満の募集・売出しであっても届出が免除されない旨を定めている（企業内容等開示府令2条4項）。

第3節　有価証券届出書による開示

1　有価証券届出書の提出・公開

(1)　発 行 者

募集・売出しに係る有価証券を取得すべきか否かを判断するのに重要な情報は，有価証券届出書および目論見書によって開示される。有価証券届出書は発行者が作成し，添付書類（→2(3)）とともに，内閣総理大臣に届け出る（5条）。届出は，EDINETと呼ばれるネットワークを通じて行う。発行者は目論見書も作成しなければならないが（13条），目論見書の内容は届出書の内容に準拠しているため，目論見書の届出義務は課せられていない。

発行者とは，有価証券を発行し，または発行しようとする者をいい，内閣府令で定める有価証券および2条2項各号の有価証券については，内閣府令で定める者が発行者になる（2条5項）。金融商品取引法では，開示に必要な情報を確実に入手して提供できる者を発行者と捉える必要があるからである。たとえば，受益証券発行信託の受益証券については，委託者指図型の場合には委託者が，委託者非指図型で金銭を信託財産とする場合には受託者が，これら以外の場合には委託者および受託者が発行者になる（定義府令14条2項2号・3項1号）。投資信託の受益証券についても，委託者指図型の場合は委託者が，委託者非指図型の場合は受託者が発行者になる（投信2条7項）。集団投資スキーム持分（2条2項5号）については，業務執行組合員，匿名組合の営業者，投資事業有限責任組合の無限責任組合員が発行者と定められている（定義府令14条3項4号）。

(2)　公 衆 縦 覧

提出された有価証券届出書および添付書類は，財務局，発行者の本店および主要な支店，上場有価証券については金融商品取引所，店頭売買有価証券については認可金融商品取引業協会において，5年間，公衆の縦覧に供される（25条1項2項）。投資者がこれらの場所にアクセスして，投資判断資料を得ることができるようにするためである。ただし，事業上の秘密保持の必要性から，発行者は内閣総理大臣の承認を受けて，有価証券届出書の一部を公開しないことができる（同条4項）。

■ Column 2-11　EDINET ■■

EDINET（Electronic Disclosure for Investors' NETwork）とは，内閣府の使用するコンピューターと，開示書類の提出者が使用する端末および金融商品取引所・認可金融商品取引業協会の使用する端末をネットワークで接続した電子情報処理組織をいう（27条の30の2）。開示書類の届出や内閣総理大臣に対する各種通知・申出を効率的に行わせるために，平成16年から供用が開始され，現在では内閣総理大臣への開示書類の届出はすべてEDINETにより行わなければならない（27条の30の3）。開示書類の提出者が内閣府（財務局）内に設置されたコンピューターにインターネットを通じて情報を送信すると，法律上も，開示書類を提出したものとみなされる（同条4項）。提出者が公衆の縦覧に供するために金融商品取引所や認可金融商品取引業協会に書類の写しを送付しなければならない場合（6条等）も，財務局のコンピューターと取引所・協会のコンピューターがEDINETで結ばれているため，財務局のコンピューターへ送信すれば取引所・協会に対しても有価証券届出書の写しを提出したものとみなされる（27条の30の6）。EDINETにより提供された情報は，公開場所において，ファイルに記録された事項をモニター画面に表示することにより公衆の縦覧に供される（27条の30の7，27条の30の8）。これに加えて金融庁は，行政サービスとして，そのウェブサイトからEDINETの情報を閲覧できるようにしている。

2　有価証券届出書の記載事項――企業金融型証券の場合

(1)　総　　説

なにが投資者の投資判断にとって重要な情報かは，有価証券の性質によって異なる。特に，企業としての発行体自身の信用力にその価値を置く企業金融型証券と，発行体の保有する資産をその価値の裏づけとする資産金融型証券（→*3*(1)）とでは，記載事項は大きく異なると考えられる。記載事項を定める内閣府令においては，従来からこのような区分が行われてきたが，金融商品取引法では，開示制度の適用対象となる有価証券の種類が増えたことから，法律上も，企業金融型証券と資産金融型証券（特定有価証券）とを分け（5条1項），有価証券の性質に応じた開示制度を構築しやすくした[42]。ここでは，まず，特定有価証券以外の有価証券，すなわち企業金融型証券に係る有価証券届出書の記載事項を説明する。

有価証券の募集・売出しに関する有価証券届出書には，発行者が会社（外国

---

42)　金融審議会金融分科会第一部会「ディスクロージャー・ワーキング・グループ」報告「今後の開示制度のあり方について」III. 2. (1)（平成17年6月28日）。

会社を含む）である場合には，内閣府令で定める事項を記載しなければならない（5条1項）。本項は発行者が会社以外の者である場合に準用される（27条）。内閣府令では，内国会社と外国会社に分けてその様式を定めており（企業内容等開示府令8条1項・同第2号様式・同第7号様式），記載事項は証券情報（第1部）と企業情報（第2部）に大別される（**図表2-3**参照）。

(2) 証券情報

証券情報とは，募集・売出しの条件に関する情報であり，内国会社の株式の募集について見ると，①新規発行株式の種類・発行数，②募集の方法および条件，③株式の引受けに関する事項，④手取金の使途等を記載する。これらのうち①では，発行する株式の内容と発行予定数を，②では，株主割当て・第三者割当て・一般募集の別，発行価格・申込期間・払込期日等を，③では，引受人の名称・引受株式数・引受けの条件等を記載する（企業内容等開示府令第2号様式）。発行価格を申込期間の直前の市場価格に近い値段に設定するために，発行価格を記載せずに，あるいは募集に係る有価証券と同一種類の有価証券の特定日における金融商品市場の最終価格に一定率（たとえば95%）を乗じた算定方式（企業内容等開示府令1条30号）を用いて発行価格を記載することもできる。それらの場合には，発行価格が定まった時点で訂正報告書（7条）を提出する。④は，設備資金，運転資金，借入金返済，有価証券の取得，関係会社に対する出資，融資等に区分し，その内容および金額を具体的に記載し，手取金を事業の買収に充てる場合には，その事業の内容および金額を具体的に記載することとされている（同第2号様式　記載上の注意(20)）。

どのような種類の有価証券をどのような条件で発行するか（上記①～③）は，発行者の財政状態や経営成績に直接に影響を与えるものではないが，投資者が当該有価証券の価値を評価し投資決定を行なう際には，重要な判断資料となる。また，たとえば，時価以下で公募増資をすれば株式の市場価格が下落するように，募集条件に関する情報は，発行者の有価証券を保有している者にとっても，重要な投資判断資料である。これに対し，募集により調達した資金を発行者がなにに使うか（上記④）は，発行者の財政状態や経営成績に影響を与えることを通じて投資者の投資判断にも影響を与える。

■ Column 2-12　第三者割当てに関する開示■■

前述のように（→**Column 2-7**），上場会社が第三者割当ての方法で募集株式を発行するときには，有価証券届出書を提出しなければならない。十分な情報開示がなされないまま，実態が明らかでない海外のファンドに大量の株式を割り当てたものの最終的に発行会社に資金が入らなかったり，既存株主の議決権の極端な希釈化をもたらすなど，投資者保護の点で問題のある第三者割当てが一部で行われることがあったことから，平成21年の府令改正により第三者割当てに関する開示の充実が図られた[43]。

すなわち，有価証券届出書の第2号様式に「第三者割当の場合の特記事項」の欄が設けられ，そこでは，①割当予定先の状況，②株券等の譲渡制限，③発行条件に関する事項，④大規模な第三者割当てに関する事項，⑤第三者割当後の大株主の状況，⑥大規模な第三者割当ての必要性，⑦株式併合等の予定の有無および内容，⑧その他参考になる事項の記載が求められる。これらのうち①には，発行者と割当先との間の関係（出資・人事・資金・技術・取引等に関する重要な関係），割当先の選定理由，払込みに要する資金の状況，割当先が反社会的勢力と関係していないことを確認した結果などを記載する。③には，第三者割当てによる募集株式の発行が会社法上の有利発行（会社199条3項）に該当すると判断した場合には，当該発行を有利発行により行う理由等を，有利発行に該当しないと判断した場合には，その理由および，もしその適法性（株主総会の特別決議を経ていないこと）について監査役の意見や第三者の評価があればその内容を記載する。④の大規模な第三者割当てとは，(a)希釈化率25% 以上の第三者割当て（発行済株式の議決権の25% 以上に相当する第三者割当て）または(b)当該第三者割当てにより支配株主（議決権割合が50% 超の株主）が生じる場合をいい，これらの場合には⑥に，大規模第三者割当てを行う理由，および既存株主への影響についての取締役会の判断の内容を記載する。そのような判断の過程で，独立第三者からの意見の聴取，株主総会における意思の確認等をした場合にはその内容も記載する。

これらの開示の充実は，第三者割当てに応ずる投資者への情報提供を目的としたものではなく，不透明な第三者への募集株式の発行を抑止し，大規模な第三者割当ては，発行者にとって真に必要である場合にのみ行わせる趣旨で設けられたものであるといえる。つまり，ここでは企業行動を規律するためにディスクロージャーの手法が用いられている（取引所の自主規制につき→**6章*5*節*2*(2)**，会社法の対応につき→**Column 6-25**）。

43）解説として，谷口義幸＝宮下央＝小田望未「第三者割当に係る開示の充実等のための内閣府令等の改正」商事1888号（2010）4頁，検討として，大証金融商品取引法研究会「公開会社（上場会社）における資金調達法制」（研究記録4号，2011）96-111頁〔洲崎博史報告〕を参照。

(3) 企業情報その他の情報

企業情報は，発行者の事業や財務に関する情報であり，①企業の状況，②事業の状況，③設備の状況，④提出会社（発行者）の状況，⑤経理の状況，⑥株式事務の概要，⑦参考情報に分けて記載する。①〜③および⑤については，主として，発行者を頂点とする企業集団の情報（連結情報）を記載することとなる。企業情報に係る記載事項は，有価証券報告書上の企業情報と同じであるので，詳細は**3章*4*節*1***で説明する。

以上のほか，第３部には，⑧保証会社の情報，⑨保証会社以外の会社の情報（→**Column 2-13**），および⑩当該有価証券の投資判断に重要な影響を及ぼすと判断される指数等に関する情報を記載する。⑧は，発行者以外の者が社債の元利金の支払について保証をしている場合，社債の価値の判断にとって保証会社の情報が重要であるので，これを記載させるものである。⑩は，株価指数を対象とするカバードワラント（→**1章*5*節*2***(7)）などの投資判断に資するために，指数等の情報を開示させるものである。

第４部には，特別情報として，⑪最近５事業年度の財務諸表（貸借対照表，損益計算書，株主資本等変動計算書，およびキャッシュ・フロー計算書），⑫保証会社および連動子会社（トラッキングストックの連動対象となる会社）の最近の財務諸表を記載する。⑪は，発行者が継続開示会社でない場合に限って，⑫は，保証会社および連動子会社が継続開示会社でない場合に限って求められる（企業内容等開示府令第２号様式　記載上の注意(1) e)。

■ Column 2-13　保証会社以外の会社の情報■■

保証会社以外の会社の情報とは，トラッキングストックの連動子会社の情報，カバードワラントのオプション行使の対象となる有価証券の発行者の情報，他社株償還特約付社債の他社の情報などを指す。保証会社以外の会社が継続開示会社でない場合には，当該会社の企業の概況，事業の状況，経理の状況などを記載する（企業内容等開示府令第２号様式　第３部第１・第3)。そこで，たとえば当該会社の財務諸表に虚偽記載があれば，有価証券届出者の提出者が民刑事の責任や課徴金の責任を負うことになる。

これに対し，保証会社以外の会社が継続開示会社である場合は，その情報は，開示書類の提出年月日・公衆縦覧の場所を示すことで足りる（同第３部第１・第2)。この場合，たとえば他社株償還特約付社債の他社の財務諸表に虚偽記載があっても，有価証券届出書はそれを参照したにすぎず，法23条の２のように参照情報を届出書の記載に含める規定もないので，他社株償還特約付社債の発行者の役員等は虚偽記載の責任を負わない44)。もっとも，トラッキングストックの連動子会社の財務諸表に虚偽記載がある場合には，親会社である発行者の関係者は自身の連結財務諸表の虚偽記載について責任を負う可能性が高い。また，他社株償還特約付社債やカバードワラントの対象証券を選択する際に発行者は投資者に損害が及ばないように注意すべきであるから，不法行為責任が生ずる可能性はある。

IPOを行う新規公開会社については，企業内容等開示府令第2号の4様式が用いられるが，そこでは，株式公開情報として，⑬特別利害関係者等の株式等の移動状況，⑭第三者割当て等の概況，⑮株主の状況の開示も求められる。⑬は，最近事業年度末日の2年前の日から届出書提出日までの間に，発行者の役員，役員の親族，役員や親族が支配する会社およびその役員，第10位までの大株主，発行者と人的関係または資本的関係のある会社およびその役員等の特別利害関係者等（企業内容等開示府令1条30号）が発行者の株式・新株予約権・新株予約権付社債の譲渡・譲受を行った場合に，その状況を開示させるものである。

有価証券届出書の添付書類は，発行者および有価証券の種類ごとに内閣府令で定められている（企業内容等開示府令10条）。内国会社の株式募集のための有価証券届出書には，⑯定款，⑰取締役会決議または株主総会決議の議事録，⑱発行者の資本金の額の変更について，行政庁の許可等を必要とする場合は許可等があったことを証する書面を添付する。

添付書類は有価証券届出書の一部を構成するので（2条7項），添付書類に虚偽記載があれば有価証券届出書の虚偽記載があるものと扱われる。

内国会社の株式募集に係る第2号様式の構成および記載事項は**図表2-3**のようになる。

44)　この問題を詳細に検討したものとして，中島史郎＝寺田昌弘＝安部健介「他社株関連証券の発行関係者の開示責任（上）（下）」商事1610号4頁以下，1611号14頁以下（2001）を参照。

図表 2-3　有価証券届出書の構成
（内国会社の株式募集の場合＝第2号様式，一部省略して記載してある）

第一部【証券情報】

第1【募集要項】

1【新規発行株式】

種類	発行数	内容

2【株式募集の方法及び条件】

(1)【募集の方法】

区分	発行数	発行価額の総額	資本組入額の総額
募集株式のうち株主割当			
募集株式のうちその他の者に対する割当			
募集株式のうち一般募集			
発起人の引受け株式			
計（総発行株式）			

(2)【募集の条件】

発行価格	資本組入額	申込株数単位	申込期間	申込証拠金	払込期日

(3)【申込取扱場所】

店名	所在地

(4)【払込取扱場所】

店名	所在地

3【株式の引受け】

引受人の氏名又は名称	住所	引受株式数（数）	引受けの条件
計			

10【手取金の使途】

(1)【新規発行による手取金の額】

払込金額の総額	発行諸用の概算額	差引手取金概算額

(2)【手取金の使途】
11【会社設立の場合の特記事項】
第3【第三者割当の場合の特記事項】(→**Column 2-12**)
第4【その他の記載事項】
第二部【企業情報】(→**図表 3-3**)
第三部【提出会社の保証会社等の情報】
第1【保証会社情報】
第2【保証会社以外の会社の情報】
第3【指数等の情報】
第四部【特別情報】
第1【最近の財務諸表】
第2【保証会社及び連動子会社の最近の財務諸表又は財務書類】

3　有価証券届出書の記載事項――資産金融型証券の場合

(1)　特定有価証券の範囲

資産金融型証券については，発行者が行う資産の運用やこれに類する事業に関する情報が投資者の投資判断にとって重要となる。金融商品取引法は，資産金融型証券を特定有価証券と名付け，その範囲を政令で定めている（5条1項参照)。具体的には，①資産流動化法に基づく特定社債券・優先出資証券，特定目的信託の受益証券，コマーシャルペーパー，②投資信託・外国投資信託の受益証券，投資法人の投資証券・外国投資証券，③受益証券発行信託の受益証券（有価証券信託受益証券を除く)，④抵当証券，⑤外国貸付信託受益証券，⑥①～⑤の有価証券を受益有価証券とする有価証券信託受益証券，⑦有価証券投資事業権利等（3条3号)，⑧内閣府令で定めるものがこれに当たる（施行令2条の13，特定有価証券開示府令8条)。これによると，主として有価証券に対する投資を行う合名会社・合資会社・合同会社の社員権および組合契約に基づく権利は，特定有価証券となる。これらの会社ないし組合は，保有資産を運用するためのビークルとして用いられており，発行者自身の信用力を開示するよりも，発行者が行う資産の運用等の開示を求める方が投資者保護に資すると考えられるからである[45]。

45)　谷口義幸＝峯岸健太郎「開示制度に係る政令・内閣府令等の概要（下)」商事1811号(2007) 23頁。

特定有価証券に係る有価証券届出書の記載事項は，有価証券の種類ごとに内閣府令によって定められている（特定有価証券開示府令10条1項)。金融商品取引法施行時には，不動産を運用資産とする投資信託・投資法人の有価証券，ファンド・オブ・ファンズの内容について開示の充実が図られた[46]。以下では，資産金融型証券の典型である投資信託受益証券（投資信託の仕組みにつき→**11章*1*節*2***）と資産流動化証券（資産流動化の仕組みにつき→***7*節*1***）に係る有価証券届出書の記載内容を紹介する。

⑵　内国投資信託受益証券に係る記載事項

内国投資信託受益証券に係る有価証券報告書は，**図表2-4**の構成で作成される（特定有価証券開示府令第4号様式)。

図表2-4　内国投資信託受益証券に係る有価証券届出書の記載事項（第4号様式）

第一部【証券情報】
第二部【ファンド情報】
第1【ファンドの状況】
第2【管理及び運営】
第3【ファンドの経理状況】
第4【内国投資信託受益証券事務の概要】
第三部【委託会社等の情報】
第1【委託会社等の概況】
第2【その他の関係法人の概況】
第3【その他】

第1部の証券情報には，①単位型・追加型の別（→**11章*1*節*2*⑶**）等の受益証券の形態，②発行価額の総額，③申込手数料等を記載する。③は，具体的な手数料金額を投資者が知ることができる方法を示せば，手数料の上限を記載することで足りる。

第2部のファンドの状況は，④ファンドの性格，⑤投資方針，⑥投資リスク，⑦手数料等および税金，⑧運用状況からなる。このうち④には，投資信託約款，ファンドの特色，ファンドが特定の投資信託証券への投資を目的としているフ

46）谷口＝峯岸・前掲注45）28頁。

ァンド・オブ・ファンズである場合にはその旨，およびファンドの仕組みをわかりやすく記載することが求められる。⑤には，銘柄選定の方針，投資対象とする資産の内容・種類，ファンドの運用体制に係る組織の概要，約款に規定された分配方針，約款に定められた投資制限等を記載し，⑥は，ファンドの持つリスクの特性，投資リスクに対する管理体制について，具体的かつわかりやすく記載することが求められる。⑦には，投資者が申込みから換金までの間に直接的または間接的に負担することとなる手数料等（信託報酬を含む）に関する情報，および課税上の取扱いについて記載する。既に販売されている投資信託の追加募集の場合には，⑧として，投資資産の種類別・地域別の投資状況，運用実績，純資産・分配・収益率の推移を記載する。管理および運営には，資産の評価方法，受益証券の保管方法等を記載し，ファンドの経理状況には，ファンドを構成する資産の貸借対照表，損益及び剰余金計算書等の財務諸表（1年を計算期間とするファンドについては，中間貸借対照表，中間損益及び剰余金計算書を含む）を記載し，これらについて監査証明を受けている場合には，監査報告書を添付する。

第３部の委託会社等の概況には，投資信託の委託会社等（委託者指図型の場合は委託会社，委託者非指図型の場合は信託会社等）の概況，事業の内容，経理の状況等を記載する。委託会社等の状況はファンドの状況に比べれば投資判断上重要ではないが，なお投資信託の受益証券の価値に影響を及ぼす可能性もあるため情報の開示を求めるものである。その他の関係法人の概況には，委託会社等またはファンドに関し業務上密接な関係を有する法人に関する情報を記載する。委託会社が運用を再委託している場合の再委託先等がこれに当たる。

以上の記載事項の詳細については，特定有価証券開示府令第４号様式の記載上の注意を参照されたい。

⑶　資産流動化証券に係る記載事項

内国資産流動化証券のうち特定社債券に係る有価証券届出書は，**図表2-5**の構成で記載される（特定有価証券開示府令第５号の２様式）。

資産の流動化のために特定目的会社が発行する特定社債券（→1章 *5* 節 *2* ⑸）についての有価証券届出書の第１部第１では，事業会社が社債券を発行する場合の証券情報と同様の記載事項に加えて，特定社債券の基本的仕組みの記載が求められる。そこでは，①発行者（特定目的会社），流動化対象資産（貸付債権等）の原保有者，管理資産（資産流動化証券の発行者が当該資産流動化証券に係る債

図表2-5　特定社債券に係る有価証券届出書の記載事項（第5号の2様式，一部省略）

第一部【証券情報】
第1【社債（特定短期社債を除く）】[47]
第4【売出しに係る内国資産流動化証券の所有者の住所，氏名又は名称】
第5【手取金の使途】
第二部【管理資産情報】
第1【管理資産の状況】
第2【管理資産の経理状況】
第3【証券事務の概要】
第三部【発行者及び関係法人情報】
第1【発行者の状況】
第2【原保有者その他関係法人の概況】

務の履行のために管理，運用または処分を行う資産）の管理会社，管理資産の回収を行う会社，特定社債券に信用補完を行っている会社との関係およびその間の資金の流れ等，および特定社債券の償還または消却の仕組みの概要について，図表などを用いて明瞭に記載する必要がある。また，②特定社債券の償還または利子の支払に関するリスク，およびリスクへの対応策を示し，③期限の利益喪失特約等，特定社債券保有者を保護するための特約があれば，その内容，④取得している格付けがあれば，その内容，⑤投資者の判断に重要な影響を及ぼす資産流動化計画の内容を記載しなければならない。これらは，特定社債券を取得しようとする投資者の判断に重要な影響を及ぼすと考えられるからである。

第2部は，投資信託受益証券に適用される第2部【ファンド情報】に相当する部分であり，管理資産の状況，管理資産の経理の状況，証券事務の概要からなる。管理資産の状況としては，⑥その概要，⑦管理資産を構成する資産の概要，⑧管理および運営の仕組み，⑨証券保有者の権利，⑩管理資産を構成する資産の状況，および⑪投資リスクを記載する。このうち⑥には，管理資産に係る法制度の概要，資産の種類・構成，資産の債務者の特質，原保有者・管理会社・回収会社・信用補完会社の業務の内容，資産管理会社のリスク管理体制の状況などが含まれる。⑦の主要部分は，管理資産を構成する資産の内容とその

47）　第2，第3は，社債以外に関する開示事項。

回収方法である。⑧には，管理資産を構成する資産（貸付債権等）の元本・利息等の回収方法，管理報酬，信用補完の内容等を記載する。⑨には，管理資産を構成する資産（貸付債権等）の支払状況，損失や延滞の状況，収益状況の推移が含まれる。

第３部は，第４号様式の第３部（特別情報）に相当するものであり，発行者，流動化対象資産の原保有者，管理資産の管理会社，管理資産の回収会社，信用補完会社の企業情報を記載する。

以上の記載事項の詳細については，特定有価証券開示府令第５号の２様式の記載上の注意を参照されたい。

4　簡易な有価証券届出書

⑴　少 額 募 集

総額が１億円以上５億円未満の募集・売出しについて有価証券届出書の記載内容の簡素化が図られている（5条2項）[48]。これを少額募集という。少額募集の開示制度は，未上場企業，特にベンチャー企業が資本市場から円滑に資金を調達できるようにするためには，ディスクロージャー規制を及ぼしつつ，その開示負担を軽減するものである[49]。簡易な発行開示の適用を受けた発行者は，その後の継続開示についても簡素化が認められる（24条2項，**→3章*4*節*1*⑴**）。

上場有価証券・店頭登録有価証券の発行者，外形基準（**→3章*2*節*1*⑷**）により継続開示義務を負う発行者（24条1項2号4号），および既に簡易でない継続開示書類を提出している発行者は，少額募集に係る開示の簡素化を利用することができない（5条2項各号）。５億円未満という募集・売出総額は，過去１年以内の募集または売出しの価額を合算し，募集と売出しを並行して行う場合にはそれらの価額を合算して計算する（企業内容等開示府令9条の2）。

開示の簡素化は，企業情報の開示について認められる。少額募集に係る有価証券届出書の第３部（企業情報）では，発行者単体の情報を中心として記載事項が定められており，子会社等が存在する場合でも連結財務諸表の記載は不要とされ，これに代えて第４部に子会社等の情報を記載する（企業内容等開示府令

48)　改正の提言につき，証券取引審議会総合部会市場ワーキング・パーティー報告書「信頼できる効率的な取引の枠組み」4.(5)（平成9年5月16日）を参照。

49)　吉原和志「少額募集等にかかる開示制度の整備ほか」証券取引法研究会編『金融システム改革と証券取引制度』（日本証券経済研究所，2000）2頁。

第2号の5様式)。少額募集を行う発行者は，企業集団の情報を中心とする開示(連結主体の開示）への移行過程にある会社と位置づけられるからである[50]。

(2) 発行開示と継続開示の統合

有価証券届出書は，有価証券の募集または売出しに際して発行者に詳細な証券情報および企業情報を開示させるものであるが，発行者の多くは，同一の有価証券を金融商品取引所に既に上場しており，継続開示義務を負っている。継続開示によって開示された企業情報が投資者の間に広く浸透している場合には，有価証券の募集・売出しの際に重ねて企業情報を開示させる必要性は乏しい。また，発行開示において継続開示書類の利用を認めれば，有価証券の募集・売出しに際しての発行者のコストを下げることができる。そこで，昭和62(1987)年の省令改正および昭和63(1988)年の法改正により，一定の要件を満たす発行者に簡易な発行開示を認める組込方式・参照方式が導入された。この改正は，法がディスクロージャー規制の重点を発行開示から継続開示へ移行させたものと捉えることができる[51]。

■Column 2-14　発行開示と市場の効率性■■

わが国の組込方式・参照方式は，1982年のSEC規則の改正に倣ったものである。このときアメリカでは，登録届出書（わが国の有価証券報告書に相当）をS-1，S-2，S-3の三層に区分し，発行開示と継続開示の調整・統合を図った（統合開示制度)[52]。これは，SECが一定の範囲で，効率的な市場が成立していることを認知したことを意味する。すなわち，S-3様式（わが国の参照方式に相当）を利用できる発行者の有価証券は，資本市場で活発に取引が行われ，証券アナリスト等によって良く分析されているので，発行者に関する情報が市場価格に反映していると考えられる。そこで，新規発行に際して投資者は市場価格を信頼することができ，改めて開示情報を分析する必要がない。S-2様式（現在は，S-3様式に統合。わが国の組込方式に相当）を利用できる発行者の有価証券は，S-3様式の有価証券ほど効率的な市場が形成されていないので，新規発行に際して一定の追加情報の開示が求められる。これに対し，S-2様式の利用適格要件を満たさない発行者については，S-1様式（わが国の組込方式・参照方式以外の有価証券届出書に相当）により，投資判断に資するた

50）谷口義幸「金融システム改革法によるディスクロージャー制度の見直しに伴う企業内容等の開示に関する省令等の改正の概要（上)」商事1536号（1999）30頁。

51）黒沼悦郎「証券市場の再生へ——証券取引法の制定とその後の諸改正」北澤先生古稀記念『日本会社立法の歴史的展開』(商事法務，1999) 602頁。

52）当時のアメリカの制度の紹介として，神崎克郎「発行開示と継続開示」証券研究68巻(1983) 3頁以下を参照。

め詳細な情報開示が求められるのである[53]。アメリカにおける制度の導入は，資本市場の効率性に関する実証研究に基づいている[54]。わが国において，そのような実証研究なしに組込方式・参照方式が導入された点は，問題である。

⑶ 組込方式

組込方式とは，有価証券届出書に，直近の有価証券報告書・添付書類，その後の四半期報告書または半期報告書，およびこれらの訂正届出書の写しを綴じ込み（組込情報），有価証券報告書提出以後に生じた重要な事実で内閣府令で定める追完情報を記載することにより，企業情報の記載に代える方式をいう（5条3項，**図表2-6**）。追完情報には，有価証券報告書提出後，有価証券届出書提出前までに生じた重要な事実を記載するほか，終了した決算期の業績の概要を記載すべきことが定められている点が注目される（企業内容等開示府令9条の3・第2号の2様式・第7号の2様式）。たとえば，四半期報告書提出会社において，会計年度開始後おおむね3か月を経過した日から，四半期報告書の提出期限（45日目）前に届出書を提出する場合には，当該3か月の業績の概要を記載することが求められている。これに対し，期中の決算内容が一般に流布している予想情報と大きく乖離することが判明した場合に，これを追完情報に含めるべきか否は，有価証券届出書提出後に生じた重要な事実に該当するか否かによって定まる解釈問題である[55]。

図表2-6　組込方式による有価証券届出書の記載事項（第2号の2様式）

第一部【証券情報】
第二部【公開買付けに関する情報】[56]
第三部【追完情報】
第四部【組込情報】[57]
第五部【提出会社の保証会社等の情報】
第六部【特別情報】

53）黒沼・アメリカ39頁。
54）Report of the Advisory Committee on Corporate Disclosure to the Securities and Exchange Commission (November 3, 1977).
55）この問題を扱ったアメリカの判例として，Shaw v. Digital Equipment Corp., 82 F. 3d 1194 (1st Cir. 1996) を，その紹介として黒沼悦郎「判批」アメリカ法2000-2号337頁，今川嘉文「判批」商事1770号37頁を参照。

組込方式を利用できる発行者は，1年以上継続開示を行っている者である（5条3項，企業内容等開示府令9条の3）。したがって，その発行者が上場会社であれば，少なくとも有価証券報告書を1回，四半期報告書を3回提出していることが求められる。

(4) 参照方式

参照方式とは，有価証券届出書に，直近の有価証券報告書・添付書類，その後の四半期報告書または半期報告書，臨時報告書，およびこれらの訂正報告書を参照すべき旨を記載することにより，企業情報を記載したとみなす方式をいう（5条4項，企業内容等開示府令9条の4・第2号の3様式・第7号の3様式，**図表2-7**）。参照先の情報（参照書類）は有価証券届出書の記載として扱われ（23条の2），参照書類に虚偽記載があれば有価証券届出書に虚偽記載があることになる。

組込方式との違いは，組込方式では有価証券届出書中に有価証券報告書等が添付されるのに対し，参照方式では有価証券届出書を見ても有価証券報告書等の記載内容を知ることができず，参照書類の縦覧場所に行かなければそれらを閲覧できない点にある。ただし，EDINETによる情報公開（→**Column 2-11**）が進んでいる現在，開示情報へのアクセスに大きな違いはないといえよう。また，参照方式では，組込方式のような追完情報の記載は求められないが，有価証券報告書提出後に，報告書に記載すべき事項に関し重要な事実が発生した場合には，その内容を記載した書面を添付することが求められている（企業内容等開示府令10条1項3号）。

図表2-7　参照方式による有価証券届出書の記載事項（第2号の3様式）

第一部【証券情報】
第二部【公開買付けに関する情報】[58]
第三部【参照情報】[59]
第四部【提出会社の保証会社等の情報】
第五部【特別情報】

56）募集または売出しに係る有価証券を公開買付けの対価として交付する場合に記載する。
57）有価証券報告書等を添付する。
58）募集または売出しに係る有価証券を公開買付けの対価として交付する場合に記載する。
59）参照書類を参照すべき旨，参照書類の補完情報，および参照書類を縦覧に供している場所を記載する。

参照方式を利用できる発行者は，1年以上継続開示を行っており，かつ，その者の企業情報が投資者に広範に提供されているものとして内閣府令で定める基準（利用適格要件）を満たす者である（5条4項）。

■Column 2-15　利用適格要件■■

参照方式の利用適格要件は，①上場株券の発行者については，(a)上場株式の年平均の売買金額および時価総額が100億円以上であること，(b)上場株式の年平均の時価総額が250億円以上であること，(c)過去5年間に募集・売出しにより発行した社債の総額が100億円以上であること，(d)法令により優先弁済権を保証されている社債を発行していることのいずれかに該当すること，②一定の外国上場株券の発行者については，外国金融商品市場における株式の時価総額が1000億円以上であること，③株券を上場していない発行者については，過去5年間の社債の募集・売出総額が100億円以上であること，④コマーシャルペーパーの発行者については，過去5年間の募集・売出総額が100億円以上であることである（企業内容等開示府令9条の4第5項）。

①(a)(b)は，上場株式の売買金額や時価総額が大きければ，発行者に関する情報が多くの者に分析され，効率的な市場が成立しているとの考えに基づくものである。社債やコマーシャルペーパーについては，かつては指定格付機関から一定格以上の格付けが付されていることを利用適格要件としていた。しかし，格付けは当該有価証券の安全性を示す目安となるにすぎないから，一定格以上の格付けを取得したことをもって，発行者の企業情報が投資者に周知されているとみることは疑問であった。格付けを公的に利用していたことが2008年の世界的な金融危機の1つの原因になったとの反省に立ち，平成21年改正では，社債やコマーシャルペーパーの参照方式の利用適格要件から一定格以上の格付けの取得を排除し，代わって，発行総額基準を導入した。これは，多額の社債等を募集・売出しにより発行していれば，それが多数の投資者に保有されているため，多数の投資者が発行者のデフォルトリスクに注目していることを理由とするものである。

(5)　発行登録制度

有価証券届出書が提出されてから実際に有価証券を売り付けるときまで，原則15日の待機期間が必要とされている（8条1項，→*5*節*2*(2)）。有価証券届出書において開示された情報を投資者が理解し，評価するのに要する時間を確保するためである。しかし，短期社債やコマーシャルペーパーのように市場金利に連動して価格が決まる有価証券については，資金調達の決定からその実施までの期間をできるだけ短くしなければ，機動的な資金調達を実現することができない。そこで，発行者が，募集または売出しについてあらかじめ登録をしておけば，個々の募集・売出しの際には，有価証券届出書を提出することなく，有価証券を取得させることができる発行登録制度が定められている。この制度は，アメリカで1983年に制定された一括登録制度（shelf-registration）に倣って，昭和63（1988）年の法改正で設けられた[60]。

発行登録は，参照方式が認められるのと同じ理由（→(2)），すなわち発行者の企業情報が広い範囲の投資者に知られており，個々の募集・売出しの際に投資者が企業情報の開示を欲していないという理由から認められる。そこで，発行登録の利用適格要件は，参照方式の利用適格要件と同じに設定されている（23条の3第1項）。

発行登録は，発行者が，発行予定期間，有価証券の種類および発行予定額または発行残高，引受主幹事を定めているときはその名称，その他内閣府令で定める事項を記載した発行登録書を内閣総理大臣に提出して行う（23条の3第1項）。内閣府令では，参照方式の有価証券届出書と同様，証券情報，参照情報，保証会社等の情報の開示を求めている（企業内容等開示府令14条の3・第11号様式）。このうち証券情報では，発行登録の段階で，手取金の使途の開示を求める。参照情報には，有価証券報告書等の継続開示書類を参照すべき旨，および参照書類の補完情報等を記載する。発行登録は原則として15日を経過すると効力が発生するが，届出書類の内容が投資者に容易に理解されると認められる場合に内閣総理大臣は，効力発生期間を短縮することができ（23条の5第1項・8条），短期社債およびコマーシャルペーパーでは，直ちに届出の効力を発生させる取扱いもできる（企業内容等開示ガイドライン23-5-2）。

発行登録の効力が生じ，かつ募集または売出しごとに，発行者が発行登録追補書類を提出すれば，発行登録追補書類に係る有価証券を募集または売出しの方法により投資者に取得させることができる（23条の8）。「募集または売出しごとに」とは，条件が同じ募集または売出しを意味する。ただし，その回の募集・売出総額が1億円未満である場合には，発行登録追補書類の提出を要しない（23条の8第1項）。発行登録追補書類には，証券情報として，その回の募集・売出しに係る事項を記載する（企業内容等開示府令14条の8・第12号様式）。

60）導入当時のアメリカの制度につき，龍田節「証券の一括登録制」証券研究68巻（1983）27頁以下を参照。

追補書類の企業情報は，参照方式や発行登録書と同様に，有価証券報告書等の継続開示書類を参照すべき旨を記載すれば足りる。有価証券届出書提出後に有価証券報告書に記載すべき事項に関し重要な事実が発生した場合には，その内容を記載した書類を添付する（23条の８第５項，企業内容等開示府令14条の12第１項１号）。

募集または売出しに際して開示される情報のうち投資判断にとって重要なものは，追補書類の証券情報中の手取金の使途と，上記の添付書類であろう。しかし，手取金の使途は既に発行登録書において開示されているし，添付書類中の記載が多項目にわたることも考えにくい。このように発行登録追補書類および添付書類の情報は投資者にたやすく理解されると考えられるので，追補書類提出の時から関係者は投資者に有価証券を取得させ，または売り付けることが認められる。

発行登録制度は，冒頭に述べた短期社債，コマーシャルペーパーのほか，買収防衛目的の新株予約権の発行にも用いられている。

第*4*節　目論見書による開示

1　目論見書の作成義務

目論見書とは，募集・売出しの勧誘資料であって，勧誘の相手方に交付するものをいう（２条10項）。金融商品取引法は，有価証券届出書の記載内容を基にして発行者に目論見書を作成させ（13条１項），募集・売出しに携わる者から投資者に対してこれを直接交付させることにより（15条２項），投資者に対し，投資判断に資する情報を提供するよう確保している。

募集・売出しに係る情報開示は，有価証券届出書と目論見書によって行われ，その記載内容は原則として同じであるが，両者の機能は異なる。第１に，有価証券届出書による開示は，その縦覧場所に投資者が出向かなければ情報を得ることができない間接開示であるのに対して，目論見書による開示は投資者に直接交付されるという直接開示である。もっとも，EDINETの普及により有価証券届出書の開示が直接開示化している（投資者が自宅等から情報にアクセスできる）とともに，目論見書においても参照方式が利用可能であることから，目論見書による開示が間接開示化していることに，注意が必要である。第２に，有価証券届出書による開示は市場に向けられたものであり，募集・売出しに係る有価証券の価格付けを情報に基づいて適正に行わせるという機能を有するとともに，同一の発行者の他の有価証券の取引の際にも参考にされる。これに対し，目論見書による開示は個々の投資者に向けられたものであり，個々の投資者が有価証券の価格が情報を反映した適正なものになっているか否かを個別に判断する際の資料になるとともに，当該有価証券が自己の属性や投資目的にふさわしいものであるか否かを個々の投資者が判断する資料になる。このような目論見書の第1の機能，すなわち投資者が内容に見合った価格で有価証券を取得できるよう確保する機能は，市場が情報を効率的に反映している場合には，有価証券届出書により代替させることができるが，第2の機能，すなわち投資者に適合性の原則（→**9章*2*節*2***）を確保する機能は，目論見書独自のものである[61]。

2　目論見書の記載事項

(1)　原　　則

目論見書には，基本的には有価証券届出書の記載事項を記載する（13条2項1号イ）。具体的には，内国会社であれば，有価証券届出書に係る第2号様式の第1部から第3部に掲げる事項を記載し（→***3*節*2*(3)**，**図表2-3**），届出が効力を発生している旨を付記する（企業内容等開示府令12条1号イ・13条1号）。これを届出目論見書というが，内閣総理大臣に届け出る必要はない。目論見書の様式は定められておらず，有価証券届出書の様式と同じでなくてもよい。有価証券届出書の効力発生前の勧誘に用いる目論見書を届出仮目論見書といい，これには届出の効力が発生していない旨，および記載内容に訂正がありうる旨を記載しなければならない（企業内容等開示府令13条1項2号）。発行価格を定めずに有価証券届出書を提出した場合（→***3*節*2*(2)**）には，発行価格が定まった段階で訂正届出書の事項を記載した目論見書を作成し，これを交付するか（15条4項・企業内容等開示府令13条2項3号），発行価格を日刊新聞紙等に公表することを要する（15条5項）。

組込方式の有価証券届出書を提出している発行者の目論見書は組込方式で作成され，参照方式の有価証券届出書を提出している発行者の目論見書は参照方式で作成される（企業内容等開示府令12条1号ロハ）。この結果，参照方式の目

61）　黒沼悦郎・平成12年度重要判例解説103頁。

論見書には発行者の企業情報は記載されず，企業情報については目論見書による開示が間接開示となる。

(2) 投資信託証券の特則

平成10年の改正以来，投資信託の募集・売出しにディスクロージャー制度が適用されてきたところ，追加型の投資信託・投資法人では継続的に受益証券・投資証券の募集が行われるため，常に目論見書の交付が必要になり，その作成・交付に多大なコストがかかるという問題が生じていた。特に，「貯蓄から投資へ」という政策の担い手として期待されている投資信託の販売コストが嵩むようでは，貯蓄者の投資への誘導は難しいと考えられた。そこで，投資信託受益証券や投資証券の有価証券届出書を，①販売までに必ず交付しなければならない部分，②投資者の請求に応じて交付する部分，③目論見書には記載せず，有価証券届出書の公衆縦覧により開示を図る部分の3つに分ける有価証券届出書の3部構成化が，平成16年の改正により実現した[62)]。①〜③を分割することにより，目論見書の作成および交付のコストを引き下げることを目的とするものである。①を記載した目論見書を交付目論見書といい，②を記載した目論見書を請求目論見書という。有価証券届出書の3部構成化が認められるのは，投資信託・外国投資信託の受益証券，投資法人の投資証券・投資法人債券，および外国投資証券である（15条3項，施行令3条の2，以上を投資信託証券という）。

内国投資信託受益証券の交付目論見書の記載事項（13条2項1号，特定有価証券開示府令15条，15条の2）は，届出書とは別の様式（特定有価証券開示府令第25号様式）で定められており，これには，基本的情報として，①ファンドの名称，②委託会社等の情報，③ファンドの目的・特色，④投資リスク，⑤運用実績，⑥手続・手数料等を記載する。このほかに，投資者の投資判断に極めて重要な影響を及ぼす事項があるときは，当該事項を追加的に記載する。

内国投資信託受益証券の請求目論見書には，第4号様式に掲げる事項から同様式第3部の第2・第3に掲げるものを除いた事項を記載する（特定有価証券開示府令16条）。すなわち，第3部第2・第3に掲げる事項は有価証券届出書のみに記載されることになる[63)]。

62)　金融審議会金融分科会第一部会「ディスクロージャー・ワーキング・グループ」報告（平成15年12月9日）5-8頁。

63)　改正内容を検討したものとして，川口恭弘「証券取引法における有価証券の範囲・目

3　目論見書の作成義務の免除

目論見書は，募集・売出しに係る有価証券を取得するか否かの判断に役立たせるために，投資者に交付される。ライツ・オファリングにおいては，新株予約権の無償割当時に「有価証券の取得勧誘」が行われると解されたので（→ **Column 2-2**），無償割当時の株主に対して目論見書を交付しなければならないこととなる。しかし，上場会社の全株主に目論見書を交付すると費用がかかりすぎて，ライツ・オファリングによる資金調達に支障を来す。そこで，平成23年の金商法改正において，①新株予約権無償割当てにより行う新株予約権の募集であって，有価証券届出書を提出しなければならない場合に該当し，②当該新株予約権が金融商品取引所に上場されており，または発行後遅滞なく上場されることが予定されており，③届出を行った旨，その他内閣府令で定める事項（EDINETのページ等）を日刊新聞紙に掲載すれば，目論見書の交付を要しないとされた（15条2項3号）[64]。株主はEDINETを通じて有価証券届出書の情報に容易にアクセスできるから，目論見書の情報を必要としていないと考えたのである。この場合には，発行者も目論見書の作成義務を免除されることに注意を要する（13条1項但書）。

ライツ・オファリングにおいては，流通市場で新株予約権を取得する投資者が最も情報を必要としている（→ **Column 2-2**）。株主に目論見書を交付する必要はないという政策は妥当であるが，流通市場で新株予約権を取得する投資者に対する目論見書の交付またはそれに代わる情報提供制度を構想すべきである。

論見書制度の見直し」商事1709号（2004）4頁，石田眞得「目論見書制度の合理化」証券取引法研究会編『平成16年の証券取引法等の改正』（別冊商事290号，2005）24頁，黒沼悦郎「目論見書制度の改革」証券取引法研究会編『証券・会社法制の潮流』（日本証券経済研究所，2007）1頁がある。

64）改正の趣旨につき，金融庁・開示制度ワーキング・グループ報告「新株予約権無償割当てによる増資（いわゆる「ライツ・オファリング」）に係る制度整備について」（平成23年1月19日），野崎彰ほか「開示制度の見直し（上）（平成23年改正金商法等の解説(2)）」商事1936号（2011）25頁を参照。改正過程の議論につき，大証金融商品取引法研究会・前掲注19）2-13頁〔黒沼悦郎報告〕を参照。

第５節　証券発行の取引規制

1　総　　説

発行開示規制は，募集・売出しに際して有価証券を取得しようとする投資者が情報に基づいた投資決定を行うことができるよう確保することを目的とする。そのためには，発行者に一定の情報を開示させるだけでは足りない。投資者の投資決定が開示情報とは無関係に行われる可能性があるからである。そこで法は，発行者・証券会社と投資者との関係を規律する発行開示の取引規制を置いている。この仕組みはアメリカ法に倣ったものである。

取引規制は，有価証券の発行のプロセスを，①有価証券届出書提出前，②有価証券届出書提出後，効力発生前，③有価証券届出書の効力発生後に分けて，関係者の行為を規制するものである。

まず，有価証券届出書が提出される前は，情報が開示されていないから勧誘行為が禁止される。有価証券届出書の提出後その効力発生までは，投資者が情報を熟慮する期間として確保され，勧誘を行うことは許されるが，投資者との間で有価証券の取得契約を締結することはできない。有価証券届出書の効力発生後は，取得契約を締結することが認められるが，その際には目論見書を交付しなければならない（**図表 2-8**）。

これらに加えて，開示情報と異なる情報を用いた勧誘によって投資決定が行われることを防止するための勧誘規制も設けられている。

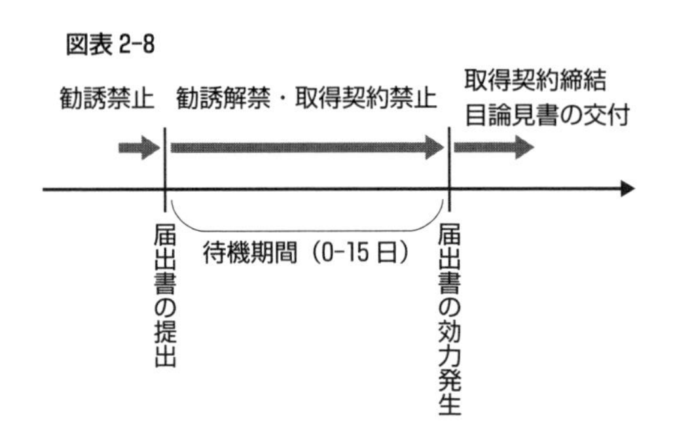

2　届出の効力発生前の規制

(1)　届出前の勧誘の禁止

有価証券届出書提出前には，募集または売出しに係る有価証券についてディスクロージャーが行われていない。そこで，有価証券届出書提出前の勧誘行為は一切禁止される。金融商品取引法4条1項柱書は，このことを表現している。募集とは新たに発行される有価証券の取得を勧誘する行為を，売出しとは既に発行された有価証券の買付けを勧誘する行為を意味するからである（2条3項4項，→**2**節***1***・***2***）。届出前の勧誘禁止に違反した者は，5年以下の懲役もしくは500万円以下の罰金に処せられ，またはそれらが併科される（197条の2第1号）。

■ Column 2-16　第三者割当先との交渉■■

上述（→**Column 2-7**）のように，上場会社の第三者割当増資は募集に該当し，有価証券届出書の提出が必要になる。そこで，第三者割当増資先との交渉が，届出前の勧誘禁止に抵触しないかが問題となる。実務慣行では，有価証券届出書の提出前に第三者割当増資に係る重要事項の大枠が決定している。そうだとすると，有価証券届出書の提出前に有価証券の取得の申込みの勧誘が行われているはずであるが，届出書提出前の勧誘が摘発された事例はない[65]。実務の懸念を払拭するために，金融庁はガイドラインを改正して，割当先が限定され，割当先から直ちに転売されるおそれが少ない場合は，第三者割当ての内容等に関する割当先との協議等は有価証券の取得勧誘・売付け勧誘等に該当しないという解釈を明らかにした（企業内容等開示ガイドライン2-12）。

この問題の解決方法としては，第三者割当増資を少人数私募の対象としつつ，転売段階で売出し規制を適用するのが適当であり（→**Column 2-7**），第三者割当時に必要な投資者および株主に対する開示（→**Column 2-12**）は，臨時報告書によって行うべきであろう[66]。

■ Column 2-17　プレ・ヒアリング■■

発行者が株式の募集を行う前に，主幹事である引受証券会社やその関連会社が機関投資家に，当該株式の需要動向を調査することがあり，この調査をプレ・ヒアリングという。プレ・ヒアリングでは，募集の公表前に募集に関する情報が相手方に伝達されるので，インサイダー取引を誘発するという問題があり，インサイダー取引を防止するための規制が行われている（→**9章*6*節*2*(3)**）。さらに，プレ・ヒアリ

---

65)　黒沼・前掲注27) 619頁。

66)　同趣旨，江畠秀樹「第三者割当増資に関する開示規制と勧誘概念」商事1891号(2010) 20-21頁，大証金融商品取引法研究会・前掲注43) 18頁〔洲崎報告〕。

ングが届出前勧誘に該当するのではないかとの懸念もあって[67]，日本証券業協会の自主規制により，国内の機関投資家に対するプレ・ヒアリングは原則として禁止されていた。他方で，プレ・ヒアリングは，募集に係る有価証券の発行予定数や発行価格を決定するために有用な市場慣行であり，上場企業の円滑な資金調達を実現するためにプレ・ヒアリングを解禁すべきであるとの声も強かった。そこで，平成26年に企業内容等開示ガイドラインを改正し，特定投資家や株券等保有割合が5%以上である者を対象者とし，情報が他に漏洩されることについて一定の措置を講じて行われるプレ・ヒアリングは有価証券の取得勧誘に当たらないことを明らかにした（企業内容等開示ガイドライン2-12)。

■Column 2-18　発行者による情報発信■■

有価証券の募集を予定している発行者が，ことさら投資者の関心を惹くような情報を積極的に発信する行為は，届出前の勧誘に該当し禁止される。このような行為をアメリカではガンジャンピングと呼ぶ。他方，有価証券の募集を予定しているために，発行者（上場会社）が行っている通常の情報発信まで禁止されるのでは，流通市場で当該上場会社の株式を取引している投資者の不利益となる。それでは，有価証券の取得勧誘に当たらない適法な情報発信は，どのような要件を満たしていればよいか。わが国では，この問題に大きな関心が払われてこなかった[68]。

平成26年改正企業内容等開示ガイドラインは初めてこの問題についての指針を公表し，以下のものは取得勧誘・売付け等勧誘に当たらないとした。①有価証券届出書の提出の1か月以上前までに，発行者が行う企業情報（募集・売出しに係る情報を除く。以下同じ）の発信（有価証券届出書の提出日以前1か月以内に再度発信されないための合理的な措置がとられる場合に限る），②発行者により通常の業務の過程において行われる定期的な企業情報の発信，③発行者により通常の業務の過程において行われる新製品または新サービスの発表，④発行者に対する自発的な問合せに対して当該発行者により行われる，その製品・サービスその他の事業・財務の状況に関する回答，⑤証券会社内で情報の隔壁を適切に講じている場合において，証券会社により通常の業務の過程において行われる上場会社である発行者に係るアナリスト・レポートの配布または公表（新たに配布・公表を開始する場合および中断していた配布・公表を再開する場合を除く）。

⑤は発行者による情報発信ではないが，増資インサイダー事件（→Column 7-10）において増資公表前に証券会社がアナリスト・レポートの公表を中断したことが，

67）金融法委員会「金融商品取引法の開示規制上の『勧誘』の解釈をめぐる現状と課題」商事1909号（2010）39頁。

68）例外は，神崎196-200頁，神崎克郎「証券分売における投資勧誘表示の規制――ガン・ジャンピング問題」神戸法学雑誌19巻3＝4号（1970）332-360頁である。

増資の時期をうかがわせる材料になったという反省を踏まえたものである。

ある行為が取得勧誘に該当するか否かは，もとより解釈問題であり，列挙された事項に該当するか否かについても個別企業の文脈に依存するであろう。たとえば，IPO を予定している発行者が，その1か月以上前であれば投資者の関心を煽るような企業キャンペーンを展開してもよいのかといった疑問が残る。

金融商品取引業者等が，有価証券届出書の届出前に勧誘を行って投資者に有価証券の取得契約を締結させた場合，その取得契約は有効であろうか。有価証券届出書の効力発生前に締結した契約の効力（→(2)）と同様，考え方は分かれるであろうが，判例・学説はない。同じ届出前の勧誘禁止の違反といっても，(a)有価証券届出書を提出せずに有価証券を取得させた場合と，(b)有価証券届出書を提出してその効力発生後に有価証券を取得させたが，届出書の提出前から勧誘を行っていた場合とでは，行為者の悪性が大きく異なる。(a)では，法の要求するディスクロージャーを全く無視して有価証券を取得させたのであるから，取引は金融商品取引法秩序に反するものとして無効と解すべきであろう。(2)で述べるように，届出書提出前の契約締結という違法だけでも，取引は無効と評価される。それに対して(b)では，長期にわたって勧誘を行っていた点のみが問題になるのであり，届出書の効力発生前の契約締結のように投資者の熟慮期間が足りなかったわけではない。届出書提出前の勧誘行為の態様にかかわらず(b)の取引の効力を一律に否定するのは妥当でない。

(2)　届出の効力発生前の契約締結の禁止

有価証券届出書の効力が発生すると，発行者，売出人，引受人，金融商品取引業者，登録金融機関，または金融商品仲介業者は，有価証券を募集により取得させ，または売出しにより売り付けることができる（15条1項）。有価証券届出書が提出されてからその効力が発生するまでの期間は，公開された情報を投資者が熟慮するための期間として設けられている。募集により取得させ，売出しにより売り付けるとは，勧誘を行って取得契約または売買契約を締結させることをいう。金融商品取引業者や登録金融機関が募集の取扱いをするとき（売捌業務，→***1*** 節 ***1*** (1)）は，これらの者は，投資者と取得契約を締結するのではなく，契約締結の媒介をするにすぎないが，15条1項は，これらの者が媒介によって契約締結まで持っていってはならないことを意味する。元引受金融商品取引業者と下引受金融商品取引業者との間で有価証券を移転すること（→

1 節 ***1***(1)）は，勧誘行為がないから届出書の効力発生前でも認められる。

届出の効力発生までの待機期間は原則として15日間であるが（8条1項），この原則が適用されるのは，IPOなどごく限られた場合である。組込方式（→***3*** 節 ***4***(3)）や参照方式（→***3*** 節 ***4***(4)）の利用適格要件を満たす発行者については，待機期間は7日間に短縮されており（8条3項，企業内容等開示ガイドライン8-2），上場会社の大部分はこの要件を満たしている。さらに，平成26年には，待機期間なしに有価証券を発行できる場合が定められた（→**Column 2-19**）。

■Column 2-19　待機期間の撤廃■■

わが国では，公募増資が公表されると当該銘柄の市場価格が大きく下落することが多い。ファイナンス理論によると，株価が割高のときに企業が時価発行公募増資により資金調達を行えば既存の株主の利益になるため，資金調達の手段として企業の経営者が公募を選択すると，当該情報は，経営者が株価が割高であるとみていることのシグナルになるからであると説明されている（ペッキング・オーダー理論）。しかし，日本市場における増資の株価下落効果は，ファイナンス理論では説明できないほど大きい。金融庁の調査によると，近年の上場会社の公募増資において，すべての銘柄でTOPIX調整済みの株価が下落しており，サンプルとした15銘柄中11銘柄において，調達した資金が利益を生み出さないまますべて毀損すると仮定して試算した株価よりも株価が下落していたという[69]。このような現象が増資インサイダー事件（→**Column 7-10**）の背景となっていた。

増資情報で株価が下落する他の原因としては，インサイダー取引，増資期間中の空売り等が考えられるが，待機期間が7日と長いことも一因であると考えられた。そこで，アメリカにおいて著名適格発行者（Well-Known Seasoned Issuers: WKSIs）について，届出と同時に有価証券の発行が認められている（待機期間が撤廃されている）ことを参考にして，「特に周知性の高い企業」が投資者に理解しやすい有価証券を発行する場合に，届出の効力発生までの待機期間を撤廃する日本版WKSIが定められた（企業内容等開示ガイドライン8-3）[70]。

「特に周知性の高い企業」（日本版WKSI）の要件は，1年以上継続開示義務を履行している発行者であって，上場株式の時価総額が過去3年間の平均で年1000億円以上であり，その売買金額も過去3年間の平均で年1000億円以上の者と定められた。この要件は，簡易な届出制度と同じ考え方（→***3*** 節 ***4***(2)）に立っており，そ

69）　金融審議会「新規・成長企業へのリスクマネーの供給のあり方等に関するワーキング・グループ」第7回会合における事務局説明資料1（http://www.fsa.go.jp/singi/singi_kinyu/risk_money/siryou/20131025.htmlより入手可能）参照。

70）　金融審議会「新規・成長企業へのリスクマネーの供給のあり方等に関するワーキング・グループ」報告書14-15頁（平成25年12月25日）。

の要件は参照方式の10倍である。発行者に関する情報が投資者に十分に理解されていても，発行される有価証券に関する情報は届出書の提出後に提供されるため，待機期間が撤廃されるのは，株式かライツ・オファリングにおける新株予約権の募集に限定される。待機期間が撤廃される募集の場合には，15条1項の違反は届出書を提出していない場合に限られることになる。

株価が，それが割高であるという情報により下落する以上に下落するということは，当該増資が既存株主の利益にならないことを意味しており，そのような増資は本来，行われるべきでない。

届出の効力発生前に取得や買付けの予約を投資者から受け付けることは認められるが，15条1項は，投資者に熟慮期間を確保するための規定であるから，その予約は取り消せるものでなければならない。予約の取消しに違約金をとることも，予約後の再考を妨げる効果があるので，認められないと解すべきである。

15条1項の規定に違反した者は，5年以下の懲役もしくは500万円以下の罰金に処せられ，またはこれらが併科される（197条の2第3号)。届出書の効力発生前に有価証券を取得させた者は，取得者に対し違反行為により生じた損害を賠償する責任を負う（16条)。16条の責任は無過失責任と解されている[71)]。しかし，取得者が損害賠償を得るには，違反行為と損害との間の因果関係を立証しなければならず，この点で本条の実効性は疑わしい[72)]。届出書の効力発生前に取得契約を締結せずに，より長期間熟慮すれば，当該有価証券を取得しなかったであろうことを投資者が立証することは，契約締結直後に市場価格が暴落したなどの特別の事情がない限り，不可能に近いからである。

届出書の効力発生前に締結された契約の効力を，下級審裁判例は，15条1項が取締法規にすぎないことから有効と解している[73)]。学説は，有効説[74)]と無効説[75)]に分かれている。有効説は論拠として，15条1項が取締法規にすぎないことのほかに，16条が取引の有効を前提としていること，および取引の安全を挙げる。無効説は，15条違反に対する刑事罰，行政処分の発動を期待で

71）東京高判平成12・10・26判時1734号18頁。
72）近藤＝吉原＝黒沼181頁。
73）東京高判昭和31・9・26下民集7巻9号2625頁，東京高判平成12・10・26判時1734号18頁。
74）田中＝堀口90頁，上柳克郎ほか編『新版注釈会社法(7)』（有斐閣，1987）114頁。
75）鈴木＝河本156頁，神崎206頁。近藤＝吉原＝黒沼・181頁。

きないこと，16条による事後的救済も難しいことから，取引の無効という制裁を加えないと熟慮期間の確保という法の目的が達成されないことを理由とする。無効説に組すべきであろう。取引を無効としても，発行した有価証券は有効に成立しているから，取引の安全は善意取得制度（会社131条2項，社債株式振替143条等）により確保される。

3　目論見書の交付

(1)　目論見書の交付義務

発行者，売出人，引受人，金融商品取引業者，登録金融機関，または金融商品仲介業者が，募集に係る有価証券を取得させ，売出しに係る有価証券を売り付ける場合には，取得契約または売買契約を締結するときまでに，投資者に目論見書を交付しなければならない（15条2項）。投資者が目論見書の情報に基づいて投資判断をするよう機会を確保するためである。目論見書の情報を投資判断に役立たせるためには，契約締結前に目論見書を交付させるようにすべきである[76)]とも考えられる。しかし，すべての見込客に目論見書を交付することは，実務上，勧誘に当たる証券会社に大きな負担を課すことになるため，契約締結と同時でよいと判断され[77)]，その制度が現在まで維持されている。目論見書の交付を契約締結と同時でよいとした上で，目論見書の交付後2日程度のクーリングオフ期間（→**9章*2*節*4***）を定めることも，立法論として考慮に値する。

契約締結後一定期間，契約の撤回が可能であったとしても，契約締結時までに目論見書を交付していなければ15条1項の違反になるとした裁判例がある[78)]。投資者からの予約を受け付けたのち目論見書交付後に再度申込みをさせるのであれば，投資者は再度の申込みの際に目論見書の記載に注意を払うが，契約を一定期間撤回可能な状態に置くだけでは，投資者は交付された目論見書に注意を払わないだろうから，この判示は妥当である[79)]。

■Column 2-20　目論見書の電子交付■■

書面による目論見書の交付に代えて，電磁的方法により目論見書の情報を提供することも認められ，その場合には目論見書を交付したものとみなされる（27条の

---

76)　神崎＝志谷＝川口328頁。

77)　河本一郎＝神崎克郎『改正証券取引法の解説――問答式』（中央経済社，1971）67頁。

78)　前掲東京高判平成12・10・26。

79)　黒沼・前掲注61）103頁。

30の9)。電磁的方法による情報提供とは，①目論見書提供者等（金融商品取引業者等またはその提携先）が目論見書のファイルを添付した電子メールを顧客に送付し，顧客がその添付ファイルを自己のコンピューター等に保存する方法（企業内容等開示府令23条の2第2項1号イ），②目論見書提供者等のウェブサイト上で目論見書を閲覧させ，それを顧客がダウンロードし，自己のコンピューター等に保存する方法（同号ロ），③目論見書提供者等のコンピューターに顧客ごとに専用のファイルを設け，そこに必要な事項を記録しておき，顧客がウェブサイトからアクセスすることで当該情報を閲覧する方法（同号ハ），④目論見書提供者等が一般的なファイルをウェブサイトに掲載しておき，顧客がこれを閲覧する方法（同号ニ），⑤磁気ディスク，CD-ROM等を顧客に交付する方式（同項2号）をいう。このうち，①②では，顧客がファイルをダウンロードしなければ交付が行われたとみなされないため，使い勝手が悪い。③④では，いつ目論見書の情報が提供されたのかを顧客が知りえないため，情報を閲覧・記録できる状態にあることを別途，顧客に通知する必要がある（同条3項2号）が，顧客が閲覧したことを提供者が確認したときは通知は不要とされる（同号但書)。したがって，金融商品取引業者等において，顧客があらかじめ目論見書を見たことを確認してから購入の手続に進むようにウェブサイトを構築しておけば，顧客への通知は不要となる[80]。このため，インターネット取引の実務では④が用いられている。

目論見書を電子交付するためには，顧客に対し交付の方法を示して，書面または電磁的方法であらかじめ承諾を得ておかなければならず（企業内容等開示府令23条の2第1項），いったん電子交付を開始した後も，顧客から電磁的方法による情報提供を受けない旨の申出があった場合には，紙媒体の目論見書を交付しなければならない（同条6項)。目論見書の電子交付では，顧客が実際に目論見書の情報を閲覧したことの確認までは求められていない。上記の確認も，確認欄に顧客がチェックを入れれば足りるとされている。これは，紙媒体の目論見書の交付においても，顧客が目論見書の内容を閲覧したことまでは要求されていないのと合わせたものであろう。また，目論見書の電子交付では，目論見書の印刷・郵送費用の節約の観点から提供情報を限定する必要がない。電磁的方法で提供される目論見書についても，組込方式・参照方式の利用が認められているが（→***3*** 節 ***4*** (3)(4))，参照方式においては，参照の対象となる継続開示情報を目論見書情報とともに提供するか，せめて目論見書情報から継続開示情報へリンクを貼るようにすべきである。このように情報の電子化は，組込方式・参照方式の見直しを促しているといえる[81]。

80）証券取引法研究会「インターネットを利用した証券取引――目論見書の電子交付」（別冊商事261号，2003）23頁〔小柿徳武報告〕。
81）証券取引法研究会・前掲注80）33頁〔伊藤靖史発言〕参照。

(2) 交付義務の免除

目論見書交付義務が免除される場合が3つ定められている。第1は，相手方が適格機関投資家（→*2* 節 *3*(1)）である場合である（15条2項1号）。適格機関投資家が投資判断を下すのに，強制的開示制度による助力を必要としないからである。ただし，取得時までに適格機関投資家が求めた場合には，目論見書を交付しなければならない。

第2は，①当該有価証券と同一の銘柄を所有する者，または②その同居人が既に当該目論見書の交付を受け，または確実に交付を受けると見込まれる者が，目論見書の交付を受けないことについて同意している場合である（15条2項2号）。これらは，投資信託証券に係る目論見書の交付負担を減らす目的で，平成16年改正により導入された例外であるが[82]，有価証券一般に適用がある形で定められている。このうち②は，目論見書は一家に1冊あれば見ることができるから，同意を得て目論見書の交付を不要とすることに問題はない。①については，投資信託の場合には，投資方針，投資リスクに変化がない限り，既発行証券の所有者は新規発行証券の投資判断資料を有しているといえるが，株式会社が株券等の募集を行う場合には，1回の募集ごとに調達資金の使途に関する情報を開示させる必要があることから，目論見書の交付義務の免除を，投資信託証券の枠を超えて広く有価証券一般に認めることには疑問がある[83]。

第3は，ライツ・オファリングにつき目論見書が作成されない場合である（15条2項3号）。ライツ・オファリングに際して株主全員に目論見書を交付する意義が乏しいからである（→*4* 節 *3*）。

(3) 投資信託証券に係る特則

開示コスト削減の観点から，投資信託証券の販売にあたっては，取得契約または売買契約を締結する時までに，顧客に交付目論見書（→*4* 節 *2*(2)）を交付すれば足りる（15条2項）。そして，販売時までに投資者から請求があったときには，請求目論見書（→*4* 節 *2*(2)）を交付する（15条3項）。請求目論見書の交付請求は投資信託証券の取得契約または売買契約を締結する時までにしなければならず，契約締結後に投資者から交付請求がされた場合には，発行者側には請求目論見書の交付義務は生じない。適法な交付請求がされた場合には，「直ちに」交付しなければならないとされている（15条3項）ため，実務では，

82）　金融審議会・前掲注62）9頁。

83）　黒沼・前掲注63）7頁。

交付目論見書と請求目論見書を合冊したものを契約締結時までに交付することが行われている。しかし，それでは開示コストの削減は達成できないので，「直ちに」とは「可及的速やかに」の意味に解し，請求目論見書に基づいた契約締結を確保するために，請求目論見書が交付されるまでは取得契約・売買契約の効力が生じないと解すべきではないだろうか。

(4)　交付義務の違反

法律の規定に従って目論見書の交付が行われないと，目論見書の情報によって投資者の投資決定が行われるよう確保するという法の趣旨が没却される。そこで，15条2項および3項の目論見書交付義務に違反した者に対しては，罰則による制裁（1年以下の懲役・100万円以下の罰金）がある（200条3号）。

目論見書の交付義務に違反して有価証券を取得させた者は，届出書の効力発生前の契約締結の場合と同様（→*2*(2)），有価証券の取得者に対し無過失の損害賠償責任を負う（16条）。有価証券を取得させた者とは，目論見書の交付義務に違反して，発行者・売出人・引受人と投資者との間の取得契約・売買契約を締結させた者を意味し，勧誘行為のみを担当した金融商品取引業者・登録金融機関・金融商品仲介業者もこれに含まれる。投資者は，交付義務違反と損害との間の因果関係を立証しなければならないが，目論見書の交付を受けていれば当該有価証券を取得しなかったであろうことを立証すれば足りるから，この立証は届出書の効力発生前の取得の場合ほど困難ではない。

裁判例には，社債の発行者が倒産して投資者が損害を被った事例において，①目論見書には発行者の倒産を予測させるような記載がないこと，および②契約締結後に投資者が目論見書の交付を受けた際に苦情を述べていないこと等から，目論見書の交付義務違反と社債の価値下落による損害との間に因果関係がないとしたものがある[84]。しかし，①は，目論見書の持つ第1の機能――投資者が内容に見合った価格で有価証券を取得できるよう確保する機能と，第2の機能――投資者に適合性の原則を確保する機能（→*4*節*1*）とを混同するものであり，妥当でない。投資者としては，目論見書に記載されている具体的なリスク情報を知っていたら，自己の投資目的に照らして購入を取りやめることがありうるのであり，その場合には，有価証券の価格がリスク情報を反映していたとしても，目論見書の交付義務違反と有価証券を購入したことにより投資者

84）　東京高判平成12・10・26判時1734号18頁。

が被った損害との間に因果関係が認められるのである[85)]。

裁判例は，目論見書交付義務違反の取得契約・売買契約も私法上は有効であると解している[86)]。この点については，*2*(2)の議論が当てはまる。

4　その他の勧誘規制

(1)　目論見書以外の販売用資料の使用

有価証券の募集・売出しに応じる投資決定ができるだけ目論見書の情報に基づいて行われるように，平成16年改正前証券取引法13条5項は，有価証券の募集・売出しのために目論見書と異なる内容の表示をすることを禁じていた。なにが目論見書と「異なる表示」に当たるかについては，①目論見書と矛盾する表示のみならず，目論見書の一部を欠く表示（欠缺）も異なる表示に当たるとする説[87)]，②①説によると電話による勧誘が事実上禁止されるところ，法が電話による勧誘を禁じているとは解されないことから，詐欺的な表示のみが異なる表示に該当すると解する説[88)]に分かれていた。行政解釈は①説を採り，表示を総合的に評価し，矛盾がある場合，虚偽がある場合，欠缺がある場合には「異なる表示」に該当するとしてきた[89)]。

このように規制が硬直的であるため，工夫を凝らした販売用資料を作成し，販売を促進することができないという不満が実務にあり，特に投資信託の販売において独自の販売用資料の作成を認める必要があると考えられた。そこで，平成16年に13条5項が改正され[90)]，その内容は金融商品取引法に引き継がれた。金融商品取引法13条5項は，何人も，有価証券の募集または売出しのために，13条1項の目論見書以外の文書，図画，音声その他の資料を使用する場合には，虚偽の表示または誤解を生じさせる表示をしてはならないとする。本条の違反には罰則の制裁（6月以下の懲役・50万円以下の罰金）がある（205条1号）。虚偽の表示または誤解を生じさせる表示に当たらない限り，販売用資料の作成・使用が認められることとなったのである。

85)　黒沼・前掲注61) 103頁。

86)　前掲東京高判平成12・10・26。

87)　神崎202頁。

88)　鈴木＝河本152頁。

89)　金融庁「『証券取引法』に関する法令適用事前確認手続にかかる照会について（平成14年10月4日付照会文書に対する回答）」（平成14年11月1日）参照。

90)　改正の経緯につき，金融審議会・前掲注62) 19頁。

適用対象は，文書，図画，音声，その他の資料であり，媒体に限定はない。コンピューターで作成した資料を画面に表示したものもこれに含まれる。アメリカでは，届出書の効力発生前は，口頭による勧誘を許容している[91]。口頭による表示は誇張になりがちであり，投資者もそのことを認識しているし，証拠が残りにくいので，後々「言った，言わない」の紛争を招きやすい。このような観点からは，口頭による表示を規制の対象から除外することも考えられるが，口頭による勧誘で投資者が投資決定を行うことはいくらでもあるから，口頭表示と文書とを区別する考え方は妥当でない[92]。13条5項において，口頭の表示は音声に含まれる。

どのような表示が虚偽の表示または誤解を生じさせる表示に当たるかの解釈にあたっては，平成16年改正の際のディスクロージャー・ワーキング・グループの報告書が参考になる。これによると，①表示の内容やその前提が目論見書の内容と矛盾する場合，②表示の前提が非現実的であることにより投資者に誤解を生ぜしめる場合，③表示の内容に至る過程が恣意的に歪められている場合には，虚偽または誤解を生じさせる表示に当たり，表示に一部の情報が欠けている欠缺の場合には，それにより投資者に誤解を生じさせる場合にのみ禁止の対象となる[93]。なお，販売用資料は，有価証券届出書の効力発生前から勧誘に用いることができる。

(2)　不実の目論見書・販売用資料による勧誘

金融商品取引法17条は，有価証券の募集または売出しについて，虚偽または誤解を生じさせる表示のある目論見書その他の資料を使用して有価証券を取得させた者は，表示が不実であることを知らないで当該有価証券を取得した者に対し，損害賠償責任を負う旨を定める。ただし，不実の目論見書等の使用者が，表示が虚偽であり，または欠けていることを知らず，かつ相当な注意を用いたにもかかわらず知ることができなかったことを証明すれば，責任を免れる。この規定は，①無過失の立証責任を被告に負わせている点，および②被告が実際に「相当な注意を用いた」ことが免責の要件とされており，不実表示の使用に際して相当な注意を用いなかった場合には，「仮に相当な注意を用いたとしても，不実であることを知り得なかった」という因果関係不存在の抗弁を用い

91）　33年証券法5条(b)項(1)号。
92）　黒沼・前掲注63）11頁。
93）　金融審議会・前掲注62）19頁。

ることができない点で，不法行為（民709条）に基づく損害賠償請求よりも原告に有利になっている。すなわち本条は，不実表示に対して強力な民事効を付与することによって，投資者の損害を回復させるとともに，不実表示により投資勧誘が行われることを抑止しようとするものである。

責任の主体は，目論見書の交付義務を負う発行者，引受人，金融商品取引業者，登録金融機関，金融商品仲介業者に限られず，目論見書その他の資料を使用して有価証券を取得させたといえる者であれば足りる（最判平成20・2・15民集62巻2号377頁）。原告は，不実表示により損害を被ったことを主張・立証しなければならないが，不実表示と損害との因果関係については，有価証券届出書・有価証券報告書の虚偽記載についての判例・学説が参考になる（→**4章5節*3*(5)・*6*(3)**）。

平成16年改正前証券取引法17条については，文言上，請求権者が当該有価証券を募集・売出しに応じて取得した者に限定されていないことから，流通市場で有価証券を購入した者も本条の保護を受けることができるとする有力説が唱えられていた[94]。しかし，平成16年改正により「募集又は売出しについて」という文言が付加されたため，流通市場における取得者が請求権者より排除され，発行市場における取得者のうち私募に応じた者も請求権者より排除されることになった。立案担当者は，不実表示を使用して有価証券を取得させられた者のうち，募集・売出しによらない取得者の保護が募集・売出しによる取得者の保護よりも薄くてよい理由を説明する必要がある。

5　簡易な情報提供制度

外国証券売出し（→***2*節*6*(4)**）に該当する場合には，有価証券届出書の提出義務が免除されるが（4条1項4号），一定の場合を除いて簡易な情報提供制度が適用される。すなわち，金融商品取引業者等は，外国証券売出しにより有価証券を売り付ける場合には，内閣府令で定める「外国証券情報」を，売付けのときまでに相手方に対し提供しまたは公表しなければならない（27条の32の2第1項）。

これは発行開示制度が適用される場合の目論見書の交付に相当するものであるが，①情報の作成者が発行者ではなく金融商品取引業者等であること，②情

94）　神崎294頁。

報の提供手段が，目論見書の交付のような文書の交付に限られていないこと，③相手方に対する情報提供という直接開示の手段に限られず，情報の公表という間接開示の手段も認められる点で，目論見書の交付による情報提供と異なっている。

「外国証券情報」は発行者情報と証券情報に区分され，有価証券の種類ごとに定められており（証券情報府令12条），たとえば，海外発行株券については，**図表 2-9** のとおりである。

図表 2-9

1　発行者情報	⑴発行者の名称　⑵発行者の本店所在地　⑶発行者設立の準拠法，法的地位および設立年　⑷決算期　⑸発行済株式数　⑹事業の内容　⑺経理の概要
2　証券情報	⑴株式の種類および名称　⑵発行地および上場している外国の金融商品取引所　⑶株価の推移　⑷業績推移　イ　売上高　ロ　当期純利益　ハ　株主資本の額　⑸株式１株当たりの情報　イ　１株当たり当期純利益　ロ　１株当たり配当額　⑹再生手続・更生手続・破産手続の開始または終了その他外国の法令に基づくこれらに類する事実が発生したときは，その旨およびその内容

参照方式（→*3* 節 *4* ⑷）に対応する仕組みとして，当該外国証券が上場されている金融商品取引所の規則等に基づいて英語または日本語で公表されている情報があり，その情報を国内においてインターネットにより容易に取得できるときには，当該公表情報を参照することが認められる（証券情報府令12条）。情報提供の方法は，書面の交付のほか，相手方の同意を得れば電子メールの送信や外国証券情報が公表されているホームページのアドレスを通知する方法でもよい（証券情報府令17条１項）。

外国証券売出しによって売り付けられた証券の発行者は，発行開示義務を免れることから継続開示義務も免れる（24条１項参照）。そこで，外国証券売出しを行った金融商品取引業者等は，投資者から請求があった場合または投資判断に影響を及ぼす重要事実が発生した場合には，当該投資者に外国証券情報を提供しまたは公表しなければならないとされた（27条の32の２第２項）。発行者ではなく金融商品取引業者等に，継続開示に対応した継続的な情報の提供・公表義務を課すものである。提供・公表すべき情報には発行者情報だけでなく証券情報も含まれ，提供・公表の方法は売付け時と同様である。

勧誘を行った金融商品取引業者等が，①情報を提供せずに有価証券を取得させた場合，②勧誘の際に提供・公表した情報に虚偽等があった場合，③請求に応じて提供・公表した情報に虚偽等があった場合に，虚偽等を知らないで有価証券を取得した者に対して損害賠償を負う旨の規定が設けられている（27条の34の2）。①は金商法16条（→**3**(4)）に，②は同17条（→**4**(2)）に，③は同21条の2第1項（→**4章5節5**）に対応する規定である。ただし，③は，虚偽情報を公表した金融商品取引業者等から流通段階の有価証券を取得した者のみが損害賠償を請求することができる点に特徴がある。

有価証券届出書や目論見書によらない簡易な情報提供制度としては，ほかに特定投資家私募・私売出しを利用して発行されたプロ向け市場の有価証券についての「特定証券情報・発行者情報」の提供制度がある。これについては，プロ向け市場の項目（→**6章4節3**）で説明する。以上の簡易な情報提供制度は，単に開示を求められる情報が簡易なものであるだけではなく，情報開示の主体および方法が伝統的な法定開示制度とは大きく異なっている点に特徴がある。簡易な情報提供制度は，ディスクロージャーの多様性を示すとともに，その進むべき道についても重要な示唆を与えてくれる。

第*6*節　組織再編成の開示

1　総　　説

株式会社の吸収合併の手続では，消滅会社の株主に対して存続会社の株式が発行されるか，自己株式が交付される。従来，組織再編行為に伴うこのような有価証券の発行は募集・売出しに当たらず，証券取引法上のディスクロージャーは要求されないと解されてきた[95]。組織再編行為による有価証券の発行は，株主総会の決議等，株主の集団的な意思決定によって行われ，投資者の個別の投資判断によって行われるものでないから，「有価証券の取得の申込みの勧誘」がないと考えられたからである。また，会社法により組織再編行為の開示が行われるので，株主が株主総会で議決権を行使するための判断資料は十分に提供

95）　証券取引法（平成18年改正前）時代の企業内容等開示ガイドライン2-4④。

されていたといえる。

しかし，たとえば合併が株主総会の決議に基づいて行われるときであっても，株主は存続会社の株式を取得することが投資として望ましいか否かという観点から議決権を行使するのであり，投資判断が行われているといいうるし，会社は株主総会の参考書類を示すことによってそのような投資判断を勧誘しているとみることができる。このような考え方から，アメリカでは1972年のSEC規則の改正により，組織再編行為により発行される有価証券についてディスクロージャーを及ぼすようにした[96]。また，会社法は組織再編行為の対価を柔軟化し，たとえば合併において，存続会社の親会社の株式を消滅会社株主に交付することも可能になったため，株主が判断を下すのに十分な情報開示がなされない場合が生ずることや，発行会社が存続会社でないため継続開示義務を承継せず，組織再編行為後に株主が必要な情報を入手できないことが懸念された。そこで金融商品取引法（平成18年改正）は，組織再編行為により有価証券が発行・交付される場合のうち一定のものについて，有価証券の募集・売出しと同様の開示規制を課すことにした。これを組織再編成の開示という。開示の目的は，①組織再編成がなされる際の投資判断資料として「発行開示」が必要であること，および②開示会社の株主が引き続き「継続開示」を受けることができるようにすることにある[97]。

また，会社法上，組織再編成の当事会社は株主に対して，一定の書類を会社に備え置いたり（会社782条等），組織再編行為の承認決議に際して株主総会参考書類に記載することにより（会社則86条等），組織再編に関する情報を開示する義務を負っている。これに対し，金商法上の組織再編成の開示の特徴は，組織再編成の対価として用いられる有価証券の発行者が組織再編成の当事会社でない場合もあることから，その発行者に開示義務を課す点に表れている。たとえば，吸収合併の存続会社Xが消滅会社Yの株主にA社の株式を交付する場合には，A社が有価証券届出書を提出する必要があり，合併当事会社はA社の協力がなければ合併手続を進めることができないことになる。

96）　神崎＝志谷＝川口248-249頁，金融商品取引法研究会「開示制度（I）」（日本証券経済研究所研究記録23号，2008）5-6頁〔川口恭弘報告〕。

97）　金融商品取引法研究会・前掲注96）2頁〔川口報告〕。

2　開示規制の発動

⑴　特定組織再編成発行手続と特定組織再編成交付手続

開示規制が発動される組織再編成とは，合併（会社2条27号28号），会社分割（会社2条29号30号），株式交換（会社2条31号），および株式移転（会社2条32号）である（2条の2，施行令2条）。

発行開示を発動させる有価証券の募集および売出しに対応する概念として，金融商品取引法は，特定組織再編成発行手続および特定組織再編成交付手続という概念を設けた。特定組織再編成発行手続または特定組織再編成交付手続は，発行者が内閣総理大臣に届出をしているのでなければ，することができない（4条1項）。ここに特定組織再編成発行手続とは，組織再編成により新たに1項有価証券（→*2*節*1*）が発行される場合にあっては，吸収合併消滅会社，新設合併消滅会社，吸収分割会社，新設分割会社，株式交換完全子会社，または株式移転完全子会社（組織再編成対象会社）の株主が50人以上いる場合における書面等の備置きをいう（2条の2第2項・4項，施行令2条の2・2条の4）。つまり，合併等により新規発行証券の交付を受ける株主が50人以上いる場合には，募集と類似するので，有価証券届出書を提出しない限り会社法上の手続を進めることができないようにし，発行開示が行われるよう確保するのである。組織再編成の対価として2項有価証券（→*2*節*1*）を発行する場合には，消滅会社等の側の株主が500人以上いる場合に限って，発行開示が求められる（2条の2第4項3号，施行令2条の5）。

合併等の組織再編成に自己株式等を用いる場合には，組織再編成により既に発行された有価証券を50人（1項有価証券の場合）または500人（2項有価証券の場合）に交付する場合に，売出しに相当するものとして特定組織再編成交付手続に該当し，発行開示が求められる（2条の2第5項，施行令2条の6・2条の7）。

組織再編成の対価として有価証券以外の財産が用いられる場合には，発行開示は発動されない。この点については，なんらかの対価を受け取って保有する有価証券を手放すことも投資判断であるから，情報開示において差異を設けることは合理的でないとする批判[98]がある。

98）　証券取引法研究会「開示規制の適用範囲」『金融商品取引法の検討⑴』（別冊商事308号，2007）80頁〔加藤貴仁報告〕。

■ Column 2-21　会社分割と組織再編成の開示■■

組織再編成には会社分割が含まれる。そこで，組織再編成の開示の導入時には，たとえば，上場会社である分割会社が新設分割を行い設立会社が分割会社に株式を発行する場合，分割会社の株主の数が50人以上であれば，特定組織再編成の定義に当てはまり，有価証券届出書の提出が求められた。その理由は，会社の物的分割の場合も，設立会社・承継会社等が分割会社の連結決算の対象となるとは限らないので，設立会社等の情報を分割会社の株主や市場等に提供させるためであると説明されていた[99]。そのほかの説明としては，①会社分割が行われると分割会社の株主の有する株式の内容が実質的に変化するから情報開示が求められる[100]，②分割会社が取得した株式を株主に分配する際には開示が求められるのであるから，より早い段階で開示を求めておいてもよい[101]，といったことが考えられる。しかし，①については，投資の内容が実質的に変化するすべての場合に発行開示が求められているわけではないし，②については，分割会社が人的分割を行う場合には，分割会社の株主が有価証券を取得するから，未開示の有価証券の「売出し」となり，有価証券届出書の提出が要求されるから[102]，人的分割が行われる場合に限って，その段階で発行開示を求めれば足りる[103]。そこで，その後の施行令の改正により，分割会社の株主が有価証券を取得する人的分割の場合に限って組織再編の開示規制の対象とするよう改められた（施行令2条の2）。

⑵　有価証券届出書の提出

特定組織再編成発行手続または特定組織再編成交付手続を行う場合，有価証券の発行者は有価証券届出書を内閣総理大臣に届け出る（4条1項，企業内容等開示府令8条）。届出をしなければ特定組織再編成発行手続等をすることができないから（同条），届出は組織再編成に係る契約等の書類の備置のとき（通常は，株主総会の2週間前の日）までに行う必要がある。

有価証券届出書の効力発生は原則として受理から15日後であるが（8条1項），組織再編成の有価証券届出書については，届出の翌日に効力を発生させ

99）　金融庁「『金融商品取引法制に関する政令案・内閣府令案等』に対するパブリックコメントの結果等について――コメントの概要及びコメントに対する金融庁の考え方（平成19年7月31日）」118頁No. 4。

100）　座談会「会社法と金融商品取引法の交錯と今後の課題（中）」商事1822号（2008）17頁〔黒沼悦郎発言〕。

101）　座談会・前掲注100）18頁〔神田秀樹発言〕。

102）　金融庁・前掲注99）118頁No. 5。

103）　座談会・前掲注100）17頁〔黒沼発言〕，金融商品取引法研究会・前掲注96）13頁〔川口発言〕。

る取扱いがなされる[104]。有価証券届出書の効力が発生すれば，発行者等は，特定組織再編成発行手続等により有価証券を交付することができる（15条1項）。

■ Column 2-22　開示規制に違反した組織再編行為の効力■■

組織再編成の開示規制に違反した組織再編行為の効力は，会社法の解釈問題である。まず，合併，会社分割，株式交換，および株式移転（組織再編行為）の効力は，組織再編行為無効の訴えによらなければ主張することができない（会社828条）から，組織再編成に伴う有価証券の発行または交付の無効を投資者が個別に主張することはできないと解される[105]。つぎに，開示規制の違反が組織再編行為の無効原因になるかどうかが問題となる。会社法上，組織再編行為に重要な手続違反があることは組織再編行為の無効原因になると解されている。そこで，発行者が届出をしないまま組織再編行為が行われたとか，虚偽記載のある有価証券届出書に基づいて組織再編行為が行われたといった重大な手続違反がある場合には，そのことが組織再編行為の無効原因になると解すべきである。これらの場合に，株主総会の決議取消事由である決議方法の法令違反（会社831条1項1号）に該当する場合に限って組織再編行為の無効原因になると解する見解[106]もありうるが，決議取消事由を経由させて無効原因となるか否かを判断する必要はないであろう。

(3)　その他の開示義務

特定組織再編成発行手続または特定組織再編成交付手続をするために有価証券届出書を提出した発行者は，有価証券の募集・売出しの場合と同様，爾後，継続開示義務を負う（24条1項3号，→**3章2節*1*(3)**）。発行者が組織再編成の当事会社でない場合は，この負担を勘案して，組織再編成に協力するか否かを決定することになる。

組織再編成において，有価証券の発行者が目論見書を作成し，これを株主に交付することは求められていない（4条1項柱書・3項柱書参照）。株主に対する直接開示の手段としては，株主総会参考書類の制度（会社301条，会社則73条以下）が準備されているからである。もっとも立案担当者は，組織再編成については一般的には勧誘行為はないと整理をしたため，目論見書の交付義務を置か

104）　企業内容等開示ガイドライン8-2。

105）　金融商品取引法研究会・前掲注96）31-32頁〔黒沼悦郎発言〕を，本文のように改めたい。

106）　金融商品取引法研究会・前掲注96）30頁〔藤田友敬発言〕，31頁〔前田雅弘発言〕。

なかったようである[107]。

(4) 適用除外

特定組織再編成発行手続においても有価証券の私募（2条3項）に相当する制度が置かれている。すなわち，プロ私募（→**2節3**(1)(2)）に相当するものとして，組織再編成対象会社の株主が適格機関投資家のみである場合であって，プロ私募と同じ転売制限が有価証券に付されている場合（2条の2第4項2号イ，施行令1条の4），少人数私募（→**2節3**(4)(5)）に相当するものとして，1項有価証券に少人数私募と同じ転売制限が付されている場合（2条の2第4項2号ロ，施行令2条の4の2），2項有価証券については組織再編成対象会社の株主が500人未満である場合（2条の2第4項3号，施行令2条の5）に，それぞれ発行開示は適用されない。

有価証券の募集・売出しには設けられていない適用除外として，次の2つが重要である。第1に，組織再編対象会社の株券等について開示が行われていない場合には，組織再編成の開示規制は発動されない（4条1項2号イ）。たとえば，株主が50人以上いる非上場会社を消滅会社とする合併により，消滅会社の株主に存続会社の株式が交付される場合には，存続会社株式について発行開示が適用されない。現に保有する株券等が非開示である場合は，あえて開示規制の対象にする必要性が乏しいと考えられたからである[108]。しかし，現に保有する株券等について投資判断資料を有している株主も，新たに交付される別会社の株券等については投資判断資料を有していないのが通常であるから，開示規制の対象にする必要性があると思われる。

第2に，発行され，または交付される有価証券に関して開示が行われているときは，組織再編成の開示規制は発動されない（4条1項2号ロ）。たとえば，上場会社である消滅会社の株主に，上場会社である存続会社の株式を交付する場合には，組織再編成の開示は行われない。組織再編成の対価として交付される有価証券について，臨時報告書や有価証券報告書において開示が行われているため，発行開示を求める必要性が乏しいからである[109]。ここに「開示が行われている」とは，発行者が国内で継続開示義務を負う場合を意味し（4条7項，企業内容等開示府令6条），発行者が国外で有価証券を上場していても「開示

107）金融商品取引法研究会・前掲注96）20頁〔谷口義幸発言〕。
108）谷口＝峯岸・前掲注45）33頁。
109）谷口＝峯岸・前掲注45）33頁。

が行われている」ことにはならない。複数の会社が株式移転などで新たな会社を設立する場合は，新設会社の株式について開示が行われていないため，有価証券届出書の提出が必要になる。

以上の２つの適用除外の結果，組織再編成の開示は，開示の行われている株券等の所有者に対し，開示の行われていない有価証券を交付する場合にのみ発動されることになる（**図表 2-10**）。このことから，現行の組織再編成の開示の目的は，発行開示よりも，組織再編成による有価証券の取得者に，組織再編成後の継続開示による便益を得させることに重点がある[110]ともいえ，そうであれば，外形基準を工夫することで足りたのではないかとの指摘[111]もある。

このほか，組織再編成の開示にも，少額募集の免除規定（4条1項5号）が適用される。

図表 2-10
組織再編成の開示が行われる場合

		組織再編成により交付される有価証券	
		継続開示あり	継続開示なし
保有している有価証券	継続開示あり	×	○
	継続開示なし	×	×

3　有価証券届出書の記載事項

特定組織再編成発行手続または特定組織再編成交付手続を行う場合，有価証券の発行者は，内国会社の場合は第２号の６様式，外国会社の場合は第７号の４様式によって有価証券届出書を作成する（4条1項，企業内容等開示府令8条）。

第２号の６様式は，証券情報（第一部），組織再編成に関する情報（第二部），企業情報（第三部），提出会社の保証会社等の情報（第四部），提出会社の特別情報（第五部），組織再編成対象会社情報（第六部）から成る（**図表 2-11**）。これらのうち，第一部，第三部～第五部については，募集・売出しに係る有価証券届出書の記載内容と同様である（→*3* 節 *2*）。これらの部は，有価証券の発行者がその情報を有しているため，発行者の開示義務を負わせることに合理性が認められる。

110）　証券取引法研究会・前掲注 98）80 頁〔加藤報告〕，金融商品取引法研究会・前掲注 96）9 頁〔川口報告〕。

111）　金融商品取引法研究会・前掲注 96）10 頁〔川口報告〕。

図表 2-11　有価証券届出書の構成（内国会社の組織再編成の場合＝第2号の6様式，同様式は有価証券を対価とする公開買付けに際して提出される有価証券届出書の様式も兼ねているため，一部省略して記載した）

第一部【証券情報】
第二部【組織再編成に関する情報】
第1【組織再編成の概要】
　1【組織再編成の目的等】
　2【組織再編成の当事会社の概要】
　3【組織再編成に係る契約】
　4【組織再編成に係る割当ての内容及びその算定根拠】
　5【組織再編成対象会社の発行有価証券と組織再編成によって発行（交付）される有価証券との相違】
　6（省略）
　7【組織再編成対象会社の発行する証券保有者の有する権利】
　8【組織再編成に関する手続】
第2【統合財務情報】
第3【発行者と組織再編対象会社との重要な契約】
第三部【企業情報】
第四部【提出会社の保証会社等の情報】
第五部【提出会社の特別情報】
第六部【組織再編成対象会社情報】

第二部第1には，①組織再編成の目的等，②組織再編成の当事会社の概要，③組織再編成に係る契約，④組織再編成に係る割当ての内容およびその算定根拠，⑤組織再編成対象会社の発行有価証券と組織再編成によって発行（交付）される有価証券との相違，⑥組織再編成対象会社の発行する証券保有者の有する権利，⑦組織再編成に関する手続を記載する。A社がB社を吸収する合併により，B社株主にA社の親会社であるC社の株式を交付する場合（三角合併）を例にすると，①には，経営統合といった組織再編成の目的のほか，A社の解散など組織再編成後に予定している企業集団の再編内容などを記載する。②は，C社（有価証券報告書提出会社）にA社の概要を記載させるものである。③には合併契約の内容を記載し，④にはB社株主に割り当てられるC社株の種類，数または算定方法，およびその算定方法を記載する。⑤には，B社株とC社株の権利内容の相違をわかりやすく記載する。C社株が上場されないのであればその旨，外国株式であればその旨なども記載されることになる。⑥には，組織再編にあたってB社株主の有する株式買取請求権，議決権行使の方法，C社株式の受取り方法などを記載し，⑦には，会社法上の備置書類の閲覧方法，株主総会等の手続の方法，株式買取請求権の行使方法などをわかりやすく記載することが求められる（第2号の6様式　記載上の注意)。

これらの情報は，会社法上，A社およびB社によって開示が求められている情報であり，会社法上の開示に加えて，C社に開示を要求することにどれくらい意味があるのか疑問である[112]。C社が組織再編成に関する情報を入手する手段について，金融商品取引法は手当てをしていない。もっとも，C社の協力が得られなければA・B社は組織再編を進めることができないため，C社はA・B社から情報の提供を受けることができよう。

第二部第2には，組織再編成対象会社および提出会社について，最近連結会計年度に係る主要な経営指標等を記載するとともに，これらの主要な経営指標等に基づいて算出した組織再編後の提出会社の主要な経営指標等を記載する。組織再編成により主要な経営指標がどう変動するかを試算させるものである。

第二部第3には，組織再編成対象会社（上記のB社）と組織再編成当事会社（上記のA社またはC社）との間の重要な契約を記載する。

第六部には，組織再編成対象会社（上記のB社）の情報を記載するが，継続開示書類を特定して，その閲覧場所を示せば足りる。

第7節　資産の流動化と開示

1　総　　説

資産の流動化とは，債権や不動産などの資産をオリジネーター（原所有者）から切り離し，そのキャッシュ・フローや資産価値を裏づけとして投資者に証券を発行する仕組みをいう。投資信託・投資法人を始めとする集団投資スキームが投資者から集めた資金を資産へ分散投資する「資金運用のための仕組み」

112）　金融商品取引法研究会・前掲注96）21頁〔黒沼悦郎発言〕。

であるのに対し（→11章1節1），資産の流動化は，原保有者が特定の資産を切り離す（流動化する）ことによって投資者から資金を調達する「資金調達のための仕組み」である。

資産を流動化するメリットは，オリジネーターにとっては，流動化対象資産の価値に基づいて資金を調達することができるとともに，資産をオフバランス化して財務状況を改善することができる点にある。投資者にとっては，流動化の仕組みがなければ投資対象にならなかった資産への投資が可能となり，投資対象の選択の幅が拡がるというメリットがある。

資産の流動化は，金融機関が有する住宅ローン債権から始まり，クレジットカード債権や自動車ローン債権に拡がり，不動産の流動化に及んだ。資産の流動化を可能にする法制として，平成4年に「特定債権等に係る事業の規制に関する法律」（特定債権規制法）が，平成6年に「不動産特定共同事業法」が制定されたが，これらは特定の資産を対象とする縦割りの立法にとどまっており，流動化のために発行される証券の流通が確保されていない等の問題があった。そこで，流動化を促進するためのより包括的な法制として，指名金銭債権および不動産を流動化の対象とする「特定目的会社による特定資産の流動化に関する法律」が平成10年に制定された。同法は，平成12年に，流動化の対象を財産権一般に拡大し，信託を利用した流動化の仕組みを導入するように改正され，法律の名称も「資産の流動化に関する法律」（資産流動化法）に変更された113)。

資産流動化法は，流動化の仕組みとして特定目的会社と特定目的信託の2つを用意している。特定目的会社制度では，特定目的会社が債券を発行し，その調達資金をもって原所有者から特定の資産を譲り受ける（資産流動化2条2項）。譲り受けた資産にかかる原債務者からの債権の回収等，当該資産の管理や発行した債券の元利金の支払に関する事務は，信託銀行かサービサーと呼ばれる代行会社に委託する。資産の原保有者がサービサーを兼ねることも多い。

特定目的信託制度では，信託会社または信託兼営銀行（以下，信託会社等という）がオリジネーター（原委託者）から特定資産の信託を受けて受益証券を発行し，受益証券を投資者に分売する。通常の信託とは異なり，原委託者は信託

113)　立法の変遷につき，浜田道代「集団投資スキーム――資産流動化と投資信託」証券取引法研究会編『市場改革の進展と証券規制の課題』（日本証券経済研究所，2002）125-152頁，長崎幸太郎編著（額田雄一郎改訂）『逐条解説　資産流動化法〔改訂版〕』（金融財政事情研究会，2009）3-44頁を参照。

財産の管理には関わらず，信託会社等が債権の回収等を行う。

■ Column 2-23　サブプライムローンの証券化商品■■

世界的な金融危機を招いたアメリカのサブプライムローンの証券化商品も住宅ローンの流動化から生まれたものである。サブプライムローンの証券化商品とは，低所得者向けの住宅ローン債権の集合を金融機関（オリジネーター）から取得した投資銀行が証券化の組成者（スポンサー）となり，この債権を裏づけとし，元利金の支払について優先劣後関係のある複数の資産担保証券（ABS: Asset Backed Securities）を特別目的事業体（SPV: Special Purpose Vehicle）に発行させる（**図表 2-12**）。SPV の法形態としては会社と信託が多く用いられる。たとえば，資産担保証券として，元利金の支払の優先順位の高い順にシニア（優先部分），メザニン（中間部分），ジュニア（劣後部分）の3種類の証券（トランシェと呼ばれる）が発行されたとすると，住宅ローン債権に債務不履行が発生すると，まずジュニアに対する元利金の支払が不履行になる。SPV はローン債権以外に資産担保証券の元利金の支払のための資産を有しないが，資産担保証券の債務不履行に対して保証会社が保証を付すこともある。さらに，異なる集合資産を裏づけとする資産担保証券を購入したスポンサーが，当該資産担保証券を裏づけとして，新たな証券化を行い，新しいトランシェの資産担保証券を発行することもある（**図表 2-13**）。

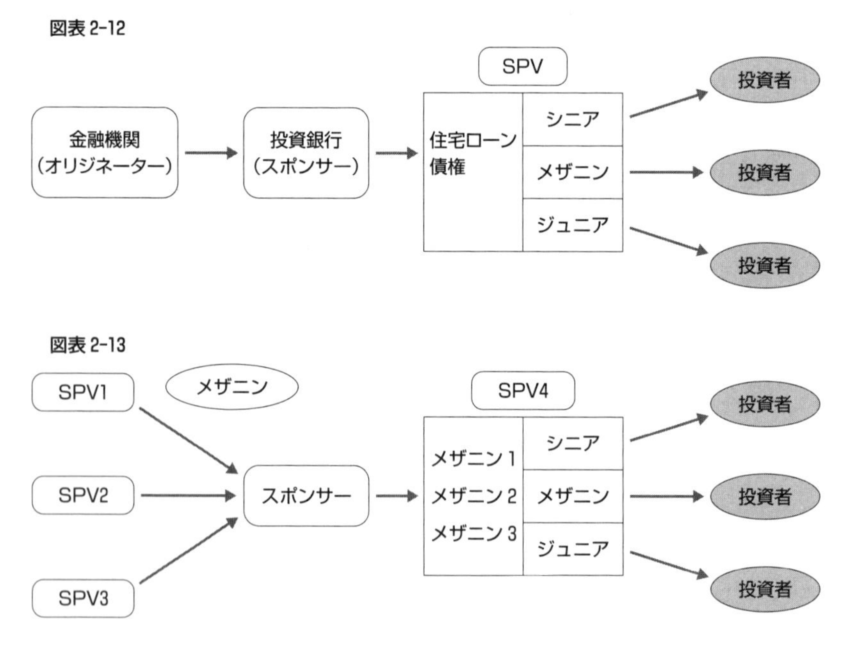

資産担保証券を購入していたのは金融機関や機関投資家などのプロ投資家であったが，証券化のプロセスが複雑であったため，投資家が資産担保証券の裏づけとなる資産の情報を十分に把握できず，格付に依存したために，投資判断を誤ったといわれている。そこで各国では，格付業者の規制（→**9章*4*節**）を導入するとともに，資産担保証券の開示をどのように行わせるかを検討している。

2　特定目的会社制度

(1)　ビークルの組成，資産流動化計画の作成

特定目的会社は，資産対応証券を発行して投資者から集めた資金によってオリジネーターから資産を譲り受けるために特別に組成されるビークルである。資産の譲受人が当該資産の管理・処分以外の事業を営んでいると，流動化資産の価値のみを反映した資金調達を行うことができないので，流動化資産を取得するのに適したビークルとして特定目的会社の制度が創設された。もっとも，流動化資産を取得するのに外国法上の特定目的会社（SPC: Special Purpose Company）や会社法上の合同会社が用いられる例も多い。

特定目的会社は，資産流動化法の定める手続によって設立された法人であり（資産流動化13条・16条以下），その組織は同法が定めている。特定目的会社のオリジネーターからの独立性を確保するために，原保有者またはその役員は特定目的会社の取締役・監査役になることはできない（同70条7号・72条2項）。ただし，オリジネーターが特定目的会社の発起人となり，その社員（特定社員という，同26条）となることは禁止されていない。

■Column 2-24　倒産隔離■■

流動化資産の投資者を保護するためには，オリジネーターが倒産したときにオリジネーターの債権者が流動化資産にかかっていけないようにすること（倒産隔離）が，とりわけ重要である。特定目的会社を用いた流動化では，オリジネーターから特定目的会社へ資産が移転するので（真正譲渡），倒産隔離は認められやすい。もっとも，オリジネーターが流動化資産の管理・処分を引き続き行う場合で，オリジネーターが特定目的会社の特定社員（株式会社の株主に相当）であるときには，流動化資産がオリジネーターから分離されたとはいいがたい。そこで実務では，オリジネーターが海外にSPCを設立して，SPCの普通株式について慈善団体を受託者とする慈善信託（チャリタブル・トラスト）を設定するという方法がとられた。特

定目的会社制度において同じことができるように，特定社員の権利を社員総会の承認を受けないで信託会社等に信託できる「特定出資の信託」制度（資産流動化33条）が設けられている。

特定目的会社について登録制は採られておらず，特定目的会社は内閣総理大臣に届出をすれば資産の流動化に係る業務を開始することができる（資産流動化4条）。資産の流動化に一般の投資家が参加するのは，特定目的会社が資産対応証券（→**1章5節2**(5)）を公募するときであり，投資者の保護は資産対応証券のディスクロージャーによって図るのが必要かつ十分であると考えられたからである。

特定目的会社の業務開始の届出には，特定資産の譲受けに係る契約，特定資産の管理・処分に係る業務を委託する場合は当該委託契約，および資産流動化計画等を添付しなければならない（同4条3項）。資産流動化計画は，特定資産の内容や特定資産のキャッシュ・フローをどのように管理・取得し投資者に分配するかを定める基本文書であり，計画期間，発行する資産対応証券に関する事項，特定資産の内容・取得時期・譲渡人に関する事項，特定資産の管理・処分の方法（管理・処分を委託するときは受託者に関する事項を含む）等を記載する（同法5条1項）。

流動化の対象となる資産に限定はない（同2条1項）。ただし，組合の出資持分や同一法人の一定割合以上の株式・持分を特定目的会社が取得すると，特定目的会社が事業を行う結果になりかねないし，資産運用を行う匿名組合の出資持分や特定金銭信託の受益権を流動化資産とすると，特定目的会社が資産運用を行うことになりかねないので[114]，これらの株式・持分等の取得は禁じられている（同212条1項2項，資産流動化施規96条）。

⑵　**資金の調達**

特定目的会社は，流動化資産を取得する資金を調達するために，優先出資，特定社債，または特定約束手形を発行することができる（資産流動化39条・120条・205条）。株式会社でいうと，優先出資は優先株式，特定社債は社債に対応するものであり，特定約束手形はコマーシャルペーパー（CP，金商2条1項15号）である。特定目的会社は，特定社債の一種として，ペーパーレスCPに相

114)　浜田・前掲注113) 141頁。

当する特定短期社債を発行することもできる（資産流動化2条7項・122条）。これらの資産対応証券（同2条11項）は，特定資産のキャッシュ・フローから優先配当，利息の支払，または元本の償還を得ようとする投資者の投資対象となる。投資者の権利関係を複雑にしないために，通常はどれか1つの資産対応証券が発行される。いずれを発行するかは，特定資産の種類（債権であれば償還期間の長短を含む），特定資産の管理・処分の方法等によって定まる。1つの資産流動化計画において，元利金の支払に関する権利内容に優先劣後関係のある複数の種類の証券（たとえば，複数の種類の優先株式や複数の種類の特定社債）を発行することも可能である（同206条，資産流動化施規92条）。

資産対応証券は金融商品取引法上の有価証券であるので（2条1項4号・8号・15号），募集により資産対応証券を発行する場合には，特定目的会社は有価証券届出書を提出しなければならず（4条1項），その後は証券保有者の数によっては継続開示義務を負う（24条1項）。資産対応証券は，いわゆる資産金融型証券であり，その記載項目は***3*** 節 ***3***(3)で説明した。有価証券届出書に「資産流動化計画」の記載項目はないが，資産流動化計画の重要部分は有価証券届出書にも記載される。

■Column 2-25　原資産のトレーサビリティの確保■■

2008年の世界的金融危機において，投資者が証券化商品の評価を誤った1つの理由として，投資者が，証券化商品の裏づけとなる資産の情報を十分に把握できず，そのリスクの所在が不明確となったことが挙げられた。そこで同年4月，金融庁は，金融商品取引業者等向けの総合的な監督指針（監督指針）を改正し，「証券化商品の追跡可能性（トレーサビリティ）の確保」に関する留意事項を加えた。また，日本証券業協会では，「証券化商品の販売等に関する規則」（販売規則）を制定した。これは，証券化商品の販売等を行う金融商品取引業者が，販売前，販売時，および販売後に証券化商品に係る原資産の内容やリスクに関する情報を収集し顧客に伝達する義務を，自主規制の形で定めたものである[115]。

販売規則によると，金融商品取引業者等は，①販売に先立って，証券化商品に係る原資産等の内容やリスクに関する情報を収集し，②販売時に，これらを顧客に伝達し，③販売後において，顧客の要望があれば，情報を収集し伝達すべきものとする（販売規則4条）。ただし，いずれについても，協会員が自ら必要と判断した情報に限って収集すれば足り，自らが伝達するべきと判断した情報について顧客に伝

115）　黒沼悦郎「証券法制の見直し」金法1903号（2010）46-48頁。

達すれば足りるとする点で，緩和されたルールとなっている。

⑶　流動化資産の管理・処分

流動化資産の管理・処分とは，たとえば分割払いの指名債権が特定資産であれば，利息と分割支払金を債務者から取り立て，あるいは債権を譲渡することによって元本の回収を図り，資産対応証券の権利者にその権利に応じて，配当・利息の支払，元本の償還等を行うことである。特定目的会社は自身が流動化のビークルに徹するのが効率的であるため，特定資産の管理・処分を外部に委託することを求められる。委託先は，原則として信託会社等（信託会社または信託兼営金融機関）でなければならないとされている（資産流動化 200 条１項）。資産の保管について信託を設定することにより，管理・処分の受託者の倒産リスクから特定資産の投資者を保護するためである。ただし，不動産，指名債権，電子記録債権等は，管理・処分に専門性を必要とするため，信託会社等以外の者に委託することができる（同条２項）。たとえば，貸付債権について，それまで管理・回収を行っていた原保有者が，債権の譲渡後も引き続きその管理・回収を行う場合が考えられる。平成 10 年に制定された「債権回収業に関する特別措置法」（サービサー法）は，弁護士法の特例として，債権管理回収業を法務大臣の許可制の下で行わせるものであるが，特定資産に属する債権もサービサーによる管理・処分の対象とされている。

資産対応証券が特定社債である場合，特定目的会社は特定社債の保有者に利息の支払と元本の償還を約束していることになるが，特定目的会社の財産は限られているので，元利金の支払を確実に実行できる保証はない。そこで，確実な元利金の支払を望む投資者にとって特定社債を魅力あるものにするために，第三者が元利金の支払について特定社債権者に保証をすることがある。このような措置を信用補完という。信用補完措置の内容は，資産流動化計画（資産流動化施規 14 条７号）および有価証券届出書（特定有価証券開示府令５号の２様式）の記載内容にもなっている。

⑷　資産流動化計画の変更

資産流動化計画が変更されると資産対応証券の保有者（投資者）にとって投資の実質が変わってしまい，証券取得時の投資者の期待に反するとともに，投資の実質の変更に伴って投資者が大きな損失を被ることも考えられる。他方，不動産の流動化の場合には，不動産を計画通り保有し続けるよりも早期に売却して資金を回収した方が投資者の利益になることがありうるし，予想外の事態によって建物の大規模改修が必要になり，新たな資金調達が求められる場合も考えられる[116]。

そこで，資産流動化法は，一定の手続の下で資産流動化計画の変更を認めている。資産流動化計画の変更は，軽微なものを除いて特定目的会社の社員総会の決議によらなければならない（資産流動化151条1項3項）。計画変更決議には，優先出資社員も議決権を有し（同152条3項），決議に反対の優先出資社員には優先出資買取請求権が与えられる。資産対応証券の投資者である優先出資社員の利益を守るためである。資産流動化計画の変更には特定社債権者集会の承認も必要である（同154条）。計画変更に反対する特定社債権者に対しては，特定目的会社は弁済をするか，弁済のために信託会社等に財産を信託しなければならない（同条5項）。特定約束手形の所持人についても，反対者への弁済のための信託設定が特定目的会社に義務づけられている（同156条）。特定社債権者や特定約束手形の所持人を保護するためである。

このように流動化計画の変更について厳格な規制を設けるとともに，資産流動化計画に違反する取締役の行為については，社員，特定社債権者，特定約束手形の所持人を含む者に差止請求権を認めている（同82条）。

3　特定目的信託制度

(1)　信託契約の締結

特定目的信託は，流動化対象資産の原所有者（原委託者）がこれを信託会社等に委託し，その受益権を分割して投資者に販売することによって資産の流動化を図る制度である。資産流動化法は，資産の流動化を目的とし，受益権を分割して複数の者に取得させることを目的とする信託を「特定目的信託」と定義し（資産流動化2条13項），信託法の特則を置いている。

特定目的信託を行うには，まず，原委託者と信託会社等が信託契約（特定目的信託契約）を締結する。特定目的信託契約には，資産信託流動化計画，原委託者の義務，信託会社等の費用の償還に関する事項，信託報酬の計算方法等を定める（同229条）。投資者は，流動化対象資産の性質に応じて，当該資産が生み出すキャッシュ・フローがあらかじめ定められたスキームに従って分配され

116)　浜田・前掲注113) 145頁。

ることを期待して投資を行う。そこで，信託契約には，流動化対象資産の管理および処分について委託者が信託会社等に対して指図を行うことができない旨の条件を付さなければならない（同230条1項1号）。原委託者の指図の禁止は，原委託者からの倒産隔離（→**Column 2-24**）を確保するのにも役立つ。また，特定目的信託は，原委託者と信託会社等が共同で組成するものであり，信託の時点において信託財産の状況について情報を最も多く有する原委託者の積極的な協力が必要である[117]。そこで，信託契約には，原委託者が流動化対象資産の重要事項について信託会社等に告知しなければならないとの条件を付さなければならない（同項3号）。

特定目的信託と認められるためには，信託契約が上記のような条件・内容を定めていなければならないため，信託会社等から信託契約の契約書案を内閣総理大臣に届け出ることとされている（同225条）。特定目的信託とその他の信託とを区別し，特定目的信託の形式要件の充足を確認するためである。

⑵　受益証券の発行

特定目的信託から生じた受益権は分割されて，受益証券に表示され（資産流動化234条），投資者に分売される。受益権は，単一の種類であっても，信託期間中の金銭の分配について優先劣後関係にある種類の異なるものであってもよい（同226条1項3号参照）。

特定目的信託の受益証券は金融商品取引法上の有価証券であるから（2条1項13号），募集により受益証券を発行する場合には，発行者は有価証券届出書を提出しなければならない（4条1項）。ここにいう発行者は原委託者と信託会社等の双方であると定められている（2条5項，定義府令14条2項1号）。原委託者を発行者に含めたのは，原委託者による受益証券の取得が有価証券の「引受け」（2条6項）に該当しないための技術的な理由によるものであり[118]，流動化資産に関する情報は受託者となった信託会社等が有している。これに対し，受益証券について継続開示義務を負う発行者は信託会社等のみである（24条5項，特定有価証券開示府令22条の2第1項）。

■ Column 2-26　信用リスクの保持義務■■

アメリカのサブプライムローンの証券化（流動化）においては，住宅ローン債権

117）　長崎・前掲注113）565頁。
118）　長崎・前掲注113）658頁。

や資産担保証券を取得した投資銀行が証券化の組成を行い，これらの資産を裏づけとする資産担保証券をSPVに発行させて原資産のリスクをすべて投資者に移転する例が見られ，そのことが債務不履行リスクの極めて高い住宅ローン債権の証券化を可能にし，証券化市場の崩壊を招いたと考えられた。もし証券化の組成を行うスポンサーに資産担保証券のリスクの一部を保持させれば，組成の過程で原資産のリスクについて厳しい審査を行うインセンティブをスポンサー（証券化を組成した者）等に与えることができる。そこで，ドッド＝フランク法によって新設された取引所法15G条は，SEC等6つの連邦政府機関が共同で，資産担保証券の発行によって第三者に移転し，または売却した資産の信用リスクの5%をスポンサーが保持するよう義務づける規制を設けるよう求めた。

SEC等による規則では，スポンサー等による信用リスク保持の方法として，証券化取引によって発行される資産担保証券の各トランシェ（前記**図表2-12・2-13**のシニア，メザニン，ジュニア）のそれぞれ5%を保持する垂直方式，資産担保証券の最劣後部分（前記**図表2-12・2-13**のジュニア）の全証券の公正価値に対する5%を保持する水平方式，これらを組み合わせる方式等を定めている[119]。この規制は，スポンサーの保持する信用リスクを開示させて，原資産の質について投資者に判断を委ねるというディスクロージャー規制を超えて，証券化のプロセスに実体的規制を及ぼすものであるといえる。

2009年に改正されたEUの資本要件指令（Capital Requirements Directive）122a条では，オリジネーター，スポンサー，または当初の貸主が，垂直方式，水平方式を含む方法により信用リスクの5%以上を保持していることを明らかにした場合に限って，銀行等の信用機関は資産担保証券に投資することができる旨を定める。これは，直接的には，証券化商品の投資者の地位に立つ銀行の健全性確保のための規制であるが，間接的には，スポンサー等による5%の信用リスク保持を促す効果がある。

わが国では，証券化の組成者に5%以上の信用リスク保持を義務づける規制は設けられていない。わが国の証券化組成者は，実際上，5%以上の信用リスクを保持しているといわれているが，信用リスクの保持という手段の妥当性を含めて，わが国においてもリスク保持ルールを検討すべき時期に来ていると思われる。

(3)　受益証券の権利者の地位

特定目的信託を利用した流動化では，資産の管理・処分は信託会社等が行い，

119)　SEC等の規則の紹介として，黒沼悦郎「ドッド＝フランク法における信用リスクの保持ルールについて」金融商品取引法研究会編『金融商品取引法制の潮流』（日本証券経済研究所，2015）295頁以下。

受益証券の各権利者が有する元本持分に応じて，金銭の分配を行う（資産流動化265条）。

原委託者からの倒産隔離を確保するために，原委託者が受託者である信託会社等を監督することはない。代わって，受益証券を取得する者が，その取得により，特定目的信託の委託者の地位を承継する（同237条）。つまり，「受益証券の権利者」は受益者の権利と委託者の権利を併せ持つことになる。

特定目的信託においては，資産信託流動化計画に従って対象資産の管理・処分が行われれば足りるし，投資者である受益証券の権利者は，信託財産の管理・処分について専門的知識を有するわけではない。そこで，受益証券の権利者が，受益者兼委託者として信託会社等に対して監督是正権を行使する方法として，臨時の合議体である権利者集会制度が設けられている。権利者集会は，信託会社等によって招集され，信託契約の変更（同269条1項1号），信託会社等およびその役員の責任の免除（同273条），信託会社等の辞任の承認・解任の請求（同274条1項・2項）といった法定された事項についての意思決定を行う。

資産信託流動化計画に係る信託契約の変更に反対した権利者には，受益証券の買取請求が認められていること（271条），法令または信託契約に違反する信託会社等の行為について，権利者に差止請求権が認められていること（同262条）は，特定目的会社の場合（→*2*(4)）と同様である。

第3章　上場会社のディスクロージャー

第*1*節　継続開示制度の理論的根拠

1　総　　説

本章は，発行者による継続開示制度を扱う。継続開示を始めとするディスクロージャー制度の特徴は，発行者等の一定の者に一定の情報を定められた形式で開示するよう強制することにある（強制的開示制度）。ディスクロージャー制度が，有価証券の市場において情報に基づいた価格決定が行われ，資源の効率的な配分が達成されるように設けられていることについては，既に述べた（→**1章*1*節*2*⑴・*2*節*2***）。

ところが，資本市場が十分に効率的であれば（→**1章*2*節*4***），法によって情報開示を強制する必要はないともいえる。市場の効率性は，法が強制する情報開示によってではなく，発行者が自発的に開示する情報によって達成されているのかもしれない。さらに，市場が十分に効率的でないとしても，発行者は情報を自発的に開示するから，法律が介入する必要はないかもしれない。アメリカにおいては，ディスクロージャー制度の是非（情報開示を強制することの是非）をめぐって議論が行われているので，本節は，それを参照しつつ，継続開示制度の根拠はなにかを考えたい[1]。

1）　本節の記述は，江頭憲治郎「企業内容の継続開示」大系189頁以下（同『商取引法の基本問題』〔有斐閣，2011〕に所収），黒沼・アメリカ16-19頁に依拠している。

2 強制的開示制度に対する批判

まず，効率的資本市場仮説を前提とし，ポートフォリオ理論に基づいてなされる現代の投資判断にとって，現在の開示制度は役に立たないという批判[2]がある。市場が効率的であれば，過小評価されている有価証券や過大評価されている有価証券を見つけ出すことは困難である（**→1章*2*節*4*・*3*節*3***）。したがって，効率的市場における投資判断は，分散投資によって個々の発行者に特有のリスクを除去した上で，分散投資によっては除去することのできない市場に連動するリスクを銘柄の組替えによって調整するかたちで行われる。このような投資判断にとっては，個別企業に関する詳しい情報は不要であり，市場に連動する個別企業のリスクの反応係数（β値と呼ばれる）のみが有用な情報ということになるが，法はそのような情報の開示を要求していない。

■Column 3-1　ポートフォリオ理論と分散投資■■

上記の議論が前提とするポートフォリオ理論およびβ値とは次のようなものである。

ある銘柄Sの株式のt期における収益率R_Sは次のように定義される。

$$Rs=\frac{P_t-P_{t-1}+D}{P_{t-1}}$$ （①式）P_t：t期末における株価，P_{t-1}：t−1期末における株価
D：t期に支払われた1株当たりの配当

現実の市場において，種々の銘柄の収益率の相関関係を調べると，多くの銘柄は相互に正の相関係数を有していることがわかる。このことから，各銘柄の投資収益率がなんらかの共通要因によって変動していることが推測される。このような，企業に対し共通な基本変数を措定し，この基本変数によって各銘柄の投資収益率を説明しようとするのが，単一指標モデルである。単一指標モデルのうち，指標をマーケット・ポートフォリオ（市場で取引されているすべての銘柄を，その発行済総数で組み入れたポートフォリオ）の収益率でとったものがマーケットモデルである[3]。マーケット・ポートフォリオとして東証株価指数をとると，その収益率は，①式と同様に，東証株価指数の変化率と組み入れ銘柄に対する配当の加重平均によって求められる。

マーケットモデルでは，銘柄Sの収益率Rsとマーケット・ポートフォリオの収

2）Homer Kripke, The SEC and Corporate Disclosure: Regulation in Search of a Purpose (Law & Business, Inc., 1979).

3）マーケットモデルについては，榊原茂樹『現代財務理論』（千倉書房，1986）32-46頁，池谷誠＝岸谷暁＝中野八英『証券訴訟の経済分析』（中央経済社，2009）164-190頁，砂川伸幸「株式価値評価と現代ファイナンス理論」商事2076号（2015）52-54頁を参照。

益率 Rm の関係は次のように措定される。

$Rs=\alpha+\beta Rm+\varepsilon$　(②式)　ε：平均0の誤差項

②式の α，β は，期間ごとの Rs，Rm の値を用いて，ε の二乗の総和が最小になるように決定される（最小二乗法，**図表 3-1**）。

図表 3-1

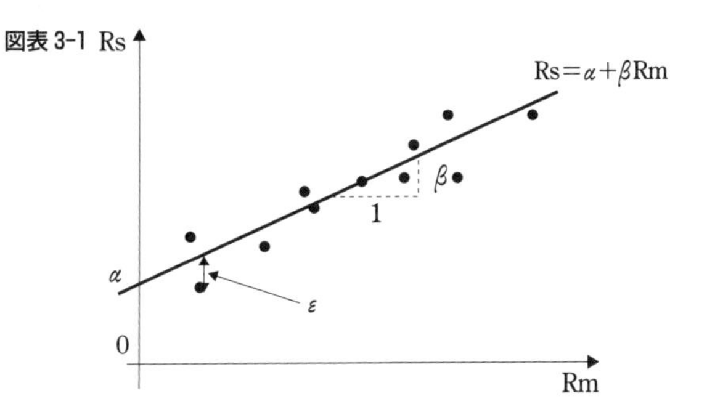

投資対象を銘柄Sに限定せずに分散投資をしていくことによって，投資者は自己の望む β（分散投資によって低減できないリスクという意味で，システマティック・リスクと呼ばれる）を得ることができる。それと同時に，十分な数の銘柄に分散投資をすれば，各銘柄の α は相互に独立なので，α（アンシステマティック・リスク）は0近くまで低減する。このように，ポートフォリオを組んで分散投資を行うメリットは，アンシステマティック・リスクを消滅させつつ，自己が望むリターンとリスクを得ることにある。

第2に，準強度の効率的市場が成立しているとすると，情報は公表されると直ちに有価証券の市場価格に反映されることになるが，現在の強制開示制度は，決算期から3か月後に報告書を提出させているので（→*3* 節 *1*），それまでに証券アナリストによる取材や発行者による記者発表などを通じて当該情報は市場価格に織込み済みになっている可能性が大きい。したがって，投資者は法定開示書類である有価証券報告書等を分析して投資をしても，それによって利益を得ることも損失を受けることもなく，多額の費用をかけて情報を作成・提出させることは無意味である。

3　古典的な開示制度擁護論からの反論と再批判

2 に述べた強制的開示制度不要説に対しては，ディスクロージャーを求める

古典的理論から，次のような反論がなされている[4]。

第1に，発行者は法定開示書類を提出する段階で真実を開示しなければならないから，その前の情報が公表される段階でも，虚偽の情報開示をすることはできなくなる。したがって，強制的開示制度は，たとえ新しい情報を提供するものでないとしても，情報の真実性を制度的に保障するものとして必要である。これを発行者の行う自発的な情報開示と有価証券報告書の開示を例に説明すると次のようになろう。発行者がある事項について記者発表を行って公表した情報が虚偽であった場合，その後に提出する有価証券報告書において，当該事項に関し虚偽の記載を行って記者発表が虚偽であったことを隠蔽するか，当該事項について真実の記載を行って記者発表が虚偽であったことを発覚させるかのいずれかを選択しなければならないことになる。発行者が前者を選択した場合，法定開示書類の虚偽記載に対しては刑事・行政上の制裁があり，民事責任も強化されているから（**→4章*4-6*節**），強制的開示制度があることにより，発行者は記者発表における虚偽の事実の公表を抑止されることになる。発行者が後者を選択した場合，法定開示書類の虚偽記載に対する制裁を通じた抑止効果は生じないが，記者発表が虚偽であったことが発覚するから，記者発表の虚偽について刑事責任（158条〔風説の流布〕，**→8章*2*節*2*(1)**），自主規制による制裁（**→6節*1*(1)**），民事責任（民法709条，**→4章*5*節*8***）が生じる可能性がある。この場合，強制的開示制度は，自発的な開示が虚偽であることを発覚させる契機を与えることにより，虚偽の記者発表を間接的に抑止しているといえる。

第2に，もし強制的開示がなければ，発行者は自己に都合のよい情報（市場価格を押し上げるようなプラスの情報）のみを開示し，都合の悪い情報（市場価格を押し下げるようなマイナスの情報）を開示しないという弊害が生じる。

ただし，第2点については，効率的資本市場仮説から，法によって強制されなくても，発行者はマイナス情報をも自発的に開示するはずであると反論されている[5]。なぜなら，発行者がマイナスの情報をも開示する方針を採用していれば，投資者は当該発行者を調査する費用をそれだけ節約できるから，そのことが当該発行者の株価を押し上げる要因となるからである。また，プラスの情

4) Report of the Advisory Committee on Corporate Disclosure to the Securities and Exchange Commission (1977).

5) Frank H. Easterbrook & Daniel R. Fischel, "Mandatory Disclosure and the Protection of Investors," 70 Va. L. Rev. 669 (1984).

報であれば発行者は自発的に開示するであろうから，マイナスの情報について発行者が沈黙していると，投資者から沈黙はよりいっそう悪い情報と受け取られてしまうため，結局，発行者は最初からマイナスの情報をも開示せざるを得なくなる。

4　効率的な市場を前提とした強制的開示制度擁護論

以上に加えて，効率的な市場が成立しているとしても強制的開示制度の必要性は失われないという議論がある[6)]。

第1に，情報の開示を発行者（企業）の自由な裁量に委ねた場合，少ない情報量しか市場に供給されないおそれがある。アメリカでは，証券アナリストの競争が効率的市場をもたらしたといわれているが，証券アナリストの顧客は機関投資家などの一部の投資者に限られており，顧客は必ず第三者に情報を流すが，アナリストは第三者から報酬を受け取ることができない。アナリスト・顧客間の契約で外部への情報伝達を禁止したとしても，当該契約条項をエンフォースすることは難しい。このため，アナリストが供給する情報は，社会的な最適資源配分という観点からみると過少情報になるおそれがある。そこで，強制的開示制度の意義は，証券アナリストに発行者に関する基本的な情報を比較可能な形式で与え，情報収集のためのコストを下げ，アナリストに適正な情報量を市場に供給させることにある。また，企業買収のために公開買付け（**→5章*1*節*1***）を行おうとする者（買付者）は，買収対象となる企業（発行者）を探索するためにコストをかけることになるが，強制的開示制度による発行者情報の開示は，買付者のコストを削減し，公開買付けの市場を活性化する効果がある。そして，適度な企業買収が行われることは，流通市場が経営規律効果（**→Column 1-1**）を発揮する上で重要なのである。この見解は，強制的開示がもたらす外部性（外部経済）に着目したものである。

第2に，発行者の経営者と株主等の投資者との利益が相反する場合には，情報の自発的開示は期待できず，強制的に情報を開示させることが投資者の利益になる。たとえば，自社株の公開買付け（**→5章*5*節*1***(1)）やMBO（**→Column 5-7**）を行う場合には，発行者や経営者は株価が低いほど有利なので，自発的開示を行わないと株価が低くなるのであれば（**→*3***），これらの場合，経営者が

6)　John C. Coffee, Jr., “Market Failure and the Economic Case for a Mandatory Disclosure System,” 70 Va. L. Rev. 717 (1984).

自発的に開示を行うインセンティブはないことになる。

第３に，分散投資を勧める現代のポートフォリオ理論にもかかわらず現実の投資者の多くは分散投資をしていない。これは，投資者は有価証券にのみ投資しているわけではなく，土地や住居，貴金属，そしてなによりも本業に投資しているのであって（たとえば会社員がスーツを購入する行為は本業への投資である），それら投資全体のポートフォリオが投資者の望むリスクとリターンを実現するものであればよいからである。そうだとすると有価証券については特定の銘柄だけに投資をすることにも十分な合理性があり，そのような投資のためには，個々の発行者の固有のリスクを判断するための情報も必要であり，個別企業に関する情報を提供する現在の強制的開示制度は，投資者の役に立っているといえるのである。

5　まとめ

以上に紹介したアメリカの議論は，情報開示制度のあり方に関する理論上の争いであり，その決着はついておらず，また現実の制度改正に直接結びつくものではない。わが国でも，ファイナンス理論の知見を基に強制的開示制度の存在意義を分析した本格的な研究が登場している[7)]。本章で説明する継続開示制度を理解する際には，このような議論があることを常に念頭に置く必要があるだろう。以下，その際の留意点を指摘しておきたい。

第１に，強制的開示制度と市場の効率性の関係については，現実の資本市場の効率性の程度（**→1章*2*節*4***）を踏まえて議論する必要があるとともに，強制的開示制度が効率性の達成にどれくらい寄与しているのか，いいかえると強制的開示制度を廃止すると市場の効率性が損なわれないかを踏まえる必要がある。これらは実証研究の課題である。

第２に，強制的開示制度には，古典的理論がいう「情報の真実性の制度的保障」という機能があることは否定できないように思われる。ただし，この機能が発揮されるかどうかは，自発的に情報が開示される項目と強制開示の項目との対応関係に依存する。また，強制的開示制度があることにより，より早い段階で，発行者が虚偽の開示をしないよう促されるだけでなく，重要な情報をすべて開示するよう促されるかという問題がある（**→4章*5*節*8***）。

7）　湯原心一『証券市場における情報開示の理論』（弘文堂，2016）。

第3に，発行者はすべての重要な情報を自発的に開示するという議論には，いくつかの点で限界があり，それらが現在の強制的開示制度を理論的に支えていることも明らかになった。もっとも，ここでの議論は主として発行者の継続開示に関するものである。発行開示については，より強い自発的開示のインセンティブが発行者にあるものの，発行市場の維持の観点から強制的開示制度が正当化される面がある（→**2章 *1* 節 *2*** ⑴）。また，公開買付けの開示では，情報開示が強圧性という別の問題を悪化させる点にも留意が必要となる（→**5章 *4* 節 *6***）。

■ Column 3-2　AI 投資と強制的開示制度 ■■

AI 投資とは，AI（人工知能）を用いた投資手法のことであり，これには価格や注文動向をデータとして利用する HFT（→**6章 *2* 節 *6***）も含まれるが，強制的開示制度と関係があるのは情報を分析する手法である。以前より，コンピューターを用いた投資手法はあったが，そこでは人が計算モデルを設定し，入力情報は経済指標や企業業績のような構造化データに限られていた。最近の AI は，ディープラーニングと呼ばれる機械学習により，人間がモデルを構築しなくても，大量のデータを与えることでその特徴を分析し，良い投資結果を生むように適当な加重平均を施した判断を下すことができるようになった。

分析の対象とするデータは，文字，画像，音声といった非構造化データにまで広がり，ニュース，行政文書，アナリストレポート，経営者のコメントのような文字情報についてはテキストマイニングにより有用な情報が取り出される。分析の結果は投資結果と照合され，フィードバックされて AI が計算モデル（アルゴリズム）を変更していくため，なぜそういう投資判断が行われたのかを人が事後的に検証することは難しい。すなわち，投資判断過程がブラックボックス化するのである。

投資者が自らの投資判断に AI を利用することは自由であり，何の規制も受けない。問題は，金融商品市場における投資判断の多くを AI が担うようになると，強制的開示制度にどのような影響を及ぼすかである。強制的開示制度は，①虚偽の情報を開示してはならないというルールと，②一定の情報を開示しなければならないというルールから成る。AI 投資は情報に基づく投資であるという点において，市場の効率性を向上させる可能性がある。AI は法定開示書類の情報とそれ以外の情報を総合的に判断するから，法定開示書類に虚偽記載があっても，それに影響されずに判断を下すようになるかもしれない。もしそうなると，①のルールは要らないことになる。また，法定開示書類の情報を用いないほうが良い投資結果を生むと AI が学習して，法定開示書類を投資判断に用いなくなるかもしれない。それが企業業績の予測の正確性を高め，資源配分の効率性に資するのであれば，②のルールも要らないことになる。

問題は，AI 投資の判断過程がブラックボックス化しているので，それが企業業績の予測に基づくものであるか否かを検証できない点にある（株価は企業業績と関係なく形成されるようになるので投資結果から判断することもできない)。企業の開示情報に基づく投資判断がブラックボックス化した AI の投資判断に常に勝てない状況になる前に，何らかの手を打つ必要があるかもしれない。

第*2*節　継続開示義務の発動と消滅

1　継続開示義務を負う者

(1)　上場有価証券の発行者

金融商品取引法上の継続開示は，有価証券報告書，半期報告書，四半期報告書，臨時報告書および内部統制報告書等からなる（24 条以下)。このうち有価証券報告書が最も詳細な情報を含み，基本となる書類であるので，法は有価証券報告書の提出義務者に他の書類の提出義務も負わせる形式を採用している。

有価証券報告書を作成し提出する義務を負う者は，24 条 1 項に列挙されている。これらの者のうち，上場有価証券の発行者（24 条 1 項 1 号）に継続開示義務を負わせたのは，上場有価証券の売買を行おうとする投資者が投資判断資料とするために企業内容の開示（ディスクロージャー）を必要としており，かつ，開示された情報に基づいて金融商品取引市場において有価証券の価格が効率的に決定されることが，資源の効率的な配分のために必要だからである（**→1 章 *2* 節 *2* (1)**)。

(2)　店頭売買有価証券の発行者

店頭売買有価証券とは，認可金融商品取引業協会が開設する店頭売買有価証券市場で取引されるために登録された有価証券をいう（2 条 8 項 10 号ハ・67 条の 11 第 1 項)。店頭売買有価証券の発行者は，いわゆる店頭登録市場の発達に伴い[8]，投資者の保護と市場の価格形成機能の発揮のために，昭和 46（1971）年の証券取引法改正により継続開示義務の対象者とされた（24 条 1 項 2 号，施行令 3 条)。ところが，平成 16 年 12 月に店頭登録市場（JASDAQ）が取引所の

---

8)　店頭登録市場の規制の展開については，神崎克郎「店頭市場改革の法的検討」上柳先生還暦記念『商事法の解釈と展望』（有斐閣，1984）500 頁を参照。

免許を受けて，証券取引所になり，店頭売買有価証券の発行者は上場会社となったため，現在，これに該当するものは存在しない。

(3)　募集または売出しを行った有価証券の発行者等

金融商品取引法24条1項3号は，その募集または売出しにつき，4条1項本文・同2項本文・同3項本文，23条の8第1項本文・2項の適用を受けた有価証券の発行者に継続開示義務を課している。これには，①募集または売出しを行った有価証券の発行者，②一般投資家向けの勧誘が行われた適格機関投資家向け有価証券の発行者（→**2章*2*節*5***），③一般投資家向け勧誘が行われた特定投資家等向け有価証券の発行者（→**2章*2*節*5***），④発行登録を行い発行登録追補書類を提出して募集または売出しを行った有価証券の発行者（→**2章*3*節*4*** (5)），⑤発行登録を行い，発行登録追補書類の提出を免除されて募集または売出しを行った振替短期社債等の発行者（→**2章*3*節*4*** (5)）が含まれる。これらの方法により多数の者に取得された有価証券は，投資者の間で流通する可能性があり，投資者は発行者による継続的な情報開示を必要としているからである。これに対し，有価証券の流通性を基準として継続開示義務を課すことは妥当でないとして，3号を廃止して4号（外形基準）へ一本化する構想も示されている[9]。

他方，募集を行った発行者が，発行された有価証券を，全部取得条項付種類株式を用いるなどして他の種類の有価証券に交換した場合，本号による発行者の継続開示義務は引き継がれない。この問題に対処するために，有価証券の交換について「勧誘」が行われると解して発行開示規制を適用するか（→**2章*2*節*1***），有価証券の実質的同一性が失われないと解して継続開示義務を適用するという解釈が示されている[10]。

(4)　外形基準

従来，発行者は，その有価証券を上場せず，募集または売出しを行ったことがなければ，継続開示義務を負うことがなかった。しかし継続開示の必要性は，発行者が開示を欲するか否かではなく，それを必要とする一般投資家が存在するか否かによって決すべきであると説かれていた[11]。有価証券について多数の

9)　久保田安彦「発行開示と継続開示の接合とその合理性――金融商品取引法24条1項3号に関する一考察」阪大法学62巻3＝4号（2012）247頁。

10)　久保田・前掲注9) 224-225頁。

11)　神崎213-214頁。

保有者がいれば流通性が生じ，保有者は売買のために情報開示を欲するからである。平成4年の証券取引法改正は，この見解を容れ，500人（現在は1000人）以上の所有者（現在は特定投資家〔→**2章*2*節*3*(3)**〕の数を除く）のいる有価証券の発行者に，開示義務を負わせることとした（24条1項4号）。この開示要件は外形基準と呼ばれている。このように流通性を基準とする考え方に対し，強制的開示制度の理論的根拠（→***1*節*4***）に遡り，外部性の影響の程度を測る指標を用いるべきだとする見解も唱えられている[12]。

外形基準の対象となる有価証券は，①株券，②株券を受託有価証券とする有価証券信託の受益証券，③株券オプション証券（以上，施行令3条の6第3項），④信託の受益権，⑤合名・合資会社の社員権（政令指定のものに限る），⑥合同会社の社員権，⑦集団投資スキーム持分（以上，施行令4条の2第4項），⑧優先出資証券，⑨学校債権（以上，施行令4条の11第4項）である。このうち，②～⑦および⑨は，平成18年改正で加えられた。ただし，④～⑦および⑨のみなし有価証券は，主として有価証券に対する投資を行う有価証券投資事業権利に限って，継続開示義務の適用対象となる（→**2章*1*節*4***）。

継続開示義務が発動されるのは，株券関連の有価証券については，5年の事業年度の末日に連続して有価証券の所有者数が1000人以上である場合，有価証券投資事業権利については，事業年度の末日において所有者数が500人以上である場合である（施行令3条の6第6項，企業内容等開示府令16条の3）。以上の結果，たとえば，主として有価証券に対する投資を行う組合等（ファンド）の持分の所有者が500人以上となったときには，たとえ持分の募集・売出しの際に取得者が500人未満であることにより発行開示義務が課せられなかった場合であっても（→**2章*2*節*1***），発行者は継続開示義務を負うことになる。

■Column 3-3　外国の有価証券と外形基準■■

上記①の株券は，株式会社の発行する有価証券であり，外国会社の発行する株券に相当する有価証券（2条1項17号）はこれに該当しない。また，集団投資スキーム持分であっても，外国の法令に基づくもの（2条2項6号）は，外形基準の適用対象とされていない。国内で募集・売出しが行われず，上場もされていない外国の有価証券の発行者に継続開示義務を適用すると，法の域外適用の問題が生ずることに配慮したものであろう。

12）　金融商品取引法研究会「継続開示義務者の範囲――アメリカ法を中心に」（日本証券経済研究所研究記録49号，2015）22-23頁〔飯田秀総報告〕。

アメリカでは，特定の種類の持分証券の所有者が一定数以上おり，国内に一定額以上の資産を有している発行者であれば，内国・外国を問わず発行者に有価証券の登録を求め，継続開示義務を課している（取引所法12条(g)項）。継続開示を必要とする一般投資家がいれば開示を強制すべきであるとする上記外形基準の考え方からすると，発行者の国籍を問わずに外形基準を適用することが一貫する。

2　開示義務の消滅・免除

発行者による継続的な情報の開示は，直接には投資者の利益になり，発行者にとっても間接的に利益をもたらす（**→1章*2*節*2***）。しかし，情報の作成・公開は発行者に費用を負担させることになるので，開示のための社会的費用が開示による社会的利益を上回る場合には，開示義務を消滅・免除させることが望ましい。そこで金融商品取引法は，発行者が継続開示義務を免れる場合を定めている。

まず，上場有価証券・店頭売買有価証券の発行者（24条1項1号2号）は，その有価証券が上場廃止となり，あるいは店頭登録を取り消された場合には，以後，開示義務を免れる。ただし，当該発行者が外形基準により継続開示義務を負担することはありうる。

つぎに，有価証券の募集・売出しにより継続開示義務を負った発行者（24条1項3号）は，その者が，①清算中であるとき，②相当の期間事業を休止しているとき，③更生手続開始の決定を受けたとき，④募集・売出しを行った有価証券の所有者が25名未満となったとき，⑤募集・売出しを行った株券の所有者が，継続開示義務を負ってから後5事業年度の末日に連続して300名未満となったときには，内閣総理大臣の承認を得て，開示義務を免れることができる（24条1項但書，施行令3条の5第2項・4条2項4項，企業開示16条2項）。①〜③は，投資者に対する情報開示の必要性が乏しくなったからである。④は，50名に対する勧誘によって発行開示が求められること（**→2章*2*節*1***）を勘案して，証券所有者がその半数になったときは開示を必要としている投資者はもはや存在しないとの判断に基づくものである。みなし有価証券についても同じ人数基準が採用されている（特定有価証券開示府令25条3項）。

ところで，有価証券の募集または売出しを行った場合に④の免除要件しか利用できないと，免除要件が厳格すぎて企業に募集・売出しをためらわせることとなるし，外形基準の免除要件である300名（後述）との相違をうまく説明できない。そこで平成18年の改正により⑤の免除事由を導入し，募集・売出しを行った有価証券について継続開示を求めるという制度を維持しつつ，その免除要件を外形基準と同水準のものとした。

外形基準により開示義務を負う者（24条1項4号）は，⑤資本金額または出資の総額が5億円未満になったとき，または株券・有価証券投資事業権利の所有者が300名未満に減少したときに開示義務を免れる（24条1項但書，施行令3条の5第2項）。権利所有者数による免除要件の趣旨は，証券の流通性が失われ，法によって情報開示を強制する必要性が失われることにあるのに対し，資本金額・出資総額に着目して開示義務を免除する趣旨は，発行者の開示負担に配慮したものである。

■ Column 3-4　発行開示要件と継続開示要件■■

上に述べたように，金融商品取引法は，発行開示義務を負う発行者が継続開示義務をも負担するという仕組みを維持しつつ，多数の株主がいない非上場の株式会社にとって継続開示の負担が重くなりすぎないように継続開示要件を緩和した。しかし，有価証券の募集・売出しの際には販売圧力が生じることによって情報開示が必要になるのであるから（→**2章*1*節*2*(2)**），何名に対する勧誘であれば販売圧力が生じるかという観点から情報開示の要件が決定されるべきであるのに対し，流通市場では販売圧力が生じていないから，何名の証券保有者がいれば発行者の情報に精通していない者が含まれるかという観点から開示要件が決定されるべきである。したがって，発行開示要件（50名）と流通開示要件（1000名／300名）とが異なることは，発行者の開示負担ではなく投資者にとっての開示の必要性の観点から説明できる[13]。

もっとも，発行開示要件と継続開示要件を別個に定めると，募集・売出しが行われた証券について継続的な情報開示が行われないことになり，募集・売出しに応じて有価証券を取得した者が売却機会を奪われる可能性がある。そこで，法は，証券所有者が25名未満となる場合を除いて，発行開示を行った者に最低5年間の継続開示を求めているのである。

13）黒沼悦郎「ディスクロージャーに関する一省察」江頭先生還暦記念『企業法の理論（下）』（商事法務，2007）613頁。

第3節　定期的な書類の提出

1　有価証券報告書

継続開示義務を負う発行者は，事業年度ごとに，その終了後3か月以内に，外国会社は6か月以内に，内閣府令で定める事項を記載した有価証券報告書を作成して内閣総理大臣に提出しなければならない（24条1項）。いわゆる資産金融型証券（→2章3節3）については，発行者の事業年度ごとではなく，当該資産の運用期間を考慮した特定期間ごとに情報を開示させる（24条5項）。事業年度も特定期間も通常は1年であり，有価証券報告書は，1年ごとに定期的に情報開示を求める制度である。

提出はEDINET（→Column 2-11）を通じて行い，提出された有価証券報告書は，財務局，発行者の本店および主要な支店，さらに上場会社の場合は金融商品取引所で5年間，公衆の縦覧に供される（25条，企業内容等開示府令21条）。

2　半期報告書・四半期報告書

半期報告書制度は，昭和49（1974）年の商法改正により，それまでの年2回決算から1年決算に移行する会社が増えることが予想されたため，投資者に対する年2回の情報提供の機会を確保するために，昭和46（1971）年の証券取引法改正により導入された。事業年度が6か月を超える発行者は，事業年度開始から6か月間の発行者の経営成績や財政状態を記載した半期報告書を，6か月経過後3か月以内に内閣総理大臣に提出しなければならない（24条の5第1項）。半期報告書は，投資者の利用に供するため，有価証券報告書と同様の場所で3年間，公衆の縦覧に供される（25条）。

アメリカでは，3か月ごとにそれらの情報の開示を求める四半期報告書が，1970年に導入されており，わが国でも四半期報告書を導入すべきであるとの見解が唱えられていた[14)]。ところが，わが国では，四半期ごとに経営成績等の開示を求めると，経営者が業績の季節的変動を無視した短期的利益の追求に走るようになるといった批判があり，法制化が遅れていた。他方，投資情報が不足しがちな新興企業向け新市場（マザーズなど）では，取引所の自主規制によ

14)　神崎克郎「ディスクロージャー制度の問題点」商事1077号（1986）11頁。

り四半期情報の開示が求められ，平成16年からは上場会社全般について自主規制による四半期開示が実現した。

そこで金融商品取引法（平成18年改正）では，企業を取り巻く経営環境の変化が激化していることを考慮して，企業情報をよりタイムリーに開示させる四半期報告制度を，民刑事の責任と課徴金の制裁が伴う法定開示に引き上げた（24条の4の7）[15]。

四半期報告書の提出が強制されるのは上場会社だけであり，それ以外の継続開示会社は任意に四半期報告書を提出することができる（同条2項）。企業の業績に関する情報の開示が頻繁に求められるのは，企業の発行する株式について流動性の高い市場が存在し，投資情報を必要とする幅広い投資者がいる場合であると考えられたからである。四半期報告書の提出義務を上場会社に限定したことについては，外形基準による継続開示義務が規定された趣旨からすると妥当でないという批判もある[16]。

四半期報告書には，第1，第2，第3四半期の3つがあり，それぞれ事業年度開始からの財務情報等を明らかにする（**図表3-2**参照）。四半期報告書を提出する会社は，半期報告書を提出する必要がなく（24条の5第1項），第2四半期報告書が半期報告書の代わりとなる。

図表3-2

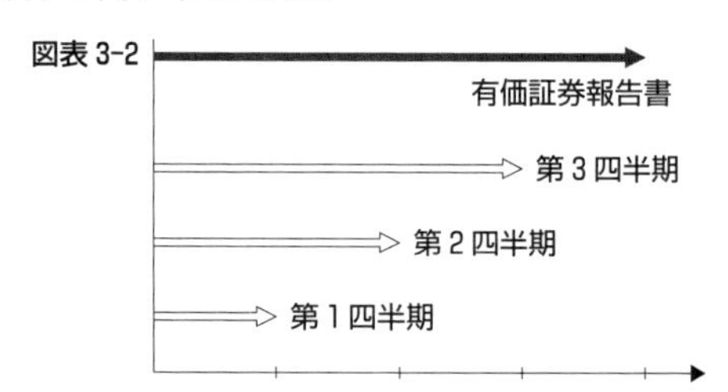

四半期報告書は，情報の正確性を損なわない範囲で，できる限り早期の開示が求められることから，四半期終了後45日以内に提出しなければならない（施行令4条の2の10第3項）。四半期報告書は，有価証券報告書と同様の場所で，3年間公開される（25条）。

最近では，2013年のEU指令の改正後，イギリス・フランス・ドイツにおいて法律上の四半期開示義務が廃止されたこと，四半期開示が投資者や企業の

15）金融審議会金融分科会第一部会「ディスクロージャー・ワーキング・グループ」報告「今後の開示制度のあり方について」1-7頁（平成17年6月28日）。

16）神崎＝志谷＝川口379頁（注7）。

短期的利益志向を助長すること，作成のため企業に大きな負担がかかることを理由に，四半期報告書制度を廃止せよとの声もある。しかし，四半期開示は，四半期ごとの経営成績を開示するものではないから短期的利益志向を助長するという主張は当たらないし，企業の中長期の目標に対する進捗度を確認するために四半期ごとの情報開示は重要であるから，四半期報告書制度は堅持すべきである[17]。

有価証券報告書，半期報告書，四半期報告書は，発行者に定期的に情報を開示させる制度である。これに対し，投資判断にとって重要な事実が生じたときに，そのつど，発行者にその情報を開示させる制度として，法律上のものとしては臨時報告書が，金融商品取引所の上場規則によるものとしてタイムリー・ディスクロージャーがある。前者については**4**節**4**で，後者については**6**節**1**で説明する。

第4節　継続開示の内容

1　有価証券報告書の記載事項――企業金融型証券の場合

(1)　報告書の構成

有価証券報告書の記載事項は，有価証券届出書の場合と同様（→2章3節2・3），企業金融型証券と資産金融型証券とで大きく異なる。

企業金融型証券に係る有価証券報告書の開示様式は内国会社と外国会社とで区分して定められている（企業内容等開示府令15条）。このうち内国上場会社の有価証券報告書は，「第一部　企業情報」，「第二部　提出会社の保証会社等の情報」から構成される（同第3号様式，**図表3-3**参照）。

有価証券報告書に添付して提出を要する書類としては，内国会社の場合，①定款，②会社法438条の計算書類・事業報告などがあり，外国会社の場合には，これらに，③有価証券報告書に記載された法令に関する事項が真実かつ正確であることについての法律専門家の法律意見書などが加わる（企業内容等開示府令17条）。

17）　賛否につき，金融審議会「ディスクロージャーワーキング・グループ報告――資本市場における好循環の実現に向けて」（平成30年6月28日）23-24頁参照。

図表 3-3　有価証券報告書の構成（内国上場会社の場合＝第３号様式，一部省略してある）

第一部【企業情報】
第１【企業の概況】
　１【主要な経営指標等の推移】
　２【沿革】
　３【事業の内容】
　４【関係会社の状況】
　５【従業員の状況】
第２【事業の状況】
　１【経営方針，経営環境及び対処すべき課題等】
　２【事業等のリスク】
　３【経営者による財務状態，経営成績及びキャッシュ・フローの状況の分析】
　４【経営上の重要な契約等】
　５【研究開発活動】
第３【設備の状況】
　１【設備投資等の概要】
　２【主要な設備の状況】
　３【設備の新設，除去等の計画】
第４【提出会社の状況】
　１【株式等の状況】
　２【自己株式の取得等の状況】
　３【配当政策】
　４【コーポレート・ガバナンスの状況等】
第５【経理の状況】
　１【連結財務諸表等】
　２【財務諸表等】
第６【提出会社の株式事務の概要】
第７【提出会社の参考情報】
　１【提出会社の親会社等の情報】
　２【その他の参考情報】
第二部【提出会社の保証会社等の情報】
第１【保証会社情報】
第２【保証会社以外の会社の情報】
第３【指数等の情報】

総額1億円以上5億円未満の募集・売出しを行ったために継続開示義務を負う少額募集の発行者（→**2章*3*節*4*(1)**）については，有価証券報告書についても開示の簡素化が認められ，連結情報の記載が不要となる（24条2項，企業内容等開示府令15条1号ロ・同第3号の2様式）。

以下，主な記載事項ないし記載方式について概説する。

(2) 財務情報

有価証券報告書による情報開示の中核をなすのが，第一部【企業情報】の第5【経理の状況】欄に記載される財務情報である。企業金融型証券の場合，経理の状況欄に，連結財務諸表等（→(3)）および財務諸表等を記載する。このうち財務諸表等とは，①貸借対照表，②損益計算書，③株主資本等変動計算書，④キャッシュ・フロー計算書，⑤附属明細表（以上が財務諸表），⑥主な資産・負債の内容，および⑦その他の記載事項をいう（企業内容等開示府令第3号様式）。これらの財務情報については，公認会計士または監査法人の監査を受けることが求められる（193条の2第1項，→**4章*2*節*1***）。

貸借対照表は，資産の部，負債の部，および純資産の部から成り，事業年度末における発行者の財政状態を表示する（財務諸表等規則11条，様式第5号，**図表3-4**）。損益計算書は，売上高，売上原価，販売費・一般管理費，営業外損益，特別損益等を表示して，売上総利益（損失），営業利益（損失），経常利益（損失），税引前当期純利益（損失），当期純利益（損失）を明らかにするものであり，事業年度中の発行者の経営成績を表示する（財務諸表等規則69条，様式第6号，**図表3-5**）。株主資本等変動計算書は，新株発行や自己株式取得等の資本取引により事業年度中に株主資本がどのように変動したかを表示するものである。キャッシュ・フロー計算書は，事業年度中の資金の収支の内訳を，営業活動により生じたもの，投資活動により生じたもの，財務活動により生じたものに区分して表示するものであるが，発行者の事業活動が発行者を頂点とする企業集団により行われることから，連結財務諸表を作成している場合には，単体のキャッシュ・フロー計算書を作成する必要はない。有価証券報告書では，財政状態および経営成績の推移を知ることができるように，前事業年度分と当事業年度分の上記財務諸表を左右に並べて記載する。附属明細表は，財務諸表の内訳明細を記載するものであり，（ア）有価証券明細表，（イ）有形固定資産明細表，（ウ）社債明細表，（エ）借入金等明細表，（オ）引当金明細表，（カ）資産除去債務明細表から成るが，連結財務諸表を作成している場合には，（ウ）（エ）の

図表３-４　貸借対照表（概要）

資産の部
流動資産
固定資産
繰延資産
資産合計
負債の部
流動負債
固定負債
負債合計
純資産の部
株主資本
資本金
資本剰余金
利益剰余金
自己株式　▲（控除項目）
評価・換算差額等
新株予約権
純資産合計
負債純資産合計

図表３-５　損益計算書（概要）

売上高
売上原価　▲（控除項目）
売上総利益（又は売上総損失）
販売費及び一般管理費　▲
営業利益（又は営業損失）
営業外収益
営業外費用　▲
経常利益（又は経常損失）
特別利益
特別損失　▲
税引前当期純利益（又は税引前当期純損失）
法人税等　▲
当期純利益（又は当期純損失）

記載は不要とされている。⑥は，貸借対照表や附属明細表では明らかにされないような主要な資産・負債の内訳を記載させるものであり，⑦は，最近事業年度終了後有価証券報告書提出までの間に，資産・負債に著しい変動や損益に著しい変動を与えた事実，または与えることが確実に予想される事実が生じた場合に，その概要を開示させるものである（企業内容等開示府令第３号様式　記載上の注意(55)）。

財務諸表が有用な投資判断情報となるためには，開示情報が発行者の実態を反映したものになっているとともに，当該発行者の過去の事業年度との間や他の発行者との間で開示情報の比較が可能でなければならない。これらの目的を達成するために，金融商品取引法では次のような規制をしている。

第１に，財務諸表は，規則で定める用語，様式，作成方法を用いて作成しなければならない（企業内容等開示府令第３号様式　記載上の注意(48) a）。これを受けて「財務諸表等の用語，様式及び作成方法に関する規則」(財務諸表等規則）では，資産，負債，収益，費用の区分や表示方法を定めている。

第2に，資産・負債の評価や収益・費用の計上時点については規則で網羅的に定めることができないので，一般に公正妥当と認められる企業会計の基準に従って行う（財務諸表等規則1条1項)。これを受けて，金融庁に設けられた企業会計審議会が企業会計の基準を公表しており，それらは公正妥当な企業会計の基準に該当するとされている（同条2項)。現在では，民間団体である企業会計基準委員会が企業会計の基準を公表しており，それらも公正妥当な企業会計の基準に当たると解される。

第3に，財務諸表が発行者の実態を反映するようにするには，状況の変化に応じて，資産の評価方法や引当金の計上基準といった会計方針を変更する必要があるが，他方で，会計方針を変更すると，財務諸表の見かけは大きく変化する。そこで，投資者の判断を誤らせないように，重要な会計方針は財務諸表に注記しなければならず，会計方針を変更した場合には，変更の理由，その変更が財務諸表に与えている影響の内容等を注記しなければならない（財務諸表等規則8条の2・8条の3)。

(3) 連結情報

現代の企業は，子会社や関連会社などから成る企業集団を形成し，さまざまな事業を行っているが，子会社や関連会社の財政状態や経営成績は，親会社の財務諸表に表示されない。また，子会社の財務諸表を見るだけでは，企業集団の経営成績はわからない。そこで，企業集団の財政状態や経営成績を判断するためには，企業集団内の会社間の投資関係，債権債務関係，取引関係から生じた資産，負債，資本，損益等を相殺して，企業集団の財政状態および経営成績を表示する連結財務諸表を作成して開示する必要がある。

連結財務諸表を構成するのは，連結貸借対照表，連結損益計算書，連結包括利益計算書，連結株主資本等変動計算書，連結キャッシュ・フロー計算書，および連結附属明細表であり，これらは「連結財務諸表の用語，様式及び作成方法に関する規則」(連結財務諸表規則）に従って作成される。連結包括利益計算書は，資本取引によるものを除く純資産の増分（包括利益）を示すものであり，国際的な会計基準への収れん（コンバージェンス）へ向けて採り入れられた（→Column 3-6)。

結合企業において，連結の対象とならない従属会社に公認会計士による監査が及ばないことを悪用して，これに損失を移転して支配会社の財政状態をよく見せかけたり，違法な行為を従属会社に行わせたりするケースが時折見受けられる。そこで，このような行為を防止し，粉飾決算によって投資者が不測の損害を被ることがないようにするには，連結の範囲をどう定めるかが重要となる。連結の範囲に関して，連結財務諸表規則では，子会社を100％連結の範囲に含めるとともに，関連会社を，持分法により持分の割合に応じて連結することを原則としている（連結財務諸表規則5条・10条）。

ここにいう子会社とは，かつては他の会社によって議決権の過半数を実質的に所有されている会社をいうとされ，子会社の範囲は持株比率基準のみによって決定されてきたが，平成10年の改正により，子会社とは他の会社により会社の意思決定機関を支配されている会社をいうとされ，支配力基準を併用して決定するものとされた（財務諸表等規則8条3項）。また，関連会社の定義についても，かつては20％以上の実質的所有という持株比率基準を満たさなければ関連会社に該当しなかったが，同年の改正により，会社が子会社以外の他の会社の出資，人事，取引等の関係を通じて当該他の会社の財務や営業の方針の決定に対して重要な影響を与えることができる場合の「他の会社」を関連会社というものとされた（同条5項）。

有価証券報告書は提出会社の株式等に投資を行う者の投資判断に資するために作成されるものであるが，企業経営が企業集団の業績を向上させることを目指して行われるようになるにつれ，財務諸表以外の情報についても，提出会社単体の情報よりも，提出会社を頂点とする企業集団の情報が投資判断資料として重要になってきた。そこで，平成11年に連結情報の開示の充実が図られ，企業情報中，【企業の概況】，【事業の状況】，【設備の状況】のような非財務情報についても，連結ベースのものを記載することとされた。

■ Column 3-5　セグメント情報■■

セグメント情報とは，事業の部門別や地域別の財政状態や経営成績を示す情報である。セグメント情報を開示させることによって，業績のよい部門と悪い部門とが投資者に明らかになり，投資判断の役に立つが，セグメント情報の開示は企業秘密の開示につながり，企業の競争力を弱めるとして，経営者には抵抗がある。

連結ベースの情報開示が充実すると，企業集団全体をセグメントによって分割したセグメント情報の開示の必要性が高まる。そこで，平成11年以降，連結ベースの財務情報および非財務情報について，セグメント別の開示が求められるようになった。具体的には，連結財務諸表について，セグメントごとの売上高，利益または損失，資産，負債その他の項目の金額，および当該金額の算定方法を注記するとともに（連結財務諸表規則15条の2，同様式第1号～第3号），連結ベースで記載する非財務情報である【企業の概況】，【事業の状況】，【設備の状況】の項目中のほとんどの事項をセグメントに区分して開示する（企業内容等開示府令第3号様式　記載上の注意(7)～(17)・同第2号様式　記載上の注意(27)～(37)）ことが求められている。

セグメント情報の問題点としては，セグメントの区分基準が確立しておらず，セグメントの区分が経営者の判断に委ねられているために恣意的となり，比較可能性が低いことが挙げられる。

■ Column 3-6　IFRS ■■

ロンドンに本拠を置く国際会計基準審議会（IASB）が公表する国際会計基準（International Financial Reporting Standards: IFRS）は，企業の財務情報を国際比較する際の共通の物差しとして普及し，EUにおいて強制適用されている。会計基準の国際的な統一化の流れのなかで，わが国においても平成21年に連結財務諸表規則を改正し，告示により国際会計基準審議会の公表する会計基準を公正妥当な企業会計の基準に指定することにより，上場会社であって国際的な財務・事業活動を行っている会社が，連結財務諸表を国際会計基準によって作成することを認めた（連結財務諸表規則1条の2）。この国際会計基準の任意適用は，平成22年3月期から開始しているが，わが国の企業に対する国際会計基準の強制適用は見送られている。

国際会計基準は時価主義を徹底した会計基準であり，包括利益（→(3)本文）の表示に時価主義が表れている。包括利益がそのまま配当の基礎とされるわけではないが，これによって，企業の見かけ上の利益は，保有する資産や負債の時価によって大きく変動することになる。また，国際会計基準は，どのような会計処理を行うかについて広い範囲で企業の判断に委ねる原則ベースの基準であり，企業による将来予測（見積り）によって利益の額が大きく違ってくる。国際会計基準の採用は，投資者の投資判断だけでなく企業経営にも影響を与えるだろう。なお，国際会計基準の強制適用（アドプション）の採否とは別に，会計基準の内容を国際会計基準に近づけていく作業（コンバージョン）が進められている。

(4)　非財務情報の開示

有価証券報告書の【企業情報】のうち，財務情報（→(2)）以外の情報を非財務情報とか記述情報という。非財務情報は，それ自体――たとえば，経営戦略が企業の目的を達成する上で適切であるかどうか――を投資者が判断するのに資するとともに，投資者が企業の経営成績・財政状態などの財務情報から，それらの将来の見込みを判断するのに役立つ。さらに，最近では，企業と投資者との建設的な対話によって企業価値を向上させることが企業社会の課題となっており（→**Column 12-2**），非財務情報の開示には対話を促進する効果が期待されている。

非財務情報の開示は，内閣府令の平成15年改正[18]および平成29年から平成31年の一連改正[19]によって充実が図られた。以下では，非財務情報の開示のうち主なものについて説明する。

■ Column 3-7　記述情報の開示に関する原則と好事例集■■

財務情報が主として数字によって表示されるのに対し，非財務情報は主として文字で表示される記述情報（narrative information）であり，従来，どの発行者の記述を見ても「ひな型的」（boilerplate）となっていて，そこから投資者が有用な情報を引き出すことが難しかった。そこで平成30年のディスクロージャー・ワーキング・グループ報告は，開示府令の定める様式やその「記載上の注意」といったルールを形式的に遵守するだけでなく，開示の充実に向けた企業の自発的な取組みを促すことが重要であると提言した[20]。この提言を受け，金融庁は，開示の考え方，望ましい開示の内容や取組み方を示す「記述情報の開示に関する原則」と，実務上のベストプラクティスを提供する「記述情報の開示の好事例集」を公表した[21]。前者は，ルールの解釈を示すもの（ガイドライン）ではなく，考え方を示したプリンシプルのガイダンスである。そこでは，記述情報に取締役会や経営会議の議論を反映すべきこと，記述情報の記載は重要性の高いものから順に記載すべきこと，経

18）(4)〜(7)に関する平成15年の府令改正については，谷口義幸「ディスクロージャー制度の整備に伴う証券取引法施行令等の改正の概要（上）（下）」商事1662号（2003）47頁，1663号（2003）21頁を参照。同改正の趣旨・考え方については金融審議会金融分科会第一部会報告「証券市場の改革促進」（別紙2）「ディスクロージャー・ワーキング・グループ」報告（平成14年12月16日）も参照。

19）平成29年の府令改正については大谷潤ほか「有価証券報告書等における経営方針等の記載の追加等に係る開示府令等の改正」商事2131号（2017）13頁を，平成30年改正については大谷潤ほか「企業内容等の開示に関する内閣府令等改正の解説――非財務情報の開示充実等」商事2163号（2018）を参照。両改正の趣旨・考え方については，金融審議会「ディスクロージャーワーキング・グループ報告――建設的な対話の促進に向けて」（平成28年4月18日）を参照。平成31年改正については，八木原栄二ほか「企業内容等の開示に関する内閣府令の改正」商事2194号（2019）16頁を，同改正の趣旨・考え方については，金融審議会・前掲注17）を参照。

20）金融審議会・前掲注17）9頁。

21）藤岡由佳子ほか「『記述情報の開示に関する原則』および『記述情報の開示の好事例集』の解説」商事2196号（2019）13頁。

営方針・経営戦略等の開示は作成の早期の段階から経営者が関与すべきこと等が示されている。

後者は，金融庁が設置した投資家・アナリストとの会合で収集された好事例を公表するものであり，記述情報の項目（後述の(5)から(7)）ごとに好事例をどの点が参考になるかというポイントとともに紹介している[22]。そこでは，有価証券報告書における開示の参考となりうるものとして統合報告書などの任意の開示書類の記載例も挙げられている。もっとも，一般に任意の開示書類では図やグラフが多用されており，それらを用いた分かりやすい開示は法定開示においても求められるが（「記述情報の開示に関する原則」I-2-4），図やグラフはあくまでも投資者の理解を補助する手段であり，図やグラフだけで記載を済ませることは問題であろう。

(5)　経営方針，経営環境および対処すべき課題等

有価証券報告書の【事業の状況】欄には，以前から，「対処すべき課題」の開示項目があったが，平成29年の府令改正では，それまで決算短信（→***6*** 節 ***2***）で開示されていた，「経営方針」を有価証券報告書に移し，これらを経営環境に照らして記載させるようにした。「経営方針，経営環境及び対処すべき課題等」欄は，投資者が経営者の視点から企業を理解するために，企業の経営者が事業上の課題についてどのような経営方針・経営戦略をもって経営を行っているのかを示すものである。その記載は，MD & A（→(7)），KPI（後述），およびリスク情報と関連づけて，具体的に行うことが望まれる。

平成31年改正前の内閣府令は，提出会社が経営方針・経営戦略等を定めている場合にはその内容を記載することとしており，定めていない場合には記載しなくてもよいのではないかという疑義があったが，同年改正後は，端的に経営方針・経営戦略等の内容を記載するよう求めており（企業内容等開示府令第2号様式　記載上の注意（37）），提出会社は必ず記載しなければならないと解される。また，経営上の目標の達成状況を判断するための客観的な指標等がある場合には，その内容を記載することが求められる（同前）。提出会社が中期経営計画等で定めた主要業績指標（KPI）の記載を求めるものである。ただし，どの程度詳細に記載をするかは経営者に委ねられている。また，KPIはあくまでも経営計画・目標であって業績予想（→***6*** 節 ***2***）ではないので，達成できなかったからといって虚偽記載になるわけではない。

22）　https://www.fsa.go.jp/news/r1/20191220/01.pdf

⑹　リスク情報

企業の財務情報から将来のそれらを見通すためには，企業経営に係るさまざまなリスク要因を知っておく必要がある。リスクを評価するのは投資者であるが，企業がどのようなリスクに晒されているかは企業側が知悉しているので，これを開示させることが考えられる。このようなリスク情報は，昭和 58 年以降，有価証券届出書の記載事項とされているが，平成 15 年の府令改正では，アメリカの連邦証券規制や IOSCO の国際開示基準でもリスク情報の開示が求められていることを踏まえ，有価証券報告書においても開示を求めることとされた。

記載内容は提出会社の自主的判断に委ねられており，その例としては，財政状態・経営成績・キャッシュ・フローの状況の異常な変動，特定の取引先・製品・技術等への依存，特有の法的規制・取引慣行・経営方針，重要な訴訟事件等の発生，役員・大株主・関係会社等に関する重要事項が挙げられていた。ところが，リスク情報はとくにひな型的開示になりやすく，経営方針・経営戦略等との関連も示されていなかった。そこで，平成 31 年の府令改正では，リスク要因を単に列挙するのではなく，当該リスクが顕在化する可能性の程度や時期，当該リスクが顕在化した場合に与える影響の内容，当該リスクへの対応策などを具体的に記載するとともに，リスクの重要性や経営方針・経営戦略等との関連性の程度を考慮して，分かりやすく記載するように求めた（企業内容開示府令第３号様式　記載上の注意（11），同第２号様式　記載上の注意（31））。

ところで，平成 31 年改正前の内閣府令は，投資者の投資判断に重要な影響を及ぼす可能性のあるリスク要因を記載するよう求めていた。これは，客観的に重要な影響を及ぼすものであれば当該リスク要因を記載しなければならないものと解され，当該リスクが記載されていない有価証券報告書は「記載すべき重要な事項……の記載が欠けている」（21 条の２第１項）と評価される可能性があった。ところが，平成 31 年改正後の内閣府令は，経営者が連結会社の経営成績等に重要な影響を与える可能性があると認識している主要なリスクについて，上記の事項を開示するよう求めている。そこで，重要な影響を与えると経営者が認識していなかった事項については，それを記載しなくても発行者が虚偽記載に基づく責任を問われないかどうかが問題となる。「記載上の注意」が「認識している」と規定したのは，従来のようにリスク要因を羅列するのではなく，経営者目線から重要と考えられるリスク要因に限定して記載をさせ，投資者に有用な情報を提供させるためであり，これによりリスク情報の開示の性格を変更することを目的としたものではなかった。もっとも，どのリスク要因が重要であるかは「経営者の意見」であるから，リスク情報の記載は将来情報と同じソフト・インフォメーションであり，平成31年改正が経営者の主観をより重視する方向に舵を切ったことはたしかである。したがって，将来情報の虚偽記載と同様に考えて（→**4章*5*節*8*(4)**），リスク要因の列挙に漏れがあっただけでは虚偽記載に該当しないが，リスク要因の絞込みが合理的な根拠に基づいていない場合には虚偽記載と判断される可能性があるといえるだろう。

なお，将来に関する事項を記載する場合には，報告書提出日現在において判断したものであることを記載する（同前）。これは，投資家をミスリードしないためであり，この記載によって関係者が一切の責任を免れるわけではない。

(7)　経営者による経営分析

アメリカの連邦証券規制による年次報告書のMD & A（Management Discussion and Analysis）欄の開示が投資者の投資判断にとって重要なものになっていることは，わが国でも認識されてきた。そこで，平成15年の府令改正では，「財政状態及び経営成績の分析」という項目を設けた（現在は「経営者による財政状態，経営成績及びキャッシュ・フローの状況の分析」，以下「経営分析」欄という）。

「経営分析」欄の記載は，「事業等の概要」や，「生産，受注及び販売の状況」の記載と重複が見られ，また，ひな型的開示になっている例が多かった。そこで平成30年および平成31年改正では，【事業の状況】の冒頭にあった上記の記載を「経営分析」欄に統合するとともに，①経営成績等の状況について，事業全体およびセグメントごとの経営者の認識と分析，②経営者が経営方針・経営戦略等の中長期的な目標に照らして経営成績等をどのように分析・評価しているか，および③資金調達の方法・状況および資金の主要な使途を含む資金需要の動向についての経営者の認識を含めたキャッシュ・フローの状況について，必ず記載させることにした（企業内容開示府令第3号様式　記載上の注意（12），同第2号様式　記載上の注意（32））。これらの事項は，経営方針・経営戦略等と関連づけて記載することが求められる。経営分析欄の記載は，企業の経営方針・経営戦略等の実現可能性を投資者が判断することができるようにすることを目的としているからである。

経営分析の記載が将来の事項にまで及ぶ場合には，当該記載は報告書提出日現在において判断したものである旨も記載する（同前）。この記載は，投資者が将来情報を既に発生した情報と誤解することのないよう注意を喚起するためのものであり，これにより経営分析欄の情報について発行者や経営者が一切免責されるものではない。

(8) コーポレート・ガバナンス

企業経営の適法性や効率性を確保するための企業統治（コーポレート・ガバナンス）に対する社会の関心が高まっている。そこで平成15年の府令改正では，【提出会社の状況】中に「コーポレート・ガバナンスの状況」欄を設け，これを通じて提出会社がコーポレート・ガバナンス強化への取組みを市場に対して明らかにすることができるようにした。記載内容は，当初は提出会社の自主的判断に委ねられていたが，平成17年の府令改正以降，必ず記載しなければならない項目が増加した。その後，平成22年と平成31年に大きな改正が行われている[23]。以下では主要な開示項目について説明する（企業内容開示府令第3号様式　記載上の注意（35）〜(39)，同第2号様式　記載上の注意（54)〜(58)）。

① **企業統治体制**　(a)任意のものを含め設置している委員会の名称・目的・権限・委員の氏名，(b)当該企業統治体制を採用する具体的な理由，(c)役員の責任限定契約の概要，(d)買収防衛策を導入しているか否かおよびその内容を記載する。

② **役員の状況**　(a)取締役・監査役・執行役の氏名，略歴，ジェンダーバランス等のほか，(b)社外取締役・社外監査役の独立性に関する考え方，(c)社外取締役・社外監査役による監督・監査と内部監査，監査役監査および会計監査との相互連携ならびに内部統制部門との関係について記載する。(b)は，会社法等による社外役員の独立性要件よりも独立性の高い社外役員を選任するよう促すためである（開示による誘導)。

③ **監査の状況**　(a)監査役・監査委員等の財務・会計に関する知見の内容，(b)監査役会・監査等委員会・監査委員会の活動状況（開催頻度，主な検討事項，出席状況，常勤監査役の活動等)，(c)内部監査，監査役監査および会計監査の相互連携ならびにこれらの監査と内部統制部門との関係，(d)監査証明を行った監査人（公認会計士または監査法人）の継続監査期間，(e)当該監査人を選定した理由，監査役会等が行った監査人に対する評価，(f)監査業務と非監査業務に区

23） 平成22年改正については，谷口義幸「上場会社のコーポレート・ガバナンスに関する開示の充実等のための内閣府令等の改正」商事1898号（2010）21頁を参照。平成31年改正については，金融審議会・前掲注17）の文献を参照。

分したネットワークベースの報酬額（提出会社とその連結子会社が当該監査人およびこれと共通の名称を用いて2以上の国において監査証明業務を行う者を含めて構成される組織に属する者に支払った，または支払うべき報酬額）を記載する。

(a)は，監査役・監査委員等の知見の向上を図るものである（開示による誘導）。(b)および(d)〜(f)はいずれも企業が適切に監査人を選任しているか，監査人の独立性が担保され十分に機能しているかを投資者が知る上で重要な情報であるとして[24]，平成31年の改正で開示の充実が図られた。これらのうち(b)(e)は監査役会等の実効性を判断する上で必要な情報であり，指名委員会や報酬委員会よりも詳しい情報開示が求められることに注意を要する。(d)は監査人のローテーション制が導入されていないため（→**4章*2*節*2*(2)**），監査人の独立性を判断する観点から重要な情報であり，(f)は監査人の独立性およびグローバル企業のグループ全体の監査状況を判断する観点から重要な情報である。

④　**役員報酬**　　近年，上場企業においては業績連動報酬の導入が進んでいる。有価証券報告書における役員報酬の開示は，業績連動報酬を含め次のように多岐にわたる。(a)役員の報酬の額・算定方法の決定方針および決定方法，(b)業績連動報酬とそれ以外の報酬の支給割合の決定方針，(c)業績連動報酬に係る指標，当該指標を選択した理由および業績連動報酬の額の決定方法，(d)役職ごとに支給額を定めている場合の決定方法，(e)役員報酬に関する株主総会の決議年月日および決議内容，(f)取締役（監査等委員および社外取締役を除く），監査等委員（社外取締役を除く），監査役（社外監査役を除く），執行役および社外役員の区分ごとの報酬総額（連結子会社からの報酬を含む），報酬の種類別の総額および対象となる役員の員数，(g)役員報酬の額・算定方法の決定方針の決定権者，その権限の内容や裁量の範囲，任意の報酬委員会等がある場合の手続の概要，役員報酬の額の決定過程における取締役会・報酬委員会の具体的活動内容を記載する。

これらのうち(a)および(e)は，経営陣の報酬内容・報酬体系が企業の経営戦略や中長期的な価値向上と結びついているかを投資者が検証できるようにするためである。固定の金銭報酬については，その総額の上限について一度株主総会の承認を受けていれば毎年の決議は不要であるというのが会社法361条1項の解釈であるため，(e)の開示が意味を持つ。(b)から(d)は，実際の報酬が経営者の

24)　金融審議会・前掲注17) 17頁。

インセンティブとして機能しているかを投資者が検証できるようにするためである。(g)は，報酬決定プロセスの客観性・透明性のチェックを可能にするためである。取締役会決議により報酬総額の配分を代表取締役に一任しているときは，(g)の決定権者は当該代表取締役になる。

(f)から分かるように，役員の個人別報酬額の開示は原則として求められていない。ただし，報酬額が1億円以上の者については個人別の開示が求められる。1億円の額の算定に当たっては，退職慰労金支給のために当該年度に引当金として計上された額が含まれる。使用人兼務取締役の使用人としての給与は報酬に含まれないが，そのうち重要なものについては総額，対象役員数，および内容の開示が別に求められる。1億円以上の報酬の個別開示についても，役員報酬が会社または個々の役員の業績に見合ったものとなっているか等の観点から投資者が会社のガバナンスを評価する上で重要な情報であると説明されている[25)]。しかし，そうだとすると会社の業績や規模に比した評価が必要になるはずであり，一律に1億円の基準を適用することは合理的でない[26)]。多額の報酬を受け取っているとの個別開示により経営者としての評判が落ちることを避けるために，個人別報酬を過少に記載したとして訴追された事件も生じている。報酬の個別開示により上場会社役員の報酬が抑えられると，有用な役員の登用を阻み，かえって株主の利益を損ねる場合もあろう。もっとも，1億円以上の報酬の個別開示が始まった2010年以降，個別開示の件数は増加しており，個別開示により役員報酬が抑制されるという効果は生じていないようである[27)]。

⑤　**政策保有株式**　　企業が保有する株式のうち，企業グループに属する関係会社の株式でなく，かつ保有目的が純投資でないものを政策保有株式という。企業が他の企業との間で政策保有株式を持ち合うと（いわゆる持合い株式），互いの経営陣が株主権の行使による牽制を自制してしまい，株主による経営規律が弱まる可能性がある。そこで，平成22年の府令改正により政策保有株式の開示が導入され，平成31年改正で開示項目が拡充された。具体的には，(a)政策保有株式とそれ以外の株式の区分の基準，(b)政策保有株式の保有方針，保有の合理性を検証する方法，および個別銘柄の保有の適否に関する取締役会等

25)　谷口・前掲注23) 22頁。
26)　神崎＝志谷＝川口371頁。
27)　役員報酬の規制についての総合的な研究として，津野田一馬『役員人事の法制度——経営者選解任と報酬を通じた企業統治の理論と機能』（商事法務，2020）を参照。

における検証の内容，(c)政策保有株式の銘柄数・金額の増減，買い増しの理由，(d)額の大きい60銘柄の政策保有株式について，株式数，貸借対照表計上額，保有目的，提出会社の戦略・事業内容・セグメント情報と関連づけた定量的な保有効果（記載できない場合は，保有の合理性の検証方法），保有株式数が増加した場合にその理由，相手方会社による提出会社の株式保有の有無等を記載する。

(a)は純投資目的の有無に関する基準を明らかにさせるもの，(b)は取締役会等における検証を促すためである。(d)のうち相手方会社による株式保有の有無（株式持合いの有無）は，提出会社において確認できる範囲で記載すれば足りる。平成31年の内閣府令の改正は，機関投資家との間の建設的な対話を促進することをその目的の1つとしていたが，そのことは政策保有株式の開示に最もよくあてはまる。政策目的で保有する株式は資本効率が低いことが多いため，政策保有株式を保有し続ける理由を上場会社が説得的に説明できなければ，これを処分すべきとの機関投資家からの要求に応じざるを得なくなるだろう。

■ Column 3-8　会社法と金商法の記載事項の共通化と一体的開示■■

金融商品取引法の適用を受ける株式会社は，会社法上の計算書類・事業報告と金商法上の有価証券報告書の双方を作成し開示しなければならない。とくに事業報告の記載事項と有価証券報告書中の非財務情報とを比較すると，記載項目の細部が異なっているために企業の開示コストを上昇させているという面があった。そこで，平成30年の内閣府令改正では，(a)ライツプラン（買収防衛策）としての新株予約権とストックオプション（業績連動報酬）としての新株予約権とを【提出会社の状況】1【株式等の状況】中の「新株予約権等の状況」にまとめ，(b)同じ項目中の「大株主の状況」欄で，所有割合の算定の基礎となる発行済株式総数から自己株式の数を控除するなど，若干の点において有価証券報告書と事業報告の記載の共通化を図った[28]。また，金融庁と法務省らは，両報告書で共通の記載が可能な項目を洗い出し，法令解釈を明らかにするなどの方法で共通化を促すこととした[29]。これを受けて，たとえば，有価証券報告書の「従業員の状況」と事業報告の「使用人の状況」について，実務上「従業員」という用語を用いて，共通の記載をすることができるとの解釈が財務会計基準機構により表明されている[30]。

28)　改正府令の解説として，大谷ほか・前掲注19)〔平成30年〕を参照。

29)　内閣官房＝金融庁＝法務省＝経済産業省「事業報告等と有価証券報告書の一体的開示のための取組について」（平成29年12月28日）

30)　財務会計基準機構「有価証券報告書の開示に関する事項――『一体的開示をより行いやすくするための環境整備に向けた対応について』を踏まえた取組」（平成30年3月30日）

それでは，記載事項の共通化を超えて，計算書類・事業報告と有価証券報告書を1本の書類または電磁的記録として作成すること（一体的開示）は可能だろうか。事業報告・計算書類の開示内容を規定している会社法施行規則および会社計算規則は，各書類の様式や事業報告に関する記載の詳細については定めていない。それに対して，有価証券報告書は一定の様式が定められているが，定められた各記載事項に関連した事項を追加で記載することができるとされている（企業内容等開示府令第3号様式　記載上の注意(1)a)。そこで，事業報告・計算書類に記載することが明示的に求められている事項を有価証券報告書の関連箇所に追加的に記載することで，一体的開示は可能であるというのが金融庁の見解のようである[31]。この見解に従い1本の書類または電磁的記録を作成した場合，そのうち有価証券報告書の記載事項に相当する部分が法的に有価証券報告書と評価され，事業報告の記載事項に相当する部分が法的に事業報告と評価されることになろう[32]。

もっとも，会社法や金商法の目的に従って，それぞれ独自に記載することが求められている開示事項があるため，両法に基づく開示項目が完全に一致することはあり得ない。たとえば，有価証券報告書のMD & A欄やリスク情報は金商法独自の記載事項であり，本文で紹介したように絶えず府令改正が行われている。記載事項の共通化の議論が，会社法または金商法の発展による開示の充実を阻害することがあってはならない。

2　有価証券報告書の記載事項――資産金融型証券の場合

資産金融型証券（特定有価証券，→**2章*3*節*3***）に係る有価証券報告書の記載内容は，有価証券の種類ごとに内閣府令によって定められている（特定有価証券開示府令22条1項)。資産金融型証券の典型である投資信託受益証券，および資産流動化証券に係る有価証券報告書は，それぞれの有価証券届出書の第一部【証券情報】を除いたものとなっている（同第7号様式，同第8号の2様式，→**2章*3*節*3***）。

集団投資スキーム持分などの有価証券投資事業権利等（→**1章*5*節*4*(3)**）に係る有価証券報告書の構成は次のとおりである（**図表3-6**）。

記載事項のうち【組合等の概況】には，①主要な経営指標等の推移，②組合等の目的および基本的性格，③組合等の沿革，④組合等の仕組み，⑤組合等の

31）　大谷ほか・前掲注19）〔平成30年〕9頁，10頁（注6）。

32）　この問題の議論については，日本取引所グループ金融商品取引法研究会「ディスクロージャーワーキング・グループ報告（2016年）に基づく諸施策」同研究会記録（2019）を参照。

図表 3-6　内国有価証券投資事業権利等に係る有価証券報告書の記載内容（9号の5様式）

第１【組合等の状況】
　１【組合等の概況】
　２【投資方針】
　３【投資リスク】
　４【手数料等及び税金】
　５【運用状況】
　６【管理及び運営】
第２【関係法人の状況】
第３【組合等の経理の状況】
第４【参考情報】

機構，⑥組合等の出資総額を記載する。このうち②では，契約または規約に記載された組合等の目的，および基本的性格について具体的に記載するとともに，組合等の特色を，具体的かつわかりやすく記載することが求められる。④には，組合等の仕組みを記載するとともに，資産の運用を行う委託会社（資産運用会社）または投資顧問会社，資産保管会社，一般事務受託者，組合等管理会社，販売会社等の関係法人があれば，それらの名称，運営上の役割，および関係業務の内容をわかりやすく記載することが求められる（例として**図表 3-7**）。⑤には，組織，運用体制に関する内部規則，内部管理および組合等の業務執行を監督する組織・人員・手続などを記載する（第9号の5様式が準用する第6号の5様式の「記載上の注意」を参照）。ファンドの形態を自由に組織できる集団投資スキームにおいて，④⑤のような組織形態に関する情報も投資判断上，重要だからである。以上のほかは，内国投資信託受益証券に係る有価証券届出書の記載事項として説明したところを参照されたい（**→2章*3*節*3*(2)**）。

このように集団投資スキームとして組合等の法形式を用いる場合であっても，組合員の氏名やその出資額は，有価証券報告書においては開示されない。これは，有価証券報告書は組合持分を売買する者の投資判断に資するために情報を開示するものであるところ，組合に対して誰がどの程度の出資をしているかは，そのような投資判断にとって重要でないからである。

図表 3-7　組合等の仕組みの記載例

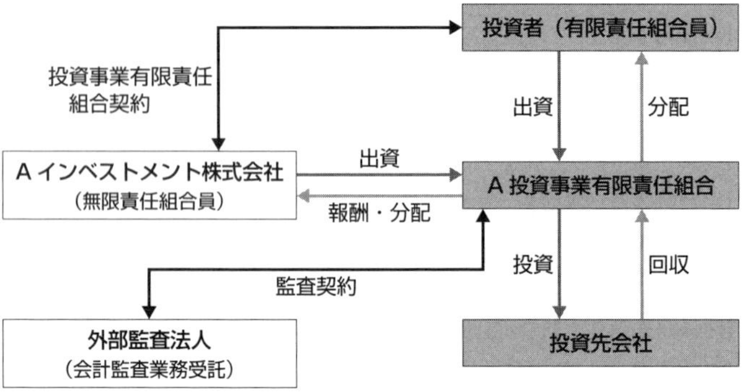

投資者（有限責任組合員）
投資事業有限責任組合契約
出資
分配
Aインベストメント株式会社（無限責任組合員）
出資
報酬・分配
A投資事業有限責任組合
監査契約
投資
回収
外部監査法人（会計監査業務受託）
投資先会社

■ Column 3-9　報告書代替書面■■

資産金融型証券（特定有価証券）については，法令等に基づいて提出される書類の記載内容と有価証券報告書の記載内容とが重複する例があり，開示がわかりにくいものになっているという批判があった。そこで金融商品取引法では，開示規制の柔軟化の一環として，特定有価証券の発行者は，内閣総理大臣の承認を受けて，法令または金融商品取引所の規則に基づいて作成された報告書代替書面を提出することにより，有価証券報告書の記載を一部省略できることとした（24 条 14 項）。報告書代替書面の例としては，投資信託・投資法人法に基づいて投資信託委託会社または投資法人が作成する運用報告書（投信 14 条・129 条 2 項）が考えられる。金融商品取引法に基づいて投資運用業者が作成する運用報告書（42 条の 7）は，発行者が作成するものでないため，報告書代替書面には当たらない。

提出された報告書代替書面は有価証券報告書の一部となり（24 条 15 項），公衆の縦覧に供されるとともに，代替書面に虚偽記載があった場合には有価証券報告書に虚偽記載があったものと扱われる。このような報告書代替書面制度は，半期報告書，四半期報告書，および臨時報告書についても導入されている（24 条の 4 の 7 第 12 項・13 項・24 条の 5 第 13 項～16 項）。

3　半期報告書・四半期報告書の記載事項

半期報告書の記載事項は，企業金融型証券と資産金融型証券で分けられ，前者は内国会社と外国会社とで区分して定められ，後者は有価証券の種類によって区分して定められている（企業内容等開示府令 18 条，特定有価証券開示府令 28 条）。

図表 3-8　四半期報告書の構成（内国会社の場合，企業内容等開示府令第4号の3様式）

第一部【企業情報】
　第1【企業の概況】
　　1【主要な経営指標等の推移】
　　2【事業の内容】*
　第2【事業の状況】
　　1【事業等のリスク】*
　　2【経営者による財政状態，経営成績及びキャッシュ・フローの状況の分析】
　　3【経営上の重要な契約等】*
　第3【提出会社の状況】
　　1【株式等の状況】
　　2【役員の状況】*
　第4【経理の状況】
　　1【四半期連結財務諸表】
　　2【その他】
第二部【提出会社の保証会社等の情報】
*の項目は，重要な変更・異動があった場合にのみ記載する。

半期報告書の記載事項は，有価証券報告書に比べると簡素化されているが，投資判断に資するという目的から，連結中心の開示が行われること，セグメント情報の開示が求められることは有価証券報告書と同様である（→***1***(3)）。また，財務情報については，中間連結財務諸表と中間財務諸表の作成が求められ，それぞれについて公認会計士または監査法人による監査を受けなければならない（193条の2第1項，→**4章*2*節*1***）。

四半期報告書の提出義務を負うのは上場会社のみであり，その記載事項は，内国会社と外国会社に区分して定められている（企業内容等開示府令17条の15第1項）。内国会社の四半期報告書の構成は次のとおりである（**図表 3-8**）。

四半期報告書の開示内容には，連結ベースの財務情報のほか，財政状態・経営成績の分析，企業・事業等の状況，株式等の情報などの非財務情報が含まれるが，有価証券報告書に比べると記載事項は簡素化されている。**図表 3-8** に示したように，一定の事項については，四半期において重要な変更等があった場合にのみ記載すれば足りる。四半期報告書中の四半期連結財務諸表については，公認会計士または監査法人の監査証明を受けることが求められる（193条の2第1項，→**4章*2*節*1***）。四半期報告書制度適用会社では，従来の半期報告書が第2四半期報告書となり，単体ベースの財務諸表が開示されないことになる。そこで，銀行・保険会社のように単体が半期ベースで自己資本比率に係る規制を受ける会社については，単体の情報も投資判断上重要であることから[33]，第2四半期報告書に単体ベースの中間財務諸表などの会計情報の記載を求めることとした（24条の4の7第1項，企業内容等開示府令17条の15第2項・同第4号の3様式　記載上の注意(30)）。

■ Column 3-10　任意の定期的開示■■

多くの上場企業は，有価証券報告書等の法定開示書類のほかに，CSR（Corporate Social Responsibility, 企業の社会的責任）報告書，サステナビリティ（sustainability, 持続可能性）報告書，統合（integrated, 財務情報と非財務情報を統合するという意味）報告書などと題する報告を事業年度ごとに作成し，ウェブ上で開示している[34]。これらの任意開示書類では，E（Environment，環境），S（Social，社会），G（Corporate Governance, 企業統治）の課題への企業の取組みが利害関係者に向けて示されている（ESG開示）。Eには，気候変動，環境汚染，資源枯渇，生物多様性，水資源が含まれ，Sには，製品の安全性，データセキュリティ，人権，地域社会，顧客の利益が，Gには，法令遵守体制，リスク管理，労働者の健康と安全，給与格差，腐敗防止などが含まれる。ESG開示には，GRI（Global Reporting Initiative）のサステナビリティ報告書スタンダード，IIRC（International Integrated Reporting Council）の国際統合報告フレームワーク，環境に特化したものとしてTCFD（Task Force on Climate-related Financial Disclosure, 気候関連情報タスクフォース）最終報告書などの国際的な開示フレームワークが存在する[35]。

33）谷口義幸＝野村昭文＝柳川俊成「開示制度に係る政令・内閣府令等の概要（上）」商事1810号（2007）32頁。

34）日本IR協議会の調査によるとアンケート調査に回答した上場会社のうち，約30％が統合報告書を作成しているという（日本IR協議会「第26回『IR活動の実態調査（2019年）』調査結果要約」5頁）。非財務情報中心のCSR報告書やサステナビリティ報告書を単独で作成している企業を含めれば相当の割合になるであろう。

35）持続可能性およびESG課題に関する世界的な規制の枠組みや個別立法の展開については，河村賢治「SDGs・ESG・SCD（SSCM）――会社法学及び金融・資本市場法学と持続可能な社会の実現（序論）」上村先生古稀記念『公開会社法と資本市場の法理』（商事法務，2019）53頁を参照。ESG投資については，黒沼悦郎「地球sustainabilityと資本市場――ESG投資の可能性と限界」中村民雄編『持続可能な世界への法――Law and Sustainability の推進』（早稲田大学比較法研究所，2020）219頁も参照。

金商法による法定開示とこれらの任意開示を比較すると，前者が投資者向けであるのに対し，任意開示は従業員，顧客，地域社会，さらには広く世界に向けられた開示であり，そこでは投資者にとっては重要でなくても社会や環境にとって重要な事項が開示されることになる。他方，ESG 開示が任意開示にとどまっていると，企業にとって都合の悪い情報が秘匿されがちになるという問題もある。EU では，2014 年の非財務報告・多様性情報開示に関する EU 指令が，一定の大企業に対し，経営報告書その他の媒体において，①環境，②社会，③従業員，④人権の尊重，⑤腐敗防止のそれぞれについて，(a)ビジネスモデル，(b)方針，(c)方針実施の結果，(d)当該企業または企業グループ，その取引関係，製品，サービスがこれらの事項に及ぼす悪影響を含む主要なリスク，(e)非財務的 KPI を開示するよう求めている[36]。わが国において ESG 開示を法定開示に取り込んでいくかどうかは，今後の課題である。

4 臨時報告書制度

臨時報告書は，企業内容に関し発行者に発生した重要事実で有価証券の価格に影響するところが大きいと考えられる事実について，その発生のつど，遅滞なく，発行者に内閣総理大臣に報告書を提出させて情報を開示させる制度であり（24 条の 5 第 4 項），昭和 46（1971）年の証券取引法改正により導入された。臨時報告書は，有価証券報告書と同様の場所で，1 年間公開される（25 条）。臨時報告書は，発行者が有価証券の流通市場に向けて継続的に情報を発信する重要な役割を担っている。

臨時報告書の提出が求められる事由は，当初は限定的に列挙されており，その項目も少なかったが，昭和 63（1988）年改正によりインサイダー取引規制を導入した際に，開示項目を拡大し，包括的な開示要件も定められた。臨時報告書の提出事由と，それぞれの場合の臨時報告書の主な記載事項は，現在，**図表 3-9** のとおりとなっている（企業内容等開示府令 19 条・同第 5 号の 3 様式）。

図表 3-9

提出事由（番号は企業内容等開示府令 19 条 2 項の号数）	記載事項
(1)外国において株券，新株予約権証券，新株予約権付社債券などの募集・売出しが開始された場合	有価証券の種類，募集・売出しの条件，発行方法

36） Directive 2014/95/EU. みずほ情報総研「ESG 要素を中心とする非財務情報に係る諸外国の開示制度等に関する調査報告書」（金融庁委託研究，2019）22-23 頁，川島いづみ「非財務情報の開示と開示規制――イギリスにおける非財務情報に関する開示法制の進展」上村先生古稀記念『公開会社法と資本市場の法理』（商事法務，2019）493-495 頁。

(2) (1)の証券の1億円以上の私募を行う場合	有価証券の種類，私募の条件，発行方法
(2-2)有価証券届出書の提出を要しない株券・新株予約権証券を発行する場合	銘柄，発行条件，発行者と取得者の関係
(3)親会社・特定子会社の異動があった場合	親会社・特定子会社の事業内容，議決権の割合
(4)主要株主（10% 以上の株主）の異動があった場合	主要株主の名称，議決権の割合
(4-2)特別支配株主による株券等の売渡請求があった場合，会社が当該請求に対し承認・非承認の決定をした場合	売渡請求の内容，会社の決定の内容
(4-3)全部取得条項付種類株式の取得を行う場合	取得の目的，取得の対価，取得日
(4-4)株式併合を行う場合	併合の目的，併合の割合，端数処理の方法
(5)純資産額の3% 以上に相当する資産の被害をもたらす災害が発生し，それが止んだ場合	年月日，場所，被害を受けた資産の種類・帳簿価額，保険金額，発行者の事業に及ぼす影響
(6)純資産の15% 以上に相当する額の損害賠償請求訴訟が提起された場合，訴訟が解決し資産の3% 以上に相当する額の損害賠償の支払債務を負うに至った場合	訴訟の内容，請求金額，訴訟の解決の内容，損害賠償金額
(6-2)提出会社が完全親会社となる株式交換で，資産が純資産額の10% 以上増加するか，売上高が3% 以上増加することが見込まれるもの，または提出会社が完全子会社となる株式交換を行う場合	相手方会社の内容（事業の内容・経理の状況・大株主の状況，発行者との関係），株式交換の目的・方法，株式交換契約の内容，割当ての算定根拠，株式交換後の会社の内容
(6-3)株式移転を行う場合	共同株式移転の場合の他の会社の内容，株式移転の目的・方法，株式移転計画の内容，割当ての算定根拠，株式移転後の会社の内容
(7)資産が純資産額の10% 以上増減するか，売上高が3% 以上増減することが見込まれる吸収分割を行う場合	相手方会社の内容，吸収分割の目的・方法，吸収分割契約の内容，割当ての算定根拠，吸収分割後の会社の内容
(7-2)資産が純資産額の10% 以上減少するか，売上高が3% 以上減少することが見込まれる新設分割を行う場合	共同新設分割の場合の他の会社の内容，新設分割の目的・方法，新設分割契約の内容，割当ての算定根拠，新設分割後の会社の内容

(7-3)吸収合併で，資産が純資産額の10％以上増加するか，売上高が3％以上増加することが見込まれるもの，または提出会社が消滅会社となる吸収合併を行う場合	相手方会社の内容，吸収合併の目的・方法，吸収合併契約の内容，割当ての算定根拠，吸収合併後の会社の内容
(7-4)新設合併を行う場合	相手方会社の内容，新設合併の目的・方法，新設合併契約の内容，割当ての算定根拠，新設合併後の会社の内容
(8)資産が純資産額の30％以上増減するか，売上高が10％以上増減することが見込まれる事業譲渡または事業譲受けを行う場合	事業譲渡先・譲受け先の事業の内容，事業譲渡・譲受けの目的，事業譲渡・譲受け契約の内容
(8-2)純資産の15％以上の額を対価とする子会社の取得を行う場合	子会社の内容，子会社取得の目的
(9)代表取締役・代表執行役の異動があった場合	異動者の氏名等，新任代表取締役等の略歴
(9-2)株主総会の決議がされた場合	決議の内容，賛成・反対・棄権の議決権の数
(9-3)定時総会前に提出した有価証券報告書に記載した事項が，定時総会において修正・否決された場合	修正・否決された決議の内容
(9-4)公認会計士・監査法人の異動があった場合，またはその異動が業務執行決定機関により決定された場合	異動した公認会計士・監査法人が作成した監査報告書に不適正意見等がある場合はその内容，異動に至った理由・経緯等
(10)破産，民事再生法による再生手続開始の申立て，または会社更生手続開始の申立て等があった場合	申立てを行った者の名称等，申立て年月日，申立ての内容
(11)債務者または債務保証先の会社更生手続の申立て等により，純資産額の3％以上に相当する額の取立不能または取立遅延のおそれが生じた場合	債務者等の名称等，債務者等に生じた事実，債務者等に対する債権・保証債務の内容
(12)財政状態および経営成績に著しい影響を及ぼす事象が発生した場合，	当該事象の発生年月日・内容・発行者の損益に与える影響額
(13)～(18)連結子会社に一定の重要事実が生じた場合	当該連結子会社の名称等，重要事実の内容
(19)連結会社の財政状態および経営成績に著しい影響を及ぼす事象が発生した場合	当該事象の発生年月日・内容・発行者の損益に与える影響

以上の提出事由のうち，(1)から(2-2)の場合には有価証券の発行開示が行われないが，証券発行の事実や手取金の使途は，国内の有価証券保有者にとっても重要な情報であるため，情報開示を求めるものである。(3)(4)(9)では，会社の支配・経営関係や取引関係が変動する可能性があり，(5)(6)は，会社の財政状態に大きな影響を及ぼす可能性がある。

(6-2)から(7-4)は，会社の基礎的な変更であり，(8)(9)とともに，会社の事業活動全般に対する影響が大きい。会社の基礎的な変更につき開示が求められる時点について，かつては，それぞれの行為（たとえば合併）に係る「契約が締結されたとき（契約が締結されることが確実に見込まれ，かつ，その旨が公表された場合を含む）」と規定していた。平成18年の府令改正では，それぞれの行為（たとえば合併）が「行われることが会社の業務執行を決定する機関により決定された場合」と規定を改めたので，基礎的変更に係る契約が締結されるよりも前の段階で，臨時報告書の提出義務が生じることになった。また，軽微な行為を臨時報告書提出事由から除外する際に，かつては，資産に対する影響が純資産額の30%以上であるか，売上高に対する影響が10%以上であるという基準を用いていたが，同年の府令改正により，それぞれ基準が10%，3%に引き下げられ，臨時報告書提出事由の範囲が拡大された。開示情報の充実を図るものである。

(8-2)は，簿外損失の解消のために売上高や純資産の小さな会社を高額の対価によって取得した事例があったことから，その防止のために平成24年の府令改正で新設された[37)]。(9-2)は平成22年の府令改正で新設された事項であり[38)]，株主総会で決議が成立した場合でも賛成とそれ以外の票が拮抗することもありうるので，投票結果の開示を求めることによりコーポレートガバナンスの強化を図るものである。(9-4)は監査証明を行う公認会計士または監査法人が交替する場合に，財務書類の信頼性について投資者の注意を喚起するために開示される。

(13)から(18)は連結子会社に生じた重要事実を捉えるものである。具体的には，発行者に係る(5)から(8)，(10)(11)の事項が列挙されており，連結子会社に生じた事由は連結企業体に対する影響度によってその重要性が測られる。(12)(19)は，個別

---

37)　大谷潤＝中村慎二「臨時報告書による開示対象子会社適正化等のための開示府令等の改正」商事1981号（2012）37頁。

38)　谷口・前掲注18) 26頁。

列挙事由に該当しなかった事実で重要なものを捉える包括条項である。著しい影響とは，損益に与える影響額が純資産額の3% 以上かつ最近5事業年度の平均純利益の20% 以上の額になる事象をいうとされている（企業内容等開示府令19条2項12号19号）。

臨時報告書は，重要な事実が発生した場合に遅滞なく提出すれば足りるとされており，提出期限が画されておらず，かつ，その提出事実が公告により一般に知らされるわけでもないので，投資者は報告書を適時に利用できないとの批判があった[39]。しかし，現在では，臨時報告書もEDINETを通じて閲覧することができるので，臨時報告書の利便性は増している。

取引所の上場規則によるタイムリー・ディスクロージャーは，臨時報告書の提出よりも早期に，上場会社に情報の開示を求めるものであるが（→***6*** **節** ***1*** ⑴），発行者がタイムリー・ディスクロージャーを怠り，または虚偽の開示をした場合，それを隠すために臨時報告書を提出せず，またはこれに虚偽記載をすれば，民事刑事および課徴金の責任を問われることになる（→**4章**）。また，発行者がタイムリー・ディスクロージャーに違反しつつ，臨時報告書に真実を記載すれば，それによってタイムリー・ディスクロージャーの違反が発覚する。したがって，臨時報告書には，タイムリー・ディスクロージャーによる開示情報の真実性を最終的に担保する機能があるといえる（→***1*** **節** ***3***）。

5　選択的な情報開示の規制

⑴　背　　景

アメリカでは，取引所の定めるタイムリー・ディスクロージャー・ルールが発行者が一部のアナリストに対し選択的に情報を開示することを許す内容となっており，不当であるとして，2000年にSECがレギュレーションFD（Regulation Fair Disclosure, 公正開示規則）を定めた[40]。同規則によると，発行者が重要な未公開情報をアナリスト等の一定の者に意図的に開示した場合には同時に，意図的でなく開示した場合には速やかに，当該情報を開示しなければならない。つまり，発行者が情報を選択的に開示した場合には直ちにレギュレーションFD違反となる。

EUでは，2006年の市場濫用指令（Market Abuse Directive）がタイムリー・

39）　神崎克郎「ディスクロージャー制度の問題点」商事1077号（1986）12頁注（22）。
40）　黒沼・アメリカ111頁。

ディスクロージャーおよび情報の選択的開示の規制を定めた。これは，その後，市場濫用規則（レギュレーション）に組み替えられ，2016年7月から加盟国に直接適用されている。EU規則によると（17条1項・4項・8項），①金融商品の発行者は内部情報をできるだけ早く公表しなければならない。②発行者は，自己の正当な利益を害するおそれがある場合には，未公表にしても公衆を誤導せず，かつ発行者が情報の機密性を確保できる限りにおいて，自己の責任で，内部情報の開示を遅らせることができる。③発行者または発行者の委託もしくは発行者の計算で行動する者が，雇用・職業・職務に従って行動している第三者に，内部情報を意図的に開示したときは同時に，意図的でなく開示したときは，速やかに公表しなければならない。①はタイムリー・ディスクロージャー義務を定めるもの，②は発行者の正当な利益を守るために開示を遅らせることを認めるもの，③は，②の例外として，選択的開示が行われた場合に開示義務を課すものと理解される[41]。

わが国では，金融商品取引所のタイムリー・ディスクロージャーが，上場会社に重要な事実が生じるたびにこれを直ちに開示するよう求めているが（→***6*** **節** ***1***），実務では会社の機関決定があるまでは情報が開示されることはなく，情報の選択的開示が可能な状況になっていた。実際，証券会社が，上場会社の四半期業績に関する公表前の情報を顧客に提供して株式売買の勧誘を行ったとして行政処分を受けた事例があったが，その事例において，上場会社が証券会社のアナリストの取材に応じて，公表前の四半期業績に関する情報を提供していたことが問題とされた。そこで，日本においても検討が開始され，平成29年の改正により，選択的な情報開示の規制が導入された[42]。この規制は，フェア・ディスクロージャー・ルール（FDルール）とも呼ばれている。

⑵　伝達と同時の公表義務

フェア・ディスクロージャー・ルールの基本は，上場会社または上場投資法人の資産運用会社の役員・代理人・使用人その他の従業者（役員等）が取引関係者に重要情報の伝達を行う場合には，当該伝達と同時に当該重要情報を公表しなければならないということである（27条の36第1項）。重要情報とは，上

41）　黒沼悦郎「取締役の投資家に対する責任」商事1740号（2005）18頁。

42）　改正法の考え方につき金融審議会市場ワーキング・グループ「フェア・ディスクロージャー・ルール・タスクフォース報告――投資家への公平・適時な情報開示の確保のために」（平成28年12月7日）を参照。

場会社等の運営，業務または財産に関する公表されていない重要な情報であって，投資者の投資判断に重要な影響を及ぼすものと定義されており（同項），インサイダー取引の重要事実（→7章*2*節*3*）のように重要基準・軽微基準によって限定されていない。取締役会による承認前の決算情報のように，正式な機関決定に至っていない情報はインサイダー取引の重要事実に当たらないが，投資判断にとっては重要であり，フェア・ディスクロージャーの対象とすべきだからである。

ルールを発動させる伝達とは役員等から取引関係者への伝達であるが，取引関係者とは，①金融商品取引業者，登録金融機関，信用格付業者，投資法人またはこれらの役員等，有価証券に係る売買や財務内容等の分析結果を第三者へ提供することを業として行う者と，②上場会社等の投資者に対する広報に係る業務に関して重要事実の伝達を受け，当該情報に基づいて上場会社等の有価証券を売買する蓋然性が高い者として内閣府令で定める者に限定されている（同項1号・2号，重要情報公表府令4条・7条）。伝達とは，上場会社等の役員のほか，当該上場会社等において取引関係者に情報を伝達する職務を行うこととされている者（投資家向け広報業務の担当者）による伝達に限定される。したがって，報道を目的とするマスメディアに対する情報の伝達はフェア・ディスクロージャー・ルールを発動させることはない。

取引関係者が，法令または契約により，重要情報に関する秘密を他に漏らしてはならず（守秘義務），かつ，関係する有価証券の売買等をしてはならない義務（売買禁止義務）を負っている場合にも，フェア・ディスクロージャー・ルールは発動されない（27条の36第1項但書）。上場会社等が金融商品取引業者に資金調達の相談をするのがその典型である。アナリストが重要情報に基づいて，かつ重要情報にふれずにレポートを作成する行為は守秘義務に違反しないと解する説もあるが[43]，ルール制定の経緯から，重要情報に基づくレポートの作成は「重要情報に関する秘密を他に漏らす」行為であると解すべきである[44]。インサイダー取引の禁止規定（166条〜167条の2）は重要事実の受領者に対し関係する有価証券の売買や情報伝達を禁止しているが（→7章*1*節*3*），その規制

43）飯田秀総「フェア・ディスクロージャー・ルールの法的検討〔下〕」商事2180号（2018）4頁。

44）黒沼悦郎＝吉川純＝株式会社大和総研『フェア・ディスクロージャー・ルールブック』（金融財政事情研究会，2019）68頁。

対象はフェア・ディスクロージャー・ルールよりも狭いから，インサイダー取引規制だけでは法令による守秘義務・売買禁止義務には当たらない。

(3) 迅速な公表義務

上場会社等が重要情報を伝達と同時に公表する義務を負わないが，迅速に公表する義務を負う場合がある。「意図的でない開示」が行われた場合に対応するルールである。その第1は，上場会社等またはその役員等が，伝達時に伝達した情報が重要情報に該当することを知らなかった場合であり，この場合には，重要情報に該当することを知ってから速やかに公表すればよい（27条の36第2項）。第2は，重要情報の伝達と同時に公表することが困難な場合として内閣府令で定める場合であり（同項），そこでは①役員等が取引関係者に意図せず重要情報を伝達した場合，および②役員等が伝達の相手方が取引関係者であることを知らなかった場合が挙げられている（重要情報公表府令8条）。①は，伝達する予定のなかった重要情報を，上場会社の役員等がたまたま話の流れで伝達してしまった場合をさす[45]。第3は，守秘義務・売買禁止義務を負う取引関係者が，法令または契約に違反して，当該重要情報が公表される前に，重要情報に関する秘密を他の取引関係者に漏らし，または上場有価証券等に係る売買等を行ったことを知ったときである（27条の36第3項）。

これらのうち第3の場合であって，(a)上場会社等の組織再編行為，事業譲渡，公開買付け，子会社の異動を伴う株式等の取得，破産・再生・更生手続開始の申立て，資本・業務提携・提携の解消，(b)上場会社等の株券等の募集・売出し，またはこれに類するものに係る情報であって，当該重要情報を公表することにより当該行為の遂行に重大な支障が生ずるおそれがあるときは，上場会社等は重要情報の公表義務を免れる（同項但書，重要情報公表府令9条）。取引関係者の守秘義務・売買禁止義務の違反により，重要情報を公表しないことについての上場会社等の重要な利益が侵害されるのを防ぐためである。

公表の方法は，EDINET（→**Column 2-11**）やタイムリー・ディスクロージャーの方法（→***6*節*1*(1)**）によってもよいが，上場会社等のホームページ上の公表も認められる（27条の36第4項）。

45）　金融庁総務企画局「金融商品取引法第27条の36の規定に関する留意事項について（フェア・ディスクロージャー・ルールガイドライン）」問8に対する回答。

(4) エンフォースメント

上場会社に対して情報の選択的開示規制を厳しく執行すると，上場会社がアナリストの取材に応じないなど，上場会社による情報発信が低下し，市場における効率的な価格形成を損なうおそれがある。そこで，アメリカやEUの例に倣い，フェア・ディスクロージャー・ルールの違反に対しては，罰則を科すことはせず，行政による対応を図ることにした。

内閣総理大臣は，ルールによって公表されるべき重要情報が公表されていないと認めるときは，上場会社等に対し，重要情報の公表その他の適切な措置をとるべき旨の指示をすることができ，正当な理由がないのに指示に係る措置がとられなかったときは，当該指示に係る措置をとることを命じることができる（27条の38第1項・2項）。この命令に違反した場合に初めて罰則が適用される（205条6号の5）。

フェア・ディスクロージャー・ルールは，上場会社とアナリストの対話を禁止しようとするものではない。同ルールの目的は，情報の選択的な開示を禁止することにより，上場会社の情報発信に対する一般投資家の信頼を確保し，上場会社により早期の情報開示を促すことにある。上場会社においては，このような目的を踏まえて，自発的な情報開示についてのベストプラクティスを醸成することが求められる。

第5節　特殊な定期的開示

1　自己株券買付状況報告書

会社による自己株式の買付けは，当該銘柄の市場取引の需給関係に影響を及ぼす。そこで，上場株券の発行者またはその預託証券の発行者である会社等は，自己株式等の買付けについて株主総会の決議または取締役会の決議があった場合，1か月ごとに自己株券買付状況報告書を内閣総理大臣に提出しなければならないとされている（24条の6，施行令4条の3）。自己株券買付状況報告書は，財務局，発行者の本店および主要な支店，金融商品取引所で，1年間公開される（25条）。

自己株券買付状況報告書においては，自己株式の取得状況，保有状況，および処理状況が開示される（企業内容等開示府令19条の3・同第17号様式）。これらの情報の開示には，自己株式の買付けがインサイダー取引や相場操縦等の不公正取引に用いられるのを未然に防止する効果も期待されている[46]。もっとも，報告書は1か月ごとに提出されるにすぎないので，投資者の投資判断にとってそれほど有用な情報でないとの批判がある[47]。

2　親会社等状況報告書

上場会社に親会社がある場合，当該親会社の株主・役員・財務等の状況は上場会社の経営に大きな影響を及ぼす。わが国では，他の会社の子会社となっている会社が上場しているケースも多く見られる。そこで，いくつかの鉄道会社で親会社を含む大株主の情報が適切に開示されていなかったことが発覚したことを契機として平成17年に証券取引法が改正され，上場会社の親会社自身に情報を開示させる制度が導入された[48]。

上場会社の議決権の過半数を所有している会社その他の政令で定める会社(親会社等）は，当該親会社等の事業年度ごとに，事業年度終了後3か月以内に，親会社等状況報告書を内閣総理大臣に提出しなければならない（24条の7)。親会社等状況報告書は，財務局，子会社である上場会社の本店および主要な支店，金融商品取引所で，5年間公開される（25条)。

提出義務者は上場会社の親会社等に限定され，それ以外の継続開示会社の親会社等は提出義務を負わない。上場有価証券は流動性が高く，投資情報として親会社等の情報が重要であると考えられたからである。したがって，会社が子会社株式を上場する場合はもちろん，会社が上場会社の株式の過半数を取得するに至った場合には，当該会社は，事業年度ごとに親会社等状況報告書を提出・公開しなければならないこととなる。

親会社等には，上場会社の議決権の過半数を直接所有する会社だけでなく，子会社等を通じて間接的に所有する会社（親会社の親会社など）も含まれるが(施行令4条の4)，法人格のない組合や個人は親会社等に含まれない。外国会社が親会社である場合に，当該外国会社が外国の上場会社であり，その情報がイ

46)　神崎＝志谷＝川口414頁。

47)　神崎＝志谷＝川口414頁，証券取引法研究会「金庫株と証券取引法改正」『金庫株解禁に伴う商法・証券取引法』(別冊商事251号，2002) 46頁〔川口恭弘報告〕。

48)　金融審議会第一部会報告「ディスクロージャー制度の信頼性確保に向けて」(平成16年12月24日) 4-5頁，谷口義幸「証券取引法等の一部改正の概要――平成17年法律第76号の解説」商事1739号 (2005) 59頁。

ンターネット等を通じて利用可能なときは，開示義務を免除される（24条の7第1項，企業内容等開示府令19条の5）。これは開示の負担を考慮したものであるが，わが国の様式による開示を求める継続開示制度の大きな例外をなすものといえる[49]。

親会社等状況報告書の記載内容は，①親会社等の名称，②株式等の状況（所有者別状況，大株主の状況，役員の状況），③会社法の規定に基づく計算書類等（貸借対照表，損益計算書，株主資本等変動計算書，個別注記表，事業報告書，および附属明細書，外国会社についてはこれに準ずるもの）であり，有価証券報告書の記載事項のような詳細の開示は求められていない（企業内容等開示府令19条の5・同第5号の4様式）。

3　外国会社報告書

(1)　趣旨および内容

わが国の金融商品取引所に株式等を上場する外国企業は，日本の開示基準に基づく有価証券報告書等を日本語を用いて作成し，これを提出・公開しなければならないのが原則である。金融商品取引法は，日本国内の投資者の保護を目的としているからである。しかし，この原則を貫くと，開示書類の作成コストが高くなり，外国企業が日本市場を回避し，または既に上場している外国企業が日本市場から撤退する事態を招き，かえって国内の投資者の投資対象が狭められるおそれもある。そこで，平成17年の証券取引法改正は，わが国の証券市場の国際化・競争力の向上を目的として，外国企業が外国の開示基準（外国基準）に基づいて英語で開示書類を作成できる英文開示への道を開いた[50]。外国基準・外国語による開示については，いろいろな考え方がある[51]。アメリカでは，自国民保護の立場から外国基準・外国語による開示は認められていない

---

49)　親会社情報の開示をめぐる議論については，証券取引法研究会「平成17年の証券取引法改正 V」『平成17年・18年の証券取引法等の改正』（別冊商事299号，2006）82頁以下を参照。

50)　金融審議会金融分科会第一部会報告「外国会社等の我が国における開示書類に係る制度上の整備・改善について」（平成16年6月23日）。

51)　諸外国の状況については，黒沼悦郎「グローバルな市場の連携・統合とディスクロージャー」証券取引法研究会編『市場改革の進展と証券規制の課題』（日本証券経済研究所，2002）57頁以下を参照。本国主義が望ましいとする学説として，Merritt B. Fox, “Securities Disclosure in a Globalizing Market: Who Should Regulate Whom,” 95 Mich. L. Rev. 2498 (1997) を参照。

のに対し，EU 諸国では広く認められている。

有価証券報告書を提出しなければならない外国会社は，公益または投資者保護に欠けないと金融庁長官が認める場合には，有価証券報告書に代えて，外国において開示が行われている有価証券報告書に類する書類であって英語で記載されたもの（外国会社報告書）を，その重要事項の要約の日本語訳を記載した補足書類とともに提出することができる（24条8項，企業内容等開示府令17条の2）。半期報告書・四半期報告書についても同様である（24条の5第7項・24条の4の7第6項）。外国会社報告書等の提出を金融庁長官の指定に係らしめたのは，投資者保護にとって問題のない開示基準を採用している国や地域を柔軟に指定できるようにするためであり，記載言語を英語に限定したのは，英語が金融商品取引の分野で国際的に通用していることを考慮したものである。

さらに，平成23年の改正では，有価証券届出書と臨時報告書についても英文開示が認められた。有価証券届出書については，証券情報と発行者情報とを分け，証券情報については投資者の投資判断に直接的に影響を及ぼす情報であるところから日本語による記載を求めるが，発行者情報については英文開示を認める（5条6項，企業内容等開示府令9条の7）。これに伴って目論見書の英文開示も認められ，グローバル・オファリング（異なる法域で同時に有価証券の公募を行うこと）や国内外同時上場がやりやすくなった。

⑵　投資者保護のための措置

日本の開示書類と外国で開示されている書類とでは，開示内容に差がありうる。そこで，上記の補足書類には，日本の開示基準によると記載が求められるが外国会社報告書に記載されていない事項を記載しなければならない（企業内容等開示府令17条の3第3項）。

外国基準・英語による開示を認めるには，流通市場で取引をする投資者が日本基準・日本語による開示が行われるものと誤解して取引を開始しないよう注意を促す必要がある。そこで，金融商品取引業者等の役員・使用人が，顧客に対し，外国会社報告書等が英語により記載される旨を説明し，その旨を記載した文書を交付しなければならないものとされた（38条9号，金商業府令117条1項25号）。

外国基準・英語による開示は，すべての種類の有価証券について認められる。ただし，個別の外国会社に外国基準・英語による開示を認めるか否は，当該外国会社の属する国または地域を主たる基準として，金融庁長官が判断する。なお，外国基準・英語による開示が認められていると否とにかかわらず，継続開示書類中の財務諸表については，一定の外国の会計基準による書類の作成が認められている（財務諸表規則131条）。

第*6*節　自主規制による情報開示

1　タイムリー・ディスクロージャー

⑴　意義と仕組み

金融商品取引所は，上場規則に基づいて上場会社にタイムリー・ディスクロージャーの義務を課している。タイムリー・ディスクロージャーは，投資判断にとって重要な事実（重要事実）が上場会社に生じた場合に，その事実を臨時報告書の公衆縦覧よりも迅速に開示させるものであり，投資者に投資判断資料を提供するとともに，重要事実が未公開のままに上場会社に滞留する時間を短縮することによって，インサイダー取引を防止することを目的としている。

タイムリー・ディスクロージャーは，かつては取引所が上場会社に対して行う要請にすぎなかったが，各取引所は平成11年に上場規則を改正し，上場会社は一定の事由に該当する場合に直ちにその内容を開示しなければならないとした（東証・有価証券上場規程402条）。

タイムリー・ディスクロージャーの対象となる情報は，上場会社と取引所をつなぐネットワーク（適時開示情報伝達システム，TDnet）を通じて上場会社から取引所へ伝達され，取引所のウェブサイトに掲載される。当該情報が取引所のウェブサイトに掲載された時点で重要事実の公表があったとされるので（166条4項，施行令30条1項2号），この情報を閲覧した投資者が関係する有価証券の売買を行ってもインサイダー取引に問われることはない（→**7章*2*節*4***）。なお，上場会社は会社に生じた重要事実について記者発表を行うこともあるが，記者発表が行われなくても取引所と報道機関の間のネットワークにより当該情報が報道機関に伝達される。

タイムリー・ディスクロージャーが取引所の上場規則上の義務とされたことから，上場会社がこれに違反した場合には，次のような措置が取られる。

第1に，上場会社が適時開示を適正に行わなかった場合で，改善の必要性が高いと取引所が認めるときは，当該発行者に対して改善報告書の提出が求められ，提出された改善報告書が公表される（東証・有価証券上場規程502条）。内部管理体制の改善の必要性が高いときには，特設注意銘柄に指定されることもありうる（同501条）。第2に，適時開示規則の違反に対しては，公表措置（同508条1項），上場契約違約金の徴求（同509条1項）などの制裁が課せられ，違反が甚だしいときは上場契約の重大な違反として，上場廃止の措置がとられることがある（同601条1項12号）。また，以上とは別に注意喚起制度が定められている（→(3)）。

(2) 内　容

上場会社がタイムリー・ディスクロージャーを求められるのは，①上場会社の業務執行機関が一定の事項を行うことについての決定をした場合または当該決定に係る事項を行わないことを決定した場合，②上場会社に一定の事実が発生した場合，③上場会社の運営，業務もしくは財産または上場株券等に関する重要な事実であって投資者の投資判断に著しい影響を及ぼすものが発生した場合，および④上場会社の子会社に重要な事実が発生した場合である（東証・有価証券上場規程402条・403条）。①はインサイダー取引の重要事実のうちの決定事実に，②は発生事実に，③は包括条項，④は子会社の重要事実に相当するものである（→**7章*2*節*3***）。インサイダー取引の重要事実のうち決算変動に相当する事実の開示は，上場規則では決算短信における実績値・予想値の開示および予想値修正の開示の形で定められている（→***2***）。これらの決定事実，発生事実，および包括条項については，インサイダー取引の重要事実と同様に，開示を要しない軽微基準が定められている（東証・有価証券上場規程施行規則401条～404条）。

上場規則によると，開示すべき内容は決定事実・発生事実等の「内容」とされており，上場会社の判断に委ねられるが，臨時報告書の記載内容（→***4*節*4***）が参考になるであろう。

■Column 3-11　インサイダー取引規制との相違■■

上述のように取引所の上場規則は，インサイダー取引の重要事実と極力一致するようにタイムリー・ディスクロージャーの重要事実を定め，その内容を直ちに開示するよう義務づけている。しかし，これには次のような問題がある。

インサイダー取引規制は，発行者に生じた重要事実が開示されない状態でインサイダーに取引を行わせると不公正となる事実を捉えて規制対象とするのに対し，タイムリー・ディスクロージャーはインサイダー取引の有無とは無関係に発行者の開示を求める規制である。したがって，理論上は，両者の重要事実の範囲は異なり，タイムリー・ディスクロージャーの重要事実の範囲はインサイダー取引の重要事実の範囲よりも狭いと考えるべきである[52]。たとえば，判例によると，発行者が株式の発行を行うことについての決定をしたとは，株式の発行それ自体や株式の発行に向けた作業等を会社の業務として行う旨を決定したことをいうが（→**7章*2*節*3*(2)**）[53]，その時点以降，インサイダーの取引が禁止されることは合理的であるといえても，その時点で発行者が株式の発行についてタイムリー・ディスクロージャーを行っても，具体的な条件が定まっていなければ投資者を惑わすだけであるし，株式の発行計画を頓挫させ発行者の利益に反する可能性が高い。

EUの例に見られるように（→***4*節*5*(1)**），発行者（＝株主）の利益を図るために開示のタイミングを遅らせることは，情報が漏洩したり，インサイダー取引が行われていない限り，許されるべきである。タイムリー・ディスクロージャーに関する上場規則の規定ぶりは，立法論として，EU市場濫用規則17条のように改められるべきであるし，解釈論としても，公表に適する程度に情報の内容が固まった段階までタイムリー・ディスクロージャーの決定事実・発生事実に該当しないと解すべきである（**図表3-10**）。

図表3-10

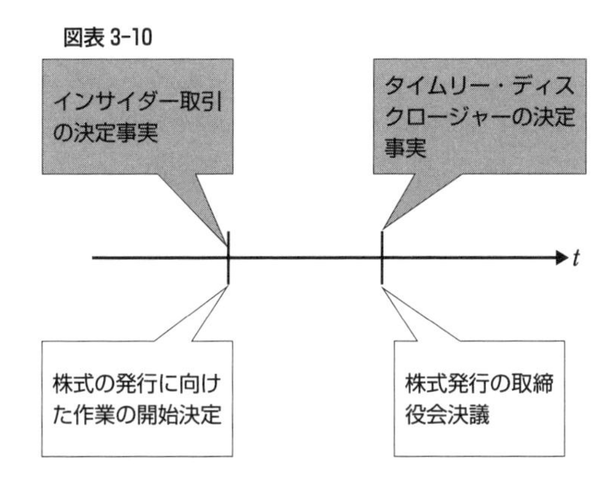

(3)　金融商品取引所の照会事項の報告と開示

上場会社が上場規則に従ったタイムリー・ディスクロージャーを行うよりも前に，情報が漏洩したり，不確かなうわさが流れることにより，当該上場会社の有価証券の市場価格や売買高に大きな変動を引き起こすことがある。このよ

52）　証券取引法研究会「取引所・証券業協会によるディスクロージャー規制」インベストメント54巻3号（2001）55頁〔黒沼悦郎報告〕。
53）　最判平成11・6・10刑集53巻5号415頁。

うな場合，金融商品取引所は上場会社に対し情報の照会を行う権限を有しており，上場会社は照会事項について直ちに正確に報告しなければならない（東証・有価証券上場規程415条1項）。また，報告された情報の開示が必要と取引所が認めた場合は，上場会社は直ちに当該情報の開示を行う（同条2項）。

取引所の照会に対する上場会社による回答（コメント開示）は，「当該情報は当社が発表した事実ではない」といった，情報の確度を上げるものでない場合もある。そのような回答が上場規則に違反するかどうかは個別に判断するしかないが（→**Column 3-12**），東京証券取引所は，投資者に注意を促すために，不明確な情報が発生している銘柄を指定・公表する注意喚起制度を平成26年から導入している[54]。

■Column 3-12　観測報道に対するコメント開示■■

合併のような上場会社の重要事実について報道（たとえばA社とB社が合併する見通しである旨の報道）がされた場合にも，情報の真偽を投資者に周知させるために，金融商品取引所は上記の権限により照会を行う。この照会に対する上場会社の回答のパターンは，①当社が発表した事実ではない，②合併の交渉の事実はない，③交渉している事実はあるが，合併は決定されたものではないといったものである。これらは観測報道に対するコメント開示として十分なものだろうか。

上場会社としては，交渉中の合併に関する情報開示を強制される結果，合併が実現しないという事態は避けたいだろう。ここでは情報開示による投資者の利益と合併が成就することによる株主の利益が対立している。このような利益対立を考慮すると，コメント開示のあり方は，観測報道がなされた時期が，情報を開示しても合併の成就に影響を与えない段階かそれよりも前かによって区分して考えるべきである。

合併について大筋の合意が得られ，合併契約を取締役会に上程する直前（たとえば，その日の朝）に観測報道がなされた場合には，報道内容を上場会社が認めても合併の成就には影響を与えないと思われる。したがって，この時期のコメント開示は，③か，より踏み込んだ開示（たとえば，本日の取締役会へ上程する旨の開示）が求められよう。また，この段階での観測報道は，上場会社が一部の報道機関に合併の情報を伝達した結果である場合がある。一部の報道機関に対する情報の選択的開示はフェア・ディスクロージャー・ルールの適用対象とされなかったが（→***4*節*5*(2)**），上場会社が報道機関に開示することにより当該情報を公表のプロセスに乗せたのであるから，上場会社は情報の機密性を享受する利益を失い，当該情報の適時

54）　徳田安崇「注意喚起制度の概要」商事2035号（2014）27頁。

開示義務を負うと解すべきであろう[55]。したがって，①の開示もノーコメント開示も認められないと解すべきである（→**4**章**5**節**8**(3)）。

それに対し，上場会社が合併の交渉の最中であり，交渉がまとまるかどうか不明の段階で観測報道がなされた場合には，上場会社が交渉の事実を認めるだけで交渉が決裂する可能性がある。他方，合併の交渉を実際に行っている以上，②の開示は虚偽となる。そこで，金融商品取引所の現在の上場規則では照会に対する無回答（ノーコメント）を認めていないが，ノーコメントという回答を認めるべきであろう[56]。①の開示は，ノーコメント回答の代わりに使われていると思われるが，報道された事実が存在しないかのように誤解されるおそれがあるので好ましくない。

2 決算短信

上場会社の年度決算は，有価証券報告書が提出されるよりも前に，その四半期決算は四半期報告書が提出されるよりも前に定まる。決算情報は投資者にとって極めて重要な投資判断資料となるところから，金融商品取引所の自主規制では，年度決算や四半期決算が定まった場合に直ちにその内容を公表することを上場会社に求めている（東証・有価証券上場規程404条）。東京証券取引所では，決算発表の時期は決算期末後45日以内に行うことが適当であり，できれば決算期末後30日以内の公表が望ましいとして，決算発表の早期化の要請を行っている。四半期決算の場合は，期中の数値を公表するものであるところから，法定開示期限（決算期末期45日以内）よりも早期の公表を要請していない。

上場会社の決算発表は金融商品取引所が定める「決算短信」と呼ばれる様式により行われる。金融商品取引所は，決算短信において，経営成績・財政状態に関する分析，継続企業の前提に関する重要事象等（該当する場合のみ）などの定性的情報の開示と，翌事業年度における売上高・営業利益・経常利益・当期純利益の予想値（次期の業績予想）といった定量的情報の開示を要請している（東証・決算短信作成要領）。前者は投資者が決算情報を理解するために必要な情報であり，後者は既に開始している事業年度の業績についての経営者の見方を示すものであり，ともに投資者にとって重要な投資判断資料である。

上場会社が次期の業績予想を公表した後に，新たに算出した予想値において

55）　黒沼ほか・前掲注44）86頁〔黒沼悦郎〕。

56）　この点に関するアメリカの状況につき，池田祐久「スクープ報道対応のグローバル実務」商事2014号（2013）14頁，黒沼悦郎「証券市場における情報開示に基づく民事責任(4)」法協106巻5号（1989）106-114頁を参照。

直近の予想値と重要な差異が生じた場合には，上場会社は直ちに新たな予想値を公表しなければならない（東証・有価証券上場規程405条)。重要な差異の程度は，インサイダー取引における決算変動の重要性基準（**→7章*2*節*3*(4)**）にならって規則で定められている（東証・有価証券上場規程施行規則407条)。

■Column 3-13　業績予想開示の性質■■

決算短信における次期の業績予想は，業績予想を作成していない会社や景気によって業績が大きく変動する会社を除いて大部分の上場会社が開示を行っている。そこで，上場会社には，業績予想が金融商品取引所の自主規制によって強制されていると受け取る向きもあり，また，業績予想が経営者によるコミットメント（約束）と受け取られ，公表した業績予想を達成するように上場会社が利益調整を行う弊害を生じさせているといわれている。

しかし，次期の業績予想は，あくまでも金融商品取引所の要請に基づく任意の開示であり，上場会社の責任において行われるものである。また，業績予想は経営者による経営目標ではない。他方，会社が業績予想を立てている場合に，これを開示しないことは，当該情報が一部のアナリストなどに伝達される可能性があることを考慮すると，情報の不公平な開示を許すことにつながる。業績予想の開示は情報の公平な開示を実現するための手段でもある。

業績予想の虚偽記載に基づく民事責任については，**4章*5*節*8*(4)**で扱う。

第4章　ディスクロージャーの実効性の確保

有価証券の発行開示や継続開示は，そこで開示される情報が正確であって投資判断の役に立つことがとりわけ重要である。そこで金融商品取引法は，さまざまな法的手段を講じて，開示情報の正確性を確保しようとしている。そのような手段のうち，情報が開示されるまでのプロセスに組み込まれたものとして，行政による審査制度（→*1*節），財務書類に関する監査証明制度（→*2*節），発行者が提出する確認書・内部統制報告書の制度（→*3*節）があり，虚偽の情報が開示されたのちに，事後的に制裁を科すことにより正確な情報の開示が行われるよう確保するものとして，虚偽記載等があった場合の刑事責任（→*4*節），民事責任（→*5*節），および課徴金（→*6*節）の諸制度がある。さらに，タイムリー・ディスクロージャーのような自主規制による開示についても，開示の正確性を担保するための制度が必要であり，それがどのように実現されているか（→3章*6*節，5節*8*）を理解することが重要である。

第*1*節　開示書類の審査

1　発行開示書類の審査

金融商品取引法上のディスクロージャーでは，開示情報の正確性を行政が審査し，場合に応じて訂正命令を発するなどして，その正確性を高めるように行動することが予定されている。これは，会社法上の計算書類の作成・公開について行政が関与しないことと比較すると，ユニークな制度である。もっとも，行政による審査は，開示書類の記載が真実であることを認定するものではない（23条参照）。

有価証券届出書，発行登録書等の発行開示書類が内閣総理大臣へ提出されると，財務局において有価証券届出書の記載の正確性について審査を行う。審査の結果，開示書類に，①形式上の不備があり，または重要事項の記載が不十分である場合と，②重要事項についての虚偽記載や重要事実の記載漏れがある場合とでは，以後の手続が若干異なる。①の場合は，内閣総理大臣は発行者に対して訂正届出書の提出を命じ，必要に応じて，届出書の効力発生日を延長する（9条・23条の9）。②の場合は，届出書の効力発生の前後を問わず，内閣総理大臣は発行者に対し訂正届出書の提出を命じ，既に届出の効力が発生しているときは，届出の効力を停止する（10条・23条の10）。投資者が虚偽または誤解を生じる情報に基づいて有価証券を取得することがないようにするためである。訂正命令に従わない発行者や，開示書類の効力が生じていないのに有価証券を取得させた者に対しては，罰則が適用される（200条2号4号・197条の2第3号）。

さらに，発行開示書類に重要な虚偽記載がある場合には，内閣総理大臣は，その発行開示書類だけでなく，同じ発行者がその後1年以内に提出する有価証券届出書や発行登録書についても，相当と認められる期間，届出の効力や発行登録の効力の停止を命じ，または効力発生期間の延長を命じることができる（11条・23条の11）。投資者が虚偽記載のある開示書類に基づいて有価証券を取得することがないよう予防するとともに，虚偽記載のある開示書類を作成・提出した発行者に対する制裁効果を狙った規定である。

発行者が届出書の不備・虚偽記載等に気づいたときは，自発的に訂正届出書を提出することもできる（7条）。この場合，訂正届出書が受理された日に有価証券届出書が受理されたものとして（8条2項），有価証券届出書の効力発生までの期間が計算される。

金融商品取引法や同法に基づく命令に違反して募集や売出しが行われようとする場合には，裁判所による緊急停止命令（192条，**→12章*2*節*4***）の対象にもなる。

開示書類に不備・虚偽記載等があるかどうかを調べるには，関連する資料を集める必要がある。そこで，内閣総理大臣は，公益または投資者保護のため必要かつ適当であると認めるときは，有価証券届出書の届出者，発行登録書の提出者その他の関係者，参考人に対し，報告・資料の提出を命じ，または職員にその者の帳簿書類その他の物件を検査させることができる（26条）。これを報告徴取・検査権という。この命令に従わず，報告・資料を提出せず，虚偽の報告・資料を提出し，または検査を忌避した者に対しては罰則の適用がある（205条5号6号）。

2　継続開示書類の審査

有価証券報告書・四半期報告書等の継続開示書類が財務局に提出されると，内閣総理大臣による審査の対象となる。継続開示書類の量は膨大なものとなるため，財務局の人員の制約から，すべての継続開示書類を審査することは不可能である。金融商品取引法も，継続開示書類について定期的に審査すべき旨を定めていない。アメリカの連邦証券規制では，エンロン事件の教訓から，同一の発行者について3年に1度は審査しなければならない旨を定めており（サーベンス＝オックスリー法408条），わが国でも同様の規定が必要になるかもしれない。

継続開示書類に不備または重要な虚偽記載が発見された場合に，内閣総理大臣が提出者（発行者）に対し訂正報告書の提出を命じることは，発行開示書類の場合と同様である（24条の2・24条の4の7第4項・24条の5第5項）。訂正報告書を提出した場合，提出者は時事を掲載する日刊新聞紙にその旨を掲載して公告するか，電子公告を行う（24条の2第2項，施行令4条の2の4）。これは，訂正報告書を提出した事実を投資者に知らせるための公告であり，訂正の内容までは公告されないため，公告の効果には疑問が残る。

有価証券報告書に重要な虚偽記載が発見された場合には，内閣総理大臣は，その後1年以内の有価証券届出書・発行登録書の効力発生を停止または延期することができる（24条の3）。もっとも，継続開示書類に効力発生の概念はないので，虚偽記載のある継続開示書類の効力発生を止めることはできず，これに基づいて流通市場で有価証券が売買されることを内閣総理大臣が防止するには，上場有価証券の売買を停止するか（129条），裁判所による緊急停止命令（192条）を用いるほかない。

第2節　監査証明制度

1　財務書類の監査証明

有価証券の価値の判断にとって基本となる重要な情報は，貸借対照表，損益計算書，株主資本等変動計算書，キャッシュ・フロー計算書等の財務情報（→3章4節1(2)）であろう。これらの財務情報が発行者の状況を適正に表示しているかどうかについて，独立の会計専門家による監査がなされていれば，開示情報の真実性と信頼性は著しく高まる。そこで金融商品取引法は，発行開示・継続開示を問わず開示書類中の財務計算に関する書類について，発行者と特別の利害関係のない公認会計士または監査法人による監査証明を受けることを義務づけている（193条の2）。ここにいう特別の利害関係としては，公認会計士法上，公認会計士または監査法人が発行者の監査証明業務を行うことができない関係（→2(2)）に該当する場合のほか，当該監査証明業務に補助者として従事する者や公認会計士の2親等以内の親族が発行者との一定の関係を有する場合が，個別に定められている（同条4項，監査証明府令2条）。

監査証明を受ける対象は，開示書類に含まれる連結および単体の財務諸表・四半期財務諸表・中間財務諸表である（監査証明府令1条）。監査は，一般に公正妥当と認められる監査に関する基準および慣行（監査基準）に従って行われなければならず（監査証明府令3条），企業会計審議会はそれぞれの財務諸表に関する公正妥当な監査基準を公表している。監査証明は，公認会計士または監査法人が作成する監査報告書によって行われ，監査報告書は財務諸表に添付されて開示書類とともに提出される（企業内容等開示府令第2号様式　記載上の注意(67) d）。

監査報告書には，①監査の対象，②監査意見，③意見の根拠，④継続企業の前提に関する事項，⑤監査上の主要な検討事項，⑥追記事項，⑦経営者および監査役等の責任，⑧監査を実施した公認会計士または監査法人（監査人）の責任，⑨監査人と発行者の利害関係の有無・内容を記載する（監査証明府令4条1項）。⑤は，監査人に，監査役等との協議を通じて監査において重要だと判断した事項を決定させ，財務諸表等の関連項目，主要な検討事項（Key Audit Matters, KAM）の内容，決定の理由，監査人の対応を記載させることにより（同条5項），利用者にとっての監査報告の情報価値を高めようとするものである。⑦⑧は，財務諸表の作成責任が経営者にあり，監査手続の選択および適用が監査人の判断によることを記載する（同条7項・8項）。

③の記載内容は対象となる財務諸表により異なる。たとえば，財務諸表・連結財務諸表の監査報告書の監査意見は，財務諸表等が，一般に公正妥当と認められる企業会計の基準（→**3章*4*節*1*(2)**）に準拠して，当該財務諸表等に係る事業年度の財政状態，経営成績，およびキャッシュ・フローの状況をすべての重要な点において適正に表示しているかどうかについての意見を表明するものであり，（ア）適正に表示していると認める無限定適正意見，（イ）除外事項を除いて適正に表示していると認め，除外事項，その影響または監査手続を実施できなかった事実が影響する事項を記載する限定付適正意見，（ウ）不適正である旨およびその理由を付す不適正意見に区分される（監査証明府令4条1項1号・3項）。これに対し，四半期財務諸表に対する監査証明（四半期レビュー）は，四半期財務諸表が，一般に公正妥当と認められる四半期財務諸表の作成基準に準拠して，当該期間の財政状態，経営成績，およびキャッシュ・フローの状況を適正に表示していないと信じさせる事項がすべての重要な点において認められなかったかどうかについての結論を表示するものであり，無限定の結論，除外事項を付した限定的結論，否定的結論に区分される（同条1項3号・19項）。これは，四半期財務諸表の監査手続が通常の財務諸表の監査手続に比べてかなり簡略化されていることを考慮して，監査証明における保証の水準も通常の財務諸表の監査よりも低い水準で足りるとするものである[1)]。監査の方法も質問・分析的手続を基本として行うものとされている[2)]。

上場有価証券の発行者の財務諸表の監査証明に「不適正意見」（四半期財務諸表については「否定的結論」）または「意見の表明をしない旨」（四半期財務諸表については「結論の表明をしない」旨）が記載されたときは，金融商品取引所の判断により，当該有価証券の上場が廃止されることがある（東証・有価証券上場規程601条1項11号）。

1）　証券取引法研究会「企業内容等開示制度の整備」『金融商品取引法の検討(1)』（別冊商事308号，2007）103頁〔小谷融報告〕。
2）　企業会計審議会「四半期レビュー基準の設定に関する意見書」（平成19年3月27日），柳川俊成「四半期レビュー基準の概要」商事1798号（2007）29頁。

2　公認会計士・監査法人制度

(1)　専門性の確保

監査証明制度が，投資者の判断にとって信頼のおけるものとなるためには，①監査が会計の専門家によって行われること，②監査をする者が提出会社から独立であること（→(2)），および③不適切な監査に対する制裁がうまく機能することが重要である。

監査証明の信頼性を高め，したがって監査を受けた開示情報の信頼性を高めるために，公認会計士法は，まず①の観点から，会計の専門家である公認会計士・監査法人の資格を定め，③の観点から，不適切な監査証明を行った公認会計士・監査法人に行政上および自主規制機関による制裁を加えることができるようにしている。

わが国の公認会計士制度は，証券取引法上の監査証明を行うために昭和23(1948)年に創設されたものであり，証券取引法とともに発展してきた。公認会計士は，財務書類の監査をすることを職業とする者であり，公認会計士になるには国家試験に合格し，公認会計士協会に登録しなければならない（会計士17条）。公認会計士協会は，公認会計士・監査法人が会員となることを強制される自主規制機関であり（会計士46条の2），全国を通じてただ1つ設立される（会計士43条）。監査法人は，5名以上の公認会計士を構成員とし，またはこれに公認会計士以外の者で登録を受けた特定社員（会計士34条の10の8）を加えて，公認会計士法に基づいて設立される法人であり，社員が有限責任である有限責任監査法人と社員が無限責任を負う無限責任監査法人とがある。

■Column 4-1　会社法上の会計監査人制度■■

株式会社の計算書類に対する監査証明制度は，昭和49(1974)年制定の旧商法特例法が，資本金5億円以上の株式会社に会計監査人の設置を義務づけたことにより始まった。同法の昭和56(1981)年改正で，会計監査人の設置は負債の総額が200億円以上の株式会社に拡大され，会計監査人は株主総会で選任されることとなった。会計監査人となれるのは，公認会計士または監査法人であり，会社法はその選解任手続，権限，義務，および責任を定めている。平成17年制定の会社法は，会計監査人の設置を義務づけられる会社（会社327条・328条）以外の会社も任意に会計監査人を置くことができるようにし（会社2条11号），また，会計監査人の会社に対する責任を株主代表訴訟の対象とした（会社847条）。

会社法上の会計監査人は，株式会社の計算書類の信頼性を高めることによって，株主・債権者等の利害関係人の利益を守るための制度であり，投資者の保護を目的とする金融商品取引法とは異なる目的を有している。また，会計監査人が設置される会社の範囲は，上述のように財務諸表の監査証明が求められる会社よりも範囲が広い。もっとも，株式会社に限っていえば，計算書類と財務諸表の内容が接近し，ほとんど同一のものとなっている現在，会社法上の監査と金融商品取引法上の監査の実質は等しくなっており，実際にも同一の公認会計士・監査法人により監査が行われている。金融商品取引法は，監査証明を行う公認会計士・監査法人に会社法のような監査のための法的権限を与えていないが，実際上は，会社法上の権限を有していることを前提として，金融商品取引法上の監査証明制度が運用されているといえる。

不適切な行為に対する制裁については，公認会計士や監査法人が故意または過失によって不当な監査証明を行った場合には，内閣総理大臣は，業務の停止，登録の抹消などの懲戒処分をすることができる（会計士30条・34条の21）とされており，公的な監督が予定されている[3]。また，公認会計士または監査法人が，故意に，または相当の注意を怠り，虚偽，錯誤，または脱漏のある財務書類をそうでないものと証明した等の場合に，内閣総理大臣は，以後1年以内の期間を定めて，当該公認会計士または監査法人が監査証明をした財務書類を含む継続開示書類を受理しないと決定することができる（193条の2第7項）。これは，不実記載のおそれがある開示書類の公表を妨げて投資者被害を未然に防止するとともに，監査人に対して制裁を加える意義を持つ規定である。

このほか，虚偽の監査証明をした者の刑事責任，課徴金，および民事責任については，***4*節**以下で述べる。なお，公認会計士・監査法人による監査業務の品質管理については，従来から公認会計士協会が審査を行っているが，平成15年の改正により新たに公認会計士・監査審査会が設けられ，公認会計士協会による審査について監督を行っている（会計士35条）。

(2)　独立性の確保

金融商品取引法は，公認会計士または監査法人（監査人）が，開示書類の提出者と特別の利害関係がないことを求めているが（193条の2第1項，→***1***），それだけで監査証明業務が発行者から独立して行われるよう確保できるわけではない。

3)　懲戒処分の例として，金融庁「公認会計士の懲戒処分について」（平成19年6月4日）。

アメリカにおいて今世紀初頭に発覚した，エンロン，ワールドコム等の不正会計事件では，名声の確立した会計事務所が監査に従事していたのに，発行者による利益操作・粉飾決算を防止できなかった。その原因としては，①会計事務所が発行者に対し，監査業務以外に各種のコンサルティング業務を提供していたために，監査が甘くなったのではないか，②同一の会計事務所が発行者の監査業務を継続して担当したために癒着が生じたのではないかといったことが考えられる。①は，発行者の粉飾決算に会計事務所を協力させ，またはこれを黙認させる手段として，発行者が監査人の解任という手段を用いると，投資家に粉飾の疑いを持たせることになるので，目立たない制裁手段として，監査人へのコンサルティング業務の発注量を減らす，発注を止めるなどの方法を用い，監査人も，収益に占める割合が高くなったコンサルティング業務を失いたくないために，発行者の圧力に屈してしまうのである。②は，通常は，名声の確立した会計事務所が，一企業のために名声を危険にさらすことは考えられないが（→**Column 4-2**），監査人となっている会計事務所中の同一の公認会計士が一企業の監査業務を長年継続する場合には，当該会計士が収入源を失いたくないために発行者の粉飾に協力することが考えられる。そこで，会計不正事件への対処を目的とする2002年のサーベンス＝オックスリー法（Sarbanes-Oxley Act of 2002）において，①に対処するための監査証明業務と非監査証明業務の同時提供の禁止，②に対処するための担当公認会計士のローテーション制を含む公認会計士制度の改革が行われた。

■ Column 4-2　ゲートキーパー責任論■■

アメリカでは，監査人は，公募の引受人，格付機関，社外取締役などと並んで，発行者の違法行為を抑止することができるゲートキーパーに挙げられており，その規制のあり方が議論されている。ゲートキーパーは，長年にわたる実務経験から評判に関する巨大な資本（reputational capital）を蓄積しており，監査証明等の各種の証明を提供することにより，企業と投資家との間の情報ギャップを埋める役割を果たしているが，監査報酬等，受け取る報酬はその役割に比べて極端に少ない。このため，かつての議論には，ゲートキーパーに法的責任を課す理論的根拠に焦点を当てるもの[4)]や，ゲートキーパー市場の成立を助けるためには，法はこれに一律に責

4)　Reinier H. Kraakman, “Gatekeepers: The Anatomy of a Third-Party Enforcement Strategy,” 2 J. L. Econ. & Org. 53 (1986). 邦語による紹介として，野田耕志「開示規制における証券引受人の『ゲートキーパー責任』」商事1636号（2002）76頁を参照。

任を課すのではなく，ゲートキーパーが責任の内容を選択できるようにすべきとの見解[5]などがあった。

このように，理論上は，ゲートキーパーである監査人は，依頼者からの報酬を得るために，虚偽記載等を見逃し，評判に関する資本を毀損するような不合理な行動はとらないはずであるが，実際には，アーサー・アンダーセン会計事務所は，23000社もの顧客を抱えていたのに，エンロン1社のために自身の評判を傷つけ，解散に追い込まれた。また，エンロンには，社外取締役，引受証券会社，法律顧問といったゲートキーパーもいたのに，彼らも無力であった。

そこで，エンロン事件後のゲートキーパー責任論では，発行者の違法行為による社会的費用を内部化させ，ゲートキーパーの行為のレベルを最適化させるために，その責任を厳格責任（無過失責任）とすべきだとする見解が有力に唱えられている[6]。これに対しては，ゲートキーパーに厳格責任を課すと，たとえば，①会計事務所は，事前の段階では，適法的な発行者と詐欺的な発行者を区別できないため，一律に割高の報酬を要求するようになり，適法的な発行者が市場から撤退するという逆選択（adverse selection）が生じる，②大手会計事務所は監査業務を提供することをやめ，コンサルティング業務しか提供しなくなり，これに代わってリスクを選好する小規模の会計事務所が市場に新規参入することになる，③会計事務所がリスクを引き受けきれないような発行者が資本市場へのアクセスを失うことになる，④無過失責任の下でも，虚偽記載の有無に関する裁判所の判断の過誤により会計事務所が莫大な損害賠償責任を負わされる可能性があり，かえって嫌がらせ訴訟が誘発されるといった指摘もされている[7]。

わが国でも，監査人の独立性を一層確保する必要性があると認識されるようになり，平成15年に公認会計士法が改正された。さらに，カネボウによる巨額の粉飾決算に公認会計士が加担していたとして，大手監査法人である中央青山監査法人に業務の一部停止命令が下され[8]，同監査法人がのちに解散するなど，わが国においても前代未聞の会計不祥事が見られた。そこで，平成19年

5） Stephen Choi, "Market Lessons for Gatekeepers," 92 Nw. U. L. Rev. 916 (1998).

6） Frank Partnoy, "Barbarians at the Gatekeepers?: A Proposal for a Modified Strict Liability Regime," 79 Wash. U. L. Q. 491 (2001), Frank Partnoy, "Strict Liability for Gatekeepers: A Reply to Professor Coffee," 84 B. U. L. Rev. 365 (2004). 邦語による紹介として，黒沼悦郎「ディスクロージャーの実効性確保――民事責任と課徴金」金融研究25巻(2006) 78-87頁を参照。また，Merritt B Fox, "Civil Liability and Mandatory Disclosure," 109 Colum. L. Rev. 237 (2009) も参照。

7） John C. Coffee Jr., "Gatekeeper Failure and Reform: The Challenge of Fashioning Relevant Reforms," 84 B. U. L. Rev. 374 (2004)，黒沼・前掲注6) 82-83頁。

8） 金融庁「監査法人及び公認会計士の懲戒処分について」(平成18年5月10日)。

の公認会計士法改正により，監査人の業務管理・ガバナンス・ディスクロージャーの強化，監査人の独立性の強化，監査人の責任の強化が図られた[9]。

改正点は多岐にわたるが，次の2点が重要である。

第1に，公認会計士・監査法人が大会社等に対し，財務書類の調製，財務に関する調査・立案，コンサルティング業務などの非監査証明業務を提供しているときは，その会社の財務書類の監査証明業務をすることができない（会計士24条の2・34条の11の2）。すなわち，監査証明業務と非監査証明業務の同時提供の禁止である。ここにいう大会社等とは，一定規模以上の会計監査人設置会社，一定規模以上の金融商品取引法上の監査証明制度適用会社，銀行，保険会社等をいう（会計士24条の2，会計士令8条〜10条）。

第2に，大会社等について監査業務を行った公認会計士または監査法人の社員は，原則として7会計期間で他の者と交替しなければならず（ローテーション制），つぎに監査業務を行うまで2会計期間のインターバルを設けなければならない（会計士24条の3・34条の11の3，会計士令11条・12条・16条・17条）。さらに，平成19年の改正では，直近の会計年度に監査証明業務を行った発行者の数が100以上の大規模監査法人が，上場有価証券の発行者の監査証明業務を行う場合には，5会計期間で当該業務を統括する者が交替しなければならないとされた（会計士34条の11の4，会計規24条）。ただし，監査法人自体が交替することまでは求められていない。

⑶　不正行為の通報制度

公認会計士法の改正と同時に行われた平成19年の金融商品取引法の改正では，監査人に不正行為の通報制度を設けた点が重要である。

公認会計士または監査法人が，監査証明業務を行うにあたって，上場会社等の財務書類に重要な影響を及ぼす不正・違法行為を発見したときは，監査役等に報告するなどの手続をとらなければならず，一定期間内に改善が図られないときは，内閣総理大臣に報告しなければならない（193条の3）。この規定は，アメリカの連邦証券取引所法の規定[10]にならったものである。会社法上の会計監査人についても，取締役の不正・違法行為を監査役等に報告する義務が定め

9）改正の趣旨につき，金融審議会公認会計士制度部会報告「公認会計士・監査法人制度の充実・強化について」（平成18年12月22日），改正法の概要につき，大来志郎「公認会計士法等の一部を改正する法律の概要」商事1806号（2007）17頁参照。

10）取引所法10A条，黒沼・アメリカ228-229頁。

られているが（会社397条），金融商品取引法では，当局に対する報告義務まで課している点に特徴がある。この規定は，監査人が不正行為に加担することのないよう防止するだけでなく，企業の不正・違法行為を積極的に監視し是正する役割を監査人に負わせるものである。

第3節　確認書と内部統制報告書

1 確認書

確認書は，有価証券報告書等の書類の記載内容が法令に基づき適正であることを確認した旨を記載する書類である。アメリカでは，2001年頃に一連の会計不正事件が発覚した際，政府が上場企業の代表者に対して開示書類の適正性に関する確認を求め，この制度がサーベンス＝オックスリー法に受け継がれた。わが国でも，平成15年の府令改正により，有価証券報告書等の適正性の確保に向けた経営者の姿勢を示すことにより開示書類への信頼を高めることを狙って，確認書を有価証券報告等の添付書類とすることを認め[11]，ついで，平成18年の改正で，確認書の提出を上場会社に義務づけることとした。

上場会社の代表者が，有価証券報告書等の正確性を個別の項目にあたって確認することは，事実上不可能である。確認書を提出できるためには内部統制（→*2*）が有効に機能していなければならず，したがって，確認書の提出を義務づけることによって上場会社に内部統制の整備を促すことができる。

上場会社は，有価証券報告書・半期報告書・四半期報告書とあわせて，それらの継続開示書類の記載内容が法令に基づき適正であることを確認した旨の確認書を内閣総理大臣に提出しなければならない（24条の4の2・24条の4の8・24条の5の2）。上場会社以外の継続開示会社は，確認書を任意に提出することができる。確認書は，それぞれの継続開示書類と同様の場所で，5年間または3年間公開される（25条）。確認書の提出主体は上場会社または継続開示会社であるが，その代表者のほか，最高財務責任者を置いている場合にはその者の

11）　金融審議会第一部会報告「証券市場の改革促進」（「ディスクロージャー・ワーキング・グループ」報告）II（平成14年12月16日）。アメリカの制度との比較につき，黒沼悦郎「サーベンス・オックスリー法制定後の資本市場法制」アメリカ法2004-1号（2004）24頁以下。

署名も求められる（企業内容等開示府令17条の10，第4号の2様式）。確認書には確認を行った旨のほか，確認を行った記載内容の範囲が限定されている場合には，その旨およびその理由を記載する（第4号の2様式　記載上の注意(6) c)。

確認書の虚偽記載に対する刑事罰，課徴金や特別の民事責任規定は設けられていない。確認書に虚偽記載がある場合には継続開示書類にも虚偽記載があることになるため，継続開示書類に対する刑事罰，課徴金や民事責任規定を適用すれば足りるからである[12)]。虚偽記載のある継続開示書類を提出した者の刑事責任（197条1号・197条の2第2号）との関係では，十分な確認作業を行わなかった署名者も，それだけで記載が虚偽であることの認識があったとは判断されない。しかし，民事責任については，確認書の署名者は，他の者よりも高度の注意義務を負い，十分な確認作業を行っていないのに行った旨の確認書を提出すれば，継続開示書類の記載について相当の注意を払っていないとして署名者が民事責任を負う可能性が高くなるといえる（21条2項1号，→***5*** 節 ***6***(1)）[13)]。

2　内部統制報告書

(1)　立法の経緯

内部統制（internal control）とは一般に，①財務報告の信頼性，②業務執行の効率性，および③法令遵守（コンプライアンス）の確保を目的として，取締役会・経営者・職員により遂行される一連のプロセスをいう。これは，アメリカのCOSO（トレッドウェイ委員会）による定義であり[14)]，わが国では，これらに④資産の保全が目的として加えられた[15)]。これらのうち，財務報告の信頼性を確保するための内部統制が整っていることは，発行者の開示書類の正確性を確保するために必要な，基本的な条件である。なぜなら，複雑な事業を営む発行者において，経営者が個別の会計事項や開示情報にあたってその真実性を検証することは不可能に近いため，財務報告や開示情報が業務の過程で適切に作成されるようコントロールする仕組み（内部統制）を整えることによってしか，

12)　谷口義幸＝野村昭文「企業内容等開示制度の整備」商事1773号（2006）43頁。

13)　金融商品取引法研究会「開示制度（II）」（日本証券経済研究所研究記録24号，2008）30頁〔川口恭弘発言〕を参照。

14)　Committee of Sponsoring Organizations of the Treadway Commission, Internal Control ——Integrated Framework (1992).

15)　企業会計審議会「財務報告に係る内部統制の評価及び監査の基準並びに財務報告に係る内部統制の評価及び監査に関する実施基準」（2008）参照。

開示情報の正確性を確保することはできないからである。

アメリカでは，以前から，上場会社等に内部統制の構築義務が課せられていたが（取引所法13条(b)項(2)(B)），2001年頃の会計不正事件を契機として2002年に制定されたサーベンス＝オックスリー法により，内部統制報告書の制度が導入された（取引所法規則13a-15, 15d-15）[16]。イギリス，フランス，カナダ，韓国等でも，同様の制度が導入されている。わが国でも，平成16年から17年にかけて，西武鉄道，カネボウ，ライブドア等の粉飾決算事件が発生し，企業の内部統制が有効に機能していないのではないかという疑念が生じたことから，内部統制の目的のうち，特に財務報告の信頼性を高めるために，内部統制の有効性に対する経営者の評価と公認会計士・監査法人による監査を義務づけることが，平成18年の改正に盛り込まれた[17]。

(2)　内部統制報告書の提出

上場会社は，有価証券報告書とあわせて，当該会社の属する企業集団および当該会社に係る財務計算に関する書類その他の情報の適正性を確保するために必要な体制について評価した報告書（内部統制報告書）を内閣総理大臣に提出しなければならない（24条の4の4第1項，内部統制府令3条）。上場会社以外の継続開示会社は，内部統制報告書を任意に提出することができる（24条の4の4第2項）。金融商品取引法が要求する内部統制報告書は，財務報告を中心としつつ，それに限られない開示情報全般の正確性を確保するために必要な体制について，経営者がその有効性を評価した報告書である。法が内部統制報告書の提出義務を上場会社に限定したのは，流動性の高い有価証券は幅広い投資者の投資対象となるので，情報の正確性を確保する必要性が高いことに求められる。

内部統制報告書には，会社の代表者（代表取締役，代表執行役）および最高財務責任者（その者がいる場合）が署名し，①内部統制の基本的枠組み，②評価の範囲，基準日，評価手続，③評価結果を記載する（内部統制府令第1号様式）。①には，内部統制を整備・運用する際に準拠した基準の具体的名称が含まれるが，これについて企業会計審議会は内部統制の評価基準を定めている[18]。③は，(a)内部統制が有効である旨，(b)評価手続の一部が実施できなかったが，内部統

16)　アメリカにおける制度の展開については，柿崎環『内部統制の法的研究』（日本評論社，2005）を参照。

17)　金融審議会金融分科会第一部会報告「投資サービス法（仮称）に向けて」（平成17年12月22日）24頁。

18)　企業会計審議会・前掲注15）参照。

制は有効である旨，(c)重要な不備があり内部統制が有効でない旨（重要な不備の内容および期末日までにそれを是正できなかった理由も記載），(d)重要な評価手続を実施できなかったため評価結果を表明できない旨（実施できなかった重要な評価手続およびその理由も記載）のいずれかを記載する（内部統制府令第1号様式　記載上の注意(8)）。重要な不備とは，財務報告に重要な影響を及ぼす可能性が高い内部統制の不備をいう。

内部統制報告書の作成・提出を義務づける目的は，報告書の作成前に発行者の経営者に内部統制を構築させ，有効性の評価の過程で不備を発見したときはこれを是正させることにより，開示書類の正確性を高めることにある。

■Column 4-3　内部統制の構築と取締役の善管注意義務■■

会社法は，同法上の大会社，監査等委員会設置会社，および指名委員会等設置会社が，取締役の職務の執行が法令・定款に適合することを確保するための体制その他の法務省令で定める体制の整備について，取締役または取締役会で決定しなければならない旨を定める（会社348条4項・362条5項・398条の13第1項1号ハ・416条1項1号ホ）。これらの規定により，大会社等の取締役が有効な内部統制を構築する義務を負うか否かについては解釈上の争いがあるが，規定の解釈にかかわらず，株式会社の取締役は，その善管注意義務の内容として，財務報告の信頼性・業務執行の効率性・法令遵守を目的とする広義の内部統制を構築する義務を負っていると考えられる19)。

金融商品取引法上の内部統制報告書は，内部統制の有効性を経営者が評価した結果を表示するものであり，内部統制が有効でないと取締役が判断した場合にはそのような評価を記載すれば足りる。しかし，有効な内部統制を構築しないことが株式会社の取締役の善管注意義務違反となることは，会社法上の内部統制の場合と同じである。このように会社法上の内部統制と金融商品取引法上の内部統制とでは，目的が異なり，規制の仕方も異なっているが，ともに取締役の善管注意義務に立脚している点で共通した制度である20)。

より重要な問題は，どの程度有効な内部統制を構築すれば取締役は善管注意義務を果たしたといえるかであり，換言すると，内部統制に「重要な不備」がある場合に取締役が善管注意義務に違反したといえるかである。この点については，内部統制の対象内容によっては，費用対効果を踏まえた経営判断の原則が働く領域も存在すると指摘されている21)。たしかに，取締役の善管注意義務は，重要な不備のな

19)　江頭憲治郎『株式会社法〔第7版〕』（有斐閣，2017）474頁，大阪地判平成12・9・20判時1721号3頁参照。

20)　このような理解につき，金融商品取引法研究会・前掲注13) 38-45頁を参照。

い内部統制を構築することにあるのではなく，虚偽のない正確な情報開示を行うことにある[22]。内部統制の構築が企業経営に過度の負担をかけるものであってはならないが，財務報告を含む正確な情報開示を行う義務は取締役の信任義務（fiduciary duty）の中核をなすものであり，業務執行に適用されるのと同様の経営判断の原則が適用されるとは思われない[23]。

(3) 内部統制報告書の監査

内部統制報告書には，公認会計士または監査法人による監査証明を受けなければならない（193条の2第2項）。内部統制報告書の監査は，原則として財務諸表監査と同一の監査人が行う。この監査証明は，一般に公正妥当と認められる内部統制の評価基準に照らして，内部統制報告書が内部統制の評価結果を適正に表示しているか否かについて意見を表明するものであり（内部統制府令6条1項），内部統制自体の有効性を評価するもの（ダイレクト・レポーティング）ではない。したがって，内部統制が有効でない場合にその旨を表示した報告書に対しては，適正意見が表明されることになる。なお，企業会計審議会は，内部統制の監査基準を公表している[24]。

平成26年の改正では，新規・成長企業の上場を促すために，新規上場企業（資本の額等が一定規模以上の企業を除く）については3年間，内部統制報告書に監査を受ける義務を免除することとした（193条の2第2項4号）。アメリカのJOBS法による規制緩和に倣ったものであるが，新規上場企業は成熟企業に比べ内部統制が整っていない可能性が高いことを考えると，立法政策として疑問である。

(4) 内部統制報告書の虚偽記載

開示書類に虚偽記載があった場合，金融商品取引法は，発行者およびその関係者に対し，刑事罰，課徴金，および民事責任を課す特別の規定を用意している。内部統制報告書についても，重要な虚偽記載のある報告書の提出者は処罰の対象とされ（197条の2第6号），重要な虚偽記載があり，または重要な事実が欠けている場合に，発行者・役員・監査人が民事責任を負うとされた（24条

21）座談会「会社法と金融商品取引法の交錯と今後の課題（上）」商事1821号（2008）16-17頁〔武井一浩発言〕。

22）座談会・前掲注21）15頁参照。

23）黒沼悦郎「ディスクロージャー制度の多様化」ジュリ1368号（2008）28頁。

24）企業会計審議会・前掲注15）参照。

の4の6)。ただし，内部統制報告書の虚偽記載等は，課徴金納付命令の対象とはされなかった。内部統制報告書に関するこれらの責任強化によって，内部統制報告書制度が目指す財務報告の信頼性は増すであろうか。

真実は重要な不備があるのに内部統制を有効と評価した点に内部統制報告書の虚偽記載があっても，財務報告自体には虚偽がなかった場合には，発行者および関係者は有価証券報告書の虚偽記載に基づく責任を負わない。しかし，内部統制報告書の虚偽記載が発覚すれば，取締役が内部統制の構築を怠っていることが明らかにされ，将来，正確な財務報告が行われる保証が得られないため，発行者の株価は下落すると予想される[25)]。したがって，内部統制報告書の虚偽記載に対する刑事責任は，内部統制報告書の虚偽記載を理由に制裁を科し，虚偽記載に対する民事責任は，このような株価下落によって投資者が被った損害を賠償させることを通じて，それぞれ発行者の財務報告の信頼性を高めるのに役立つと考えられる。

第*4*節　刑 事 責 任

1　刑事責任による抑止効果

金融商品取引法は，重要な事項について虚偽の記載のある開示書類を提出した者や開示書類の提出をしなかった者に対し，重い刑事罰をもって臨んでいる。刑事罰は，違反行為者に強度の制裁を加え，違反行為者の仕事を奪い，その社会的評価を将来にわたって傷つけることになるため，ディスクロージャー違反を抑止する効果は極めて高い。

他方，一般に，刑事罰には次のような限界もある（→**5**節 ***1*** (1))[26)]。

第1に，刑事罰は，既に犯罪に手を染めてしまった者（たとえば，粉飾決算を開始した者）にとって，そこから引き返すインセンティブを与えることができない点で，抑止効果に限界がある。

第2に，刑事罰の抑止効果を高めようとして罰則の水準を引き上げると，犯罪者を犯罪から引き戻せる時点が早く到来してしまい，かえって犯罪者を追い込む結果となってしまう。

---

25)　証券取引法研究会・前掲注 1) 114 頁〔加藤貴仁発言〕。

26)　黒沼・前掲注 6) 71 頁。

第3に，刑事罰は原則として故意犯のみを処罰の対象とし，金融商品取引法上の刑事罰もそうであるから，刑事罰による制裁は，違法と認識して違反行為を行う者に対してしか働きかけることができない。

このような限界はあるものの，刑事裁判は，強制力をもって行われた捜査の結果を裁判の手続で吟味し，事実認定を行うものであるから，その認定事実は，これとは別に提起される民事訴訟においても事実上，尊重される。そして，刑事裁判の結果次第で民事責任追及訴訟が提起されることが予想されるから，民事責任追及訴訟とあいまって刑事罰は違反行為に対する高度の抑止効果を発揮できるといえよう。

2　発行開示の違反

⑴　虚 偽 記 載

虚偽記載のある開示書類に基づいて投資者が有価証券を取得することのないよう確保する必要性が高いことから，開示書類の虚偽記載に対する刑事制裁は金融商品取引法の罰則のなかでも特に重いものとなっており，平成18年改正によりさらに重罰化が行われた。重要な事項について虚偽の記載のある有価証券届出書・訂正届出書を提出した者に対しては，10年以下の懲役もしくは1000万円以下の罰金が科され，またはそれらが併科される（197条1項1号）。

ここにいう「有価証券届出書」には，参照方式（→**2章*3*節*4*⑷**）を利用したときの参照書類が含まれる（同号）。したがって，参照先の有価証券報告書に虚偽記載があれば，有価証券届出書にも虚偽記載があるものと扱われる。有価証券届出書の添付書類に虚偽記載がある場合も同じである（同号）。

「提出した者」とは，発行者を代表して有価証券届出書を提出した個人（代表取締役等）をいう。提出者に刑罰を科すためには，その者に故意があること，すなわち，有価証券届出書に重要な事項についての虚偽記載があることを認識していたことが必要であるが，提出に当たった代表取締役に認識がなくても，虚偽記載を認識しつつ有価証券届出書を提出させた代表取締役等が別にいるときは，その者が本罪の間接正犯となる。虚偽記載のある有価証券届出書の作成に関与した者，たとえば，情報の作成を担当した従業員や財務諸表に虚偽の監査証明をした公認会計士・監査法人は共犯に問われる可能性がある[27]。

27）　公認会計士が刑事責任を問われた例として，キャッツ事件（東京地判平成18・3・24），カネボウ事件（東京地判平成18・8・9 LEX/DB28135099），ライブドア事件（東京地判平

「重要な事項についての虚偽の記載」とは，記載事項の性質や虚偽の程度において投資者の投資判断に著しい影響を与えるような虚偽の記載を意味する。法が「重要な事項についての虚偽の記載」と「記載すべき重要な事項の不記載」とを区別していること（18条参照），および構成要件の明確化の観点から，記載の欠落は虚偽の記載に当たらないと解される。もっとも，たとえば，一部の負債を貸借対照表に計上しなかったことにより負債が過少計上された場合には，記載の欠落ではなく虚偽の記載である。

発行登録に用いられる発行登録届出書，その添付書類，訂正発行登録書，発行登録追補書類，その添付書類であって，重要な事項に虚偽の記載があるものを提出した者には，虚偽記載のある有価証券届出書の提出者と同等の罰が科せられる（197条1項1号）。プロ向け市場（→**6章*4*節*3*(1)**）に上場し，または上場予定の有価証券について，重要な事項について虚偽のある特定証券情報（→**6章*4*節*3*(3)**）を提供または公表した者についても，同様である（197条1項4号の2）。このように金融商品取引法は，発行開示書類の虚偽記載を，開示書類の種類を問わず同等の刑事制裁の下に置いている。

■Column 4-4　両罰規定■■

発行開示書類の虚偽記載について，発行者には両罰規定（207条1項）が適用される。両罰規定は，法人の代表者または法人もしくは人の代理人，使用人その他の従業者が，その法人または人の業務または財産に関し，刑罰規定に違反したときに，当該法人または人を処罰の対象とすることにより，違反行為を抑止しようとするものである。虚偽記載のある有価証券届出書の提出は，通常，発行者の業務に関して行われたといえるであろう。両罰規定の対象となる法人等が違反行為の防止に必要な注意を尽くしたことを証明した場合は，刑罰を免れると解するのが判例であるが[28)]，法人等の責任は無過失責任であるとする考え方[29)]もある。判例に立った場合でも，虚偽記載のある有価証券届出書は発行者の代表者により提出されるため，代表者の故意により本罪が成立するときに，実際上，発行者が両罰規定の適用を免れることは難しい。もっとも，代表者のみが訴追され発行者が訴追されないことは，ありうる。

成19・3・23 LEX/DB28145167）などがある。

28）　最大判昭和32・11・27刑集11巻12号3113頁（入場税法違反の事例），最判昭和40・3・26刑集19巻2号83頁（外国為替および外国貿易管理法違反の事例）。旧証券取引法上の両罰規定の趣旨と解釈については，証券取引法研究会「第9章　罰則(1)(2)」インベストメント31巻6号（1978）23頁以下，32巻1号（1979）41頁以下を参照。

29）　前掲最大判昭和32・11・27の補足意見。

⑵ 不提出

有価証券届出書等の発行開示書類の提出・公表なしに有価証券の募集・売出し等が行われると，投資者は開示情報なしに投資判断を迫られることになるから，発行開示書類の不提出はその虚偽記載と同様に刑事罰をもって禁止される。すなわち，有価証券届出書，発行登録届出書等の届出が受理されていないのに，有価証券の募集または売出し等を行った者は，5年以下の懲役もしくは500万円以下の罰金が科せられ，またはそれらが併科される（197条の2第1号）。特定証券情報の提供・公表がされていないのに，プロ向け証券の勧誘を行った者も同様である（同条10号の2）。

これらの場合に刑事制裁の対象になるのは，発行者ではなく，勧誘を行った者であることに注意を要する。また，両罰規定の適用があり，法人は，5億円以下の罰金に処せられる（207条1項2号）。以上に述べたほかは，⑴の場合と同様である。

3　継続開示の違反

⑴ 虚偽記載

重要な事項について虚偽の記載がある有価証券報告書・訂正報告書を提出した者は，10年以下の懲役もしくは1000万円以下の罰金を科せられ，またはそれらが併科される（197条1項1号）。虚偽の記載，提出者の意義，両罰規定の適用があることは，発行開示書類の虚偽記載（→*2*⑴）と同じである。

重要な事項について虚偽の記載がある内部統制報告書・半期報告書・四半期報告書・臨時報告書・自己株券買付状況報告書・親会社等状況報告書またはそれらの訂正報告書を提出した者は，5年以下の懲役もしくは500万円以下の罰金，またはそれらの併科（197条の2第6号），法人は5億円以下の罰金を科される（207条1項2号）。

■Column 4-5　粉飾決算に関する刑事裁判例■■

有価証券報告書の虚偽記載事件は，発行者の業績が悪化しつつある局面で，経営者が，外部に対しこれを隠し，会社の取引関係を維持しようとして，発行者の財政状態や経営成績をよく見せかける粉飾決算を行い，発行者の経営破綻後にそれが発覚するというパターンをたどるものが多い。粉飾決算を行った発行者の取締役等に対し有罪判決が下された裁判例として，東京地裁昭和51年12月24日判決（金判524号32頁〔東京時計事件〕），大阪地裁昭和52年6月28日判決（商事780号30頁

〔日本熱学事件〕），神戸地裁昭和53年12月26日判決（金判568号43頁〔山陽特殊鋼事件〕），東京地裁昭和57年2月25日判決（判時1046号149頁〔不二サッシ事件〕），東京地裁昭和62年3月12日判決（資料版商事37号49頁〔リッカー事件〕），東京地裁平成17年10月27日判決（LEX/DB 28135404〔西武鉄道事件〕），東京地裁平成25年7月3日判決（D1-Law28212286〔オリンパス事件〕）などがある。

バブル崩壊後に損失補塡（→**8章4節1**(1)）の後始末を行う過程で粉飾が行われた山一證券事件では，大手証券会社の役員が，法人顧客に生じた多額の損失や海外業務で生じた損失をペーパーカンパニーを用いて簿外処理し，未処分損失を圧縮して計上した財務諸表を作成した行為が虚偽有価証券報告書提出罪に当たるとされた（東京地判平成12・3・28判時1730号162頁）。本来，発行者に帰属すべき債務を簿外処理することは，たとえそれが会計ルールに形式的に従った処理だとしても，発行者の財政状態を偽るものといえる。ライブドア事件では，上場会社Aの子会社Bが投資事業組合を用いてあらかじめ100％買収していた会社と別の子会社Cとの株式交換を行い，Bが取得したA社株を売却して得た利益をAの連結売上高に計上した事案において，投資事業組合は脱法目的で組成されたものであるとしてその存在を否定し，Bによる親会社A株式の売買が行われたと認定し，したがって連結売上高に計上できないとした（東京地判平成19・3・16判時2002号31頁）。

他方，銀行の役員が，バブル崩壊により発生した多額の不良債権を隠蔽するために，不良債権を過少に積算した有価証券報告書を提出したとして訴追された長銀事件において，最高裁は，大蔵省の通達によって示された新しい経理基準が定着していない過渡的な状況のもとで，それまで「公正ナル会計慣行」（旧商32条2項，会社431条）として行われていた税法基準によったことは違法ではないとして，役員を有罪とした控訴審判決を破棄し無罪を言い渡した（最判平成20・7・18刑集62巻7号2101頁）。

(2) 不提出

発行者が有価証券報告書，内部統制報告書，これらの添付書類・訂正報告書を提出しない場合には，発行者の代表者は，5年以下の懲役もしくは500万円以下の罰金を科され，またはこれらを併科され（197条の2第5号），法人は5億円以下の罰金を科される（207条1項）。半期報告書・四半期報告書・臨時報告書・親会社等状況報告書等の不提出については，行為者が1年以下の懲役・100万円以下の罰金（200条），法人が1億円以下の罰金（207条1項）と，罰則が軽減されている。

第5節　民 事 責 任

1　総　　説

(1)　民事責任の機能

本節では，開示書類に虚偽記載があった場合の発行者や関係者の損害賠償責任を扱う。損害賠償責任のような民事責任には，被害者の受けた損害を塡補する機能（損害塡補機能）と違反行為を抑止する機能（違反行為抑止機能）があるといわれている。損害塡補機能は刑事責任にないものであるが，違反行為抑止機能についても，民事責任には，刑事責任にはない次のような特徴を指摘することができる。

第1に，民事責任は行為者の故意または過失に基づいて課されるのが原則であるから，民事責任を課すことにより，違反行為（たとえば虚偽記載）が生じないように相当の注意を払うインセンティブを行為者に与え，虚偽記載の発生を抑止することができる。このような民事責任に特有の抑止効果は，民事責任を負う者の範囲が広いほど発揮されるため，金融商品取引法は責任を負う者の範囲を広く定めている（→*2* 以下）。

第2に，民事責任が無過失責任と定められている場合には，抑止効果はより強く働く。この場合，行為者は無過失でも責任を負担することになるが，違反行為（たとえば虚偽記載）が発生しなければ責任を負わないから，行為者はそもそも違反行為が生じないように高度の注意を払うようになるからである。また，無過失の損害賠償責任を行為者に課すと，行為者は違反行為から生じる社会的コストを内部化して行動するため，社会的に望ましいレベルの行為が行われるようになる[30]。発行者は発行開示書類の虚偽記載について無過失責任を負うが（18条，→*2*(1)），それにより社会的に最適の量の有価証券が公募発行されるようになることを，上記の議論は意味する。もっとも，現実には，発行者に無過失責任を課すと関係者が過剰に注意を払うようになり，開示情報が過度に保守的なものになるとか，発行者が無過失責任を負い行為者が過失責任を負う枠組みの下では，行為者が負担しなかった損害を発行者の株主が負担するといった問題も生じる。

30)　Assaf Hamdani, "Gatekeeper Liability," 77 S. Cal. L. Rev. 53 (2003).

第３に，民事責任の追及は被害の回復を求める投資者によって行われるから，資源に限界がある上，性質上，謙抑的に行われる刑事責任の追及よりも広い範囲で責任追及が行われる可能性がある。民事責任に損害塡補機能があるがゆえに，違反行為抑止機能が促進されるわけである。このように私益を追求する私人の行動によって法の執行が行われること（私人による法のエンフォースメント[31)]）を期待して，アメリカでは，一般的な詐欺防止条項である取引所法10条(b)項およびこれに基づくSEC規則10b-5に，私人が損害賠償を請求する訴訟原因が含まれているという判例法が形成された[32)]。

■ Column 4-6　民事責任追及訴訟の困難性 ■■

開示書類の虚偽記載を理由として投資者が発行者または関係者の民事責任を追及する訴訟は，わが国では，平成17年頃までは，ほとんど提起されたことがなかった。開示違反を理由とする証券訴訟が少ない原因としては，①開示書類の虚偽記載を発見するのが難しいこと，②虚偽記載と損害との間の因果関係を立証するのが難しいこと，および③一投資者当たりの被害額が少額であるため，訴訟を提起しても費用倒れに終わるおそれがあることを挙げることができる[33)]。これらの難点のうち，①については，平成16年改正により課徴金制度が創設され，証券取引等監視委員会がその執行を担当しているので，投資者はその成果を利用できるようになった。②についても，平成16年改正により発行者の責任について損害額の推定規定が設けられたことから（→***5***(4)），投資者の負担は軽減された。平成17年頃から証券訴訟が増加したのは，発行者の無過失責任が定められたことが大きいが（→***5***(1)），平成26年改正でこれが過失責任へ変更されたことで，今後，訴訟数が減少するかどうかが注目される。

③については，現在でも状況は変わっていない。平成16年改正法施行後も，著名な発行者や投資者数の多い発行者の事例では民事訴訟が集団訴訟として提起されるが，虚偽記載による株価下落の小さい事例や投資者数の少ない発行者の事例では，課徴金納付命令が下された事件についても民事訴訟が提起されない傾向が見られる。

平成25年に，消費者の財産的被害の集団的な回復のための民事の裁判手続の特例に関する法律（以下，「消費者裁判手続特例法」）が制定された。この法律は，消費者の被害が同種少額のものであり，事業者と消費者との間で情報や交渉力の格差等があるため，訴訟による消費者被害の回復を図ることが難しいことから，消費者被

31）田中英夫＝竹内昭夫『法の実現における私人の役割』（東京大学出版会，1987）参照。

32）黒沼・アメリカ83-84頁，114-115頁。

33）黒沼悦郎「証券市場における情報開示に基づく民事責任(1)」法協105巻12号（1988）6-8頁。

害の回復のための裁判を，特定適格消費者団体が原告となる第1段階の手続（共通義務確認訴訟）と，第1段階で消費者側が勝訴した場合に，個々の消費者が第2段階の手続（対象債権の確定手続）に加入して，簡易な手続によって債権の有無や金額を決定することにより，消費者被害の集団的な回復を図るものである。消費者裁判手続特例法に基づく訴訟は「日本版クラスアクション」などと評されることもある。ところが，同法は，共通義務確認訴訟の対象を，事業者が消費者に対して負う，消費者契約に関する債務不履行，不法行為に基づく損害賠償請求（民法の規定によるものに限る）等に限定した（消費者裁判手続特例3条1項）。このため，金融商品取引法の民事責任規定に基づく投資者の損害賠償請求について，共通義務確認訴訟を利用することはできない。金融商品取引法では，過失の立証責任の転換や損害額の推定規定等，不法行為法の特則を置いて原被告間の負担のバランスをとっているので，消費者裁判手続特例法によるバランスの変更は好ましくないと判断されたためである[34]。また，不法行為に基づく投資者の損害賠償請求には同制度が適用できるが，発行者の開示書類に虚偽記載があった場合，流通市場で有価証券を売買して損害を受けた投資者は，事業者である発行者との間の消費者契約に関して損害を受けたとはいえないため（流通市場における売買は投資者と発行者との間の契約ではない），その損害賠償請求は消費者契約に関する請求とはいえず，消費者裁判手続特例法の適用対象にならない。

■ Column 4-7　証券クラスアクションの可能性■■

証券クラスアクションが，少額の投資者被害を糾合して，訴訟による民事責任の追及を可能にし，その結果，民事責任の損害塡補機能および違法行為抑止機能がより良く発揮されるようになることは，一般論としては否定しがたい。

証券クラスアクションが広く用いられているのはアメリカである。アメリカの証券クラスアクションは，一定の方法で範囲を特定したクラス（たとえば，○月○日から○月○日までの間に取引所市場を通じてX銘柄の株式を購入した投資者）を代表して特定の者が訴訟を提起するものであり，裁判所によるクラスアクションの認可が行われると，明示的に訴訟から離脱する意思を表明した者以外はすべて原告に含められる（オプトアウト型）[35]。このため原告の賠償請求額は莫大な額となる。証券クラスアクションは和解で終了することがほとんどであり，その和解額は請求額に比べると極めて少額である。このことから，一方で，原告側代理人が，クラスメンバーの利益に適う行動をとっていないと危惧され，他方で，証券クラスアクションは勝訴の見込みの低い事件についても提起されていることが想像される。被告とされる発行者やその役員は，訴訟でディスクロージャー違反についての故意・重過

34）消費者庁消費者制度課編『一問一答　消費者裁判手続特例法』（商事法務，2014）29頁。
35）黒沼・アメリカ 132-133頁，142-155頁。

失が認定されると，損害賠償責任について保険金が支払われないので，これらの者には訴訟を和解で終了させる強いインセンティブが働く。この結果，アメリカにおけるディスクロージャー違反の民事責任制度は，既存の株主から一部の投資者に富を移転するにすぎないといった批判が加えられている36)。

わが国でアメリカ型（オプトアウト型）の証券クラスアクションを導入した場合には，同様の現象が生じると予想される。つまり，低い金額で和解が行われるために民事責任の損害塡補機能が十分に発揮されず，被告に悪意・重過失がある場合にまで損害賠償額が保険金で支払われるために民事責任の違法行為抑止機能が十分に発揮されないことになる。さらに，終局判決が著しく減少するため，ディスクロージャー違反が生じないために関係者がどのような注意義務を負うべきかという，裁判による規範創造機能が発揮されないこととなる。これと比較すると，オプトイン型である消費者裁判手続特例法によるクラスアクション（→**Column 4-6**）は，これらの難点の多くを免れているので，証券クラスアクションのために消費者裁判手続特例法の証券法バージョンを作るのが妥当である。その際，第1段階の訴訟追行主体は，特定適格消費者団体ではなく証券訴訟やファイナンスに通じた弁護士とし，かつ，第1段階での裁判上の和解に対する規制を強化すべきであろう。

⑵　民事責任を定める諸規定

公衆の縦覧に供される開示書類に虚偽記載がされた場合において，発行市場において募集・売出しに応じて有価証券を取得した投資者，または流通市場において有価証券を取得しまたは処分した投資者が被る損害の回復に関する民事責任規定が，開示書類ごと，責任主体ごとに定められている。ここにいう民事責任規定とは，18条～21条・22条（有価証券届出書・目論見書），21条の2（開示書類全般），23条の12第5項による21条・22条の準用（発行登録書類・発行登録追補書類），24条の4（有価証券報告書），24条の4の7第4項による22条の準用（四半期報告書），24条の5第5項による22条の準用（半期報告書・臨時報告書），24条の6第2項による22条の準用（自己株券買付状況報告書）をいう。

これらの規定は，虚偽記載によって投資者が被った損害の賠償について不法行為責任（民709条・715条等）の特則をなすものであるが，投資者が不法行為に基づいて責任主体の損害賠償責任を追及することを排斥するものではない。

責任を生じる虚偽記載とは，①重要な事項についての虚偽記載，②記載すべ

36)　アメリカの証券クラスアクションについてはわが国においても多数の研究があるが，比較的最近のものとして，藤林大地「不実開示に対する発行会社等の民事責任の構造に関する一考察」同志社法学63巻4号（2011）139頁以下を参照。

き重要な事項の不記載，および③誤解を生じさせないために必要な重要な事実の不記載である（以下では，①〜③を虚偽記載等という）。したがって，内閣府令により有価証券届出書に記載することが求められている事項が記載されていない場合（②）のほか，有価証券届出書の記載事項について投資者に誤解を生じさせないために記載することが必要と認められる事実についても，それを記載しないこと（③）が本条の責任を生じさせる。いいかえると，発行者は有価証券届出書に，法定の記載事項だけでなく，投資判断にとって重要なあらゆる事実を記載しなければならないことを，金商法上の民事責任規定は意味する。

■ Column 4-8　誤解を生じさせないために必要な重要な事実の不記載■■

アーバンコーポレイションの事件では，新株予約権付社債を第三者割当によって発行する際に，発行者が調達した資金をすべて割当先に支払い，割当先が発行者の株式の市場価格に応じて計算された金額を変動支払金として支払うことなどを内容とするスワップ契約を締結したのに，臨時報告書の「手取金の使途」には短期借入金を始めとする債務の返済に使用する予定とのみ記載し，スワップ契約の存在および内容を記載しなかった。裁判例は，このような記載では，新株予約権付社債の発行によって取得する資金の全額を，即座に短期借入金等の返済に充てることが可能であるとの誤解を生じさせるものであるとして，虚偽記載等に当たると判断している37)。裁判所は虚偽記載等のどの類型に該当するか明言していないが，アーバンコーポレイション事件の記載は③の類型に当たると考えられる。

民事責任規定が虚偽記載の対象を重要な事項に限定したのは，重要な事項の虚偽記載でなければ投資者の行動や有価証券の発行条件に影響を与えず，したがって投資者に損害を与えることがないからである。有価証券の取得者が損害賠償を受けるためには，虚偽記載の対象が投資者の投資判断にとって一般的に重要な事項であることを立証する必要があるが，それを超えて，虚偽記載と取得との間の因果関係，すなわち虚偽記載がなければ当該有価証券を取得し，または処分しなかったであろうことを立証する必要があるかどうかは，個別の条項により異なる。

請求権者は，発行開示書類の虚偽記載等の場合は，発行開示の対象となる有

37)　東京地判平成22・1・12判タ1318号214頁，東京地判平成22・3・26金法1903号115頁，東京地判平成23・2・7判タ1353号219頁，東京地判平成24・6・22金判1397号30頁等。

価証券を募集または売出しに応じて取得した者，すなわち発行市場で取得した者に限定され（18条1項），目論見書の虚偽記載等の場合は，さらに，目論見書の交付を受けた者に限定される（同条2項）。もっとも，当該有価証券を流通市場で取得した者は，発行者の責任を21条の2に基づいて追及することができ，発行者以外の関係者の責任を22条に基づいて追及することができる。流通市場に向けられた虚偽記載等に基づく民事責任の請求権者は，証券取引法の制定以来，長い間，有価証券の取得者に限定されてきた。しかし，悲観的な虚偽記載によって有価証券を処分した者も虚偽記載による損害を被っているはずなので，請求権者を取得者に限定する理由はないと批判されてきた[38]。このような批判を容れて平成26年改正法は，有価証券の処分者も請求権者に加えた（21条の2第1項・22条等）。有価証券を取得し，または処分した者には，取引所市場外の取引によって取得し，または処分した者も含まれる。

有価証券の取得者・処分者が，開示書類を閲覧したか否か，書類の記載を正しいものとして信頼したか否かは問われない。投資者が，虚偽記載等を反映した条件で有価証券を取得・処分して損害を受けていることに変わりがないからである。ただし，有価証券を取得し，または処分する際に，記載が虚偽であり，または欠けていることを知っていた者は請求権者から除かれる（18条・21条の2第1項等）。悪意者は，自己の判断で有価証券を取得・処分しないことが期待できるからである。請求権者の悪意は発行者の側で証明しなければならない。

各損害賠償請求の消滅時効については，虚偽記載等のある書類の提出者の責任についてのみ特則が置かれている。すなわち，有価証券届出書の虚偽記載等に基づく発行者（届出者）に対する請求権（18条）は，投資者が虚偽記載等を知り，または相当な注意をもって知ることができた時から3年間，届出書の効力発生または目論見書の交付から7年間，行使しないときは消滅する（20条）。公衆の縦覧に供される開示書類の虚偽記載等に基づく発行者（提出者）に対する請求権（21条の2）は，投資者が虚偽記載等を知り，または相当な注意をもって知ることができた時から2年間，書類の提出から5年間，行使しないときは消滅する（21条の3）。これらの規定は，発行者に厳格な責任を負わせることから，不法行為による場合（民724条）よりも短期の消滅時効期間を定めたものであった。もっとも，平成26年改正により発行者の責任が過失責任に変更

38）　近藤光男＝吉原和志＝黒沼悦郎『金融商品取引法入門〔第3版〕』（商事法務，2013）292-293頁等。

されたのであるから，21条の3の時効期間は無過失責任に係る20条よりも長期に変更すべきであった。

これら以外の損害賠償請求権については消滅時効の定めがないので，民法724条が準用され，虚偽記載等を知った時から3年間，または有価証券を取得した時から20年間，行使しないときに請求権が消滅すると解される。

2　有価証券届出書の虚偽記載等に基づく発行者の責任

(1)　無過失責任

有価証券届出書の虚偽記載等について，発行者は，募集または売出しに応じて有価証券を取得した者に対して無過失の損害賠償責任を負う（18条）。ここにいう有価証券届出書には，5条1項の規定による届出書のほか，その添付書類，訂正届出書（2条7項），参照方式の場合の参照書類が含まれる（23条の2）。

発行者の責任が無過失責任とされたのは，有価証券の募集の場合には，有価証券届出書に重要な虚偽記載等がなく真実が記載されていたら，そもそも有価証券の募集が行われず，発行者が募集の対価を得ることもなかったであろう点に求められる。有価証券の売出しの場合に対価を得ているのは売出人であり発行者ではないが，発行者が有価証券届出書を作成・提出しているのでなければ売出しをすることはできないから（4条），売出人と密接な関係を有する発行者に無過失責任を負わせても酷とはいえないと考えられたのであろう。

組合形式の集団投資スキーム持分の発行者は業務執行組合員とされている（2条5項，定義府令14条3項4号イ）。これは有価証券届出書提出義務の名宛人としてふさわしい者を発行者と定義したものであり，虚偽記載に関する民事責任の主体としての発行者を想定した定義ではなかった。業務執行組合員は情報の作成者として無過失責任を負うべきであるとの考え方も成り立つが，民事責任の主体としての発行者はむしろ組合員全体であり，業務執行組合員は，発行者の役員として過失責任を負担すべきであるとはいえないだろうか。

(2)　損害賠償額の法定

有価証券届出書に重要な虚偽記載または重要な記載漏れがあった場合に発行者が負うべき損害賠償額は，請求権者が当該有価証券の取得について支払った額から，①損害賠償請求時に当該有価証券を保有しているときは，その時の市場価額（市場価格がないときは，処分推定価額）を控除した額，②請求時前に当該有価証券を処分した場合においては，その処分価額を控除した額と定められている（19条1項）。ここに請求時とは，投資者が発行者に対して損害賠償の請求を行った時を意味し，請求は裁判上のものに限られない。請求後の有価証券の価格の上昇は投資者が享受することになるが，価格の下落リスクも負担しなければならない。

①または②の額を損害賠償として被害者に回復させれば，被害者は取引前の経済的状態に復することになるから，19条1項は，発行開示書類の虚偽記載について原状回復的な損害賠償を認めたものといえる（**図表4-1**参照）。法がこのような原状回復的な損害賠償を認めた根拠としては，次の2点を指摘しうる。第1に，発行者は手取金という利益を得ているから，当該利益を返還させても，発行者の債権者や既存の株主を害することがない。第2に，有価証券届出書に虚偽記載がされなかったら，有価証券の募集は実現しなかった蓋然性が高いと法が評価していることである。後述のように，いずれの理由を重視するかによって，発行者以外の関係者の損害賠償額の解釈に相違が生ずることとなる（→***3***(5)）。

図表4-1

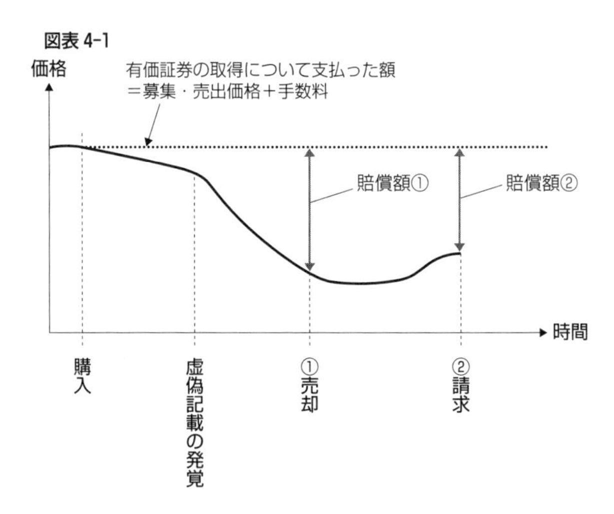

(3)　因果関係の反証

発行者は，請求権者が受けた損害の全部または一部が，重要な虚偽記載によって生ずべき有価証券の値下り以外の事情により生じたことを証明した場合には，その全部または一部について賠償責任を負わない（減額の抗弁，19条2項）。虚偽記載以外の事情としては，発行者の業績の悪化や市況の下落等が考えられる。

本項が設けられたのは，有価証券届出書の虚偽記載と関係のない原因によって生じた値下りは有価証券の取得者が負担すべきであると考えられたためであろう。しかし，請求権者は，有価証券届出書の虚偽記載がなければ，そもそも当該有価証券を取得せず，虚偽記載と無関係の原因によって生じた損害を被ることもなかったはずであるから，虚偽記載と無関係に生じた有価証券の値下り分も請求権者に賠償させなければ，請求権者を取引前の状態に復させることができず，原状回復的な損害賠償（取得自体損害の賠償，→***5***(6)）を実現したことにならない。他方，発行者としては，有価証券届出書に虚偽記載をしたまま有価証券を発行するという，そもそも行うべきでない取引をして資金を得たのであるから，当該取引から取得者に生じた全損害について賠償責任を負わせても酷とはいえない。したがって，立法論としては，19条2項のような因果関係の反証規定を設けるべきではないと考える。

発行者が因果関係の反証に成功しなかった場合には19条1項の規定する賠償額が認められるはずであるが，判例（最判平成30・10・11民集72巻5号477頁）は，そのような場合であって請求者の損害が虚偽記載等以外の事情により生じたと認められるものの，その額を立証することが極めて困難な場合には，民事訴訟法248条の類推適用により，裁判所は賠償の責に任じない損害の額として相当の額を認定することができると解している。

■ Column 4-9　第三者割当増資と18条・19条の適用■■

第三者割当増資によって資金調達を行った上場会社の有価証券届出書に重要な虚偽記載等があった場合に，第三者割当増資先が金融商品取引法18条および19条に基づいて上場会社の損害賠償を請求することができるかという問題提起が弥永真生教授によりされている[39]。弥永教授は，①第三者割当増資先は企業買収に際してデューディリジェンスを行った結果として投資を決定したのであれば，有価証券届出書の虚偽記載等と損害との間に因果関係が認められないこと，②第三者割当増資先は元引受証券会社と類似の地位に立つが，元引受証券会社が18条に基づいて発行者に損害賠償請求権を有すると解するのは不自然であること，および③上場会社の第三者割当増資を募集とした証券取引法の平成4年改正の趣旨は増資先からの転得者を保護することにあったから，総額引受けを行った増資先は18条等の「当該有価証券を当該募集又は売出しに応じて取得した者」に含まれないと解するのが自

39）弥永真生「企業買収と証券取引法（金融商品取引法）18条・19条」商事1804号（2007）4頁。

然であると指摘する。

①に対しては，18条が形式的に虚偽記載と損害との間の因果関係を要求していないことのほか，買収者によるデューディリジェンスは，通常，有価証券届出書等の公表資料に重要な虚偽記載がないことを前提として行われるから，デューディリジェンスの結果が主たる原因となって増資の引受けが行われたとしても，そのことは直ちに虚偽記載等と損害との間の因果関係を否定することにはならない。②については，第三者割当増資先を元引受証券会社と同視するのはやや無理があるほか，元引受証券会社が自らは投資者に対して21条1項4号の責任を負いつつ（→***3***(4)），発行者に損害賠償請求権を有することは不自然ではない。元引受証券会社が投資者に分売した有価証券については，取得価額と処分価額の差額である19条1項の損害賠償額は，ゼロ（別に引受手数料を受けていた場合）か引受手数料分（引受手数料分だけ取得価額が引き下げられていた場合）となり，元引受証券会社が18条に基づいて発行者に有価証券の値下り分の損害賠償を請求できるのは，元引受証券会社が売残り部分として保有する有価証券に限られるからである。

③の指摘は重要である。たしかに第三者割当増資先はディスクロージャーによる保護を必要としていないから，立法論としては，転得者の保護策を講じた上で上場有価証券について少人数私募を認めることも考えられる（→Column 2-7）。しかし，現行法の解釈論としては，第三者割当てによって発行された株式の転得者が「当該有価証券を当該募集又は売出しに応じて取得した者」に当たると解釈することは困難であるから，③のように第三者割当増資先もこれに該当しないと解すると，第三者割当増資によって発行された株式の取得者は誰も18条を利用できなくなり，かえって不当な結果が生ずるのではないだろうか。

(4)　有価証券届出書の流通市場における利用

有価証券届出書に虚偽記載等があると，既発行の有価証券の流通市場にも影響を及ぼす。投資者は，届出書の記載を投資判断資料とするため，届出書の虚偽記載等によって有価証券の市場価格が影響を受け，投資者が損害を被る可能性がある。そこで，21条の2は，有価証券届出書の虚偽記載等について，発行者の有価証券を取得し，または処分した者に対して発行者に，不法行為責任より厳しい過失責任を負わせ，22条は，発行者の役員等，および監査証明をした公認会計士または監査法人に，同様の過失責任を負わせている。具体的な規制内容については，それぞれ***5***，***6***で説明する。

3　有価証券届出書の虚偽記載等に基づく関係者の責任

(1)　発行者の役員等

有価証券届出書提出時における発行者の役員または発起人は，有価証券届出書の虚偽記載等により投資者が受けた損害を賠償する責任を負う（21条1項1号）。役員とは，取締役，会計参与，監査役，執行役，またはこれらに準ずる者をいう（裁判例につき→**Column 4-21**）。

金融商品取引法は，誰がどのような手続で有価証券届出書を作成すべきかを直接規定していないが，本号からは，執行役または業務執行取締役が有価証券届出書を作成し取締役会の承認を受けることを想定していることがわかる。取締役・監査役は取締役等の職務執行を監督・監査する義務を負うから（会社362条2項・381条1項），金融商品取引法が，有価証券届出書の作成に直接関与しなかった取締役や監査役に，有価証券届出書に虚偽記載がないよう注意を払う義務（注意義務）を負わせることは，会社法と整合的である。これに対して，取締役と共同して計算書類等を作成するにすぎない会計参与（会社374条1項）について，本号が有価証券届出書中，監査証明の対象となる財務書類以外の部分に関して注意義務を負わせるものだとすれば，行きすぎではないだろうか。発起人が責任を負うのは，会社の設立のために株式の募集を行い，当該募集のために提出した有価証券届出書に虚偽記載があった場合である。

発行者の役員は，記載が虚偽であり，または欠けていることを知らず，かつ，相当な注意を用いたにもかかわらず知ることができなかったことを証明した場合に限って，責任を免れる（21条2項1号）。この規定の趣旨は，発行者の役員に実際に注意を払わせて，有価証券届出書等の完全かつ正確な記載を確保させることにある[40]。したがって，発行者の役員が，相当な注意を用いなかった以上，たとえ相当な注意を用いても虚偽記載を発見できなかったであろうことを証明した場合であっても，その者は免責を受けることはできない[41]。

発行者の役員が免責を受けるために用いるべき相当な注意の程度は，その者の属性や職務権限に照らして個別具体的に判断される（裁判例につき→***6***(1)）[42]。たとえば，同じ取締役であっても弁護士であれば法律事項の記載に用いるべき

---

40)　神崎＝志谷＝川口554頁。

41)　河本一郎「証券取引法の基本問題」神戸法学雑誌21巻3＝4号（1972）246頁。

42)　神崎克郎「証券取引法上の民事責任」大森先生還暦記念『商法・保険法の諸問題』（有斐閣，1972）221頁以下参照。

相当な注意は高度なものとなり，会計士であれば財務書類の記載に用いるべき相当な注意は高度なものとなる。また，会計参与は，財務書類以外の部分の虚偽記載について21条1項の責任を負うとしても，その職責から考えて財務書類以外の部分について用いるべき相当な注意の程度は低いと解すべきである。なお，取締役・監査役が，正当な理由なく有価証券届出書の承認決議をする取締役会に欠席した場合には，相当な注意を用いたとはいえないであろう。

(2) 売 出 人

有価証券の売出しが行われる場合において，売出しに係る有価証券の所有者（売出人）は有価証券届出書の虚偽記載について民事責任を負う（21条1項2号）。売出しについて引受けが行われ，有価証券がいったん引受人へ移転するときは，元の所有者が売出人としての責任を負い（同号括弧書），引受人は売出人と元引受契約を締結している金融商品取引業者等に該当する場合に，21条1項4号に基づいて責任を負う。売出人は，虚偽記載等を知らず，相当な注意を用いたにもかかわらず知ることができなかったことを証明した場合に限り，損害賠償責任を免れることができる（21条2項1号）。

有価証券届出書の作成に実際に関与せず，関与することができない売出人も含めて，すべての売出人に虚偽記載の責任を負わせることに対しては批判が強かった[43]。もっとも，平成21年の改正により，売出しの定義から発行者の主要株主以外の者による勧誘が除外されたため，主要株主以外の者が虚偽記載の責任を負う可能性は低くなった[44]。発行者に有価証券届出書を提出させるだけの関係を有している売出人でなければ有価証券の売出しを行うことはできないのであるから，売出人に虚偽記載の責任を負わせることは酷ではない。さらに，売出人が売出しの対価を収めていることを考慮すれば，立法論としては，売出人に無過失責任を課すことが望ましい。

(3) 監査証明をした公認会計士または監査法人

有価証券報告書中の財務計算に関する書類（財務書類）に関する監査証明において，監査証明に係る書類について記載が虚偽でありまたは欠けているものを，虚偽でなくまたは欠けていないものとして証明した公認会計士または監査法人は，虚偽記載から取得者に生じた損害を賠償する責任を負う（21条1項3号）。有価証券報告書中の財務書類以外の部分にのみ虚偽記載があった場合に

43）神崎克郎＝志谷匡史＝川口恭弘『証券取引法』（青林書院，2006）365頁。
44）神崎＝志谷＝川口556頁。

は，公認会計士・監査法人が責任を負う余地はない。財務書類に虚偽・欠缺があるのに虚偽・欠缺がないものとして証明したとは，財務書類が発行者の財政状態および経営成績を適正に表示していないのに適正意見または限定付適正意見（虚偽記載が除外事項に係る場合を除く）を表明したことを意味する（→***2***節***1***）。虚偽・欠缺のある財務書類に対し不適正意見を表明した公認会計士・監査法人が責任を負うことはない。

公認会計士または監査法人は，監査証明をしたことについて故意または過失がなかったことを証明したときは，この責任を免れる（同条2項2号，裁判例につき→***6***⑵）。公認会計士・監査法人は公正妥当と認められる監査基準に従って専門家として監査を行うのであるから，過失がないといえるために払うべき注意義務の水準は，公認会計士の個人的能力や監査法人の規模によって変わることはない。公認会計士・監査法人に虚偽の監査証明に関する故意・過失がある限り，それらの者は有価証券報告書の虚偽記載と因果関係のある損害について賠償責任を負うのであり，虚偽の監査証明と損害との間の因果関係は要求されない。

⑷　元引受金融商品取引業者等

発行者または売出人と元引受契約を締結した金融商品取引業者または登録金融機関（元引受金融商品取引業者等）が，責任を負担するものとして列挙されている（21条1項4号）。投資者は，評判の高い金融商品取引業者等が元引受けを行い，募集・売出しの行われる有価証券のリスクを一部負担するからこそ，その評判を信頼して募集・売出しに応じる。元引受金融商品取引業者等の協力がなければ，発行者が募集を行い売出人が売出しを行うことは事実上困難であるから，元引受けを行う業者は，発行者に対する影響力を行使することができる。売出しの場合は売出人を通じて発行者に対する影響力を行使することになる。このような関係を前提として，法は，元引受けを行う業者に有価証券報告書の虚偽記載に関する特別の民事責任を課し，正確な開示書類が作成されるよう確保しようとしているのである。

元引受契約とは，有価証券の募集・売出しに際して，発行者または売出人との間で，①当該有価証券を投資者に取得させることを目的として，当該有価証券の全部または一部を発行者または売出人から取得する契約（総額引受契約），②当該有価証券の全部または一部につき，これを取得する投資者がない場合にその残部を発行者または売出人から取得する契約（残額引受契約），または③ライツ・オファリング（→**2章*1*節*1*(4)**）において新株予約権を行使しない者がいるときにこれを発行者または所有者から取得して行使する契約（コミットメント契約，→**2章*1*節*1*(4)**）を締結した者をいう（21条4項)。したがって，投資者に取得させるために元引受金融商品取引業者等からその引き受けた有価証券の一部を取得する下引受金融商品取引業者等（→**2章*1*節*1*(1)**）は，本条の責任を負わない。

元引受金融商品取引業者等の免責要件は，①財務書類に係る部分以外の部分と②財務書類に係る部分とに分けて規定されている（同条2項3号)。①については，虚偽記載を知らず，かつ，相当な注意を用いたにもかかわらず知ることができなかったことを証明しなければ，責任を免れることはできない。これに対し②については，財務書類の虚偽記載（いわゆる粉飾決算）を知らなかったことを証明すれば免責されるように読める。

金融商品取引法が財務書類とそれ以外とで元引受金融商品取引業者等の免責要件を区分したのは，元引受業者は財務書類の専門家ではなく，これには別に公認会計士・監査法人という専門家による監査証明を受けているためである。しかし，虚偽記載を知らなければ責任を負わないというのでは，元引受業者は財務書類については調査をしない方がよいということになり，元引受金融商品取引業者等の審査能力に期待して開示の信頼性を確保しようとする法の趣旨が没却されてしまう[45)]。目論見書を使用して有価証券を取得させた金融商品取引業者等が，財務書類についても相当な注意を用いる義務を負うこと（17条，→**2章*5*節*4*(2)**）と比べても，元引受金融商品取引業者等が財務書類については調査義務を負わないとする解釈は論理的にも不条理であると指摘されている[46)]。実質的にも，会社の経営体質や人材の配置などから元引受金融商品取引業者等が財務書類の虚偽記載の端緒を摑む場合も考えられ，元引受業者に注意義務を負わせることにより財務書類の虚偽記載を抑止する効果が期待できる。

そこで学説は，元引受金融商品取引業者等が目論見書の使用者として17条の注意義務を負うことから，有価証券届出書中の財務書類についても相当な注意を尽くすべきであると説いている[47)]。これらの学説が，元引受業者が目論見書を使用しない場合や自己が有価証券を取得させた相手方以外の投資者に対す

45)　神崎＝志谷＝川口558頁，近藤＝吉原＝黒沼200頁。
46)　神崎・前掲注42) 232頁。
47)　河本・前掲注41) 236頁，鈴木＝河本・229頁。

る関係でも注意義務を負うと解しているのか，必ずしも明らかでないが，もし負うと解すると17条を根拠とすることは難しいのではないだろうか。17条の責任は目論見書の使用者にのみ適用され，また有価証券を取得させた相手方のみが目論見書の使用者に対して損害賠償請求権を有するからである。目論見書の使用者が負う注意義務と元引受金融商品取引業者等が負う引受審査義務とは，発行開示体制のなかで本質的に異なる役割を果たしている。そこで，17条を根拠とするのではなく，端的に21条2項3号の解釈として，元引受金融商品取引業者は，財務書類について積極的に調査する義務までは負わないが，虚偽記載を疑わせる事情を知っているか容易に知りうる場合には，相当の注意を払って財務書類を調査する義務を負うと解すべきではないだろうか。21条2項3号にいう「記載が虚偽であり又は欠けていることを知らず」とは，知らないことに合理的な理由があった場合を指し，過失によって知らなかった場合は含まれないと解するのである[48]。

■Column 4-10　幹事証券会社の注意義務■■

財務書類の虚偽記載に対する元引受金融商品取引業者等の民事責任が争われた裁判例が登場した。FOI事件では，FOI社が上場前から売上高の大部分（上場直前には売上高の9割）を架空計上し，上場後半年で粉飾決算が発覚して株式が上場廃止となり会社も倒産したため，発行者の株式を取得した投資家が元引受証券会社，金融商品取引所等の責任を追及した。元引受証券会社のうち幹事証券会社（株式の募集・売出しに当たり発行者に対する指導・助言を行うとともに引受審査を直接に行う証券会社）の責任について，一審判決は，会計監査の対象となっている財務計算部分についても，公認会計士等が行った会計監査の信頼性を疑わせるような事情あるいは財務情報の内容が正確でないことを疑わせるような事情が存在するか否かについては厳正に審査する必要があるとして，幹事証券会社の責任を認めた[49]。この判決は，本文の私見を採用したようにも見えるが，根拠条文として金商法21条1項4号とともに17条を挙げていた。それに対し控訴審判決は，21条1項4号の趣旨

48）黒沼悦郎「有価証券届出書に対する元引受証券会社の審査義務」岩原紳作＝山下友信＝神田秀樹編『会社・金融・法（下）』（商事法務，2013）362-368頁。元引受金融商品取引業者等が財務書類について相当な注意を負うことを出発点として，複数のゲートキーパーが存在する場合に誰に注意義務を課せば最適の抑止が達成されるかという観点から検討し，元引受金融商品取引業者等の引受審査は，公認会計士・監査法人による監査証明の信頼性を確認するという観点から行われるべきであるとする見解として，後藤元「発行開示における財務情報の虚偽記載と元引受証券会社のゲートキーパー責任」岩原紳作＝山下友信＝神田秀樹編『会社・金融・法（下）』（商事法務，2013）395-402頁。

49）東京地判平成28・12・20判時2401号45頁。

は元引受証券会社において相当な注意を用いた審査までは要求しない趣旨であり，そう解することによる不都合は17条の責任によって補完されていると判示し，通説を支持した[50]。その上で判決は，元引受証券会社の注意義務を会計監査を経た財務情報（財務計算以外の部分のものを含む）とそうでないものとに分け，前者については，監査結果の信頼性に疑義を生じさせるような事情の有無を調査する注意義務を負うとし，幹事証券会社は当該注意義務を尽くしていたとした。もっとも，控訴審判決が結論として幹事証券会社の責任を否定したのは，法律構成というよりも，疑義を生じさせるような事情が判明した場合に幹事証券会社は自ら財務情報の正確性について公認会計士等と同様に実証的な方法で調査する義務はなく，疑義が払しょくされたと合理的に判断できるか否かを確認するために必要な追加的調査を実施すれば足りるという判断枠組みを用いたためである。しかし，監査結果に疑義があるのに自ら実証的な方法で調査する義務がないとしたら，幹事証券会社が粉飾決算を防止することはほとんど不可能ではないだろうか。

幹事証券会社以外の元引受証券会社および金融商品取引所の民事責任は，いずれの判決でも否定されている。

■ Column 4-11　ライツ・オファリングに係る元引受金融商品取引業者等の民事責任■■

平成23年改正金融商品取引法は，ライツ・オファリングにおいてコミットメントを行う行為を「有価証券の引受け」（2条6項3号）と構成した（→10章*1*節*2*(2)⑥）。これは，発行者または売出人との間でコミットメント契約を締結する証券会社を元引受金融商品取引業者等に該当させ（21条4項3号），業者に民事責任を課すことを通じて適切な引受審査を行わせることを1つの目的としたものであった。しかし，つぎに述べるように，改正法の解釈上この目的をうまく達成できないように思われる[51]。

まず，新株予約権の無償割当てを受けてこれを行使した株主は，新株予約権を募集に応じて取得した者に当たる。しかし，有価証券届出書に虚偽記載がされるより前から株主であった者は，虚偽記載後その発覚前に新株予約権を行使し，真実が開示された場合に想定されるよりも多額の払込みを株式についてしたとしても，当該払込金額は株式の価値に反映されるため，損害を被ることはない。したがって，従前の株主は元引受証券会社の21条1項4号の責任を追及することはできない。つぎに，新株予約権を市場で取得した者は，過大評価された新株予約権の対価を支払

50）　東京高判平成30・3・23判時2401号32頁。評釈として，藤林大地「判批」金判1558号2頁。

51）　詳しくは，大証金融商品取引法研究会「ライツ・オファリングにかかる金融商品取引法の改正について(1)(2)」（研究会記録8号，2012）4頁〔黒沼悦郎報告〕を参照。

うことによって損害を被っているが，取得者は新株予約権を「募集に応じて取得した者」ではないので，21条1項4号の責任を追及することができない（21条の2および22条に基づいて発行者とその役員・公認会計士の責任を追及することはできる）。さらに，ライツ・オファリングは株式の募集に該当しないという解釈を前提として構成されたので（→Column 2-2），新株予約権を市場で取得した者が払込みを行って株式を取得しても，株式を「募集に応じて取得した者」に該当せず，やはり21条1項4号の責任を追及できないのである。

有価証券届出書が組込方式または参照方式で作成されている場合には，元引受金融商品取引業者等の損害賠償責任は，そこに組み込まれ，または参照された継続開示書類の虚偽記載についても及ぶ。組込方式の場合には，組み込まれた継続開示書類は当然に有価証券届出書となるし，参照方式の場合には，有価証券届出書に参照書類を含める規定（23条の2）が置かれている。したがって，この場合，元引受金融商品取引業者等の審査義務は継続開示書類に及ぶことになる[52]。

(5) 損害賠償額

発行者の責任（18条・19条）と異なり，関係者の責任について損害賠償額は法定されていないので，請求権者は虚偽記載によって損害を被ったことを証明しなければならない（21条1項柱書）。

開示書類に虚偽記載がされた場合に，虚偽記載を反映した価格で有価証券を取得した投資者の被る損害の捉え方および損害賠償額の算定方法については，最近，継続開示書類について判例・学説の蓄積がある（→5(6)）。判例は，金融商品取引法の規定に基づく請求と一般不法行為に基づく請求とで損害額の捉え方に差はないと考えているから（最判平成24・3・13民集66巻5号1957頁），判例の見解は有価証券届出書の虚偽記載についても参考になる。

判例の基本的な考え方は，①虚偽記載がなければ投資者が有価証券を取得しなかったとみるべき場合には，取得価格と処分価格の差額を基礎とし経済情勢，市場動向，会社の業績等虚偽記載に起因しない市場価額の下落分を差額から控除した額が損害額となる（最判平成23・9・13民集65巻6号2511頁），②虚偽記載がなければ有価証券をより低い価格で取得したとみるべき場合の損害額は，

52） 黒沼悦郎「ディスクロージャー制度の新展開」ジュリ948号（1990）162頁。

取得価格と虚偽記載がなかったならば生じていたであろう市場価格（想定価格）との差額（取得時差額）に限られず，虚偽記載の公表を原因として生じた諸事情による株価の値下りが広く含まれる（前掲最判平成24・3・13），というものである。ところが，最高裁は①の場合と②の場合の区分基準を示さなかったため，発行開示書類の虚偽記載が①の場合に当たるか，②の場合に当たるか，いずれの場合にも該当しうるのかが，明確でない。

①の場合の損害額の算定方法は，有価証券届出書の虚偽記載に係る発行者の損害賠償額の算定規定（19条）と類似している（→*2*(2)）。また，発行者がこのような責任を負う論拠として，有価証券届出書に虚偽記載がされなかったら有価証券の募集は実現しなかった蓋然性が高いと法が評価していることを重視すると（→*2*(2)），発行者の役員，公認会計士・監査法人，および元引受金融商品取引業者等にも原状回復的な損害賠償責任を負わせるべきであるといえる。このように考えると，金融商品取引法21条1項各号の責任について19条を類推適用する解釈や，有価証券届出書の虚偽記載のケースは原則として上記①の場合に該当するとの当てはめが正当化されることになる。21条が，賠償の対象となる損害の範囲を画するのに各責任主体の行為と損害との間の因果関係を要求しておらず，虚偽記載等と損害との間の因果関係のみを要求していることも，発行者の損害賠償額と関係者の損害賠償額が等しいという解釈を支える。

これに対し，発行者が原状回復的な損害賠償責任を負う根拠として，発行者が手取金を得ていることを重視すると，直接的な利益を得ていない関係者の責任額は発行者のそれと異なってよいという見解に傾く。この見方による場合には，有価証券届出書の虚偽記載が①の場合に当たるか，②の場合に当たるかは，事案ごとに判断すべきことになろう。ただ，虚偽記載がなければ投資者が有価証券を取得しなかったとみるべきか否かは，当該虚偽記載の性質や投資者が有価証券を取得するに至った事情等によって決せられるべき問題であり，各責任主体の行為やその帰責性によって判断を違えるべき問題でないことにも注意しなければならない。

4　有価証券届出書以外の発行開示書類の虚偽記載等に基づく責任

(1)　目論見書の虚偽記載

金融商品取引法13条1項の目論見書に虚偽記載がある場合には，目論見書を作成した発行者は，募集または売出しに応じて目論見書の交付を受けて当該有価証券を取得した者（悪意の者を除く）に対して，損害賠償責任を負う（18条2項）。ここにいう目論見書は公募に際して作成・使用される目論見書であり，私募に際して用いられる勧誘文書に虚偽記載があった場合には，本条は適用されない。

13条1項の目論見書は有価証券届出書の記載内容に基づいて作成されるので，目論見書に虚偽記載があれば有価証券届出書にも虚偽記載があるはずであるが，例外的に，目論見書にのみ虚偽記載がなされることがありうるため，目論見書の虚偽記載に関する民事責任規定が必要になる。

発行者の責任が無過失責任であること，発行者が取得者の悪意を証明した場合に責任を免れること，および損害額を法定し因果関係の反証を認める19条の規定が適用されることは，有価証券届出書の虚偽記載についての発行者の責任と同様である（→***2***）。投資信託証券の販売に当たり使用することが認められている請求目論見書（→**2章*4*節*2*(2)**）を交付目論見書と合冊して契約締結時までに交付した場合であって，請求目論見書に虚偽記載があったときは，請求目論見書の交付は交付義務に基づくものとはいえないが，投資者は虚偽記載のある請求目論見書の交付を受けて有価証券を取得したといえるので，18条2項による損害賠償を請求しうる[53]。これに対し，契約締結後に請求目論見書の交付を請求したため（この場合は発行者等に請求目論見書の交付義務は生じない。15条3項），目論見書の交付を受けたのが有価証券の取得後になった場合には，目論見書の交付を受けて有価証券を取得したといえないため，投資者は18条2項による損害賠償を請求することはできないと解される。

発行者の役員・発起人および売出人は，目論見書の虚偽記載について発行者と並んで損害賠償責任を負う（21条3項）。目論見書中の財務書類に監査証明をした公認会計士・監査法人，ならびに元引受金融商品取引業者等は，責任を負う主体から除外されている。目論見書が有価証券届出書の記載に基づいて発行者の責任で作成されることを考慮したものである。ただし，元引受金融商品取引業者等が目論見書を使用して投資者に有価証券を取得させた場合には，目論見書の使用者としての責任を負う（17条，→**2章*5*節*4*(2)**）。

(2)　発行登録書等の虚偽記載

発行登録制度を利用する発行者にとって有価証券届出書に代わるのは，発行

53)　黒沼悦郎「目論見書制度の改革」証券取引法研究会編『証券・会社法制の潮流』（日本証券経済研究所，2007）5頁。

登録書・訂正発行登録書と発行登録追補書類である。そこで，これらの書類およびその添付書類，ならびにこれらの書類に係る参考書類（以下，発行登録書類等という）に虚偽記載があった場合に，発行者，発行者の役員，公認会計士・監査法人，および元引受金融商品取引業者等の責任規定（18条〜21条）が準用されている（23条の12第5項）。

また，これらの書類が流通市場において投資判断材料とされることから，流通市場で有価証券を取得しまたは処分した者に対する発行者および関係者の責任規定（21条の2・22条）も準用されている（23条の12第5項）。

5　有価証券報告書の虚偽記載等に基づく発行者の責任

(1)　責任の態様

従来，有価証券報告書等の継続開示書類に重要な虚偽記載等がされた場合に発行者の損害賠償責任を定める特別の規定はなかった。開示書類の虚偽記載について発行者の代表取締役に故意または過失がある限り，発行者は，不法行為の一般原則に従って，虚偽記載によって投資者が被った損害を賠償する責任を負うと考えられる[54)]。しかし，有価証券の価格はさまざまな要因によって変動するから，虚偽記載と損害との間の因果関係を原告である投資者が立証することは難しい。そこで，投資者と発行者の間の実質的な立証の負担のバランスを図るため，平成16年の改正により21条の2が設けられた[55)]。この規定の制定当時の特徴は，法定開示書類の虚偽記載について発行者の無過失責任を定めたこと，および投資者が被った損害額について推定規定を設けたことである。

■ Column 4-12　発行者の不法行為責任■■

本文に述べたように，通説は，虚偽記載について発行者が不法行為責任を負うと解していたが，これに対し，発行者が投資者と取引関係に立たないこと，株式の取得者は会社債権者より劣後的地位に立つべきことを理由に，発行者は有価証券報告書の虚偽記載につき不法行為責任を負わないとする見解もあった[56)]。当時の立法担当者が同様の考え方に立っていたとの指摘もされている[57)]。東京地裁平成20年

---

54)　神崎296頁。

55)　立法の趣旨につき，金融審議会金融分科会第一部会報告「市場機能を中核とする金融システムに向けて」（平成15年12月24日）参照。

56)　谷川久「民事責任」ルイ・ロス＝矢沢惇監修『アメリカと日本の証券取引法（下）』（商事法務研究会，1975）621頁。

57)　岡田大＝吉田修＝大和弘幸「市場監視機能の強化のための証券取引法改正の解説——

4月24日判決（判時2003号10頁）は，発行者の不法行為責任を前提としてその特則を定める21条の2が置かれた後に下された判決であるが，発行者は，有価証券報告書の提出に当たり，その重要な事項について虚偽の記載がないように配慮すべき注意義務があり，これを怠ったために当該重要な事項に虚偽の記載があり，それにより発行者が発行する有価証券を取得した者に損害が生じた場合には，記載が虚偽であることを認識しながら有価証券を取得した等の特段の事情がない限り，当該損害について不法行為による賠償責任を負うと述べる。虚偽記載について発行者が損害賠償責任を負うことは，伝統的な不法行為責任理論からは当然であるといえる。

もっとも，会社である発行者に責任を負わせることは，会社の背後にいる株主に責任を負担させることに等しいため，発行者の責任は株主間の利益移転を生じさせるだけであるとの批判もある[58)]。ディスクロージャーに関して被害者の救済と違反行為の抑止という目的を効率的に達成するには，誰に（責任主体）どの範囲の責任（損害論）をどのような態様で（帰責論）負わせるべきかを論じることが必要であり，発行者の責任もそのような文脈において議論が深められるべきであろう[59)]。

発行者の責任を無過失とした理由として，立案担当者は，開示書類に虚偽記載がある場合，発行者に故意・過失がないということは考えられないと説明していた[60)]。しかし，子会社の財務諸表に虚偽記載がされたために発行者の連結財務諸表に虚偽記載が生じた場合のように，発行者の代表取締役等に過失がない場合はいくらでも想定できる。実際，平成16年改正法施行後，上場会社が有価証券報告書の虚偽記載等をした場合に投資者が発行者の責任を追及する訴訟が多くなり，実務のみならず学界からも無過失責任への批判の声が上がっていた[61)]。そこで，平成26年改正法は，21条の2に基づく発行者の損害賠償責任を，無過失の立証責任を発行者に転換した過失責任へ変更した。主な改正理由として，近年，課徴金制度の整備や内部統制体制構築の定着などによって違法行為の抑止効果が強化されていることを踏まえると，損害賠償責任の一般原則を超えて発行者に無過失責任を課す現行制度の意義は，平成16年改正当時

課徴金制度の導入と民事責任規定の見直し」商事1705号（2004）51頁。

58）田中亘「判批」ジュリ1405号184頁。

59）アメリカの議論を紹介し分析を加えたものとして，藤林・前掲注36）139頁以下を参照。

60）岡田ほか・前掲注57）51頁。

61）岩原紳作ほか『金融商品取引法セミナー　開示制度・不公正取引・業規制編』（有斐閣，2011）116-129頁。

と比べて相対的に低下してきていることが挙げられている[62]。

■Column 4-13　無過失責任の機能■■

民事責任のルールとして過失責任がよいか無過失責任がよいかは，民事責任以外の制度の整備状況との兼ね合いではなく，Column 4-12に記したような民事責任の機能から理論的に検討されるべきである。

過失責任のルールと比較して無過失責任のルールには，①関係者が過失の有無にではなく違反の有無に注意を払うので，関係者が法令を遵守するインセンティブが高まる，②裁判所が責任の有無を判断する際に，過誤を犯すリスクが低くなる，③行為者が，その行為の社会的コストを全部負担することになるので，最適レベルの行動量が達成されるといったメリットもある[63]。①②は継続開示の虚偽記載についても当てはまる。③は，公衆から資金調達を行うメリットが虚偽記載によって社会が被る害を上回っている発行者のみが上場できることを意味する（→*1*(1)）。

③については，継続開示の虚偽記載によって有価証券の取得者が損害を被るときには，当該有価証券の処分者が不当な利得を得ているのであり，そこで投資者に生じる損害は所得の移転にすぎず社会的コストではないから，発行者にこれを賠償させても，社会的コストを内部化して最適レベルの行動量を達成させるインセンティブを与えることはできないと指摘されている[64]。もっとも，継続開示の虚偽記載によっても，証券市場の流動性の低下，流通市場による経営規律効果の低下といった社会的コストは発生しているのであり[65]，社会的コストをどのように計測し，法律制度の設計に生かしていくかという問題の検討こそが重要であろう。

発行者は，開示書類の虚偽記載等について故意または過失がなかったことを証明したときは，損害賠償責任を免れる（21条の2第2項）。どのような場合に提出者が無過失と認められるかについては，虚偽記載等が長期間にわたって組織的に行われてきた場合や，発行者の代表者に内部統制構築義務違反があった場合には，発行者は無過失でないと判断されるほか，一部の従業員の不正行為が虚偽記載等の原因であり，代表者に内部統制構築義務違反が認められない場

62)　金融審議会「新規・成長企業へのリスクマネーの供給のあり方等に関するワーキング・グループ報告」21頁（平成25年12月25日）。

63)　黒沼・前掲注6) 77頁，Steven Shavell, Economic Analysis of Accident Law, 5-18 (Harvard University Press, 1987).

64)　田中亘「流通市場における不実開示による発行会社の責任」落合先生古稀記念『商事法の新しい礎石』（有斐閣，2014）878-890頁。

65)　藤林・前掲注36) 180-182頁，田中・前掲注64) 883頁，893-894頁。

合にも，発行者が企業活動によって利益を得ていることや損害を受けた投資者との公平の観点から，提出者が無過失とは認められない余地があるとする見解がある[66]。この見解は，当事者間における損害の公平な分担という，伝統的な不法行為法の観点に基づくものである。他方，過失責任が発行者の情報開示に与えるインセンティブの観点（法の経済分析）から過失の水準を議論することも重要である。ただし，法定開示書類の虚偽記載の文脈における過失（注意義務）の水準を検討するには，情報生産という望ましい行為に対するインセンティブ，いいかえると，最適の情報生産を促す注意義務の水準はなにかを考慮する必要はなく，虚偽記載を抑止するためのコストが大きくなりすぎ，上場会社が減少することにより社会的利益が損なわれないかという観点のみを考慮すれば足りる。発行者による任意の情報開示とは異なり，法定開示では開示すべき情報の量が法定されているからである。

(2) 請求権者

発行者の損害賠償責任を追及できるのは，①有価証券報告書が公衆の縦覧に供されている間に，②有価証券報告書の提出者が発行する有価証券を，③募集または売出しによらないで取得し，または処分した者であり，④取得または処分の際，虚偽記載を知らなかった者である（21条の2第1項）。当該有価証券を募集または売出しによって取得した者は18条による請求ができるので（→*2*），本条からは除外されている（③）。

平成16年の本条制定時には，有価証券の取得者のみが請求権者とされていたが，平成26年改正により，有価証券の処分者も請求権者に加えられた（→*1*(2)）。有価証券報告書に虚偽記載のある発行者の株式を対象とする仕組債（→**Column 9-5**）およびオプションの取得者が21条の2に基づく損害賠償を求めた事例において，裁判例には推定損害額の規定の類推適用を認めたもの[67]と同条の請求適格を否定したもの[68]がある。たしかに仕組債やオプションの取得者は，虚偽記載のある有価証券報告書が公衆の縦覧に供されている間に発行者の株式を取得してはいないが，虚偽記載の影響を受けて形成された約定時の市場価格を基準として発行者の株式を取得しているのであるから，類推適用を認め

66) 大谷潤ほか「新規上場企業の負担軽減および上場企業の資金調達の円滑化に向けた施策」商事2040号（2014）73頁。

67) 東京地判平成26・11・27民集72巻5号490頁。

68) 東京高判平成29・2・23民集72巻5号712頁。

るべきように思われる。

(3) 責任限度額

発行者の責任は，請求権者が当該有価証券の取得について支払った額から，①請求時に当該有価証券を保有している場合は，請求時における市場価額（市場価額がないときは，その時における処分推定価額），②請求時前に当該有価証券を処分した場合には，その処分価額を控除した額を限度とする（21条の2第1項・19条1項）。これを19条1項限度額という。

19条1項限度額が置かれたのは，継続開示書類の虚偽記載について発行開示書類（有価証券届出書）の虚偽記載よりも発行者に多額の責任を負わせるのは適当でないと考えられたからであろう。しかし，虚偽記載のある開示書類により流通市場で投資者が被る損害は，原則として，虚偽記載がなければ生じていた価格（想定価格）と取得価格の差額である（取得時差額説，→(6)）とすると，虚偽記載の事実の公表後に発行者の業績が回復して株価が上昇した場合に，取得時差額が19条1項限度額を超える場合がありうるので（**図表4-2**），限度額を設定することは，理論的に妥当でない[69]。もっとも，投資者が不法行為に基づいて19条1項限度額を超える損害の賠償を求めることは妨げられない。

図表4-2

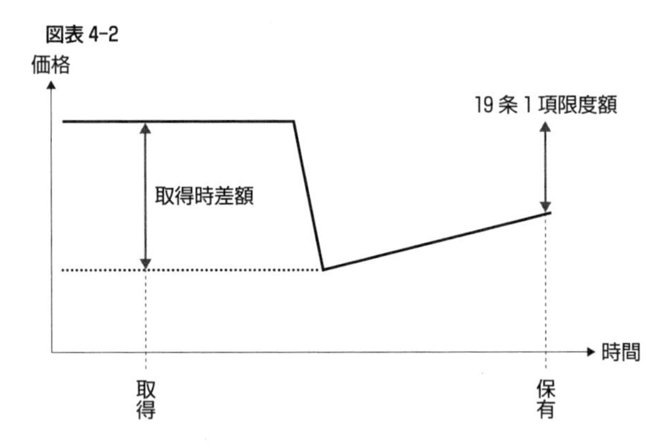

上場廃止とされた有価証券の保有者について責任限度額を算定する場合の「処分推定額」を，上場廃止日の当該有価証券の終値とした裁判例がある（東京地判平成21・5・21判時2047号36頁）。上場廃止から日時が経過している場合

69）黒沼悦郎「証券取引法における民事責任規定の見直し」商事1708号（2004）6頁。

には，上場廃止後の取引価格をも参照すべきであるが，虚偽記載等の事実の公表日に近い時点の価格を採用することによって19条1項限度額の不都合を回避できるというメリットもある。

⑷　因果関係のある損害額の推定

21条の2第3項は，有価証券報告書の虚偽記載等によって生じた損害額の推定規定である。まず，この規定を利用できる者は，①虚偽記載等の事実が公表される前1年以内に当該有価証券を取得し，かつ，②公表日に引き続き保有する者に限定されている。虚偽記載等によって影響を受けた価格で有価証券の取引を行った者は損害を被るが，虚偽記載の事実が長く隠蔽されていると，時間の経過とともにその情報の重要性が失われていくから，①のような限定がなされている。もっとも，有価証券報告書は1年に1度提出されるから，前年度の有価証券報告書の虚偽記載等は今年度の同書類により訂正されている（虚偽記載等の事実の公表）か，そうでなければ今年度の同書類にも虚偽記載等があることになるので，①が投資者の請求を妨げることにはならない。②の限定については，公表日前に真実の一部が市場価格に反映した場合には，公表日前に当該有価証券を処分した者も損害を被るものの，その者の損害額は本項の方法では推定できないので，やむを得ないといえる。

推定損害額は，虚偽記載等の事実の公表がされた場合において，公表前1か月間の当該有価証券の市場価額（市場価額がないときは，処分推定価額）の平均額から，当該公表日後1か月間の当該有価証券の市場価額（市場価額がないときは，処分推定価額）の平均額を控除した額である。

虚偽記載等の事実の公表前後1か月の市場価額の差を推定損害額とする意義については，考え方が分かれている。立案担当者は，不法行為の差額説によれば，有価証券の取得価格と虚偽記載等がなかったと仮定した場合の証券の価格（想定価格）との差額（取得時差額）が損害額となるはずであるが，その立証が困難であることから，現実に真実が公表され証券の価額が下落した場合に，法律上，「下落額」≒「差額説による理論価額（取得時差額）」と評価して，推定規定を設けたとする[70]。これに賛成する学説が多いが，やや異なる見解を示す学説もある[71]。この問題については，判例の紹介とあわせて⑹で検討する。

損害額の推定規定は虚偽記載等の事実の公表による株価の下落幅を捉えよう

70）　岡田ほか・前掲注57）53頁。

71）　神田秀樹「上場株式の株価の下落と株主の損害」曹時62巻3号（2010）12頁。

とする。公表前の株価の算定のために1か月間の平均をとるのは，株価がさまざまな要因によって影響を受けることを考慮したのかもしれない。しかし，株価の平均をとっても，多様な要因による変動の影響を除去できるわけではない。理論的には虚偽記載等の公表直前の株価を基準とすべきである。ただし，事実の公表直前の株価には，漏洩した真の情報が反映されている可能性があるので，長期間の平均株価を採用することにより，真の情報を反映した株価下落の影響を抑えることができる。これに対し，公表後の株価の算定のために1か月間の平均をとるのは，虚偽記載等の事実の公表に対し市場が過剰反応し，株価が一時的に急落する現象（クラッシュ効果という）が見られるので[72]，クラッシュ効果を緩和するためであろう。

■ Column 4-14　公表概念■■

推定損害額の算定結果は，いつを虚偽記載等の事実の公表がされた日とみるかによって大きく異なる。21条の2第4項は，「虚偽記載等の事実の公表」とは，当該書類の提出者または当該提出者の業務・財産に関し法令に基づく権限を有する者により，記載すべき重要な事項・重要事実について，25条1項の規定による公衆縦覧その他の手段により，多数の者の知りうる状態に置く措置がとられたことをいうと定める。

この規定の解釈が最初に争われたライブドアの虚偽記載事件では，検察官が司法記者クラブに加盟する報道機関の記者らに対し，発行者が約14億円の経常黒字を粉飾した有価証券報告書の虚偽記載の容疑がある旨を伝達し，その内容が翌日の朝刊各紙で報じられたところ，これ以前に発行者による事実関係の公表はなく，また，実際の粉飾の規模は約50億円であった。そこで，①検察官が「法令に基づく権限を有する者」に当たるか，②どの程度の事実を公表すれば「公表」といえるか，③どのような措置をとれば「多数の者の知り得る状態に置く措置」といえるかが，問題となった。最高裁平成24年3月13日判決（民集66巻5号1957頁）は，①検察官は，捜査権限に基づき虚偽記載等の訂正情報や正確な情報を入手することができ，その情報には類型的に高い信頼性が認められるから，検察官は「法令に基づく権限を有する者」に当たる，②単に虚偽記載等が存在しているとの点についてのみ公表措置がとられたのでは足りないが，発行者の有価証券に対する取引所市場の評価の誤りを明らかにするに足りる基本的事実について公表措置がとられれば足りるとした。③については，同事件の下級審裁判例において，一般に広く報道されることを

72）黒沼・アメリカ151頁，Janet Cooper Alexander, “The Value of Bad News in Securities Class Actions”, 41 UCLA L. Rev. 1421 (1994).

前提として報道機関に事実を伝達することは「公表」に当たり，検察官が，司法記者クラブに加盟する複数の報道機関の記者らに対し，それが一般に報道されることを前提として，便宜供与の一環として公式に一定の捜査情報を伝達することは，「公表」に当たると判断されている（東京地判平成20・6・13判時2013号27頁等）。

法が公表主体を限定しているのは，発行者について信頼できる情報を獲得できる者による公表でないと損害賠償額の算定の基礎にできないからである。そうであれば，法令に基づく調査権限，各種書類の受領権限，提出者に対する処分権限等，提出者から信頼性のある情報を取得できる権限を有している者であれば公表主体になることができ，それで足りる。公表主体の権限を，検査や報告徴取などに基づいて一定の処分や指示を行う権限に限定し，警察は公表主体とならないとの見解[73]もあるが，そのように限定する理由はない。警察官や検察官が公表主体になれないとすると，重大な虚偽記載事件であるほど発行者による虚偽記載等の事実の公表が遅くなり（全く行われない場合も考えられる），投資者の保護に反しよう[74]。

(5) 因果関係の反証と賠償額の裁量的減額

発行者は，推定損害額の全部または一部が，虚偽記載等によって生ずべき当該有価証券の値下り以外の事情（他事情）によって生じたことを証明したときは，責任の全部または一部を免れる（21条の2第5項）。虚偽記載等と損害との間の因果関係がないことを発行者が証明した場合に，賠償額を減額する規定である。たとえば，虚偽記載等とは無関係の発行者の業績の悪化によって，公表後の株価が下落した場合には，因果関係の反証が認められる。

■ Column 4-15 虚偽記載等の事実と他の事実の同時公表■■

粉飾決算を続けた結果，発行者が倒産に至ると，破産手続や民事再生手続の申立てと同時に，過去の虚偽記載等の事実が公表されることが多い。

アーバンコーポレイション事件では，発行者が臨時報告書の訂正報告書を提出した日に民事再生手続開始を申し立てたところ，下級審裁判例では21条の2第5項に基づく損害額の減額をしたものが多かったが[75]，発行者は臨時報告書の虚偽記載の時点で，資金調達の見込みがなければ民事再生手続開始の申立てをしなければ

73) 弥永真生「金融商品取引法21条の2にいう『公表』の意義」商事1814号（2007）10頁（注7）。

74) 黒沼悦郎「判批」金判1303号6頁。

75) 東京地判平成22・1・12判タ1318号214頁，東京地判平成22・3・26金法1903号115頁，東京地判平成22・3・9金法1903号102頁，東京地判平成23・2・7判タ1353号219頁。

ならない状況にあったとして，推定損害額からの減額を認めないものもあった[76]。この事件の上告審（最判平成24・12・21判時2177号51頁）は，虚偽記載等の事実の公表日後1か月間に生じた株価の値下りは，虚偽記載等の事実と再生手続申立ての事実があいまって生じたものであり，かつ，再生手続申立てによる値下りが虚偽記載等と相当因果関係のある値下りということはできないとして，事件を原審に差し戻した。

また，IHI事件では，工事進行基準における工事総原価の見通しが不適正であったことから，過年度決算の訂正と業績予想の下方修正が同じ日に公表された。判決は，過年度決算の虚偽記載がなければ業績予想の下方修正もなかったという関係になく，21条の2による請求はあくまでも虚偽記載に起因する損害の賠償を求めるものであって，工事総原価の見通しの甘さを責任原因とするものではないから，業績予想の下方修正による株価の値下がりは推定損害額から減額されるとした[77]。修正前の業績予測が虚偽の表示であったと立証できるのであれば，結論は変わっていたかもしれない[78]。

虚偽記載等とは無関係の事情により発行者の株価の値下りが生じたとしても，その下落分がいくらかを立証することは難しい。そこで，推定損害額の全部または一部が虚偽記載等以外の事情により生じたことが認められるが，その額を証明することが極めて困難であるときに，裁判所は発行者が賠償責任を負担しない損害の額を認定することができる（21条の2第6項，裁量的減額）。本項は，民事訴訟法248条に相当する規定であるが，因果関係の反証責任が発行者側に課されているため，賠償額を減額する形式で定められている。

虚偽記載等と無関係の事情による株価の値下り分の認定は，裁判所の裁量による。裁判例を見ると，減額の幅は同一事件についても裁判所によりまちまちのようである。

■ Column 4-16　取得時差額を超える損害の賠償■■

有価証券報告書等の虚偽記載の事実が発覚すると，発行者の信用が毀損され，上場廃止の可能性が高まるなどして，当該有価証券の市場価額が大幅に下落することが多い。他方，21条の2第3項の損害額の推定規定を，取得時差額を算定するために虚偽記載等の事実の公表後の市場価額の下落幅を用いたものと理解すると（→

76）東京高判平成22・11・24判時2103号24頁。
77）東京高判平成29・2・23民集72巻5号712頁。
78）黒沼悦郎「判批」商事2149号（2017）11頁。

(4)），同条に基づく請求では取得時差額を超える損害の賠償は請求できないのではないかが問題となる。

ライブドアの虚偽記載事件でも，虚偽記載およびその発覚によって，経営者に対する強制捜査，経営者の代表取締役解任，株式の上場廃止に向けた動き，取引所市場の混乱，これらをめぐるマスメディアの報道，発行者の信用失墜などの事情が生じ，それによって発行者の株式の市場価額が大幅に下落した。この問題について東京地裁平成21年5月21日判決（判時2047号36頁）は，21条の2第2項（現3項）を取得時差額を算定する推定規定とみて，強制捜査等の各事情は発行者が虚偽記載のない有価証券報告書を提出していれば生じなかったから，それらの事情に起因する株価の値下りは「虚偽記載等によって生ずべき当該有価証券の値下がり」に当たらないとした。

この判決に対し筆者は，推定損害額を援用する場合，取得時差額の賠償が原則となるが，虚偽記載等の事実の公表によって生じた市場価額の超過的な下落分は，投資者が避けえなかった後続損害として賠償の範囲に含めるべきであると論じた[79)]。他方，会社法的な政策考慮から，不法行為に基づく請求であると金商法上の請求であるとを問わず，投資者が発行者に対して取得時差額を超える損害の賠償を請求することは許されないとする見解（取得時差額限定説）が現われた[80)]。この見解は，虚偽記載の公表によって生じる取得時差額を超過する株価下落分のうち，①発行者の信用の失墜によるもの等の間接損害については，株主は代表訴訟によって会社の損害の回復を図るべきであり，会社の責任を追及することを認めると，原告以外の株主および会社債権者を不当に害するとする。②上場廃止による流動性の喪失のような直接損害は，株主が一般的にその地位に基づいて被るものであるから，もし会社に対する責任追及を認めるとすると会社の資産が株主に移転するだけで個々の株主の損害が回復するわけではなく無意味であるとする。学説には，この見解に賛成するものが多い[81)]。

ライブドア事件の最高裁判決（最判平成24・3・13民集66巻5号1957頁）は，21条の2第1項および2項（現3項）にいう「損害」は，一般不法行為の規定による場合と同様に虚偽記載等と相当因果関係のある損害をすべて含み，これを取得時差額に限定すべきではないとした。その理由として判決は，一般不法行為の規定に基づき損害賠償を請求する場合に比べて，同条2項（現3項）の推定規定を用いると

79）　黒沼悦郎「判批」商事1872号24頁。

80）　田中亘「判批」ジュリ1405号187-188頁。虚偽記載による損害には，虚偽記載の発覚によって企業価値の過大評価が減少した部分と，虚偽記載の発覚によって経済的信用等が毀損され企業価値が減少した部分とがあるという分析は神田教授によりなされていたが（神田・前掲注71）13頁），神田教授は，企業価値の減少部分も投資者による損害賠償の対象になると解していた（同14頁）。

81）　加藤貴仁「流通市場における不実開示と投資家の損害」新世代法政策学研究11号（2011）341頁，白井正和「判批」商事1972号12頁。

取得時差額の賠償しか受けられないのでは，投資者保護の見地から損害の額を推定した同項の趣旨が没却されると指摘する。これに対し，岡部裁判官の反対意見は取得時差額限定説を採る82)。

上記最高裁の法廷意見は，推定損害額を利用した場合と一般不法行為との比較を根拠とするから，一般不法行為による場合も株主の会社に対する請求が認められないとする取得時差額限定説に対する十分な反論にならない（筆者の上記見解も同じである）。そこで考えると，取得時差額限定説の要点は株主の会社に対する請求を認めると株主間の不当な利益移転を生ずるというものであるが，この利益移転は，①虚偽記載が行われる以前に株式を取得した者，および②虚偽記載の事実の公表後に株式を取得した者から，③虚偽記載が行われてからその公表までの間に株式を取得した者へ生ずる。①の株主は，虚偽記載を行うような経営者を自ら選任した点で，③の株主よりも不利に扱われてもやむを得ないといえないだろうか。また，②の株主は，利益移転が是認される場合もそうでない場合も，それらを反映して形成された価格で株式を取得しているのであるから，②の株主からの利益移転は政策論のきめ手にならないというべきであろう83)。

■ Column 4-17　虚偽記載の可能性が公表された後の有価証券の取得■■

有価証券報告書等の虚偽記載は，(a)虚偽記載を疑わせる報道がされ，(b)発行者が虚偽記載の有無を調査する第三者委員会の設置を公表し，しかるのちに(c)虚偽記載の認定を含む第三者委員会の報告が公表され，(d)発行者が訂正報告書を提出するというように段階的に公表されていくことが多い。虚偽記載の事実を疑わせる報道がされた後に有価証券を取得した者は，救済を否定されるべきだろうか。当該投資者は，①悪意（21条の2第1項但書）といえるか，②権利を侵害されたといえるか，③虚偽記載と損害との間に因果関係があるか，④大幅な過失相殺を行うべきかといった点が問題になるだろう84)。

まず，虚偽記載の事実を知っている投資者には請求権がない（→(2)）。どの段階で虚偽記載の事実を知ったとみるべきかは事実関係に依存するが，少なくとも(a)や(b)の報道・発表に接した投資者が虚偽記載の事実を知ったとはいえないであろう。裁判例では，架空増資の容疑で証券取引等監視委員会が強制捜査に乗り出したとの報道のみでは請求者が悪意になったとはいえないとしたもの（東京高判平成29・10・19 D1-Law28271664）がある。

---

82)　反対意見および補足意見の分析につき，黒沼悦郎「有価証券報告書等の不実表示に関する責任について」法セ695号（2012）24頁以下を参照。

83)　黒沼・前掲注82）25頁。

84)　(a)に対し発行者が虚偽記載の存在を否定している場合については，黒沼悦郎「虚偽記載に基づく民事責任の解釈上の諸問題」岸田先生古稀記念『現代商事法の諸問題』（成文堂，2016）351頁で論じたので，ここでは繰り返さない。

つぎに，(a)または(b)後の取得者は虚偽記載があるかもしれないというリスクを引き受けているのであるから，権利を侵害されておらず，その者に対する不法行為は成立しないという議論があり得る。裁判例では，有価証券報告書等を信頼せずに投資判断を行ったことが明らかであると認められる者については，21条の2第1項但書を準用ないし類推適用して，損害賠償責任を否定したもの（東京高判平成29・9・25金判1530号12頁）がある。しかし，虚偽記載のリスクが少しでも公表された後の取得者はリスクを引き受けたと評価されるのであれば，あらゆる開示書類には虚偽記載がされているリスクが潜在しているのであり，そのことは周知であるといえるから，投資者はあらゆる虚偽記載について損害賠償請求を否定されることになってしまう。虚偽記載の可能性を認識しつつ取得した者について，虚偽記載と損害との間に因果関係がないとするもの（東京地判平成29・3・28金判1517号23頁）もある。しかし，虚偽記載の可能性が公表されていれば，それを反映して株価はすでに下落しているだろうから，投資者に対する不法行為の成立が否定されない限り，虚偽記載の事実の公表によって株価がさらに下落した分について，虚偽記載との因果関係がないとはいえないだろう。

虚偽記載の可能性が公表された後に有価証券を取得した投資者の請求を認めると，投資者は後に虚偽記載がなかったことが判明すれば株価上昇による利益を得，虚偽記載が行われていたことが判明すれば発行者に損害賠償を請求することにより，リスクのない投機をすることができてしまい不当であるという議論も考えられる。しかし，損害賠償請求により利益を得るには多大な時間と費用がかかるから，この議論は非現実的である。

さらに，虚偽記載の可能性の公表後の取得者は，虚偽記載が存在するかもしれないというリスク（危険）を利用して，あるいはこれを認識・認容しつつ投資判断を下しているのであるから，「危険への接近の法理」[85]を根拠にその損害賠償請求に大幅な過失相殺がされるべきではないかということも問題になる。これは実質的に「リスクのない投機」と「リスクの引受け」の議論を組み合わせたものであり，上に述べた反論が当てはまるだろう。

(6)　損害額の推定規定が適用されない場合の損害額の算定

投資者が，①21条の2第1項の責任限度額（19条1項限度額）を超える賠償を発行者に求めるとき，②21条の2第3項の推定損害額を超える損害の賠償を発行者に求めるとき，③発行者に損害賠償を求めるが，21条の2第3項の請求適格を満たさないとき（→(2)），④不法行為に基づいて発行者に損害賠償

85)　最大判昭和56・12・16民集35巻10号1369頁。

を求めるとき，または⑤発行者以外を被告として損害賠償を求めるとき（→**6**）には，虚偽記載等と賠償を求める損害との因果関係を立証しなければならない。これらの場合に，どんな損害についてどのような因果関係を立証すれば，損害賠償が認められるだろうか。

民法学説上，不法行為または債務不履行に基づく損害賠償請求における財産的損害とは，現実の財産状態と加害原因がなかったとしたら生じていた仮定的財産状態の差であるとする差額説が通説[86]である。有価証券を市場で取得する者の取引パターンはさまざまであるが，典型的には，①虚偽記載等がなかったならばより安い市場価格で当該有価証券を取得していたとみられる場合と，②虚偽記載等がなかったならば当該有価証券を取得しなかったとみられる場合とが考えられる。多くのパターンは①であろうが，虚偽記載等がなければ投資者が当該有価証券を取得する機会がなかったと認められるときは②に当たる。

①の場合（高値取得損害ケース）に差額説を当てはめると，現実の財産状態は高い価格で有価証券を取得した状態，仮定的財産状態は真実を反映した低い価格（想定価格）で有価証券を取得した状態であるから，損害額は有価証券の実際の取得価格と想定価格との差額となる（取得時差額説）。もっとも，現在の時点で被害者の財産総体に生じている差額を損害と捉える考え方が民法上，有力であり，虚偽記載等が発覚した後の当該有価証券の価格の下落分を損害と捉え賠償の対象とする市場下落説が，この総体財産損害説と整合的であると指摘されている[87]。

②の場合（取得自体損害ケース）に差額説を当てはめると，現実の財産状態は有価証券を取得した状態，仮定的財産状態は有価証券を取得しなかった状態であるから，損害額は有価証券の実際の取得価格と現在の市場価格の差額，もし既に当該有価証券を処分しているときは取得価格と処分価格の差額となる。取得自体損害の賠償は，被害者を加害前の状態に置くような賠償額を与えることになるから，原状回復的な損害賠償であるといえる（**図表 4-3** 参照）。

86）四宮和夫『事務管理・不当利得・不法行為（下）』（青林書院，1985）434頁，於保不二雄『債権総論〔新版〕』（有斐閣，1972）135頁。

87）潮見佳男「虚偽記載等による損害――不法行為損害賠償法の視点から」商事1907号（2010）20頁。神田・前掲注71）14頁も，高値取得損害の場合の「取得時差額」は損害額算定の出発点にすぎず，理論的には「取得時差額」が損害になるのではないとする。

図表 4-3

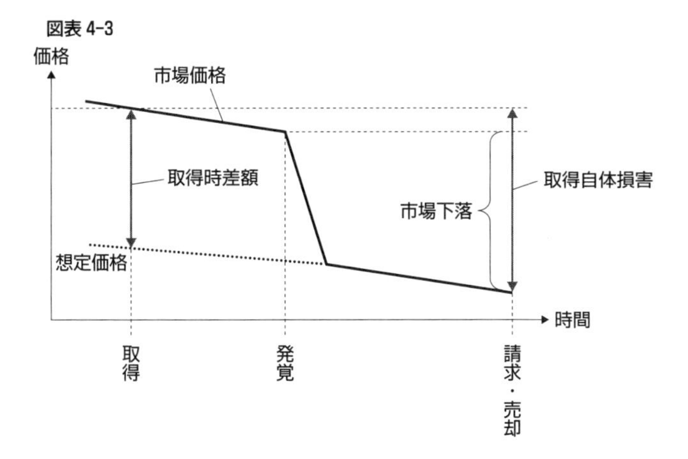

■Column 4-18　下級審裁判例とその検討■■

平成16年改正法施行前の事案であり不法行為に基づく発行者の損害賠償責任が追及された西武鉄道の虚偽記載事件では，特定少数の株主の持分割合が80%を超えるという上場廃止基準に該当する事実を長年月にわたり隠す虚偽記載が行われていた。そこで，もし真実が開示されていたら株式が上場廃止となっており，投資者は市場で株式を取得できなかったのではないか，換言すると，裁判所が取得自体損害説を採用するのではないかが，注目された。下級審裁判例は，①取得自体損害の賠償を認めたもの[88]，②取得自体損害の賠償を認めず，市場下落説を採ったもの[89]，③取得自体損害の賠償を認めず，虚偽記載の公表によって生じた市場下落の一部が損害であるとしたもの[90]に分かれた。

これらのうち③の判決は，市場下落説のように虚偽記載等の事実の公表直前の株価と個別の売却価格との差額をすべて損害と認めることは，あたかも発行者が株主に対し虚偽記載公表直前の株価を保証し，損失補塡（→**8章*4*節*1*(1)**）を認めたような結果を招来し，株式取引の本質に反すると判示して，重要な問題を提起しているので，ここで検討しよう。

損失補塡が株式取引の本質に反するのは，投資者の自己責任に反するからであるが，投資者に自己責任を問うことができるのは，有価証券の市場価格が情報を十分に反映しているからである[91]。したがって，市場下落説によりつつ，虚偽記載等

88）東京地判平成21・1・30判時2035号145頁，東京地判平成21・3・31判時2042号127頁。

89）東京地判平成20・4・24判時2003号10頁，東京地判平成21・1・30金判1316号34頁。

90）東京高判平成21・2・26判時2046号40頁，東京高判平成21・3・31金判1316号3頁。

91）石塚洋之「判批」商事1869号22頁，黒沼悦郎「判批」早稲田法学85巻3号381頁。

の事実の公表直前の市場価格と当該公表情報が市場価格に十分に反映した時点の市場価格との差額を賠償額とすることは，十分に考えられる。これに対し，市場価格が真の情報を十分に反映するまでは投資者に自己責任を問うことはできないから，投資者の損害を賠償することが株式取引の本質に反するということはない。

西武鉄道事件に係る最高裁平成23年9月13日判決（民集65巻6号2511頁）は，同事件（事案については→**Column 4-18**）を虚偽記載がなければ投資者が有価証券を取得することはなかったとみるべき場合であるとしつつ，その損害額は，取得価額と処分価額の差額を基礎として，経済情勢，市場動向，当該会社の業績等当該虚偽記載に起因しない市場価額の下落を差額から控除して算定すべきであるとした。虚偽記載に起因しない市場下落分を控除する理由として，判決は，投資者は株価が虚偽記載と無関係な要因に基づき変動することを想定した上で株式を取得し，虚偽記載以外の要因に関しては開示された情報に基づいてこれを処分するか保有するか自ら判断することができる状態にあったからであるとする。この点については，虚偽記載がなく投資者が有価証券を取得しなかったのであれば，投資者が虚偽記載以外の要因に基づく市場価額の変動を甘受しなければならない理由がないし[92]，取得自体損害という類型を認める意義は，取得後の有価証券の価格変動リスクを投資者に負担させない点にあるから，それを肯定した上で，取得自体損害の賠償を認めるための要件を論じるべきである[93]。これに対し潮見教授は，西武鉄道事件判決が取得自体を損害と捉えつつ，会社の業績等による市場下落分を損害の額から控除すべきであるとしたのは，虚偽記載のある株式を取得させられたことを権利侵害（自己決定権の侵害）の内容とみたのであり，「虚偽記載のない会社の株式を取得する」という意味での自己決定権の侵害はないからであるとする[94]。また，本判決は本件の虚偽記載が市場価額の変動リスクの評価に影響を与えるものでないという暗黙の前提に立っており，本判決の射程は，虚偽記載の内容が粉飾決算のように市場価額の変動リスクに対する投資者の評価を歪める場合には及ばないと解する見解もある[95]。

92）黒沼悦郎「判批」商事1839号24頁。

93）本判決に対する筆者の分析につき，黒沼悦郎「判批」金判1396号2頁以下を参照。

94）潮見佳男「資産運用に関する投資者の自己決定権侵害と損害賠償の法理——西武鉄道事件最高裁判決における損害論の検証」松本先生還暦記念『民事法の現代的課題』（商事法務，2012）535頁。

■Column 4-19　取得自体損害の主張が認められる場合■■

西武鉄道事件判決は，当該事案以外のどのような場合に「虚偽記載がなければ有価証券を取得しなかったとみられる」かの判定基準を示さなかったので，取得自体損害の賠償が認められる範囲は今後の検討に委ねられている。

裁判例では，財務状況について虚偽記載を続けていた発行者について，投資者が有価証券を取得したときに公衆縦覧に供されていた有価証券報告書に虚偽記載がなければ，発行者が上場直後から虚偽記載を続けていること，3年間にわたり連続して大幅な損失を計上していることが明らかになるから，当該発行者の株式を一般の投資者が買い続けたとは考えがたいとしたもの[96]がある。このように，上場廃止原因が粉飾決算によって隠蔽されていた場合のほか，上場廃止には至らないものの粉飾決算がなければ明らかにされていた財務状況から，一般の投資者が当該銘柄を取得しなかったと裁判所が認定することは許されよう。さらに，損失を計上している発行者の株式は購入しない等の特定の投資パターンを有する投資者について，真実が開示されていたら投資パターンに照らして当該銘柄を取得しなかったとの主張が認められるだろうか。特定の投資パターンゆえに投資者が被った損害は，通常生ずべき損害（民416条1項）とはいえないから，賠償の対象とすべきではないとも考えられる。しかし，投資パターンが合理的なものであれば，それによって生じた損害は発行者の予見可能性の範囲内にある特別損害（同条2項）といえるのではないだろうか。

虚偽記載等がなかったならば，投資者がより安い市場価格で当該有価証券を取得していたとみられる場合の損害は，取得時差額か市場下落か。ライブドア事件判決は，虚偽記載等により生じた損害とは虚偽記載等と相当因果関係のある損害のすべてをいい，取得時差額に限定されないとしたが（→**Column 4-16**），損害の発生時期および有無について，なお次のような理論的な問題が残っている[97]。

まず，取得時差額説は投資者が有価証券を取得した時に，差額分の損害が発生すると考える。もし，虚偽記載等の事実が公表された場合に市場価格が超過的に下落したときには，追加的な損害が公表後に発生したと考える。これに対し，市場下落説ないし総体財産損害説によると，有価証券の取得時には損害は

95）飯田秀総「判批」ジュリ1440号111頁。
96）東京高判平成23・4・13金判1374号30頁。判批として，梅本剛正・リマークス45号66頁，黒沼悦郎・ジュリ1447号111頁。
97）以下の議論につき，黒沼悦郎「有価証券報告書の虚偽記載と損害との間の因果関係」法の支配157号（2010）36-38頁を参照。

発生しておらず，虚偽記載の公表後に損害が生じると捉えることになろう。この問題について考えてみると，隠れた欠陥のある商品を欠陥がないものとして設定された価格で購入した者は，隠れた欠陥から購入者に具体的な損害が生じなくても（たとえば，購入の翌日に購入者が商品を紛失したため，隠れた欠陥から損害が生じる可能性がなくなった場合を想定せよ），余分に払いすぎた価格分だけ損害を受けているといえるのであり，理論的には取得時差額説が正しいのではないだろうか。

つぎに，取得時差額説によれば，投資者が有価証券を取得した時期によって損害額は異なるが，虚偽記載等の事実の公表後に市場価格が下落したかどうかによって損害額は異ならない。これに対し市場下落説では，有価証券の取得時期によって損害額は異ならず，虚偽記載等の事実の公表後に，有価証券を売却したか否か，および売却時期によって損害額が異なる。

以上のことから具体的に次のような場合に両説の差異が生じる。第1の例として，発行者が破産の申立てをし，株式が無価値となってから，発行者の過去の虚偽記載等が発覚したため，虚偽記載等の事実の公表によって株価が下落しなかった場合はどうだろうか（**図表4-4**）。

この例では虚偽記載の公表によって市場価格は下落していないから，市場下落説をそのまま適用すると有価証券を取得した投資者に損害賠償は与えられなくなってしまう。破産申立てによる株価の下落が虚偽記載とは関係のないものであったとしても，取得時差額説によれば，少なくとも取得時差額の損害賠償が認められる。

第2の例として，虚偽記載の公表によっていったん下落した株価が，発行者の業績の向上によって回復した場合はどうか（**図表4-5**）。

市場下落説によれば，業績回復後の株価の上昇も，被害者の財産状況に虚偽記載がもたらした結果であるから，株価下落分から株価上昇分を控除するのが自然であり，これに沿う裁判例もある[98]。しかし，株価が回復したのは当該投資者が株式を売却せずに保有し続けるという投資判断を行った結果であり，虚偽記載と得られた利益との間に因果関係はないし，もしよい投資判断を行った投資者の賠償額が少なくなるような解釈を採用すると，投資者がよい投資判断

98）東京地判平成19・8・28判タ1278号221頁，東京地判平成20・4・24判時2003号10頁，東京高判平成21・2・26判時2046号40頁（いずれも，西武鉄道事件において請求時に株式を保有していた原告の請求を棄却したもの）。

図表 4-4

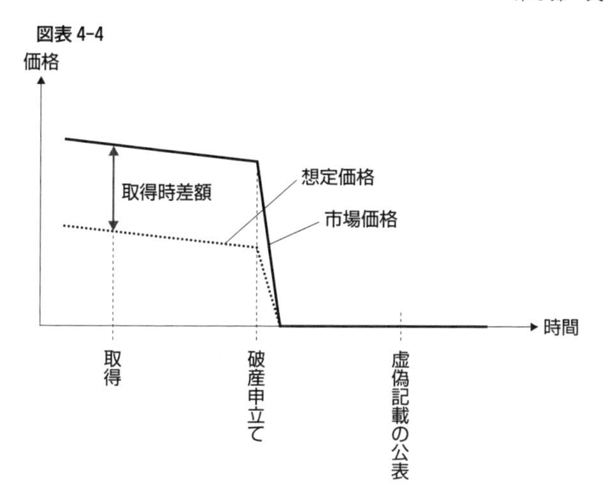

図表 4-5

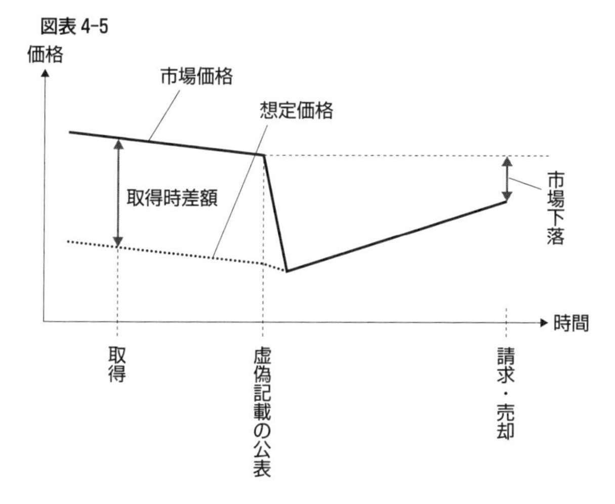

を行うインセンティブを失わせることになろう99)。よい投資判断を促進する結論を導くことができる点において，取得時差額説は市場下落説よりも優れているといえる。

(7)　マーケットモデルを用いた損害額の算定方法

開示書類の虚偽記載等によって投資者が受けた損害の額を正確に算定するに

99)　黒沼悦郎「判批」金判 1289 号 6 頁。これに対し，虚偽記載がなければ投資者が当該有価証券を取得しなかったとみられる場合は，当該有価証券を取得しなければ保有・売却による利益も得られないから，投資者が得た当該利益は損益相殺の対象となる。

は，さまざまな要因によって生じる有価証券の価格の下落から虚偽記載等による下落分を抽出する必要があるが，それには，マーケットモデル（→**Column 3-1**）が有用である[100]。

$$Rs = \alpha + \beta Rm + \varepsilon$$

Rs：銘柄Sの収益率　Rm：マーケット・ポートフォリオの収益率　ε：誤差項

虚偽記載の事例にマーケットモデルを用いるには，まず，虚偽記載が行われるよりも前の一定期間を推定期間として，α・βを測定する。つぎに，当該モデルの利用方法は，目的によって次の2通りが考えられる[101]。

第1は，真実の情報が市場価格に完全に反映した日（開示日）の市場価格から出発して，株価の変動がマーケットモデルのとおりであったなら，投資者が株式を取得した日に市場で形成されていたであろう想定価格を求めるものである（想定価格推計型）。

取引日をt_1，取引日の当該証券の想定価格をP_1，開示日をt_2，開示日の当該証券の市場価格をP_2，t_1からt_2までの配当をDとすると，この間の当該株式の予想収益率Esは，①式で表せる。

$$Es = \frac{P_2 - P_1 + D}{P_1} \quad \text{（①式）}$$

他方，この間の予想収益率について，マーケットモデルから②式が成り立っているはずである。

$$Es = \alpha + \beta Rm \quad \text{（②式）}$$

②式を①式に代入して変形すると，想定価格P_1は③式により求められる。

$$P_1 = \frac{P_2 + D}{\alpha + \beta Rm + 1} \quad \text{（③式）}$$

100）　アメリカにおいてマーケットモデルの利用を提唱した学説として，Daniel R. Fischel, "Use of Modern Finance Theory in Securities Fraud Cases Involving Actively Traded Securities", 38 Bus. Law. 1 (1982)，わが国における同様の提唱として，黒沼悦郎「証券市場における情報開示に基づく民事責任（5・完）」法協106巻7号（1989）109-116頁を参照。

101）　黒沼悦郎「金融商品取引法における株式市場価格の意義と利用」商事2076号（2015）13頁。

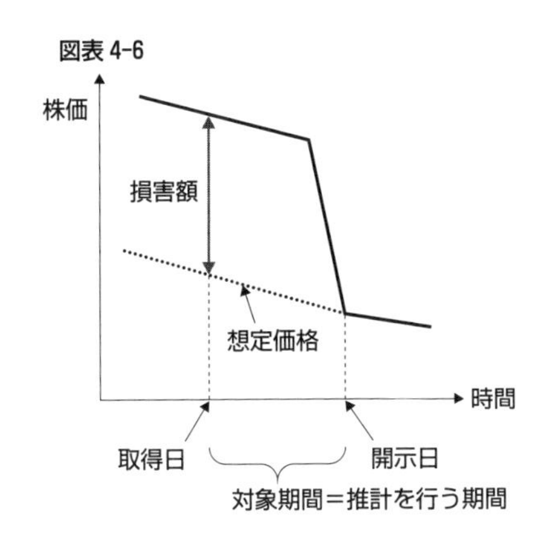

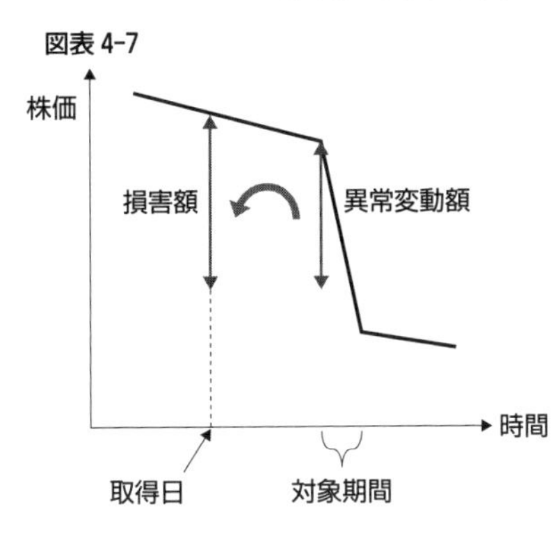

これは取得時差額を損害とみる考え方（→(6)）に対応している。虚偽記載等による株価の吊上げ分は想定価格に含まれていないので，取得価格と想定価格との差額が損害額として算定される（**図表 4-6**）。第2は，虚偽記載等の公表による市場価格の下落分のうち，市場要因および固有要因による下落を除去するためにマーケットモデルを用いるものである（市場下落推計型，**図表 4-7**）。これは市場下落分を損害とみる考え方（→(6)）に対応している[102]。

虚偽記載における損害賠償請求訴訟において，訴訟当事者がマーケットモデルを用いた損害額の主張を行う例は増えているが，裁判所が採用した例は現れていない。取得自体損害の主張が認められる事例においても，判例は虚偽記載と関係のない要因による株価下落分を控除するとしているため（→(6)），控除分を算定するためにマーケットモデルは有用である[103]。

■ Column 4-20　マーケットモデル利用上の留意点■■

マーケットモデルの利用は市場が公開情報を迅速かつ正確に反映するという，準強度の市場の効率性（→1章 *2* 節 *4*）を前提としている。そこで，マーケットモデルの利用に対しては日本の市場は効率的でないという批判が常に向けられる。しかし，市場が公開情報を迅速に反映しない場合には，市場が情報を反映するまで待っ

102）ただし，市場下落分を損害とみる場合であっても，想定価格推計型の算定を行うことは可能であると筆者は考えている。黒沼・前掲注 101）16 頁。

103）西武鉄道事件の差戻審において当事者がマーケットモデルに基づく損害額の主張をしたものの，裁判所がこれを認めずに独自の算定を行った例として，東京高判平成 26・3・27 判時 2230 号 102 頁，東京高判平成 26・8・28 資料版商事 367 号 20 頁を参照。

てその時点を「開示日」とすれば足り，市場が情報を正確に反映しないとしても，多くの投資者は市場価格でしか当該株式の売買を行うことができないから，市場価格の変動により生じた損害額を算定するのにマーケットモデルは適した方法であるといえる。

もちろん，マーケットモデルの利用には統計手法の性質から生じる限界がある。まず，アーバンコーポレイションの事例（→**Column 4-15**）のように，市場価格に影響を与える要因が同時に生じた場合には，マーケットモデルは2つの要因をうまく区別できないことがある。また，虚偽記載の行われた期間が長期になり，その間に事業の性質が変化して$\alpha \cdot \beta$の値が変わると，マーケットモデルの信頼性は低くなる。

6　有価証券報告書の虚偽記載等に基づく関係者の責任

(1)　発行者の役員

有価証券報告書の重要な事項について虚偽記載等がある場合，有価証券報告書提出時における発行者の役員は，虚偽記載等を知らないで当該有価証券を取得した者に対し，虚偽記載等により生じた損害を賠償する責任を負う（24条の4）。役員とは，取締役，会計参与，監査役，執行役，またはこれに準ずるものをいう（24条の4による22条・21条1項1号の準用）。本条は，発行者が有価証券報告書を提出するに当たり，たとえば取締役会にこれを提出して承認を受けるなどの手続をとることを想定している。

■Column 4-21　取締役に準ずる者■■

どのような者が「準ずるもの」に当たるかは，解釈問題である。東京地裁平成21年5月21日判決（判時2047号36頁）は，「取締役に準ずる者」に当たるには，その者に取締役とほぼ同等の地位や権限が与えられていることを要するとして，グループ会社の取締役はこれに当たらないとした。有価証券報告書は定時株主総会の翌日に財務局に提出されることが多い。有価証券報告書の作成・提出に関与し，定時株主総会終了時に任期が満了した取締役または監査役（したがって提出時は役員でない者）は，「準ずるもの」に当たるというべきである[104)]。そう解しないと，役員に民事責任を負わせて注意を払わせるという本条の趣旨が損なわれるからである。また，子会社の有価証券報告書における虚偽記載について指示を与えていた親会社取締役は，「取締役に準ずるもの」に当たるというべきであろう[105)]。

---

104)　黒沼悦郎「判批」商事1872号18頁。

105)　黒沼悦郎「ディスクロージャー違反に対する救済――民事責任と課徴金」新世代法政策学研究9号（2010）283頁。

発行者の役員は，実際に相当な注意を用いた場合に限り免責される（24条の4による22条・21条2項の準用，→*3*(1)）。この点で，東京地裁平成20年4月24日判決（判時2003号10頁）が，相当な注意を用いたとしても虚偽記載を知ることができなかったことのみを認定して，代表取締役の一人を免責させたのは，規定の文言に反するだけでなく，その趣旨を没却するものであって妥当でない。金融商品取引法上の役員の損害賠償責任は，虚偽記載等と損害との間にのみ因果関係を要求しており，役員の注意義務違反と損害との間の因果関係を要求していないことに注意しなければならない。

役員が免責を受けるために用いるべき相当な注意の程度について東京地裁平成21年5月21日判決（判時2047号36頁）は，①代表取締役や財務担当の取締役と比較すれば，技術担当の取締役は「相当の注意」を用いたと認められやすいとしつつ，②技術担当であるとか非常勤であるからといって，単に与えられた情報を基に有価証券報告書の正確性を判断すれば足りるものではないし，海外に滞在しているからといって，尽くすべき注意の程度が当然に軽減されるものではないとする。相当な注意について，②は最低限の注意水準が取締役の地位・職務によって変わらないこと，①は最低限の注意水準に上乗せされる注意義務の程度が取締役の地位・職務によって異なることを意味するとすれば，妥当である（ただし→**Column 4-22**）。

■ Column 4-22　取締役会への出席と注意義務■■

アーバンコーポレイション事件（事案につき→**Column 4-8**）の東京地裁平成24年6月22日判決（金判1397号30頁）は，①新株予約権付社債発行の準備に関与した役員，②準備に関与せず，新株予約権付社債発行を決議した取締役会に出席した役員，および③準備に関与せず，取締役会に出席しなかった役員に分けて，相当の注意を尽くしたかどうかの検討を行った。この取締役会では臨時報告書の提出は議題とされておらず，会議では臨時報告書の内容を記載した資料は配布されなかった。

判決は，①の役員について相当の注意を尽くしていないとしたほか，②の役員については，取締役会出席役員は，臨時報告書の資金使途の記載が適正に行われているかどうかについて，取締役会での審議を通じて監視を行うべき立場にあったとし，取締役会において臨時報告書の記載についての審議を行わなかったことに注意義務の違反があるとした。③の役員については，発行者において，インサイダー情報の管理の観点等から本件取引に関する情報を与えない方針をとっており，そのことが不合理とはいえないこと，それぞれが取締役会を欠席したことが任務懈怠とは認められないことから，相当な注意を払っても本件虚偽記載等を知ることができなかったとした。

②の役員についての判示は，取締役会に提出された情報だけで臨時報告書の記載の正確性を判断してはならないという趣旨であろうが，やや厳しい。臨時報告書の提出を取締役会に付議しないことは，24条の4の趣旨に反するが，それが付議されない以上，準備に関与しなかった役員が記載の問題点を把握するのは難しいように思われる。また，③の役員を免責させるには，上述のように，相当な注意を実際に払ったことの証明が必要である。

定時総会で新たに取締役または監査役に選任された者は，翌日開催の取締役会において有価証券報告書の提出についての審議に加わる。前掲東京地裁平成21年5月21日判決は，執行役員副社長から取締役に就任した者について，取締役に就任する前後の行動から「相当の注意」を尽くしていないと判断した。この判断は，当該被告の取締役への就任が予定されていたこと，および就任前の職務を考慮したものであり妥当であるが，株主提案によって取締役に選任された者のように，取締役就任前の地位・職務からみて事前に注意を払うことを期待しえない者については，取締役会において与えられた情報を基に記載の正確性を判断したことをもって「相当の注意」を尽くしたと評価すべきであろう。

⑵　監査証明をした公認会計士または監査法人

監査証明をした公認会計士または監査法人は，有価証券報告書中の財務書類にかかる監査証明について，有価証券届出書の場合と同様の要件の下で投資者に対する損害賠償責任を負う（→***3***⑶）。監査証明が監査法人名でされているときは，法人自身が24条の4に基づく責任を負い，もし監査法人が無限責任監査法人（会計士1条の3第5項）である場合には法人の損害賠償債務について社員である公認会計士等も連帯して責任を負う。

社員としての責任とは別に，監査報告書に署名したり，その作成に関与した公認会計士は不法行為責任を負う可能性がある。東京地裁平成21年5月21日判決（判時2047号36頁）は，監査報告書に署名押印した監査法人の代表社員および業務執行社員に過失があるときは，当該社員は虚偽記載を知らないで有価証券を取得した者に対し，記載が虚偽であることにより生じた損害を賠償すべき不法行為責任（民709条）を負うとした。さらに同判決は，一方で，監査報告書の作成に関与していなかったが，求めに応じて監査報告書に署名した社員の責任を認め，他方で，監査報告書に署名押印しなかった社員は，署名押印したと同視できる程度に監査意見の形成に関与したと認められる場合に限って，不法行為責任を負うとする。このように判決が責任の認定において監査法人社員の署名押印の有無を重視しているのは，監査報告書への署名押印はその者が監査意見を表明しているとの投資者の信頼を惹起するからであろう。

■ Column 4-23　子会社の責任■■

上場会社の連結子会社の財務諸表に虚偽記載等があると，それが上場会社の連結財務諸表に反映されて有価証券報告書の重要な事項についての虚偽記載等を形成することがある。子会社やその取締役は，24条の4の責任主体に掲げられていないから，金商法上の責任を負うことはない。しかし，これらの者は投資者に対して不法行為責任を負わないだろうか。

この問題につき，前掲東京地裁平成21年5月21日判決は，子会社が親会社と共同で連結財務諸表ひいては有価証券報告書を作成したと評価できるような特段の事情がない限りは，子会社は投資者に対する直接の責任を負わないとした。親会社の投資者に子会社が責任を負うとすると，子会社の利害関係人を不当に害するという見方[106]もある。しかし，子会社の財務諸表に重要な虚偽記載がありそれを親会社役員が知らない場合に，子会社が投資者に対して不法行為責任を負わないのは不当であるし，不法行為の成立要件をことさら限定する理由は見当たらない[107]。東京高裁平成23年4月13日判決（金判1374号30頁）が述べるように，上場会社の連結子会社が作成した虚偽の記載が上場会社の開示書類に反映されて投資者等に縦覧されることは，子会社において当然に予測可能なことであるから，上場会社の連結子会社およびその代表取締役等は，有価証券報告書提出会社の発行する有価証券を取得する投資者に対し，故意または過失により虚偽の記載がされることのないよう配慮すべき注意義務を負い，これを怠ったために損害が生じた場合には不法行為に基づく損害賠償責任を負うと解すべきである。

(3)　請求権者および損害賠償額

24条の4の規定により発行者の役員，公認会計士または監査法人に特別の損害賠償を請求できるのは，虚偽記載等のある有価証券報告書の提出者が発行者である有価証券を取得し，または処分した者である。

請求権者を有価証券の取得者に限定していた点は，21条の2と同様，合理的でないと批判されていたが，平成26年改正により請求権者に処分者が加えられた（→*5*(2))。他方，21条の2とは異なり，有価証券を募集または売出し

106)　梅本・前掲注96) 69頁。
107)　黒沼・前掲注105) 287-288頁。

に応じて取得した者も24条の4の請求権を有する。募集・売出しに応じて有価証券を取得した者は，有価証券届出書の虚偽記載等によって生じた損害の賠償を21条1項に基づいて請求することもできるが，届出書と報告書では提出の時期が異なるため，賠償義務者の範囲が異なることがありうる。

発行者の役員，公認会計士・監査法人の責任については，21条の2第3項のような損害賠償額の推定規定がないので，一般原則に戻って，請求権者が虚偽記載等と相当因果関係のある損害額を証明しなければならない。損害額の捉え方や算定方法については，発行者の責任について論じたところ（→***5***(6)）と同じである。

実際問題として，投資者が虚偽記載等に基づく発行者の責任を21条の2によって追及すると同時に，発行者の役員等の責任を24条の4によって追及している場合に，発行者の賠償額と役員等の賠償額を違える判断を裁判所がすることは難しい。賠償義務者が発行者であるかその役員等であるかによって，賠償額が異なることは理論的にありえないからである。そこで，発行者の役員の責任が追及された事例において，21条の2第2項（現3項）以下の規定を参考として，推定損害額から一定割合の減額をして損害額を算定した裁判例も現れてきている（東京地判平成24・6・22金判1397号30頁）。役員等の責任について21条の2第3項以下を類推適用する解釈を真剣に考える時期にきているといえよう。

7　有価証券報告書以外の継続開示書類の虚偽記載に基づく責任

(1)　書類の提出者の責任

有価証券報告書以外の継続開示書類に虚偽記載等があった場合，発行者は有価証券報告書の虚偽記載等について負うのと同じ損害賠償責任を負う（21条の2，→***5***）。21条の2は，半期報告書，四半期報告書，臨時報告書，内部統制報告書，自己株券買付状況報告書，親会社等状況報告書などの継続開示書類の虚偽記載等だけでなく，有価証券届出書，発行登録書類，発行登録追補書類などの発行開示書類の虚偽記載等にも適用される。発行開示書類の情報が流通市場における投資者の取引にも利用されるからである。継続開示書類のうち確認書（25条1項5号・9号，→***3*** 節 ***1***）の虚偽記載等については，21条の2は適用されない。確認書に虚偽記載等があるときは，投資者は有価証券報告書・四半期報告書等の虚偽記載等について発行者の責任を追及できるからである。

責任主体は，虚偽記載等がある当該書類の提出者であり，請求権者は，親会社等状況報告書以外の書類については提出者が発行する有価証券の取得者・処分者，親会社等状況報告書については提出者を親会社等とする者（子会社）が発行する有価証券の取得者・処分者である。提出者等の責任が無過失の立証責任が被告に転換された過失責任であること，損害額の推定規定が設けられていることは，有価証券報告書の場合と同じである（→*5*）。

⑵　提出者の関係者の責任

半期報告書，四半期報告書，臨時報告書，内部統制報告書，自己株券買付状況報告書に虚偽記載等があった場合に，それぞれ22条を準用して書類の提出者の関係者の責任を定める規定が置かれている（24条の4の6・24条の4の7第4項・24条の5第5項・24条の6第2項）。確認書の虚偽記載等について定めがないのは，⑴と同じ理由である。

責任主体は，虚偽記載等がある当該書類の提出者の役員，および監査証明をした公認会計士または監査法人である。この監査証明は，193条の2第1項が規定する，財務書類に係る監査証明である（22条・21条1項3号，→**2節*1***）。四半期報告書に含まれる財務諸表に対する監査証明は通常の財務諸表の監査よりも低い水準で足りるとされているが（→**2節*1***），財務書類に係る監査証明であることに変わりがない（監査証明府令1条参照）。これに対し内部統制報告書の監査証明は，193条の2第2項に基づくものであり財務書類に係る監査証明ではないので，公認会計士・監査法人の特別の責任対象とならない。

■ Column 4-24　臨時報告書の不提出と虚偽記載等■■

臨時報告書は，発行者に重要事実が生じたときに提出が求められる（→**3章*4*節*4***）。発行者が臨時報告書を提出したが，当該臨時報告書において重要な事項や誤解を生じさせないために必要な重要な事実の記載が欠けているときには，発行者やその役員が特別の民事責任を負うのに（21条の2・24条の5第5項による22条の準用），発行者がある事実について臨時報告書を提出しなければならないのにこれを提出しないときは，特別の民事責任を負わないのだろうか。

臨時報告書の不提出は，臨時報告書の提出事由について重要な事項の記載が全部欠けていると評価でき，臨時報告書の重要な記載漏れよりも投資者の投資判断に対する影響が大きいから，不提出について21条の2や22条を類推適用すべきであろう。

8　タイムリー・ディスクロージャー違反に基づく民事責任

⑴　私法上の開示義務

上場会社は，法定開示義務のほかに，金融商品取引所の自主規制により情報の適時開示義務（タイムリー・ディスクロージャー義務）を負っている（**→3章*6*節*1***）。上場会社がタイムリー・ディスクロージャーに違反した場合に，自主規制に違反したことを捉えて直ちに不法行為の違法性の要件を満たすと考えることはできない。では，上場会社がタイムリー・ディスクロージャーに違反した場合に，どのような条件が備われば，不法行為の違法性の要件を満たし，上場会社が投資者に対して一般不法行為（民709条）に基づいて損害賠償責任を負うと考えるべきだろうか。この問題は，上場会社が投資者一般に対して負う私法上の開示義務はなにかという問いでもある。この問題は，情報を開示されることによる投資者の利益と情報を開示しないことによる会社（＝株主）の利益の調整の問題であり，わが国には判例・学説の蓄積がないので，以下ではアメリカの判例・学説を手掛かりとして検討する108)。

まず，投資者の投資判断にとって重要な事実が会社に生じた場合，上場会社は常に当該事実を開示する義務を負うという考え方も成り立つ。その根拠は，上場会社が資金調達のために有価証券市場を利用することに求めることができる。しかし，このような一般的な開示義務を認めると，秘匿することに会社の利益が存する情報の開示まで常に求められることとなるから妥当ではない（**→Column 3-11**）。

⑵　会社が取引の当事者となる場合

アメリカでは，会社が有価証券の取引に関与する場合には，すべての重要事実を開示する義務があると解されている。その根拠は，開示主体の信任義務に求められている。会社が有価証券を発行する場合，会社が自己株式を取得する場合，会社役員が自己株式を取得する場合（MBO，インサイダー取引等）には，会社＝株主に対して信任義務を負う会社または会社役員が株主との間で取引を行う関係に立つので，会社は，すべての重要事実を開示する義務（完全開示義務）を負うと考えるのである。

わが国においては，会社と株主を同視し，会社役員が株主に信任義務を負うという理念は一般的でないが，有価証券届出書や公開買付届出書にはすべての

108)　詳しくは，黒沼悦郎「証券市場における情報開示に基づく民事責任(4)」法協106巻5号（1989）89-126頁，「同(5・完)」法協106巻7号（1989）62-66頁を参照。

重要事実を開示することが求められているのであるから，同じことがいえよう。会社と投資者との間に利益相反関係がある場合には，会社＝株主の利益は後退し，会社が情報を秘匿することは許されない。本書では，この考え方を「完全開示の原則」と呼ぶことにする（→Column 5-7）。

(3)　会社が情報を自発的に開示する場合

会社が市場に対して情報を自発的に開示する場合には，当該会社（または会社役員）は情報を開示することを決断したのであるから，当該開示が虚偽または誤解を生じさせるものであってはならない。わが国においても，タイムリー・ディスクロージャーによる開示情報が虚偽であった場合に，会社の役員が虚偽の公表を行わないように配慮すべき注意義務を負うことを根拠に，会社役員の不法行為責任を認めた例がある（東京地判平成21・5・21判時2047号36頁）。この場合，情報の秘匿について会社が利益を有していたとしたら，開示によって損なわれる株主の利益は，任意の情報開示を決定した取締役の会社に対する責任を通じて確保されることになる。

会社が自発的に開示する情報は，虚偽や誤解を生じさせるものであってはならないという原則から，さらに4つの場面における開示義務が導かれる。

第1に，会社が以前に開示した情報が，時間の経過とともに虚偽または誤解を生じさせるものになった場合，当該情報が未だ投資者の投資判断にとって重要性を失っていない限り，会社は当該情報を更新する義務（更新義務）を負うと解される。当該情報が重要性を失っている場合，すなわち過去のものとなった場合には，更新義務は生じない。

第2に，受け取った情報を使用し，または他に伝達すると予想される一部の投資者に対して会社が情報を開示した場合には，会社は市場に対しても当該情報を開示する義務を負う。なぜなら，会社は当該情報が市場に達することを望んだか，予期したと考えられるからである。すなわち，情報の選択的開示の禁止（→**3章*4*節*5***）は，一般私法上の開示義務からも導かれる。

第3に，市場にうわさが流布している場合，会社はそれだけでは情報を確認したり訂正したりする義務を負わないが，うわさが会社から発したことを知った場合には，確認・訂正義務を負うと解すべきである。故意にせよ過失にせよ，会社から発した情報が市場に到達した以上，それが有価証券の市場価格に完全に反映されるように会社は行動すべきだからである。他方，うわさが会社を源としない場合には，会社は確認・訂正義務を負わない。無責任なうわさを流すことによって，会社に未公開情報の開示を強制できてしまうと，株主の利益を著しく害するからである。

第4として，記載に誤りのある第三者のレポートが公表され株価に影響を与えている場合，会社は情報を提供するなど第三者のレポートに関与したときには，情報の訂正義務を負う。他方，会社がレポートに関与していないときには，訂正義務を負わない。無責任なレポートの作成・公表によって会社が情報開示を強制されることがないようにするためである。

■ Column 4-25　コメント開示に基づく責任■■

上場会社が一部のアナリスト等に情報を開示した場合や市場にうわさが流布している場合には，当該有価証券の市場価格が乱高下したり取引高が急増するため，金融商品取引所が重要事実の照会を行い，上場会社がこれに回答することが多い（→3章6節1(3)）。そこで，「市場の動向を説明するような事実を知らない」とか「うわさとなっている事実は存在しない」との上場会社の回答が，虚偽または誤解を生じる表示に当たるかどうかが問題となる。

情報が一部のアナリストに伝達されたことや会社がうわさの源であることを会社が知っている場合には，上述のように会社に情報開示義務が生ずるとともに，事実を知らないとか事実は存在しないという表示は虚偽の表示となる。問題は，会社が情報をしっかりと管理している場合に，会社が情報源でないことを前提として，「事実を知らない」「事実は存在しない」との表示をしてよいか，それとも情報の漏洩を前提として，仮に情報が漏洩していたとしたら市場の動向を説明するような未公開情報がある場合には，知らない・存在しないとの表示は許されないと考えるべきかである。この点についてアメリカの下級審裁判例は分かれているが[109)]，取引所による照会を受けた上場会社は，限られた時間内においてではあるが情報の漏洩の有無を調査し，漏洩を発見したときは当該情報の開示義務を負い，漏洩を発見できなかったときは，「事実を知らない」「事実は存在しない」との開示ではなく，ノーコメントを発するべきであると考える[110)]。

(4)　将来情報に係る民事責任

タイムリー・ディスクロージャーとしての次期の業績予想（→3章6節2）のような将来情報は，予想が外れただけで虚偽の情報開示であったと評価することはできない。他方，業績予想が不合理な前提や不適切な算定方法に基づいて

109)　黒沼・前掲注108)（法協(4)）105-114頁。
110)　黒沼・前掲注108)（法協(4)）106頁。

作成されている場合には，業績予想は公表当時から虚偽の開示であったと評価され，上場会社が風説の流布（158条）に問われたり，投資者に対して不法行為に基づく損害賠償責任を負ったりする可能性がある。法定開示書類に記載される将来情報についても同様である。

もっとも，虚偽であるか否かは情報が開示された時点を基準に判断されるべきであるが，予想が外れた場合に上場会社が民事責任を追及される可能性が高まることは否定できない。そこで，将来情報の開示を促進するために，アメリカでは民事責任のセーフ・ハーバー・ルールが設けられている[111]。それによると，将来情報の表示は，①将来情報であることが明示され，かつ，意味のある注意表示を伴っている場合，②重要でない場合，または③表示者の悪意を立証できなかった場合には，表示者は民事責任を負わないとされる。「意味のある注意表示」とは，将来情報の表示と大きく異なる現実の結果を生じさせるような重要な要因を特定するものであり，すべての要因を特定する必要はない（実際に結果を乖離させた要因が注意表示において特定されていなくてもよい）が，注意表示のなかに歴史的事実に反する虚偽の記載があれば，免責を受けることはできないと解されている。歴史的事実に反する注意表示とは，たとえば「潜在的なＡという要因がＢという結果を引き起こす可能性がある」という注意表示において，Ａという要因が既に発生しており，「潜在的な」という記載が歴史的事実に反するような場合をいう[112]。また，アメリカの判例では，将来情報の開示に「意味のある注意表示」が伴っていれば，情報は（虚偽であっても）重要性の要件を満たさないとする注意表示の法理が発達してきた。

わが国においても，業績予想の開示に「業績予想は，発表日現在において入手可能な情報に基づいて作成したものであり，実際の業績は，今後発生するさまざまな要因により予想値と異なる可能性があります」といった注意表示が付されるのが一般的である。しかし，このようにリスク要因を特定しない注意表示では，アメリカの基準でも免責を受けることができないことに注意すべきである。また，アメリカにおける将来情報のセーフ・ハーバー・ルールの運用を見ると，注意表示がどのように記載されているかよりも，将来情報の開示に合

111） 1933年証券法27A条(i)項，1934年証券取引所法21E条(c)(1)項，黒沼・アメリカ143-145頁。

112） 黒沼悦郎「上場企業による業績予想開示の法的検討」企業会計63巻11号（2011）34頁。

理的な根拠があるかどうかを重視している[113]。そうだとすると，わが国においてセーフ・ハーバー・ルールを設けるとすれば，将来情報の作成に当たり合理的な根拠に基づかなかったことの立証責任を原告（投資者）に負わせるとか，表示に合理的な基礎がないことを知らなかったことを免責要件として定めるタイプが望ましいと思われる[114]。

第*6*節　課　徴　金

1　総　　説

違反行為の抑止を目的として，行政手続によって違反者から一定の金銭を徴収する課徴金制度が平成16年の改正により導入された（**→12章*2*節*5*⑴**）。課徴金制度はディスクロージャー規制の違反についても適用され，一定の効果を挙げている。平成20年の改正では，適用対象が拡大され，課徴金の額も引き上げられた。

課徴金制度の特徴は，①違反者の故意・過失を問わずに課されること，および②課徴金の額が違反者の得る利得相当額を基準として定められていることにある。いずれも，刑事制裁に加えて課徴金を課しても憲法39条の禁止する二重処罰（double jeopardy）に当たらないことを確保するために設けられたものである。違反行為の抑止という課徴金制度の目的からみると，①は迅速な手続で課徴金を賦課することに資するものの，違反の態様に応じた額の課徴金を課すことを難しくし，②も，違反者から利得相当額を剝奪するだけでは十分な抑止効果を挙げることができないという問題がある（**→12章*2*節*5*⑸**）。

課徴金の賦課手続，加算・減算制度については**12章*2*節*5***に譲り，ここではディスクロージャー違反に対する課徴金の要件・効果について概説する。

2　発行開示違反に対する課徴金

⑴　発行開示書類の虚偽記載等

重要な事項につき虚偽記載等のある有価証券届出書・発行登録書・発行登録追補書類等（発行開示書類）を提出した発行者には，発行価額の総額の 2.25%

113）　黒沼・前掲注 112）35-36 頁。
114）　黒沼・前掲注 112）36 頁。

（株券等は4.5%）の課徴金が課せられる（172条の2第1項1号）。2.25%および4.5%の数値は，虚偽記載等のある発行開示書類を提出すれば有利な条件で資金を調達でき，発行者に利得が生じているとの認識を前提として，上場会社の株価変動率のデータ等を踏まえて設定されたものであり[115]，平成20年改正により現在の数値に引き上げられた。同年の改正では，虚偽記載に加えて，記載すべき重要な事項の記載が欠けている場合も課徴金の対象とされた。誤った情報によって利得を得るという構図は，虚偽記載も重要な事項の不記載も変わりがないからである。

発行者の担当者に，記載が虚偽であるとの認識があることは要件とされない。課徴金は行政上の措置であり刑事罰でないから，責任非難の観点を考慮する必要がないのである[116]。172条の2第1項は，発行者が有価証券を取得させたことを課徴金の要件としているが，虚偽記載と投資者が有価証券を取得したこととの間に因果関係があることは必要ない（東京地判平成26・2・14判時2244号6頁）[117]。参照方式の対象となった継続開示書類に虚偽記載があった場合には有価証券届出書に虚偽記載があったものとされる（172条の2第3項）。この扱いは，刑事責任の場合（→***4*** 節 ***2***(1)），および民事責任の場合（→***5*** 節 ***2***(1)）と同じである。

■Column 4-26　新株予約権の発行に係る開示書類の虚偽記載■■

新株予約権の発行時において有価証券届出書に虚偽記載がなされた場合，平成20年改正前は新株予約権の発行価額を基準として課徴金の額を定めていたが，同年改正は，発行会社は新株予約権の発行価額と新株予約権の行使による株式払込金額を合計した額を資金調達額と想定していることを理由に[118]，新株予約権の発行価額と新株予約権の行使による払込金額の合計額を基準として，その4.5%を課徴金の額とした（172条の2第1項1号2号）。

株価が下落し，新株予約権に付された取得条項の条件が満たされたために，発行者が発行された新株予約権をすべて取得し，新株予約権による資金調達が行われなかった事例において，金融庁平成22年12月9日決定[119]，その審決取消請求事件

115）　逐条解説2008年107頁。
116）　三井秀範編著『課徴金制度と民事賠償責任』（金融財政事情研究会，2005）53頁，東京地判平成26・2・14判時2244号6頁。
117）　松葉知久「判批」商事2060号32頁，黒沼悦郎「判批」判評680号26頁。
118）　逐条解説2008年107頁。
119）　宮下央「判批」商事1926号23頁。

に係る東京地裁平成24年6月29日判決（判タ1393号110頁），および東京高裁平成25年3月28日判決（LEX/DB25445973）は，「新株予約権の行使に際して払い込むべき金額」とは，新株予約権を取得させた時点におけるそれに係る新株予約権の行使に際して払い込むことが予定されていた価額（当初行使価額）をいうとして，発行価額と当初行使価額の合計額を基準とする課徴金の納付を命じた。

しかし，この事例では，現実に払込金額の調達は行われず，発行価額も返還されているのであるから，課徴金の納付を免れるために取得条項を発動した等の事情がある場合を除いて，課徴金の算定基準時を納付時と考えて課徴金の額は0と算定すべきものと思われる。また，この事例では，発行者に資金調達のニーズが生じたときに払込金額を修正できるよう，当初は市場株価の約2倍という，新株予約権者が新株予約権を行使しないと見込まれる高い払込金額が設定されていた。そうだとすると，仮に，課徴金の算定基準時を有価証券の発行時と考えるとしても，払込金額としては発行時における合理的見込額（発行当時の市場株価）をとるべきである。

有価証券の売出しの場合には，課徴金制度の適用が制限されている。すなわち，発行者がその保有する有価証券を売却する場合に限って，発行者に売出価額の2.25%（株券等は4.5%）の課徴金が課せられる（172条の2第1項2号）。有価証券の募集・売出しに際して，自己の有する有価証券を売り付けた発行者の役員等（役員，代理人，使用人，その他の従業者）には，売付総額の2.25%または4.5%の課徴金が課される（172条の2第2項）。株式の公開に際して創業者が保有株式を売却する行為を念頭に置いた規定である。この場合には，役員等が虚偽記載等を知りながら書類の提出に関与することが要件とされている。発行者の役員には虚偽記載の認識がなかったとして課徴金の納付義務を否定した例として，金融庁平成22年6月25日決定[120]がある。

虚偽記載のある目論見書を使用して有価証券を売り付けた発行者および自己の保有する有価証券を売り付けた役員等にも課徴金が課せられる（172条の2第4項5項）。既に開示されている有価証券の売出しのように有価証券届出書が提出されない場合（4条1項1号）に，特に有効であろう。

(2)　発行開示書類の不提出

平成20年改正により，発行開示書類の不提出が課徴金の対象に加えられた（172条1項）。不提出に対する課徴金の額は，不提出の目的が募集・売出しに

120）　弥永真生「判批」商事1908号4頁。

係る有価証券の内容を実態よりも好条件に見せかけることにあると考えられることから[121]，発行開示書類の虚偽記載と同じ水準に設定された。

課徴金の対象となるのは，有価証券届出書が受理されていないのに，当該届出書に係る募集，売出し等をした者である（172条1項）。ここにいう募集をした者とは，発行者をいい，発行者のために勧誘行為をした者を含まないようである[122]。また，無届けの売出しについては，課徴金の対象が自己の所有する有価証券に関し売出しをした者に限定されている（172条1項）。しかし，届出なしの募集・売出しによって発行者や売出人以外の仲介者も違法に手数料を得ているはずであるから，募集の取扱い・売出しの取扱いを行った者も課徴金の対象にすべきではないだろうか。

届出書の効力発生前に募集・売出しによって有価証券を取得させた者も，発行価額を基準とした課徴金を課せられる（同条2項）。

172条3項は目論見書の交付義務違反に課徴金を課す旨を定めるが，その対象を，既発行証券の売出しに係る目論見書に限定している。既発行証券の売出しについては有価証券届出書を提出する必要がないために，目論見書の交付義務違反を課徴金の対象にしたものと思われる。目論見書の交付義務違反という取引規制違反を課徴金によって抑止するためには，既発行証券の売出しに係る目論見書に課徴金の対象を限定するのは妥当でない[123]。

3　継続開示違反に対する課徴金

(1)　導入の経緯

有価証券報告書，半期報告書等の継続開示の違反は，平成16年改正の時点では課徴金の対象とされていなかった。その後，鉄道会社の有価証券報告書虚偽記載事件が発生し，継続開示義務の違反が課徴金の対象とされていないことが問題となったため，平成17年に改正が行われた。発行市場と流通市場における取引数量や取引金額等を比較すれば，継続開示違反を抑止する必要性は発行開示違反に比べても劣るものではないこと，継続開示に違反した会社は，上場の維持等を通じて当該会社の有価証券について価格水準や流動性の確保が可

121）　逐条解説2008年299頁。

122）　大証金融商品取引法研究会「金融商品取引法の改正(2)」（研究会記録6号，2011）36頁〔石田眞得発言〕（同11頁の黒沼報告を訂正する）。

123）　大証金融商品取引法研究会・前掲注122）11頁〔黒沼悦郎報告〕。

能となるなどさまざまな形で利得を得ているといえるから[124]，この改正は当然のものであった。

ただし，継続開示違反に対する課徴金は，事実上，刑罰と接近する側面もあることから，政策的な観点より罰金との調整規定が設けられた（→**12章*2*節*5*(4)**）[125]。

継続開示違反が悪質な場合には関係者の刑事責任が追及され（→***4*節**），有価証券が上場廃止とされることも少なくない。開示書類に虚偽記載がされた場合，証券取引等監視委員会は，どのような事例を告発し，どのような事例について課徴金の納付命令を勧告するのか，取引所はどのような事例について上場廃止処分を下すのかは，実務の関心の高いところであろう。一般的には，虚偽記載の規模が大きく期間が長く関係者の行為の悪質性が強いほど刑事処罰が選択され，上場廃止処分に至ることが多く，規模が小さく期間が短い場合には課徴金が選択されるといえよう。これまでの事例を見ると[126]，刑事処罰ではなく課徴金納付が選択された事例で，虚偽記載を理由として取引所から上場廃止処分を受けた事例は存在しないようである。

(2)　継続開示書類の虚偽記載等

重要な事項につき虚偽の記載のある有価証券報告書を提出した発行者には，600万円と有価証券の市場価額の総額の10万分の6のいずれか大きい額の課徴金が課せられる（172条の4第1項）。600万円という金額は，時価総額が1000億円程度の企業が得るであろう虚偽記載に伴う資金調達コスト低下額を試算したものであり[127]，平成20年改正により現在の数値に引き上げられた。つまり，この試算では，虚偽記載に伴う資金調達コスト低下額を時価総額の10万分の6とみていることとなる。しかし，資金調達コスト低下額は，虚偽記載の規模（たとえば，資産1億円相当の虚偽記載か100億円相当の虚偽記載か）によって異なるのであり，この算定基準では，規模の大きい虚偽記載に対して抑止力が利かないおそれがある。また，平成20年の改正では，継続開示書類に

124)　金融審議会金融分科会第一部会報告「ディスクロージャー制度の信頼性確保に向けて」（平成16年12月24日）3頁参照。

125)　吉田尚弘「継続開示義務違反に対する課徴金制度の概要――証券取引法の一部改正に係る衆議院修正」JICPAジャーナル602号（2005）39頁。

126)　証券取引等監視委員会は定期的に「金融商品取引法における課徴金事例集」を公表している。これを分析したものとして，黒沼悦郎「『課徴金事例集』にみる金融商品取引法上の論点」金法1908号（2010）36頁を参照。

127)　三井編著・前掲注116）40頁。

重要な事項の不記載があるときも課徴金の対象とされた（172条の4第1項）。

重要な虚偽記載または不記載のある四半期報告書・半期報告書・臨時報告書を提出した発行者には，300万円と有価証券の市場価額の総額の10万分の3のいずれか大きい額の課徴金が課せられる（172条の4第2項）。課徴金の額が有価証券報告書の虚偽記載の半額なのは，四半期・半期・臨時報告書の記載対象事項・期間が，有価証券報告書と比べ，より狭いことを考慮したものとされる[128)]。

継続開示書類の虚偽記載について，発行者の役員は課徴金納付命令の対象とされていない。課徴金制度については，刑法総則の共犯（刑60条～65条）の規定の適用もない。もっとも，虚偽記載を行った役員等については，会社が支払った課徴金相当額の損害賠償を会社から求められるであろう。また，開示書類一般の虚偽記載について教唆または幇助を行った発行者役員等以外の者には，その者が報酬として得た利益に相当する額の課徴金が課される（172条の12）。発行者に対して粉飾決算を指南する者がその典型である。

■ Column 4-27　公認会計士・監査法人に対する課徴金■■

継続開示書類の虚偽記載が財務諸表に係るものである場合に，これに適正意見を表明した公認会計士または監査法人は，公認会計士法上の課徴金制度の対象とされる。この制度は同法の平成19年改正により導入された。監査証明をした者が相当の注意を怠ったときは監査報酬相当額が，故意があるときは監査報酬相当額の1.5倍が課徴金の額となる（会計士30条）。相当の注意を怠らなかったときは課徴金は課されない。このように公認会計士法では，故意過失の有無・程度にかかわらず課徴金を課す考え方も，課徴金の額を違反者の利得相当額に限定する考え方も採用されていない。

継続開示書類の虚偽記載に関する課徴金の額は，発行者の時価総額が1000億円を超過しなければ600万円（有価証券報告書以外では300万円）であり，発行開示違反に対する課徴金と比べるとかなり低く，違反行為に対する抑止力が乏しい。財務諸表の虚偽記載に関与した公認会計士は，虚偽有価証券報告書等提出罪（197条1項1号）の共犯に問われる可能性があるのに（→***4*** 節 ***2***(1)），虚偽記載に関与した公認会計士に対する課徴金の額が利得相当額を超過する場合でも憲法の二重処罰の禁止（→***1***）に違反しないのであれば，継続開示違反に対する課徴金の額を抑止効果が発揮される程度まで引き上げることを考えるべきであろう。

128）　三井編著・前掲注116）40頁。

(3) 継続開示書類の不提出

平成20年改正では，違反抑止を図る観点から，継続開示書類の不提出が課徴金の対象に加えられた（172条の3）。不提出に対する課徴金の額は，有価証券報告書については，不提出によって監査報酬を節約できたとみて，監査報酬相当額（直近事業年度の監査報酬相当額が存在しない場合は400万円），四半期報告・半期報告の不提出はその2分の1とされた（同条1項2項）。また，これに伴い，有価証券報告書の提出期限について，やむを得ない理由により事業年度経過後3か月以内に提出できない場合は，あらかじめ内閣総理大臣（財務局長に委任）の承認を受けて，提出期限を延長することができることとされた（24条1項）。発行者に有価証券報告書を提出する意思はあるが監査法人との意見調整が調わないために期限内に提出できない場合もあることを考慮したものである[129)]。やむを得ない場合は財務局長の承認を受けることができるので，やむを得ない遅延かどうかを判断して課徴金を課したり課さなかったりすることはない[130)]。

臨時報告書の不提出は，継続開示書類の不提出ではなく虚偽記載と同様の扱いとされている（172条の4第3項）。平成20年改正では，前述のように，虚偽記載の概念のなかに「重要事項の不記載」も含められたところ，臨時報告書の不提出は，重要事項の不記載と同視できるからである[131)]。

---

129)　逐条解説2008年108頁。

130)　座談会「金融商品取引法の改正」商事1840号（2008）13頁〔池田唯一発言〕。

131)　逐条解説2008年314頁。

第5章　公開買付け等の規制

第*1*節　総　　説

1　規制の導入

ある者が株式会社の議決権の過半数を取得すれば，その者は取締役の全員を選任することができ（会社341条），企業の支配権を取得することができる。このように議決権の過半数を取得することにより企業の支配権を取得することを「企業買収」と呼ぶとすると，企業買収の方法としては，①市場で多くの株主から株式を購入する（市場取引），②市場外で少数の大株主から株式を購入する（相対（あいたい）取引），③市場外で多くの株主から株式を購入すること（市場外買付け）が考えられる。

このうち市場取引の方法によるときは，長期間にわたり市場での購入を継続することになるため，その間に株価が徐々に上昇してしまい，必要とする株式を買い集めることができないか，買収費用が高くついてしまう可能性がある。それに対し，買収対象会社の株主に直接勧誘して株式の提供を募れば，買付価格はその時点の市場価格よりも多少高くても，確実に株式を買い集めることができるし，買収費用の予測もつく。そこで，アメリカでは企業買収の方法として③が用いられるようになった。これを公開買付け（tender offer）という。

公開買付けが自由に許されると，買付者は株式の提供を数日間に限定し，短期間にかつ先着順に買付けを行う方策を採用し，投資者の利益を害する恐れがある。なぜなら，この方法がとられると，買付者や買付後の計画に関する情報が不足しているのに，対象会社の株主は買付価格と市場価格との差額（プレミアム）を得ようとして，情報をよく吟味しないで株式を提供してしまう傾向が生じるからである。そこで，③の方法をとる買収者について，情報開示を強制し，投資者に情報の熟慮期間を保証する公開買付規制が，アメリカの連邦証券規制に1968年に導入された。わが国では，昭和46（1971）年に，アメリカ法にならった公開買付規制が採用された[1)]。

2　平成2年改正

わが国では，公開買付規制の導入後も公開買付けの実例はほとんどなかった。バブル期に株価が高騰した際に，株式の買集めや買い集めた株式の肩代わりの要求などの濫用行為が見られたことを背景として，平成2年の証券取引法改正では，市場外における議決権の3分の1を超える取得は公開買付けの方法によらなければならないとした（強制的公開買付制度）。この改正は，当時のイギリスの自主規制を参考にしたものである[2)]。

イギリスでは，シティと呼ばれる金融街の自主規制（テイクオーバー・パネルのシティ・コード）により公開買付けが規制されてきたが，そこでは，市場取引と市場外取引とを問わず30%を超える議決権を取得した者は，残存株主に対して公開買付けをすることが義務づけられる（義務的公開買付け）。ただし，買付者が公開買付けを行って30%超の支配権を取得した場合にはこの公開買付義務が免除されるため，多くの場合には全株式を対象とする任意の公開買付けが行われる。また，公開買付けを行う場合には，提供された株券のすべてを買い付けなければならない（全部買付義務）。2004年に採択されたEUの公開買付指令も，基本的にイギリスの制度を採用している[3)]。義務的公開買付けと全部買付義務をセットで採用するEUの公開買付規制は，企業買収の方法としては公開買付けしか認めない（市場取引や相対取引を認めない）という考え方に立っているといえる。

平成2年の証券取引法改正で導入されたわが国の強制的公開買付制度は，①

1）　導入時の議論につき，証券取引審議会報告書「企業内容開示制度等の整備改善について」（昭和45〔1970〕年12月14日）商事545号（1971）24-25頁，河本一郎＝神崎克郎『問答式改正証券取引法の解説』（中央経済社，1971）140頁以下を参照。

2）　内藤純一「株式公開買付制度の改正」商事1208号（1990）5頁。

3）　EUの規制につき，北村雅史「EUにおける公開買付規制」商事1732号（2005）4頁以下を参照。

議決権の3分の1を超える取得のみを適用対象とし，②市場取引を適用対象とせず，③買付者に全部買付義務を課さなかった点で，イギリスやEUの制度と異なっている。アメリカには，制度としての強制的公開買付けはないが，判例法上，相対取引や市場取引が公開買付けの適用対象と解釈される余地はある[4]。

■Column 5-1　強制的公開買付制度の目的■■

わが国の強制的公開買付制度の目的については，支配権移転の際のプレミアムの分配にあるとする説[5]と，退出権の保障にあるという説[6]が対立している。プレミアム分配説は，支配株式が譲渡される際には，市場価格を超えるプレミアムが支払われることが多いので，一般投資家（株主）に対しプレミアム付きで買付者に株式を売却する機会を与え，投資者の間で支配権プレミアムの公平な分配を実現することが，強制的公開買付制度の目的であるとするものである。

退出権保障説は，会社の支配権が移転する際に，株主に会社関係からの離脱権を認めることに強制的公開買付制度の趣旨があると理解する。たしかに，EUの義務的公開買付けはある者が会社の支配権を取得した後に公開買付けを義務づけられるから，その目的が株主の退出権の保障にあると理解される。しかし，上述のように，EUにおいても，制約の多い義務的公開買付けを避けるために任意の公開買付けが行われるため，退出権の保障という機能が十分に図られているわけではない。わが国の制度は（現行制度においても），買付者の買付け後の議決権割合が3分の2以上とならない限り，全部買付義務が課されず，退出権の保障が十分でないことを考慮すると，プレミアムの分配を目的としているといえよう。もっとも，強制的公開買付制度の目的についていずれの説を採っても，制度を構成するルールのすべてを説明することができるわけではなく，制度の首尾一貫した立法論を立てられるわけでもないことに注意すべきであろう。

強制的公開買付制度は，相対取引の対象とならなかった一般の株主に買付者に対する株式売付けの機会を与えてこれを保護しようとするものであるから，その趣旨は，市場外買付けの対象となった株主を保護する，任意の公開買付けに対する規制とは明らかに異なる。

4)　1992年頃までのアメリカの判例・実務の動向につき，黒沼悦郎「市場取引・相対取引・公開買付(1)」名古屋大法学政論集147号（1993）425頁。
5)　近藤＝吉原＝黒沼365頁。
6)　山下＝神田編266頁〔加藤貴仁〕，松尾232頁。

■ Column 5-2　公開買付けの規制と会社支配権の市場■■

1980年代にアメリカで企業買収がさかんになると，買付者は，なぜプレミアムを支払って公開買付けを行うのかを説明しようとする試みが行われた。それらによると[7]，①買付者は，市場が過小評価している企業を探し出し，買収後に企業価値を実現するために公開買付けを行うとするディスカウント仮説，②買付者は，資産が有効利用されていない企業を探し出し，経営者を交代させて経営を改善するのだという説，③企業の経営者が，自己の地位の保全を図ろうとして，企業規模を拡大するために他社を買収するというエンパイア・ビルディング仮説などがある。①は証券市場が効率的でないこと（→**1章*2*節*4***）を前提とするが，敵対的買収が行われる理由をうまく説明できない。②は証券市場が効率的であることを前提とするものであり，敵対的買収により経営者の規律（→**Column 1-1**）が行われているとみるものである。資産が有効利用されず株価が低ければ公開買付けが行われるという意味で，株式市場は会社支配権の市場（Market for Corporate Control）であり，公開買付規制の目的は会社支配権の市場を効率的にすることに求められる。現在の公開買付規制は，基本的に②の考え方に立っているとみてよいであろう。③からは，買付者の行動がその株主との関係で問題になるが，それは会社法の規制に委ねてよいともいえる。

アメリカ，EU，および日本の立法では，公開買付けの規制が買付者・対象会社のいずれかを有利にしない，中立的な制度として組み立てられている。もっとも，公開買付けの規制は，それがない場合に比べて企業買収のコストを高めるものである上，企業買収の方法を公開買付けに限定すると企業買収のコストはさらに高まる。アメリカでは公開買付けの強圧性（→***4*節*1***）を減じるために全部買付義務を導入することが検討されたことがあったが，そうすると対象会社の全株式を取得できる資金を用意しないと公開買付けを開始することができず，公開買付けの頻度が低下し株主がプレミアムを取得する機会が減少することから，導入は見送られた[8]。

3　平成18年改正

わが国では，公開買付規制の導入以来30余年にわたって敵対的な公開買付けは行われてこなかった。ところが，平成17年頃から，敵対的な企業買収の試みがなされ，これに対抗して上場会社が買収防衛策を導入するようになったところ，公開買付規制の不備が明らかになってきた。そこで平成18年の改正

7)　黒沼・アメリカ181頁。

8)　SEC Advisory Committee on Tender Offers, Report of Recommendations (1983). その紹介を含め，公開買付制度全般を検討したものとして，森本滋「公開買付」大系281頁以下を参照。

により，①市場の内外における急速な買付けの禁止，②買収者が競合する場合の公開買付けの強制，③開示の充実，④買収防衛策への対応，⑤全部買付義務の一部導入を内容とする改正が行われた[9]。

①は，市場取引や相対取引による株式の取得を一部制限するものであり，企業買収の方法を公開買付けに限定する考え方（→*2*）に近い。②は買収者間の公平の確保という，それまでなかった目的を新たに公開買付規制に加えるものである。⑤は，会社の支配権を取得しようとする者が少数株主を残存させる形で企業を買収することを禁止するものであり，少数株主の保護を目的とする。このように，公開買付規制の趣旨・目的はますます複雑になっており，概していえば，公開買付規制は企業買収ルールとしての性格を強めている。

第*2*節　規制の適用範囲

1　適用対象証券・行為

⑴　株 券 等

公開買付けは，ある者が多数の投資者から有価証券を取得する行為であり，ちょうど募集・売出しと反対の取引である。また，発行者以外の者による公開買付けは，ふつう，対象会社の支配権を取得するために行われる（発行者による公開買付けについては，*5*節で述べる）。

そこで公開買付規制の対象となる有価証券は，当該証券を発行したことにより継続開示義務を負うに至った会社の発行する有価証券のうち議決権があるか，議決権のある証券を取得できる証券に限定される。具体的には，①株券，②新株予約権証券，③新株予約権付社債券，④外国法人の発行する証券・証書で①～③の性質を有するもの，⑤投資法人の投資証券・外国投資証券，⑤①～④を対象とする有価証券信託受益証券，⑥①～④の預託証券がこれに当たるが，議決権のない株券やこれを取得する新株予約権証券等は除かれる（27条の２第１項柱書，施行令６条１項）。これらを「株券等」という。上場会社では株券はペーパーレス化されており，発行されないが，振替株式は株券とみなされて（２条２項柱書），公開買付規制が適用される。普通社債を公募したことにより継続

---

9)　改正法の考え方について，金融審議会金融分科会第一部会公開買付制度等ワーキング・グループ報告「公開買付制度等のあり方について」（平成17年12月22日）を参照。

開示義務を負うに至った会社の株券等は「株券等」に当たらないことに注意を要する。

⑵ 買付け等

投資判断資料の提供や支配権プレミアムの分配が規制の主たる目的であることから，規制対象となる行為は株券等の「買付け等」に限られる（27条の2第1項柱書）。これには有償の譲受けのほか，売買の一方の予約（買主の地位を得る予約完結権を取得するものに限る），売買に係るオプションの取得等が含まれる（施行令6条3項2号，他社株買付府令2条の2）。対価は他の有価証券であってもよいが，その有価証券の募集・売出しに該当するときは有価証券届出書の提出が必要になる。

会社分割や合併によって株券等を承継取得する場合は，原則として「買付け等」に該当しないが，規制の趣旨に照らして脱法と認められる場合には，買付け等に当たると解すべきである。たとえば，Aの有するC社株のみを会社分割の対象財産とし，Bがこれを吸収分割により取得する行為や，C株のみを有するA社とB社が合併してBがC株を取得する行為は，BによるC社株の買付け等に当たると解すべきであろう。

■Column 5-3　交換買付け■■

金銭以外のものを対価とする公開買付けのうち，買付者が自社の株式や親会社の株式等を対価とするものを交換買付け（exchange offer）という。交換買付けの対価である有価証券の売付けが募集または売出しに当たるときは，買付者は，当該有価証券の発行者が有価証券届出書を提出していなければ，応募株券等の買付け等の申込み・公開買付説明書の交付・応募株券等の受入れをすることができず（27条の4第1項，他社株買付府令15条），有価証券届出書の効力が生じていなければ応募株券等の買付けをすることができない（15条1項，**→2章*5*節*2*⑴**）。対象会社の株主等は，株券等と交換される買付者の株券等について十分な情報を与えられて投資決定を行う必要があるからである。

交換買付けは，買付者が買収資金を用意することなく企業買収を行う方策の1つであり，合併・株式交換などの組織再編の前段階の行為として経済的な意義が認められる。しかし，わが国では，交換買付けはほとんど行われていない。その理由は，応募株主等に，株式交換で認められている課税の繰延べが認められない（交換買付けの時点で課税所得が発生する）という不便さのほか，次のような会社法上の難点があるからである。

交換買付けは，対価である株式（B株）の発行者（買付者またはその親会社）にとっては，対象会社の株式（A株）の現物出資による募集株式（B株）の発行に当たり，原則として検査役による調査が必要となる（会社207条1項）。現物出資財産が市場価格のある有価証券であり，現物出資財産の価額が当該有価証券の市場価格として法務省令で定める方法により算定されたものを超えないときは，例外的に検査役の調査は不要となり（同条9項3号），法務省令では，当該有価証券（A株）が公開買付けの対象であるときは公開買付契約における当該有価証券の価格と市場価格のいずれか高い額とすると定められている。そこで，たとえば，市場価格1株1000円のA株を1200円相当のB株1株で買い付ける公開買付けを行うときは，現物出資財産（A株）の価額を1株1200円と定めても検査役の調査は必要がないとも考えられる[10]。会社法は，上場有価証券の市場価格は多くの投資者の判断を集約して決定されたものであり，市場価格にプレミアムを上乗せした公開買付価格も買付者が相応の判断をした上で決定したものであるから，ともに有価証券の過大評価のおそれはないとして，検査役の調査の例外を規定したのである。

しかし，実務では，①募集株式（B株）の払込金額の決定日においては，まだ対象株式（A株）は公開買付けの対象となっていない，②交換買付けにおいては，対象株式（A株）の公開買付価格ではなく，交換比率が決定されるにすぎない（27条の2第3項，施行令8条2項）という技術的な理由から，交換買付けは上場有価証券の関する検査役の調査の例外事由（会社207条9項3号）に該当しないと解している[11]。

⑶　適用除外行為

株券等の買付け等を公開買付けの手続によって行わなければならないのは，以下の ***2***〜***6*** に掲げる場合であるが，それらに該当する場合であっても，公開買付けによらなくてよい適用除外行為が定められている（27条の2第1項但書，施行令6条の2第1項）。そのうち3分の1ルールの適用を除外されるもの（→***3*** ⑵）以外の主な適用除外行為は次のとおりである。

①　新株予約権・株式の割当てを受ける権利の行使　金融商品取引法は，既発行証券の買付けと組み合わせる場合（→***5***）を除いて，新規発行証券の取得を公開買付けの規制対象としていない（「買付け等」に当たらないと整理されている）。ところが，新株予約権または割当権の行使に応じて，会社が自己株券

10）　弥永真生『会社法の実践トピックス24』（日本評論社，2009）103頁。
11）　アンダーソン・毛利・友常法律事務所編『ANALYSIS 公開買付け』（商事法務，2009）281-284頁，長島・大野・常松法律事務所編『公開買付けの理論と実務〔第2版〕』（商事法務，2013）363-365頁。

を交付する場合には，権利行使者からみて株券等の買付け等に該当するため，適用除外を設ける必要が生じた。

② **特別関係者からの買付け**　特別関係者（→*2*）は買付者側に立つ者であるから保護する必要はないし，特別関係者の持株は株券等所有割合（→*2*）に含まれているので，3分の1ルールを適用する必要もないからである。

③ **株券等の売出しに応じて行う買付け**　募集に伴って行われる株券等の取得が公開買付規制の対象にならないことと整合性をとったものである。しかし，買付者の開示や買付け行為に対する規制が適用されなくてよいか疑問が残る。開示の行われている有価証券の売出し（4条1項但書）等，有価証券届出書が提出されない場合には，適用除外とならない。

④ **取得請求権付株式・取得請求権付新株予約権の対価として株券等の買付けが行われる場合**　①と同様，自己株券が交付される場合に備えた規定である。

⑤ **従業員持株会等による計画的買付け**　個別の投資判断に基づかないためである。

⑥ **株券等を信託する投資信託において受益証券を信託財産に属する株券等と交換する行為**　所有権の実質的移転がないからである。

⑦ **清算参加者が債務を履行しなかった場合に金融商品取引清算機関が行う株券等の買付け**　公開買付規制が清算機関の業務の妨げにならないようにするためである。

2　多数の者からの取得

取引所金融商品市場外における株券等の買付け等を著しく少数の者以外の者（以下，多数の者という）から行う場合であって，買付け後の株券等所有割合が5% を超える場合には，公開買付けの手続によらなければならない（27条の2第1項1号）。この場合には，株券等の所有者（投資者）に提供圧力が生じており，適切な投資判断を確保する必要があるからである。著しく少数の者（60日間の通算で10人以下）から買い付けるときには，投資者に取引力があり買付者と投資者の間で情報が偏在していないと認められるので，公開買付けによる必要はない（施行令6条の2第3項）。株式が国内の証券取引所と海外の証券取引所に同時上場されている場合，海外の証券取引所における買付け等は形式的には取引所金融商品市場外における株券等の買付け等に当たるが，取引の透明性・公正性が確保されていると認められる海外市場における買付け等には，多数の者からの取得にかかる公開買付規制は適用されない（同条第2項3号）。

株券等所有割合とは，対象会社の総議決権の数に対する買付者とその特別関係者の有する株券等の議決権の割合をいう（27条の2第8項）。新株予約権付社債券のような潜在的株式については，買付者・特別関係者の有する分を分子と分母に加える。

特別関係者には，買付者と株式の所有関係・親族関係などで結ばれている者（形式的特別関係者）と，買付者との間で株券等の共同買付け・相互の譲渡・共同の議決権行使を合意している者（実質的特別関係者）とがある（同条7項，施行令9条）。形式的特別関係者や実質的特別関係者にどのような者が含まれるかは，金融商品取引所市場外における株券等の取得に公開買付けの方法が強制されるか否か（→*3*）を判断する際に特に重要な解釈問題となる。たとえば，買付者の20%以上の株式を保有する大株主は形式的特別関係者に当たるが，その者が公開買付に反対しているなど，買付者と協調行動をとることがおよそ想定されない場合には，株券等所有割合の計算において除外すべきである。また，「議決権その他の権利を行使すること」を広く解すると，帳簿閲覧権のように会社の支配と直接に関係のない権利の行使を共同で行う場合にまで特別関係者に含まれてしまう。しかし，公開買付規制は支配権の取得に関するルールであるから，支配権の変動と関係のない株主権は「議決権その他の権利」に含まれないと考えるのが規制の趣旨に合致するといえる。具体的には，「議決権その他の権利」を取締役会を支配することに至る数の取締役を選任するための株主権に限定する解釈が唱えられている[12)]。

3　著しく少数の者からの取得（3分の1ルール）

(1)　原　　則

取引所金融商品市場外における著しく少数の者（60日間の通算で10人以下）からの取得であっても，買付け後に株券等所有割合が3分の1を超えるときは，公開買付けによらなければならない（27条の2第1項2号）。支配権プレミアムの公平な分配を確保するためである（→**Column 5-1**）。3分の1が基準値とされたのは，議決権の3分の1超を保有する株主は株主総会の特別決議の成立を阻

12)　飯田秀総「共同保有者・特別関係者の範囲」落合先生古稀記念『商事法の新しい礎石』（有斐閣，2014）920頁。

止することができ，会社の運営に大きな影響力を行使できるからである。株式所有が分散している会社では，議決権の3分の1を保有すれば，事実上会社を支配できるといわれている。

株券等所有割合の計算は***2***と同じである。権利行使期間が未到来の新株予約権証券・新株予約権付社債についても議決権があるものとして3分の1の算定の基礎に含める。しかし，そのような証券を保有していても，現時点では議決権を行使することができないので，新株予約権証券等を市場外で買い付けて潜在的議決権の合計が3分の1を超えるような場合において，支配権プレミアムを含む買付価格が支払われるとは思われない。したがって，支配権プレミアムの分配を確保する観点からは，権利行使期間が未到来の新株予約権証券等については3分の1の算定の基礎に含める必要はないと考える。

■ Column 5-4　3分の1ルールは必要か ■■

強制的公開買付制度は，企業価値を増加させる効率的な制度といえるだろうか。

X社の議決権の3分の1を超えるような支配株式のブロックを，買主Aが市場外の相対取引により売主Bから買い付ける場合を考えてみよう。強制的公開買付制度があるとこのような相対取引は禁止され，Aは公開買付けの方法によりX社のすべての株主からX株を買い付けなければならない。公開買付けには多額の手続費用がかかるし，Bとしては保有する全株式をAに売却できなければ，支配株式の売却を望まないだろうから，相対取引を禁止し公開買付けを強制すると支配株式の移転が抑制されることになる。

A・B間で支配株式の移転が行われる1つの理由は，AがX社を経営した方がXの企業価値が増加するからである。そうすると，相対取引に対して公開買付けを強制するルール（3分の1ルール）は，企業価値を増加させるような株式の移転を妨げるから効率的でなく，望ましくないと考えられる[13]。

他方，買付者AがX社について他の株主と共有しない私的利益を有している場合には，部分買収（X社の発行済株式の全部を取得しない買収）によって，そのような私的利益を実現することができる。Aがこのような私的利益を追求するときは，支配株式の移転により企業価値は減少することとなる[14]。この点からは，強制的公開買付制度は，企業価値を減少させるような株式の移転を抑制するから効率的で

13）黒沼悦郎「強制的公開買付制度の再検討」商事1641号（2002）55頁，Frank H. Easterbrook & Daniel R. Fischel, "Corporate Control Transactions", 91 Yale L. J. 698 (1981).

14）Tomotaka Fujita, "The Takeover Regulation in Japan: Peculiar Developments in the Mandatory Offer Rules", 3 UT Soft L. Rev. 24, 34-40 (2011), Lucian A. Bebchuk, Efficient and Inefficient Sale of Corporate Control, 109 Q. J. Econ. 970 (1994).

あり，望ましいことになる[15]。

支配株主と一般株主の利益を乖離させる「私的利益」には，支配株主と会社の共同事業から生ずるシナジーのような正当な利益と，支配株主・会社間の不平等な取引，会社の機会の奪取，高額な役員報酬のような，少数株主を搾取して得られる不当な利益とが含まれている。そして，後者の不当な私的利益については，支配株主の信任義務，親子会社間の取引の規律，組織再編行為の規律，役員報酬の規律といった少数株主の利益を守る制度・法理が会社法上，発展してきている。それらによって私的利益の追求によって生じる非効率な買収をある程度阻止できるとすると，効率的な買収も非効率な買収も促進するルール（相対取引による支配権の移動を認めるルール）の方が，いずれをも抑制する3分の1ルールよりも，全体として好ましいといえるのではないだろうか[16]。

(2)　3分の1ルールの例外

公開買付規制は，*4*に述べる立会外取引を除いて市場取引を対象としていない。したがって，市場取引により上場会社の議決権の3分の1超を取得することは許される。3分の1ルールの目的が支配権プレミアムの分配にあると考えると（→**Column 5-1**），市場取引により3分の1を超える場合には，市場価格を上回る額という意味でのプレミアムが付かないので投資者に参加の機会を与える必要はないし，高騰した市場価格がプレミアムを含んでいるとしても，市場取引は誰でも参加できるので規制の対象とする必要がないからである。もっとも，3分の1ルールの目的が会社の支配権が移転する場合の退出権の保障にあると考えると，議決権が3分の1を超える市場取引を禁止して公開買付けを適用する必要があるし，企業買収の方法を公開買付けに限定する立法政策を採用する場合も同様である。

売主と買主があらかじめ合意をした上で市場に売買注文を出すクロス取引は，価格優先の原則・時間優先の原則（→**6章*2*節*2*(1)**）に従って注文が付け合わされるため，市場取引であると解するのが通説である[17]。これに対しては，当

15)　前田雅弘「支配株式の譲渡と株式売却の機会均等(1)」論叢115巻4号（1984）64頁，William D. Andrews, “The Stockholder's Right to Equal Opportunity in the Sale of Shares”, 78 Harv. L. Rev. 505 (1965).

16)　黒沼・前掲注13) 58-59頁，同「公開買付規制の理論問題と政策問題」江頭憲治郎編『株式会社法体系』（有斐閣，2013）550頁。3分の1ルールの精緻な分析として，藤田友敬「支配株式の取得と強制公開買付」岩原紳作＝山下友信＝神田秀樹編『会社・金融・法（下）』（商事法務，2013）48-58頁。

17)　河本一郎＝今井宏『鑑定意見会社法・証券取引法』（商事法務，2005）231頁。

事者が当該株券等の他の売買のない有価証券市場および時間帯を指定して委託するときには，他の者による注文にほとんど影響されることなくクロス取引を成立させることができるので，クロス取引を公開買付けの適用除外とすることは妥当性を欠くとの見解も有力である[18]。

また，発行者が新たに発行する株券等を取得する行為は「買付け等」に当たらないことから，第三者割当増資を引き受けることにより所有割合が3分の1を超える場合には，増資先は公開買付けの手続をとる必要はない。第三者割当てでは，ふつう時価より若干ディスカウントした価額で株券等を発行するので，プレミアム分配の必要は原則として生じない。しかし，この場合も支配権が移動することに変わりがないので，公開買付規制を及ぼして株主に退出の機会を保障することも立法政策としては考えられる。ただし，第三者割当先に他の株主から買い付ける義務を課すとなると，割当先の資金が不足し発行者による資金調達に支障を来たすことも予想されるので，慎重な検討が必要だろう。第三者割当てに応じることにより発行者の自己株式を取得する行為は「買付け等」に当たるが，***1***(3)①の適用除外を受けられる。

著しく少数の者から株券等を市場外で買い付けて株券等所有割合が3分の1を超える場合であっても，公開買付けの方法によることが強制されない場合が列挙されている（27条の2第1項，施行令6条の2第1項各号)。その主なものは，次のとおりである。

①　議決権50％超の者が市場外で買い増す場合（4号）　既に対象会社の議決権を50％を超えて保有する者が市場外で株券等を追加取得しても，支配権の移転はなく，プレミアムを分配する必要がないからである。ただし，市場外での取得の結果，株券等所有割合が3分の2以上となる場合には，多数の者から取得して3分の2以上となる場合に全部買付義務が課されること（→***4***節***2***(2)）とのバランスから，適用除外にはならない。

②　グループ企業間の取引（5号6号）　たとえば，A会社の子会社が有するX株を別の子会社に移転する場合や，A社と子会社で合わせて3分の1超を有するY株を，A社が当該子会社へ移転する場合である。グループ企業全体では支配権が移転していないとみることができるので，企業再編を促すた

18）神崎克郎「公開買付制度の適用範囲――強制的公開買付制度に関連して」河本先生古稀記念『現代企業と有価証券の法理』199頁（有斐閣，1994)，神崎＝志谷＝川口454頁（注9）。

めに3分の1ルールの適用除外とした。

③　株券等の所有者全員の同意がある場合（7号）　公開買付けの手続によらないで買い付けることについて，買付対象となる株券等の所有者の同意がある場合には，買付者にコストのかかる公開買付手続を遵守させる必要はないと考えられる。また，買付対象とならない株券等の所有者の同意がある場合には，支配権プレミアムの分配という投資者の利益を確保する必要がない。そこで，株券等の所有者全員の同意がある場合には3分の1ルールの適用は除外される。ただし，公開買付けによらないことが投資者に不利に働くこともありうるので，投資者の真摯な意思形成を確保するために，全員同意の例外は，株券等の所有者が25名未満である場合に限って適用され，かつ同意は書面によりなされなければならない（他社株買付府令2条の5）。

■Column 5-5　種類株式発行会社における公開買付けの要否■■

最高裁平成22年10月22日判決（民集64巻7号1843頁）〔カネボウ事件判決〕の事例では，再建中のZ社の普通株式（全議決権の30.2%）を一般の投資家が，Z社の再生過程で発行された種類株式をAとBが保有していた。スポンサー企業であるYは，AとBから，それぞれの同意を得て種類株式を1株201円によって譲り受けた後，普通株式を公開買付けにより1株162円で取得した。

上記③のように株券等の所有者全員の同意がある場合には，買付者は公開買付けの手続によらずに議決権の3分の1超を取得できるところ，裁判では，そこにいう「株券等の所有者」とは，相対取引の対象となった種類の株券等の所有者を意味するのか，発行者のすべての株券等の所有者を意味するのかが争点となった。最高裁は，(a)すべての株券等の所有者が含まれると解すると，上記③の適用除外要件が充足される余地が極めて限定されてしまい，事業再編等の迅速化・手続の簡素化という適用除外規定を設けた趣旨が没却されること，(b)特定の種類の株券等の買付けが公開買付けにより行われるか否かは，買付けの対象とならない他の種類の株券等の所有者の利害に重大な影響を及ぼすものでないことを理由に，上記③の「株券等」には買付けの対象とされなかった種類の株券等は含まれないとした。

わが国の強制的公開買付制度は，平成18年改正前は買付者に全部買付義務を課していなかった。そのような法制の下では，買付者に公開買付けを強制し一般株主に株式売却の機会を与えたとしても，種類株主間の公平を実質的に実現することができない。強制的公開買付制度の趣旨からは，むしろ，同一種類の株券等の所有者について株券等の売却の機会が確保されていれば足り，種類の異なる株券等の所有者による売却の機会は，全部勧誘義務および全部買付義務の導入（→*4節2*）を待って，その限りで確保すべきことが導かれる19)。

なお，本件が平成18年改正法が適用される事案であったならば，買付け後のYの株券等所有割合が3分の2以上となるから，Yは全種類の株式について公開買付けを行わなければならず（全部勧誘義務），かつ応募された株券等のすべてを買い付けなければならなかった（全部買付義務）。

④　**担保権の実行**　株式を担保に取っていた者が担保権を実行して株式を取得した結果，株券等所有割合が3分の1を超える場合に，公開買付けが強制されると，担保権の実行が妨げられるばかりか，上場株式を担保にする金融が利用しにくくなる。そこで担保権の実行による株券等の買付け等は，公開買付けの方法によらなくてよいとされた。もっとも，3分の1ルールの適用を回避するために，売主・買主間で，いったん担保権を設定した上で担保権の実行により株式を移転することは許されない。

⑤　**事業の全部または一部の譲受け**　BがAから事業を譲り受けたところ，事業を構成する財産に議決権の3分の1を超えるC社株が含まれていた場合が考えられる。このときC社株の公開買付けをBに強いると事業再編が著しく困難になるため，3分の1ルールの例外とされた。Aがその保有するC社のみをBに移転する行為は，事業譲渡には当たらず，適用除外を受けられない。

■ Column 5-6　資産管理会社の株式の取得■■

A社が，その100%子会社である資産管理会社X社を通じて有価証券報告書提出会社であるY社の株式の3分の1超を保有しているとする（**図表5-1**）。BがAからX社の株式を譲り受ける際に3分の1ルールは適用されるだろうか。

図表5-1

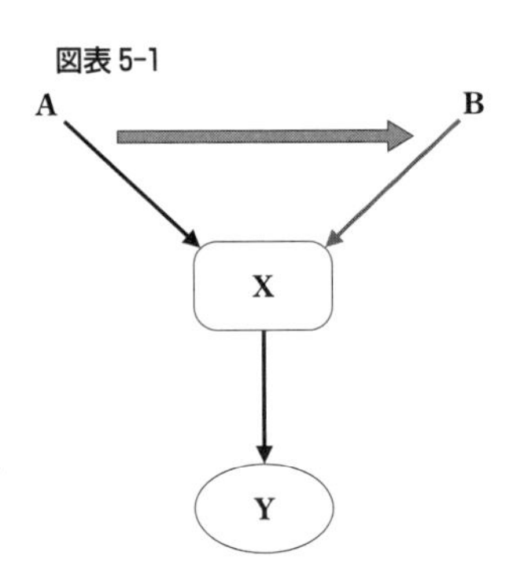

金融庁は，この場合，X株の買付けは形式的にはY社の「株券等の買付け」に当たらないが，XのY株以外の財産の保有状況，資産管理会社としての実態の有無によっては，X株の買付けが実質的にY株の買付けの一形態にすぎないと

19)　黒沼悦郎「判批」金判1366号2頁。「判批」として，ほかに飯田秀総・商事1923号4頁，加藤貴仁・リマークス43号82頁を参照。

認められる場合があり，そのような場合に，Yの株主にY株売却の機会が与えられないと，公開買付規制の趣旨に反するという解釈を示した[20]。そして，BがX株を譲り受ける場合であっても，同時に，BまたはAがY株に対し，買付予定数の上限を定めず，かつ相当性のある価格で公開買付けを行う場合には，実質的に投資者を害するおそれがないので，公開買付規制に違反しないとする。

EU法のような法制であれば（→*1*節*2*），BがAを通じてX社の支配株式を取得した後に，BはX社の株主に対する買付予定数の上限を定めない公開買付けを行うことを義務づけられる。しかし，株券等所有割合が3分の2に達するまでは買付予定数の上限設定を認めるわが国の法制において，買付者が資産管理会社を通じて支配株式を取得する場合にだけ支配株式の取得方法が制約されるのは妥当でない。Bが強制的公開買付制度の適用を回避するためにAがX社を設立したなどの脱法的な事情がある場合を除いて，AB間の取引は強制的公開買付けの適用対象にならないと解すべきである。

4　立会外取引による3分の1を超える取得

平成17年にライブドアの関連会社がニッポン放送株を東京証券取引所の開設する立会外取引であるToSTNeT-1（→Column 6-7）によって大量取得した際に，立会外取引が市場取引といえるかどうかが争われた。市場取引といえれば適法に取得でき，市場取引といえなければ3分の1ルールの違反となる。

裁判所は，ToSTNeT-1は競争売買の市場ではないが有価証券市場に当たるとして，ToSTNeT-1による3分の1を超える取引を許容した[21]。しかし，立会外取引は一般投資家が容易に参加できる市場ではないことから，平成18年改正により，立会外取引による3分の1を超える取得は公開買付けの方法によらなければならないとされた（27条の2第1項3号，これを特定売買等という）。

特定売買等に該当するためには，相手方が多数の者か著しく少数の者かは問われない。しかし，支配権プレミアムの公平な分配という3分の1ルールの趣旨からは，多数の者を相手方とする立会外取引を規制する理由を説明できないように思われる。むしろ，特定売買等の規制は，立会外取引により支配権が移転するのを端的に禁止するものであり，従来の3分の1ルールとは趣旨が異なる。

20）　金融庁総務企画局「株券等の公開買付けに関するQ＆A」問15（平成22年3月31日追加）。

21）　東京高決平成17・3・23判時1899号56頁。

5　急速な買付けの規制

平成2年改正により導入された3分の1ルールの下では，たとえば10名以下の大株主から市場外で33%の株式を買い付け，残りの1%を市場取引で買い付ける行為が禁止されるか否かが明らかでなかった。平成18年のオリジン東秀株の買収事例では，D社が公開買付け前の市場外取引と公開買付不成立後の市場取引とを合わせて約2か月間に対象株式を約46%取得した行為が問題とされた。市場外取引と市場取引とを一連の取引とみることができれば，公開買付規制を適用できそうに思われるが，なにをもって一連の取引と判断するのか，あいまいな部分があった。

そこで平成18年改正法では，3か月以内に10%を超える株券等の取得を株券等の買付け等または新規発行取得により行う場合（株券等の買付け等により行う場合は，うち5%が特定売買等〔立会外取引〕または公開買付け以外の取引所有価証券市場外における株券等の買付け等により行う場合に限る）であって，当該買付け等または新規発行取得の後における株券等所有割合が3分の1を超える場合の当該株券等の買付け等は，公開買付けによらなければならないとした（27条の2第1項4号，施行令7条2項～4項）。たとえば，対象会社の株券等を4月1日に市場外取引により買い付け，所有割合を20%から26%に上昇させた者が，さらに所有割合が3分の1超になるまで買い付けるために，6月1日に公開買付けを実施することはできない[22]。なぜなら，ここでは3か月間の取引を「かたまり」とみると，3か月間に5%超の市場外取引を含む10%を超える買付けが行われて，買付け後に株券等所有割合が3分の1を超えることとなるため，その3か月に含まれる株券等の買付け等はすべて公開買付けの方法で行わなければならないからである。上記の例で，買付者としては4月1日に公開買付けを開始するか，公開買付けの開始を7月1日まで待たなければならないこととなる。このように改正法の内容は，3分の1を超える取引のみを市場内で行うといった脱法を禁止するというよりは，市場内外の急速な買付けを規制しようとするものであるといえる[23]。

従来の企業買収では，市場外で大株主から個別に株式を買い付けた後に，過半数取得や全株取得を目指す公開買付けを開始する実務が行われていた。売却希望の大株主がどれくらいいるか調査してからでないと，公開買付けが費用倒

22）　大来志郎「公開買付制度・大量保有報告制度」商事1774号（2006）40頁。
23）　黒沼悦郎「企業買収ルールとしての公開買付規制」ジュリ1346号（2007）28頁。

れに終わる危険性があるからである。しかし，現行法の下では，第1段階と第2段階との間に3か月の期間を置かなくてはならなくなり，企業買収のコストが増加することが懸念される。

急速な買付けの規制は，市場取引を制約する場合もある。上記ルールの下では，過去3か月以内に市場外で5%超を取得した者は，3か月間に10%を超える買付けをして，買付け後に株券等所有割合が3分の1を超えるような買付けは，たとえそれが市場取引であっても禁じられるからである。33%を市場の内外で買い付け（うち5%超を立会外または市場外で買い付ける場合に限る），1%を第三者割当増資に応じて発行者から取得するような行為も規制の対象となる。発行者としては，割当先による過去3か月以内の取引に注意しなければ第三者割当増資が行えなくなる[24]。

なお，急速な買付けの規制は3分の1ルールとは別個独立の規制として設けられているため，3分の1ルールの例外規定（→***3***(2)）は，ここには適用されない。たとえば，議決権50%超の者が市場外で株券等を買い増す行為にも急速な買付けの規制が適用される。

6　他者による公開買付期間中の買付け

平成17年～18年の買収事例では，公開買付者による公開買付期間中に，支配権の取得を目指す他の者が市場取引により対象会社の株式を大量取得した行為が，公開買付者との関係で不公平ではないかと問題とされた。公開買付期間中，公開買付者は，公開買付手続によらない市場外での買付けや市場取引による買付けを禁止されるからである（27条の5，→***4***節***4***(3)）。

そこで平成18年改正では，他者による公開買付期間中に，株券等所有割合が3分の1を超える他の者が5%を超える株券等の買付け等を行うときは，公開買付けの方法によらなければならないとされた（27条の2第1項5号，施行令7条5項6項）。3分の1を超える者が5%を超える買付けを行う場合に限って公開買付けを強制したのは，公開買付期間中の市場の流動性の確保に配慮するとともに，そのような大株主の動向であれば，一般投資家の投資判断にとって重要と考えられたからである。

この規制は，買付者間の公平の確保という新しい目的を公開買付制度に持ち

24）このほか，急速な買付けの規制に関する実務上の問題について，武井一浩＝野田昌毅「企業買収のスピード制限と実務上の留意点」商事1790号（2007）4頁以下を参照。

込むものである。アメリカの連邦証券規制には，そのような目的があるとは考えられていない。EU諸国では，一定割合を超える株券等の取得はすべて公開買付けによらなければならず，買収者の公平も確保される。しかし，そのことが企業買収市場の効率化に役立つかどうかは，実証を待たなければならない（→*1*節*3*）。

買付者が競合する場合の公開買付けの強制規定は，市場取引による支配権の取得をストップさせる効果をも持つ。ある者が3分の1を超えて市場取引により対象会社の株券等を買い付けているとき，これを阻止したい者は対象会社に対して公開買付けを開始すればよい。

第*3*節　公開買付けの手続と開示規制

1　公開買付けの開始

⑴　開 始 公 告

公開買付けの開示の目的は，買付者等に情報開示を強制し，株券等を提供するか否かの投資判断に直面している投資者（証券保有者）が情報に基づいた投資判断をなしうるようにすることである。本節では，公開買付けの手続に沿って，買付者側・対象会社側に，投資者の投資判断に資するためのどのような情報開示が求められているかを概観する。

公開買付けを行おうとする者（買付者）は，公開買付開始公告を行い，内閣総理大臣に公開買付届出書を提出すれば，買付けの勧誘をすることができる（27条の3第1項～3項）。公開買付開始公告は，広く投資者に参加の機会を保障するためのもので，電子公告を行うときでもそのURLなどを新聞公告しなければならない（他社株買付府令9条の2）。

⑵　公開買付届出書の提出

公開買付けに直面した投資者は，対象証券の価値に関する情報，対象会社の将来に関する情報，公開買付けの成否に関する情報を欲している。公開買付届出書は，有価証券の募集・売出しに際して発行者が提出する有価証券届出書に相当するものであり，次の事項を記載する（主な記載事項のみ掲げる。他社株買付府令第2号様式）。これらは，上記の1つまたはいくつかの性質を持つ情報であるといえる。

① **公開買付要項**　(a)対象会社名，(b)対象株券等の種類，(c)買付けの目的，(d)公開買付期間・買付価格・買付予定株式数，(e)買付後の株券等所有割合，(f)応募・解除の方法，(g)買付資金の状況，(h)買付けの対価とする有価証券の発行者の状況，(i)決済の方法，(j)買付けの条件および方法などである。

これらのうち(c)では，支配権の取得を目的とするときは，支配権取得後の経営方針・計画を，純投資・政策投資を目的とするときは，取得後の売買・議決権行使の方針等を具体的に記載する。また，買付け後に対象株券等をさらに取得する予定の有無・理由・内容を具体的に記載し，買付け後，当該株券等が上場廃止となる見込みがある場合には，その旨・理由も記載する。(d)のうち買付価格については，算定根拠を具体的に記載し，買付価格が時価と異なる場合や買付者が最近行った取引価格と異なる場合にはその差額を記載する。また，算定の際に第三者の意見を聴取した場合には，当該第三者の名称，意見の概要，買付価格決定までの具体的な経緯を記載する。

(g)については，借入先が金融機関であり，かつ買付資金に充てることを明示せずに借り入れた場合には借入先の名称を記載する必要はないが，そうでない場合には借入先の名称を記載しなければならない。(j)については後述する（→ ***4*** 節)。

② **公開買付者の状況**　会社，会社以外の団体，個人の別に従って，買付者の概要を記載する。会社の場合，会社の概要，経理の状況（貸借対照表，損益計算書，株主資本等変動計算書）を記載する。

③ **公開買付者・特別関係者による株券等の所有状況・取引状況**　(a)届出日現在の所有状況，(b)届出日前60日間の取引状況，(c)当該株券等に関し買付者・特別関係者間で締結されている重要な契約の内容，(d)買付者・特別関係者が届出書の提出日以後に他の者から株券等の買付け等を行う契約（売買の予約，オプションの行使等）がある場合にその内容を記載する。

④ **公開買付者と対象会社との取引等**　(a)最近3事業年度に買付者と対象会社またはその役員との間で行われた重要な取引，(b)買付者と対象会社またはその役員との間でなされた株券等の買付けや買付け後の重要な資産の譲渡等に関する合意，(c)買付者が対象会社の役員に約した利益の供与があれば，それぞれその内容を記載する。

⑤ **対象会社の状況**　(a)最近3年間の損益状況等，(b)株価の状況，(c)株主の状況，(d)その他を記載する。対象会社は継続開示会社であるから，(b)(d)を

除いて，対象会社が提出した最近の有価証券届出書・有価証券報告書によって記載する。(d)では，対象会社について最近の有価証券届出書・有価証券報告書に記載されていない重要な事実を買付者が知っている場合に当該事実を記載する（他社株買付府令第2号様式　記載上の注意(35)）。

公開買付けを行おうとする者は，コストをかけて買収の対象を調査するので，調査の結果，対象会社に関する未公表の重要事実を知ることがありうる。しかし，その事実をすべて公開買付届出書に記載しなければならないとすると，買付者がコストをかけて買収対象を探索するインセンティブが失われ，企業価値を高めるような公開買付けが行われなくなるおそれがある。したがって，公開買付届出書には，買付者が知っているすべての重要事実を記載しなければならないと解すべきではなく，買付者が対象会社との契約関係に基づいて知るに至った事実や対象会社の会社関係者から伝達を受けた事実のように，それを開示しないで公開買付けを行うとインサイダー取引となるような重要事実のみが記載の対象になると解すべきである[25)]。

■ Column 5-7　MBOの開示■■

最近，対象会社の経営者が出資した会社・ファンド等が対象会社を買収して非公開化する取引がさかんである。経営陣による自社の買収をMBO（Management Buy-out）という。対象会社の株価が低いほど買収費用が安くつき買付者にとって有利なため，MBOでは対象会社の経営者の利益と株主の利益が対立する状況が生じ，経営者が株価が低くなるような行動をとったり，株価を上昇させる情報を開示しないなどのおそれがある。

そこで平成18年改正では，MBOについて特別の開示を要求することにより利益相反から生ずる弊害を防止しようとした。規制の対象となるのは，公開買付者が，①対象会社の役員，②対象会社の役員の依頼に基づいて公開買付けを行う者であって対象会社の役員と利益を共通にする者，③対象会社を子会社とする会社その他の法人である取引である（他社株買付府令13条1項8号）。②には，役員が買付者に出資している場合，役員が公開買付け後に出資を約している場合等が含まれるだろう[26)]。

公開買付けが上記の要件を満たす場合，①公開買付けの実施を決定するに至った意思決定の過程，②買付価格の公正を担保するための措置を講じているときは，そ

25)　黒沼・前掲注23) 30頁。

26)　内間裕＝森田多恵子「公開買付制度・大量保有報告制度の改正と実務への影響（中）」商事1791号（2007）49頁。

の具体的内容，③利益相反を回避する措置を講じているときは，その具体的内容を，それぞれ届出書に記載しなければならず，④買付け等の価格の算定にあたり参考とした第三者による評価書等があるときは，その写しを公開買付届出書に添付する（他社株買付府令13条1項8号，同第2号様式　記載上の注意(6) f)。②の例としては，対象会社と買付者がそれぞれ別個の第三者評価機関から株式価値算定書を取得すること，③の例としては，外部の法律事務所から助言を受けること，公開買付価格等の取引条件について，株主の利益を代表する独立した委員会を組織し，買付者との間で交渉させることなどが考えられる。

対象会社について買付者が知っている重要事実の公開買付届出書への記載（→⑤(d)）については，会社に対して信任義務を負う経営者が買付者の関係者になっていること，経営者が会社関係者として知りえた重要な未公開情報を公開買付けに利用することが許されないことを考慮すると，経営者が知っている対象会社に関する重要な未公開情報をすべて公開買付届出書に記載しなければならないと解すべきである（完全開示の原則）[27]。

(3) 公開買付届出書の審査と公開

公開買付届出書が提出されると，内閣総理大臣はその内容を審査し，記載に不備があるときは訂正届出書の提出を命じることができる（27条の8第3項）。公開買付届出書に虚偽記載または重要な記載の欠缺があると認められるときは，聴聞を行った上で訂正届出書の提出を命じることができる（27条の8第4項）。有価証券届出書の場合と異なり，公開買付届出書には効力発生までの待機期間がないので，届出の効力停止の制度（→**4章*1*節*1***）は設けられていない。虚偽記載のある公開買付届出書によって株券等の買付けが行われようとしているときは，内閣総理大臣が裁判所に緊急差止命令（192条）の発動を求めるしかない。

公開買付者が内閣総理大臣に公開買付届出書を提出したときは，その写しを対象会社，対象株券等が上場されている金融商品取引所に送付しなければならない（27条の3第4項）。その後，届出書は財務局，金融商品取引所，買付者の本店または主たる事務所で公衆の縦覧に供される（27条の14）。公開買付届出書の提出は電子開示手続によって行われるので，届出書はEDINET上でも公開される（→**Column 2-11**）。

27）黒沼・前掲注23）30頁。

2　買付者と対象会社のやりとり

(1)　意見表明報告書

平成18年改正前の制度では，対象会社またはその役員が公開買付けに対する賛成・反対等の意見表明を行った場合には，意見表明報告書の提出を求め，公衆の縦覧に供することとしていた。これは，主として虚偽の情報をチェックするためのものであった。平成18年改正法は，買収防衛策を導入している企業が増加したことを背景として，投資判断資料を充実させるために，意見表明報告書の提出を強制することにした。

対象会社は，公開買付けが開始されてから10営業日内に，内閣総理大臣に意見表明報告書を提出しなければならない（27条の10）。意見表明報告書は，その写しが買付者に送付されるとともに，財務局，金融商品取引所，対象会社の本店または主たる事務所で公衆の縦覧に供される（27条の10第9項，27条の14）。

意見表明報告書には，①意見の内容（応募を勧める，応募しないことを勧める，中立の立場をとる，意見表明を留保する），②意思決定に至った過程，③意見の理由，④会社の支配に関する基本方針に係る対応策（買収防衛策発動の予定，発動を予定する場合にその内容）などを記載する（他社株買付府令第4号様式）。意見表明報告書を提出する主体は対象会社であるが，その役員に少数意見があるときは②に記載することになろう。④では，大株主への働きかけなどの安定株主工作の記載までは求められない[28)]。

MBOに該当する場合，利益相反を回避する措置を講じているときは，その具体的内容も記載しなければならない。買付者に出資を予定している対象会社役員は意見表明を決定する取締役会決議に参加しないこと，対象会社が買付者とは別個の第三者評価機関から株式価値算定書を取得すること等が考えられる。

(2)　質問権と対質問回答報告書

対象会社は，意見表明報告書に公開買付者に対する質問を記載することができる（27条の10第2項1号）。この質問権が行使された場合，買付者は，5営業日以内に対質問回答報告書を内閣総理大臣に提出しなければならず（27条の10第11項，施行令13条の2第2項），対質問回答報告書は公開買付届出書と同じ場所で公開される（27条の14）。対質問回答報告書には，回答に至った経緯を時

28)　内間＝森田・前掲注26) 51頁。

系列に記載するが，質問に対して回答する必要がないと認める理由を詳細に記載すれば，回答しないという内容であってもよい（他社株買付府令第８号様式）。

意見表明報告書と対質問回答報告書は，公開買付けの最短期間（30営業日）の前半にやりとりが終了するように提出期限が定められており，それぞれ１回提出すれば足りる。もっとも，対象会社が買収防衛策発動の予定を変更する，買付者が質問に対する回答を変更するなど記載事項に変更があった場合には，それぞれ訂正報告書を提出しなければならない（27条の10第８項10項）。

3　買付け事務の処理および結果の公表

公開買付者は，株券等の保管，買付け等の代金の支払，買付株券の決定などの事務を，第１種業を行う金融商品取引業者または銀行等に行わせなければならない（27条の２第４項，施行令８条４項）。株券の保管や代金の支払を確実に行わせ，公開買付者による恣意的な買付けを防止することによって投資者を保護するためである。

公開買付者は，公開買付期間の末日の翌日に，公開買付けの結果を公告し，または新聞社・放送局等に対し公開する形で公表しなければならない（27条の13第１項，施行令９条の４）。公開買付けの結果は，買付けに応じた株主等だけでなく対象証券を流通市場で取引する一般投資家にとっても重要な情報だからである。

結果の公表を行った日に買付者は，内閣総理大臣に公開買付報告書を提出し（27条の13第２項），これは公開買付届出書と同じ場所で公開される（27条の14）。公開買付報告書には，①公開買付けに付した条件の成就・不成就，②買付株式数，③買付け後の株券等所有割合，④按分比例により買付けを行った場合の計算方法等を記載する（他社株買付府令第６号様式）。

第*4*節　公開買付けの取引規制

1　総　　説

公開買付けの規制において，100％に満たない株券等の買付け（部分的買付け）を許容するか，全部の株券等の買付けを強制するか（全部買付義務）は，立法政策の大きな分岐点である。概していうと，アメリカは部分的買付けを許容し，EU 諸国は原則として全部買付けを義務づけている（→*1* 節 *2*）。わが国では，平成 18 年改正により，全部買付義務を部分的に導入した。そこで本節では，まず全部買付義務について説明する。

つぎに，全部買付け・部分買付けを問わず公開買付けに適用される取引規制について説明する。公開買付けの取引規制は，その目的から，①情報に基づいた投資判断を確保するためのもの，②投資者の平等取扱いを確保するためのもの，③制度の濫用を防止するためのものに大別される。有価証券の発行に関する取引規制が①を目的とするものであるのに対し，公開買付けの取引規制は②③をも目的とする点に特徴がある。②は，株券等の取得方法として公開買付けが強制される場合に特に重要であるが（→*5* 節 *1* (1)），投資者を平等に取り扱うよう要求する規制のなかには，情報開示の確保が主な目的であると理解できるものも少なくない。公開買付けを予告または開始すると一般に対象株券等の市場価格は上がり，公開買付けの計画や実施を中止すると株券等の市場価格は下がる。そこで公開買付制度には相場操縦などの不公正取引に濫用されるおそれが必然的に伴うため，これを防止するための仕組み（③）も必要になる。公開買付けの取引規制の趣旨については，買付契約が買付者と多数の投資者との間の附合契約であるところから，買付者と投資者との間の実質的な対等性の確保を挙げる見解[29]もある。

さらに，公開買付けは投資者に対して株券等の提供を直接働きかけるものであるところから，強圧性（coercion）とただ乗り（free ride）の問題があるといわれている。これらの問題は開示を充実させても解消されず，わが国では取引規制による対処もなされていない。本節の最後では，強圧性とただ乗りの問題を説明し，取引規制による対応が必要かどうかを検討する。

2　全部買付義務

(1)　導入の目的

わが国の公開買付制度では，対象会社の発行済株式の一部（たとえば 50%）のみを買い付ける部分的公開買付けが認められている。部分的公開買付けでは，応募株式数が買付予定株数を超えた場合には按分比例により買い付けることになる（→*4* (2)）ため，買付けを希望する株主が応募株数の全部を買い付けても

29）　川村編 262 頁。

らえない場合が出てくる。

これに対してEU諸国では，応募株券のすべてを買い付けなければならないとする全部買付義務が課せられており（→*1*節*2*），これをわが国でも導入すべきかが平成18年改正の際に議論の対象となった。金融審議会の報告書では，全部買付義務を一律に課すことには，企業の事業再編行為等の円滑性の観点から慎重に対応すべきであるが，上場廃止等に至るような公開買付けの局面においては，零細な株主が著しく不安定な地位に置かれるため，公開買付者に全部買付義務を課すことが適当であるとし30)，これに沿って，公開買付け後の株券等所有割合が3分の2以上となるような場合に限って全部買付義務が導入された。

部分的公開買付けの許容と全部買付けの義務化とを比較すると，①前者では対象会社の上場を維持したまま，買付者が支配権を取得できるのに対し，後者では，公開買付けに対する応募の状況によっては対象会社が上場廃止に追い込まれる，②前者では買収コストの総額を予測しやすいのに対し，後者ではその予測が困難である，③全株の買収を目標とする場合であっても，前者では，部分的公開買付けによって対象会社の支配権を取得してから買収監査を行い，残りの株式を適正な価格で買い付けることができるのに対し，後者では，そのようなアレンジができないといった違いがある。この結果，全部買付義務を一律に導入すると，企業買収のコストが上昇し買収の頻度は低下すると予想されるし，特に③のため，対象会社の状況を把握しにくい敵対的買収は極めて困難になると思われる。

そこで改正法では，全部買付義務のこのようなデメリットを考慮して，残存株主の保護の観点から，限定的に全部買付義務を導入することにした。なお，全部買付義務の分析として，支配株主が存在しない状態から行われる企業買収を前提とすると，全部買付義務を課す場合，非効率的な買収は抑止され，かつ効率的な買収を妨げることはなく，部分買付けを容認すると，買収者の私的利益（→**Column 5-4**）が十分に大きければ，企業価値全体を下げてしまうような買収でも可能になることが，学説により示されている31)。

(2) 買付けの条件——全部買付義務の部分的導入

公開買付けにおいては，買付け等に条件を付すことは一定の場合を除いて禁

30）　金融審議会・前掲注9）9頁。
31）　藤田・前掲注16）55-58頁。

止されている。応募株主を不安定な地位に置かないためである。買付資金が調達できた場合に限り買付けを行うとか，対象会社取締役の選任議案について買付者に委任状を提出した応募株主のみから買付けを行うといった条件を付すことは認められない。許容される条件とは，第1に，応募株券等の数が公開買付届出書等に記載した買付予定数に満たないときに，その全部の買付け等をしないこと（27条の13第4項1号）である。対象会社の株券等の一定割合（3分の1，過半数など）を取得できなければ株券等を買い付けたくないという買付者の意向を尊重するためである。

許容される条件の第2は，応募株券等の数が買付予定数を超える場合に，超える部分の全部または一部の買付け等をしないこと（27条の13第4項2号）である。(1)に述べた部分的公開買付けを許容する規定であるが，このような部分的公開買付けは，買付け後の公開買付者・特別関係者の株券等所有割合が3分の2を下回る場合に限って認められる（27条の13第4項柱書，施行令14条の2の2）。株券等所有割合が3分の2以上となる場合には，応募株券等の全部を買い付けなければならない（全部買付義務）。

3分の2という割合は，株券等の上場廃止のおそれが生じ残存株主が著しく不安定な地位に置かれること，および残存株主に会社法上の特別決議（会社309条2項）を阻止する拒否権がなくなり，少数株主として不利益を受けるおそれがあることから設定された。もっとも，上場廃止基準は金融商品取引所によって異なる上，特定株主の株券等所有割合が3分の2以上となることだけで上場廃止基準に該当することはない。また，会社法上の特別決議の要件は定款で引き上げることができるが（会社309条2項），その場合でも全部買付義務の発動要件が引き上げられるわけではない。このように不完全なものであるが，全部買付義務の目的に会社法的な少数株主の保護が含まれていることには疑いがない。

少数株主の保護という目的からみると，さらに全部買付義務にはいくつかの限界がある。第1に，買付者が市場取引により対象会社株式を買い付けた結果，株式が上場廃止となる場合に，全部買付義務は発動されない。第2に，買付者が敵対的な公開買付けを行い，これと対立する者が持株を保持した結果として，両者の株券等所有割合の合計が3分の2以上となる場合や，2以上の者による競合的公開買付けにより株券等所有割合の合計が3分の2以上となる場合にも，全部買付義務は発動されない。第3に，買付者による買付けに反対して株券を提供しなかった者は取り残されることとなる。このような限界を考えると，少数株主の保護は，残存株主に株式買取請求権を与えるなど，会社法によって手当てをすべき問題だと考えられる。

公開買付期間中に対象会社が自社株買いをした結果，買付者の株券等所有割合が買付け後に3分の2以上になることもある。買付者に予測外の出費を強いることにはなるが，少数株主保護の観点からは，この場合にも全部買付義務が適用されると解さざるを得ない[32)]。

なお，50％超を保有する者が市場外での買付けの後に株券等所有割合が3分の2以上となるときは，公開買付けが強制されるが（施行令6条の2第1項4号，→**2**節**3**⑵①），このときにも全部買付義務が適用される。

⑶　全部勧誘義務

複数の種類の株式を発行している対象会社の株券等を買い付ける場合には，種類を限定して公開買付けの手続により買い付けることが認められる。しかし，ある種類の株式を公開買付けによって買い付ける結果，買付者の株券等所有割合が3分の2以上となるときは，他の種類の株式の株主も保護を必要としていることは明らかである。そこで，そのような場合には，対象会社が発行する議決権のあるすべての株券等に対して公開買付けを実施しなければならないこととされた（全部勧誘義務，27条の2第5項，施行令8条5項3号）。もっとも，議決権の割合が3分の1未満となる他の種類の株主の会社法的な保護は必要であるとしても，上場・上場廃止は株券ごとに定められるのであるから，買付対象株券に上場廃止のおそれがあることは他の種類の株券に対する勧誘義務を課すことを根拠づけるものではない。

全部勧誘義務は，①25名未満である株券等の所有者全員の同意がある場合，および②公開買付けの手続によらないことにつき当該株券等に係る種類株主総会の決議が行われている場合には適用されない（他社株買付府令5条3項）。②は，株券等の所有者の数が多いために①の全員の同意を得にくい場合に緩和された要件の下で適用除外を認めるものである。

32)　内間裕＝佐藤理恵子「公開買付制度・大量保有報告制度の改正と実務への影響（下）」商事1792号（2007）16頁。

3　情報に基づいた投資判断を確保するための規制

⑴　公開買付期間

公開買付けの期間は，20営業日〜60営業日の範囲内で公開買付者が定める（27条の2第2項，施行令8条1項）。公開買付期間の下限を法定したのは投資者の熟慮期間を確保するためであり，上限を法定したのは応募者を長期間不安定な地位に置かないためである。公開買付期間が20営業日台に設定された場合には，対象会社は意見表明報告書において買付期間を30営業日まで伸長させることができる（27条の10第2項2号，施行令9条の3第6項）。対象会社による公開買付けに対する対抗提案等の提示に一定の時間を要するので，それを含めた投資者の熟慮期間を確保するためである[33]。この場合には，対象会社が延長後の買付期間を公告する（27条の10第4項）。

公開買付期間中に他の者が競合する公開買付けを開始した場合には，先の買付者は他の者の公開買付期間の末日まで公開買付期間を延長することができる（施行令13条2項2号ロ）。投資者に応募の機会を保障するためである。

⑵　公開買付説明書の交付

公開買付者は公開買付説明書を作成し，公開買付けの勧誘の対象者に対して交付しなければならない（27条の9第2項）。有価証券の募集・売出しに際しての目論見書の交付に相当する制度である。

公開買付説明書には，公開買付届出書とほぼ同じ事項が記載される（他社株買付府令24条）。公開買付説明書は，公開買付けに応募するか否かの投資判断に役立てるものであるから，あらかじめまたは買付けと同時に応募者に交付しなければならない（27条の9第2項，他社株買付府令24条4項）。応募者には解除権が留保されているが（→⑶），応募するとその段階でいったん株券等の取得契約が締結されるから，買付けと同時にとは取得契約締結時という意味である。公開買付説明書は，相手方の承諾を得て電磁的方法で交付することもできる（27条の30の9第2項）。

⑶　応募株主等の解除権

公開買付期間中は，応募株主は締結後いつでも取得契約を解除することができる（27条の12）。公開買付けについては，有価証券届出書のように効力が発生するまで取得契約の締結を禁止する仕組み（→**2**章***5***節***2***⑵）はとられていな

33）　金融審議会・前掲注9）7頁。

い。その代わり，情報を熟慮せずに応募した株主に，再考の機会を与えるために解除権が与えられるのである。他の者による公開買付けが開始された場合に，そちらへ乗り換えることを可能にする意味もある。このような規制のため，公開買付けの成否は公開買付期間が終了するまで明らかにならない。

公開買付けを成功させるために，買付者が対象会社の大株主から，公開買付けに応募する旨の確約（表明保証）を取り付けることがある。そのような確約があっても，応募者は取得契約を解除することを妨げられず，買付者は応募者に違約金の支払を請求できない（27条の12第3項）と解される。

4　投資者の平等取扱いを確保するための規制

(1)　買付価格の均一

公開買付けによる買付け等の価格は均一の条件によらなければならない（27条の2第3項，施行令8条3項)。現金で買い付けるときはその価格を同一とし，有価証券など現金以外のものを対価とするときは，対価の内容（有価証券の内容および数量等）を同一にしなければならない。応募者に対価の種類（現金・有価証券等）を選択させることもできるが，そのときは選択できる対価の種類を応募者の間で同一にし，かつ応募者が選択した対価の内容を同一にする必要がある。買付価格の均一性のルールについては，①公開買付期間の前後に行われる市場外での買付けに適用されるか，②公開買付けの成功を条件として株主でもある対象会社の取締役に報酬を与える契約に適用されるかといった問題がある。①については公開買付期間の内と外で形式的に判断すると脱法のおそれがあり，②については買収を促進するための一定のニーズがあり，一概に否定できない点に難しさがある[34]。

複数の種類株を発行している会社の支配権を取得しようとする場合や，株券等所有割合が3分の2以上となるため全部勧誘義務が適用される場合（→***2***(3)）のように，複数の種類株を買付けの対象とする公開買付けを行う場合には，買付価格を同一にするとかえって投資者の平等取扱いにならないときがある。その場合には，買付価格に差が生じてもよいと解されている[35]。

34)　アメリカ法を参考にこの問題を検討した文献として，飯田秀総「公開買付価格の均一性の解釈」神戸法学雑誌63巻3号（2013）1頁を参照。②についての金融庁の解釈については，金融庁総務企画局・前掲注20）問24（平成22年3月31日追加）を参照。

35)　大来志郎「公開買付制度の見直しに係る政令・内閣府令の一部改正の概要」商事1786号（2006）10頁。

公開買付期間中に買付価格を引き下げることは原則として認められず（→*5*⑵），引き上げた場合は，全部の応募株券等について引き上げ後の価格で買い付けなければならない（27条の6第2項・27条の2第3項）。引下げを認めないのは，引下げの可能性があると株主等が早まって応募してしまうおそれがあるからであり，引上げ後の価格を均一にするのは投資者の平等取扱いのためである。

⑵　按分比例原則

部分的公開買付けが認められる場合（→*2*⑴）であって，応募株数が買付予定数を超えるときは，按分比例の方式により株券の買付け等を行わなければならない（27条の13第5項）。按分比例の方式とは，応募株券等をそこに含まれる議決権の数に比例して買い付ける方式をいう（他社株買付府令32条）。投資者の平等取扱いを確保する規定であるが，応募順に買い付けると情報を熟慮せずに応募する株主等が出てくるため配分方法を法定したのだと考えると，情報に基づいた投資判断の確保を目的とする規定と理解することもできる。

⑶　別途買付けの禁止

公開買付者等は，公開買付期間中は公開買付けによらないで対象会社の株券等を買い付けることが禁止される（27条の5）。市場で買い付けることも，市場外の相対取引で買い付けることも禁止の対象に含まれる。このうち市場取引を禁止するのは，公開買付けを成功させるために市場取引を用いて価格を操作するといった不公正取引を防止するためであろう。市場外の相対取引の禁止は，支配権の移動に伴うプレミアムの分配という3分の1ルールの目的からは一貫している。もっとも，公開買付開始前に締結した契約に基づく場合であって，届出書に契約内容を記載していれば大株主から相対で株券等を買い付けることができ（同条1号），このときは公開買付価格よりも高値を付すことも許される。

別途買付けの禁止に違反した者には罰則が科せられ（200条3号），特別の民事責任も用意されている（27条の17）ことから，法は別途買付けの禁止を公開買付けに不可欠のルールとみていることがわかる。しかし，少数の株主から大量の株式を取得する場合には，多数の株主からそれぞれ少量の株式を取得する場合よりもコストがかからないのであるから，市場外で相対で行われる株式の大量所得を禁止することは不合理であるし，別途買付けを解禁したとしても公開買付制度に対する投資者の信頼が害されるとは思われない。したがって，3分の1ルール廃止論の立場（→**Column 5-4**）からは，別途買付けの禁止も見直されるべきである。

5　公開買付制度の濫用防止のための規制

(1)　撤回の制限

金融商品取引法は，公開買付開始後，公開買付者が撤回を行うことを原則として禁止している（27条の11）。その趣旨は，公開買付者自身の都合により撤回することを認めると，安易な公開買付けが行われ，後にこれを撤回するなどして相場操縦につながるおそれがあるからである[36]。他方，法は，公開買付けの目的の達成に重大な支障となる一定の事情が生じた場合には，公開買付者による公開買付けの撤回を許容している。その趣旨は，そのような場合にまで公開買付けの撤回を認めないとすれば，買付者にとって，買付けの目的が達成されないだけでなく過大な費用・リスクを負担させられることになり，公開買付制度が健全な企業買収の手段として利用されなくなるおそれがあるためである。

公開買付けを撤回しうるのは，対象会社またはその子会社に政令で定める事由が生じた場合，および公開買付者に政令で定める事由が生じた場合であるが，前者については，あらかじめ事由を特定して撤回することがある旨の条件を付しておかなければならない。

①　対象会社・子会社の決定に係る撤回事由　買付者が撤回事由としうるのは，まず，(a)株式交換・株式移転・会社分割・合併，(b)解散・破産手続開始等，(c)資本金の額の減少，(d)事業譲渡，(e)上場廃止の申請などを，対象会社または子会社の業務執行決定機関が決定したことである。平成18年改正は，買収防衛策を導入する企業が増えつつあることをふまえ，撤回事由に(f)株式分割，(g)新株・新株予約権の無償割当て・発行，(h)自己株式の処分，(i)既存証券への拒否権・取締役等選任条項の付与，(j)重要な財産の処分，(k)多額の借財を加えた（施行令14条1項1号）。買収防衛策が発動された場合に公開買付けの撤回が認められないと，買付者に不測の損害を与えることになるからである。これらの事項に準ずる事項も，買付者がそれを公開買付届出書において指定した場合には撤回事由となる。

既に導入されている買収防衛策が公開買付期間中に消却されない場合にも，買付者は公開買付けを撤回することができる（施行令14条1項2号5号，他社株

36)　内藤純一「新しい株式公開買付制度（下）」商事1223号（1990）34頁，河本一郎＝関要監修『逐条解説　証券取引法〔3訂版〕』364頁（商事法務，2008）。

買付府令26条4項)。(l)公開買付期間後に行う新株の発行についての維持決定や，(m)既に拒否権条項・取締役等選任条項付種類株を発行している場合に，当該条項を変更しない旨の決定，(n)買収者に議決権制限株を交付することとなるスキームを採用している場合に[37]，当該スキームを維持する決定などが，これに当たる。

■ Column 5-8　列挙された事由に準ずる撤回事由■■

平成17年の日本技術開発の事例では，当時撤回事由とされていなかった株式分割による買収防衛策の可否が問題となった。公開買付け開始後に株式分割が行われると，買付者は分割前の株価を基準とした買付価格で買付けを行わざるを得ず，莫大な損害を被る。Y社取締役会が公開買付け開始前に株式分割を実施し，公開買付けを開始したXが株式分割の差止めを求めた裁判において，東京地裁は傍論で，取締役会が公開買付けに対する対抗手段として，公開買付けを事実上不可能ならしめる手段を用いることは証券取引法の趣旨に反すると述べた[38]。もしY社が公開買付け開始後に株式分割を決定していたら，その行為は証券取引法の趣旨に反することを理由に差し止められ，あるいは無効と判断されていた可能性がある。なお，この事例では株式分割を撤回事由とする公開買付届出書が財務局に受理されている。

② **対象会社に発生した撤回事由**　対象会社に，(a)事業の差止め等の申立て，(b)免許の取消し，(c)手形の不渡り，(d)災害に起因する損害等が発生したことが公開買付けの撤回事由となる（施行令14条1項3号)。これらの事実が生ずれば，対象会社の事業内容が変わってしまい買付者にとって買収の目的を達成できないし，不当に高額な買付費用を負担することになりかねないからである。撤回事由となる事実に準ずる事実で買付者が公開買付届出書で指定した事実も撤回事由となる。法令に列挙されていないが，対象会社の有価証券報告書に重大な虚偽記載があった場合にも撤回が認められるべきであるとする有力な見解がある[39]。

③ **買付者に発生した撤回事由**　公開買付者に解散，破産手続開始決定，手形の不渡り等があった場合には，買付者は公開買付けを撤回することができ

37）全株式取得条項付種類株式を用いるスキームにつき，葉玉匡美「議決権制限株式を利用した買収防衛策」商事1742号（2005）28頁を参照。

38）東京地決平成17・7・29判時1909号87頁（差止め仮処分申請は却下)。

39）神崎＝志谷＝川口496頁（注4)。

る（施行令14条2項）。これらの場合には，買付資金が不足するのが通常だからである。

①～③の撤回事由は平成18年改正により拡大されたものであるが，依然として，法令に列挙された事項・事実および買付者がこれに準ずるものとして指定した事項・事実のみが撤回事由とされている。たとえば，対象会社について買付者が知らなかった重要な事実が明らかになった場合や，相場の急落により公開買付価格が不相当に高額になった場合には，撤回が認められない。しかし，応募株主は買付者が提示した価格による買取りを保証されているわけではないし，撤回条件が公開買付届出書に記載されている以上，公開買付けが撤回されても応募株主が不利益を被るとはいえない。また，撤回事由が制限されていると公開買付けは使いにくいものとなり，透明性の高い公開買付けが企業買収の手段として選択されなくなるおそれがある。そこで，相場操縦を防止するという目的から導かれる条件を考慮すると，立法論としては，①公開買付けの目的達成に重大な支障となる事項であって，②買付者のコントロールが及ばず，③当該事項に該当するか否かを客観的に判断しうる事項であれば，買付者は撤回事由に指定できるとすべきである[40]。

また，アメリカでは買付者と対象会社の交渉により撤回条件が定められるところ，契約による撤回条件を認めることで，公開買付けの開始から実行までの間に対象会社が企業価値の減少を防止する行為（協調的投資）をとるよう促したり，対象会社が行う表明・保証に説得性を持たせる効果（シグナリング効果）があると分析されている[41]。撤回条件は，買収当事者に及ぼすこのような影響も考慮に入れて制度設計がなされるべきであろう。

⑵　条件の変更

公開買付けの条件の変更は，公告を通じてすることができるが（27条の6第2項3項），①買付価格の引下げ，②買付予定株数（最高買付株数）の減少，③公開買付期間の短縮，④最低買付株数の引上げ，⑤買付対価の変更（対価の追加を除く），⑥公開買付けの撤回条件の変更などは，することができない（施行令

40）黒沼悦郎「公開買付制度・大量保有報告制度の改正」ひろば59巻11号（2006）30頁（注16）。

41）Albert H. Choi & George G. Triantis, “Strategic Vagueness in Contract Design: The Case of Corporate Acquisitions”, 119 Yale L. J. 848 (2010)，星明男「公開買付撤回制限に関する一考察」岩原紳作＝山下友信＝神田秀樹編『会社・金融・法（下）』（商事法務，2013）122頁。

13条）。応募株主の保護，および相場操縦の防止を目的とする。

近時，買収防衛策を導入する企業が増えつつあるが，買収防衛策が発動され対象会社の株価が希釈化された場合に，買付価格の引下げを認めないと買付者に不測の損害を被らせることになる。この場合，公開買付けの撤回を認めれば十分とも考えられるが，買収の意欲のある買付者に公開買付けをいったん撤回させ，もう一度届出の手続を履践させることは無駄を強いることである。そこで平成18年改正では，①につき，公開買付期間中に対象会社が株式分割，株式・新株予約権の無償割当てを行ったときは，分割比率・割当比率に応じた額を下限として買付価格を引き下げることができるようにした（他社株買付府令19条）。

たとえば1対5の株式分割を行ったときには，買付価格を5分の1まで引き下げることができる。この方式では，株価が5分の1まで下がらない場合には必要以上の引下げを認めることとなり，株価が5分の1未満に下落した場合には引下げ幅が不十分となる。また，払込みを伴う株式・新株予約権の発行に対しては買付価格を引き下げて対応することが認められない点も不十分である。

禁止される条件の変更（①〜⑥）は，買付価格を極端に引き下げ応募を事実上封じるなど，公開買付けの成立を困難にし，事実上，公開買付けを撤回したのと同じような効果を持ちうる。また，買付者はそもそも応募株数が最低買付株数に満たないときは応募株式の全部を買い付けないこともできる（27条の13第4項1号，→*2*(2)）のであるから，提示された買付価格で買い付けてもらうという株主等の期待は保護に値しないといえる。そこで立法論としては，条件の変更は，公開買付けを撤回するのと同等の効果を有する場合のみ，相場操縦の防止の観点から禁止し，撤回に相当しない条件の変更は広く許容すべきである[42)]。

6　強圧的な公開買付けへの対処

(1)　強圧性とただ乗り

公開買付けの強圧性（coercion）とは，対象会社の個々の株主が，買付者による支配権の取得が成功せず，対象会社が独立でいた方が株主の利益になると考える場合であっても，公開買付けが成功すると自己がより不利な立場に置か

42）　公開買付開始後，公開買付期間中を基準日とする剰余金の配当を対象会社が決定した場合に配当額分の買付価格の引下げを認める立法論として，飯田秀総「対象会社による配当と公開買付価格の引下げ」商事2221号（2020）4頁を参照。

れると予想し，株式を提供する圧力を受けることをいう。たとえば，対象会社の株価をa，公開買付価格をb，買付けが成功した場合の残存株式の価値をc，公開買付けが失敗した場合（この場合には，買付者は1株も取得しないとする）の株式の価値をxとすると，ある株主の得られる利得状況は**図表5-2**のようになる。

図表5-2

	公開買付けが成功	**公開買付けが失敗**
公開買付けに応じる	b（買付価格）	x（独立価値）
公開買付けに応じない	c（残存価値）	x（独立価値）

この場合，公開買付けが失敗した場合の利得状況に差がないので，b>cであれば，株主には買付けに応じる圧力がかかる。個々の株主としては，x>bと考える場合であっても，他の株主が買付けに応じてしまうと公開買付けが成功し，価値xを実現することができないので，株主は公開買付けに応じることになるのである。この例から明らかなように，応募株式の全部について買付けが行われる「全部買付け」の場合であっても，応募しない株式は買い付けられないところから，強圧性は生じる。

上の例で，c>bの場合には「ただ乗り」(free ride) が生じる。買付者が会社の支配権を取得すると企業価値が増加する場合には，買付者の行為にただ乗りしようとして株主が公開買付けに応じないため，公開買付けは失敗してしまう。

■ Column 5-9　2段階買収の強圧性■■

上の例で，買付価格と残存価値のいずれが高いかは，会社の状況，買収提案の内容，および株主の主観によって異なる。したがって，実際に強圧性が生じるかどうかは状況による。これに対し，いわゆる2段階買収は常に強圧性を生じる方法である。たとえば，買付者が，支配権取得後に合併，株式交換等の組織再編行為を行い，公開買付価格よりも低い対価dで残存株主を締め出すことを公表していたとする。この場合の株主の利得状況は**図表5-3**のようになる。

図表5-3

	公開買付けが成功	**公開買付けが失敗**
公開買付けに応じる	b（買付価格）	x（独立価値）
公開買付けに応じない	d（締出価格）	x（独立価値）

この場合，常に b>d であるため，必ず強圧性が生じることになる（構造的強圧性）。ただし，2段階買収が企業価値を減少させるものとは限らないこと，株主が協同行動をとることができる場合には，株主が公開買付けに応じず2段階買収も阻止されうることは，公開買付けのみが行われる場合と変わりがない。

強圧性やただ乗りの問題は，株主の投資判断が歪められることから生ずるのではないため，ディスクロージャーによって問題を解消することはできない。むしろ，ディスクロージャーを充実させるほど，買収が成功した場合の企業価値の予想を株主が立てやすくなるため，問題は激化する。強圧性が生じるために，企業価値を減少させる買収が成立しやすくなり，ただ乗りが生じるために，企業価値を増加させる買収が失敗しやすくなることが，効率性の観点から問題になるのである[43]。強圧性やただ乗りは，株主が互いに協力できないことから生ずるため，その解消策の1つは，株主総会決議による買収防衛策の導入や，組織再編行為による企業買収である。前者は，企業価値を減少させるような公開買付けに対して，株主が協同してこれを阻止する手段であり，後者は，企業価値を増加させる買収を公開買付けの方法によらずに，株主の多数意思を少数株主に強制する形で実現する手段であるといえる。

(2)　強圧性を解消する方策とその問題点

公開買付けの強圧性を解消する方策として，第1に，株主が公開買付けに応じる際に公開買付けへの賛否を表明できるようにし，賛成票が提供株数の過半数となった場合にのみ買付者に買付けを許容し，買付けに際して買付者は提供者を平等に取り扱わなければならないとする仕組み（賛否付提供方式）が学説により提案されている[44]。賛否付提案方式によれば，公開買付けに反対する株主も，仮に公開買付けが成功した場合には買付けを保証されるので，強圧性は生じない。イギリスでは，買付者がテイクオーバー・パネル（自主規制機関，**→*1*節*2***）の承認を得て行う部分買付けにおいて，対象会社の株主に対し，公開買付けに対する応募の意思とは別に，公開買付けを承認するか否かの意思を表明させ，かつ，買付者から独立した株主の議決権の過半数が公開買付けを承認することを公開買付け成立の条件にしなければならないとされている（シティコ

43）　田中亘『企業買収と防衛策』（商事法務，2012）49頁。

44）　Lucian A. Bebchuk, “Toward Undistorted Choice and Equal Treatment in Corporate Takeovers,” 98 Harv. L. Rev. 1695, 1747-1764 (1985)。

ード 36.5 条)。この規制も強圧性を解消する効果を有する。わが国の学説においても，これらに賛成する見解が有力に唱えられている[45)]。

しかし，賛否付提供方式には，株主の過半数が賛成する公開買付けが企業価値を増加させるものであるとは限らないこと，応募株主の過半数による賛成で公開買付けの成立を認める根拠はなにか等，いくつかの疑問がある[46)]。

強圧性の解消策として，第2に，公開買付けの成立後，一定期間，買付者に公開買付期間を延長させて，株式を提供しなかった株主に提供の機会を与える仕組み（買付期間延長方式）が知られている。これによれば，公開買付けに反対であるが，買付けが成功した場合には株式の買付けを受けたいと望む株主は，延長期間に応募すればよいから，当初の買付期間に提供する強圧性を免れることができる。イギリスのシティコード（31.4 条，10 条)，ドイツの企業買収法（16 条 2 項）は，一定の場合に買付者に買付期間の延長を義務づけている。わが国においても，買付者が買付株数の上限を設定しない全部買付けの場合には，買付期間内に買付者の株券等所有割合が 50% 超となるだけの応募があることを公開買付成立の条件とした上で，公開買付けが成功した場合に，延長期間の設定を強制する立法論が唱えられている[47)]。いわゆるセルアウト権も期間延長方式と同様に強圧性を減じる効果を有する[48)]。

買付期間延長方式については，株主は様子見をして最初の応募期間に応募しない結果，望ましい企業買収をも阻害してしまう可能性が指摘されている[49)]。また，買付期間延長方式は，当初の買付期間に株主に公開買付けの賛否を問い，賛成の得られた公開買付けについて，当初期間中の応募と延長期間中の応募を同等に扱うという点で，基本的な性格は賛否付提供方式と同じであるので，買付期間延長方式も，公開買付けへの賛成と企業価値の増加とは必ずしも一致しないという難点を免れることはできない。さらに，厳密には，賛否付提供方式と買付期間延長方式とでは，公開買付けの成立条件が異なる場合が生じうるが[50)]，そのことが理論的に正当化できるのかという問題もある。

---

45)　飯田秀総「公開買付規制における対象会社株主の保護」法協 123 巻 5 号（2006）1011 頁，田中・前掲注 43) 414-418 頁。

46)　黒沼悦郎「公開買付規制の理論問題と政策問題」江頭憲治郎編『株式会社法体系』（有斐閣，2013）536-537 頁。

47)　田中・前掲注 43) 418-422 頁。

48)　中東正文「企業結合法制と買収防衛策」商事 1841 号（2008）48 頁。

49)　飯田秀総「公開買付規制の改革」商事 1933 号（2012）16 頁。

50)　黒沼・前掲注 46) 539 頁。

このように，強圧性の解消方法はいくつかあるが，強圧性が生じる公開買付けと企業価値を減少させる公開買付けの範囲とが一致しないために，強圧性を解消しただけでは問題の解決にならない点に難しさがある。筆者は，強圧性が生じる原因の1つである，公開買付けが失敗した場合の株式価値（**図表5-2 図表5-3**の独立価値）が買付価格よりも高いという状況は，対象会社経営者が独立価値を市場価格に反映させる努力を怠らなければ，相当程度，解消できるので，強圧性を理由として公開買付けの取引規制を改正する必要はないと考えている。ただし，いわゆる2段階買収（→**Column 5-9**）では，対象会社株式の独立価値がいくらであるか，それが市場価格に反映されていると否とにかかわらず，公開買付けは常に強圧的となるため，そのような構造的強圧性のある公開買付提案は，端的に「不正の手段」として金商法157条に違反すると解すべきであろう[51]。

(3) ただ乗りを解消する方策とその問題点

ただ乗りの解消策としては，①買付者が市場価格で株式を購入できる「足がかり」（現行法では5%，→*7*節 *1*）の範囲を拡大する（たとえば，10%とする）こと，②買収者が支配権取得による私的利益を得られる場合に，当該私的利益の獲得を許すことが考えられる[52]。いずれも，買付者に利益獲得の機会を与えることにより，企業価値を増加させる買付提案を行うインセンティブを与えようとするものであるが，同時に，企業価値を減少させる買付提案を行うインセンティブを与えてしまうことにも注意を要する。構造的強圧性のある2段階買収（→(2)）を認めることもただ乗り問題を解決するが，2段階買収は強圧性の弊害が特に強く現れるので適当でないだろう。このように，強圧性とただ乗りはトレードオフの関係にある。

ただ乗りは，対象会社の株主の一部が会社に残存することから生じるから，公開買付けが失敗した場合には公開買付者が1株も取得せず，成功した場合には，残存株主のすべてを買付価格と同額で対象会社から締め出す（組織再編行為等により現金を交付する）のであれば，ただ乗りは解消される。このようなオール・オア・ナッシングの条件の付いた公開買付けであれば，強圧性も生じない。公開買付けにこのような条件を付すことを強制することは，強圧性とただ乗りの問題を同時に解消する唯一の方法である。

51）黒沼・前掲注46）539-541頁。
52）田中・前掲注43）420頁（注213）。

しかし，公開買付けにオール・オア・ナッシングの条件を付すことは，公開買付けの方法による部分的な企業買収を認めないことを意味するので，①部分的な買収を認めないという政策が妥当か，②公開買付けの方法による場合にのみ，部分的な買収を認めないという政策は妥当か，という見地からの検討が必要であり，筆者はただ乗り解消のためにオール・オア・ナッシングの条件を強制することは政策的見地から妥当でないと考えている[53]。

第*5*節　発行者による上場株券等の公開買付け

1　総　　説

(1)　制度の趣旨

株式会社がどのような場合に自己株式（自社株式のことである）を取得できるかは，会社法が規定している（会社155条）。会社が自己株式を取得するときは，会社が株主との間で株式の売買を行うことになるから，どの株主から株式を取得するかについて株主平等の原則（会社109条1項）が働く。公開買付制度は，投資者を平等に取り扱うための諸規定を備えているから（→*4*節*4*），会社が公開買付けの方法により自己株式を取得すれば株主平等の原則に反しないと考えられる。そこで，自己株式の取得規制を緩和した平成6年の商法改正の際に，証券取引法を改正して「発行者による公開買付け」の制度を創設し，自己株式の取得方法として公開買付けを利用できるようにした[54]。

発行者以外の者による公開買付け（他社株公開買付け）では，規制がないと投資者が平等に取り扱われないから，規制により投資者の平等取扱いを確保しているのに対し，発行者による公開買付け（自社株公開買付け）では，投資者の平等取扱いを確保するために自己株式の取得を公開買付けの方法によらせているのである。他社株公開買付けにおいて投資者を平等に取り扱うことに，情報に基づいた投資判断の確保を超える独自の意義を認めない立場（→*4*節*4*）からも，自社株公開買付けでは，株主平等原則との関係で投資者の平等取扱いが必要になることは否定されない。

53）　黒沼・前掲注46）544-545頁。

54）　証券取引審議会公正取引特別部会報告「自己株式取得等の規制緩和に伴う証券取引制度の整備について」（平成6年2月7日）。

(2) 適用範囲

上述のように自社株公開買付制度は会社による自己株式取得の一方法として定められたものであるが，法は他社株公開買付けと同様に，一定の場合に発行者が上場株券等を取引所金融商品市場外において買い付けるには，公開買付けの方法によらなければならないという形式を採用している（27条の22の2）。その一定の場合とは，①株主総会決議に基づいて株式を買い付ける場合（会社155条1項），②定款に定めを置いた上で取締役会決議に基づいて株式を買い付ける場合（会社165条2項3項），および③外国会社が買付け等に関する事項を多数の者に知らせて預託証券を買い付ける場合（27条の22の2第1項2号，施行令14条の3の2第2項）である。ただし，①からは，(a)株主総会決議で特定の売主を定めて自己株式を買い付ける場合（会社160条1項），および(b)すべての株主に通知して売付けの機会を与える場合（ミニ公開買付け，会社158条1項）が除かれる。これらの場合は，株主平等原則に沿った取扱いがなされるからである。金融商品市場に預託証券を上場している外国会社が預託証券を買い付ける場合には，会社法上の株主平等原則は適用されないが，金融商品市場に投資をしている日本の投資者が内国会社株と外国会社株とで異なった取扱いを受けないよう，③が設けられたのであろう。

■ Column 5-10　取引所金融商品市場における自社株の買付け ■■

上場会社は，取引所金融商品市場において自社の上場株券等を買い付けることができる（会社165条2項）。市場取引は誰でも参加できるので，市場で自己株式を取得すれば株主平等原則に反しないと考えられるからである。他社株公開買付けの規制では，議決権の3分の1を超える市場外の取得，立会外取引による3分の1を超える取得，市場内外の急速な買付け，および他者による公開買付期間中の3分の1を超える保有者による取得は，禁止されている（27条の2第1項2号〜5号，→**2**節***3***〜***6***）。これに対して，発行者が保有する自己株式には議決権がないため（会社308条2項），支配株式の取得を理由とするこれらの規制は自己株式の取得には適用されない。つまり，発行者は取引所金融商品市場で自由に自己株式を取得することができる。もっとも，立会外取引が他社株公開買付けの規制対象とされたのは，一般投資家が容易に参加できる市場でないことを理由とするのであるから（→**2**節***4***），立会外取引による自己株式の取得は，株主に平等に売付けの機会を確保するという株主平等原則の趣旨に反するのではないだろうか。

自社株公開買付けの適用対象は上場株券等（24条の6第1項）に限定されるので，公開買付けの方法を利用できるのは上場株券等の発行者が上場株券等を買い付ける場合に限られる。上場株券等には新株予約権証券，新株予約権付社債券等は含まれないから（24条の6第1項，施行令4条の3第2項），上場会社が自己新株予約権を取得するときには公開買付けの方法によることはできない。

2　自社株公開買付けの規制

⑴　自社株公開買付けの手続および開示規制

自社株公開買付けの手続は，他社株公開買付けのそれと異なるところはない。27条の22の2第2項から8項までは，公開買付開始公告，公開買付届出書の提出，公開買付けの結果の公告，公開買付報告書の提出に関する他社株公開買付けの規定を，自社株公開買付けに準用している。ただし，公開買付者と対象会社が一致することから，意見表明報告書，対質問回答報告書の制度は自社株公開買付けにはない。

公開買付届出書の記載内容は，①公開買付要項，②公開買付者の状況から成る（自社株買付府令第2号様式，→*3* 節 *1* ⑵）。①について，株主総会または取締役会の決議の内容や決議に基づいて既に取得した自己株式の数・取得価額の総額等の記載が求められるほかは，他社株公開買付けの公開買付届出書の記載事項とほぼ同じである。

公開買付けによって買い付けた自己株式の状況について，上場会社は，他の方法で取得した自己株式とあわせて，自己株券買付状況等報告書を作成・提出する必要がある（→3章 *5* 節 *1*）。

⑵　業務に関する重要事実の公表

自社株公開買付けは，重要な情報を有する発行者自身が公開買付けを行う点で他社株公開買付けと異なっている。この点を考慮して[55]，公開買付者（発行者）は，公開買付届出書の提出前に未公表の重要事実があるときは，当該重要事実を公表しなければならず，公開買付期間中に，新たに重要事実が生じたときは，これを直ちに公表しなければならないとされている（27条の22の3第1項2項）。

ここにいう重要事実は金融商品取引法166条1項に規定する重要事実であっ

55）　大森通伸「自己株式取得の規制緩和に伴う証券取引法の改正の概要」商事1361号（1994）9頁。

て同項に定める公表がされていないものをいう（22条の22の3第1項）。会社に未公表の重要事実が生じた状態で会社が自己株式を買い付ける場合であっても，現実に買付けを決定する者が重要事実を知らずに買付けを行えば，インサイダー取引に該当しない可能性がある[56]。そこで，インサイダー取引との関係で公表が求められる範囲を超えて，買付決定者が重要事実を知ると否とを問わず，重要事実の公表義務を会社に課したのが本条である。このような開示義務の実質的根拠は，自己株式の取得取引においては，会社＝株主に対して信任義務を負う取締役が会社を代表して株主と取引関係に立つことになるから，信任義務に基づいて会社＝取締役側はすべての重要情報を開示する義務を負うこと（完全開示の原則，→**Column 5-7**）に求められる。そうだとすると，上場会社が市場取引により自己株式を取得するときは本条の規定は適用されないが，同様の完全開示の原則が働かなければならないと考えられる（→**Column 7-12**）[57]。

未公表の重要事実の公表は，2以上の報道機関に対する公開により行い（自社株買付府令11条），公開から12時間経過するとインサイダー取引規制上も公表があったものと扱われる（27条の22の3第3項，施行令14条の3の12）。

公開買付期間中に新たな重要事実が生じたときは，同様の方法で公開するとともに，応募者に公表の内容を通知する（27条の22の3第2項）。届出書の提出後に新たに重要事実が生じたときに，インサイダー取引を防止し，応募者に再考の機会を与えるためである。発行者が公開買付期間中に重要事実を公表した場合，当該情報を投資者に熟慮させるため，買付期間の末日まで10日を切っているときは公開買付期間が公表から10日後まで延長される（27条の22の3第4項，自社株買付府令25条）。

(3)　自社株公開買付けの取引規制

自社株公開買付けの取引規制についても，公開買付期間，公開買付説明書の交付，買付価格の均一，按分比例原則，別途買付けの禁止，撤回の制限，条件の変更に関する他者株公開買付けの規定が準用されている（27条の22の2第2項～8項）。規制内容も他社株公開買付けの場合とほぼ同じであるが，次の点が異なる。

公開買付けの撤回は，自社株の買付けが法令に違反することとなる場合に限られる。買付株数の下限の設定（27条の13第4項1号）は認められない。残存

56）　前田雅弘「自己株式取得とインサイダー取引規制」論叢140巻5＝6号（1997）264頁。
57）　龍田293頁参照。

株主が少数株主になるおそれはないため，全部買付義務の規定（27条の13第4項柱書）は準用されていない。もっとも，自社株公開買付けにより上場廃止のおそれが生ずることはありうる。

第*6*節　公開買付規制の違反に対する制裁

1　総　　説

公開買付規制違反に対する制裁は，制裁の威嚇により将来の違反行為を抑止し，規制違反により投資者が損害を被るのを防止する機能を有している。公開買付けを適正に行わせるには公開買付プロセスに行政が関与することが効果的であるが，金融商品取引法上，行政の関与は最小限に止まっているため（→*3*節*1*(3)），法の遵守を促すために各種制裁手段の効果的な発動が期待される。

公開買付違反に対する刑事罰は，公開買付規制が導入された昭和46（1971）年改正法からあったが，不法行為責任の特則をなす民事責任規定は平成2年改正によって初めて設けられた。公開買付違反が課徴金の対象とされたのは平成20年改正によってである。公開買付規制には解釈を要する問題が少なくないことと，課徴金は第1次的には金融庁が運用することから，現在では，金融庁が公開買付けのプロセスに介入し，これを適正に行わせる手段として，課徴金制度の重要性が増している。もっとも，課徴金の対象となるのは，公開買付関係書類の虚偽記載と公開買付手続の不実施のみであり，公開買付者等の行為規制の違反については課徴金は発動されない。公開買付けの行為規制の違反は多くの株主の利益に影響を及ぼすから，行為規制の違反に対し私人または行政が差止めを求めることができる制度を構築すべきであろう。

2　刑 事 罰

(1)　公開買付関係書類の虚偽記載

虚偽記載のある開示書類に基づいて投資者が株券等を買付者に提供することのないよう，公開買付関係書類の虚偽記載には重い罰則が付されている。重要な事項について虚偽の記載のある公開買付開始公告を行い，または公開買付届出書，公開買付撤回届出書，公開買付報告書等を内閣総理大臣に提出した者は，10年以下の懲役もしくは1000万円以下の罰金が科され，またはそれらが併科される（197条2号3号）。提出した者とは公開買付者を代表して提出した個人であり，法人には両罰規定（207条1項1号）により7億円以下の罰金が科される。公開買付けは，必ずしも法人の業務に関して行われるものではないが，法人が買付けの主体となる以上，公開買付けは法人の財産に関して行われたといえ，両罰規定が発動される。このほか，重要な事項の解釈については，**4章*4*節*2*⑴**を参照。

重要な事項について虚偽の記載のある意見表明報告書，対質問回答報告書を提出し，または公開買付説明書を投資者に交付した者には，5年以下の懲役もしくは500万円以下の罰金が科せられ，またはそれらが併科され（197条の2第6号8号），法人には5億円以下の罰金が科される（207条1項2号）。

⑵　公開買付手続の違反

公開買付手続違反に対する罰則として，第1に，公開買付届出書が提出されていないのに株券等の売付けの申込みをした者，公開買付けを行わなければならない場合に公開買付開始公告をしない者には，5年以下の懲役もしくは500万円以下の罰金が科せられ，またはそれらが併科される（197条の2第3号4号）。前者は，売付けの勧誘を行った者を名宛人とし，後者は，公開買付義務に違反した買付者を名宛人とする。

第2に，規制に違反して公開買付けの条件を変更した者，別途買付けの禁止に違反した者，全部買付義務に違反した者，按分比例方式で買い付けなかった者，公開買付説明書を交付しなかった者等に対して，それぞれ罰則が定められている（197条の2第9号・200条3号9号）。

3　民事責任

⑴　総　　説

公開買付けに関して金融商品取引法が定める民事責任規定は，①公開買付関係書類の虚偽記載に基づく損害賠償責任を定めるもの，②届出違反の公開買付け，公開買付説明書の虚偽記載および交付義務違反から生ずる損害賠償責任を定めるもの，および③公開買付けの取引規制違反から生ずる損害賠償責任を定めるものに大別される。これらは平成2年の改正により設けられた規定である。

①は発行開示書類の虚偽記載，②は無届募集，目論見書の虚偽記載および交付義務違反に対応するものであるが，③は公開買付けの規制に特有のものであり，投資者の損害の塡補よりも違反の抑止を目的とした規定であると理解する

ことができる。

⑵　公開買付関係書類の虚偽記載等

公開買付開始公告，公開買付届出書，公開買付説明書，または対質問回答報告書に，重要な事項について虚偽の表示があるか，表示すべき重要な事実が欠けているか，誤解を生じさせないために必要な重要な事実の表示が欠けている（以下，虚偽記載等という）場合，公開買付者は，公開買付けに応じて株券等の売付け等をした者（悪意の者を除く）に対して，損害賠償責任を負う（27条の20による18条1項の準用）。募集・売出しの際の有価証券届出書に重要な虚偽記載等があった場合の発行者の責任（18条，→**4章*5*節*2***）に相当する責任である。本条は，虚偽の情報によって公開買付けに応募した投資者を保護するために設けられたものであり，公開買付者の責任が無過失責任である点で不法行為の特則となっている。

本条を利用できるのは売付者（応募者）のみである。公開買付関係書類に虚偽記載があったために，公開買付けへの応募をしなかった者，市場で対象株券等を売買した者は，本条に基づいて公開買付者の責任を追及することはできない。応募者以外の者が虚偽記載によって損害を被った場合には，公開買付者やその関係者に対して不法行為責任を追及することができるだろう。

公開買付届出書には対象会社の状況が記載されており，この部分は公開買付者が対象会社の法定開示書類を基礎に記載を行う（→***3*節*1*** ⑵）。対象会社の有価証券報告書に重要な虚偽記載があり，その結果，公開買付届出書に重要な虚偽記載がされた場合，本条によって，公開買付者は応募者に対して無過失の損害賠償責任を負うことになる。この結果は公開買付者に酷のようにも思われるが，応募者に損害が発生しているときは，虚偽記載によってあるべき価格よりも低い公開買付価格で買付者が株券等を取得しているはずであるから，公開買付者に無過失の損害賠償責任を負わせることは不当ではない。

責任を負うのは公開買付者のほか，公開買付者と共同買付けの合意等をしている特別関係者（27条の2第7項2号，→***2*節*2***），公開買付者の取締役，会計参与，執行役，理事もしくは監事，またはこれらに準ずる者である（27条の20第3項）。公開買付者以外の者は，相当な注意を用いたにもかかわらず記載が虚偽でありまたは欠けていることを知ることができなかったことを証明したときは，責任を免れる（同項）。有価証券届出書の虚偽記載に係る金商法21条に相当する規定である。

■ Column 5-11　損害賠償額の特則■■

本条には，損害賠償額について特別規定が置かれている（27条の20第2項）。公開買付届出書または公開買付説明書に重要な虚偽記載等があった場合であって，公開買付者が，公開買付終了後に株券等の買付けをする契約があるにもかかわらず，公開買付届出書または公開買付説明書にその旨を記載することなく，公開買付終了後に一部の者（A）から株券等の買付け等をしたときは，売付者の損害賠償額は，（Aからの買付価格―公開買付価格）×売付者の応募株券等の数とする。按分比例方式により売付け等ができなかったものは応募株券から除かれる（27条の17第2項参照）。

公開買付期間の末日後の買付け予定の記載がなかったからといって，応募者の応募判断にどのような影響を与えたかは一律には判断できない。このような虚偽記載により，公開買付者は公開買付けに応じた者からも同額で株券等を買い付ける義務を当然に負担するわけではない。したがって，本項は応募者の損害を塡補するというよりも，公開買付者に一種のペナルティを科すことにより，公開買付届出書等に記載せずに行う公開買付期間後の買付けを抑止することを目的としており，取引規制に係る民事責任規定（→(4)）と同趣旨の規定であるといえる。

特別規定が適用されない場合には，売付者が虚偽記載等によって被った損害の範囲と額を立証しなければならない。

(3)　公開買付説明書に係る責任

重要な虚偽記載等のある公開買付説明書その他の表示を使用して株券等の売付け等をさせた者は，虚偽記載等を知らないで公開買付けに応じて株券等の売付け等をした者が受けた損害を賠償する責任を負う（27条の19による17条の準用）。ただし，公開買付説明書等の使用者が，相当な注意を用いたにもかかわらず虚偽記載等を知ることができなかったことを証明したときは，責任を負わない（同条）。目論見書の使用者の責任（17条，→**2章*5*節*4*(2)**）に相当する規定である。

この規定は，①無過失の立証責任を被告に負わせている点，および②被告が実際に「相当な注意を用いた」ことが免責の要件とされており，公開買付説明書等の使用に際して相当な注意を用いなかった場合には，因果関係不存在の抗弁を被告が用いることができない点で，不法行為（民709条）に基づく損害賠償請求の特則となっている。その他の表示には口頭の表示も含まれる。

公開買付届出書を提出せずに売付け等の申込みの勧誘をした者，公開買付説明書を交付しないで株券等の買付け等をした者は，公開買付けに応じて株券等の売付け等をした者に対して，違反行為により生じた損害を賠償する責任を負う（27条の16による16条の準用）。公開買付届出書，公開買付説明書の情報によって投資者の提供判断が行われるよう確保するための規定である。

届出書を提出せずに勧誘をした者には公開買付者のほか，勧誘行為に従事したすべての者が含まれるが，公開買付説明書を交付しないで買付け等をした者は，16条の場合（→**2章*5*節*3*⑷**）と異なり，公開買付者または違法な買付けの主体に限られる。本条の損害賠償責任は無過失責任であるが，損害の額は売付者（株券等の所有者）が立証しなければならない。

⑷　取引規制に係る民事責任

公開買付けの取引規制違反に対する損害賠償責任として，第1に，別途買付けの禁止（27条の5，→***4*節*4*⑶**）に違反した公開買付者等（公開買付者と特別関係者，27条の3第3項）は，公開買付けに応じて株券等の売付け等をした応募者に対して，（別途買付けにおける買付価格―公開買付価格）×応募者の応募株券等の数（按分比例方式により売付け等ができなかったものを除く）により算定される賠償額を支払う義務を負う（27条の17）。別途買付けと同じ価格で公開買付けが行われたと仮定した場合に応募者が得ることのできた価額を売付者に与えるものである。もっとも，別途買付けによって公開買付けの応募者がいくらの損害を被るのか，そもそも損害を被るといえるのか疑問があり，本条は損害の塡補というよりも，別途買付けによる利益を買付者から剝奪して違反を抑止することを主目的とするものである58)。

第2に，公開買付者は，応募された株券等について公開買付届出書に記載した買付条件により決済を行わなければならないところ（27条の13第4項），これに違反して，一部の応募者から公開買付価格より有利な価格で買付け等を行ったときは，他の応募者に対して，（有利な買付価格―公開買付価格）×売付者の応募株券等の数（按分比例方式により売付け等ができなかったものを除く）により算定される賠償額を支払う義務を負う（27条の18第1項・2項1号）。買付価格の点で投資者の平等取扱いを確保するための民事責任規定である。

第3に，公開買付者は，応募株券等の数の合計が買付予定の株券等の数を超えるときは，按分比例により買付株券を決定しなければならないところ（27条の13第4項2号），これに違反して，按分比例方式と異なる方式で買付けをし

58)　金商法コンメ(1)822頁〔黒沼悦郎〕。

たときは，そのために買い付けられなかった応募者に対し，（公開買付価格－損害賠償請求時の市場価格〔既に処分しているときは処分価格〕）×（応募株券等の数のうち買い付けられなかった数）により算定される賠償額を支払う義務を負う（27条の18第1項・2項2号）。買付株数の点で投資者の平等取扱いを確保するための民事責任規定である。

■ Column 5-12　公開買付規制に違反した者による議決権行使の差止め ■■

公開買付けは会社の支配権の獲得を目指して行われるのが通常であるから，公開買付けの成否は会社の支配権をめぐる争いに大きな影響を与える。そこで公開買付規制の違反があった場合に，対象会社やその株主に公開買付けの差止めや買付者の議決権行使の差止めを認めることによって，公開買付けの適正な実施を確保することが考えられる[59]。

平成24年8月1日の「会社法制の見直しに関する要綱案（案）」（要綱案）は，株券等所有割合が3分の1を超える場合の強制公開買付規制（27条の2第1項2号～6号，→*2*節*3*(1)），または株券等の所有割合が3分の2以上となる場合の全部買付義務（27条の13第4項，→*4*節*2*）の重大な違反があった場合に，対象会社の株主が株主総会における違反者の議決権行使を差し止めることができる制度の創設を提案した（要綱案第3部第1）。しかし，この提案は平成26年改正会社法では採用されなかった。これらの規制の違反があった場合に，違反者による議決権行使を差し止めることは，違反者による支配の取得を防ぐこと等を通じて，支配権の変動に際して株式の売却機会を提供されるという株主の利益の保護を間接的に図ることができるから[60]，改正を実現すべきである。

4　課 徴 金

(1)　公開買付届出書等の虚偽記載

虚偽記載等のある公開買付開始公告を行った者，または虚偽記載等のある公開買付届出書，対質問回答報告書を内閣総理大臣に提出した者は，課徴金を課せられる（172条の6第1項）。課徴金の対象となる開示書類の範囲が，虚偽記載について刑事罰が科される範囲や民事責任規定が適用される範囲よりも狭いのは，虚偽記載によって公開買付者が利得を得る可能性のある書類に限定した

---

59)　ドイツ法の状況につき，神作裕之「金融商品取引法の規定に違反した者による議決権行使の制限」前田先生古稀記念『企業法・金融法の新潮流』（商事法務，2013）1頁以下を参照。

60)　法務省民事局参事官室「会社法制の見直しに関する中間試案の補足説明」第3部第1（2011）。

からであろう。

課徴金の額は，公開買付開始公告前日の①「当該公開買付けに係る株券等」または②「上場株券等」の終値に，買付け数を乗じた額の25%である（同項）。これは，買付者が虚偽の情報を提供することによって有利な条件で株券等を買い付けることができたと考え，公開買付手続不実施の場合と同額の課徴金を課すことにしたと説明されている[61]。しかし，公開買付けを実施しなければ買付者はプレミアム（市場価格を超過する価額）分を節約できるが，公開買付届出書に虚偽記載があっても，公開買付けを行う限り，25%程度のプレミアムを付さなければ，買付者は予定数の株式を買い付けることができないのではないだろうか[62]。

他方，虚偽記載等のある有価証券届出書に基づいて株式を取得させた発行者は，発行価額の総額の4.5%の課徴金を課せられるのに比べると，公開買付者は，買付総額の20%程度（プレミアムが25%だとすると，25/125）の課徴金を課せられることになるから，違反行為の抑止効果の観点からすると，十分な額の課徴金が設定されているといえる。

なお，条文が①と②を分けて規定しているのは，①は他社株公開買付け，②は自社株公開買付けに対応させるためである。

⑵　公開買付手続の不実施

買付者が公開買付けの方法によって株券等の買付けをしなければならないのに，公開買付開始公告を行わないで株券等を買い付ける場合が，課徴金の対象とされている（172条の5）。課徴金の額は買付総額の25%である。公開買付けの手続を行わない場合，発行者がプレミアム分を節約できた点に着目したものである[63]。

すべての株券等に対して公開買付けを実施しなければならないのに，特定の種類の株券等に対してのみ公開買付けを行った場合に，その違反は①公開買付けの不実施に当たるのか，②公開買付届出書に記載の欠落があるだけなのか（虚偽記載に該当しないので刑事罰を適用できない）という問題がある[64]。全部勧誘

61）　逐条解説2008年319頁。

62）　大証金融商品取引法研究会「公正・透明で信頼性のある市場の構築――課徴金制度等に係る平成20年金商法改正」（研究会記録6号，2011）16頁〔黒沼悦郎報告〕。

63）　逐条解説2008年316頁。

64）　金融商品取引法研究会「公開買付制度」（日本証券経済研究所研究記録30号，2009）39頁〔太田洋発言〕，中東正文「公開買付制度」金融商品取引法研究会編『金融商品取引

義務が適用される場合の公開買付手続の個数をどうみるかという問題とも関係するが，①とみるのが自然である。

第7節　大量保有報告制度

1　制度の目的

大量保有報告制度とは，上場有価証券の発行者の株券等を総議決権の5% を超えて保有する者に対し一定の情報を強制的に開示させる制度である（27条の23）。平成2年の証券取引法改正でアメリカ法に倣って導入されたものであり，5% ルールとも呼ばれる。大量保有報告制度は，現在ではEU諸国においても導入されているが，具体的な制度の内容は国ごとに異なる[65]。

上場有価証券の取引を行う投資者にとって，対象証券の発行者の議決権を5% を超えて取得している者（大量保有者）が誰かは，2つの意味で投資判断にとって重要である。第1に，大量保有者の存在およびその保有目的は，対象会社の支配に影響を与えるからであり，第2に，大量保有者の売買状況は対象有価証券の需給関係に影響を与えるからである。大量保有者に保有目的や売買状況を開示させる大量保有報告制度の目的は，一般投資家に対し投資判断資料を提供することにあるといえる。

このほか，大量保有報告制度はいくつかの効果を有している。第1に，大量保有者を明らかにすることにより，経営者が大量保有者と直接的に交渉したり，投資家からの提案に対して代替案を提示したりするための機会と時間的余裕が与えられる[66]。もっとも，このような効果は投資者保護から付随的に生じるものであり，買収対象会社の保護を大量保有報告制度の目的と解すべきではない。

第2に，大量保有者の売買状況を開示させることにより，大量保有者が対象会社の会社関係者に株を高値で引き取らせるような不正な行為を抑止する効果がある。わが国で大量保有報告が導入された当時，株価バブルを背景として株

法制の現代的課題』（日本証券経済研究所，2010）172頁（注85）。

65）イギリスとアメリカの制度の差異を，支配権プレミアムの分配規制，敵対的企業買収に対する規制の差異から説明するものとして，加藤貴仁「大量保有報告制度に関する制度設計上の課題」宝印刷総合ディスクロージャー研究所編『金融商品取引法上のディスクロージャー制度に関する課題』（別冊商事369号，2012）130-135頁を参照。

66）山下＝神田編247頁〔加藤貴仁〕，神崎＝志谷＝川口509頁。

の買占めと高値肩代わりの要求が横行しており，取引の透明性を高めることによって不正行為を抑止し，さらには買占め資金の出所の開示を要求することにより（→*2*⑷），買占め行為そのものを抑止しようとしたのである。

第3に，大量保有報告の制度設計は企業買収のコストに影響を及ぼし，会社支配権の市場の効率性（→**Column 5-2**）に影響を与える。大量保有報告制度は，ある買付者がどの会社を買収の対象として株券等を買い進めているかを，株券等を5% を超えて取得するまでは開示しなくてよいとする制度である。買付者が魅力的な対象会社を探し出すには，費用がかかる。このような探索費用を買付者が後に回収できなければ，対象会社を探し出して買収を行うインセンティブを潜在的な買付者に与えることはできない。大量保有報告の発動要件である保有割合が高ければ，買付者は買収の目的を開示するときまでに，対象会社の株券を安い価格でより多く買い集めることができ，たとえ買収が失敗に終わっても，情報開示後の高騰した価格で保有株式を処分することにより利益を得ることができる。このように，大量保有報告の設計は企業買収行動に影響を与えるものであり，経営者を規律する会社支配権の市場がうまく機能するように工夫を施す必要がある。いいかえると，投資者の保護のためにできるだけ早期に詳細な情報の開示を求めるだけでは，大量保有報告制度の目的を達成することはできない。

第4として，投資者が情報を収集・分析した結果である株式等の保有状況を開示させることが，投資者による情報生産活動を萎縮させてしまう可能性が指摘されている[67]。このような観点からも大量保有報告の制度設計を行う必要があるだろう。

2　大量保有報告書

⑴　大量保有者

大量保有報告書を提出しなければならないのは，株券，新株予約権証券，新株予約権付社債券等を上場している発行者が発行する株券等を5% を超えて保有する大量保有者である（27条の23第1項柱書）。株券等の定義は，公開買付規制の対象となる株券等と同じである（施行令14条の4，→*2*節*1*⑴）。公開買付けの規制が，継続開示会社の発行する株券等の買付けに適用されるのに対し，大

67）山下＝神田編246頁〔加藤〕。

量保有報告は上場有価証券を発行している発行者の株券等の買付けに適用の範囲が限定されている。これは，上場されていない有価証券の買集めが事実上難しいから[68]ではなく，大量保有報告制度が流通市場で取引をする者の保護を目的とする制度だからであろう。大量保有者が有する5% 超の有価証券は上場有価証券である必要はない。

5% という開示発動基準は公開買付規制の発動基準に合わせたものである。ただし，5% の計算に際し，公開買付規制では議決権数を基準とするのに対し大量保有報告では株式数を基準としている。対象会社の支配権取得をめざす者は，5% までは秘密裏に市場で対象会社の株式を買い集め，5% を超える段階で買収目的を明らかにして公開買付けの手続を行うことが考えられる。大量保有者に当たるかどうかは，株式保有名義によってではなく，実質的に決定される（実質的保有者）。投資者の投資判断にとっては，実質的に同一の者によって5% 超が保有されているか否かが重要だからである。したがって，他人名義をもって株券等を所有する者も大量保有者に含まれる上（27条の23第3項柱書），①金銭の信託契約その他の契約または法律の規定により，議決権を行使できる権限または議決権の行使について指図を行うことができる権限を有する者（発行者の事業活動を支配する目的を有する場合に限る），および②投資一任契約その他の契約または法律の規定に基づき，株券等に対する投資決定権限を有する者は，実質的保有者とみなされる（同条項1号2号）。

①の典型は，ファンド・トラストの委託者である。ファンド・トラストの信託財産は受託銀行に移転しているが，信託契約により議決権行使の指図権限は委託者に残されているからである[69]。受託者である信託銀行は，信託財産として保有する株券等について実質的保有者にならないが（同条4項，大量保有府令4条1号），信託銀行が投資決定権限を有するときは②により，実質的保有者となる。②の他の例としては，投資一任業務を行う金融商品取引業者が挙げられる（→**Column 5-13**）。

(2)　共同保有者

複数の者が共同して議決権を行使しようとする場合は，それらの者（共同保

68)　証券取引法研究会「証券取引法の改正について(20) 株式等の大量の保有状況に関する情報の開示制度について(2)」インベストメント44巻2号（1991）48頁〔河本一郎発言〕。
69)　証券取引法研究会「大量保有報告（5% ルール）から何がわかるか」『平成17年・18年の証券取引法等の改正』（別冊商事299号，2006）151頁〔河本一郎報告〕。

有者）の株式数を合算して株券等保有割合を算定し（27条の23第4項），これが5%を超えているときは，それぞれが大量保有者として報告書を提出しなければならない。株券の取得や議決権の行使について特定の行動をとろうとする者が単独であるかグループであるかの相違は，投資者の投資判断にとって重要でないからである。もっとも，報告書提出の手続は，委任を受けた者が一括してすることができる。また，共同保有者間の貸借株券のように保有割合算定において重複計上される株券については，これを控除して報告書提出義務の有無を判断する（同条4項）。

共同保有者には実質基準によるものと形式基準によるものがある。実質基準では，他の保有者と共同して株券等を取得し，または譲渡することを合意している場合，他の保有者と共同して議決権その他の権利を行使することを合意している場合に共同保有者間で持株数が合算される（同条5項）。この基準をそのまま適用すると会社の支配とは関係のない権利を行使することを合意している者も大量保有者の範囲に含まれてしまう。そこで，公開買付規制の特別関係者の範囲と同様（→*2節2*），支配権の変動と関係のない株主権は「議決権その他の権利」に含まれないという解釈が示されている[70]。形式基準は，株主間に夫婦の関係，50%を超える資本関係などがある場合に，株券の取得や議決権の行使に関する合意がなくても共同保有者とみなして，大量保有報告書の提出義務を課すものである（27条の23第6項，施行令14条の7）。ただし，零細な共同保有者の持株数まで調査しなければならないとすると酷にすぎることから，単体ベースで株券等保有割合が0.1%以下の者はみなし共同保有者から除外される（大量保有府令6条1号）。

■Column 5-13　組合と共同保有者■■

組合形式をとる複数のファンドが投資決定権限を金融商品取引業者等に委任している場合には，当該金融商品取引業者等のみが大量保有者となり，各ファンドは共同保有者に当たらないと解されている。したがって，各ファンドやその組合員の名称は，大量保有報告書に記載されず，それぞれが5%超の大量保有者に該当しない限り各別に大量保有報告書を提出する義務もない。これについては，発行者が株券等の実質的保有者を大量保有報告書により知ることができず，株券等の買占めへの対応策をとることができないという不満が発行者サイドにあるようである。しかし，

70）　飯田・前掲注12）920頁。

一般投資家の投資判断にとっては，投資の決定権限を有する者に関する情報が開示されれば足りるし，発行会社が自己の株主を知る権利があるか否かは，会社法で決すべき問題であろう。

ファンドの運用者である業者が，複数の組合の有する株券等について統一的に議決権を行使するときも，組合相互間に議決権行使の合意が形成されていない限り，各組合は共同保有者に当たらないと解されている。しかし，組合同士に横の連携がない場合であっても，ファンドの運用業者を通じて組合相互間に議決権行使の合意が形成されたとみるべきであろう[71]。従業員持株会についても，組合員である各会員の間で共同保有の意識が希薄であるため，一般には共同保有者に該当しないが，経営権の争奪が起こった場合に加入従業員がどちらかを応援すべく共同意思を形成したときは，共同保有者になると解される[72]。

⑶　提出時期

大量保有報告書は，ある者が大量保有者となった日から5営業日以内に内閣総理大臣に提出しなければならない。大量保有者は，その写しを当該株券等の発行会社，株券等が上場されている金融商品取引所に送付する（27条の27）。大量保有報告書は，財務局，金融商品取引所において，5年間，公衆の縦覧に供される（27条の28）。大量保有報告書の写しを発行会社に対しても送付させるのは，大量保有者に対する対策を講じる余裕を発行会社に与えるためではなく，発行会社が臨時報告書等を通じて，株主等に広く大量保有の情報を提供できるようにするためである[73]と解すべきである。

⑷　記載事項

大量保有報告書には次の事項を記載する（大量保有府令第1号様式）。

①　**発行会社に関する事項**　　発行会社の名称，証券コード，上場証券取引所等，発行会社の特定のための事項である。

②　**提出者（大量保有者）の概要**　　組合が保有する場合には，業務執行組合員または株券等の処分権限を有するものを提出者として記載する。

③　**保有目的**　　「純投資」，「政策投資」，「重要提案行為等を行うこと」等の目的およびその内容を具体的に記載する。支配権の取得は重要提案行為等（→**Column 5-14**）に含まれる。

71）証券取引法研究会・前掲注69）159頁〔龍田節発言〕。

72）証券取引法研究会・前掲注69）155頁〔河本一郎報告〕。

73）近藤＝吉原＝黒沼397頁。

④　**提出者の保有株券等に関する内訳**　保有する株券等の数を，株券，新株予約権証券等の種類別，保有形態別に記載するとともに，株券等保有割合を記載する。

⑤　**最近60日間における取得および処分の状況**　取得または処分した日ごとに，株券等の種類，数量，発行済株式総数に対する割合，市場内取引・市場外取引の別，単価を記載する。これらは，一般投資家の投資判断にとって重要な情報になるとともに，これにより公開買付規制の違反の有無がわかる。

⑥　**株券等に関する重要な契約**　保有株券に関する貸借契約，担保契約，売戻し予約，売り予約等を記載する。株券の処分の状況を予測させる重要な情報である。

⑦　**取得資金**　自己資金と借入金の別，借入金の場合は借入先等を記載する。銀行等の金融機関に対し株券等の取得資金に充てることを明らかにせずに資金を借り入れた場合には，借入先の名称は開示の対象から除外される（27条の28第3項，大量保有府令22条）。すべての場合に借入先を開示させると，金融機関の通常の融資業務に支障をもたらす危険があるからである[74)]。大量保有者が買い集めた株券を金融機関が担保にとっている場合には，取得資金に充てることを明らかにして借り入れた場合に該当し，金融機関の名称が開示されることとなる[75)]。取得資金に関する開示は，ある者が資金を提供して別の者に株券等を取得させた場合に，一般投資家が背後にいる真の取得者を知ることができるようにすることを主たる目的とする[76)]。ただし，取得資金の開示が，銀行等の金融機関が株式の取得資金を貸し付ける行為を抑制する効果を有することは否定しがたい。

⑧　**共同保有者に関する事項**　共同保有者が提出者と別個に報告書を提出する場合に，共同保有者に係る保有株券等を明らかにするために記載させる事項である。

⑨　**提出者および共同保有者に関する総括表**　⑧と同じ場合に，提出者と共同保有者の分を合算し，その内訳を保有株券等の種類別，保有形態別に示すものである。

---

74)　神崎＝志谷＝川口520頁（注11）。

75)　河本＝大武＝川口151頁。

76)　証券取引法研究会「証券取引法の改正について(19)　株券等の大量保有状況に関する情報の開示制度について(1)」インベストメント44巻1号（1991）66頁〔神崎克郎発言〕，神崎＝志谷＝川口518頁。

3　変更報告書と短期譲渡

大量保有報告書を提出した者は，その後，株券等保有割合が，株式の取得や処分により100分の1以上増減した場合，または大量保有者報告書に記載すべき重要な事項に変更があった場合には，5営業日以内に変更報告書を内閣総理大臣へ提出しなければならない（27条の25第1項）。大量保有者の株券等の保有状況を随時，明らかにするためである。記載事項の変更については，政令で定める軽微な変更を除いて変更報告書の提出事由とされている（施行令14条の7の2）。変更報告書は，大量保有報告書と同じ場所で5年間，公開される（27条の28）。

60日間に発行済株式総数の5% を超え，かつ，保有株券等の過半数を譲渡した場合には，株券等を譲渡した相手方および対価についても変更報告書に記載しなければならない（27条の25第2項，施行令14条の8，大量保有府令10条）。大量の株式の肩代わりが行われたときは，以後，株価が大きく下落する可能性があるため，投資者保護のために開示を求め，同時に，大量保有者の高値買取り要求を抑止しようとするものである。有価証券市場で譲渡した場合で，相手方を知ることができないときは相手方の記載は不要であるが（大量保有府令第2号様式），市場内のクロス取引のように相手方を知ることができるときは記載しなければならない[77]。なお，市場取引では対価の記載を要しない。

4　機関投資家の特例

(1)　趣　　旨

機関投資家は，顧客の資金を大量に株式で運用しているため，大量保有報告制度をそのまま適用すると，その事務負担が大きくなりすぎる。また，機関投資家による株券等の売買は発行者の事業を支配する目的で行われないものが多い。そこで，銀行，証券会社，保険会社，投資顧問業者などの機関投資家については，3か月ごとに設けている基準日に株券等保有割合を計算し，5% を超えている場合は翌月15日までに大量保有報告書を提出し，その後は，基準日に1% 以上の増減があったときに翌月15日までに変更報告書を提出すればよいとする特例が設けられていた（特例報告制度）。

ところが，特定の投資ファンドが投資顧問業者として特例報告の適用を受け

77）　近藤＝吉原＝黒沼400頁。

つつ，突然大株主として出現し，発行者の買収を視野に入れた経営介入を行う事例が見受けられ，発行者サイドから特例の見直しを求める声が高まった。また，企業買収の攻防の最中に，特定の投資ファンドによる対象株券の売買動向が適時に開示されないため，一般投資家の投資判断資料が不足する事態が生じ，問題視された[78]。

そこで，特例報告の頻度を3か月に1回から月2回に引き上げる等の法改正が平成18年に行われた[79]。

⑵ 適用範囲

特例報告制度が適用されるのは，①第1種金融商品取引業または投資運用業を行う金融商品取引業者，②銀行，保険会社その他の金融機関，③外国の法令に準拠して外国において①②の事業を行う者，④①〜③の共同保有者である（27条の26第1項，大量保有府令11条）。

これらの機関投資家であっても，株券等保有割合が10%を超える場合，または重要提案行為等を行うことを保有の目的とする場合には，特例は適用されない。保有割合が10%を超える場合には，一般投資家への情報開示の必要性が機関投資家の事務負担の軽減に勝ると考えられるからであり，大量保有者が重要提案行為等を行うことを目的とする場合には，特例を認める基礎が失われるからである。

■Column 5-14　重要提案行為等■■

重要提案行為等とは，発行会社またはその子会社に係る次の事項を，株主総会または会社の役員に対して提案する行為をいう（施行令14条の8の2第1項，大量保有府令16条）。それらの事項とは，①重要な財産の処分または譲受け，②多額の借財，③代表取締役の選定または解職，④役員の構成の重要な変更，⑤支配人その他の重要な使用人の選任または解任，⑥本店その他の重要な組織の設置，変更または廃止，⑦株式交換，株式移転，会社の分割または合併，⑧事業の全部または一部の譲渡，譲受け，休止または廃止，⑨配当に関する方針の重要な変更，⑩資本金の増加または減少に関する方針の重要な変更，⑪その発行する有価証券の上場の廃止，⑫資本政策に関する重要な変更，⑬解散，⑭破産手続開始，更生手続開始または再生手続開始の申立てである。ただし，内閣府令で定める軽微基準に該当するものは

78）いずれも，いわゆる村上ファンドが関わる事例である。証券取引法研究会「平成18年の証券取引法の改正II」『平成17年・18年の証券取引法等の改正』（別冊商事299号，2006）129-130頁〔北村雅史報告〕参照。

79）改正法の考え方につき，金融審議会・前掲注9）11-13頁を参照。

除かれる。

これらは，特例報告が認められない要件である「会社の事業を支配する目的」（平成18年改正前）の明確化を図った規定であると説明されている[80]。たしかに，改正前の事例では，保有目的を「投資一任契約に基づく純投資」としつつ，対象会社に対して取締役の過半数の選任提案を行った例があったが，そのような行為に対しては法を厳格に運用すれば足りる。重要提案行為等として列挙された事項には，「会社の事業を支配する目的」を明らかに逸脱するものが含まれており，平成18年改正は特例報告の適用範囲を狭めたといえる。

列挙事項を見ると，機関投資家が発行会社に対して，増配を要求したり，自己株式の取得やMBOを提案したりすると，以後，特例報告の適用を受けることができなくなる。これにより，機関投資家と発行会社経営者の対話が阻害されないか危惧される。もっとも，機関投資家が純粋に発行会社から意見を求められてこれに応じる場合や，発行者が主体的に設定した株主との対話の場（決算来社報告，IR説明会等）で意見を述べる場合には，重要提案行為等を行うことを「目的とする」という要件を満たさないと解されている[81]。また，アナリストやファンドマネージャーが取材の一環として純粋に質問する場合には，「提案」に該当しないと解されている[82]。

なお，国，地方公共団体，またはこれらの共同保有者については，保有割合が10％を超えるときや重要提案行為等を行うときであっても，特例報告制度の適用を受けることができる（27条の26第1項，大量保有府令14条）。国や地方公共団体は，公益的な政策目的から株券を保有しているからであると説明されるが[83]，機関投資家と別扱いする必要性があるのか疑問である。

(3) 特例報告

特例報告の対象者は，月2回以上設けられる日の組合せのうち機関投資家が届け出た日を基準日として，株券等保有割合を計算し，保有割合が5％を超えるときは5営業日以内に大量保有報告書を提出する（27条の26第1項）。基準日の定め方には，毎月第2月曜日と第4月曜日，毎月15日と月末の2通りがある（施行令14条の8の2第2項）。

大量保有報告書を提出した後に，基準日に保有割合が1％以上増減していた

80）大来・前掲注22）43頁。
81）大来・前掲注35）12頁。
82）大来・前掲注35）12頁。
83）神崎＝志谷＝川口531頁。

ときは，5営業日以内に変更報告書を提出する（27条の26第2項1号）。

特例報告の対象者が，5％超を保有した日または保有割合が1％以上増加した日から最初に到来する基準日までの間に重要提案行為等を行おうとするときは，その基準日までに大量保有報告書を提出しなければならない（27条の26第4項，施行令14条の8の2第3項）。重要提案行為等を予定している者が基準日の間隔を利用してできるだけ開示を遅らせようとする行為を防止するための規定である。

なお，10％超を保有するため特例報告を受けられない機関投資家が持株を減少させ10％以下になったときは，その取引については特例報告は適用されず，5営業日以内に報告書を提出しなければならない（27条の26第2項3号）。一般投資家の投資判断にとって重要な変更であり，その事実を早期に開示させる必要があるからである。

特例報告の頻度が月2回に引き上げられたことは，機関投資家にとって事務負担の増加をもたらすだけではない。大量保有報告書を提出した段階で機関投資家の運用行動が明らかになって投機筋に追随され，当該銘柄の株価が上昇する結果，それまで行ってきた1銘柄10％までの株式運用が困難になると考えられる。このことは，機関投資家を通じて投資している一般投資家にも不利益を及ぼすし，機関投資家の日本マーケット回避を招くおそれも生じさせる[84)]。機関投資家の運用成績が低下した，機関投資家が日本市場から撤退したなどの傾向が一般的に認められたときには，立法政策を見直す必要があろう。

5　大量保有報告違反に対する制裁

(1)　刑 事 罰

提出されるべき大量保有報告書が提出されなかったり，重要な事項について虚偽記載のある大量保有報告書が提出されたりすると，市場で上場有価証券の売買を行う投資者に情報を提供するという大量保有報告制度の目的を達成することができない。そこで，法は，まず，大量保有報告違反に対して罰則による制裁を加えて，制度が遵守されるよう図っている。

大量保有報告書または変更報告書の提出義務に違反した者，重要な事項について虚偽記載のある大量保有報告書または変更報告書を提出した者は，5年以

84)　金融審議会・前掲注9）12頁。

下の懲役もしくは500万円以下の罰金が科せられ，またはこれらが併科される(197条の2第5号6号)。ここにいう大量保有報告書には特例報告によるそれも含まれる。本条の適用対象者は大量保有者（共同保有者を含む）の代表者であり，法人には両罰規定（207条1項2号）により5億円以下の罰金が科される。虚偽記載には，「保有目的」や「取得資金」に関する虚偽記載も含まれる。虚偽記載が重要な事項に関するかどうかは，それが対象会社の支配権および対象有価証券の需給関係に関する投資者の投資判断にとって重要かどうかによって決まり，対象会社の経営者にとって重要かどうかによって決まるものではない。このほか，重要な事項の解釈については，**4章*4*節*2*(1)を参照**。

(2) 民事責任

大量保有報告書や変更報告書の提出義務違反や虚偽記載に関して，金融商品取引法には特別の民事責任規定は置かれていない。大量保有報告書・変更報告書は公衆縦覧に供され，一般投資家の投資判断の材料になるものであるから，提出義務違反，虚偽または誤解を生ずる記載によって投資判断を誤った投資者が損害を被った場合には，一般不法行為の規定（民709条）により違反者に損害賠償を請求できると考えられる。

大量保有報告書や変更報告書は対象有価証券の発行者の保護を目的とするものではないが，提出義務違反や虚偽記載により発行者が買収防衛策の発動やその時期を誤り，発行者が損失を被ることも考えられる。大量保有者の法令違反行為によって損失を被るのは通常，株主であろうが，もし発行者自身が損失を被ることがあれば，発行者が不法行為に基づいて大量保有者の損害賠償責任を追及することは妨げられない。

■ Column 5-15　大量保有報告に違反した者による議決権行使の差止め ■■

株券等の大量保有は会社の支配権の獲得を目指して行われることもあるから，公開買付規制の違反と同様に（→Column 5-12），大量保有報告違反があった場合に，対象会社やその株主に大量保有者による株券等の取得や議決権行使を差し止める権限を認めることも考えられる。アメリカの裁判例では，大量保有報告の提出義務違反がある場合，対象会社は大量保有者によるさらなる買付けを差し止める権限があるとするものが多い。また，大量保有報告に虚偽記載がある場合，それが訂正されるまでの間，対象会社は違反者による議決権行使を差し止めることができるとした裁判例もある[85]。

85）　Indiana National Corp. v. Rich, 712 F. 2d 1180 (7th Cir. 1983), Morrison Knudsen Corp. v.

会社法の平成26年改正の際には，大量保有報告違反に基づく議決権の差止制度も検討されたが，改正案には盛り込まれなかった。その理由は，大量保有報告書の提出は会社の支配権が変動する場合にのみ求められているものでないこと，大量保有報告規制と株主の私的利益との関係が薄いこと，大量保有報告の違反を対象会社が発見することが難しく差止めを認めても実効性に欠けること等に求められている[86]。学説においても，大量保有報告違反によって影響を受ける株主等の利害状況を分析し，株主等に，議決権行使を差し止めることで回復すべき利益があると評価することはできないとする見解が唱えられている[87]。

⑶　課徴金

平成20年の改正により，大量保有報告書・変更報告書の不提出や虚偽記載が課徴金の対象とされた。課徴金の額は，不提出の場合は，大量保有報告書・変更報告書に係る株券等の時価総額の10万分の1である（172条の7，172条の8）。この額は，大量保有者が大量保有報告書等を提出すると，追随して取引をする者を生み，大量保有者のその後の取引コストが上昇するので，大量保有者は不提出により取引コストを節約できたと考えて算出された[88]。時価総額を基準として課徴金額を算定するのは，継続開示書類の虚偽記載の例（→**4**章**6**節***3*** ⑵）に倣ったものと思われるが，大量保有者が有利な価格で買い付けることができる点に着目するのであれば，公開買付手続の不実施の場合（→**6**節***4*** ⑵）と同様に，買付総額の一定割合を課徴金とするやり方が適当であろう[89]。

重要な事項について虚偽記載のある大量保有報告書・変更報告書を提出した者（大量保有者）に対しては，当該報告書に係る株券等の時価総額の10万分の1の課徴金が課せられる（172条の8）。報告書に虚偽記載を行うことによって，大量保有者は取引の実態を不透明にし，その後の立場を有利にするという点で不提出の場合と変わりがないからである[90]。

Heil, 705 F. Supp. 497 (D. Idaho 1988).

86）　法制審議会会社法制部会資料13（平成23年9月28日）3-4頁。

87）　飯田秀総「大量保有報告書規制違反者の議決権行使差止めに関する立法論の検討」商事2001号（2013）19頁。

88）　逐条解説2008年321頁。

89）　大証金融商品取引法研究会・前掲注62）18頁〔黒沼報告〕。

90）　逐条解説2008年323頁。

第8節　委任状勧誘の規制

1 総　　説

(1) 委任状勧誘規制の趣旨

昭和23年証券取引法は，株主の議決権の代理行使を規制する委任状勧誘の規制を，アメリカの連邦証券取引所法から受継した。アメリカにおいて，委任状勧誘という本来会社法に属する事項が連邦規制で扱われるのは，会社法は州の管轄，州際を超える証券取引の規制は連邦の管轄というアメリカ固有の事情に基づくものである[91]。そのせいもあって，委任状勧誘規制は次のような複雑な性質を併せ持っている。

第1に，委任状勧誘規制は，株主の議決権行使を適正にするという会社法的な性質を持つ規制であるといえる。いいかえると，委任状勧誘の規制が適切なものでないと，分散した多数の株主のいる大規模公開会社において，委任状制度は経営者支配の道具として利用される危険がある。

第2に，委任状勧誘の規制は，適正な投資判断の確保という金融商品取引法の目的からも説明できる。会社役員の選解任や会社の組織再編行為のように，株主総会の決議は株式の価値に大きな影響を与えるから，株主による議決権の行使は一種の投資決定である。そこで委任状勧誘の規制は，勧誘者が株主に一定の方向の投資決定を勧誘する点に着目して，勧誘者に情報開示義務を課し，株主の投資判断を適正に行わせようとするのである。この点で，委任状勧誘に伴う情報開示は発行開示と似ている。

第3に，議決権の代理行使を勧誘することによって勧誘者は会社経営者の選解任を左右することができるから，アメリカにおいて，委任状勧誘は公開買付けとならぶ会社支配権の争奪の手段として用いられてきた。公開買付けと委任状勧誘を比較すると，公開買付けは株式を取得して会社の経営権を取得する行為であるから，公開買付け後の買収者には株主全体の利益となる議決権の行使が期待できるのに対し，委任状勧誘は支配株式を保有せずに他の株主の議決権を利用して会社経営権を左右する行為であるから，勧誘者が議決権の行使を濫用する危険があるといえる。もっとも，委任状による議決権の行使は，ふだん

91） 浜田道代「委任状と書面投票」大系249頁。

は株主総会の決議に無関心な一般の株主が，支配権の争奪や重要な会社事項の決定といった争点ごとに協力して，真に自己の利益となるように議決権を行使する手段にもなりうる。また，企業買収の局面において，買収者が公開買付けと委任状勧誘を併用しなければ，買収防衛策を排除して会社の支配権を取得できない場合もある。いずれにせよ，委任状勧誘規制の目的には，会社支配権の市場を効率的なものにするという公開買付規制の目的（→Column 5-2）と共通するものがある。本書が，委任状勧誘規制を公開買付けの規制や大量保有報告制度と同じ章で扱うのも，企業買収に関連する制度としての面に着目したためである。

(2)　会社法との関係

委任状勧誘規制の主な内容は，委任状用紙の様式を定めて株主の投票判断が代理人を通じて適切に行使されるよう確保することと，投票判断および投資判断に資するように株主に一定の情報を提供することである。

前者の投票プロセスについては，昭和56年改正商法が株主1000人以上の株式会社について書面投票制度（会社298条2項）を強制したために，株主総会の決議を成立させるために会社が委任状を勧誘する必要性は著しく低くなった。書面投票制度は，書面に示された株主の意思が確実に株主総会決議に反映されるという点で，代理人が委任者の意思に反して議決権を行使する可能性がある委任状制度よりも優れている。同年改正商法はまた，株主提案制度（会社303条2項・305条1項）を導入したので，株主も，自己の提案を書面投票の対象とすることができるようになり，提案株主が自らの費用で委任状を勧誘する必要性は低くなった。そこで，委任状の勧誘が行われることは稀となっていたが，最近は，企業買収行動が活発化したのに伴って委任状勧誘の事例が増えている[92]。

後者については，会社法上の株主総会参考書類（会社301条・302条）の記載内容が充実したものになるにつれて，委任状勧誘制度の情報提供機能は弱まっている。

■Column 5-16　委任状勧誘を利用するメリット■■

わが国において，最近，委任状勧誘制度が注目されているのは，支配権の争奪が

92）委任状勧誘の実例は，太田洋「委任状勧誘に関する実務上の諸問題」証券取引法研究会編『証券・会社法制の潮流』（日本証券経済研究所，2007）208-261頁に詳しい。

生じた場合に新株予約権の発行等の買収防衛策を発動する旨をあらかじめ警告しておく「事前警告型の買収防衛策」を導入する上場企業があり，また，明示的に事前警告をすると否とにかかわらず，公開買付開始後に買収防衛策が発動されると予想されるようになったからである。敵対的買収者による公開買付開始後に買収防衛策が発動されると公開買付けが失敗に終わる可能性が高いので，買収者としては，株主総会決議により買収防衛策が発動される場合には総会決議の成立を阻止するために委任状勧誘を行う必要があり，取締役会決議により買収防衛策が発動される場合には，取締役を交替させるために委任状勧誘を行う必要がある。

会社支配権の争いがある場面を離れても，株主がその提案を株主総会で可決させるのに，会社法上の書面投票制度ではなく委任状勧誘の方法を選択するメリットが，いくつか考えられる。第１に，書面投票の結果は会社に集約されるため，会社は株主提案の成否について票読みをすることができるのに対し，提案株主は票読みをすることができない。委任状勧誘を利用する場合には，提案株主は総会当日に委任状を会社に提出するときまで（会社 310 条１項参照），委任状における賛否の状況を会社に知られることなく勧誘をすることができる。第２に，株主がその提案について書面投票を利用する場合には，株主提案権を行使しなければならないため，提案内容を会社に知られることとなる。株主が会社提案に反対する場合や株主総会の議題の範囲内で議案を提出する場合には，いわゆる株主提案権（会社 305 条１項）を利用する必要がないので，会社提案に対する態度や株主提案を公表せずに委任状を勧誘することもできる。

2　規制の内容

(1)　適 用 範 囲

金融商品取引法 194 条は，何人も，政令で定めるところに違反して，上場株券の発行者の株式について，自己または第三者に議決権の行使を代理させることを勧誘してはならないと定め，施行令および施行令に基づく内閣府令は，委任状用紙および参考書類の交付等の委任状勧誘の方式を定めている（施行令 36 条の２）。違反者には 30 万円の罰金が科せられ（205 条の２の３第２号），両罰規定も適用される（207 条）。

委任状勧誘規制の適用は上場株券の発行者（上場会社）に限られる。株主構成が容易に変わりうる上場会社の一般株主の保護を目的としているからである。また，①発行者またはその役員でない者が行う 10 人未満に対する勧誘，②新聞広告による勧誘，および③他人名義により株式を有する者が当該他人に対して行う勧誘は，適用対象外とされている（施行令 36 条の６第１項）。①は，少人数に対する勧誘であれば，被勧誘者は個別に情報を取得できるので，法によって情報の提供を強制する必要がないからであるが，そうだとすれば発行者やその役員が行う少人数に対する勧誘についても適用除外とすべきである。実務上，書面投票制度が適用される会社において，手続的動議に対応するため大株主から包括委任状を取得することが多い。その際，役員以外の者が勧誘すれば①が適用されることを利用して，役員以外の従業員が10名未満の大株主からの包括委任状を受けるようにしている。このような慣行については，そもそも特定の議案を予定していない包括的委任状の取得は委任状勧誘規制の適用対象でないとの指摘[93)]がある。

委任状勧誘の規制は，自己または第三者に議決権を代理行使させることを勧誘する場合に発動される。株主に委任状用紙を交付する行為は代理行使の勧誘に該当する[94)]。委任状を作成し自己に送付するよう株主に呼びかける行為も代理行使の勧誘に当たり[95)]，したがって，勧誘者は株主に委任状用紙を送付しなければならない。これに対して，会社提案や株主提案に賛成または反対するよう呼びかける行為は，それが代理権の付与を求めていない限り，委任状勧誘には当たらず参考書類の交付等は求められない。これらの中間に位置する行為が「勧誘」に当たるかについても，解釈上の検討がされている[96)]。

アメリカでは，委任状の取得につながるあらゆるコミュニケーションが勧誘に該当するよう定義されており（1934年証券取引所法規則14a-1(l)），立法論としては，勧誘者が株主の議決権の行使に重大な影響を与える行為をする以上，参考書類の交付を義務づけることも考えられよう。

(2) 委任状用紙・参考書類の交付

政令の定める委任状勧誘の規制のうち重要なのは，①委任状用紙・参考書類の株主への交付，②委任状用紙・参考書類の金融庁長官への提出，および③虚偽記載のある書類による勧誘の禁止である。

勧誘者は委任状用紙および代理権の授与に関し参考となるべき事項を記載し

93）太田・前掲注92）242-245頁。

94）龍田節「株式会社の委任状制度」インベストメント21巻1号（1968）18頁，太田・前掲注92）226頁。

95）龍田・前掲注94）18頁，太田・前掲注92）220頁。

96）田中亘「委任状勧誘戦に関する法律問題」金判1300号（2008）2-4頁，弥永真生「委任状勧誘合戦」法セ641号（2008）112頁，大証金融商品取引法研究会「委任状勧誘規制の課題」（研究会記録1号，2010）104-108頁〔加藤貴仁報告〕，論点体系(2) 639-643頁〔太田洋〕。

た参考書類を勧誘対象となる株主に交付しなければならない（施行令36条の2）。委任状用紙・参考書類の交付は，株主の承諾を得て電磁的方法によりすることもできる（同条2項〜4項）。委任状用紙の様式は内閣府令で定めるとされているが（同条5項），内閣府令は議案ごとに賛否の欄を設けなければならないことのみを定めている（勧誘府令43条）。参考書類の記載事項は，議案の内容ごとに，勧誘者が会社側（会社または会社のために委任状の勧誘を行う者）の場合と株主側の場合とに分けて，内閣府令で定められている（勧誘府令4条〜40条）。参考書類の記載事項のうち，会社法上の株主総会参考書類・議決権行使書面（会社301条1項），その他の株主総会に関する書面に記載している事項は，参考書類から省略することができる（勧誘府令1条2項）。会社側が会社提案に賛成の委任状を勧誘する場合や，株主が会社提案に反対の委任状を勧誘する場合が，これに該当する。

株主が自己の提案についてのみ委任状の勧誘を行うことができるのは当然であるが，会社側も一部の議案についてのみ委任状の勧誘を行うことができる[97]。書面投票制度適用会社において，取締役が議決権を行使できる株主の全部に対して，金融商品取引法の規定に基づいて委任状の勧誘を行うときは，書面投票を実施する必要はない（会社298条2項但書，会社則64条）。書面投票の免除は，株主に議決権行使の機会が与えられていることを理由とするものであるから，免除を受けるには会社提案の全部について委任状の勧誘をすることが必要であると解される。

■ Column 5-17　取締役の選任議案と委任状■■

株主が取締役の独自候補を立てて賛成の委任状を勧誘する場合，会社提案については反対の委任状を受けたいと考えるであろう。ところが，会社提案の内容は株主総会の会日の2週間前までに発送される株主総会招集通知を受け取らないと判明しないため（会社299条1項），それまでに交付する委任状用紙には会社提案の内容を記載することができない。もし，会社提案の判明を待って委任状を作成し交付するとなると，勧誘期間が著しく限定されてしまう。そこで，ある裁判例[98]は，会社提案について記載のない委任状用紙を交付されて株主がした代理権の授与は有効であるとした。もとより，妥当な判断である。

97）　今井宏『議決権代理行使の勧誘』（商事法務，1971）134頁，太田・前掲注92）233頁。
98）　東京地判平成19・12・6判タ1258号69頁。

この裁判例の事案では，委任状用紙に，株主提案に対し修正案が提出された場合は白紙委任とする旨の記載があった。会社は，これらの委任状を株主提案については出席議決権数に含めたが，会社提案については，委任状用紙にその記載がないことから，出席議決権数に含めなかったため，その扱いが決議方法の法令違反として株主総会の決議取消事由（会社831条1項1号）に当たるかが争点となった。判決は，株主と経営者の間で支配権の争いが生じており，株主が取締役および監査役について改選数上限いっぱいの候補者を立てている本件の事情の下では，株主提案に賛成し代理権を授与した株主は会社提案については賛成の議決権を行使する余地がないことから，株主は委任状によって会社提案については賛成しない趣旨で代理権の授与を行った（したがって，委任状分を会社提案について出席議決権数に含めなかったことは，決議方法の法令違反に当たる）と判断した。これも妥当な判断であるが，株主提案が取締役の改選数の一部についてのみ候補者を立てている場合に，委任状勧誘の時点で判明していない会社提案についてどう扱うかという問題は残されている。

(3)　委任状用紙・参考書類の金融庁長官への提出

勧誘者は，委任状用紙および参考書類を株主に交付したときは，直ちに，その写しを金融庁長官に提出しなければならない（施行令36条の3）。有価証券の募集・売出しに際して有価証券届出書を内閣総理大臣に提出させる（4条1項）のと同趣旨の規制であるが，発行開示規制における届出書の訂正命令等（9条・10条）に相当する制度は用意されていない。金融庁長官による審査も活発には行われていないようである。しかし，委任状用紙・参考書類を提出させる目的は，行政による審査を行って虚偽記載があれば告発をし，株主の判断を歪めるような勧誘が行われているときは内閣総理大臣から緊急停止命令（192条）を申し立てさせることにあると考えられる。委任状勧誘の規制は上場会社のガバナンスに関する重要事項であるから，行政は委任状用紙・参考書類の審査を行うべきであるし，審査権限を明らかにするために訂正命令等の規定を設けるべきである。

委任状用紙・参考書類の提出は，議決権を行使できる株主のすべてに会社法上の参考書類および議決権行使書面が交付されているときは免除される（勧誘府令44条）。この規定が平成15年の府令改正で設けられたのは，勧誘の相手方に対し議案に関する必要な情報が提供されており，議決権行使の機会も保障されることとなるから，あえて行政当局が関与してまで勧誘の相手方を保護する必要がないからであると説明されている[99]。しかし，この規定によれば株主が自己の提案について委任状を勧誘する場合も，委任状用紙・参考書類の金融庁長官への提出を要しないこととなり妥当でない。

(4)　虚偽記載のある書類による勧誘の禁止

勧誘者は，重要な事項について虚偽の記載があり，または記載すべき重要な事項もしくは誤解を生じさせないために必要な重要な事実の記載がない委任状用紙，参考書類，その他の書類を利用して，議決権の代理行使の勧誘を行ってはならない（施行令36条の4）。委任状用紙，参考書類に限られず，勧誘に用いた書類に重要な虚偽記載等がある場合も禁止の対象となる。本条に違反すると，勧誘者は政令で定めるところに違反して勧誘を行ったことになるので，罰則が科される（194条・205条の2の3第2号）。

虚偽記載のある書類を用いて勧誘が行われた場合に民事責任の特則を定める規定は置かれていないので，もし損害を被った株主・投資者がいる場合は，不法行為の一般原則（民709条）によって救済が図られることになる。

行政による差止制度は用意されていないが，公開買付規制と並んで委任状勧誘規制は行政によるコントロールになじむ領域であるから，差止制度の創設を検討すべきであろう（→***6*** 節 ***1***）[100]。

■ Column 5-18　委任状勧誘規制の違反と株主総会決議の取消し ■■

株主の議決権の代理行使の勧誘に委任状勧誘規制の違反があった場合，会社法上，株主総会の決議の方法に法令違反があるとして決議取消事由になるであろうか。学説は，旧委任状勧誘規則は旧証券取引法の付属法規にすぎないこと，同規則は委任状の勧誘という事実行為を規制するものであること等を理由に，その違反は法令違反に当たらないとする否定説[101]と，会社側が行う委任状の勧誘は株主総会の決議の方法の一部を構成するとして，その違反は法令違反に当たるとする肯定説[102]に分かれていた。会社が勧誘に用いた委任状用紙に議案ごとに賛否を記載する欄が設けられておらず，所定の参考書類を株主に交付していなかった事案において，裁判所は，議決権の代理行使の勧誘は，株主総会の決議の前段階の事実行為であって株

99）　一松旬「委任状勧誘制度の整備の概要」商事1662号（2003）58頁。

100）　会社法に基づく差止めの可否については，太田・前掲注92）250-254頁およびそこに引用されている文献を参照。

101）　田中＝堀口1139頁，大隅健一郎＝今井宏『会社法論（中）〔第3版〕』（有斐閣，1992）42頁。

102）　龍田・前掲注94）27頁。

主総会の決議の方法ということはできないから，内閣府令違反の事実があっても決議の方法が法令に違反する場合とはいえないとした[103]。同判決は，内閣府令違反が株主総会の決議取消事由である「決議方法の著しい不公正」（会社831条1項1号）に該当しうることは認めつつ，結論として同事件では著しい不公正はなかったとした。この判決に対しては，書面投票適用会社が書面投票の代わりに委任状勧誘を行う場合には，委任状勧誘規制の違反は法令違反に当たるとする批判が強い[104]。

103）　東京地判平成17・7・7判時1915号150頁。

104）　江頭憲治郎『株式会社法〔第7版〕』（有斐閣，2017）343頁（注11），佐藤智晶「判批」ジュリ1329号117頁，宮島司「判批」法学研究（慶應義塾大学）82巻3号116頁。

第6章　金融商品市場の仕組み

第*1*節　金融商品市場

1　金融商品市場の意義

金融商品市場とは，有価証券の売買または市場デリバティブ取引を行う市場のことをいう（2条14項)。内閣総理大臣の免許を受けて金融商品市場を開設する主体を金融商品取引所といい（2条16項)，これには会員組織のものと株式会社組織のものとがある（→*2*(1))。そして，金融商品取引所が開設する金融商品市場を取引所金融商品市場という（2条17項)。認可金融商品取引業協会（→10章*9*節*2*(1)）も，店頭売買有価証券の売買のための市場（店頭売買有価証券市場）を開設することができ（67条2項)，店頭売買有価証券市場も金融商品市場であるが（→*4*節*1*)，現在これに該当するものは開設されていない。

金融商品市場に有価証券やデリバティブ取引の注文を集めれば，その価格形成がより効率的になる。また，市場の参加者（金融商品取引業者等）は，自己の名をもって顧客の計算で取引を行うので，顧客による取引の委託が無効であっても市場における取引は無効にならず（→*2*節*2*(2))，取引の円滑な執行が可能になる。金融商品の流通の場である金融商品市場を恒常的に開設しておくことによって，このように有価証券やデリバティブ取引の流通性は高まり，適正な市場価格が形成されるから，金融商品市場の開設は投資者の保護と効率的な資源配分にとって極めて重要である（→1章*2*節*2*(1)・*3*(2))。そこで金融商品取引法は，金融商品市場の開設および運営を民間の法人である金融商品取引所に委ねつつ，その開設・運営の適正を確保するためにさまざまな法規制を及ぼしている。金融商品取引法はまた，金融商品市場で取引される有価証券（上場有価証券）について，ディスクロージャー規制や不公正取引規制を適用して投資者の保護を図っている（→1章 *4* 節 *1*）。

昭和23（1948）年の証券取引法制定以来，証券取引所では有価証券の売買取引のみを行ってきたが，有価証券の価格変動に対応するための有価証券先物取引・オプション取引（→1章 *4* 節 *3*）の需要が高まり，これを証券取引所において行わせることが適切であることから，昭和63（1988）年改正証券取引法は，証券取引所が有価証券先物取引・オプション取引を行う市場も開設できるようにした。他方，通貨・金利等の有価証券以外の金融商品の先物・オプション取引については，同年に金融先物取引法を制定し，金融先物取引所がその市場を開設できるようにした（→1章 *4* 節 *3*）。金融先物取引法は，金融商品市場を規制するという市場規制法の側面について証券取引法と共通する性質を有する法律であったが，多様な投資サービスに対して包括的な規制の枠組みを設けるという金融商品取引法の理念に従い，平成18年の改正により，金融先物取引法は金融商品取引法に統合され，デリバティブ取引の定義も拡大された（→1章 *6* 節 *1*）。この結果，金融商品取引法の下では，従来の証券取引所が金利・通貨等のデリバティブ取引の市場を開設することも，従来の金融先物取引所が有価証券の売買市場や有価証券関連のデリバティブ取引の市場を開設することも可能になった。

2　金融商品市場の開設

(1)　金融商品取引所の組織

金融商品市場を開設・運営する金融商品取引所には，会員制組織のものと株式会社組織のものがある。

金融商品取引所（証券取引所）は，歴史的には，有価証券の取引のために証券会社が集まって組織した団体であった。証券市場の運営は証券取引に精通している者に委ねた方が効果的であったため，従来は，証券会社を会員とする会員組織の証券取引所しか認められてこなかった。

しかし，情報技術の発展，証券取引のグローバル化を背景として証券市場間の競争が激化すると，新技術導入のための資金確保や意思決定の迅速化を図るために，株式会社組織の取引所を認めるべきであるとの機運が高まった[1]。そこで，平成12年の証券取引法改正により，株式会社証券取引所が認められるとともに，会員組織から株式会社への組織変更の規定が整備された（101条の2～102条）。金融商品取引法においても，会員組織の取引所と株式会社組織の取引所が認められ，前者を会員金融商品取引所（87条の6第1項），後者を株式会社金融商品取引所（同条2項）という。

会員金融商品取引所は，金融商品取引業者と登録金融機関を会員として，金融商品取引法の定める手続に従って設立する法人（金融商品会員制法人）であり（88条～91条），その開設する金融商品市場での取引資格も，原則として会員に限定される（111条1項）。ただし，取引所は，会員以外の金融商品取引業者，取引所取引許可業者（60条，→***6*** 節 ***4***(2)），登録金融機関に取引資格を与えることができる（112条）。株式会社金融商品取引所は，会社法の規定に従って設立される株式会社であり，その株主であると否とを問わず，業務規程の定めるところにより，金融商品取引業者，取引所取引許可業者，および登録金融機関に取引資格を与えて取引参加者とすることができる（113条）。

金融商品取引所の組織に関するその他の規制については，後述する（→***6*** 節 ***2***・***3***）。

(2) 免許制

金融商品市場の開設は，投資者および有価証券の発行者の利益に重大な影響を及ぼす公益性の高い行為であるので，法はこれを厳格な免許制の下に置いている。金融商品取引所が金融商品市場を開設するには，定款，業務規程，受託契約準則（投資者と会員・取引参加者との関係を定めるもの。→***2*** 節 ***1***(1)），および内閣府令で定める書類を添付した免許申請書を内閣総理大臣に提出して，市場開設の免許を受けなければならない（80条・81条）。

免許申請の添付書類のうち定款には，取引所金融商品市場に関する事項等を記載し（88条の3第2項・103条），業務規程には，取引所が開設する市場ごとに，①上場および上場廃止の基準，②取引の種類，③売買契約等の締結方法，④取引対象の受渡しその他の決済方法などを記載する（117条）。このように定款および業務規程によって，金融商品市場の運営方法ともいうべき，取引の対象・方法および決済方法が定められることになる（取引所の自主規制に係る事項につき→***6*** 節 ***1***）。そして，定款・業務規程・受託契約準則の変更には内閣総理

1）　金融審議会第一部会ワーキング・グループ報告書「証券取引所等の組織形態の在り方について」（平成12年2月22日）参照。

大臣の認可を要する（149条1項）。金融商品取引法は，金融商品市場の運営，すなわち取引所がどのような有価証券・デリバティブ取引を上場し，どのような方法で取引とその決済を行うかを，基本的に金融商品取引所の自治に委ねつつ，市場開設の免許と規則変更の認可を通じて間接的に，市場の適切な運営を確保しようとしているのである。

金融商品市場の開設申請を受けた内閣総理大臣は，定款・業務規程・受託契約準則が法令に適合し，取引を公正かつ円滑にし投資者を保護するために十分かどうか（規定の妥当性），市場を適切に運営できる人的構成を有しているかどうか（人的構成の適切性），金融商品取引所として法律に適合するよう組織されているかどうか（組織の法律適合性）に照らして審査を行い，基準に適合していると判断するときに免許を与える（82条1項）。ただし，免許申請者（会員制法人または株式会社）が金融商品取引法に違反して罰金刑を受けてから5年を経過していない，免許申請者の役員が禁錮以上の刑に処せられてから5年を経過していない等，一定の欠格事由に該当する場合には，免許を付与することができない（同条2項）。内閣総理大臣が免許を与えないと判断したときには，審問手続が開かれる（83条）。

このように法律で免許基準および欠格事由を定めたのは，免許基準をできるだけ明確にするためである。金融商品取引業者の登録制において欠格事由とされている人的構成の適切性の欠如（29条の4第1項1号ホ）が，欠格事由ではなく免許基準として定められているのは，免許制では，人的構成の適切性の判断について内閣総理大臣に登録制よりも広い裁量が与えられていることを示している。

金融商品取引所が免許を受けた当時，既に欠格事由に該当していたことが後に判明したときは，内閣総理大臣は，市場開設の免許を取り消すことができる（148条）。市場開設の免許が取り消されても，それまでに行われた取引の効力は否定されない。明文の規定はないが，免許取消処分を下す場合には，内閣総理大臣は金融商品取引所にその旨を通知して聴問を行わなければならないと解される[2)]。

免許を受けないで金融商品市場を開設した者には罰則が適用される（198条4号）。何人も無免許で開設された金融商品市場で有価証券の売買・デリバティ

2）　神崎＝志谷＝川口1046頁。

ブ取引を行うことを禁止され（167条の3），その違反に対しても罰則が適用される（200条19号）。金融商品市場が果たす公益性に鑑みてその開設を免許に係らしめていること，無免許市場開設による利益を保持させるべきでないことに鑑みると，無免許市場における取引は強行法規違反としてすべて無効と解すべきであろう[3)]。

■ Column 6-1　市場開設行為の法的性質■■

金融商品市場を開設するとは，法的にはどのような行為と評価されるだろうか。金融商品市場の開設とは，利用者に施設・システムを提供して，一定のルールに従って有価証券の売買やデリバティブ取引を行わせることを意味するのは疑いないが，それが有価証券の売買・デリバティブ取引の媒介行為に該当するか否かについては争いがある。

まず，金融商品市場における取引注文の付合せは，金融商品取引所が取引参加者の間に立って取引の成立に向けて尽力する事実行為であるから媒介に該当し，金融商品市場の開設には媒介業務が含まれると考えることができる（媒介説）。この説によると，金融商品取引所と取引参加者の関係は双方仲立契約の契約当事者となり，取引所は準委任関係の受託者としての善管注意義務を負うことになる（民656条）。これに対し，かつて証券取引所において会員間の売買注文の付合せ業務を行っていた才取会員の業務は媒介といえるとしても，今日の金融商品市場では，機械的に取引の付合せがなされるだけであり，法律行為の成立に尽力するという実態がないから，取引所の業務は媒介には該当しないという見解がある。この見解によると，金融商品取引所と取引参加者の関係は前者が後者に施設を提供する契約と捉えられ，取引所の義務は取引参加者契約によって規律されることになる（施設提供契約説）。

この問題につき東京地裁平成21年12月4日判決（判時2072号54頁）は，施設提供契約説を採用した。同判決は，証券取引所が提供している売買システムにおいては，取引参加者が入力した注文が機械の反応により処理され，取引所が媒介行為を行う余地がないから，証券取引所が取引参加者に対して負うのは売買システムの提供義務であって，取引参加者の個別の取消注文に対応してそれを処理する義務を負っていたとは認められないとする。控訴審である東京高裁平成25年7月24日判決（判時2198号27頁）も，同趣旨の判断を下している。

(3)　金融商品市場の運営

金融商品取引所が，法令や自らが定めたルールに従って運営されていない場

3）　近藤＝吉原＝黒沼477頁。

合，すなわち，法令，行政処分，定款その他の規則に違反し，または，会員・取引参加者・上場有価証券の発行者が法令・行政処分・取引所の規則に違反したにもかかわらず適切な処分をしなかった場合であって，公益または投資者保護のため必要かつ適当であると認めるときは，内閣総理大臣は，金融商品取引所に対し，その業務の全部または一部の停止，役員の解任，取引所の規則に定める必要な措置をとることを命じることができる（152条1項）。金融商品取引所は，有価証券の売買および市場デリバティブ取引を公正かつ円滑にし，投資者の保護に資するよう金融商品市場を運営しなければならない（110条）ため，具体的な法令に違反していなくても，市場の不適正な運営がなされているときは，法令違反として金融商品取引所が処分の対象になると解される。また，金融商品取引所が会員・取引参加者・上場有価証券の発行者に対して適切な処分をしなかった場合にも，取引所が処分の対象になる。つまり，110条および152条1項は，金融商品取引所が会員・取引参加者・上場有価証券の発行者に対して自主規制を行うことの根拠条文にもなっている（→***5*節*2*・*6*節*1***）。

3　金融商品市場への上場・上場廃止

(1)　上場の意義

有価証券やデリバティブ取引を金融商品市場における取引の対象とすることを上場という。有価証券が金融商品取引所という流通市場に置かれることは，発行者に次のようなメリットをもたらす。

第1に，投資者による投下資本の回収が容易になることから，より広い範囲の投資者に当該発行者の有価証券を保有してもらえるようになる。第2に，同じ理由により，発行者が有価証券の募集により資金を調達することが容易になる。実際，企業の業績によって価格が大きく変動する株式については，あらかじめ上場されているか発行後に上場が予定されていなければ，募集に応じてこれを取得しようとする投資者は少ないため，株式の上場は株式の公募発行による企業の資金調達の前提となっている。

第3に，株式を上場している発行者（上場企業）は，その株価が企業経営のシグナルとなって，いわゆる市場による規律が働くことになる。ある事業計画の公表によって株価が下落する場合には，その事業は株主の利益にならないため，それを実施することが抑制され，株価が上昇するような事業は，それを行うための資金調達がスムーズに行われる。すなわち，市場の機能が発揮されることにより，効率的な資源配分が達成されるのである（→1章*2*節*2*(1)）。

第4として，上場企業は，一般に優良な企業として，取引相手との交渉上，有利な条件を得ることができるし，人材獲得上も有利であるなど，無形のメリットが得られる。このような効果が生じるのは，その背景として，大規模な企業はその資金需要から大量の株式を発行する必要があり，そのために株式を上場しているという実態があるからである。

他方，有価証券を上場している発行者は，その費用を金融商品取引所に支払わなければならないし，取引所の定めるルールに従わなければならない。また，株式を上場するときは，株式に譲渡制限を付すことができないので，敵対的買収の対象となることもある。これらは上場のデメリットというよりも，上場のメリットを享受するための負担というべきであろう。

金融商品取引所にとって，有価証券の上場は，どのような商品を投資対象として一般の投資者に提供するかを選別する行為である。金融商品市場の開設は，国民に資産運用の場を提供するという公益性の高い行為であるから，一般の投資者が安心して投資できる良質な有価証券を上場することが求められる。また，そうすることにより多くの投資者がその取引所における売買取引に惹きつけられることになるから，金融商品取引所自身の利益にもなる。どのような有価証券であれ開示さえきちんと行えば発行してよいというのが金融商品取引法の理念（開示主義，→1章*3*節*3*）であるが，少なくとも株式については，上場というフィルターを通して，一般の投資者が投資の対象とできる銘柄は限定されることとなる。

以上に対しデリバティブ取引には発行者がいないので，その上場に発行者にとってのメリットを観念することはできない。デリバティブ取引は，指標の変動から生じるリスクをヘッジする目的で行われる取引であり（→1章*6*節*1*），もとより店頭で行うこともできるが，これを取引所において行えば投機目的の投資者を含む多くの投資者の取引参加を期待することができ，デリバティブ取引の価格形成はより公正なものとなる。したがって，デリバティブ取引を上場する目的は，ある金融商品を原資産・原指標とする一定の類型のデリバティブ取引を行う経済的有用性が認められる場合に，その取引を金融商品取引所が管理する金融商品市場で行わせ，利用者にリスクヘッジの手段を与えるとともに一般の投資者に投機・投資の機会を提供することにあると考えられる。

デリバティブ取引を上場するとは，金融商品取引所がデリバティブ取引の原資産・原指標となる金融商品，金融指標またはオプション（金融商品等）を選定し，取引の基準および方法を定めることを意味する（121条・84条2項・2条1項19号）。たとえば，東京証券取引所はTOPIX先物取引やTOPIXオプション取引を上場しているが，その場合，先物取引やオプション取引の基準および方法を業務規程で定めた上で，TOPIX（東証株価指数）という金融指標や，TOPIXコールオプション・TOPIXプットオプションといったオプションを上場しているのである。

(2)　上場の手続

有価証券を上場するには，まず発行者が金融商品取引所に対し上場の申請を行い，金融商品取引所が，当該有価証券が上場基準を満たすかどうかを審査する。上場基準は金融商品市場ごとに異なるが，たとえば東京証券取引所第一部市場への株式の上場要件としては，株主数，流通株式数，事業継続年数，利益の額または上場時の時価総額（一方の要件を満たせばよい）が一定の数または額以上であること，最近2年間の有価証券報告書に虚偽記載がなく無限定適正意見が付されていることといった形式要件のほか，①継続的に事業を営み，かつ，経営成績の見通しが良好なものであること（企業の継続性・収益性），②事業を公正かつ忠実に遂行していること（企業経営の健全性），③コーポレートガバナンスおよび内部管理体制が適切に整備され，機能していること（企業のコーポレートガバナンスおよび内部管理体制の有効性），④企業内容等の開示を適正に行うことができる状況にあること（企業内容等の開示の適正性）といった実質要件が定められている（東証・有価証券上場規程205条・207条）。

申請のあった有価証券が上場基準に適合していると金融商品取引所が認めるときは，上場することを内閣総理大臣に届け出る（121条）。かつては，主務大臣による上場承認が必要であったが，平成10年の改正で廃止され事前の届出制に変更された。行政が上場の承認に過度に関与することは投資者が自己責任の原則に基づいて投資判断をすることを妨げる結果になりかねないからである[4)]。ただし，金融商品取引所が業務規程に違反して有価証券の上場を行おうとする場合または行った場合には，内閣総理大臣は当該金融商品取引所に対し，当該有価証券の上場廃止その他違反行為を是正するために必要な措置をとることを命ずることができる（127条1項）。金融商品取引所が上場基準に適合しな

4)　近藤＝吉原＝黒沼216頁，河本＝関編1092頁。

い有価証券を上場した場合がその典型である。

上場は発行者の意思に基づくことが基本であるが，その例外として，内閣総理大臣が，上場株券等の発行者が発行する他の種類の株券等の上場を金融商品取引所に命ずることができる旨が定められている（125条）。

■ Column 6-2　株式会社金融商品取引所の株式の上場■■

金融商品取引所が自社市場に自社株式やそのデリバティブ取引を上場する場合には，上場審査や上場管理が甘くなるおそれがあるため，上場手続に特別の規制が加えられている。すなわち，金融商品取引所が，自身が発行する有価証券，自身を子会社とする金融商品取引所持株会社が発行する有価証券，自身の子会社である金融商品取引所・金融商品取引所持株会社の発行する有価証券を上場しようとする場合，または当該有価証券に係るデリバティブ取引を上場しようとする場合には，内閣総理大臣の承認を受けなければならない（124条）。

内閣総理大臣は，①金融商品取引所の業務の健全かつ適切な運営を損なうおそれがある，または，②上場に関し，金融商品取引市場における取引の公正が確保されていないと認めるときは，上場の承認をしてはならない（同条2項）。①は，上場された金融商品取引所の株式を買い占めてその支配権を取得した者が，取引所の経営を専横することによって，公益に反する取引所の運営をなす事態を想定したものと思われるが，株式上場の時点で上場が業務の健全な運営を損なうおそれがあるか否か判断できるはずもないし，後述のように（→***5*** **節** ***2・3***）金融商品取引所の株式保有規制や主要株主規制が実施されているので，①を理由とする上場不承認の制度は立法論としては疑わしい。②は，金融商品取引所による自社株式や関連会社の株式の上場審査が甘くなることを防止しようとするものである。

さらに，金融商品取引所が発行する有価証券を，当該金融商品取引所・子会社である金融商品取引所・親会社である金融商品取引所が開設する金融商品市場以外の市場（他市場）に上場しようとする場合にも，内閣総理大臣の承認を受けなければならず（122条1項），このときも上記①に当たるときは，上場の承認をすることができない（同条2項）。上に述べた理由から，この規制も立法論としては妥当でない。

デリバティブ取引のために金融商品等を上場するときは，金融商品取引所がその旨を内閣総理大臣へ届け出る（121条）。ある金融商品等のデリバティブ取引を取引所で行わせることは，一般投資家が広くその取引に参加するようになることを意味するところ，デリバティブ取引にはディスクロージャー制度が用意されていないので，一般投資家に自己責任の原則を求めることに慎重な判断が必要とされる。また，金融商品等の上場は，それに係るデリバティブ取引に経済的有用性があることが前提となる（→⑴）。このように金融商品等の上場には公益の観点からの判断が強く求められることから，デリバティブ取引のための金融商品等の上場については承認制を採用することも考慮に値する。

⑶　上場の廃止

上場の廃止は，有価証券を金融商品市場における売買の対象から除外し，金融商品等（84条2項1号）をデリバティブ取引の対象から除外する行為である。有価証券の上場廃止には，①発行者の申請に基づくものと，②上場有価証券が取引所の定める上場廃止基準に該当する場合とがある。①としては，上場の利益に比べて会社の負担が大きくなったときに，会社の利益を図るために上場廃止を申請する場合が考えられる。この場合であっても，少数株主を残したままで株式を上場廃止にすると，少数株主から株式換金の機会を奪うことになるから，発行者の経営者が少数株主から責任を追及される可能性が高い[5]。そこで，上場会社株式を取得しようとする者（親会社や経営者が参加するMBOの買収会社）が公開買付けによって大多数の株式を取得した上で，現金や親会社株式を対価とする組織再編を行って少数株主に株式換金の機会を与えるケースが多い。

このような非上場化取引（ゴーイング・プライベート）においても，買収者側に立つ経営者と少数株主の利害が対立するため，株主の利益を守るためには，公正なプロセスによって非上場化を決定することと少数株主に公正な対価を与えることがとりわけ重要になる。現在，非上場化取引について金融商品取引法や上場規則による特別の規制は存在せず，株主の利益の保護は，会社法の手続に委ねられている。また，経済産業省は，企業社会における公正なルールのあり方を提示するという観点から，「公正なM&Aの在り方に関する指針――企業価値の向上と株主利益の確保に向けて」（令和元年6月28日）を定めている。

②の上場廃止基準として金融商品取引所は，(a)株主数が減少した場合，(b)株式の分布状況が偏っている場合，(c)上場株式の時価総額が減少した場合，(d)債務超過が継続している場合，(e)発行者が有価証券報告書等に虚偽記載を行い，その影響が重大であると取引所が認めた場合，(f)銀行取引の停止，(g)破産手続・再生手続・更生手続に至った場合，(h)上場契約の重大な違反などを定めている（東証・有価証券上場規程第2編第6章）。そして，金融商品取引所が上場廃

5）　上場廃止を決定した取締役の責任につき，黒沼悦郎「取締役の投資家に対する責任」商事1740号（2005）22頁参照。

止基準に該当すると認めるときは，当該銘柄の上場廃止と上場廃止日を決定し，内閣総理大臣に届け出る（126条）。

発行者が上場廃止を争う手続は金融商品取引所の規則では定められていないが，上場廃止処分は司法審査に服する[6)]。たとえば，上記上場廃止事由(e)は，取引所が虚偽記載の影響を重大であると認めたときと定めているが，これは虚偽記載の影響が重大であると客観的に認められる場合を上場廃止決定の要件と定めたものと解されるのであり[7)]，影響が重大でないのに取引所が上場廃止の決定をした場合には発行者は上場廃止の効力停止を求めることができる。もっとも，上場廃止には，専門的な知識を活用した機動的な判断が求められることから，取引所の判断には広い裁量が認められる。裁判例では，裁量権の逸脱・濫用が認められるのは，判断の基礎とされた重要な事実に誤認があること等により重要な事実の基礎を欠く場合，または，事実に対する評価が明らかに合理性を欠くこと，判断の過程において考慮すべき事情を考慮しないこと等により判断の内容が社会通念に照らし著しく妥当性を欠く場合等に限られるとしたものがある[8)]。

■Column 6-3　上場廃止と株主の利益■■

上場廃止は発行者の株主に大きな不利益を課す。たとえば，発行者が有価証券報告書等に重大な虚偽記載を行った場合，虚偽記載がないものと信じて株式を取得した株主は虚偽記載の発覚によって大きな損失を被るが，これに加えて重大な虚偽記載を理由に株式の上場が廃止されると，株式の流動性が失われるほか，上場廃止を契機として発行者の業績が悪化するなど，株主はより大きな損失を受けることになる。有価証券報告書に重大な虚偽記載をした発行者について，平成16年からの数年間に株式が上場廃止とされた例と上場が維持された例とが混在し，世間から注目された。上場廃止の判断基準が不明確であるとの批判を受けて東京証券取引所はガイドラインを作成したが，そこでは，有価証券報告書等における虚偽記載の期間，

6)　上場廃止処分が争われた裁判例として，東京地判昭和46・11・15判時650号92頁（判批，江頭憲治郎・ジュリ566号105頁，神崎克郎・判タ274号86頁，森本滋・新証券・商品取引判例百選50頁），東京地決平成18・7・7判タ1232号341頁（判批，松岡啓祐・金判1291号8頁，中東正文・百選148頁），東京高決平成22・8・6金法1907号84頁（判批，小柿徳武・百選150頁），東京地判平成24・9・24判タ1385号236頁がある。事例研究として，松尾直彦「有価証券報告書等虚偽記載と取引所の上場判断の基準――オリンパスの事例を参考に」商事1960号（2012）6頁以下も参照。

7)　前掲東京地判昭和46・11・15，前掲東京地決平成18・7・7。

8)　前掲東京地判平成24・9・24。

金額，態様，および株価への影響その他の事情を総合的に勘案して審査を行うとしている（東証・上場管理等に関するガイドラインⅣ3）。

重大な虚偽記載を理由とする上場廃止は，情報開示の正確性が投資者の保護と資源の効率的配分の根幹をなすことから，発行者の開示書類の真実性を一般的に高め，開示書類に対する投資者の信頼を一般的に確保するために下される[9]。重大な虚偽記載について，その影響の大きさを理由として取引所が上場廃止という制裁を思い止まるならば，情報開示の正確性を担保するという効果は損なわれてしまう。上場廃止の判断に当たり，虚偽記載の程度・期間の長短，虚偽記載発覚後の対応を考慮することは妥当であるが，上場廃止によって不利益を受ける投資者の数や企業の再建に及ぼす影響は考慮すべきでないだろう。

第*2*節　金融商品市場における取引の仕組みと規制

本節では，金融商品市場において投資者の取引注文がどのように出され，付け合わされ，そして決済されるのかを，法律の規制に照らしつつ概観する。有価証券の売買取引を念頭において，注文から決済までの一連の手続を概観することとし（*1*〜*3*），信用取引およびデリバティブ取引については，それらの取引に特有の制度を説明することにする（*4*）。

なお，投資者の委託を受けて金融商品市場の内外において有価証券の売買を行うことができるのは第1種金融商品取引業を行う金融商品取引業者であり（→10章*2*節*1*(2)），この者は「証券会社」と呼ばれているところから，以下では，有価証券の売買に関する制度の説明については「証券会社」の語を用いる。

1　金融商品取引の委託

(1)　受託契約準則

金融商品取引所における有価証券の売買取引は，その取引所の会員（会員金融商品取引所の場合）または取引所参加者（株式会社金融商品取引所の場合）でなければすることができない（111条）。そこで一般の投資者が金融商品市場で有価証券の売買取引をするには，会員または取引参加者（以下，会員等という）である証券会社に取引を委託する必要がある。投資者からの注文の受託について

9)　神崎＝志谷＝川口1051頁（注8）。

は，会員等が所属する金融商品取引所の定める受託契約準則によらなければならないとされている（133条1項）。受託契約準則には，受託の条件，受渡しその他の決済方法，信用取引（→*4*）に関する事項などが定められ（同条2項），その内容は内閣総理大臣による監督に服する（→**6節*1*(2)**）。このような受託契約の規制は，金融商品取引所における売買取引を同一内容の受託契約によらせて取引の定型化を図り，円滑な取引を可能にするとともに，受託契約が投資者に不当に不利な条件で締結されないよう監督規制を及ぼすために設けられている。

■Column 6-4　受託契約準則の拘束力■■

受託契約準則が金融商品取引所の会員等を拘束するのは金商法133条1項が命じるところであるが，会員等へ委託をした投資者（委託者）はこれに拘束されるか，されるとしたらその根拠は何だろうか。拘束されるとは，たとえば，会員等が受託契約準則の定めに従って委託者の有価証券を売却した場合に，委託者は売却が違法であったとしてその効力を争ったり，損害の賠償を請求することができないという意味である。判例は，受託契約準則はいわゆる普通契約約款であるから，当事者間に特別の約定がない限り，委託者の意思，その知・不知を問わず，委託者を拘束するとする[10]が，普通契約約款であるというだけでは根拠を示したことにならない。

学説も受託契約準則が委託者を拘束するという結論では一致しているが[11]，その根拠については，委託者は受託契約準則に従う意思を有していたと推認されるとする意思推認説と，内容がいかなるものであれ受託契約準則に従うという商慣習が成立しているとする白地商慣習説とがある。下級審裁判例では，意思推認説によるものが多く[12]，普通契約約款の拘束力については意思推認説が支配的のようである[13]。しかし，意思推認説では，委託者が受託契約準則の内容を知らない場合や，委託者が取引所の会員等でない証券会社に金融商品市場における有価証券の売買取引を委託し，当該業者が取引所の会員等である業者に取引を再委託した場合に，委託者が受託契約準則に拘束されることを説明することができないから，白地商慣習説が妥当である。そう解しても，たとえば有価証券市場外で行う金融商品取引業者と顧客との間の取引のように，受託契約準則に従うという白地商慣習が成立してい

10)　最判昭和44・2・13民集23巻2号336頁〔商品取引所の受託契約準則の事例〕。

11)　鈴木＝河本456頁，神崎克郎「商品取引所法に基づく受託契約準則の効力等」民商68巻6号（1973）108頁。

12)　東京地判昭和31・10・23下民集7巻10号2964頁，東京地判昭和37・11・1判タ139号121頁。

13)　山下友信「約款による取引」竹内昭夫＝龍田節編『企業取引・現代企業法講座4』（東京大学出版会，1985）22頁。

ないと認められる場合には，受託契約準則は適用されないし，金融商品取引所の定める受託契約準則は内容が顧客に不利にならないよう法的規制を受けているから，顧客に不利な結果を生じることはないと考える。

■Column 6-5　手数料の自由化■■

平成10年改正前証券取引法は，取引所の会員は，有価証券市場における売買取引の受託につき，委託者から委託手数料を徴収しなければならないと規定し（131条），その料率および徴収の方法は，受託契約準則に規定すべきものとしていた（130条2項4号）。これを受けて各取引所は，約定代金に応じた委託手数料の最低料率を定め（約定代金が大きいほど料率は小さくなる），この料率を下回ってはならないとしていた。このような委託手数料の固定制は，証券取引所が証券会社のカルテル団体が発展したものであるという沿革に由来するものであり，証券会社間の不当な競争を防止し，その経営健全化を図る趣旨を有すると説明されていた[14]。

アメリカでは，1975年に手数料が自由化された。イギリスでも1986年に手数料の自由化を含む金融制度の抜本的改革（いわゆるビッグバン）が行われ，金融制度が強化された。そこで，わが国においても，バブル崩壊後に低迷していた証券市場の国際的な地位をニューヨーク，ロンドン並みに高めることを目的とした平成10年の金融システム改革[15]の一環として，委託手数料の自由化が行われた。委託手数料の自由化は，証券会社の競争による手数料の低廉化を狙ったものであるが，運用資産額を基準とした手数料の徴収（いわゆるラップ口座）等を可能にし，証券業の多角化にも資するものであった。

(2) 売買注文

有価証券の売買注文は，売買の別，銘柄，数量，価格を主な構成要素としているが，これらを顧客である委託者がすべて指定して行う注文を指値注文という。もっとも，買付価格を指定した場合，それは指定価格はいくら以下なら買うという趣旨を，売付価格を指定した場合は指定価格以上なら売るという趣旨を含むものと扱われる。委託者が価格を指定しないで行う注文を成行注文といい，委託者が，できるだけ早く，できるだけ多くの数量の注文を約定させたいときに用いられる。

14）証券取引法研究会「第5章　証券取引所(30)」インベストメント19巻5号（1966）131頁〔谷川久報告〕。

15）証券取引審議会報告「証券市場の総合的改革」（平成9年6月13日）。

■ Column 6-6　一任勘定取引■■

売買の別，銘柄，数量，価格のいずれか1つでも，顧客から同意を得ないで証券会社が定めることができる旨を顧客と証券会社との間で約定して行う取引を一任勘定取引という。一任勘定取引は損失補塡の温床になった（→**8章*4*節*1*(2)**）として，平成3年改正により原則として禁止された（平成18年改正前42条1項5号）。一任勘定取引は，投資者の自己責任の原則に反すると言われることもあるが[16]，投資者が投資判断を他人に一任すること自体は違法ではない。金融商品取引法には一任勘定取引を禁止する条文は置かれていない。投資一任契約（2条8項12号ロ，→**10章*1*節*2*(2)**）に該当する行為は投資運用業の登録を受けなければすることができないので，一任勘定取引の禁止規定を置く必要がないと考えられたのであろう。その上で金融商品取引法は，金融商品取引業者等が第1種業または第2種業として，①顧客から売買の別，銘柄および数について同意を得た上で，適切な幅を持たせた同意（特定同意）の範囲内で価格を業者が定めることができる契約，②顧客から売買の別，銘柄について同意を得た上で，数または価格の一方について同意を得て，他方については業者が定めることができる契約，③書面同意によるシステム売買契約，④業者の役員および使用人の親族から，売買の別，銘柄および数について同意を得た上で，価格を業者が定めることができる契約に基づく売買について，十分な社内管理体制をあらかじめ整備しておくことを求めている（40条2号，金商業府令123条13号）。①～④は，旧証券取引法の下で例外的に許容されてきた一任勘定取引である。ここから，内閣府令は①～④は投資一任契約に当たらないと考えていることがわかる。もっとも，①～④以外に投資一任契約に当たらない契約があるのか，換言すれば，許容される一任勘定取引の範囲が金融商品取引法の下で拡大されたかどうかは，解釈問題として残されている[17]。

(3)　最良執行義務

顧客から有価証券の売買の委託を受けた場合，証券会社は委任の本旨に従い善良な管理者の注意をもって顧客のために有価証券の売買を行う義務を負う（民644条）。このような善管注意義務の一環として，証券会社は，顧客にとって最も有利な条件で売買を執行するよう合理的な注意を尽くす義務（最良執行義務）を負うと解される[18]。証券会社が顧客の相手方となって取引を成立させる場合にも，誠実義務の規定（36条1項，→**9章*1*節*3***）を根拠として，証券会

16)　大蔵省証券局長通達「証券会社の営業姿勢の適正化及び証券事故の未然防止について」（平成元年12月26日）参照。
17)　黒沼悦郎「金融商品取引業者の業規制と行為規制」金融商品取引法研究会編『金融商品取引法制の現代的課題』（日本証券経済研究所，2010）222-224頁。
18)　神崎458頁。

社は顧客にとっての最良執行を確保する義務を負っていると解される[19]。このような最良執行義務は，市場集中義務が撤廃され，PTSその他の取引所外取引の方法による上場有価証券の売買が可能になると（→***3*** 節 ***1・2***），顧客の利益を図るためにとりわけ重要になる。

他方で，わが国では，市場間を通信手段で結び顧客にとっての最良の気配（最も高い買気配・最も低い売気配および売買可能な数）を周知させ，注文を回送できるシステムが整えられていない。そこで平成16年改正証券取引法は，証券会社は，顧客の注文を最良の取引の条件で執行するための方針および方法（最良執行方針等）を定め，これを公表しなければならず（40条の2第1項2項），顧客の注文を最良執行方針等に従って執行しなければならない（同条3項）と定めた。顧客から初めて注文を受けるときには，最良執行方針等を記載した書面をあらかじめ顧客に交付し（同条4項），取引後に顧客から求められたときは，注文が最良執行方針等に従って執行されたことを確認できる資料を顧客に交付しなければならない（5項）。

最良執行方針等の規制は，最良執行義務を，開示されている気配・取引情報に基づき，価格，コスト，スピード，執行可能性といった条件を勘案しつつ，顧客にとって最良の条件で執行する義務[20]と捉えた上で，証券会社によっては特定の取引所やPTSへのアクセスに時間・費用等のコストがかかることもあるので，自ら定めた方針に従った執行を求めるものである。もっとも，最良執行方針は顧客の注文を最良の取引の条件で執行するためのものでなければならないから，たとえば上場有価証券の売買に関する顧客の注文に，個別の指示がない限り，自ら相手方となって取引を成立させると定めたとしても，それは40条の2第1項に違反するといわざるを得ない。また，指示がない限り自らが会員等になっている特定の証券取引所で執行するという方針は法40条の2第1項に照らして適法であろうが，同じ銘柄について自らはPTSにおいて有利な条件で取引を行い利益を得る行為は，委任契約または誠実義務に基づく最良執行義務の違反と評価されよう[21]。

なお，多くの証券会社は，指示がない限り，PTSへの取次ぎは行わず，国

19）　神崎克郎「投資者の注文の最良執行の確保」インベストメント50巻2号（1997）6頁。

20）　金融審議会金融分科会第一部会「『取引所のあり方に関するワーキング・グループ』報告」6頁（平成15年12月9日）。

21）　証券取引法研究会「証券会社の最良執行義務」『平成16年の証券取引法等の改正』（別冊商事290号，2005）16-17頁〔黒沼悦郎発言・洲崎博史発言〕。

内の複数の金融商品取引所に上場している有価証券については，流動性，スピード，約定可能性を勘案して，当該銘柄の売買高の最も多い取引所で執行するとの方針を掲げている。価格により重点を置いた市場間競争（同一銘柄について取引を執行する場の競争）が行われるように，価格情報の迅速な公表・伝達を可能にするような制度基盤の整備が必要であろう。

2　金融商品取引の成立

(1)　約定の方法

金融商品市場における売買は，競争売買によって行われる。競争売買には，一般に，注文同士を競争させるオーダードリブン方式と，マーケットメーカーによる気配（売付け・買付けに応じる値段）を競争させるクオートドリブン方式とがあるが，わが国の金融商品市場ではオーダードリブン方式が採用されている。オーダードリブン方式では，価格優先の原則と時間優先の原則に従い最優先の売付および買付注文の価格が合致したところで，合致した数量につき約定が行われる。価格優先の原則とは値段の高い買付注文を低い買付注文に優先させ，値段の低い売付注文を高い売付注文に優先させるものであり，成行注文は他の注文に常に優先する。時間優先の原則は，同じ価格の注文では市場に出された時間が先の注文を優先させるというものである（東証・業務規程10条）。ただし，1日の取引開始時や取引終了時には，買付注文と売付注文を優先順位の高いものから順次，対当させながら，売付けの数量と買付けの数量が合致する価格を求め，これを単一の約定価格（始値，終値）として売買取引を成立させる（東証・業務規程12条2項3項）。現在では，取引を成立させる行為（注文の付合せ）はすべてコンピューター・システムによって行われている。

■Column 6-7　立会外取引■■

金融商品取引所における売買取引のうち競争売買が行われる場を立会という。立会市場に大量の売買注文を出す（ブロック取引）と，当該注文により有価証券の価格が変動してしまい，大量の取引を同一価格で成立させたい投資者のニーズに応えることができない。また，多数の銘柄の組合せを一纏まりのものとして売買するバスケット取引は，立会市場ではすることができない。そこで，このようなブロック取引やバスケット取引を行う場として，平成11年以降，各金融商品取引所は立会外取引の仕組みを導入してきている。東京証券取引所のToSTNeT市場，名古屋証券取引所のN-NET市場などがこれに当たる。立会外取引は，また，自己株式の取得を行うことを事前に公表してインサイダー取引の懸念を払拭しつつ（→**7章*2*節*6*(3)**），自己株式を取得するためにも用いられている。立会外取引には，立会時間内に立会市場の直近の価格を基準とする一定の幅のなかで売買当事者の交渉により決定するものと，立会市場の終了後に，その終値で取引を行うものがあるが，後者では時間優先の原則が働く。立会外取引も法律上の金融商品市場における有価証券の売買取引であるが，公開買付規制との関係では金融商品市場外の取引と同等に扱われる（→**5章*2*節*4***）。

(2) 委託契約と売買契約との関係

売注文と買注文の価格が合致したときは，対当する数量の範囲で売買契約が成立する。売買契約は会員等の名で委託者の計算で締結されるが，不公正取引規制との関係では，売買，売付け，買付け等を行うのは会員等ではなく委託者であると解される[22]。

有価証券の売買取引の委託が錯誤や詐欺を理由として委託者により取り消された場合であっても，会員等が委託者の計算で行った売買取引の効力は否定されない。委託契約が無効とされたときは，売買取引は会員等が自己の計算で行ったものとして効力を維持される。そう解さないと，売買取引の相手方は不安定な地位に置かれることとなり，売買取引の円滑な実施のために会員等のみに有価証券市場における取引の参加資格を認めた111条の趣旨が没却されるからである。ただし，取引所の約定取消しルールが適用される場合には，取引の成立後にその効力が否定されることになる（→**Column 6-8**）。

■Column 6-8　会員等による誤発注■■

金融商品取引所の会員等が自己の計算で行った注文に無効・取消しの瑕疵がある場合に，約定前の注文の撤回が認められることは当然として，約定後に売買取引の効力が否定されるべきであろうか。平成17年12月に起きた誤発注事件の後に証券業協会の研究会がまとめた報告書[23]は，有価証券市場は集団的な取引の処理が要請される場であり，かつ取引が連鎖する性質上，一部の取引の効果を否定することは取引の安全を著しく害する結果となるから，基本的に，証券市場で約定された取引の効果が後になって否定されることがあってはならないとする。その上で，大規模な誤発注がなされ，市場の決済機能が一時的に停止したり，公正な価格形成が大

22）　最決平成6・7・20刑集48巻5号201頁。

23）　日本証券業協会「『誤発注に関する法律問題研究会』報告書」（平成18年8月31日）。

きく害されるような場合には，市場の運営主体である取引所が，特定銘柄の一定期間の売買取引を事後的に無効とする措置をとることができるよう提案した。これを受けて，取引所は，大規模な誤発注が発生し売買を停止した場合に，発注者からの申請により取引所が約定を取り消すルールを策定した（東証・業務規程13条1項，同施行規則13条）[24]。このルールは会員等が委託者の計算で行った委託売買にも適用される。

3　売買の決済

(1)　清算機関への清算集中

金融商品市場において成立した売買の決済は，原則として，約定日から数えて3日目（T（約定日）+2）に有価証券の移転と代金の支払を行うことにより完了する。この例外として，当日決済取引および発行日取引がある。当日決済取引は，約定の日に決済を行うもので，立会外取引（→**Column 6-7**）として行われる同一人による同一銘柄の同一値段・同一数量での売買取引（クロス取引）のみが対象である。発行日取引は，上場会社が有償株主割当増資によって新株式を発行する場合にその新株式を発行前に売買するもので，最終売買日から3日目に一斉に決済を行う。有価証券の売買取引は大量かつ連鎖的に行われるので，決済日に，売主が株式を引き渡せなかったり，買主が代金を支払えなかったりすると，取引相手の地位を不安定にし，取引の安全を著しく害する。そこで，取引相手の信用状態によって決済が不安定になるリスクを軽減するために，清算機関が，売主・買主の双方から，相手方との間に発生した有価証券引渡債務・代金支払債務を引き受け，対応する有価証券引渡請求権・代金支払請求権債権を取得するようにしている。これを清算集中といい，清算機関はすべての取引の相手方となるセントラル・カウンター・パーティー（CCP）と呼ばれる。清算集中により，売主・買主は清算機関との間で有価証券の引渡しと代金の支払をすることになり，売主・買主は相手方の信用リスクを心配する必要がなくなるのである。

このような，清算のために有価証券の売買・デリバティブ取引等に基づく債務の引受けを業として行うことを，金融商品債務引受業といい（2条28項），金融商品債務引受業を行うために内閣総理大臣の免許を受けた者を金融商品取

24)　東京証券取引所「取引所取引に係る約定取消しルールの制定について」（平成19年4月24日）。

引清算機関という（2条29項・156条の2）。証券取引の清算業務は，従来，それぞれの証券取引所が行っていたが，決済インフラの整備の一環として，金融商品取引清算機関を免許制とする平成14年証券取引法改正が行われた[25]。これに伴い日本証券クリアリング機構が設立され，統一清算機関として業務を行っている。

証券会社が清算機関を通じて有価証券の売買等の決済をするには，清算機関の清算参加者にならなければならない（156条の7第2項3号）。清算参加者は債務不履行に備えて清算預託金を清算機関に預託しなければならず，清算機関は，清算参加者の債務不履行によって生じた損害につき，他の債権者に先だって清算預託金から弁済を受けることができる（156条の11）。清算参加者でない証券会社Aが清算対象の売買取引等を行うときは，清算参加者Bに清算取次取引を委託し，BがAに代理権を付与し，AがBを代理して売買取引等をすることにより，Aの取引を清算の対象とすることができる。この場合のBの行為を有価証券等清算取次ぎといい，証券会社または登録金融機関が清算機関の業務方法書の定めるところによりすることができる（2条27項）。

清算機関では決済の効率化のため，清算参加者ごとに，受渡しの対象となる有価証券の銘柄ごとの数，決済代金の額をそれぞれ差し引き計算し（ネッティング），その差額分について，有価証券の移転を振替機関（→(3)）に，資金の決済を資金決済銀行（清算機関が指定した銀行）に指図する。そして，資金決済銀行では，清算機関の口座と参加者口座との振替により資金の決済が行われる。このとき，清算機関が資金の決済が行われたことを確認して振替機関への振替の指図を行うことにより，有価証券の移転と代金の決済の同時履行（DVP: Delivery versus Payment）が図られる。

■Column 6-9　金融商品取引清算機関の規制■■

有価証券の売買やデリバティブ取引の清算を行う金融商品取引清算機関（以下，「清算機関」という）は，取引の円滑な決済を担う重要な市場インフラであり，そこには取引当事者の信用リスクが集中するので，リスクを適切に管理することが求められる。もし，清算機関が破綻するようなことがあれば，金融市場全体に大きな混

25）　立法の経緯・趣旨につき，金融審議会第一部会証券決済システムの改革に関するワーキンググループ報告「21世紀に向けた証券決済システム改革について」（平成12年6月16日），金融審議会報告「証券決済システムの改革及びこれに伴う投資家保護策について」（平成14年2月15日）を参照。

乱をもたらす。そこで，金融商品取引法は清算機関を免許制の下に置き，厳格な監督規制を設けている（156条の2〜156条の20）。

清算機関は，資本金の額が10億円以上の株式会社でなければならず（156条の4第2項1号・156条の5の2，施行令19条の4の2），金融商品取引所と同様の役員の欠格事由が定められている（156条の14）。清算機関は業務方法書の定めるところにより業務を行わなければならないが（156条の7），業務方法書は免許付与の際に審査の対象となり（156条の4第1項1号），その変更には内閣総理大臣による認可を必要とする（156条の12）。清算機関の業務は，原則として，金融商品取引債務引受業等およびこれに附帯する業務に限られる（156条の6第2項）。また，特定の大株主による不当な影響力の行使を排除するため，株式会社金融商品取引所と同様の主要株主の認可規制が置かれている（156条の5の5〜156条の5の11）。

清算機関は，業務方法書の定めるところにより清算参加者から各種の清算預託金の預託を受けているが，清算参加者の破綻が金融商品市場へ波及しないように，清算機関は不履行清算参加者が預託した清算預託金について優先弁済権を有する（156条の11）。日本証券クリアリング機構の業務方法書は，当該不履行参加者の清算預託金で機構の損失を補塡できないときは，機構の準備金を取り崩し，それでも補塡できない分は債務不履行参加者以外の参加者の預託金から補塡する旨を定めている（日本証券クリアリング機構・業務方法書78条・78条の2）。

(2) 有価証券のペーパーレス化

有価証券に表示された権利を有価証券という証券または証書から切り離すこと（ペーパーレス化）は，証券決済の迅速化とリスク低減に深く関わっている。以下では，有価証券がペーパーレス化された経緯を説明する。

そもそも，権利を証券・証書（券面）に表示する有価証券の制度は，券面の交付によって権利を移転することにより権利の移転を容易にし，無権利者から権利を取得した者の保護を図る制度（善意取得）により取引の安全を確保するものである。しかし，取引の安全が図られれば図られるほど，券面を紛失した場合や券面が誤って流通に置かれた場合に真の権利者の保護に欠けることになるし，券面の交付はそれ自体が事務コストを生じ，券面の所持・交付のコストがかえって円滑な有価証券の取引を妨げることもある。

そこで，まず，券面を移動させずに口座の振替により権利を移転する方法が考えられた。証券取引所において昭和47（1972）年から当事者間の契約に基づく振替決済制度が始まり，昭和59（1984）年には「株券等の保管及び振替に関する法律」（保管振替法）が制定され，これに基づく保管振替制度が平成3年より稼動した。保管振替制度では，たとえば株券の預託を希望する株主（顧客）が証券会社等を通じて保管振替機関に株券を預託すると，以後，顧客による株券の売買は口座簿の振替によって行われる。この場合，口座簿の振替によって移転するのは，株式という権利そのものではなく，保管振替機関に預託された同一銘柄の株式の共有権であった。

大量に取引される有価証券については，迅速かつ確実な決済が求められる。ところが，保管振替制度においては，上場会社のすべての株券が保管振替機関に預託されていたわけではないし，同制度は株券が存在することを前提として組み立てられていたため，DVPを実現しようとすると，決済にどうしても時間がかかってしまう。そこで，迅速かつ確実な決済を実現するために，有価証券の無券面化（ペーパーレス化）を図るとともに，口座簿の振替によって有価証券の権利移転を実現する振替制度を構築することが，世界の潮流になってきた[26)]。わが国では，振替制度の仕組みを定める「短期社債等の振替に関する法律」（現「社債，株式等の振替に関する法律」）が平成13年6月に制定され，以後，同法の改正により，CP（コマーシャルペーパー），社債，株式・新株予約権付社債，投資信託の受益権・投資法人の投資口の順で，ペーパーレス化が図られ，振替制度の利用が実現していった。

⑶　振替制度の仕組み

振替制度においては，振替機関の下位に何層もの口座管理機関が連なることのできる多層構造をとっている。振替機関として，株式・社債・CP等については保管振替機関であった証券保管振替機構が，国債については日本銀行が指定を受けている。口座管理機関は，振替機関に口座を開設して，自己，顧客，または他の口座管理機関のために振替を行う者であり，証券会社，銀行，その他の金融機関が口座管理機関となる（社債株式振替44条）。

上場会社の発行する株式については，平成21年1月に一斉にペーパーレス化が行われ（平成16法88号改正附則6条1項），振替制度の利用が強制された。そこで，上場会社の株式（振替株式）を取得しようとする者は振替機関か口座管理機関に口座を開設して加入者とならなければならない。振替株式の譲渡は，譲渡側の加入者が振替の申請を行い，振替機関または口座管理機関において譲受側の加入者の口座に銘柄ごとの株式数の増加の記録をすることによって行う

26）　そのきっかけとなったのは，国際金融に関する提言を行うG30（Group of Thirty）による勧告「世界の証券市場における清算および決済システム」（1989）である。

(社債株式振替132条・140条，**図表6-1**参照)。このように振替株式の権利の帰属は振替口座簿の記録によって定まるため（同128条)，加入者は口座に記録された振替株式についての権利を適法に有するものと推定され（同143条)，振替の申請により口座に増加の記録を受けた加入者は，譲渡側の加入者が正当な振替株式の保有者でないことにつき悪意または重過失がない限り，増加記録に係る振替株式を善意取得することになる（同144条)。

図表6-1

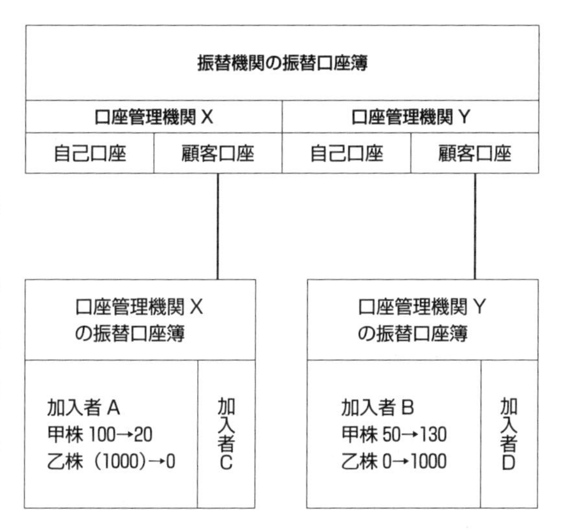

AB間で甲株80株の売買約定が成立した場合：
Aからの振替指図により，
・Xにおける Aの口座から甲株80株の減少記録
・振替機関におけるXの顧客口座から甲株80株の減少記録
・振替機関におけるYの顧客口座に甲株80株の増加記録
・YにおけるBの口座に甲株80株の増加記録
が，それぞれ行われる。

■ Column 6-10　振替株式の善意取得■■

取引の安全を図るために，売主を株券の正当な所持人と重過失なく信じて，当該売主から株券を譲り受けた者が株式の権利者（株主）となることを認めるのが，株券の善意取得制度である（会社131条2項)。しかし，振替株式の買主は，売主の口座簿の記録を確認してから取引をするわけではない。したがって，振替株式の善意取得制度は，記録を信頼して取引を行った者を保護するというよりは，決済のファイナリティを確保する手段として設けられたものといえる。ペーパーレス化された有価証券の取引について善意取得の制度を設けるかどうか，法制は分かれている。振替株式の善意取得は，振替の意思表示が無効であったため，振替株式を取得していない譲受人から第三者が振替によって株式を取得した場合のほか，口座管理機関による過誤記帳によって生じる。たとえば，**図表6-1**で，加入者Aが口座を開設している口座管理機関Xの過誤により，Aの口座にAが保有していない乙銘柄の株式が1000株記録されていたとする。この超過記録によりAが1000株の乙株式を取得することはないが，Aから乙株1000株を振替により譲り受けたBが，Aが無権利者であることにつき善意で重過失がなければ，乙株1000株を善意取得する（社債株式振替144条）。この結果，乙の株主が保有する乙株の合計数が乙の発行済株式総数を1000株超過する事態が生じる。

上の例のような「無から有が生じる善意取得」が生じた場合，超過記録をした口座管理機関Xは，超過分の乙株式1000株を取得し，発行者に対し権利の全部を放棄する旨の意思表示を行い，超過記録の状態を解消しなければならない（同146条)。Xがこの消却義務を全部履行するまでの間，XまたはXに口座を開設している口座管理機関の加入者は，超過分（1000株）を口座に記録された株数に応じて分配した数の株式について，自己が株主であることを発行者に対抗することができない（同147条1項)。たとえばX傘下の加入者が保有する乙株の総計が10000株であったとすると，Xの加入者Cは，その有する1000株のうち100株分について，発行者に対し議決権，配当請求権等を行使できなくなる。これによって株主に生じた損害について，超過記録をした口座管理機関は無過失の損害賠償責任を負う（同条2項)。

危機に瀕した口座管理機関が悪意で超過記録を行い，超過記録に係る株式等を売却処分してしまうことも考えられる。そのような場合には，口座管理機関に損害賠償の資力がなく加入者を害することになるので，加入者の被った損害を塡補するために加入者保護信託の制度が設けられている（同51条以下)。

⑷　分散型台帳技術の利用

分散型台帳技術（Distributed Ledger Technology, DLT）とは，集権的な中央管理者を置く代わりにネットワークの参加者（ノードと呼ばれる端末の所有者）が共同して台帳の管理を行うことを可能にする技術をいい，その1つが暗号資産の技術基盤であるブロックチェーン（blockchain）である。分散型台帳では，ネットワーク上での自動的な同期によって情報の連携・共有が図られるため，一部のノードに障害が発生してもシステムが稼働し続け（高い可用性)，記録の真実性の検証がノードの合意により行われると，その情報履歴の改ざんが難しい（高い改ざん耐性）といった特徴を有している[27)]。分散型台帳には，誰でもネットワークに参加できるパブリック型と互いに信頼できる一部の者にネットワークの参加者を限定するコンソーシアム型ないしプライベート型がある。有価証券の取引についていえば，投資者が直接取引に参加するものはパブリック型，

---

27)　分散型台帳の仕組みといくつかの法的課題につき，小出篤「『分散型台帳』の法的問題・序論」江頭先生古稀記念『企業法の進路』（有斐閣，2017）827頁を参照。

金融商品取引業者等のみが取引に参加するものはコンソーシアム型である。分散型台帳における記録の検証方法をコンセンサスアルゴリズムといい，パブリック型では，報酬を目当てに参加者が競争して取引の検証を行う Proof of Work 等の方法が用いられる。コンソーシアム型のコンセンサスアルゴリズムには，参加者の３分の２の合意により取引が正しいものと検証される PBFT 等がある。

有価証券の売買取引やデリバティブ取引に分散型台帳技術を用いることができれば，金融商品取引所や清算機関なしに取引や決済を行うことができ，これらの集権的な中央管理者がシステムの堅牢性を確保するためにかけてきた莫大なコストを節約できるかも知れない。そこで，世界各国で実証実験が行われているが[28]，それらによると現在のところ次のような指摘が可能である[29]。

第１に，金融商品市場における取引の成立（約定）は，高速高頻度で行われ，注文の変更・取消しも頻繁に発生し，分散型台帳技術の改ざん耐性という特徴が逆に効率を悪くしてしまうため，分散型台帳技術には向かない。これに対し，約定後の決済は分散型台帳技術の利用により効率化とコスト削減を期待できる。この場合，取引の成立過程との接合を考えるとコンソーシアム型とならざるを得ず，コンソーシアム型ではなんらかの管理者ノードを置かざるを得ないが，分散型台帳技術の利点である高い可用性を生かすためには，管理者ノードの役割を限定することが望ましい[30]。

第２に，有価証券と資金の受渡しを同時に行う DVP は，スマートコントラクトにより受渡しタイミングをコントロールすることで，技術的には実現可能である。また，分散型台帳技術では，ノード間で情報の連携・共有が行われることが高い可用性を確保しているが，ノード所有者であっても自社以外の取引情報は見られないという情報の秘匿性を確保することは可能であり，そうしても可用性が害されることはない。さらに，分散型台帳技術を用いた決済では，中央清算機関を必要としないので，取引ごとに決済を行うことが可能であるが，

28）日本取引所グループによる実証実験について，山藤敦史ほか「金融市場インフラに対する分散型台帳技術の適用可能性について」JPX ワーキング・ペーパー 15 号（2016 年 8 月 30 日）を参照。

29）振替機関を分散型台帳に置き換えることも考えられる。分散型台帳技術と現在の振替制度の接合性を検討したものとして，証券取引における分散台帳技術の利用を巡る法律問題研究会「証券決済制度と分散台帳技術」金融研究 37 巻 3 号（2018）1 頁，加藤貴仁「ブロックチェーンと金融商品の決済システム」金法 2095 号（2018）61 頁を参照。

30）山藤ほか・前掲注 28）13 頁，19 頁。

これにネッティング機能を持たせることもできる。ただし，分散型台帳技術のみで受渡し不能（フェイル）をなくすことはできない[31]。

以上のように，分散型台帳の利用は技術に依存する面も大きいが，技術と法との関係については学説による議論がある。まず，権利の帰属を表す方法に分散型台帳技術を用いることは当事者の合意により可能であるとしても，パブリックな性格をもつ金融商品取引について権利の記録・管理の仕組みとして分散型台帳技術を用いること自体については，法による承認が必要であろうと指摘されている[32]。それを前提として，ある分散型台帳における権利移転システムの法的効力を認めるためには，法はその「信頼性」を判断しなければならないところ，さまざまな設計のありうる分散型台帳の「信頼性」を法が適切に判断できるのかという問題提起もされている[33]。

4 信用取引

(1) 信用取引の意義と仕組み

金融商品市場における有価証券の売買取引には売買代金と有価証券の受渡しが必要であるから，買付代金を持たないが有価証券の価格が上昇すると予想する投資者の買付けの投資判断や売付有価証券を持たないが有価証券の価格が下落すると予想する投資者の売付けの投資判断は，市場の売買価格に反映されない。このような仮需給を市場における売買取引に導入することができれば，有価証券市場はより多くの投資判断を反映した公正な価格を形成することができる。有価証券市場に仮需給を反映させるために，証券会社が顧客に対し買付代金や売付有価証券を貸し付ける取引を信用取引という。

信用取引の委託に基づく取引であっても取引所では現物の有価証券の売買が行われる。すなわち，約定から3日目に代金の決済と有価証券の引渡しが行われ，決済に要した買付代金あるいは売付有価証券についての貸借関係が証券会社と顧客との間に残される。証券会社は買い付けた有価証券または売付代金を顧客に引き渡さず，これを顧客に対する貸付債権の担保として保有する（東証・受託契約準則41条1項）。顧客が信用取引を決済するには，①手持資金また

31）　山藤ほか・前掲注28）18頁，23頁。

32）　森下哲朗「Fin Tech時代の金融法のあり方に関する序説的検討」江頭先生古稀記念『企業法の進路』（有斐閣，2017）811頁。

33）　小出・前掲注27）853頁。

は手持有価証券で返済を行い，担保として預託している有価証券または金銭の返還を受けるか，②預託有価証券を売却し，または預託代金で有価証券を買い戻して，それぞれ借入金・借入有価証券の返済に充てる。実際には②の反対売買による決済が圧倒的に多い。

顧客が証券会社から買付代金を借りたときは金利を支払い，期限までに弁済する。顧客が有価証券を借りたときは，顧客は売付代金を担保として証券会社に差し入れており，証券会社はこれを利用できるので，証券会社が金利を支払うのが原則であるが，貸株が不足気味になると顧客が証券会社に対して品貸料（逆日歩ともいう）を支払う。以上の金利，品貸料，および弁済期限等について証券会社と顧客との間で決定できる信用取引を一般信用取引といい，これらについて取引所の規則により規制されている取引を制度信用取引という。制度信用取引では弁済期限は6か月とされており（東証・受託契約準則43条），顧客は6か月の期限までに反対売買を行って取引の損益を確定させる。以上のように，信用取引を投資者の側からみると，少ない金額（委託保証金）の投資によって短期間（6か月以内）に大きな利益（有価証券の価格変動分）を得ることもできるが，委託証拠金の追加差入れ（追証）を求められ，当初の投資資金を超える損失（これを「当初元本を超える損失」という。金融商品販売法3条4項）を被ることもあるリスクの高い投資取引であるといえる。

(2) 信用取引の規制

信用取引一般に係る法規制として，信用取引の委託を受けた証券会社は，取引の日から3日以内に，顧客から取引に係る有価証券の時価に内閣府令で定める率を乗じた額（ただし，最低30万円）の委託保証金の預託を受けなければならない（161条の2）。委託保証金は有価証券をもって代用することができるが，代用有価証券の担保価値はその時価によって変動するため，代用有価証券の担保評価額（代用価格）は預託前日の時価に一定の率を乗じたものとなる（信用取引府令6条）。①信用取引に際して委託保証金の預託を求めるのは，証券会社は顧客の買付有価証券または売付代金を顧客に対する貸付債権の担保としてとっているものの，有価証券の価格の変動により担保が不足する可能性があるため，委託保証金・代用証券も担保の対象とすることにより，証券会社の財務の健全性を確保するためであり，②委託保証金率や代用価格の計算に係る率を固定しないのは，これを変化させることによって過当な投機を抑制するためであり，③委託保証金の最低額を定めているのは資力のない投資者が投機性の高い信用取引に参加して財産を失わないよう予防するためである[34)]。①を理由として判例は，委託保証金を受けずに証券会社が信用取引による株式の売買をしたとしても，委託契約がそれにより無効となるものではないとし[35)]，学説もこれに賛成している[36)]。しかし，証券会社が委託保証金なしで信用取引をすることを顧客に認めると，資力のない投資者を信用取引に誘い込むことになるから，委託の効力を有効と解すると③の趣旨に反するとも考えられる。

これに加えて，金融商品取引所の受託契約準則では，信用取引で買い付けまたは売り付けた有価証券の相場が変動して顧客に計算上の損失が生じ，損失額を控除した委託保証金の額が有価証券の約定価格の 20% を下回る場合には，20% を維持するのに必要な委託保証金または代用有価証券を会員等が顧客に追加差入れさせなければならない旨を定める（東証・受託契約準則 48 条）。この追加預託制度は，顧客の債務不履行によって証券会社等の財務が害されないように，各金融商品取引所が自主規制として定めたものである[37)]。

■ Column 6-11　手仕舞権と手仕舞義務■■

顧客が取引所の定める追加保証金（追証）を差し入れることができないときは，会員等（証券会社）は信用取引を決済するために顧客の計算で反対売買（買付有価証券の売却または売付有価証券の買戻し）をすることができる（東証・受託契約準則 53 条）。そのために，信用取引で買い付けた有価証券や売付代金は顧客へ引き渡さずに，証券会社が保持している（同 41 条 1 項）。信用取引や先物取引を反対売買によって終了させることを手仕舞いというが，信用取引で買い付けた有価証券の価格が下落し，または信用取引で売り付けた有価証券の価格が上昇している場合に，手仕舞いをしないと顧客の取引損が拡大して顧客にとっても不利益となる。そこで，証券会社が適時に手仕舞いをせず顧客の損失を拡大させたとの主張が顧客からなされることがしばしばあるが，判例は，手仕舞いは証券会社が損害を受けるのを防止するための権利であって，顧客に帰属する損害が拡大するのを防止するための義務ではないと解している[38)]。顧客はいつでも反対売買の委託をして信用取引を終了

---

34)　神崎＝志谷＝川口 837 頁。

35)　最判昭和 40・4・22 民集 19 巻 3 号 703 頁。

36)　河本一郎「判批」民商 53 巻 6 号 126 頁，堀口亘「証券取引法第 49 条違反の信用取引」田中先生古稀記念『現代商法学の諸問題』（千倉書房，1967）783 頁，鴻常夫・新証券・商品取引百選 68 頁。

37)　鈴木＝河本 501 頁。

38)　最判昭和 43・2・20 民集 22 巻 2 号 257 頁〔商品先物取引の事例〕，反対・土橋正「判批」金判 710 号 50 頁。

させることができ，証券会社はその指図に従わなければならないのである[39]。もっとも，同じ理由から，顧客による明示の委託がなくても諸般の事情から反対売買の委託があったと認められる場合には，証券会社は手仕舞義務を負うことになる[40]。

(3) 貸借取引

第2次大戦後，わが国では資金需要が逼迫していたため，証券金融や貸株市場の発展を望むことができない状況にあった。そこで，証券会社に信用取引に必要な資金および株式を貸し付けることを主要な業務とする証券金融会社（156条の24第1項，→**Column 6-12**）を設立し，融資と貸株を円滑に行わせるやり方が取られた。証券金融会社が制度信用取引に必要な資金や株式を有価証券市場の決済機構を利用して証券会社に貸し付ける取引を貸借取引といい，貸借取引の対象となる銘柄を貸借銘柄という。

貸借銘柄の信用取引として有価証券の買い取引が行われる場合，証券会社は顧客に貸し付ける資金の融資を証券金融会社に申し込み，売買の決済期日に，有価証券市場の清算機関（→***3***(1)）を通じて証券金融会社から証券会社へ貸付けが行われる。証券会社が顧客のために買い付けた有価証券は，貸付金の担保として証券金融会社へ差し入れられる。貸借銘柄の信用取引として有価証券の売り取引が行われる場合には，証券会社が顧客に貸し付ける有価証券を証券金融会社から借り受ける。貸付有価証券の一部には証券金融会社が担保取得した買付有価証券が充てられる。証券会社が顧客の計算で売付けを行って取得した代金（売付代金）は，顧客から証券会社へ，証券会社から証券金融会社へと担保に差し入れられ，これが買い方顧客への融資に充てられる。貸借取引によって生じた証券金融会社の債権を担保するために証券会社は貸借担保金を差し入れるが，これには信用取引を行う顧客から得た委託保証金が充てられる。このように貸借銘柄の信用取引が行われるときは，金銭は，証券金融会社→買方証券会社→買主→売主→売方証券会社→証券金融会社と循環し，有価証券は，証券金融会社→売方証券会社→売主→買主→買方証券会社→証券金融会社と循環して取引を成立させることとなり，取引所においては現物取引が行われているにもかかわらず，現実には有価証券について代金の裏づけのない取引が行われ

39）　神崎＝志谷＝川口838頁。
40）　最判昭和62・4・2判時1234号138頁，塩田親文・新証券・商品取引百選94頁。

ることとなる（**図表6-2**）。ただし，証券会社は担保取得した買付有価証券や売付代金を他の顧客に貸し付けることができるほか，自ら有する有価証券や金銭を当該顧客に貸し付けることもできるから，貸借取引を利用した信用取引のすべてについて証券金融会社から融資資金や貸付有価証券を調達するわけではない。

図表6-2

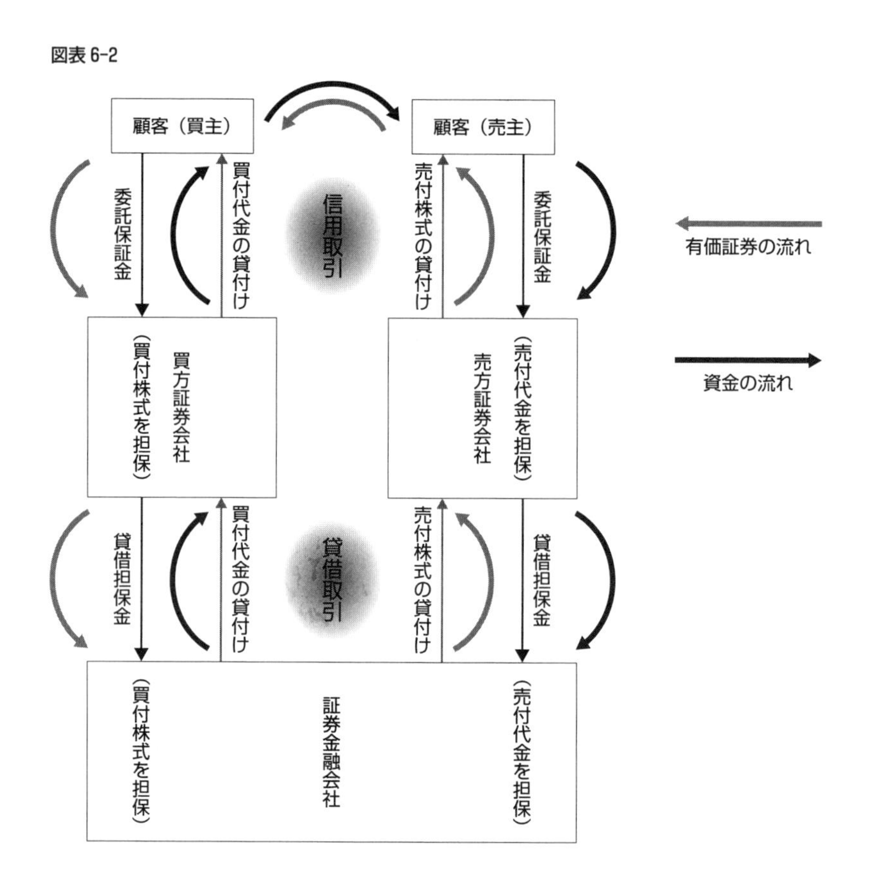

■ **Column 6-12　証券金融会社の規制** ■■

証券金融会社の活動は，証券会社の顧客に対する信用の供与を通じて有価証券の流通市場に大きな影響を及ぼす。証券金融会社による信用の供与が無制限に行われると，実需を伴わない有価証券の売買取引により市場が過熱し，投資者に思わぬ損失を被らせるおそれがある。そこで金商法は証券金融会社を免許制の下に置いて，その業務の適正を図っている。

信用取引の決済に必要な金銭または有価証券を取引所金融商品市場等の決済機構を利用して証券会社に貸し付ける業務を行おうとするものは，内閣総理大臣の免許を受けなければならず（156条の24第1項），この免許を受けた者を証券金融会社という（2条30項）。証券金融会社は，資本金の額が1億円以上の株式会社でなければならず（156条の23・156条の25第2項1号，施行令19条の5），その代表取締役または代表執行役は，金融商品取引業者の役員および使用人以外の者でなければならない（156条の30第1項）。証券金融会社の運営が証券会社によって左右されることのないようにするためである。

証券金融会社が業務の内容または方法を変更するためには，内閣総理大臣の認可を受ける必要がある（156条の28）。また，市場に不健全な取引の傾向がある場合には，内閣総理大臣は，証券金融会社の金銭または有価証券の貸付けの方法および条件の変更を命ずることができる（156条の29）。市場が投機によって過熱している場合に，金銭や有価証券の貸付け条件を厳しくするなどして，投機の鎮静化を図るためである。

■ Column 6-13　有価証券の担保差入れの法的性質■■

証券会社が，買付有価証券を同じ証券会社の他の信用取引顧客に貸し付けたり，証券金融会社へ担保に供したりするときには，顧客から書面による同意を得なければならない（43条の4第1項，金商業府令146条）。民法の原則（民348条）を変更して同意のない転質を禁止し，かつ所定の書面による同意を要求することにより顧客の保護を図ろうとするものである。かつては，顧客の同意を得ても，買付有価証券を，顧客に対する債権の額を超える額の債務の担保に供することができないとされていたが（超過転質の禁止，平成10年改正前51条2項），個々の顧客ごとの有価証券について債権額と転質の債務額を比較することが困難であることから死文化していた[41]。そこで，平成10年改正により，証券会社破綻時の顧客資産の返還制度が整えられたことから，超過転質の禁止は廃止された。顧客による書面の同意は，信用取引口座設定約諾書により行われる（東証・同約諾書4条）。買付有価証券は顧客の計算で証券会社が占有する有価証券であるが，契約により証券会社が消費できることから分別管理の対象外であり（43条の2第1項2号，→**10章*4*節*3*(2)**），買付証券は顧客ごとに特定されない。したがって，買付証券は顧客の所有に属することはなく（当該証券が証券金融会社に担保差入れされているときは，証券会社の所有に属することもない），顧客は証券会社に一定数量の株式の返還請求権を有するのみであり，証券会社はこの請求権の上に質権を有していると解される[42]。

41）　鈴木＝河本363頁，366頁注4）。
42）　神崎克郎「証券売買委託者の法的地位(3)」神戸法学雑誌14巻2号（1964）337-338頁，鈴木＝河本508頁。以上のことは，上場株券が無券面化された現在の振替制度の下でも変信用取引口座設定約諾書では，委託保証金代用有価証券についても，別に顧客が書面により同意した場合には，証券会社が他に担保に供し，または貸し付けることができる旨を定めている（東証・同約諾書3条2項）。かつて，代用有価証券の担保差入れについて，これを消費寄託とみる見解と根質権の設定とみる見解とが対立していた。消費寄託説によると，代用有価証券の預託と同時に証券会社がその所有権を取得し，顧客には代用有価証券につき物権的保護は与えられないことになるが，顧客は信用取引に参加する以上，代用有価証券が貸株に利用されることを覚悟すべきであるとする[43]。それに対し根質権説は，実際には証券会社が代用有価証券を他に貸付け等するのは稀であること，および根質権説による方が顧客の保護をより良く図れることを根拠とする[44]。また，根質権説は，上述の買付証券に関する顧客の保護と相当の違いが生ずることについては，委託保証金代用証券は信用取引のために特に担保に供されたものであるのに対し，信用取引による買付有価証券は，証券会社の顧客に対する貸付金銭により得られたもので，貸付金銭の弁済をするまでに顧客が証券の所有権を得られなかったとしても経済的に特に不当でないと説明していた[45]。

株式振替制度の下における代用有価証券の担保差入れは，代用有価証券を顧客の所有としたままその質権欄に証券会社名を記帳する方式によるか，所有権の移転のために証券会社の自己口（保有欄）に記帳する。前者は根質権の設定とみることができ，顧客の所有権は物権的に保護される。後者は譲渡担保とみることができるであろう。顧客から預託を受けた代用有価証券は証券会社の分別管理の対象となり（43条の2第1項1号，金商業府令136条1項4号，→**10章*4*節*3*(2)**），それを証券会社の自己口（保有欄）に記帳する場合には，自己の取引のための欄とは区分して管理することが求められる（保証金府令6条2項）。

5　デリバティブ取引

(1)　市場で行わせる意義

金融商品市場で行われるデリバティブ取引には，先物取引，オプション取引とクレジットデリバティブがあり，それぞれ取引所の定める基準および方法に従って行う（2条21項）。デリバティブ取引は，金融商品や金融指標を基準として計算される額の金銭の授受を行う取引であり，金融商品等の価格変動リス

わらない。

43）　鈴木＝河本507-508頁。

44）　神崎・前掲注42）327-335頁。

45）　神崎・前掲注42）338頁。

クをヘッジする目的や，価格変動により利益を得る投機目的で行われる（→1章6節2)。リスクヘッジ目的を達成するため，デリバティブ取引では少額の証拠金を差し入れて多額の取引を行うことが認められている。したがって，これを投機目的で行う場合には，リスクの極めて大きい取引となる。

デリバティブ取引は将来における金融商品の受渡しや金銭の支払を互いに約する取引であるから，条件の合う相手方を見つけ出すのが難しい場合や相手方の信用状態によっては迅速な決済が行われないおそれがある。そこで，取引条件をある程度定型化したデリバティブ取引を市場で行わせることによって，一般投資家を含む多数の投資者の注文を市場に集めてデリバティブの公正な価格形成を図ることができるとともに，市場の決済システムを通じて決済を行わせることにより，相手方の信用リスクを軽減することができる。他方で，市場デリバティブ取引は取引条件が定型化されているため，取引当事者のニーズに的確に応えることができない場合もある。

⑵　市場デリバティブ取引の仕組み

現在，金融商品取引所で行われている市場デリバティブ取引は，国債・金利・通貨・株価指数に係る先物取引，国債先物・金利先物・個別株・株価指数・金利先物に係るオプション取引である。

先物取引は，将来の一定の時期（限月）に取引対象の受渡しと代金の支払を約する取引であって，その時期までに反対売買を行って差金により決済をすることができる取引をいう（2条21項1号，→1章6節2⑴)。金融商品取引所では，取引の定型化のために，1つの取引対象について3か月ごとに限月が到来する数本の取引を上場している。先物取引の価格は，限月において取引対象の価格がいくらになるか，および金利に関する投資者の判断を集約して市場において競争的に決定され，限月において取引対象の価格に一致することになる。先物取引の取引対象のうち国債は，利率や償還期限が多様なものが発行されているが，国債の価格変動リスクをヘッジするための国債先物取引を行うには1種類の国債があれば足りるので，金商法は，金融商品取引所が利率，償還期限などの条件を設定した標準物を定めることを認め（118条)，これを金融商品と扱っている（2条24項5号)。また，株価指数の先物取引では，指数に一定の倍率を乗じた額を単位として取引を行い，限月においては現物の受渡しができないので，現実数値と約定数値の差に基づいて算出される金銭を授受することにより決済を行う（2条21項2号)。

オプション取引では，オプションの買方が売方に対しオプション料を支払い，買方の意思表示により，売方との間に一定の取引を成立させる権利を取得する（→**1章6節2**(2)）。買方はオプションを転売することにより，売方はオプションを買い戻すことにより，取引関係から離脱することができる。オプションの行使により成立する取引の内容は，現物の売買であることもあれば，株価指数の取引や各種先物取引であることもある。オプションとしては，取引開始日から取引最終日まで権利行使を認めるアメリカ型（国債先物オプション等）と，取引最終日の翌日のみ権利行使できるヨーロッパ型（株価指数オプション等）とが用いられている。オプションの取引は，たとえば株価指数オプション取引については，現在の株価指数が1000であれば，1000の上下に数本のオプション取引（当該株価指数を800，900，1000，1100，1200で取得する選択権）を設定し，限月までの間に，それぞれのオプション料が市場取引により競争的に成立することになる。先物に係るオプション取引は，先物の限月よりもオプションの限月の方が先に到来するように設計される。

■ Column 6-14　金融指標に係る規制 ■■

銀行間金利等の金融指標はデリバティブ取引の基礎となる重要な指標であるが，世界的にみて，その算出過程に特段の規制は置かれていなかった。イギリスでは，LIBOR（ロンドン銀行間取引金利）について，金融機関のトレーダー等が，デリバティブ取引において自己のポジションを有利にする目的で金利の呈示担当者に不正な働きかけを行ったり，リーマンショック時に信用力をよく見せようと実勢よりも低い金利を呈示する等，LIBORを不正操作していたことが明らかになった。これを受けて，証券監督者国際機構（IOSCO）は2013年に「金融指標に関する原則の最終報告書」（IOSCO原則）を公表し，同年9月開催のG20サミットでこれが承認された。このような国際的な動きを受けてわが国でも検討が進められ[46]，平成26年の金融商品取引法改正により，金融指標算出者のガバナンスを通じて金融指標の品質を確保する規制が導入された（156条の85-156条の92）。

金融指標（2条25項）のうち内閣総理大臣の定めるものを特定金融指標といい（同条40項），具体的にはTIBOR（東京銀行間取引金利）が指定されている。特定金融指標の算出者のうち内閣総理大臣が指定した者を特定金融指標算出者といい（156条の85），特定金融指標算出者は内閣総理大臣による監督規制を受けることになる（156条の86-156条の92）。また，金融商品取引業者等が，自己または第三者

46）金融庁「『金融指標の規制のあり方に関する検討会』における議論の取りまとめ」（平成25年12月25日）。

の利益を図る目的で，特定金融指標算出者に対し正当な根拠を有しない算出基礎情報を提供する行為が，罰則をもって禁止される（38条7号，198条2号の3）。TIBORの算出機関に対し銀行間取引レートを偽って報告する行為はこれに当たる。

(3) 市場デリバティブ取引の規制

金融商品取引所の参加者である証券会社等は，市場デリバティブ取引を行う顧客に委託証拠金を預託させることができる（119条3項）。証券会社等が委託証拠金の預託を受けない場合には，顧客が金融商品取引清算機関（取引所が清算機関を兼ねるときは取引所）に対して取引証拠金を預託しなければならない（同条1項2号）。ふつうは，顧客から預託を受けた委託証拠金を証券会社等が取引所または清算機関に取引証拠金として預託する（同条1項1号）。取引証拠金は，市場デリバティブ取引の決済を確実に行わせるためのものであり，取引所が業務規程でその額を定めている。信用取引の委託保証金と比較すると（→*4*(2)）過度の投機の防止は取引所の規則による値幅制限や取引の中断により行い，資金の乏しい者の参入防止は取引単位の調整で行っていると考えられる。委託証拠金・取引証拠金は有価証券で代用することができ（同条5項），その性質については信用取引で述べたところが当てはまる（→*4*(3)）。取引証拠金は金融商品取引所または清算機関において分別管理される（同条4項，取引所府令67条）。

市場デリバティブ取引については，金融資産や金融指標の変動を反映して，毎日，顧客の損益が計算され（これを値洗いという），損失の支払に備える証拠金が不足するときは清算機関の規則により，追加証拠金の差入れが求められる（日本証券クリアリング機構・先物・オプション取引に係る取引証拠金等に関する規則18条）。

6 高速取引行為の規制

(1) 背　　景

最近，世界各国の取引所でHFTが問題となっている。HFT（High Frequency Trading，高頻度取引）とは，アルゴリズムに基づいて高速高頻度で投資家が執行する取引をいう。日本では，東京証券取引所（東証）が2010年1月に導入したコンピューター・システム（東証アローヘッド）により，注文処理時間が1000分の1秒となり，この結果，1秒間に最大1000回（現在は最大5000回）の取引が可能になった。また，2010年1月に東証がコロケーション・サービスの提供を始めた。コロケーション・サービスとは，取引所の売買システムに物理的に近い場所に参加者のサーバーの設置を認めるサービスをいい，取引所の参加者である証券会社は，コロケーション・エリアの一部を投資家に貸し出している。したがって，コロケーション・エリアからの注文は証券会社の自己勘定によるものと，コロケーション・エリアの貸与を認められた投資家からの委託売買とがあるが，後者について証券会社は，事実上，チェックを行っていない。コロケーション・サービスの利用者は，他の投資家よりも早く価格情報を得ることができ，これに基づくアルゴリズム取引により，利益を得ることができる。2016年1月の時点で，東証の全取引に占めるコロケーション・エリアからの取引の割合は，取り消された注文を含む注文件数で75%，約定件数で44%を占めていた。

HFTに対しては，①最近の相場の急変動やボラティリティ（株価の変動性）の上昇は，アルゴリズムを用いた高頻度取引が原因ではないか，②個人を中心とする投資家に不公平感を与えるのではないか，③HFTのシェアが過半を占める市場では，企業価値に基づいた市場価格の形成が妨げられるのではないか，④異常な注文・取引やサイバー攻撃による影響が瞬時に市場全体に伝わり，市場に大きなトラブルを引き起こすのではないか[47]，⑤相場操縦などの不公正取引に利用されるのではないかといった懸念が表明されている[48]。他方，HFTが市場に流動性を与え，その恩恵が一般投資家に及んでいることも否定できない。

諸外国の状況をみると，EUでは，2018年1月より実施の第2次金融商品市場指令（MiFID II）等により，HFT業者を登録制とし，体制整備義務・リスク管理義務を課し，また当局に対して，アルゴリズム取引戦略，取引リミットの詳細，リスク管理等に関する情報の提供を求めている[49]。アメリカでも，

47）2010年5月6日にアメリカで生じた株価の一時的な急落（フラッシュクラッシュ）は，HFTが原因ではないかといわれている。

48）金融審議会「市場ワーキング・グループ報告――国民の安定的な資産形成に向けた取組みと市場・取引所を巡る制度整備について」（平成28年12月22日）14頁。

49）DIRECTIVE 2014/65/EU OF THE EUROPEAN PARLIAMENT AND OF THE COUNCIL of 15 May on markets in financial instruments and amending Directive 2002/92/EC and Directive 2011/61/EU. EUよりも早く規制を導入したドイツ法の状況と規制の考え方については，日本取引所グループ金融商品取引法研究会「高頻度取引・アルゴリズム取引規制のあり方――ドイツ法とMiFID II」日本取引所金融商品取引法研究8

CFTC（商品先物取引委員会）が先物取引のHFT業者を登録制として，同様の規制を適用している[50]。そこで，わが国でも検討が開始され，HFTを行う者を登録制とし，必要な体制整備・リスク管理義務を課した上で，当局がその取引実態・戦略等を確認することを可能とする法改正が平成29年に行われた[51]。

(2) 高速取引行為者の登録制

改正法は，HFTを高速取引行為と名付け，これを，有価証券の売買，市場デリバティブ取引，これらの行為の委託，または政令で定める取引を，電子情報処理組織（コンピューター）により自動的に行い，かつ，取引を行うために必要な情報の取引所への伝達が，情報通信の技術を利用して伝達時間を短縮するための方法（内閣府令で定める）を用いて行われるものと定義し（2条41項），金融商品取引業者等（→**10章*1*節**）および取引所取引許可業者（→***6*節*4*(2)**）以外の者が高速取引行為を行おうとするときは，内閣総理大臣の登録を受けなければならないとする（66条の50第1項）。行為者は，登録時に，高速取引行為を行うのに必要な知識等を有する者の確保や法令遵守のための責任者の設置等を求められる。金融商品取引業者等や取引所取引許可業者による高速取引行為の規制は，それぞれの業規制によって行う（29条の2第1項7号，60条の2第1項4号等）。

登録を受けた高速取引行為者は，高速取引行為の業務管理体制を整備しなければならない（66条の55）。具体的には，取引システムが十分な処理能力を備えていること，取引システムのテストやモニタリングを行うこと，誤発注を防止するための措置を講じることなどが求められる。このような登録規制のなかで，高速取引行為者は，アルゴリズム取引を行うことの当局への通知，各注文がアルゴリズム取引によるものであることの明示，アルゴリズム取引戦略の届出，および取引記録の作成・保存などが求められる（金商業府令326条～346条）。もっとも，アルゴリズムそのものの届出が求められるわけではない。

海外に拠点を有する投資家について高速取引行為者の登録を求めても，それだけでは規制の実効性を確保することは難しい。そこで，登録を受けていない

号（2016）103頁を参照。

50）COMMODITY FUTURES TRADING COMMISSION, Regulation Automated Trading, Notice of proposed rulemaking（17 CFR Parts 1, 38, 40, and 170. RIN 3038-AD52, 2015）.

51）改正法の考え方につき金融審議会・前掲注48）11頁以下を，解説として野崎彰ほか「株式等の取引の高速化への対応（平成29年改正金商法の解説（1））」商事2139号（2017）4頁以下を参照。

者による高速取引行為に係る有価証券の売買等を金融商品取引業者等は受託してはならないとされた（38条1項8号）。また，高速取引行為の監視を行う立場にある金融商品取引所に，高速取引行為を行う者に対する調査権限が付与される（85条の5）。

■Column 6-15　HFT規制の課題■■

改正法は，高速取引行為者を業者のように捉え，行政による監督規制を及ぼすことにより，高速取引行為から生じる市場への悪影響を排除しようとしている。このような規制手法はアメリカやEUにおいても見られるものである。

他方，高速取引行為から生じる弊害を除去するためには，どのような行為規制が有効かについては，諸外国においても見解の一致を見ていない。高速取引行為の問題は，アルゴリズムから生じるものとスピード（レイテンシー）から生じるものとがあるように思われる。アルゴリズムから生じるものとは，たとえばあるアルゴリズムが，他の投資家の取引注文の状況などの取引環境によっては，有価証券の市場価格をその本源的価値から乖離させるような一連の取引を命じるといった問題であり，相場操縦等の不公正取引規制（→**8章*1*節〜*3*節**）の立法と解釈によって対処する必要がある。

スピードから生じる問題として，アメリカでは市場が分裂し，取引回送システムが市場間を繋いでいるので，たとえば，A市場における大口投資家Xの買い注文の状況を見たHFT業者が，B市場に回送される注文があることを察知して，当該回送注文がB市場に到達するよりも先にB市場で買い注文を成立させ，有利な条件でXの買い注文に対して売り向かうことで利益を得ることができる。これを電子的先回り（electronic front running）という。

わが国では市場が分裂しておらず，取引回送システムがないので，アメリカのような先回り取引はできない。しかし，スピードの問題がまったくないわけではない。注文や約定に関する取引情報を金融商品取引所が発するのは同時であっても，コロケーション・エリアにサーバーを設置している高速取引行為者がそれを受け取る時刻は，一般投資家が受け取る時刻よりも早い。その情報に基づく取引注文を市場に到達させる時間も高速取引行為者のほうが短い。この結果，高速取引行為者は一般投資家よりも有利な条件で自己の取引を成立させることができる。高速取引行為者が高いコストを支払ってコロケーション・エリアを借りているのは，それを上回る利益を得ることができるからである。高速取引行為者が一般投資家よりも有利な条件で取引を行うことで超過的な利益を得ることができるとしたら，それは法的に不公正と評価されるのであり，何らかの行為規制が必要であると思われる。

第*3*節　金融商品市場外における取引の仕組みと規制

1　市場集中義務の撤廃

わが国では，有価証券市場で形成される価格ができるだけ多くの需給を反映した公正なものとなるように，各取引所の定款により，会員は上場有価証券の売買取引を原則として取引所で執行しなければならないとする市場集中義務を課してきた。市場集中義務は，証券取引所における取引が会員に限って認められることとあいまって，会員による非会員に対する取引の共同拒絶（ボイコット）を構成するが[52)]，証券取引所の行為については独占禁止法の適用が除外されていた（旧独占禁止法適用除外法2条）。

しかし，取引所外で大口取引を執行したいといった投資者の取引ニーズに対応する観点から[53)]，いわゆる証券ビッグバンの一環として，平成10年改正により市場集中義務が撤廃された（旧独占禁止法適用除外法も廃止）。市場集中義務は，証券取引所の会員となっている証券会社が顧客の売買注文を最良の条件で執行することを妨げる作用があるから，証券会社による最良執行義務（→*2*節*1*(3)）の履行を可能にするためにも，その撤廃が求められる[54)]。市場集中義務が撤廃されると，有価証券が取引される場（市場）が分裂し各市場の取引に厚みがなくなるが，複数の市場を通信手段でリンクさせれば公正な価格形成を実現できる。アメリカでは，手数料を自由化し市場集中義務を緩和した1975年より，市場間を通信手段で結び顧客の注文の最良執行を図る全米市場システム（NMS, National Market System）の構築が目指されており[55)]，顧客にとって最良の条件で執行できる市場へ注文を回送できるシステムが整えられている。

■Column 6-16　介入権■■

有価証券の売買注文は，その執行場所・方法の指定とともになされるのがふつう

52)　神崎446頁。

53)　証券取引審議会総合部会・市場ワーキング・パーティー報告書「信頼できる効率的な取引の枠組み」2. (3)（平成9年5月16日）。

54)　神崎・前掲注19) 11頁。

55)　神崎克郎「流通市場の改善――顧客注文処理規則の改正」証券取引法研究会国際部会編『欧米における証券取引制度の改革』（日本証券経済研究所，1998）135頁，証券取引法研究会・前掲注21) 1頁〔梅本剛正報告〕，梅本剛正『現代の証券市場と規制』（商事法務，2005）15-31頁。

である。たとえば上場有価証券の売買について，顧客は証券会社との間で取引を成立させることも，金融商品市場で注文を執行するよう証券会社に委託することもできる。受託売買業務を行う証券会社は商法上の問屋（商551条）であるから，金融商品市場で注文を執行するよう委託を受けた場合であっても，自己が相手方となって取引を成立させる旨を顧客に通知した時点の取引所の相場によって，その取引を成立させることができる（介入権，商555条）。かつては，有価証券市場の取引に厚みを持たせるために介入権の行使が禁止されていたが（平成10年改正前129条），市場集中義務の撤廃とともに平成10年改正により禁止規定は廃止された。

■Column 6-17　取引所外取引■■

市場集中義務が撤廃されたため，顧客による有価証券の売買注文を受けた証券会社は，取引所外の取引によって売買を成立させることもできる。しかし，アメリカ（→*1*）と異なり，顧客の注文を顧客にとって最良の条件となる市場に回送するシステムが存在しないことから，当初は，顧客が取引所外と明示しない限り取引所で執行するという取引所執行原則が置かれた（平成16年改正前37条）。ところが，取引所執行原則は取引所外取引の1つであるPTS（私設取引システム，→*2*）における株式取引が低迷している一因であると考えられたため，平成16年改正では取引所執行原則を削除し，それに代わって最良執行義務に関する規制を導入した（→*2*節*1*(3)）。

PTSを含め金融商品取引業者が取引所外で成立させた上場有価証券の売買の結果（銘柄，価格，数量等）は認可金融商品取引業協会へ報告され（67条の18第7号・78条の3），認可協会はこれを公表する（67条の19・78条の4）。金融商品取引市場の内外における有価証券の効率的な価格形成を促すためである。

2　私設取引システム

(1)　意　　義

私設取引システム（PTS, Proprietary Trading System）とは，民間業者がコンピューター・ネットワークを利用して市場外で有価証券の取引を執行する仕組みをいう。私設取引システムは一種の金融商品市場ともみられるから，これを取引所と同様の規制に服させることも考えられるが，他方で，このシステムにより有価証券の売買を成立させる行為は有価証券の売買または売買の媒介・取次ぎ・代理のいずれかに該当するから，私設取引システムを金融商品取引業として規制することも考えられる。わが国では，平成10年に市場集中義務が撤廃され（→*1*），証券会社などが私設取引システムを開設することが予想されたため，平成10年の改正により，私設取引システムの運営を証券業（金融商品取引業）として規制する枠組みが導入された。

■Column 6-18　アメリカにおけるATSの規制■■

コンピューターを利用する証券取引システムが最も早くから発達したのは，アメリカである。アメリカでは，これは当初PTSと呼ばれていたが，現在では，電子取引ネットワーク（ECN, Electronic Communication Network）または代替的取引システム（ATS, Alternative Trading System）と総称されている。アメリカのSECはATSをブローカー＝ディーラーとして規制していたが，ATSの取引規模が大きくなったため，1995年に規則ATS（Regulation ATS）を制定した[56]。

規制の要点は，ATSは取引所であるが，規則ATSを遵守し，かつ自主規制権限を発揮しないATSは取引所としての登録を免れ，ブローカー＝ディーラーとして活動することができるとする点にある[57]。つまり，規則ATSは，取引所とブローカー＝ディーラーとの相違を自主規制の有無に求めている。また，特定銘柄のATSにおける取引量が一定水準を超えると，SECは，登録免除を取り消して当該ATSに取引所としての登録を求めることができる。取引量が増加し市場としての機能が高まると，公正な市場の維持のために自主規制が必要になるとの考え方に基づくものである。

(2)　取引の仕組みと運営

私設取引システム（以下，「PTS」という。）では，コンピューターを使用して，金融商品取引業者と投資者の間で，または多数の投資者の間で有価証券の売買取引を成立させる（2条8項10号）。対象有価証券は上場銘柄であっても非上場銘柄であってもよい。売買価格の決定方法は，①金融商品市場で形成される売買価格を用いる方法，②投資者間の交渉で価格を決定する方法，③金融商品取引業者が気配を提示して，当該気配を売買価格とする方法のほか，④取引所と同様の競売買の方法（オークション方式）をとることもできる。PTSの規制が導入された当時は，PTSは高い価格形成機能を有さないがゆえに証券業として規制することにしたため[58]，PTSにおいて高い価格形成機能を持つ④の方法を採用することはできなかった。しかし，市場間競争を促進する観点から取

56）　SEC Release No. 34-40760 (1998).

57）　前田雅弘「私設取引システムの規制と投資者保護」証券取引法研究会編『市場改革の進展と証券規制の課題』（日本証券経済研究所，2002）92頁。

58）　証券取引審議会総合部会・前掲注53）2.（5）。

引所とPTSの競争条件の平等を確保する必要があると考えられるようになり[59]，平成16年改正により④の方法も認められた。ただし，上場有価証券の売買については取引量が一定水準に達すると，有価証券市場開設の免許が必要になる（2条8項10号，施行令1条の10）。取引量が多くなれば，取引の公正を確保するための自主規制が必要になると考えられるからである。

PTSの運営業務は第1種金融商品取引業であり（28条1項4号），かつ認可業務である（30条1項，→**10章*2*節*1*(2)**）。運営業者は，PTSによって成立した有価証券の取引価格および提示された最良気配（最も高い買気配・最も安い売気配）を公表することが，認可の条件とされており，また，PTSシステムを通じた取引において相場操縦やインサイダー取引を排除する態勢の整備が求められている[60]。このようにPTSの運営は，典型的な第1種金融商品取引業とは異なり，有価証券市場の開設に近い実態を有する点を考慮した監督の下に置かれている。

PTSについては，金融庁の監督指針で信用取引を扱うことが禁止されていたため，取引量が増えないという問題があった。PTSの運営業者が信用取引の資金・貸株を提供すると運営業務との間で利益相反が生じるうえ，運営業者は信用取引を行う参加証券会社に対する自主規制権限を有していないからである[61]。そこで，証券金融会社と証券会社の自主規制機関である日本証券業協会の協力を得て利益相反を緩和する措置が整備され，令和元年8月にPTSにおける信用取引が解禁された。

欧米のATSやMTF（Multilateral Trading Facility）には，気配情報を公表しない取引システムがありダークプールと呼ばれている。投資家は匿名性を維持したまま大口取引を執行するためにダークプールを利用するが，ダークプールの利用が増大して市場の価格発見機能が低下することが危惧されている。わが国では，PTS認可の条件として最良気配情報の外部公表を求めているため，PTSがダークプールになることはないが，証券会社が電子システムにより注文を社内で付け合わせた上で立会外取引（→**Column 6-7**）により執行する場合には，投資家に対して取引前の透明性（気配情報）が確保されない。PTSと立

59）金融審議会金融分科会第一部会報告「市場機能を中核とする金融システムに向けて」II. 1. (2)（平成15年12月24日）。

60）「金融商品取引業者等向けの総合的な監督指針」（最終改正平成26年9月）IV-4-2-1②③。

61）金融審議会・前掲注48）17頁。

会外取引との整理が必要であるとともに[62]，一般の投資家が知らないうちにダークプールに誘導されないようにする必要があるだろう。

3　店頭デリバティブ取引

(1)　制度整備の経緯

金融商品市場によらないデリバティブ取引（店頭デリバティブ取引）は相対（あいたい）で行われるため，通常，取引当事者は取引相手の信用リスクを把握しているはずである。しかし，2008年秋の世界的な金融危機においては，欧米の金融機関が膨大な店頭デリバティブ取引を行っており，相手方の情報を適切に管理できなかったことから，個別の金融機関に破綻の懸念が生じると，相手方の信用リスク（カウンター・パーティー・リスク）が深刻化し，金融機関の連鎖破綻の危険が顕在化した。

そこで，世界的な金融危機への対応の1つとして，2009年9月のG20声明は，①すべての標準化されたデリバティブ取引を取引所または電子取引基盤により行うこと，②①の取引につき清算集中を義務づけること，および③一定の店頭デリバティブ取引に関する情報を取引情報蓄積機関に報告することを各国政府に求めた。これを受けてわが国でも検討が行われ，②と③が平成22年の金融商品取引法改正により義務づけられ[63]，①が平成24年改正により整備された[64]。

(2)　店頭デリバティブ取引の清算集中

店頭デリバティブ取引は国境を越えて行われることが多いので，国内の清算機関へ清算を集中させることが取引当事者にとって不都合なこともある。そこで平成22年改正法は，金融商品取引業者等（金融商品取引業者および登録金融機関）が一定の店頭デリバティブ取引を行う場合に，国内清算機関，国内清算機関と外国清算機関の連携による方式，外国清算機関のいずれかにおいて清算を行うことを義務づけている（156条の62第1項2号，清算の意義・清算機関につき→*2*節*3*(1)）。対象となる取引には，わが国における取引規模が多額である固定

62)　金融審議会・前掲注48) 19頁。

63)　改正法の概要につき，高橋洋明＝矢原雅文「『金融商品取引法等の一部を改正する法律』の概要」商事1900号（2010）4頁参照。

64)　改正法の概要につき，高木悠子＝齊藤将彦＝上島正道「店頭デリバティブ規制の整備，インサイダー取引規制の見直し，課徴金制度の見直し(1)（平成24年改正金商法等の解説(3)）」商事1982号（2012）4頁参照。

金利の支払と変動金利の支払を交換する円建て金利スワップで，取引規模の大きい金融商品取引業者等同士の取引が指定された（店頭デリバティブ取引規制府令2条2項）。これに伴い，外国清算機関の免許規制（156条の20の2〜156条の20の15），および内外の清算機関の連携についての認可規制（156条の20の16〜156条の20の22）が金融商品取引法に置かれた。

清算要件がわが国の企業の破綻要件と密接に関連している取引については，わが国の実務慣行を尊重して破綻要件の認定を行うために，国内清算機関での清算が求められる（156条の62第1項1号）。これには，日本企業50社のクレジット・イベントに基づくCDS（→**Column 6-19**）を指標化した取引であって，取引規模の大きい金融商品取引業者等同士の取引が指定された（店頭デリバティブ取引規制府令2条1項）。

このように，わが国の金融機関が当該CDS取引を行う以上，国内清算機関における清算が必要であり，実際に，有価証券および市場デリバティブ取引の清算機関である日本証券クリアリング機構が店頭デリバティブ取引の清算集中業務を開始している。これについては，国内清算機関の設立および清算集中は，まず日本における対象店頭デリバティブ取引の市場を，清算機関においてリスクの吸収ができる程度の厚みと広がりを持つまで段階的に育成させ，市場として十分に成熟させてから行うべきではないかとの指摘もある[65]。

■ Column 6-19　国内清算機関の関与■■

クレジット・デフォルト・スワップ（CDS）とは，債権の保有者が，相手方に一定の金銭を支払い，債務者の信用悪化を示す一定の事由が生じたときに相手方から金銭の支払を受けるクレジットデリバティブ（2条22項5号，→**1章*6*節*2*(4)**）である。CDSは国際的に取引されているところ，参照企業が破綻に該当するかどうか（クレジット・イベントに該当するかどうか）を統一的に処理するために，国際的な業界団体であるISDA（International Swaps and Derivatives Association, Inc.: 国際スワップ・デリバティブ協会）の決定委員会が破綻についての認定を行っている。ところが，この破綻認定は各国の倒産法制の破産等の認定と一致する保証がないため，参照企業が破産等の要件に該当していないのにISDAの決定委員会により破綻認定がされると，それによって参照企業が破産等に追い込まれてしまうなどの悪影響が生じるおそれがある。そこで，国内企業を参照企業とする一定のCDS取引について，ISDAの実務慣行を尊重しつつ，クレジット・イベントの認定手続に国内清算

65）　和仁亮裕「デリバティブ規制の見直し」金法1903号（2010）58頁。

機関が適切に関与することを確保するために[66]，国内清算機関における清算集中が義務づけられた。

⑶　取引情報保存・報告制度

国内清算機関および外国清算機関は，清算を行った店頭デリバティブ取引に関する一定の情報を保存し，内閣府令で定めるところにより，内閣総理大臣に報告しなければならない（156条の63）。金融庁において取引実態を把握し，金融機関の連鎖破綻を防止するのに必要な対応を講じるためである。

店頭デリバティブ取引を行った金融商品取引業者等も，店頭デリバティブ取引に関する一定の情報を保存し，内閣府令で定めるところにより，内閣総理大臣に報告しなければならない（156条の64）。清算集中義務が適用されない店頭デリバティブ取引に関する情報を収集するための規定である。金融商品取引業者等が取引情報を取引情報蓄積機関に提供している場合には，金融商品取引業者等は情報保存・報告義務を負わず（同条３項），代わって取引情報蓄積機関が保存・報告義務を負う（156条の65）。

■Column 6-20　取引情報蓄積機関■■

取引情報蓄積機関（Trade Repository）は欧米に例があった。平成22年改正金融商品取引法は，取引情報蓄積機関を指定制の下に置き監督規制を整えた（156条の67～156条の84）。この指定制では，国内の取引情報蓄積機関については申請に基づいて指定がなされ，同機関が法令に違反して業務を行った等の場合には指定が取り消される。それに対して外国の取引情報蓄積機関については告示により指定を行い，その業務が法令に違反するときは指定が取り消されるが，当該機関の母国の監督当局による監督を前提として，金融商品取引法上，外国取引情報蓄積機関に対する監督規制を設けていない。

自ら取引情報を保存し報告するか取引情報蓄積機関を利用するかは，金融商品取引業者等の任意である。取引情報蓄積機関を利用するにはシステムを構築する必要があり金融商品取引業者等にとって必ずしもコスト削減につながらない場合があるし，自らの取引情報を第三者が取り扱うことを回避したいと考える金融商品取引業者等もあるだろうからである。

66）　逐条解説2010年26頁。

(4) 電子取引基盤

電子取引基盤（Electronic Trading Platform）とは，店頭デリバティブ取引の注文・執行等を電子的に行うためのシステムをいい，システムの提供者が店頭デリバティブ取引の媒介等のみを行うマルチ・ディーラー型と，提供者自身が取引の相手方となるシングル・ディーラー型がある[67]。店頭デリバティブ取引を電子取引基盤を通じて行わせる目的は，当局によるモニタリングの実現，金融危機の際のシステミック・リスクの低減，将来的な市場の効率性の向上などにあるとされる[68]。

平成24年改正法は，金融商品取引業者等が一定の店頭デリバティブ取引を行う場合に専用の電子情報処理組織（電子取引基盤）を用いることを義務づけた（40条の7第1項）。対象取引は，清算集中の対象取引のうち円建て金利スワップが指定されている。透明性と流動性の向上のため，取引情報は電子取引基盤の提供者を通じて公表される（同条2項）。

電子取引基盤の提供行為は，店頭デリバティブ取引の媒介・取次ぎ・代理を行うことに相当するから，その行為は第1種金融商品取引業と位置づけられた。ただし，店頭デリバティブ取引は国際的に行われることが多く，外国の電子取引基盤の利用も認めるべきところ，外国業者に第1種金融商品取引業の登録を求めることは酷である。そこで，国際的な監督の枠組みを前提として，外国業者は電子店頭デリバティブ取引等許可業者（60条の14）としての許可を受ければ，電子取引基盤を提供することができることとした（40条の7第1項）。

第*4*節　多様な金融商品市場

1　店頭売買有価証券市場

金融商品市場のうち有価証券の売買市場は，金融商品取引業者の自主規制機関である認可金融商品取引協会も開設することができる（67条2項）。これを店頭売買有価証券市場というが，現在，店頭売買有価証券市場に該当する市場

67） 諸外国における整備の状況について，神作裕之「金商法におけるインフラ整備――清算集中および電子取引基盤を中心として」金法1951号（2012）44頁以下を参照。

68） 金融庁「『店頭デリバティブ市場規制にかかる検討会』における議論の取りまとめ」2頁（平成23年12月26日）。

は存在しない。

■ Column 6-21　店頭登録市場の歴史■■

証券取引所に上場されていない有価証券（非上場有価証券）については，証券会社の店頭で，顧客が証券会社を相手方として，または証券会社の仲介により他の証券会社を相手方として，売買取引を成立させることができる。非上場証券の店頭取引がさかんになってくると，証券会社の間で売買価格等の情報が交換されるようになり，投資者もそうした情報を知ることができるようになるなど，店頭市場（over-the-counter market）が次第に組織化される。店頭市場が組織化され，より多くの投資者・発行者が市場に参加するようになると，投資者の保護を図りつつ市場の機能を一層発揮させるために，取引所の有価証券市場と同様のディスクロージャー規制や不公正取引規制を店頭市場に及ぼすことが必要になる。わが国の店頭登録市場の歴史は，このような市場の組織化と規制強化の歴史であった。

昭和38（1963）年に，東京および大阪の証券業協会において，一定の要件を満たした株式について登録を行う登録銘柄制度が設けられ，自主規制により登録銘柄の発行者に関する資料の公開を図ることになった。昭和46（1971）年の証券取引法改正により，店頭登録会社に対して有価証券報告書の提出義務が課せられ（→**3章** ***2*** **節** ***1***(2)），店頭登録会社に関する継続的な情報の開示が法律により強制されるようになった。証券業協会の昭和58（1983）年の改革により，店頭登録時の公募増資や既登録会社の公募増資が行われるようになり，店頭登録市場は発行市場としての機能も有するようになった。もっとも，法律上は，上場株式であると否とにかかわらず公募増資を行う場合には発行開示規制が適用される（→**2章** ***2*** **節** ***1***）。昭和51（1976）年には，証券会社間の店頭株式の売買の仲介を専門に行う日本店頭証券が設立され，店頭登録市場の流通市場としての機能が向上した。そこで，平成4年の証券取引法改正では，相場操縦の禁止，インサイダー取引規制等の不公正取引規制を店頭登録市場にも及ぼすことになった。

このような店頭登録市場の組織化にもかかわらず，店頭登録市場は上場基準に達しない有価証券が取引される中堅・中小企業向けの市場と位置づけられてきた[69]。そのような位置づけは，上場できない中堅企業がまず店頭登録市場に登録し，上場基準を満たした時点で取引所上場へ移行するという企業行動のパターンに表れていた。また，何人も取引所に類似する施設を開設することが禁止されていたため，店頭登録市場はこの禁止に抵触するのではないかという疑義があった[70]。そこで平成10年の証券取引法改正では，取引所市場の「補完」とされてきた位置づけを見

69）大蔵省証券取引審議会答申「株主構成の変化と資本市場のあり方について」（昭和51〔1976〕年5月11日）参照。
70）鈴木＝河本428頁注1。

直して取引所市場と店頭登録市場を競争関係にあると捉え，健全な市場間競争（→Column 6-22）を実現するために，証券業協会が開設する店頭登録市場を店頭売買有価証券市場と定義し（67条2項），規定を整備するとともに，有価証券市場の免許規制を証券業協会には適用しないこととした（80条1項）。

もっとも，店頭登録市場への上場は金融商品取引所に上場されていない有価証券に限って認められているため，他市場との重複上場を認めることができず，また，証券業協会はデリバティブ取引の市場を開設することができないという難点があった（67条2項参照）。そこで，店頭登録市場の運営会社が平成16年12月に証券取引所の免許を取得し，その開設する市場（JASDAQ）は取引所有価証券市場（現取引所金融商品市場，2条17項）となった。その後，JASDAQは大阪証券取引所の新興企業向け市場（→*2*）と統合され，現在は，東京証券取引所が運営を行っている。

2　新興企業向け市場

バブル崩壊後の平成不況期においては，日本経済復興の牽引役として，ITやバイオ技術関連のベンチャー企業に大きな期待がかけられた。海外においても，1990年代後半に，新興企業向け新市場の創設が相次いだ[71]。そこで，ベンチャー企業が資本市場を通じた資金調達をすることができるように，平成11年頃から，わが国の各証券取引所は，従来の市場とは上場基準の異なる新興企業向け市場を創設するようになった。東京証券取引所のマザーズ（平成11年11月），大阪証券取引所のナスダック・ジャパン（平成12年5月，平成14年12月にヘラクレスに名称変更），名古屋証券取引所のセントレックス（平成11年10月），福岡証券取引所のQ-Board（平成12年5月），札幌証券取引所のアンビシャス（平成13年4月），ジャスダック証券取引所のNEO（平成19年8月）がこれに当たる。

新興企業向け市場の特色は，第1に，上場基準として，設立後一定の年数を経過しているといった要件や，一定金額以上の利益を上げているといった利益要件を課さないことにある[72]。ベンチャー企業は，規模拡大の点では成長スピードが速くても，研究開発や設備投資に多額の資金を投入しなければならないため，利益を計上できるようになるまでに時間がかかるからである[73]。第2に，

71）　長友英資「新興企業向け新市場創設の動き」証券取引法研究会編『金融システム改革と証券取引制度』（日本証券経済研究所，2000）253頁。

72）　たとえば，東証・有価証券上場規程212条参照。

73）　龍田節「新興企業向け市場の在り方」証券取引法研究会編『市場改革の進展と証券規制の課題』（日本証券経済研究所，2002）107頁。

新興企業向け市場の上場規則は，発行者に，既存市場の上場会社よりも詳細で頻繁な情報開示を求めていた。ベンチャー企業は財務内容が急速に変化する可能性が高いことを考慮したものである[74]。わが国における四半期ごとの業績の開示は，新興企業向け市場の上場会社に対する上場規則上の開示として始まり，その後，平成16年に全上場会社に適用範囲が拡大され，さらには自主規制による開示から法定開示としての四半期開示（平成18年改正）へ強化された（**→3章*3*節*2***）。MD & A（経営者による財政状態・経営成績の分析）の開示も新興企業向けの自主規制から始まり，法定開示に高められた（**→3章*4*節*1***(7)）。このため現在は，新興企業向け市場が特別に詳細で頻繁な開示を求めているわけではなくなっている。

■ Column 6-22　市場間競争■■

各金融商品取引所が創設した新興企業向け市場では上場会社の獲得競争が行われていた。このような市場間競争によって，上場基準（ルールないしその運用）が過度に緩和され，一般投資家が投資すべきでないような企業まで上場できることになり，投資者の保護に反することになりはしないだろうか。ある市場が企業を誘致するあまり上場基準を過度に緩和すれば，その市場は上位市場へ上場する前段階としての下位市場としての評価しか受けられず，そのため，多くの企業は上位市場の基準を満たした段階でそちらに移ってしまう。この結果，その市場には上位企業に移行できない企業だけが残り，その市場のイメージ低下に一層拍車をかけることになる。このように上場基準を緩和するとかえって上場企業を失う事態も考えられるので[75]，理論上は，上場基準が過度に緩和される心配はない。もっとも，わが国において，平成17年頃から新興企業向け市場の上場会社の不祥事が多発したこと，その結果，新興企業向け市場が不振に陥り，市場の淘汰が行われたという経緯に鑑みると，上場企業の獲得競争がわが国の投資者や経済に良い結果をもたらしたとは評価できないであろう。

上場企業の獲得競争は，ディスクロージャーのルールによっても行われる。一見すると，法律が要求するよりも厳格なディスクロージャーのルールを自主規制によって課すと，企業はその市場を敬遠しそうである。しかし実際には，上述のように，新興企業向け市場では既存の市場よりも厳格なディスクロージャーが求められたのであり，この現象は市場間競争によってディスクロージャー・ルールが改善されたものとみることができる[76]。発行者が厳格なディスクロージャー・ルールに自ら

74）　龍田・前掲注73）121頁。

75）　梅本・前掲注55）86頁。

76）　黒沼悦郎「店頭市場・ネット市場の今後」江頭憲治郎＝岩原紳作編『あたらしい金融

服するのは，それによって投資者を重視するという確約（コミットメント）を示すことができ，自らの利益になるためである[77]。そうだとすると，ディスクロージャーに関する法の役割は，最低限のルールを定めるとともに，市場が定める付加的なルールについては，それが実効性を持ちうるようにバック・アップすることにあると考えられる（→*3*(1)）[78]。

■ Column 6-23　市場構造の改革■■

日本では，2000年頃から市場間競争の促進が政策目標とされたが，その後はむしろ取引所市場の統合が進み，とくに東京証券取引所（東証）と大阪証券取引所が統合した2013年以降は全国的に取引される株式銘柄の大部分が東証に集中することになった。その結果，東証のエントリー市場として，それぞれ上場基準が異なる第二部市場，マザーズ，およびJASDAQが並立する複雑なものとなった。また，マザーズから第一部市場への移行基準が緩やかであったことと，東証株価指数（TOPIX）が第一部市場の銘柄から構成されており，第一部に移行すれば指数に連動するETFの運用資産に株券が組み込まれ，株価が高くなりやすいところから，第一部上場企業の数が増加し，時価総額が小さく流動性も低い企業が上場企業の大部分を占めるようになってしまった。

このような市場構造では，取引所市場は機関投資家のニーズに的確に応えることができないし，時価総額や流動性の低い企業の株価形成に歪みが生じている懸念がある。そこで，東証の市場区分を，①機関投資家の投資対象となり得る規模の時価総額・流動性を持ち，高いガバナンス水準を備えた企業が上場するプライム市場，②中堅・老舗企業向けのスタンダード市場（第二部・JASDAQスタンダード所属企業を想定），③新興企業向けのグロース市場とし，市場区分と切り離したインデックスを創設する改革が進行中である[79]。①では，上場基準として新たな流動時価総額基準を設けるが，第一部上場企業の既得利益を保護するために，基準を満たさない企業の上場も当分の間認められる。

システムと法』（ジュリ増刊，2000）76頁。

77）梅本・前掲注55）83頁。

78）黒沼・前掲注76）77頁，志谷匡史「市場間競争と自主規制の在り方」インベストメント53巻2号（2000）2頁以下参照。

79）金融審議会市場ワーキング・グループ「市場構造専門グループ報告書――令和時代における企業と投資家のための新たな市場に向けて」（令和元年12月27日），東京証券取引所「新市場区分の概要等について」（令和2年2月21日）。

3　特定取引所金融商品市場

(1)　プロ向け市場の意義

一般投資家が取引に参加する金融商品市場においては，法定のディスクロージャーによる厳格な投資者保護の枠組みが設けられている（→**3章*2*節・*3*節**）。法定のディスクロージャーは，海外企業や国内の初期段階の新興企業にとって，その要件に従うために情報を作成し監査を受け開示を行うのに要する費用が大きく，それらの企業のわが国市場へのアクセスを遠ざける要因になっていると指摘されてきた。

ディスクロージャーの負担を軽減する制度としては，私募制度（2条3項，→**2章*2*節*3***），少額募集の開示制度（5条2項，→**2章*2*節*6*(5)**）があるが，あまり利用されてこなかった。また，外国企業向けに外国会社報告書制度（24条8項，→**3章*5*節*3***）が設けられており，英語・外国基準による開示が一部認められているが，これは海外で既に上場している企業向けの制度である。他方，新興企業向け市場（→***2***）では，法定のディスクロージャーが適用され，投資家の大部分は一般投資家となっている。そこで，成長過程にある内外の企業のわが国市場へのアクセスを容易にするために，プロ投資家を対象に，法定のディスクロージャーが適用されないプロ向け市場として，特定取引所金融商品市場の制度が平成20年改正によって創設された[80)]。

特定取引所金融商品市場は，ロンドン証券取引所のAIM[81)]に倣ったものである。AIM（Alternative Investment Market: 代替投資市場）は，ロンドン証券取引所が1995年に開設した新興企業向け市場であり，同取引所が自主的に運営する非上場証券の市場と位置づけられている。わが国でプロ向け市場を非上場証券の市場（私募市場）ではなく取引所金融商品市場と位置づけたのは，原則として取引所でのみ取引を行わせることにすれば，プロ向けに発行された有価証券がプロ投資家以外の者の手に渡ることを実効的に防止できるからである。

特定取引所金融商品市場の取引に参加できるプロ投資家とは2条31項の特定投資家（→**9章*7*節*2*(1)**）をいう。特定投資家には情報収集・分析能力が備わっており，自己責任を基本とすることが可能であるため，厳格なディスクロー

---

80)　金融審議会金融分科会第一部会報告「我が国金融・資本市場の競争力強化に向けて」I. 2.（平成19年12月18日）参照。

81)　河村賢治「AIMの規制システム」証券経済研究64号（2008）105頁。

ジャーを適用する必要はないと考えられた[82]。もっとも，自己責任の原則はプロ投資家にのみ求められるものではないし，自己責任の原則がディスクロージャーを一切不要とするものでもないことに注意を要する[83]。特定取引所金融商品市場に上場している有価証券の継続開示，および上場有価証券または上場予定有価証券の発行開示については，開示の内容・方法を取引所が定め，違反に対する制裁を法律が用意するというユニークな制度が採用されている（→(3)）。また，特定取引所金融商品市場は取引所金融商品市場であるから，そこでの取引についてはインサイダー取引規制，相場操縦規制などの不公正取引規制が適用される。

(2)　プロ向け市場の開設

金融商品取引所は，会員等が特定投資家等以外の者の委託を受けて行う有価証券の買付けを禁止する金融商品市場を開設することができる（117条の2第1項）。これを特定取引所金融商品市場といい（2条32項），特定取引所金融商品市場のみに上場されている有価証券を特定上場有価証券という（2条33項）。特定上場有価証券を含めて，特定投資家向けに発行された有価証券を特定投資家向け有価証券という（4条3項）。

特定投資家等とは，2条31項の特定投資家および一定の非居住者をいう（2条3項2号ロ(2)，施行令1条の5の2第1項）。委託者が特定投資家等の要件を満たすかどうかは，取引所の会員等である金融商品取引業者がチェックする。特定投資家等以外の者（一般投資家）も，特定取引所金融商品市場において特定上場有価証券の売付けをすることができる。一般投資家であるオーナー株主が保有する株式を特定投資家等に売却できるようにするためである。

特定投資家向け有価証券が一般投資家の手に入らないようにするには，その市場外での取引を制限する必要がある。そこで，金融商品取引業者等および金融商品仲介業者は，一般投資家を相手方として，または一般投資家のために，特定投資家向け有価証券の売買を行うことを禁止される（40条の4）。

ロンドン証券取引所のAIMでは，取引所が指定するアドバイザーが取引所に代わって発行者の登録審査等を行っている。これに倣った制度を設けることができるように，金融商品取引法は，特定取引所金融商品市場における自主規制業務のうち一定の業務を他の者に委託できるようにした（85条4項）。ただ

82）　逐条解説2008年36頁。

83）　黒沼悦郎「プロ向け市場の創設・売出し概念の見直し」ジュリ1390号（2009）44頁。

し，上場決定・上場廃止決定のような投資者保護の根幹にかかわる事項については委託することができず，取引所自らが判断を下さなければならない。

以上のような制度整備を受けて，東京証券取引所は，内外企業の株式を上場する TOKYO PRO Market と内外企業および政府機関の債券を上場する TOKYO PRO-BOND Market を開設している。前者では，J-Adviser と呼ばれる指定アドバイザーが有価証券の上場を希望する発行者との契約に基づいて発行者の上場適格性について調査・確認を行うとともに，上場後も上場会社がその義務を履行しているか確認し，助言・指導を行う仕組みを採用している。

(3) プロ向け市場における資金調達

発行者が株式をプロ向け市場に上場する目的は，法定の厳格な開示義務を負うことなく募集によりプロ投資家から資金調達を行うことにある。そこで，プロ向け市場の発行者がプロ向け証券の募集をしたり，上場のためにプロ向け証券の売出しを行ったりすることによって，法定の厳格な継続開示義務を負うことがないよう，平成20年の改正により，特定投資家私募および特定投資家私売出しの制度が設けられた（**→2章*2*節*3*(3)・*4*(2)**）。特定投資家私募等が他の私募と異なるのは，発行者が特定証券情報を相手方に提供または公表していなければ，勧誘をすることができない点である（27条の31第1項）。

特定証券情報は，有価証券届出書に相当する発行開示情報であり，有価証券に関する情報と発行者に関する情報から成るが，法令では項目のみを定め，情報の具体的な内容，様式，財務情報に係る会計基準，言語，提供・公表の方法等については，当該有価証券が上場される金融商品取引所が定める（証券情報府令2条1項2項・3条1号）。プロ向け市場への上場を予定しない特定投資家私募・私売出しの場合には，金融庁長官が情報の具体的な内容や提供・公表の方法を指定する（同3条3号）。

重要な事項につき虚偽のある発行者情報を提供または公表した者は，罰則や課徴金の対象となる（197条1項4号の2・172条の10）。有価証券届出書に虚偽記載等があった場合の発行者，その役員，および元引受金融商品取引業者等の民事責任規定（18条〜21条，**→4章*5*節*2*・*3*(1)(4)**）が，特定証券情報に虚偽等があった場合に準用されている（27条の33）。ただし，法令上，財務諸表の監査証明が要求されていないので，監査証明をした公認会計士・監査法人の責任規定（21条1項3号，**→4章*5*節*3*(3)**）が準用から除外されている（取引所規則で監査証明を要求する場合も同じ）。また，この関係で，元引受金融商品取引業者等は，財務計算に係る部分とそれ以外の区別なく，相当な注意を尽くさなければ免責されないものとされている（27条の33）。

以上のように，プロ向け市場の開示では，自主規制に基づく開示情報の真実性を罰則・課徴金・民事責任によって確保するという試みが行われている。

(4)　プロ向け市場の継続開示

プロ向け市場では，公衆縦覧を前提とした通常の継続開示制度は適用されない（24条1項1号は「特定上場有価証券」を外している）。法律は開示の枠組みのみを定め（27条の32以下），開示内容および開示方法を取引所の自主規制に委ねている。

特定投資家向け有価証券の発行者は，事業年度ごとに1回以上，発行者情報を有価証券所有者に提供し，または公表しなければならない（27条の32第1項）。有価証券報告書に相当する制度である。金商法上は，四半期報告に相当する開示は求められず，内部統制報告書の提出も求められない。発行者情報の内容は，内閣府令において「発行者の事業及び経理に関する事項」といった項目のみを定め（証券情報府令7条3項1号ハ），具体的な内容を取引所の規則に委ねている（同条2項1号）。

重要な事項につき虚偽の情報が提供・公表された場合の刑事制裁・課徴金については，特定証券情報の場合（→(3)）と同じである（197条1項4号の2・172条の11）。公衆縦覧される法定開示書類に虚偽記載等があった場合の発行者および役員の責任規定（21条の2〜22条）が，発行者情報に虚偽記載等があった場合に準用される（27条の34）。ただし，特定証券情報の場合（→(3)）と同様，監査証明をした公認会計士・監査法人に対する特別の民事責任規定（22条・21条1項3号）は準用の対象から除外されている（27条の34参照）。

4　店頭市場

店頭市場とは，一般に，有価証券の売買が行われる金融商品市場以外の場のことをいうが，ここでは証券会社が顧客の相手方となって，または顧客の代理・取次ぎ・媒介をして行う非上場有価証券の売買の場のことをさす。認可金融商品取引業協会である日本証券業協会は，非上場の株券，出資証券，新株予約権証券および新株予約権付社債券を店頭有価証券と呼び，店頭有価証券のうち金融商品取引業者が投資勧誘を行うことのできる銘柄を定め，これを店頭取扱有価証券と呼んでいる[84]。これらの区分は，日本証券業協会の会員である第

1種金融商品取引業者が行う投資勧誘を規制するためになされている。

店頭取扱有価証券以外の店頭有価証券は，適格機関投資家に対してのみ勧誘することができる[85]。これは，私募で発行された有価証券（→**2章*2*節*3*(1)**）を適格機関投資家間で流通させることを念頭に置いた自主規制である。店頭取扱有価証券は，店頭有価証券のうち，発行者が有価証券報告書の提出義務を負う継続開示会社（24条1項）であるか，発行者が有価証券報告書の企業情報に準拠して会社内容説明書を作成している銘柄をいう[86]。このように一定のディスクロージャーが行われている店頭取扱有価証券については，会員証券会社から協会に対し届出がなされ，協会が認めた場合には一般投資家に対しても勧誘をすることができる。ただし，店頭取扱有価証券については，取得者に対し，原則として上場後または取得後2年を経過する日までの譲渡制限が付されることとされており，活発な流通市場の形成は期待されていない。

日本証券業協会は，店頭取扱有価証券のうち，将来の上場を予定している銘柄をグリーンシート銘柄に指定し，その売買取引については協会が取引時間を設定して売買管理を行うなど，市場としての管理体制を整えた。金融商品取引法はこれを「取扱有価証券」（67条の18第4号）と定義し，その取引にインサイダー取引や相場操縦などの不公正取引規制を適用するようにした（163条・166条・159条）。しかし，グリーンシート銘柄の発行者にとって，協会の自主規制によるディスクロージャー義務を負うことなどが負担となり，グリーンシート市場は思うように発展しなかった。このため，グリーンシート銘柄制度は平成30年に廃止された。他方，地域限定の事業を行う企業やクラウドファンディング（→**10章*5*節**）により資金調達を行った企業の非上場株式については，一定の取引ニーズ・換金ニーズがある。そこで日本証券業協会は，平成27年に，銘柄ごとに証券会社が「株主コミュニティ」を形成し，株主コミュニティ内でのみ株式を流通させる株主コミュニティ銘柄制度を発足させた[87]。このような銘柄は，内閣総理大臣の指定を受けて「取扱有価証券」から除外され，インサイダー取引規制や相場操縦規制の適用を除外されるとともに（67条の18第4号），協会の自主規制によるディスクロージャー義務も軽減される。

84）日本証券業協会・店頭有価証券に関する規則2条4項。
85）同前4条。
86）同前2条4項。
87）日本証券業協会「株主コミュニティに関する規則」参照。

5　総合的な取引所構想

(1)　制度整備の経緯

平成18年改正以前のわが国では，有価証券，金融，商品（コモディティ）のデリバティブ取引の仕組みやその規制が分断されていた。具体的には，有価証券関連デリバティブ取引は証券取引所で行い，証券取引法によって規制され，金融関連デリバティブ取引は金融先物取引所で行い，金融先物取引法によって規制され，商品関連デリバティブ取引（商品先物取引）は商品取引所で行い，商品取引所法（現行商品先物取引法）によって規制されていた。これらのうち，有価証券と金融のデリバティブは，平成18年の金融商品取引法によって，ともに金融商品取引所で取引できるようになり，その規制にも同じルールが適用されるようになった。

また，平成21年の改正によって，金融商品取引所と商品取引所の相互乗入れも可能になった（→**6**節**3**(2)）。しかし，相互乗入れを認めるだけでは，証券・金融のデリバティブ取引と商品のデリバティブ取引とで適用される法規制は依然として異なり，証券・金融・商品のデリバティブを1つの証拠金で取引することができない等，投資者の利便性に問題が残る。また，監督官庁も証券・金融のデリバティブ取引に関しては金融庁，商品先物取引に関しては経済産業省および農林水産省と分断されているため，市場開設者（取引所）や取引参加者（証券会社や商品先物取引業者）が二重の規制を受けるという問題も生じる。このため，金融商品取引所と商品取引所の相互乗入れは進まなかった。

他方，投資者の減少によりわが国の商品先物市場の規模は小さくなり，このままでは国内で商品のリスクヘッジ手段を利用することができなくなるおそれが生じた。そこで，証券・金融・商品を1つの取引所で取引できる総合取引所の実現に向けた検討が行われ，これに基づいて平成24年に金融商品取引法等が改正された[88]。この改正では，商品取引所や商品先物取引法の規制枠組みを残したまま，金融商品取引所において商品関連デリバティブ取引を行えるようにし，その取引に既存の商品先物取引業者や当業者（上場商品を扱う業者）が参加できるようにした。投資者からみると，金融商品取引所に上場されている投資物件の範囲内で証券・金融・商品を総合的に取引できることになる。

88)　改正の趣旨・概要について，金融庁・農林水産省・経済産業省「総合的な取引所検討チーム 取りまとめ」（平成24年2月24日）を参照。

⑵　金融商品取引所における取引

平成24年改正は，金融商品取引所におけるデリバティブ取引を可能とするために，「金融商品」の定義に商品先物取引法上の商品のうち政令で定めるものを加えた（2条21項・同条24項3号の2）。デリバティブ取引のために商品（コモディティ）を上場する取引所は内閣総理大臣（金融庁）が一元的に監督を行うが，なにを上場するかについては認可制を採用し（117条2項），認可に当たり内閣総理大臣は，商品市場所轄大臣と協議して同意を得なければならないこととした（194条の6の2）。

証券・金融のデリバティブ取引と商品のデリバティブ取引との大きな相違は，前者では期日までに反対売買をするか期日に差金決済を行うことが求められるのに対し，後者では期日に原資産（農産物，鉱物等）を受け渡すことによる決済（現引き，現渡し）が認められている点にある。このような現引き・現渡しが原資産の流通に悪影響を与えることもあるので，金融商品取引所における商品の受渡しに関する事項についても認可制が採られ，内閣総理大臣は商品市場所轄大臣と協議をして決定することとされている（194条の6の2）。

商品取引のために預託した証拠金を有価証券のデリバティブ取引にも用いることができるなど証拠金を一元化して，投資者の資金効率を改善するためには，1つの清算機関が証券・金融・商品のデリバティブ取引について清算業務を行えることが望ましい。この点，平成24年改正の結果，金融商品取引所に上場された商品関連市場デリバティブ取引については，金融商品取引清算機関（→***2*** 節 ***3*** ⑴）が一元的に清算業務を行うことができるようになった。また，既存の商品取引清算機関が清算に参加するには，金融商品取引清算機関の免許を受けなければならないが，商品のデリバティブ取引に係る限定された業務のみを行う場合には最低資本金に係る免許要件が緩和される。

⑶　取引業者の規制

金融商品取引所における商品のデリバティブ取引（商品関連市場デリバティブ取引，2条8項1号参照）の媒介・取次ぎ・代理等（受託）は第1種金融商品取引業と位置づけられ（28条1項），証券会社は商品関連市場デリバティブ取引を扱えるようになった。既存の商品先物取引業者が顧客から商品関連市場デリバティブ取引の委託を受けるには金融商品取引業の登録を受ける必要があるが，登録要件である財務基準は現行の商品先物取引法と同様の水準に定められる。また，取引所は，定款または業務規程の定める者に商品関連市場デリバティブ取引のみを行う取引資格を与えることができる（112条2項・113条2項）。商社，事業者などの当業者に市場へのアクセスを認めるためである。そして，取引資格を与えられた商品取引参加者は，内閣総理大臣による報告聴取・検査権（→**12章*2*節*3*⑶**）の対象とされ（151条），監督上の処分（→**10章*6*節*1***）も金融商品取引所が行う（153条の5）。

業者が顧客から商品関連市場デリバティブ取引の委託を受ける際には，金融商品取引法の行為規制（→**9章**）が適用される。ただし，商品先物取引法と同等の規制とするため，商品関連市場デリバティブ取引の委託を受けた業者が自己が相手方となって取引を成立させる行為（のみ行為）は禁止される（40条の6）。金融商品取引については平成10年に市場集中義務が撤廃されたのに対し（→***3*節*1***），商品先物取引においては市場集中義務が維持されていることから生ずる相違点である。

⑷　その他の規制

金融商品取引所に商品デリバティブを上場し，商品先物取引業者に取引所における取引の受託等を認めるに当たり，総合的な取引所の実現に向けて上場や取引参加を促すための改正がいくつか行われている。

第1に，金融商品取引業を構成する行為から，商品関連市場デリバティブ取引のディーリングが除かれている（2条8項1号）。取引所における取引に当業者が直接参加すること（→⑶）の妨げにならないようにするためである。また，商品の現引き，現渡しがありうることから，有価証券等管理業務に商品の預託や商品に関して発行された証券（倉庫証券等）の預託が含められた（2条8項16号）。

第2に，金融商品取引業者等が商品関連市場デリバティブ取引に関して顧客から委託を受けた財産や顧客の計算に属する財産については，分別管理義務が課されるが（43条の2の2，→**10章*4*節*3*⑵**），分別管理の方法については商品先物取引法で認められている緩和された方法によることも可能とされる。

第3に，商品関連市場デリバティブ取引に関して顧客が預託した資産等は投資者保護基金の保護対象とされ（79条の20，→**10章*11*節*2*⑴**），商品関連市場デリバティブ取引のみを行う業者も第1種金融商品取引業を行う者として投資者保護基金に加入しなければならないとされた（79条の27参照）。有価証券関連以外のデリバティブ取引が投資者保護基金の対象から除外されていること（→**10章*11*節*1*⑴**）と対照的である。ただし，当分の間，日本商品委託者保護基金に加入している現行の商品先物取引業者については，投資者保護基金の加入義務を免除し，商品関連市場デリバティブ取引の顧客についても当該委託者保護基金がその業務を行うことが認められる。投資者に金融先物取引法におけるのと同程度の保護を与えつつ，商品先物取引業者が金融商品取引所における取引に参加する負担を軽くするためである。

(5)　将来の課題

諸外国では，原資産・原指標の種類を問わずデリバティブ取引を単一の法体系で規制する例が多い。平成 24 年改正は，金融商品取引所において商品関連市場デリバティブ取引の受託等のみを行う特殊な業者のカテゴリーを残しているなど，「総合的な取引所」の実現に向けた過渡的な制度整備である。将来的には，わが国においても商品先物取引法と金融商品取引法を統合すべきであろう。

両法の統合を論じるとき，商品先物取引法の目的には，商品の生産および流通を円滑にすることが含まれており，金融商品取引法にはそのような目的がないことが問題となる。仮に統合された法において，商品のデリバティブ取引について商品の生産および流通に資するという目的を残し，これに対応した規制を残した場合に，統合された法がうまく機能するかという問題である。

商品先物取引法 118 条は，買占め，売崩しその他の方法により過当な数量の取引が行われるおそれがあり，または不当な約定価格が形成されるおそれがある場合に，所轄大臣が，会員等に対し取引や受託を制限し，商品取引所に対し相場の変動や取引数量を制限する措置を講じ，商品取引清算機関に対し取引証拠金の額を変更すること等を命じることができるとしている。金融商品取引所でも商品のデリバティブ取引が行われるようになることを受けて平成 24 年改正では，所轄大臣が商品関連市場デリバティブ取引が商品の生産および流通に与える重大な悪影響を防止するため必要があると認めるときは，内閣総理大臣に対し金融商品取引法に基づき必要な措置をとるべきことを要請することができるという規定を商品先物取引法 254 条の 2 第 2 項に新設した。

この規定は商品の生産・流通の円滑のための規定であるといえるが，それが金融商品取引法ではなく商品先物取引法に置かれたこと，所轄大臣のできることが要請にとどまっていることに，この問題の難しさが表れている。

第5節　上場会社の規制

1 総　　説

金融商品取引所は，投資者の保護に資するように金融商品市場を運営しなければならない（110条参照）。従来，投資者の保護のために金融商品取引所が上場会社に課すことのできるルールはディスクロージャーと種類株式の上場制度であると考えられており，実際，金融商品取引所は，投資者の投資判断に資するため，法令によるよりも詳細な情報の迅速な開示を上場会社に求めてきた（タイムリー・ディスクロージャー，→**3章*6*節*1***）。種類株式の上場制度は，旧商法時代は，株式の種類が限定的であったため規制の必要性が低かったが，会社法が株式会社に多様な種類株式の発行を認めたため，一般投資家が入手することになる上場株式としてどのような種類株式が相応しいか，上場会社が種類株式の発行・上場により一般株主の利益を損なわないように取引所が会社法の規制を超える厳格な規制を課す必要があるかといった点が，議論されるようになった。

また，近時，金融商品市場において，上場会社が一部の投資家と結託して一般投資家を害するような濫用的な行動をとる例が散見され，そのような濫用的な会社行為を規制するにはディスクロージャーだけでは限界があることが認識された。さらに，上場会社のコーポレートガバナンスについては，上場会社に対する投資価値の向上につながるという観点から，金融商品取引所がその規制を行ってきたが，MBOのように経営者と株主の利害対立が激化する場面が増えるにつれ，ガバナンス体制の強化のために取引所がなしうることはなにかが議論の対象とされた。

このような事情を背景として，東京証券取引所では，平成18年以降，一般投資家に相応しい投資対象を提供するという立場から，一般投資家の保護のために上場会社が従うべき企業行動規範を制定してきている[89)]。企業行動規範は，上場会社にその遵守を求める程度によって「遵守すべき事項」と遵守が「望まれる事項」に分類され，その内容によって，買収防衛策の導入など企業行動に関するものとコーポレートガバナンスに関するものに分けられる。さらには，

89）　東京証券取引所「上場制度整備プログラム」（平成18年6月）等参照。

どのような有価証券を上場させるかという金融商品取引所の上場政策も，上場会社がどのような有価証券を発行できるかを規制するという側面がある。以下では，東京証券取引所における取組みを，①企業行動の規制，②コーポレートガバナンス，③上場政策に分類し，解説を加える。これらの規制は，基本的に他の金融商品取引所によっても導入されている。

■ Column 6-24　海外における上場会社の規制 ■■

ニューヨーク証券取引所は，無議決権株の上場を認めず，発行済株式の20% を超える新株発行を原則株主総会の承認決議に係らしめることを要求する（上場規則〔上場会社マニュアル〕312.03条(c)項）など，従来から，株主の利害に大きく関わる株式発行に関して上場会社の行動を規制してきた。また，2000年前後の会計不祥事を受けて制定されたサーベンス＝オックスリー法は，従来の連邦法の伝統を変更してコーポレートガバナンスへの介入を行うこととし，証券取引所が，監査委員会の独立性に関し一定の要件を満たさない会社の上場を禁止するルールを制定すべき旨の規則を，SECが策定するよう求めた（連邦証券取引所法10A条(m)項）。これを受けて，ニューヨーク証券取引所では，取締役候補者選考・コーポレートガバナンス委員会，報酬委員会，監査委員会の設置を上場会社に求め，それぞれの委員会のメンバーすべてが独立取締役であること，上場会社の取締役の過半数が独立取締役であることなど，連邦法が定めるよりも厳しいルールを定めた（上場会社マニュアル303A条）。

イギリスでは，2000年金融サービス・市場法の施行以来，ロンドン証券取引所に代わってFSA（金融サービス機構）が上場会社の規制を行ってきた（現在は，FCA〔金融行為規制機構〕の UK Listing Authority〔英国上場機構〕）。イギリスでは，会社法のほか上場規則においても新株発行の際に株主に新株引受権が与えられ，これを排除する場合には株主総会の特別決議が必要とされている。また，コーポレートガバナンスに関しては，各種委員会の設置や独立取締役の取締役会における構成割合について定めたコーポレートガバナンス・コード（現在は，英国財務報告協議会〔UK Financial Reporting Council〕が定めている）を遵守しているか否か，もし遵守していない場合にはその理由の開示を求めている（「遵守するか，さもなくば説明せよ」のアプローチ，“Comply or Explain” Approach）。

ところで，上場会社には株主のほかに従業員・取引先・地域社会等の多様なステークホルダー（利害関係者）がおり，上場会社はこうしたステークホルダーに対する責務を認識して運営されることが重要であるとの社会認識が醸成されてきた。金融庁と東京証券取引所は，平成27年，こうした株主とステークホルダーの利益を考慮したコーポレートガバナンスの実現に資する諸原則を「コーポレートガバナンス・コード」にまとめ，公表した[90]。コーポレートガバナンス・コードは，OECDコーポレートガバナンス原則を参考にしたものであり，①株主の権利・平等性の確保，②株主以外のステークホルダーとの適切な協働，③適切な情報開示と透明性の確保，④取締役会等の責務，⑤株主との対話に関する基本原則および原則と，これを支える補充原則から成る。東京証券取引所は，コーポレートガバナンス・コードを企業行動規範に組み入れ，1部・2部市場の上場会社に対し，これを遵守するか，遵守しない場合にはその理由の開示を求めている（「遵守するか，さもなくば説明せよ」のアプローチ）[91]。同コードは，その後平成30年に改訂されている。

企業行動の規制，コーポレートガバナンス形態，および上場政策を通じて金融商品取引所が上場会社の行為を規律することに対しては，会社法で認められた行為や組織形態を金融商品取引所が制限する権限があるのかという問いが発せられることがある。しかし，重要なのは権限の有無ではなく，そういった権限を取引所に与えることが政策として望ましいかどうかである。問題とされる各分野について，規制主体として政府と取引所のどちらが社会的に望ましいルールを提供・執行できるかという観点から検討すべきである[92]。

2　企業行動の規制

(1)　買収防衛策の導入に係る遵守事項

平成17年頃，企業買収の高まりとともに，いわゆる買収防衛策を導入する上場企業が増えたが，買収防衛策のなかには，株式の価格形成を不安定にし，あるいは株主の権利を毀損するものもあった。そこで東京証券取引所では，買収防衛策について，導入時に必要かつ十分なタイムリー・ディスクロージャーを行うこと，買収防衛策の発動条件が経営者の恣意的な判断に依存するもので

90)　金融庁コーポレートガバナンス・コードの策定に関する有識者会議「コーポレートガバナンス・コード原案――会社の持続的な成長と中長期的な価値向上のために」（平成27年3月5日）。

91)　解説として，油布志行ほか「『コーポレートガバナンス・コード原案』の解説(I)～(IV・完)」商事2062号47頁，2063号51頁，2064号35頁，2065号46頁（2015）。

92)　この問題を検討した論稿として，加藤貴仁「証券取引所と上場企業の管理」江頭先生還暦記念『企業法の理論（下）』683頁（商事法務，2007），温笑侗「取引所のコーポレート・ガバナンス規制と金商法」岩原紳作＝山下友信＝神田秀樹編集代表『会社・金融・法（上）』375頁（商事法務，2013）を参照。

ないこと，投資者に不測の損害を与える要因を含むものでないこと，および株主の権利に配慮した内容であることを求めている（規程440条）。具体的には，①買収者以外の株主であることを行使または割当ての条件とする新株予約権を株主割当て等の形で発行する買収防衛策（いわゆる「ライツプラン」）のうち，行使価格が株式の時価より著しく低い新株予約権を導入時点の株主等に対し割り当てておくもの（随伴性のないライツプラン），②株主総会で取締役の過半数の交代が決議された場合においても，なお廃止または不発動とすることができないライツプラン（デッドハンド型のライツプラン），③拒否権付種類株式のうち，取締役の過半数の選解任その他の重要な事項について種類株主総会の決議を要する旨の定めがなされたものを上場会社が発行すると，上場廃止基準に抵触することになる（東証・有価証券上場規程〔以下，本節において「規程」という〕601条1項17号，東証・有価証券上場規程施行規則〔以下，本節において「規程則」という〕601条14項）[93]。

これらのうち①が禁止されるのは，株式の移転に新株予約権が伴って移転しないため，導入時点以後に株式を取得する者が不測の損害を被るおそれがあり[94]，また上場株式の市場における流動性にも悪影響を与えるからである。③の拒否権付種類株式（会社108条1項8号）は，種類株主間の利害調整を図るのに有用な制度であるが，取締役の選解任に関する拒否権の付いた種類株式を経営者に友好的な株主に発行すると，少数株主による会社支配を固定化することとなり一般株主の利益を害するので禁止される。ただし，民営化企業の行動が国の政策目的に著しく矛盾することがないよう，当該企業が国を割当先として株式を発行するなど，株主および投資者の利益を侵害するおそれが少ないと取引所が判断した場合には認められる[95]。②は，企業買収者が委任状勧誘により株主総会決議を経て取締役を交代させた場合でも，自己が不利益を受けるライツプランを償却できないような仕組みをいい，③と同様に経営者の交代のない上場会社を作り出すことになって一般株主の利益を害するので禁止される。

(2)　第三者割当増資に係る遵守事項

会社法上，公開会社（会社2条5号）に該当する上場会社については，有利

93)　導入の経緯および詳細については，飯田一弘「買収防衛策の導入に係る上場制度の整備」商事1760号（2006）18頁を参照。

94)　東京地決平成17・6・15判時1900号156頁参照。

95)　飯田・前掲注93）21頁。

発行に当たらない限り，発行可能株式総数の範囲内で取締役会決議のみで新株等の発行を行い，これを特定の第三者に割り当てることができる（会社199条1項2項・201条1項）。平成19年頃から，業績の悪化した上場会社において，株主の持分割合を大幅に希釈化する大規模な第三者割当増資が見られるようになった。この場合，株主の議決権が大幅に希釈化されるだけでなく，増資後の発行者が資産に見合った利益を上げられなければ，株式の価値も大幅に希釈化される。また，第三者割当先はタイムリー・ディスクロージャーの対象となっているが，実態のわからないファンドが割当先となっていたり，割当先からの払込みがなく増資が行われない例も見られた。これらの例には，株価が低迷し時価総額を基準とする上場廃止事由に該当する上場会社が上場廃止を免れるため行ったものもあったが，一般株主の犠牲の上に経営者が自己の地位の保全を図ることは望ましくないし，株主総会の特別決議を経て第三者割当増資が行われるときであっても，株主が自己の利益を守るために適切な判断を行っているか疑わしい事例もあった。

そこで東京証券取引所は，平成21年に規則を改正し，①希釈化率に応じた第三者割当増資に関する行動規範を定めるとともに，②有利発行に該当するかどうかの確認と開示，③割当先の資金手当ての確認と開示を求めた。

①については，(a)希釈化率が300％超（第三者割当てによる募集株式等の議決権数が発行済株式等の議決権数の3倍を超えるもの）の第三者割当増資は，株主および投資者の利益を侵害するおそれが少ないと取引所が認める場合を除いて禁止され，これに違反すれば上場廃止となる（規程601条1項17号，規程則601条14項6号）。

(a)に該当する場合は株主による投資の前提を覆すものと考えられるので[96]，株主総会の特別決議を経ても増資は認められない。このようなルールを定めた背景には，希釈化前に行われる株式併合や希釈化後の会社経営によって一般株主の利益が侵害される蓋然性が高いという取引所の判断がある。例外としては，公的資金の注入や，株主総会決議により定款変更を行い段階的に発行可能株式総数を拡大していく場合が想定されている[97]。

(b)第三者割当てにより支配株主が異動した場合において，3年以内に支配株

96）東京証券取引所上場制度整備懇談会（以下，「整備懇談会」という）「安心して投資できる市場環境等の整備に向けて」二1 (3) (a)②（平成21年4月）。

97）伊藤昌夫「有価証券上場規程等の一部改正の概要」商事1878号（2009）27頁。

主との取引に関する健全性が著しく毀損されていると取引所が認めるときは，上場を廃止する（規程601条1項9号の2）。株式の上場が廃止されれば，もちろん株主の利益が侵害されるが，(b)は，上場廃止の威嚇によって，少数株主から利益を移転する目的で行われる第三者割当増資を牽制するものである。

(c)希釈化率が25％以上（第三者割当てによる募集株式等の議決権数が発行済株式等の議決権数の25％以上）であるか，支配権の移動を伴う第三者割当増資については，経営者から一定程度独立した者による割当ての必要性および相当性に関する意見の入手，または株主総会決議などによる株主の意思確認が求められる（規程432条）。第三者割当増資は取締役会が株主構成を変更することができる方策であること，多くの上場会社が発行済議決権の20％を基準として事前警告型の買収防衛策を導入していることに鑑み，議決権の20％以上を割り当てるか（希釈化率25％），支配株主が移動するような第三者割当てについて株主の納得性を増すための手続を要求するものである[98]。ただし，資金繰りが急速に悪化しているなど緊急性を要するとして取引所が認めた場合はこの限りでない（規程則435条の2第3項）。経営者から一定程度独立した者とは，第三者委員会，社外取締役，社外監査役が想定されており，株主の意思確認とは，定款変更を行った上で実施する正式な株主総会決議でもよいし，いわゆる勧告的決議でもよい[99]。社外取締役または社外監査役による意見の表明が会社役員としての職務に含まれるか否かについては，議論がある[100]。

②は，有利発行であるにもかかわらず株主総会の承認なしに株式・新株予約権・新株予約権付社債等の発行が行われる場合は，会社法上，違法な新株等の発行であり，株主は差止請求が可能であるが（会社210条1号・201条1項・199条3項等），そのために株主は有利発行であるか否かを判断する根拠を必要としていることに基づく。具体的には，監査役または監査委員会に，払込金額が割当先に特に有利でないことの確認と意見の開示が求められる（規程402条，規程則402条の2）。監査役または監査委員会に有利性の確認と意見の開示を求めるのは，それが新株等の発行が適法かどうかという適法性監査に属する事柄だからである。もっとも，この場合の監査役等の意見は，有利発行に該当しないと

98）　整備懇談会・前掲注89）二1（3）（a）③。

99）　伊藤・前掲注97）25頁。

100）　大証金融商品取引法研究会「公開会社法――監査役制度を中心に」（研究会記録3号，2010）24-28頁〔伊藤靖史報告〕。

いう意見なのか，有利発行に該当しないという取締役会の判断が適法に行われたという意見なのかについては，議論がある[101]。

③は，第三者割当増資のアナウンスが相場操縦など不公正行為に利用されないよう，割当先が払込みに要する財産を有していることの確認を発行者に義務づけるものである（規程402条，規程則402条の2）。

第三者割当先増資については，金融商品取引所と同じ問題意識から，平成21年に内閣府令を改正して，開示の充実が図られた（→**Column 2-12**）。内閣府令と取引所のルールを比較すると，前者は開示ルール，後者は行為規制となっており，内容も後者のほうが発行者に厳しい。これは，上場会社等の発行者に対して金融商品取引法では開示規制しか及ぼすことができないのに対し，取引所は，一般投資家が安心して投資できる商品を提供するという役割から，株主である一般投資家を保護するために企業行動を規制することができるという理解を前提としている。

■ Column 6-25　会社法による対応――第三者割当増資■■

大規模な第三者割当増資は株主の利益を損なうおそれがあることから，平成26年の会社法改正においても次のような手当てがされた。第1に，公開会社において，引受人の議決権割合が2分の1を超えるような第三者割当てを行う場合であって，10分の1以上の議決権を有する株主が請求した場合には，会社の存立を維持するために緊急の必要がある場合を除いて，第三者割当てについて株主総会の普通決議による承認を受けなければならない（会社206条の2第4項）。これにより，上場会社を含む公開会社において，支配株主が出現するような第三者割当ては，10%の株主が求めた場合には，株主総会の普通決議による承認を受けなければならないこととなる。もっとも，取引所の行動規範（上記(c)）は，希釈化率25%以上の第三者割当増資にも適用され，また10%の株主が求めない場合でも株主総会の決議等を要する点で，会社法改正案と要件・効果が異なるから，なお存在意義がある。

第2に，株式併合をする場合には，株主総会決議によって併合後の発行可能株式総数を定めなければならず，その発行可能株式総数は発行済株式総数の4倍を超えることはできない（会社180条3項）。これにより，株式併合を利用した希釈化率300%超の第三者割当てを行うことはできなくなる。もっとも，株主総会において条件付きの定款変更を行って発行可能株式総数を発行済株式総数の16倍まで増加

101）大証金融商品取引法研究会「公開会社（上場会社）における資金調達法制」（研究会記録4号，2010）21頁〔洲崎博史報告〕，武井一浩ほか「第三者割当の有利発行適法性意見制度と実務対応（7・完）」商事1886号（2009）24頁。

させることができるから，会社法では，大幅な持分割合の希釈化を完全に防止することはできない。したがって，希釈化率が300％超の第三者割当てを原則として禁止する行動規範（上記(a)）は，依然として意義を有する。

(3) ライツ・オファリングに関する遵守事項

新株予約権無償割当てを用いた株式の募集（ライツ・オファリング）は，公募，第三者割当てに並ぶ第三の資金調達手段として注目された（→**2**章***1***節***1***(4)）。しかし，実際の利用例を見ると，業績不振の上場会社がノン・コミットメント型により資金調達を行い，結果として資金調達に成功しているものの，新株予約権の市場価格がその理論価格よりも割安になっていることが多かった。このような利用実態から，ライツ・オファリングは，①本来，資金調達ができない上場会社が既存の株主から資金を強制的に徴収する方法として用いられているのではないか，②その際，新株予約権の市場価格が理論価格を下回ることによって既存の株主が損害を受けているのではないかと疑われた。

そこで，東京証券取引所は，平成26年に上場制度の改正を行い，ノン・コミットメント型ライツ・オファリングの新株予約権を上場させるにあたり，(a)証券会社による引受審査に準じる審査を受けるか，(b)株主の意思確認手続を経ることを求め，かつ(c)上場会社が一定の業績基準を充たしていることを求めることにした（規程304条1項，規程則306条）。

学説では，株式発行に対する払込みをしたくない株主は，新株予約権の割当て前に持株を売りに出すか，割当て後に新株予約権を売りに出すため，平時より供給が増えるというライツ・オファリングに特有の株価下落要因があると指摘されている[102)]。しかし，需給の不均衡により新株予約権の市場価格が下落すれば，裁定取引が行われ，その市場価格は理論価格まで上昇するはずである。ノン・コミットメント型のライツ・オファリングで起きている問題は，企業価値を毀損するような公募増資が成功してしまうのと同じく，株主による会社法上の経営規律が働かないからである[103)]。取引所によるライツ・オファリングの規制は，取引所が後見的に株主保護に乗り出したという観点から正当化できるであろう。

102）洲崎博史「ライツ・オファリング」商事2041号（2014）22-23頁。
103）黒沼悦郎「ライツ・オファリング」鳥山恭一＝福島洋尚編『平成26年会社法改正の分析と展望』（金融・商事判例増刊1461号，2015）52頁。

3　コーポレートガバナンスの規制

(1)　上場内国会社の機関設計・監査

上場内国会社（外国会社以外の上場会社）はすべて会社法上の公開会社（会社2条5号）であり，その多くは大会社（同条6号）であるが，例外もある。そこで上場会社にふさわしい機関設計を求めるために，東京証券取引所の規則では，上場内国会社に，取締役会，監査役会，監査等委員会または指名委員会等，および会計監査人の設置を求め（規程437条），会社法上の内部統制の構築を求めている（規程439条）。

上場内国会社は，会社法上の会計監査人を財務諸表等の監査証明を行う監査法人・公認会計士に選任しなければならない（規程438条）。会社法上，会計監査人としての権限と義務を負う者が財務諸表等の監査を行えば，監査の正確性が増すからである。

(2)　議決権の行使

上場内国会社は，株主数が1000人以上でない場合であっても会社法298条1項3号の書面投票の機会を株主に提供しなければならない（規程435条）。また，株主総会招集通知およびその添付書類を，その発送日までに取引所に提出し，取引所が当該書類を公表することとしている（規程則420条）。招集通知が到達するのに時間のかかる株主がいることに鑑み，投票判断の考慮時間を確保するためである。

このほか，株主による議決権行使を容易にするために，金融商品取引所の規則では，①株主総会集中日開催の回避，②招集通知の早期発送，③招集通知等の電磁的提供，④招集通知等の英訳，⑤電子投票の導入について，努力義務を定めている（規程446条，規程則437条，「望まれる事項」）。

議決権行使結果の開示について，東京証券取引所は，上場会社と株主・投資者のコミュニケーションの充実を図り，適切な議決権行使を促す観点から，賛否の票数を含めた公表を行うよう上場会社に対して要請を平成21年10月に行ったが，この点は平成22年の内閣府令改正により実現した（→**3章*4*節*4***）。

(3)　独立役員の確保

会社法上，監査役会設置会社において監査役の半数以上は社外監査役でなければならず（会社335条3項），監査等委員会設置会社の監査等委員，指名委員会等設置会社の各委員会の委員の過半数は社外取締役でなければならない（同

331条6項・400条3項)。したがって東京証券取引所の上場内国会社においては，最低2名の社外取締役または社外監査役がいることになる（→(1))。しかし，平成26年改正前会社法における社外取締役・社外監査役の「社外性」の要件は，グループ会社や主要な取引先の出身者を排除するものではなかった。

そこで東京証券取引所は，上場内国会社に，独立役員を1名以上確保することを求めることにした（規程436条の2第1項)[104]。独立役員とは，一般株主と利益相反が生じるおそれのない社外取締役または社外監査役をいい（同項)，上場会社の親会社・子会社・主要な取引先の役員・職員，上場会社から役員報酬以外に多額の金銭等を得ているコンサルタント・会計専門家・法律専門家，最近までこれらに該当していた者などは，経営陣との間で利害関係を有しているため独立役員には当たらない（東証・上場管理等に関するガイドラインIII5(3)の2)。

上場会社が独立役員の確保を求められるのは次の理由による[105]。上場会社には，株主としての関係以外に会社と利害関係を持たない一般株主が存在しているが，会社の意思決定プロセスにおいて，ともすれば一般株主の利益を軽視した決定がなされがちである。そこで，一般株主の利益に配慮した決定がなされるよう，経営者や利害関係人から独立した役員が意思決定プロセスに関与することが求められるのである。

■Column 6-26　会社法による対応――社外取締役■■

平成26年改正会社法は，上場会社等に対する社外取締役の設置強制は見送ったが，社外取締役の要件を一部強化し，一部緩和した。前者の側面について，親会社・兄弟会社の取締役・執行役・従業員でないこと，取締役・執行役・重要な従業員・支配株主である個人の配偶者・2親等内の親族でないことを求めたこと（会社2条15号）は，社外取締役の独立性を強化する意義がある。ただし，主要な取引先の役員や会社から社外取締役の報酬以外に多額の金銭を得ている者を社外取締役から排除していない点で会社法の規制は不十分であり，上場規則による独立役員の確保には，なお意義が認められる。

コーポレートガバナンス・コードは，上場会社に，独立性基準を自ら定めた上で2名以上の独立社外取締役の選任を求めている（原則4-8・4-9)。東証1部・2部の上場会社は，2名以上の独立社外取締役を選任するか，選任しない場合はその理由

104)　伊藤昌夫「有価証券上場規程等の一部改正の概要」商事1888号（2010）19頁。
105)　整備懇談会「独立役員に期待される役割」商事1898号（2010）35頁。

を開示することが求められる。この結果，ほとんどの上場会社で社外取締役が選任されるようになった。そこで，令和元年改正会社法は，有価証券報告書を提出しなければならない会社（**→3章*2*節*1***，ただし公開会社かつ大会社に限る）は，社外取締役を置かなければならないとした（会社327条の2）。

4　上場政策

⑴　種類株式の上場

旧商法時代に証券取引所への上場が認められた株式は，定款による特別の定めのない株式（普通株），および上場会社が発行する優先株・子会社連動配当株（トラッキングストック）であった。会社法上，株式会社が多様な種類株式を発行できる旨が規定されたことから，議決権制限株式や，単元株制度を利用した複数議決権株式のニーズが高まってきた。そこで東京証券取引所では，投資物件としての適格性および投資者保護の観点から，どのような種類株式であれば上場が認められるか，どのような種類株式であれば既に上場している会社による発行が認められるか検討を加え[106)]，平成20年7月に議決権種類株式の上場制度が整えられた。その概要は次の通りである。

新規上場申請者は，①1種類の議決権付株式のみを発行している場合の当該議決権付株式，②複数の種類の議決権株式を発行している場合の議決権1個当たりの経済的権利が他の種類株式よりも大きい株式（他の種類株式の上場申請をしない場合に限る），または③無議決権株式を上場することができる（規程205条9号の2）。株式の新規上場の際には，当該発行者には，保護の対象となる「既に投資をしている一般株主」は存在しないと考えられ，新規に投資をする者は種類株式の内容を知った上で投資決定を行うため，種類株式の上場を制限することによって投資者の利益を保護する必要性が乏しい。したがって上述のように比較的幅広い議決権種類株式の上場が認められる。ただし，後述のように，上場後の一般株主保護のために行為規制が適用される。②の株式とは，たとえばA種類株式の単元株式数を100株，B種類株式の単元株式数を1000株とした場合のB種類株式をいい，②は，A種類株式を経営陣・親会社等が保有し，B種類株式のみを上場することを認めるものである。ただし，A種類株式とB

106)　整備懇談会「中間報告」（平成19年3月），東京証券取引所種類株式の上場制度整備に向けた実務者懇談会（実務者懇談会）「議決権種類株式の上場制度に関する報告書」（平成20年1月）。

種類株式と同時に上場したり，A 種類株式を上場している会社が，B 種類株式を上場させることはできない[107]。

また，上場会社が普通株式よりも議決権の多い株式を発行すると，それによって会社の支配が固定され一般株主の利益が害されるおそれがある。議決権の多い株式の発行は定款の規定に基づいて行われるはずであり，定款に定めがなければ定款変更のための株主総会決議を経る必要があるから（会社 466 条・309 条 2 項 11 号），一般株主はその限りで保護されるともいえる。しかし，たとえば，議決権が普通株式の 10 倍・利益配当請求権が普通株式の 0.9 倍の議決権種類株式を発行する場合のように，一般株主が支配の固定から生ずる不利益の重大性を適切に判断できずに定款変更に賛成してしまう場合も考えられる[108]。そこで東京証券取引所の規則では，上場株券等より議決権の多い株式の発行決議を上場廃止事由としている（規程 601 条 1 項 17 号，規程則 601 条 14 項 5 号）。

■ Column 6-27　議決権種類株式上場の実質審査要件 ■■

会社が議決権種類株式を発行することは，特定の者が少額の出資により会社の支配権を取得することを可能にし，会社の支配権の移動を制約するほか，種類株主間または支配株主と少数株主の利益相反関係が悪化するおそれがある。そこで，出資割合と支配比率の乖離から生ずる弊害を防止するために，議決権種類株式（無議決権株式を含む）の上場審査にあたっては，次の要件に適合していることが求められる（東証・上場審査等に関するガイドライン II 6。以下では，内容を要約して記載している）。

① 特定の者が経営に関与し続ける必要性が消滅した場合に無議決権株式または議決権の少ない株式のスキームが解消できる見込みがあること

② 極めて小さい出資割合で会社を支配する状況が生じた場合に無議決権株式または議決権の少ない株式のスキームが解消できる見込みがあること

③ 異なる種類の株主の間で利害が対立する状況が生じた場合に株主が不当に害されないための保護の方策をとることができること

④ 発行者が，親会社，支配株主，兄弟会社等との取引を行う際に，少数株主の保護の方策をとることができること

⑤ 議決権の多い株式について，その譲渡等が行われるときに議決権の少ない株式に転換される旨を定められていること

107） 宇都宮純子「議決権種類株式の上場に関する制度要綱について」商事 1834 号（2008）16 頁，実務者懇談会・前掲注 106）14-16 頁。

108） Jeffrey Gordon, "Ties That Bond: Dual Class Common Stock and the Problem of Shareholder Choice," 76 Cal. L. Rev. 1 (1988).

⑥　配当優先株式について，分配可能額の実績および見込みが良好であること

⑦　その他株主および投資者の利益を侵害するおそれが大きいと認められる状況にないこと

これらのうち①は，サンセット条項（たとえば，一定期間経過後に1株1議決権とする株主総会の特別決議等により議決権種類株式のスキームの解消を可能とするもの）を想定したものである。②は，ブレークスルー条項（たとえば，発行済株式の75%を取得した者が現れた場合にスキームを解消するもの）を想定しており，条項の発動を阻止するために支配権を有する者に一定割合の出資を事実上強制することにより，出資割合と支配比率の極端な乖離を防止しようとするものである[109]。③は，会社の支配権を握る種類株主が他の種類株主を不利に扱う企業行動を防止しようとするものであり，会社法322条1項に掲げられている種類株主総会の決議を経ること，種類株主総会決議を同条2項の定款で排除している場合には，たとえば事前に定款で議決権種類株式の株主を害さないような取扱いを定めておくこと，経営陣から独立した者の意見を聴取することが考えられる。④は，議決権種類株式を利用する会社では，より小さい出資割合で支配権を取得・維持できることから，少数株主保護の方策を求めるものであり，具体的には取引について経営陣から独立した第三者の意見を聴取することをあらかじめ内規として定めておくことが考えられる。

議決権の少ない株式のみを上場する会社では，創業者やカリスマ経営者に議決権の多い株式を保有させると考えられるところ，当該株式が譲渡されると議決権種類株式のスキームを採用した目的が失われる。そこで，譲渡される当該株式についてのみスキームの解消を求めるのが⑤である。⑥は議決権種類株式が同時に配当優先株である場合に求められる要件であり，⑦は①から⑥の潜脱を許さないための要件である[110]。

(2)　子会社株式の上場

わが国では，子会社株式が金融商品取引所に上場されることが，アメリカ，イギリスに比べて多い。2019年の調査によると，東京証券取引所上場会社のうち親会社その他の支配株主を有する会社の占める割合は17.5%であった[111]。もっとも，イギリス以外のヨーロッパ各国では50%超の支配株主を有する上場会社が過半数を占めている[112]。

---

109)　①以下の議論については，宇都宮・前掲注107) 18-22頁，実務者懇談会・前掲注106) III 3を参照。

110)　具体的な上場例につき，戸嶋浩二「複数議決権方式による種類株上場の実務と展望」商事2032号（2014）81頁を参照。

111)　東京証券取引所「東証上場会社コーポレート・ガバナンス白書2019」8頁。

112)　整備懇談会・前掲注106) IV 1 (3)。

子会社株式の上場は，①親会社による子会社株式の公開，②上場会社株式に対する公開買付け，③上場会社による第三者割当増資など，さまざまな方法により生ずるが，特に問題とされるのは①（子会社上場）である。子会社上場には，新たな投資対象が市場に提供されるという意義があり，親会社による支配・監督を受けて株主の利益を向上させるような経営が期待できるというメリットがある。その反面，親会社と子会社少数株主の間には潜在的な利益相反の関係があり，子会社の利益を犠牲にして親会社の利益を図る経営が行われるおそれがある。

取引所では，子会社の上場に際して，親子会社間で子会社に不利益な取引が行われていないこと，子会社が事実上親会社の一事業部門と認められないこと，親会社が既に国内の金融商品取引所に上場していることなどを求めている（東証・上場審査等に関するガイドラインⅡ3）。

子会社上場を禁止するか許容するかという政策問題を考える場合，子会社上場がもたらすメリットがデメリットを上回っているかという実証研究を踏まえる必要がある。ある実証研究は，①上場親会社を持つ会社の株式公開は，そうでない会社よりも公開時のアンダープライシング（公開価格が公開後の市場価格を下回る額）の幅が小さく，②子会社の上場は親会社株式の価格上昇をもたらすこと，③上場子会社の経営指標が独立企業のそれよりも優れていることから，子会社上場を禁止する政策は効率性を害するとする[113]。

上場後の子会社では，その取締役のすべてを事実上，親会社が選任することになるので，子会社の日常的な業務執行において，投資者である少数株主の利益を害されないようにすることがとりわけ重要になる。この点について，コーポレートガバナンス・コードは上場子会社に特有の規定を設けていないが，機関投資家の議決権行使基準では，支配株主のいる上場会社に定員の３分の１以上の独立社外取締役の選任を求めるものが多い。

5　違反に対する制裁

上場会社による企業行動規範の違反について，従来は上場有価証券の廃止しか制裁手段がなかった。しかし，有価証券の上場を廃止すると，保護されるべき一般投資家が害されることになるし，企業行動規範のなかには，強い制裁を

113）　宍戸善一＝新田敬祐＝宮島英昭「親子上場をめぐる議論に対する問題提起（上）（中）（下）」商事1898号38頁，1899号4頁，1900号35頁（2010）。

もって臨むべきでないものもある。

そこで東京証券取引所は，平成21年の規則改正により，遵守すべき事項の違反に対する制裁手段に公表措置および上場契約違約金を追加した。適時開示違反については，これらに加えて改善報告書の提出があり（規程502条，**→3章6節1**(1)），上場廃止のおそれが生じた企業で内部管理体制に改善の必要性がある場合には特設注意市場銘柄への指定（規程501条1項）がなされる。

公表措置とは，上場会社が遵守すべき事項に違反した事実を取引所が公表するものであり（規程508条1項），比較的ソフトな制裁手段である。上場契約違約金は，遵守すべき事項の違反により上場会社が市場に対する投資者の信頼を毀損した場合に取引所が一定の金銭を徴収するものであり（規程509条1項。公表も行われる），公表措置だけが取られる場合よりも重い制裁手段である。金融商品取引所は法令に基づいて自主規制業務を行うことから（84条），上場会社からの金銭の徴収を自主規制に基づく処分（制裁金）と構成することもできたが，上場契約に違反する行為のうち契約解除に至らない程度の契約違反に対して適用する損害賠償に該当する措置（違約金）と構成した。

第6節　金融商品取引所の規制

1　金融商品取引所の自主規制

(1)　自主規制の意義

金融商品取引所は，会員または取引参加者（以下，併せて「会員等」という）および上場会社に対して規制を行う自主規制機関（SRO: Self-Regulatory Organization）である。自主規制とは，一定の公益目的を達成するために私的な団体が自治規則（自主ルール）を定めて規制を行うことをいう。歴史的にみると，証券取引の規制は証券取引所に会員として集まった証券業者による自主規制から始まったものであり，証券取引の分野は，高度の専門的知識を要することから，伝統的に自主規制になじむといわれてきた[114]。もっとも，今日では，どの国においても，自主規制はその根拠を法律に置き，法によるコントロールの下で行われている。株式会社金融商品取引所については，規制される者が自ら

114）　前田重行「証券取引における自主規制」大系93-95頁。

規制を行うという意味は自主規制から失われたが，市場の開設者が市場取引に参加する者に関するルールを定めて執行するという意味において，なお自主規制機関であるといえる。

自主規制の長所としては，①当該業務を熟知する者が規制を行うので，実際的で妥当なルールが制定・執行される，②会員等や発行者が規制のコストを負担するので，国民にとって規制のコストを節約できる，③同業者間の商業倫理に基づいて法令よりも高いレベルの規制を実施することができるといった点が挙げられる[115)]。

一方，自主規制の短所として，①規制内容が仲間内の約束事の域を出ず，公益目的を達成しにくい，②規制の執行に熱心さを欠き，また恣意的な運用がなされるおそれがある，③自主規制が政府による直接規制を阻止する口実として利用される可能性がある，④自主規制団体が構成員のみの利益を図り，外部者との競争において有利な地位に立つためのカルテル的団体として利用される危険性があることなどが，指摘されている[116)]。そこで，自主規制の短所を克服しつつ長所を発揮させるように，法令に基づいて自主規制機関を規制することが必要になるのである。

■ Column 6-28　英米の自主規制■■

証券分野の規制の大部分を自主規制に担わせるのは英米の伝統であった。アメリカでは，1934年証券取引所法が制定されるまで証券取引所は法規制の枠外にあったが，同法を含む連邦証券規制の確立後は，制定法に根拠を置く自主規制が証券取引所や証券業協会（NASD）により行われてきた。現在は，NASDとニューヨーク証券取引所（NYSE）の自主規制部門を統合したFINRA（金融業規制機構）により自主規制が行われている。

イギリスでは，取引所の会員業者に対する規制や上場会社に対する規制が，制定法に根拠を置かない文字通りの自主規制として行われてきたが，1986年金融サービス法（Financial Services Act of 1986）は，自主規制に制定法上の根拠を与えるとともに制定法によるコントロールを及ぼした。そこでは，業者の監督は業種ごとの自主規制団体が行い，自主規制団体の監督を証券投資委員会（SIB）が行い，政府はSIBが権限を適切に行使しなかった場合にのみ介入するという仕組みがとられた。ところが，自主規制機関による規制が十分な実効をあげることができなかった

115）　鈴木＝河本407頁，神崎49頁，前田・前掲注114）95頁。
116）　鈴木＝河本407-408頁，神崎49頁，前田・前掲注114）96-97頁。

ことから，2000年金融サービス・市場法（Financial Services and Market Act of 2000）は，自主規制団体をSIBに統合し銀行監督権限をイングランド銀行から譲り受けてできた金融サービス機構（FSA: Financial Services Authority）が，銀行，証券業者，保険会社といった金融サービス業者を直接規制するようにした。

2008年の金融危機後の改革によって，2013年には，金融サービス機構に代わって，金融サービス業者の行為規制を金融行為規制機構（FCA: Financial Conduct Authority）が，金融サービス業者の健全性監督をイングランド銀行の子会社である健全性監督機構（PRA: Prudential Regulation Authority）が担当している。金融行為規制機構は，政府機関であるが，その費用が金融サービス業者によって負担される点で，自主規制機関の特徴も備えている。

⑵　法律によるコントロール

金融商品取引所による自主規制は，定款，上場規則，受託契約準則，業務規程の制定と執行によって行われる。上場会社や会員等に自主ルールを守らせるためには，違反者に対して制裁を課す必要があるから，制裁に関するルールの制定と執行も自主規制に含まれる。自主ルールの制定と執行によって公益目的を達成するためには，それらを法律によってコントロールする必要がある。

まず，ルールの制定について見ると，自主ルールのうち定款および業務規程（上場規則を含む）は，記載事項が法定されており（88条の3・117条），その内容は受託契約準則とともに市場開設の免許を付与する際に審査の対象となる（81条・82条）。これらの自主ルールの内容を変更する場合には，内閣総理大臣の認可が必要である（149条1項）。株式会社金融商品取引所において，市場の運営や取引参加者に関する基本的ルールを定款に記載させるのは，それらについて株主の意思を問うためである[117]。細目的な自主ルールは定款・業務規程以外の規則に定められるが，それらを作成，変更，または廃止したときは，内閣総理大臣に届け出なければならず（149条2項），内閣総理大臣は，不適切な内容の自主ルールの変更を命ずることができる（153条）。

つぎに，ルールの執行について見ると，上場会社や会員等に対する処分は，自主ルールに照らして金融商品取引所が行うのが原則であるが，金融商品取引法は次の2つの点で自主規制に介入している。第1に，自主ルールに違反したときだけでなく，上場会社や会員等が法令や行政処分に違反したときも，取引

117）　証券取引法研究会「証券取引所等の株式会社化」インベストメント54巻1号（2001）33頁〔神田秀樹報告〕。

所は法令・定款に基づいて上場会社や会員等を処分しなければならない（152条1項1号）。法令違反についても，自主規制機関による法の執行が予定されていることになる（→**10章9節4**(1)）。もっとも，金融商品取引法や自主規制の趣旨から考えて，ここにいう法令とは金融商品取引関係の法令を意味し，たとえば，食品の製造・販売業を営む上場会社が食品衛生法に違反したことを理由に金融商品取引所は当該会社を処分することはできないと解すべきである。

第2に，上場会社や会員等が法令，行政処分，または自主ルールに違反したのに金融商品取引所が必要な措置をとることを怠ったときは，取引所自身が内閣総理大臣による行政処分の対象となる（152条1項1号）。自主ルールが適切に執行されるよう，法によるコントロールが行われるのである。

取引所の処分により不利益を受ける者の救済方法について見ると，アメリカでは，証券取引所がその会員・取引参加者に対して下した懲戒上の制裁について，SECがこれを審査し，取り消す権限を有しているが（連邦証券法19条(d)項），証券取引所が上場会社に対して行う上場廃止などの処分についてはSECによる審査手続は定められていない。わが国では，上場会社や会員等に対する処分を争う行政上の不服審査手続は定められていないが，不利益を受ける当事者は民事訴訟によって処分の効果を争うことは可能である[118]。

(3)　自主規制法人と自主規制委員会

株式会社金融商品取引所は，取引参加者から独立した者が自主規制を行うため，規制が仲間内の約束事にとどまり公益目的を達成しにくいという短所（→(1)）を免れているが，営利の追求を禁止されないことから，上場会社の獲得競争に走って上場基準を緩和する（→***4*節*2***）とか，短期的な利益追求のために自主規制部門に十分な資源を割り当てないといった弊害も懸念される。諸外国では，取引所の株式会社化を契機に，その自主規制部門を市場運営部門から分離する例も見られた[119]。そこで，自主規制機能を確保する観点から，金融商品取引法（平成18年改正）は，自主規制業務の法的位置づけを明らかにした上で，金融商品取引所が自ら自主規制業務を行う組織形態のほかに，自主規制業

118）　上場廃止を決定された株式の発行者が，上場廃止の効力の停止を仮処分により求める例として，東京地判昭和46・11・15判時650号92頁，東京地決平成18・7・7判タ1232号341頁，東京地決平成22・7・9金法1907号89頁を参照。

119）　ロンドン証券取引所では，株式会社化と同時に，上場認可権限を金融サービス機構（FSA）に移管した。ニューヨーク証券取引所は，株式会社化後，自社株を上場する前に，自主規制部門を持株会社傘下の別法人へ分離した。

務を独立した組織である自主規制法人へ委託する方式，または，株式会社金融商品取引所が内部に自主規制業務に関する決定を行う自主規制委員会を設置する方式を選択できるようにした。

金融商品取引所は，内閣総理大臣の認可を受けて，自主規制業務の全部または一部を自主規制法人へ委託することができる（85条）[120]。自主規制法人は，金融商品取引法の規定に従って金融商品取引所または金融商品取引所持株会社が設立する会員制の法人であり，これらの者のみが会員になれる（102条の3・102条の12）。自主規制業務の独立性を確保するため，自主規制法人の理事の過半数は，取引所またはその子会社の取締役・理事・使用人でなく，かつ過去になったことのない外部理事でなければならない（102条の23第3項）。

自主規制法人は，設立登記により成立するが（102条の14），自主規制業務を行うには内閣総理大臣の認可を要する（102条の14）。自主規制法人は，自主規制業務およびその附帯業務のみを行うことができる（102条の22）。自主規制法人の業務を限定したのは，もし自主規制法人が市場運営業務も行えるとすると，自主規制業務と市場運営業務を分離するという法の趣旨に反するからである[121]。また，自主規制法人は営利目的で業務を行うことを禁じられる（102条の21）。法は後述のように自主規制業務を制限的に規定した上で（→(4)），営利目的はそのような自主規制業務になじまないと考えた。

株式会社金融商品取引所は，会社内に自主規制委員会を設置することができ，設置すると取締役会から自主規制業務に関する事項の決定権限が委託される（105条の4）[122]。自主規制委員会は，取締役によって構成される取締役会内の委員会であるが，その業務執行機関からの独立性を確保するために，これを構成する3名以上の取締役のうち過半数は社外取締役でなければならない（105条の5第1項）。自主規制委員会は意思決定機関であり，その決定を取締役会は覆すことができない。自主規制に係る業務の執行は取引所の執行役または取締役が行う。ただし，取引所の執行役または取締役が自主規制委員会の決定に違反する行為をするおそれがあるときに，これを差し止める権限が自主規制委員に与えられている（105条の10）。これらの規定は，取締役会内の組織である自

120）　現在，東京証券取引所および大阪取引所は，日本取引所グループ傘下の日本自主規制法人へ自主規制業務を委託している。

121）　前田雅弘「金融商品取引所――自主規制業務を中心に」ジュリ1368号（2008）44頁。

122）　現在，名古屋証券取引所，東京金融取引所は自主規制委員会を設置している。

主規制委員会に，会社法の規定によっては与えることのできない権限を付与するためのものである。

株式会社金融商品取引所が自主規制委員会を設けた場合には，取締役会において，自主規制業務が適正に行われるための組織体制，いわば「自主規制システム」とでも呼ぶべき体制[123]を構築することが求められる（106条）。これには，委員会の職務を補助すべき取締役・使用人に関する事項，自主規制業務の執行を行う取締役・使用人等の独立性に関する事項，自主規制業務の執行に関する事項を委員会に報告するための体制等が含まれる（取引所府令53条）。

⑷　自主規制業務

金融商品取引法は，自主規制業務の定義規定を設けて，金融商品取引所が自主規制業務を適切に行わなければならないとした（84条1項2項）。自主規制業務の定義規定は，自主規制法人や自主規制委員会に委託できる業務の範囲を画する意義を有している[124]。

自主規制業務として法は，①金融商品等の上場・上場廃止に関する業務，②会員等の法令・取引所規則・取引の信義則の遵守状況の調査，③取引所金融商品市場における取引の審査（リアルタイム監視を除く），④会員等の審査・処分，⑤上場会社の情報開示の審査および処分，⑥自主規制業務に関する規則の制定・改廃，⑦自主規制業務に関する定款の変更に係る議案の概要の作成を列挙している（84条2項，取引所府令7条）。これらを見ると，取引所の市場運営業務に関するルールの制定を，金融商品取引法は自主規制業務と位置づけていないことがわかる。また，上場・上場廃止および会員等の関するルールの制定は，理論的には自主規制であるといえるが，金融商品取引法は，上場・上場廃止基準（上場会社が遵守すべき開示のルールや企業行動規範を含む），および会員等の資格要件の設定・改廃を明文で⑥⑦の自主規制業務から除外しており（取引所府令6条・7条），金融商品取引所は除外された業務を自主規制法人や自主規制委員会に委託することができない。自主規制には，ルールの制定・改正の面とルールの執行の面があるが（→⑵），金融商品取引法は，ルールの執行に係る業務のみを自主規制業務としているといえる。

もっとも，金融商品取引所が自主規制業務に関連する規則を変更または廃止するときは，自主規制法人または自主規制委員会の同意を得なければならない

123）　前田・前掲注121）48頁。
124）　前田・前掲注121）44頁。

(102条の32，105条の11)。自主規制業務に関連する規則には，上場・上場廃止基準や会員等の資格要件が含まれている（取引所府令35条)。金融商品取引所は，自主規制法人の同意が得られない場合に自主規制業務の委託を撤回し，自主規制委員会の同意が得られない場合に自主規制委員会を廃止することができるが，実際にはそのような行為は難しいだろうから，この同意権は自主ルールの改悪に対する，事実上の大きな歯止めとなるだろう。

金融商品取引所は，自主規制法人や自主規制委員会に自主規制業務を委託しないこともできる。もっとも，金融商品取引所がその発行する有価証券を自市場に上場するには，利益相反を防止する観点から，内閣総理大臣の承認が必要であるところ（122条〜124条，→**Column 6-2**)，その承認にあたって自主規制法人や自主規制委員会を設けているかどうかが審査の対象になると思われる。

2　株式会社金融商品取引所の主要株主規制

(1)　株式取得の可否

株式会社金融商品取引所の主要株主規制は変遷を重ねてきた。株式会社形態の取引所が認められた平成12年改正時には，取引所の経営が特定少数の者に委ねられて中立性を維持できなくなることのないよう，5%を超える議決権の取得が禁止された。ところが，5%超の議決権取得が禁止されると，内外の取引所の資本関係を通じた提携が困難になり，取引所の経営に対する市場のチェック機能も十分に働かないことから[125]，平成15年改正法は，5%超の議決権取得を許容し，20%以上の取得を認可制の下に置いた。ところが，認可制の運用において，上場企業，金融機関や金融商品取引業者による議決権取得を想定すると認可が与えられるケースがほとんどなく[126]，実際にも認可が与えられてこなかったことから[127]，金融商品取引法（平成18年改正）は，株式会社金融商品取引所の議決権の20%以上（金融商品取引所の財務・営業の方針の決定に重要な影響を与えることが推測される事実があるときは15%以上）の取得を原則として禁止した（103条の2第1項)。

ただし，認可金融商品取引業協会（→**10章*9*節*2*(1)**)，金融商品取引所，また

125)　金融審議会金融分科会第一部会報告「証券市場の改革促進」3.(3)（平成14年12月16日)。

126)　一問一答256頁。

127)　平成17年8月の事例では，投資顧問業者の代表者による大阪証券取引所の20%超の株式取得が，利益相反のおそれを理由として認可されなかった。

は金融商品取引所持株会社は，取引所の議決権の20％以上を取得し，保有することができる（同項但書）。また，地方公共団体，外国金融商品取引市場開設者，またはその持株会社は，内閣総理大臣の認可を受けて，取引所の株式を20％以上50％まで取得し，保有することができる（106条の3第1項，施行令19条の3の3）。地方経済における取引所というインフラの重要性に鑑みて，取引所が地方公共団体から出資を受け入れることができるようにし，さらには外国の取引所との連携を可能にするためである。

(2) 主要株主の規制

株式会社金融商品取引所の5％超の議決権を保有するに至った者は，内閣総理大臣に対して議決権保有届出書を提出する（103条の3）。5％超の保有者は，届出書に虚偽記載がないかどうかについて内閣総理大臣による報告徴取・検査の対象となる（103条の4）。5％超の保有者の届出規制は，20％超の保有禁止の違反を発見しやすくするための規制であるといえる。

地方公共団体・外国市場開設者等は，内閣総理大臣の認可を受けて取引所の議決権の20％超を取得し，または保有することができる（106条の3第1項）。内閣総理大臣は，認可を受けた主要株主に対し報告徴取・検査権を行使することができ（106条の6），当該主要株主が法令に違反したとき，または取引所の業務運営を損なうおそれがあると認めたときは，認可の取消し，その他監督上必要な措置をとることを命ずることができる（106条の7第1項）。認可が取り消されたときは，主要株主は株式を売却するなど必要な措置をとらなければならない（同条2項）。

3 金融商品取引所の統合

(1) 金融商品取引所同士の統合

現代の金融商品取引所は，有価証券の売買やデリバティブ取引を迅速かつ安全に行わせるために大規模なコンピューター・システムを導入しており，その維持・刷新に巨額の資金を必要とする。金融商品市場の競争が激化していくなかで，海外では取引所の国際的な統合の動きが見られ[128]，わが国でも金融商

128) EUでは，2000年にパリ，アムステルダム，ブリュッセルの証券取引所を持株会社の下に統合するユーロネクスト（Euronext）が設立され，2002年には，これにリスボン証券取引所とロンドンの金融デリバティブ取引所（LIFFE）が加入した。2007年には，ニューヨーク証券取引所を運営するNYSEグループとユーロネクストが合併し，NYSEユーロネクスト（持株会社）となった。さらに，2010年，NYSEユーロネクストはロンド

品取引所の統合を可能にする仕組みが必要とされた。そこで，まず平成10年改正法は，取引所の合併に関する手続規定を整備した（136条～147条）。この手続によれば，会員金融商品取引所と株式会社金融商品取引所の間でも合併をすることができる。

つぎに平成15年改正法は，グローバルな市場間競争が激化するなかで，わが国の取引所が内外取引所と戦略的提携を行えるようにするため[129]，証券取引所持株会社（金融商品取引所持株会社）の制度を導入した。金融商品取引所持株会社とは，株式会社金融商品取引所を子会社とすることにつき，または子会社とする会社として設立することにつき，内閣総理大臣の認可を受けた者をいう（2条18項・106条の10第1項）。金融商品取引所持株会社が金融商品取引所の総議決権を取得・保有する必要はない（103条の2第1項参照）。

現在の制度では，金融商品取引所持株会社が子会社として保有することができる会社には，①株式会社金融商品取引所，②取引所金融商品市場開設に関連または附帯する業務を行う会社，③商品市場開設業務を行う会社（→(2)），④商品先物取引市場開設に関連する業務を行う会社（→(2)）があり（106条の24第1項），自主規制法人に出資することもできる（102条の12）。このほか，海外の金融商品取引所や金融商品取引所持株会社の株式等を保有することもできると解すべきである。そうでないと，内外の取引所との連携・統合を行えないからである。

金融商品取引所持株会社については，上記の規制のほか，株式会社金融商品取引所と同様，その議決権の保有制限（106条の14），地方公共団体・外国金融商品市場開設者等に対する取得・保有の認可制（106条の17）等が定められている。取引所の株式を直接取得するのではなく，取引所持株会社の株式を取得することによって取引所を支配しようとする行為を防止するためである。結局，海外の金融商品取引所やその持株会社は，たとえ国内に金融商品取引所持株会社を設立したとしても，その議決権を50%を超えて保有することができないことになる。このような規制の下で，果たして内外の取引所の連携・統合が行われうるのか，疑問が残る。

ンに新しい証券取引所を開設した。

129）　金融審議会第一部会報告「証券市場の改革促進」（別紙3）取引所のあり方に関するワーキング・グループ報告（平成14年12月16日）参照。

⑵　商品取引所との統合

利用者の利便性の向上と国際競争力の強化の観点から，かねてから金融商品取引所と商品取引所の統合が議論されてきた。しかし，両取引所が金融商品取引法と商品先物取引法という異なる法体系の下に置かれており，法律の統合に時間がかかることから，平成21年の改正では，現行規制の枠組みのなかで両取引所の相互乗入れを認めることにした。

金融商品取引所は，内閣総理大臣の認可を受けて，商品先物市場の開設業務を行うことができ（87条の2第1項），あるいは商品先物市場の開設業務を行う会社を子会社とすることができる（87条の3第1項）。金融商品取引所持株会社（→⑴）が，内閣総理大臣の認可を受けて，商品先物市場の開設業務を行う会社を子会社とすることもできる（106条の24）。いずれの場合も，商品先物市場を開設する主体は，商品先物取引法に基づいて商品取引所としての許可を受ける必要がある。また，同年の改正で，商品取引所が本体で，または子会社もしくは商品取引所持株会社傘下の子会社を通じて，金融商品取引所の開設業務を行うことを可能にする規定が商品先物取引法に設けられた。

4　内外の金融商品市場の連携

⑴　外国金融商品取引所による国内端末設置

日本の投資家が外国の金融商品取引所における取引に参加する1つの方策として，外国の取引所が日本国内に端末を設置することが考えられる。このような端末設置の要請に対し，金融庁は個別に対応してきたが，日本の投資家を保護する観点から，平成15年の証券取引法改正により端末設置のルールが定められた。

外国の金融商品取引所が日本国内にその端末を設置する行為は，法的にみると，国内において金融商品市場を開設する行為に当たるが，市場の開設者は，内閣総理大臣の認可を受ければ，金融商品市場開設の免許（80条1項）を受けることなく，参加者に端末を利用した金融商品取引を行わせることができる（155条）。外国の金融商品取引所は本国において規制・監督を受けているため，一律に国内取引所と同様のルールを課す必要はないと考えられたのである。この認可を受けた者を外国金融商品取引所といい（2条26項），認可にあたっては，認可申請者が本国において金融商品市場開設の免許と同種類の免許を受けているか，認可申請者の取引参加者に対する自主規制が十分なものであるか，認可申請者の業務規制が投資者保護のために十分なものであるかといった点が審査される（155条の3）。国内端末を通じて取引に参加できる者は，金融商品取引業者，登録金融機関に限定されており（155条1項），投資者は金融商品取引業者等を通じて取引に参加する。

外国金融商品取引所に対する監督を実効あらしめるために，金融商品取引法は外国金融商品取引所に規則の変更を届け出させ（155条の7），毎年，業務報告書の提出を求める（155条の5）ほか，業務の変更命令権（155条の10），外国金融商品取引所やその参加者に対する報告聴取・検査権（155条の9）を定めている[130]。

(2) 国内取引所の海外展開

(1)とは反対に，国内の金融商品取引所が海外に端末を設置して外国の金融商品取引業者等を国内の金融商品取引に直接参加させる（海外の投資者は外国の金融商品取引業者等を通じて取引に参加する）ことも考えられる。このような取引は，日本の取引所市場の流動性を高め，その国際競争力の向上につながると考えられるところから，平成15年改正証券取引法は，国内取引所の海外展開を可能にし，その際，国内の投資者を保護するための規定を設けた。

まず，海外端末を通じて国内の取引所で金融商品取引を行う者は，本来は，金融商品取引業者としての登録を受けなければならないが（29条），内閣総理大臣の許可を受ければ，国内に支店を設けなくても，取引所金融商品市場における有価証券の売買等を業として行うことができることとした（60条）[131]。このような取引所取引許可業者と投資者との取引は海外で行われるので，日本の投資者を保護するためにある，取引の受託に関する金融商品取引法のルールを及ぼす必要はないが，その注文は国内の取引所で執行されるため，市場の効率性・公正性を確保するためのルールを及ぼす必要がある。そこで，大量推奨販売の禁止，作為的相場形成取引の禁止等の金融商品取引業者の行為規制（**→9章*6*節**）を取引所取引許可業者に準用している（60条の13，金商業府令231条・232条）。これらの禁止行為は，それが外国で行われるときであっても，国内市場の価格形成に悪影響を及ぼし，国内市場の信頼を害すると考えられるからで

130）規制の詳細およびそこで生ずる諸問題につき，証券取引法研究会「平成15年の証券取引法等の改正 VI」〔川口恭弘・天野富夫報告〕『平成15年の証券取引法等の改正』（別冊商事275号，2004）89頁以下を参照。

131）許可の条件につき，証券取引法研究会・前掲注130）92-93頁を参照。

ある。

なお，取引所取引許可業者が国内取引所での取引に参加するためには，当該端末を設置している金融商品取引所の会員または取引参加者になる必要があり（これを「リモート・メンバーシップ」という），したがって，金融商品取引所の自主規制に従わなければならない[132]。

132）適用する自主規制の範囲につき，証券取引法研究会・前掲注 130）108 頁を参照。

第7章　インサイダー取引の規制

第1節　総　　説

1　インサイダー取引と市場の公正性

インサイダー取引とは，会社経営者など未公開情報を入手できる地位にある者が未公開の重要情報を利用して有価証券の取引を行うことをいい，わが国では昭和63（1988）年の証券取引法改正により罰則をもって禁止されるに至った。

インサイダー取引を禁止する理由は，次のように説かれるのが一般的である[1)]。未公開情報を容易に入手できる者がこれを利用して証券取引を行えば簡単に利益を得ることができ，未公開情報を入手できない一般投資家は不利な立場に置かれることになる。このような状態が放置されると，証券市場に対する一般投資家の信頼が損なわれ証券市場はその機能を発揮することができなくなるから，インサイダー取引は厳しく規制されなければならない。すなわち，有利な立場にいる者（インサイダー）が参加する市場では一般投資家は不利益を被るから，そのような市場に一般投資家は寄りつかなくなるというのである。

しかし，インサイダー取引が本質的に詐欺的取引・不公正な取引といえるかについては，議論の余地がある。まず，未公開情報を有する者がその情報を開示することなく有価証券の取引をする行為は，すべて詐欺的取引ないし不公正取引であるといえるだろうか。このような行為をインサイダー取引と捉える考

1）　証券取引審議会「内部者取引の規制の在り方について」（昭和63〔1988〕年2月25日），川口恭弘ほか「インサイダー取引規制の比較法研究」民商125巻4＝5号（2002）1頁。

え方もある（情報の平等理論）[2]。しかし，情報の平等理論の下では，適法な手段でコストをかけて情報を収集し，その情報に基づいて取引を行うことも禁止されるから，投資家，アナリストや証券会社による情報収集活動が抑制されることとなり，市場の効率性が低下すると考えられるし，インサイダー取引規制の範囲が拡がりすぎ，かえって一般投資家が有価証券市場に寄りつかなくなるおそれがある。したがって，情報の平等理論は政策的に妥当とは思われない[3]。

情報の平等理論以外に，未公開情報を有する者の証券取引を不公正なものとそうでないものとに分ける基準があるだろうか。アメリカの判例は，会社経営者のように会社や株主に対して信任義務（fiduciary duty）[4]を負う者が，信任義務に違反して重要な情報を開示せずに取引をすることが当該会社の株主や株主になろうとする投資者に対する詐欺に当たると解してきた（信任義務理論）[5]。ところが，信任義務理論では，有価証券の発行者に対して信任義務を負っていない会社外部の者によるインサイダー取引を規制できないことから，その後のアメリカの判例は，情報源に対して機密保持義務を負う者がその義務に違反して証券取引の目的で機密情報を不正流用することもインサイダー取引に当たるとする不正流用理論を採用した[6]。不正流用理論では，情報源が委託先に対して情報を利用した取引を許している場合には，委託先のインサイダー取引は成立しないことになる。インサイダー取引が一般投資家との関係で本質的に不公正であるといえるのならば，それは情報源が情報を利用した取引を許すと否とにかかわらないはずであるから，不正流用理論はインサイダー取引の詐欺性を十分に捉えていない。

日本やEUの立法例は，未公開情報にアクセスしうる特別の地位にある者が当該情報を利用して有価証券の取引を行うことを一般投資家との関係で不公正であると捉えており，有価証券の発行者や情報源に対するインサイダーの義務違反を要件としていない。これは，「楽して儲ける」ことをインサイダー取引と捉えることに他ならないが，なぜ「楽して儲ける」ことが本質的に詐欺的取引・不公正な取引といえるのかは，自明ではない。加えて，ある者が未公開情

2）　その紹介として，近藤＝吉原＝黒沼315頁，黒沼・アメリカ162頁。

3）　神崎＝志谷＝川口1213頁。

4）　fiduciary dutyの訳語として「信認義務」を用いるものと「信任義務」を用いるものとがあるが，本書では，「信任義務」の訳語を充てる。

5）　Chiarella v. United States, 445 U. S. 222 (1980). 黒沼・アメリカ162-163頁。

6）　United States v. O'Hagan, 521 U. S. 642 (1997). 黒沼・アメリカ165-166頁。

報にアクセスしうる特別の地位に就くにはそれなりの努力が必要であって，インサイダーは「楽して儲ける」ことができるとは必ずしもいえない。

他方で，インサイダー取引が横行している市場では一般投資家は不公正に扱われると感じ，そう感じる結果，一般投資家の金融商品市場に対する信頼が失われ，一般投資家の参加を前提とする金融商品市場がその機能を発揮できなくなることが懸念される。そこで，一般投資家の不公正感を除去するためにインサイダー取引を禁止することが必要になると考えられるのである。インサイダー取引を禁止しないと市場の流動性が失われることも，一般投資家が市場に参加しなくなることの意味を経済的に説明したものといえる[7]。このようにインサイダー取引規制の趣旨は，一般投資家の参加する市場を成立させるために必要な政策的なものと捉えるべきである。このような説明は，一般投資家の参加を前提としない外国為替市場にインサイダー取引規制が存在しない理由にも当てはまるだろう。

2　インサイダー取引と市場の効率性

インサイダー取引規制の是非は，インサイダー取引の許容または禁止が市場の効率性に与える影響という観点からも論じられなければならない。ここでは，会社経営者のように会社の情報開示をコントロールできるインサイダーを想定しよう。まず，インサイダー取引を許容すると，たとえば，会社の株価を押し上げるような良い情報を知った会社経営者は，自己が資金の手当てをして取引を完了するまで，会社による情報開示を遅らせようとするだろう。したがって，インサイダー取引を許すと会社情報の市場価格への反映が遅れ，市場の効率性が低下すると考えられる。これに対して，インサイダー取引を許容すれば，インサイダーは，取引後は自己の利益を実現するために情報を迅速に開示するはずであり，取引が行われるまでの情報開示の遅れは問題にならないとする見方もある。

つぎに，インサイダー取引を禁止すると，未公開情報を開示した上で取引をしてもインサイダーは利益を得られないから，現実にはインサイダーは未公開情報の開示も取引もしないことになろう。これに対して，インサイダー取引を許容すれば，会社が正式に情報を開示するまでの間に，たとえば，株価を押し

7）藤田友敬「未公開情報を利用した株式取引と法」竹内先生追悼『商事法の展望』（商事法務，1998）585-586頁。

上げる良い情報に基づくインサイダーの買い注文によって市場価格は上昇し，当該良い情報が開示されれば形成されていたであろう水準に株価が近づくことになる。したがって，インサイダー取引は市場の効率性を増すと考えられるのである（**図表 7-1**）。

図表 7-1

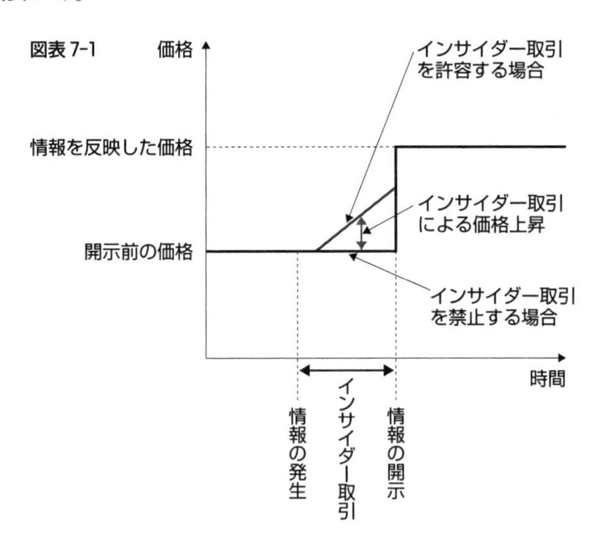

インサイダー取引を許容すると本当に市場の効率が増すか否かは実証研究を待たなければならないが，理論上は，その可能性があることを否定できないように思われる。

■ Column 7-1　効率的な報酬としてのインサイダー取引■■

アメリカでは，会社役員の効率的な報酬形態であることを理由に，かつては，インサイダー取引を擁護する見解も唱えられた[8]。この見解は，会社役員にインサイダー取引を許せば，個々の役員は自らが構想した企画が会社に利益をもたらすと考える場合に自社株を購入しておき，当該企画を推進し実現させた後に自社株を売却して利益を得ることができるから，インサイダー取引は会社に利益をもたらすような企画を構想するインセンティブを会社役員に与えることができるとする。したがって，インサイダー取引を禁止するか否かは会社と経営者との間の契約に委ねればよく，インサイダー取引を会社役員の報酬と捉える以上，公正・不公正の問題は生じないとする。

8）Dennis W. Carlton & Daniel R. Fischel, “The Regulation of Insider Trading,” 35 Stan. L. Rev. 857 (1983), 黒沼・アメリカ 157 頁。

たしかに，インサイダー取引は特定の情報を自ら作り出した者に限って利益を与えることができるから，会社役員全員に利益を均等に配分するストックオプションよりも効率的な報酬といえる面がある。しかし，インサイダー取引擁護論に対してはアメリカにおいてもさまざまな批判がなされている上[9]，インサイダー取引の悪性を発行者または情報源との関係で捉えるのでなく，一般投資家との関係で捉えて規制を行っている日本やEUでは到底受け入れられないであろう。

3　インサイダー取引規制の概要

⑴　導入の経緯

アメリカでは，インサイダー取引は，わが国の金融商品取引法157条に相当する連邦証券取引所法10条⒝項およびこれに基づくSEC規則10b-5によって規制されていた。そこで，わが国でもインサイダー取引を157条違反と捉える学説が唱えられていた[10]。しかし，157条は，インサイダー取引のみを禁止するために制定された規定ではなく，インサイダー取引の構成要件を定めたものでもないため，157条によってインサイダーの刑事責任を追及することは難しいと考えられており[11]，実際に訴追された例もない。他方，アメリカやイギリスではインサイダー取引を厳しく処罰しており，国際的にもインサイダー取引の規制強化が進行していた。そこで，わが国の証券市場を国際的に通用する公正な市場とすることを目指し，昭和63（1988）年の証券取引法改正により，インサイダー取引を罰則をもって禁止することとなった。

⑵　インサイダー取引規制の特徴

わが国のインサイダー取引規制は，内部情報（発行者を情報源とする情報）に基づく取引（166条）と外部情報（発行者の外部に情報源がある情報）に基づく取引（167条）に分けて，処罰の対象となる行為の構成要件を定める形式で定められている。内部情報については，「重要事実」を一定の関係を通じて知った「会社関係者」または「情報受領者」が，「適用除外事実」がないのに，当該事実の「公表」前に，「特定有価証券等」の「売買等」を行うことが禁止され，外部情報については，「公開買付け等事実」を一定の関係を通じて知った「公

9）黒沼・アメリカ158-160頁。

10）神崎610頁。

11）鈴木＝河本555頁，横畠裕介『逐条解説インサイダー取引規制と罰則』（商事法務，1989）14頁。

開買付者等関係者」または「情報受領者」が，「適用除外事実」がないのに，当該事実の「公表」前に，「株券等」の「買付け等」，または「売付け等」を行うことが禁止される。平成25年の改正により，これらに，情報伝達および取引推奨を禁止する167条の2が加えられた。

そこで，どのような行為が禁止の対象となるかを理解するには，特定有価証券等，重要事実，公開買付け等事実，会社関係者，公開買付者等関係者，情報受領者，公表，株券等，適用除外事実などの概念の理解が不可欠になる。これらの構成要件は，EU諸国の立法例と比べると，①会社関係者，公開買付者等関係者の範囲が狭い，②情報受領者の範囲が狭い，③重要事実，公開買付け等事実の範囲が狭い，④公表概念が硬直的である，⑤平成25年改正前は，禁止行為の態様が限定的であった，⑥適用除外行為の範囲が狭いといった特徴を有している。これは，昭和63（1988）年に規制を導入した際に，当時のアメリカの判例およびSEC規則を参考にしたところ，その後，EU諸国において，包括的・一般的な要件の下でインサイダー取引を禁止する立法が行われたためである。上述のように（→*1*），その後，アメリカの判例においても不正流用理論の採用によって，インサイダー取引規制は強化されている。

第*2*節　内部情報に係るインサイダー取引

1　適用対象有価証券

インサイダー取引規制の対象となるのは，上場会社等の特定有価証券等の売買等の取引（対象取引については後述→*5*）である（166条1項柱書）。ここにいう上場会社等とは，株券，新株予約権証券，社債券，優先出資証券，投資法人の投資証券・投資法人債券・新投資口予約権証券（→11章*2*節，平成25年改正で追加），これらの有価証券を受託有価証券とする有価証券信託受益証券，外国の者が発行するこれらの有価証券の性質を有するもの，外国の者が発行するこれらの有価証券の預託証券で，金融商品取引所に上場されているか，店頭売買有価証券に該当するもの（現在，該当なし）の発行者をいう（163条1項，施行令27条の2）。金融商品市場に対する投資者の信頼を確保するためには，金融商品市場で取引されている有価証券についてのみインサイダー取引を禁止すれば足りるからである。

特定有価証券等とは，上記の有価証券（特定有価証券）と，特定有価証券に係るオプションを表示する有価証券等（関連有価証券）をいう（163条1項，施行令27条の2・27条の3)。たとえば，上場株券を対象とするオプション証券の取引は，オプション証券が上場されていなくてもインサイダー取引規制の対象となる。

2　会社関係者と情報受領者

(1)　会社関係者

金融商品取引法は，内部情報に係るインサイダー取引規制の対象者を会社関係者と情報受領者に分類している（166条1項3項)。会社関係者と情報受領者のいずれに該当するかによって，その者から重要事実の伝達を受けた者が処罰の対象になるか否かが異なることになる（→(2))。

会社関係者とは，上場会社等と一定の関係を有する者として166条1項1号から5号に列挙された者をいい，会社関係者でなくなってから1年以内の者も同じ規制に服する。ここにいう上場会社等とは，上場会社の親会社および子会社を含む。

①　上場会社等の役員・代理人・使用人その他の従業者（1号）　上場会社およびその親会社の役員，代理人，使用人その他の従業者（役員等）は，その職務上の地位ゆえに上場会社または子会社の重要事実を知りうる地位にあることから，規制の対象となる。したがって，これらの者が特定有価証券の取引を禁止されるのは，その者の職務に関し重要事実を知った場合に限られる。役員の定義は置かれていないが，21条1項1号の役員の定義は本条にも当てはまると解される。すなわち役員とは，取締役，監査役，執行役，会計参与（法人であるときは，その社員)，これらに準ずる者（仮取締役，仮監査役)，および発行者が株式会社以外であるときは，これらに相当する者をいう。従業者の例として，発行者の40％の大株主で発行者の代表取締役と随時協議するなど会社の財務や人事等の重要な業務執行の決定に関与していた者がこれに当たるとしたもの（最決平成27・4・8刑集69巻3号523頁）がある。

子会社（→***3***(6)）の役員等は，親会社の重要事実を知りうる地位にないと考えられたことから，職務に関し子会社に係る重要事実を知った場合に限り，親会社株式の取引等を禁止される。親会社とは，上場会社等の有価証券届出書・有価証券報告書等に親会社と記載された者をいい（166条5項，施行令29条の3)，

図表 7-2

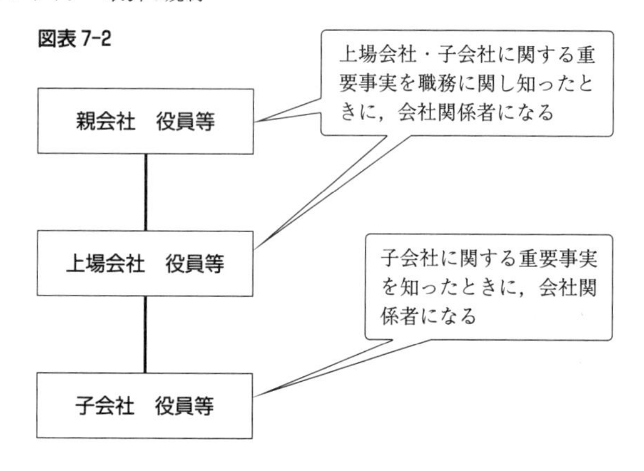

祖父母会社を含む（**図表 7-2**）。

■ Column 7-2　上場投資法人の会社関係者■■

不動産投資信託（REIT）においては，投資法人の資産運用会社や投資法人に不動産を提供するスポンサー企業の関係者も，重要事実を知りうる地位にあると考えられるところから，平成25年改正で，上場投資証券をインサイダー取引規制の対象に含めた際に，資産運用会社，およびその特定関係法人の役員等もインサイダーの範囲に含められた（166条1項1号，**図表 7-3**）[12]。そうしないと，当該役員等から情報を受領した者が，第2次以降の情報受領者となってしまい，規制を免れることになるからである（→*2*(2)）。

図表 7-3

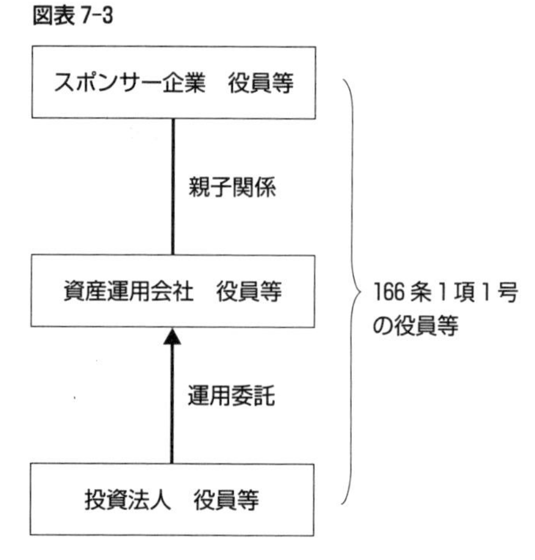

ここにいう特定関係法人とは，上場投資法人等の資産運用会社を支配する会社，または当該資産運用会社が当該上場投資法人等の委託を受けて行う特定資産（有価証券・不動産等）の価値に重大な影響を及ぼす取引を行い，もしくは行った法人をいうと定められている（166条5項，施行令29条の3第3項）。

12）　改正法の解釈につき，中村聡＝尾本太郎「J-REIT 等の上場投資法人に関するインサイダー取引規制の導入」金法1980号（2013）28頁を参照。

②　上場会社等の会社法433条1項に定める権利を有する株主等（2号・2号の2）　上場会社等に対し帳簿閲覧権（親会社社員の帳簿閲覧権を含む）を有する株主は，帳簿閲覧権を行使して重要事実を入手できる地位にあるため規制の対象とされる（166条1項2号）。したがって，帳簿閲覧権の行使に関し重要事実を入手した場合に限り，特定有価証券の取引等を禁止される。会社に対し帳簿閲覧権を有する株主は，総株主の議決権または発行済株式の100分の3（これを下回る割合を定款で定めた場合は，その割合）以上の株式を有する株主である。複数の株主が共同して帳簿閲覧権を行使するときは，それぞれの株主が会社関係者となる。優先出資法に規定する帳簿閲覧権のある普通出資者も，信用共同組合・労働金庫等の「会社関係者」とされている。投資法人の帳簿閲覧権は単独株主権であるため，投資主および親法人の投資主が会社関係者となる（166条1項2号の2)。

このように金融商品取引法は帳簿閲覧権のある株主のみを会社関係者とし，株主一般を会社関係者としなかった。これに対しEU諸国では，保有する株式の量にかかわらず株主を第1次インサイダー（会社関係者）とする例が多い[13)]。そこで，たとえば株主総会で重要事実が報告された場合，総会に出席していた株主はEUでは第1次インサイダー（会社関係者）となるが，日本では情報受領者となり，当該株主から情報の伝達を受けた第2次情報受領者の取引は処罰の対象にならないという違いが生じる。この例からも明らかなように，立法論としては，株主一般を会社関係者とすべきであろう。

③　上場会社等に対する法令に基づく権限を有する者（3号）　法令に基づく権限を有する者は上場会社等の重要事実に接近しやすいことから規制の対象とされた。上場会社等に対し許認可権限を有する行政庁の職員，国政調査権を有する国会議員，法令の委任を受けて各種の検査等を行う団体の職員，弁護士法の規定により照会を行う弁護士などが該当する。法令に基づく権限には，受動的に届出を受理し，報告を受ける権限も含まれる[14)]。

④　上場会社等と契約を締結している者・締結の交渉をしている者（4号）　いわゆる取引先を念頭に置いた規定である。取引先が法人の場合は，契約の締結・交渉・履行に当たる役員等も会社関係者となる。取引先は取引契約ゆえ

13)　川口ほか・前掲注1) 63頁，67頁。
14)　神崎克郎「インサイダー取引の禁止(上)」インベストメント41巻3号（1988）12頁，神崎＝志谷＝川口1227頁注8)。

に会社の重要事実に接近しやすいことから会社関係者とされた。もっとも，アメリカの判例では，弁護士・会計士・投資銀行のように会社と一時的な信任関係に立つ者のみがインサイダーの範囲に含められ，取引先のような単なる契約の相手方はインサイダー（会社関係者）ではなく情報受領者と扱われる。契約締結の交渉をしている者は平成10年の改正で追加された。契約の締結に至らなくてもその過程で重要事実を知ることがありうるからである。取引先等は，取引上，上場会社等と秘密保持契約を締結していなくても，あるいは，重要事実の利用を上場会社等から許されていても，会社関係者の地位を免れることはできない。

⑤　法人内部で職務上重要事実の伝達を受けた者（5号）　②または④に当たる者が法人である場合には，その内部で職務上重要事実の伝達を受けた者は，情報受領者ではなく会社関係者と扱われる。後述のように（→(2)），金融商品取引法では，情報の第2次受領者をインサイダー取引の規制対象としていないため，5号のような規定を置かないと，同一法人内で職務上重要事実が伝達されていくと，たやすくインサイダー取引の規制対象外になってしまうからである。

このような趣旨からは，5号の会社関係者が職務に関し重要事実を知ったとは，同一法人内の4号の会社関係者が知った重要事実が，同一法人内においてなんらかの形で伝わって5号の会社関係者がそれを知るに至ったという事情が存在することが必要であると解される。いわゆる増資インサイダー事例（→**Column 7-10**）に関するいくつかの裁判例において，そのような解釈が示されている[15]。

■ Column 7-3　職務との関連性 ■■

会社関係者が特定有価証券の売買等を禁止されるのは，重要事実を知った場合のすべてではなく，一定の関係により知った場合に限定される（166条1項柱書）。有価証券の発行者に対する特別の地位を有する者が未公開情報を知って取引を行うことが，一般投資家との関係で不公正であると考えられるからである。その一定の関係とは，①⑤では，その者の職務に関して知ったとき，②では，権利行使に関して知ったとき，③では，当該権限の行使に関して知ったとき，④では，契約の締結・交渉・履行に関して知ったときとされている。どのような場合に「関して知っ

15）東京高判平成29・6・29判時2369号41頁，東京地判令和元・5・30金判1572号14頁等。

た」といえるかは，ときに難しい解釈問題を生じさせる。

たとえば①については，上場会社の役員が自社工場における火災の発生を報道機関のニュースにより知ったとしても，自己の職務上の立場ゆえにそれが重要事実に当たる規模のものであることを知ることができた場合には，その役員は職務に関して重要事実を知ったものといえる16)。③については，公務員が上場会社に対する行政指導の過程で重要事実を知った場合も，当該行政指導が上場会社に対する許認可権限を背景としたものであるならば，当該権限の行使に関して知ったとされる17)。④については，より微妙なケースがありうる。会社と契約している清掃会社の職員が机の上に残された書類から重要事実を知った場合，書類を覗き見ることは清掃契約の内容となっていないから「契約の履行に関し知ったとき」に当たらないとも考えられるが18)，契約上，会社の未公開情報にアクセスしうる地位にあることを考慮すると，契約の履行に関し知ったときに当たると解すべきである。会社と契約しているタクシーの運転手が会社役員同士の会話から重要事実を知った場合も，同様の議論が成り立つ。

■ Column 7-4　会社関係者の定義のあり方■■

会社と契約関係にない者は，たとえその職務上，未公開情報にアクセスしうる地位にあっても会社関係者に当たらないとするのが日本法の立場である（→④）。これに対しEUの立法例では，アナリストや新聞記者のように職務により未公開情報へのアクセスを有する者は第1次インサイダー（会社関係者）とされている19)。アナリストや新聞記者が相手であれば会社の役員等が未公開情報を伝達する可能性は大きいと考えられるし，その者が所属する会社の資源を用いて情報源に接近できるから，一般投資家からみてこれらの者は特別に有利な地位にあるといえる。立法論としては，契約関係の有無による区分をやめ，その職務により未公開情報へのアクセスを有する者を会社関係者に含めるべきである。②について述べた立法論とあわせると，あるべき会社関係者は，上場会社等の役職員，上場会社等の株主，および，その職務により未公開情報へのアクセスを有する者となろう。

(2)　情報受領者

会社関係者（会社関係者でなくなってから1年以内の者を含む）から重要事実の伝達を受けた者（情報受領者）は，会社関係者と同様，特定有価証券の取引を

16)　横畠・前掲注11) 36頁。
17)　横畠・前掲注11) 40頁。
18)　木目田裕＝山田将之「規制の概要と法166条の成立要件(上)」商事1840号（2008）96頁。
19)　川口ほか・前掲注1) 69頁，73頁，77頁。

禁止される（166条3項）。情報受領者の取引を禁止するのは，①会社関係者が重要事実を伝達し情報受領者に取引を行わせるといった脱法を防止する目的のほか，②会社関係者から重要事実の伝達を受ける者は通常，会社関係者となんらかの特別の関係があると考えられ，その取引は一般投資家にとって不公正と考えられるためである[20]。

どのような場合に情報受領者の取引を禁止するかについては，立法例が分かれている。アメリカの判例（信任義務理論）では，会社関係者が信任義務に違反して情報を伝達した場合に限り情報受領者の取引が禁止される[21]。しかし，不正流用理論の採用によって，規制対象者の範囲が格段に拡がった。たとえば，未公表の重要事実を知ったA（第2次以降の情報受領者であってもよい）が家族Bに当該事実を伝達し，BがAに対する信任義務に違反して情報を不正流用し，有価証券の売買取引を行った場合には，Bが処罰の対象となる。EUでは，(a)情報源が会社関係者であると知っている場合に限り情報受領者の取引を禁止する立場と，(b)情報源を問わず，重要事実を知る者の取引を規制する立場に分かれる[22]。(b)は情報の平等理論（→***1*** 節 ***1***）に近い。

わが国では，(ア)情報の伝達が適法なものか否かを問わず情報受領者の取引を禁止するものの，金融商品取引法166条3項が「会社関係者……から……伝達を受けた者」と規定しているところから明らかなように，(イ)会社関係者から直接，重要事実の伝達を受けた者のみを情報受領者と捉えている。(イ)の点は，第2次以降の情報受領者の取引を禁止すると処罰の範囲が不明確となって，無用の社会的混乱が生ずることを考慮したと説明されているが[23]，規制の潜脱を許すことになることから批判が強い[24]。立法論としては，第2次以降の情報受領者の取引も禁止の対象とすべきである。処罰の範囲が不明確になるとの危惧については，重要事実の源泉が会社関係者であることを知っている者を情報受領者と定義すれば足りる。

もっとも，規制の潜脱を許さないようにするための現行法の解釈として，行為者が自己と会社関係者との間に故意に人を介在させた場合には，行為者本人を情報受領者と認定できるし，情報受領者が傀儡を使って取引を行わせたとき

20）　横畠・前掲注11）121頁。
21）　Dirks v. SEC, 463 U. S. 646 (1983).
22）　川口ほか・前掲注1）69頁，74頁，78頁。
23）　横畠・前掲注11）122頁。
24）　川口ほか・前掲注1）61頁。

は情報受領者本人の行為と認定できるであろう。

伝達とは相手方に重要事実を伝えようとする意思的行為であるから，会社関係者の話をたまたま聞いた者は情報受領者にならず，その者の取引は禁止されない。

職務上，重要事実の伝達を受けた者（情報受領者）が所属する法人の役員等であって，その者の職務に関し重要事実を知った者も，情報受領者と同様に取引を禁止される（166条3項）。同一の法人内部で重要事実が伝達されることにより容易に第2次以降の情報受領者が作り出されることを防ぐための規定である。ただし，最初の情報受領者が，職務上でなく重要事実の伝達を受けた場合には，同一法人の他の役員等は規制の対象外となる。

なお，同一の者が会社関係者と情報受領者の双方に該当する場合には，会社関係者と扱われる。

3 重要事実

(1) 総　　説

インサイダー取引の禁止対象となるのは，投資者の投資判断に著しい影響を及ぼすおそれのある未公開情報を知って行う取引である。投資判断にとって重要でない情報を取得した者が取引を行っても，投資者はそれを不公正とは感じないから投資者の市場に対する信頼が損なわれることはないし，重要でない情報に基づく取引まで禁止すると正常な投資活動が阻害され，金融商品市場の効率性・流動性が著しく害されるからである。

比較法的には，公表された場合に合理的な投資者の判断を実質的に変化させる情報（アメリカ判例）[25]とか，公表された場合に市場価格に重大な影響を与えるおそれのある情報（EU指令）[26]といった概念で内部情報を把握する例が多い。すなわち，内部情報についての包括的な定義規定を設け，かつ，そこでいわゆる「重要性の要件」を課しているのである。これに加えて，規制対象となるのは事実のみか意見などを含む情報かという「情報の確実性」の問題がEUでは議論されている[27]。

これらに対し金融商品取引法は，インサイダー取引の規制対象となる重要事

25）　TSC Industries, Inc. v. Northway, Inc., 426 U. S. 438 (1976), 川口ほか・前掲注1) 56頁。
26）　Directive 89/592/EEC., 川口ほか・前掲注1) 26頁。
27）　川口ほか・前掲注1) 25頁，33頁，40頁，51頁。

実を，①決定に係る事実，②発生に係る事実，③決算変動，④子会社に係る重要事実，⑤上場投資法人等に係る重要事実に分けて166条2項に具体的に列挙している。重要事実を具体的に列挙したのは，投資者が取引を行う時点において，その取引が処罰の対象となるか否かを明確に判断できるようにするためである[28]。さらに，166条2項4号，8号，および14号に包括条項を置き，具体的に列挙された事項に該当しない事実に対しても規制を適用できるようにした（→(5)）。すなわち，法は，インサイダー取引禁止規定の(a)構成要件の明確化と，(b)柔軟な適用の両方を実現できるように重要事実の個別列挙条項と包括条項を併用したのである。しかし，その狙いが達成されているかについては，疑問がある（→**Column 7-7**）。

構成要件の明確化と規定の柔軟な適用という目的は，金融商品取引法が，個別列挙された重要事実については，内閣府令により投資判断に及ぼす影響の軽微なものを規制対象から除外するほかは，そういった影響（重要性）を要件としない形式をとっているのに対し，包括条項については，「投資者の投資判断に著しい影響を及ぼすもの」という重要性の要件を課している点にも表れている。

(2)　決定に係る重要事実（決定事実）

金融商品取引法166条2項1号は，上場会社等（→*1*）の業務執行を決定する機関が次に掲げる事項を行うことについての決定をしたこと，または当該機関が当該決定（公表されたものに限る）に係る事項を行わないことを決定したことをもって，重要事実とする。その事項には，①募集株式の発行・自己株式の処分・募集新株予約権の発行，②資本減少，③資本準備金・利益準備金の減少，④自己株式の取得，⑤株式無償割当て・新株予約権無償割当て，⑥株式分割，⑦剰余金の配当，⑧株式交換，⑨株式移転，⑩株式交付，⑪合併，⑫会社分割，⑬事業の全部または一部の譲渡・譲受け，⑭解散，⑮新製品・新技術の企業化，および政令で定める事項がある。政令では，⑯業務上の提携・その解消，⑰子会社の異動，⑱固定資産の譲渡・取得，⑲事業の全部または一部の休止・廃止，⑳株式の上場廃止申請，㉑店頭登録の取消申請，㉒破産手続開始・再生手続開始・更生手続開始の申立て，㉓新たな事業の開始，㉔対抗買いの要請（→*6*(2)），㉕金融管財人による管理の申立てが列挙されている（施行令28条）。

28）　横畠・前掲注11）17頁。

これらの列挙事項では，一部を除いて，投資判断に及ぼす影響が軽微であるという軽微基準が内閣府令で定められており（取引規制府令49条），軽微基準に該当する場合には当該事実は重要事実でなくなる（166条2項柱書）。軽微基準では，取引対象となる資産が会社の純資産額の30％未満であるとの資産基準と，売上高の変動が10％未満であるとの売上高基準を併用するものが多い（⑧⑪⑫⑬⑮⑰）。これらは，客観的に確定しうる指標で投資判断への影響を図ろうとするものであるが，実現した場合の当該事実の規模を基準としており，実現可能性を考慮するものではない（→**Column 7-5**）。また，いわゆる持株会社が新たな子会社を取得するような場合に，持株会社単体の売上高をベースに軽微基準を適用すると，グループ全体からみれば小規模な子会社取得であっても，重要事実に該当してしまう。そこで，平成25年改正府令は，関係会社に対する売上高（製品売上高・商品売上高を除く）が売上高の総額の80％以上である持株会社（特定上場会社等）については，会社が属する企業集団の売上高等をベースに軽微基準を定めることとした（取引規制府令49条1項2項）。

業務執行を決定する機関とは，会社法所定の決定権限のある機関には限られず，実質的に会社の意思決定と同視されるような意思決定を行うことのできる機関であれば足りるとするのが判例[29]である（日本織物加工株事件）。会社法では，業務の適正な執行を確保するという観点から事項ごとに業務執行決定機関を定めているのに対し，インサイダー取引規制では，誰の決定であればその事実が一般投資家の投資判断に著しい影響を及ぼすかという観点から業務執行決定機関の意義が定められることになるから，判例の解釈は妥当である。

したがって，たとえばワンマン社長のいる会社では，社長が業務執行決定機関となる。「機関」という法律用語の厳密な意義とは相違するが，親会社が子会社の業務執行を事実上決定しているような場合には親会社を子会社の業務執行決定機関と解すべきであろう。

決定に係る重要事実とは，特定の事項を「行うという決定をしたこと」ではなく，「行うことについての決定をしたこと」である。特定の事項（たとえば合併）を行うという決定が未だなされていない段階でも，その交渉・計画が投資者の投資判断に著しい影響を与えることがあるからである。

29）　最判平成11・6・10刑集53巻5号415頁。

Column 7-5　決定の意義と重要性の要件

日本織物加工株事件最高裁判決は，「株式の発行」（平成17年改正前166条2項1号）を行うことについての「決定」をしたとは，業務執行決定機関において，株式の発行それ自体や株式の発行に向けた作業等を会社の業務として行う旨を決定したことをいい，決定をしたというためには業務執行決定機関において株式の発行の実現を意図して行ったことを要するが，当該株式の発行が確実に実行されるとの予測が成り立つことは要しないとする[30]。同判決は，その理由として，①そのような決定の事実はそれのみで投資者の投資判断に影響を及ぼしうるものであること，および②規制範囲の明確化の見地から株式の発行を行うことについての決定それ自体を重要事実として明示した法の趣旨に沿うことを挙げる。また，「公開買付け等を行うことについての決定」の有無が争点とされたニッポン放送株事件最高裁決定[31]も，公開買付け等の実現可能性が全くあるいはほとんど存在せず，一般の投資者の投資判断に影響を及ぼすことが想定されないために，決定の実質を有しない場合は別として，「決定」をしたというためには，買付者等の業務執行決定機関において，公開買付け等の実現を意図して，公開買付け等またはそれに向けた作業等を会社の業務として行う旨の決定がされれば足り，公開買付け等の実現可能性があることが具体的に認められることは要しないとした。

たしかに，日本のインサイダー取引規制は，決定それ自体を重要事実と扱い，決定の実現可能性を問題にしていないように読める。しかし，実現可能性の低い事実をインサイダー取引規制の対象とすると，正常な取引まで禁止することになるから，明らかに妥当でない。そこで「決定」に実現可能性の要件を読み込む解釈が必要になる。

ある事実は，それが実現したときの規模（＝会社の規模を勘案した相対的な規模）が大きければその実現可能性が低くても投資者の投資判断に対する影響が大きく，実現したときの規模が小さければ，実現可能性が相当高くなった段階で初めて投資者の投資判断に著しい影響を与えるものになると考えられる。したがって，投資者の投資判断に著しい影響を及ぼすか否か，すなわち事実の重要性は，理論的には，事実が実現した場合の規模と実現可能性を掛け合わせたものになるはずである（**図表7-4**）。このように，どの程度の実現可能性が必要かは，規模を勘案して投資判断に対する影響度から判断すべきであり，実現可能性が低くてもよいとする判例の立場は妥当でない[32]。この点で，ニッポン放送株事件控訴審判決[33]は，「決定」の実現可能性の有無と程度は，当該決定が投資者の投資判断に影響を及ぼしうる程度

30）同前。
31）最決平成23・6・6刑集65巻4号385頁。
32）黒沼悦郎「判批」商事1609号24頁，同「判批」商事1945号4頁。
33）東京高判平成21・2・3判タ1299号99頁。

図表 7-4

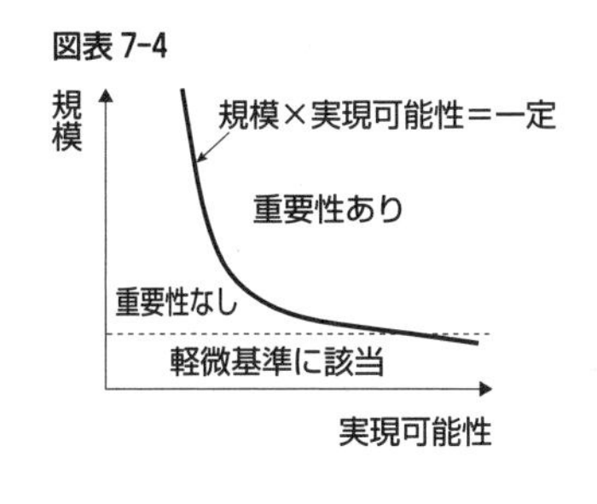

図表 7-5

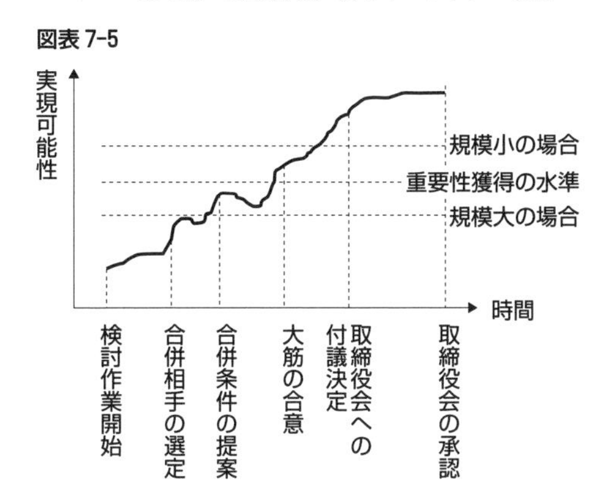

のものであるか否かという総合的判断のなかで検討していくべきものであると判示しており，妥当である。問われるべきは，実現可能性ではなく重要性なのである。

また，決定に係る事実については，たとえば合併に向けた作業を会社の業務として行うことを決定してから，合併契約を取締役会が承認するまでの間に，会社の意思決定は不断に行われている。そこで現行法の解釈としては，事実が重要性を獲得した後の最初の決定を捉えて重要事実と解することになろう（**図表 7-5**）。しかし，これでは，決定といえる行為が行われるまでの間，重要性のある事実を知る者によるインサイダー取引を許容することになるから，立法論としては決定事実と発生事実の区別をやめ，重要性の要件を満たす事実を重要事実とすべきである（→(5)）34)。

(3)　発生に係る重要事実（発生事実）

金融商品取引法 166 条 2 項 2 号は，上場会社等に次に掲げる事実が発生したことをもって重要事実とする。その事実とは，①災害に起因する損害・業務遂行の過程で生じた損害，②主要株主（163 条 1 項，→*5* 節 *1* (2)）の異動，③上場廃止・店頭登録取消しの原因となる事実（一定の有価証券に係るものを除く），および政令で定める事実である。政令では，④財産上の訴え提起，⑤事業差止処分の申立て，⑥免許の取消等，⑦親会社の異動，⑧債権者による破産・再生・更生手続の開始・整理開始の申立て，企業担保権の実行の申立て，⑨手形の不渡り・手形交換所による取引停止処分，⑩親会社に係る⑧の手続開始の申立て等，⑪債務者の不渡り等により債務不履行の危険が生じたこと，⑫主要取引先

34）黒沼悦郎「インサイダー取引規制における重要事実の定義の問題点」商事 1687 号（2004）42 頁。

との取引の停止，⑬債権者による債務の免除等，⑭資源の発見が挙げられている（施行令28条の2）。

これらの列挙事実についても，一部を除いて軽微基準が定められており，そこでは，純資産額基準（30% 未満，15% 未満），売上高基準（変動が10% 未満），負債基準（10% 未満）などが併用されている（取引規制府令50条）。たとえば⑭については，発見された資源の採掘または採取を開始する事業年度開始の日から3年以内に開始する各事業年度において当該資源を利用する事業による会社（特定上場会社等〔→(2)〕にあっては，会社の属する企業集団）の売上高の増加額が最近事業年度の売上高の10% 未満であると見込まれる場合には，資源の発見は軽微基準に該当し重要事実から除外される。

(4)　決算変動

金融商品取引法166条2項3号は，上場会社等の①売上高，②経常利益，③純利益，④剰余金の配当，⑤上場会社等の属する企業集団の①～③について，公表された直近の予想値（予想値がない場合は公表された前事業年度の実績値）に比較して，当該上場会社等が新たに算出した予想値または当該事業年度の決算において，内閣府令で定める重要な差異が生じたことをもって，重要事実とする。⑤は，投資判断資料として連結情報が重視されるようになったことから，平成10年の改正により追加された。連結情報開示会社における①～④の単体情報に係る変動も，依然として重要事実とされているが，グループ企業からの売上高に依存している会社（特定上場会社等，→(2)）については，連結ベースの売上高等に照らして重要性を判断する（取引規制府令51条）。①～⑤の情報に係る決算変動を重要事実とするのは，会社の業績の大きな変動は，その背後に決定事実や発生事実がない場合であっても投資者の投資判断に著しい影響を及ぼすからである。したがって，決算変動の背後に決定事実や発生事実がある場合には，1号または2号と3号の両方に該当することになる。

誰が予想値の算出主体である「当該上場会社等」に当たるかについて，マクロス株事件判決[35]は，各会社の業務運営の実態に即して判断すべきであり，直近の予想値が取締役会の承認を受けて公表された場合には，新たな予想値の算出主体も取締役会になるとする。しかし，このように算出主体を限定的に捉えると，新たな予想値の算出を取締役会に提案する前段階における関係者による

35）　東京地判平成4・9・25判時1438号151頁。

取引を処罰できない不都合が生じる。また同判決は，取締役会が算出主体である場合には，取締役会において予想値の修正公表が避けられない事態に立ち至っていることについての報告がなされそれが承認されたことをもって，算出がなされたとする。予想値の修正公表自体の承認までは必要ないとする判断は妥当である。

■ Column 7-6　重要基準の問題点■■

決算変動が重要事実になるための内閣府令で定める重要な差異（重要基準）とは，売上高の10% 以上の変動，経常利益・純利益の30% 以上の変動，配当の20% 以上の変動である（取引規制府令51条）。重要事実の範囲を客観的に確定するための工夫であるが，次のような不都合がある。

たとえば，経常利益が30% 以上増加するという新たな予想値が算出されたが，それ以前にアナリストが30% 以上の増益予想を公表しており，これが株価に反映されていたとする。新たな予想値の公表は株価に変動をもたらさないだろうから，当該情報は投資者の投資判断に影響を及ぼさないが，法律上は新たな予想値の算出が重要事実に該当する。反対に，アナリストが30% 以上の増益予想を公表し，それが株価に反映されていたが，実際の決算では経常利益に変動がなかった場合には，未公表の決算情報は投資者の投資判断に影響を与える事実であるにもかかわらず，3号の重要事実には該当しない[36)]。このような不都合が生じるのは，投資者の投資判断に著しい影響を与えるかどうかは，市場に流布している，投資者にとって利用可能な情報の総体を大きく変更するか否かによって判断されるべきであるのに[37)]，3号の重要事実の定義が，投資者に利用可能な情報を前提としたものになっていないからである。重要事実の定義のこのような問題点は1号の決定事実および2号の発生事実についても当てはまるのであり，結局，「投資者の投資判断に著しい影響を与える事実」を重要事実と定義することによってしか解決できないと考えられる（→**Column 7-7**）。

⑸　包括条項

なにが投資判断にとって重要な事実かは，その性質上投資者が決定する事柄であり，その内容は時代や経済情勢によって変化するはずであるから，インサイダー取引の規制対象となる重要事実をあらかじめ網羅的に列挙することは困

36）黒沼悦郎「インサイダー取引規制と法令解釈」金法1866号（2009）46-47頁。

37）アメリカの判例がこのような考え方をとっていることにつき，黒沼・アメリカ118頁を参照。

難である。そこで金融商品取引法166条1項4号は，上場会社等の運営，業務，または財産に関する重要な事実であって投資者の投資判断に著しい影響を及ぼすものを重要事実とする包括条項を設けている[38]。

包括条項には軽微基準が置かれていないので，重要事実に当たるか否かは，投資者の投資判断に著しい影響を及ぼすと認められるか否かにより決せられる。このとき，前述のように（→**Column 7-6**），投資者にとって利用可能な情報を前提として，未公開情報が投資者の投資判断に著しい影響を及ぼすか否かを判断すべきである。

ところで，166条1項4号は「前3号に掲げる事実を除き」と規定しているため，性質上1号から3号に該当するが軽微基準に該当するため（1号・2号の場合），または重要基準に該当しないため（3号の場合）重要事実とならない事実に対して4号の包括条項を適用することができるかが，問題となる。もし1号から3号に該当する事実に対して包括条項を適用できるとすると，構成要件の明確化のために1号から3号を定めた立法趣旨を没却するおそれがあり，「前3号に掲げる事実を除き」とする文言にも反するおそれがある[39]。

前述のマクロス株事件判決は，架空の売上げ計上および営業資金の不足が発覚した事案において，3号の適用を否定した上で4号を適用して有罪判決を導いた[40]。マクロス株事件のように決算変動の背後に，役員の背任行為という発生事実の類型に属するが列挙されていない事実がある場合に，これに対して包括条項を適用することはなんら問題ない[41]。また，決算変動の背後にそういった事実がないときであっても，決算が変動しないことが市場において利用可能な情報の総体を変化させ，投資家の予想を裏切るような場合（→**Column 7-6**）に，包括条項を適用する必要性は否定できない。

上場会社が開発した新薬について死亡例を含む重篤な副作用症例が発生したという事実が問題となった日本商事株事件の最高裁判決[42]は，当該副作用症例の発生は，166条2項2号イの「災害又は業務に起因する損害」（平成10年改正前の文言）に該当しうる面を有する事実であるとともに，A社の新薬の今後の

38）横畠・前掲注11）119頁。

39）大阪高判平成9・10・24判時1625号3頁（日本商事株事件控訴審判決）は，このような危惧を表明している。

40）東京地判平成4・9・25判時1438号151頁。

41）黒沼悦郎「判批」商事1420号34-35頁。

42）最判平成11・2・16刑集53巻2号1頁。

販売に支障を来しA社の製薬業者としての信用をさらに低下させるという面があり，この面においては同号イの損害の発生として包摂・評価され得ない性質の事実であるとした。そして，同号イにより包摂・評価される面について軽微基準を上回らないために同号イの該当性が認められない場合に，この面につきさらに同項4号の該当性を問題にすることは許されないが，副作用症例の発生は，同項2号イの損害の発生として包摂・評価される面とは異なる別の重要な面を有している事実であるということができるから，これについて同項4号の該当性を問題にすることができるとした。

この最高裁判決は，ある事実が1号から3号に該当する面を有する場合にその面について重ねて包括条項（4号）を適用することはできないとして上記の立法趣旨や文言との衝突を避けつつ，1号から3号に該当する面とは別の面を有する事実については4号を適用できるとして包括条項を柔軟に適用しようとしたものであり，概ね好意的に評価されている[43]。

■Column 7-7　重要事実の定義のあり方■■

日本商事株事件最高裁判決は，個別列挙条項と包括条項を併用するわが国のインサイダー取引規制を巧みに解釈・運用するものであるが，不都合は生じないだろうか。

ある事実（甲）が発生事実に該当するAという側面と，Aに包摂・評価されず，かつ1号ないし3号に該当しないBという面を有していたとする（**図表7-6**）。このとき，最高裁の論理によるとBの4号該当性を問うことができるが，Bの面がそれのみでは投資者の投資判断に著しい影響を及ぼすとはいえない場合には，甲は法令上の重要事実に該当しないこととなる。しかし，投資家は事実（甲）を面Aと面Bに分解して評価するわけではない。事実甲を総合的にみて投資者の投資判断に著しい影響を及ぼすものと認められる場合には，インサイダー取引規制の対象とすべきであるのに，最高裁判決の論理では事実（甲）を規制の対象とすることができないのである[44]。なお，仮に，最高裁の論理を同じ事実を別の側面から捉えることができる場合には，1号ないし3号の軽微基準に該当する場合でも4号を適用できるものと捉えると（**図表7-7**），今度は同じ事実を個別列挙条項と包括条項とで2回評価することとなり，個別列挙条項の立法趣旨および4号の文言に反することになろう。

このような不都合は，最高裁の論理が誤っているからではなく，金融商品取引法

43）　神崎＝志谷＝川口1244頁等。

44）　黒沼・前掲注34）41頁。

図表 7-6

事実（甲）影響度＝100

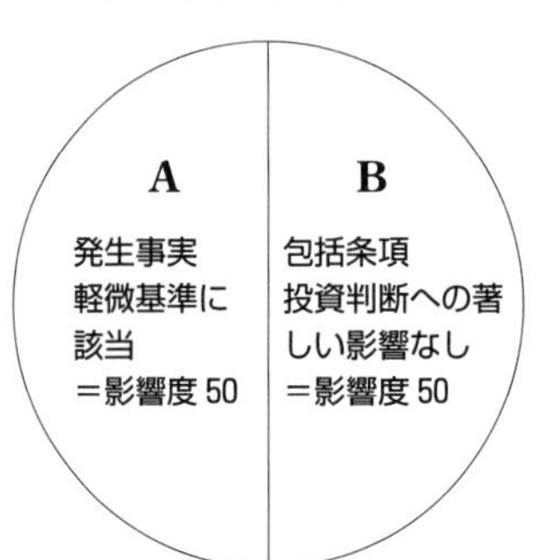

図表 7-7

事実（甲）影響度＝100

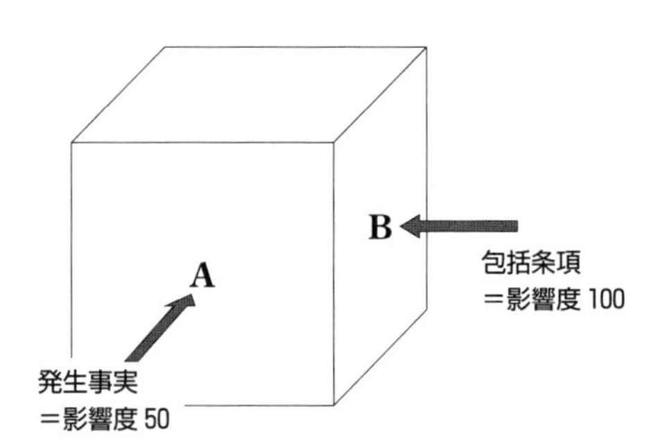

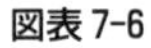

が個別列挙条項と包括条項を並存させていることから構造的に生じると考えられる。もし，個別列挙条項をなくし包括条項のみによって重要事実を定義すれば，事実（甲）が重要性の要件を満たす限りインサイダー取引規制が適用されることになるからである。

経済界からは，犯罪の構成要件が明確でなく罪刑法定主義に反する，投資家が保守的な解釈を余儀なくされ株式投資意欲が削がれるという理由で，包括条項を削除する立法提案がなされたことがある[45]。しかし，①マクロス株事件・日本商事株事件のように現実に個別条項では対処できない事例が生じてきていること，②決定事実と発生事実の分類に問題があること（→(2)），③個別列挙条項に該当しうる事実についても上述の問題が生じること，④個別列挙条項を追加するとその事実に包括条項を適用しにくくなる不都合が生じること（→(6)），⑤アメリカやEU諸国では包括条項のみが採用されていることとを勘案すると，むしろ個別列挙条項を削除すべきである[46]。

そこで，包括条項のあり方を検討すると，現行の166条2項4号では発行者の「運営，業務又は財産に関する重要な事実」との限定が付されており，発行者の外部で発生する情報（外部情報）が同号の重要事実に該当するかどうかが明らかでない。インサイダー取引の規制対象となる外部情報を167条の掲げる情報に限定する必要はないと考えられるから，重要事実の範囲を「有価証券の発行者または有価証券に関する情報」のように広く捉える必要がある。重要性の要件については，現行法との連続性を考慮して「投資者の投資判断に重大な影響を及ぼすおそれのあるもの」[47]とするか，EUの立法例に倣い「公表された場合に有価証券の価格に重大な

45）日本経団連「インサイダー取引の明確化に関する提言」商事1687号（2004）37頁。
46）黒沼・前掲注34）43頁。神崎＝志谷＝川口1246頁注2）も包括条項の削除に反対する。
47）黒沼・前掲注34）43頁。

影響を及ぼすおそれのあるもの」[48]とすることが考えられよう。

(6) 子会社に係る重要事実

平成9年に純粋持株会社が解禁され，持株会社形態で運営される企業グループが増えている。そういった会社では上場会社である持株会社に係る情報だけでは，投資判断に十分でなく，むしろ子会社に係る情報が親会社の株式の取引にとって重要となる。そこで平成10年の改正により，子会社に係る情報がインサイダー取引の重要事実に加えられた。これにより，子会社に係る重要事実を知った親会社（上場会社等）・当該子会社の会社関係者による親会社株等のインサイダー取引が新たに禁止の対象とされることになった。

ここに子会社とは，他の会社が提出した有価証券届出書・有価証券報告書等において，当該他の会社の属する企業集団に属する会社として記載されたものをいい（166条5項），具体的には連結財務諸表における連結子会社・連結孫会社がこれに当たる。

子会社に係る重要事実も，①決定事実，②発生事実，③決算変動，④包括条項に分けて規定されている（166条2項5号～8号）。ただし，上場会社等に関する重要事実と比較して列挙事実が絞り込まれており，①では，株式交換，株式移転，株式交付，合併，会社分割，事業の全部または一部の譲渡・譲受け，解散，新製品・新技術の企業化，および政令で定める事項が対象となる（166条2項5号，施行令29条）。②は，子会社の有価証券が上場されていないことから除外されるものを除き，上場会社等に関する発生事実と同じである（166条2項6号，施行令29条の2）。③は，子会社単体の売上高・経常利益・純利益を対象とする（166条2項7号）。①～③に該当しなかった事実に対しては，④の包括条項が適用される可能性がある。

子会社に係る①②の事実については軽微基準が，③については重要基準がそれぞれ定められている（取引規制府令52条・53条・55条）。①②については，企業集団に対する事実の影響の大きさを連結ベースで測る基準が列挙されているが，③は，子会社単体に対する影響の大きさにより重要基準を定めている。子会社の決算変動により連結ベースでも重要な差異を生じるときは，166条2項3号の重要事実に該当するからである。決算情報については連結重視の投資判

48）黒沼悦郎「内部者取引規制の立法論的課題」竹内先生追悼『商事法の展望』（商事法務，1998）343頁。

断が定着しているなか，そもそも子会社単体の決算変動（③）を重要事実とすることには疑問がある[49]。

子会社に重要事実が生じると親会社が保有する子会社株式の価値に変動が生じるから，子会社の重要事実は親会社の「財産に関する重要な事実」に該当すると考えられる[50]。そうだとすると法律を改正しなくても，上場会社等に関する包括条項（166条2項4号）を適用することは可能であった。ところが，平成10年の改正により子会社に係る事実が追加された結果，前記日本商事株事件最高裁判決の考え方（→(5)）によると，列挙された子会社の重要事実に該当するが軽微基準を上回らないために列挙事実への該当性が認められない場合に，同じ事実を親会社の財産に関する重要事実とみてこれに4号を適用することは難しくなった。このように個別列挙条項と包括条項を併用する現行法の下では，ある事実の重要性が認識されるようになり，それを重要事実に追加指定すると，かえってインサイダー取引規制を及ぼしにくくなるという背理に陥っている[51]。この点を改善するには，個別列挙条項を削除するしかない（→**Column** 7-7）。

(7)　上場投資法人に係る重要事実

上場投資法人に係る重要事実は，投資証券の市場価格に影響を及ぼすと考えられる事実が，上場投資法人の決定事実（166条2項9号），発生事実（同項10号），決算変動（同項11号），資産運用会社の決定事実（同項12号），発生事実（同項13号）に分けて列挙され（施行令29条の2の2〜29条の2の5），このほか，上場投資法人に関する包括条項（同項14号）が置かれている。また，決定事実および発生事実には軽微基準が，決算変動には重要基準が定められている（取引規制府令55条の2〜55条の5）。詳細は省略するが，たとえば，上場投資法人の決定事実としては，資産運用委託契約の締結・解約が，資産運用会社の決定事実としては，資産運用として行う特定資産の取得・譲渡・貸借に係る決定が挙げられている。上場投資法人の決定事実と分類されている投資口の募集，投資口の分割，金銭の分配，合併などは，いずれも資産運用会社による実質的な検討が先行して行われることが一般的であるため，どの段階で上場投資法人の業務執行を決定する機関による決定があったと判断すべきかが，重要な問題に

49）島崎憲明「インサイダー取引規制の明確化のための日本経団連の提言」商事1687号（2004）33頁。

50）中村直人「インサイダー取引規制に関する改正と実務対応」商事1568号（2000）76頁。

51）黒沼・前掲注34）43頁。

なると指摘されている[52]。

これに対し，スポンサー企業等（特定関係法人）を発生源とする事実は，重要事実に掲げられていない。もっとも，スポンサー企業等に生じた事実やその決定が資産運用会社または投資法人に影響を及ぼし，資産運用会社・投資法人の決定事実または発生事実に該当することは考えられるし，そうでなくても当該事実を包括条項で捉えることができるであろう。

4　公表概念

会社関係者・情報受領者による特定有価証券等の売買等が禁止されるのは，当該重要事実が公表されるまでの間である（166条1項3項）。インサイダーによる取引を解禁する意義を有する公表概念も，処罰の範囲を明確化する観点から形式的に定められた。

重要事実が公表されたとは，上場会社等またはその子会社（子会社に係る事実の場合）が当該事実を，①金融商品取引法25条の開示書類に記載し，これが公衆の縦覧に供されたこと，②2つ以上の報道機関に公開してから12時間を経過したこと，③金融商品取引所に通知し，これが取引所のウェブサイト等で公衆の縦覧に供されたことをいい（166条4項，施行令30条，取引規制府令56条），①〜③のいずれかの公表措置がとられれば取引は解禁される。上場投資法人に係るインサイダー取引の禁止に関しては，投資法人の決定事実・決算変動については投資法人が，資産運用会社の決定事実については，資産運用会社が公表措置をとったときに，投資法人・資産運用会社の発生事実または包括条項該当事実については，投資法人または資産運用会社が公表措置をとったときに，取引が解禁される（166条4項）。①の開示書類のなかでは，臨時報告書の公衆縦覧が時間的に最も早いと思われる。②にいう「公開」とは伝達の意味であり，報道機関が当該事実を報道しなかった場合にも②の公表と認められるが，上場会社等またはその子会社以外を情報源として報道が行われても公表とは認められない。上場会社が義務を怠らない限り，③の公表が最も早く成立する。

①〜③の公表が行われるまでの間であっても，たとえばテレビやインターネットのスクープ・ニュースによって多数の者に重要事実が知られる状態になれば，会社関係者・情報受領者の取引を許してもなんら問題はない。そこで立法

52）　中村＝尾本・前掲注12）40-41頁。

論としては，公表措置をとる主体を情報の発生源（上場会社等）に限定すべきではなく，「不特定多数の投資者が当該事実を知りうる状態になったとき」といった一般的な公表概念を採用すべきであろう。もっとも，会社関係者等に重要事実が公表されていないとの認識がなかった場合には故意が欠けるため，その者の取引が処罰されることはない[53]。

■Column 7-8　情報源を公にしない報道とインサイダー取引の解禁■■

タイムリー・ディスクロージャーよりも前に発行者がマスメディアの取材に応じ，会社の重要事実に係る報道がされることがある。最高裁平成28年11月28日決定（刑集70巻7号609頁）は，情報源を公にしないことを前提とした報道機関に対する重要事実の伝達は，施行令30条にいう報道機関に対する「公開」には当たらないとした。たしかに情報源が発行者であると明示されていない報道は，情報の信頼度に欠けるところがある。しかし，会社が情報源を公にする前提で重要事実を公開しても，その事実が報道されないことがあるから，インサイダーは公開から12時間が経過しても取引を解禁されない不安定な地位に置かれる。もしこの判決が，情報源を公にすることを前提とした公開から12時間を経過すれば取引が解禁されるという趣旨であれば，今度はインサイダーと一般の投資者との情報格差は埋まらないことになる[54]。このような矛盾を解消するには，本文で述べたような一般的な公表概念を採用するしかない。

同決定は，また，会社の意思決定に関する重要事実を内容とする報道がされたとしても，情報源が公にされない限り，インサイダー取引規制の効力が失われることはないとする。この部分は，情報源を公にする報道がなされれば，重要事実が公知になったことを理由にインサイダー取引規制の効力が失われると判示しているように読める。これに従えば，たとえば，会社が1つの報道機関にのみ重要事実を公開した場合や，2以上の報道機関への公開から12時間を経過していない場合であっても，情報源を公にする報道がされればインサイダー取引が解禁されると解する余地がある。

5 禁止行為

(1) 特定有価証券等に係る売買等

上場会社等の重要事実を知った会社関係者（会社関係者でなくなった後1年以

53）神崎克郎「インサイダー取引の禁止(1)」金法1194号（1988）16頁，神崎＝志谷＝川口1256頁。

54）黒沼悦郎「判批」ジュリ1515号（2018）110頁。

内の者も同じ。166条1項後段）および情報受領者が，当該事実の公表までに禁止される行為は，第1に，当該上場会社等の特定有価証券等（→*1*）に係る売買その他の有償の譲渡・譲受け（売買等），またはデリバティブ取引である（166条1項3項）。

売買等には，交換，代物弁済，現物出資が含まれる[55]。有価証券の発行に応じてこれを原始取得する行為は，売買等に当たらないと解されている[56]。インサイダー取引規制の対象である特定有価証券等の発行に際しては，多くの場合ディスクロージャーが強制されるが，なお，会社関係者のみが重要事実を知りつつ，有利な条件で有価証券を発行する事態は生じうる。株式会社の組織再編において，新株を発行するときは売買等に当たらず，自己株式を交付するときは売買等に当たるという不整合も生じていた。後述（→*6* (5)）のように，平成24年改正法は，組織再編の場面に限って，自己株式を交付しても売買等に当たらないという方向で両者の整合性を確保したが，一般投資家にとって不公正な取引が行われる可能性がある以上，組織再編の場面に限らず，原始取得も売買等に当たるという方向で整合性を確保すべきであった。

上場株式を投資家が相対（あいたい）で売買したり上場会社の未上場の社債を売買するように，特定有価証券等の売買等を金融商品市場外で行うことも，原則として禁止の対象となる（→*6* (4)）。特定有価証券等に係るデリバティブ取引も，市場で行われる必要はない。市場外の売買等やデリバティブ取引によっても，インサイダーは利益を得ることができるからである。もっとも，市場外の取引が投資者の市場に対する信頼を害することになるのか，疑問である[57]。

会社関係者や情報受領者による取引を禁止するのは，重要事実を知った状態で投資判断を下すことが不公正と考えられるためであるから，取引の結果が会社関係者や情報受領者に帰属することは必要ではない。たとえば，A社の取引先であるB社の役員等（166条1項4号の会社関係者）がA社の重要事実を知ってB社の計算でA社株を買い付けるときは，B社役員等について違法なインサイダー取引が成立し，B社に対しては両罰規定（207条）が適用される。投資運用業を行う金融商品取引業者が顧客の資産を運用するときも，取引の成果は顧客に帰属するが，金融商品取引業者の運用担当者がインサイダー取引の

55）横畠・前掲注11）45頁。

56）同前。

57）川口ほか・前掲注1）85頁。

規制対象となる[58]。

■ Column 7-9　情報の保有と利用■■

金融商品取引法は，重要事実を知った会社関係者・情報受領者の取引を一律に処罰の対象とし，その者が情報を利用して取引をしたか否かを問うていない。また，株価を押し上げるような重要事実を知って株券を売却しても，会社関係者・情報受領者は利益を得られないが，このような場合も形式的にはインサイダー取引に該当する。諸外国の例を見ると，ドイツ法は情報の利用をインサイダー取引の要件とし，イギリス法は，情報を有していなくても同様の取引を行ったであろうこと，または利益を得ることを予想していなかったことを，インサイダー取引成立の抗弁事由としている[59]。アメリカの判例は，情報の保有で十分か，情報の利用まで要件と解すべきか，分かれている[60]。

わが国のインサイダー取引規制が情報の保有のみを要件としたのは，情報の利用まで求めると立件が困難になることを考慮したのであろう。しかし，立法当時は形式犯と捉えられてきたインサイダー取引が，度重なる罰則の強化によって実質犯化してきている（→***4*** 節 ***1***）。そこで，情報の利用を要件とし，取引の段階で情報を保有している者は，その情報を利用したものと推定した上で，情報の保有以前に投資決定がなされたことを立証できれば推定が覆る旨の立法論が提言されている[61]。

⑵　合併・会社分割による特定有価証券等の取得・処分

合併や会社分割によって取得し，または処分した財産のなかに特定有価証券等が含まれていたとしても，合併や会社分割による財産の取得は包括承継であるため，特定有価証券等の取得・処分は，売買等に当たらず，インサイダー取引規制の対象とならないと解されていた。これに対し，財産を事業譲渡の方法で取得・処分するときは，財産が特定承継され，そこに含まれている特定有価証券等の売買等に当たると解されており，合併・会社分割の場合と事業譲渡の場合とで不整合が生じていた。また，承継財産に含まれる特定有価証券等に関する重要事実について，合併や会社分割の一方当事者がこれを知りうる地位に立つ場合には，承継財産に含めて特定有価証券等を移転させることは，一般投資家との関係で不公正であるといえる。

58）ニッポン放送株事件（東京地判平成 19・7・19 刑集 65 巻 4 号 452 頁）は，ファンド資産についてファンド運営者のインサイダー取引が訴追された事例であった。

59）川口ほか・前掲注 1）96 頁，102 頁。

60）黒沼・アメリカ 173 頁。

61）川口ほか・前掲注 1）89 頁注 8）〔川口恭弘〕。

そこで，平成24年改正法は，一定の適用除外を設けた上で（→*6*(5)），合併または会社分割によって特定有価証券等を承継させ（処分し），または承継する（取得する）行為を禁止の対象に加えた（166条1項柱書）[62]。たとえば，甲社がその保有する上場株式A株のみを会社分割の対象とし，乙社に承継取得させると，甲社または乙社の役員等がA株に関する重要事実を知っていたときには，インサイダー取引規制違反となる。

(3)　情報伝達および取引推奨

わが国のインサイダー取引規制では，重要事実を他に伝達する行為や，重要事実を示さずに特定銘柄の売買を推奨する行為は，直接規制の対象とされていなかった。これに対しEU諸国では，職務上情報を伝達する場合を除き，内部情報（重要事実）の伝達を禁止し，内部情報を示さない推奨行為も禁止している[63]。インサイダー取引を効果的に防止するには，情報の伝達や取引推奨を規制の対象に含める必要があるからである。もっとも，わが国でも次の2点において，インサイダー取引の防止が図られていた。第1に，会社関係者が他の者にインサイダー取引を行わせる意図で，重要事実を伝達した場合には，会社関係者は情報受領者によるインサイダー取引の共犯として処罰される可能性がある。第2に，インサイダー取引を防止する観点から，金融商品取引業者およびその役員・使用人は，法人関係情報を提供して勧誘する行為が禁止される（38条9号，金商業府令117条14号。ただし罰則の適用なし）。

平成24年に，上場会社の公募増資情報に関するインサイダー取引事例が相次いで発覚し（→Column 7-10），証券会社の従業員が投資運用業者のファンドマネージャーに情報を伝達していたことが大きな問題とされた。そこで，平成25年に，会社関係者による情報伝達行為や取引推奨行為も禁止の対象とする改正が行われた[64]。

■Column 7-10　公募増資インサイダー事例■■

平成22年頃から，大型の公募増資が公表されるよりも前に増資を予定している

62）金融審議会インサイダー取引規制に関するワーキング・グループ（以下，「インサイダーWG」という）報告「企業のグループ化に対応したインサイダー取引規制の見直しについて」7-10頁（平成23年12月15日）。

63）川口ほか・前掲注1）92頁。

64）改正法の趣旨につき，インサイダーWG「近年の違反事案及び金融・企業実務を踏まえたインサイダー取引規制をめぐる制度整備について」1-3頁（平成24年12月25日）を参照。

企業の株価が下落する現象がいくつか見られ，増資情報を公表前に知ったインサイダーが，増資予定企業の株式を市場で大量に売却したためではないかと疑われた。事件を調査した証券取引等監視委員会は，平成24年に入ってインサイダー取引について課徴金納付命令の勧告を行うとともに，悪質な事例については刑事告発を行った[65]。また，情報を漏洩した証券会社に対しては，金融庁から行政処分が下されている。

これらの公募増資インサイダー事例で明らかとなった課題の第1は，情報を厳格に管理しているはずの大手証券会社において，増資情報が「情報の隔壁」（チャイニーズウォールといわれる）を越えて引受部門から営業部門へ伝達されたことである。経済理論的には，インサイダー取引によって発行者の株価が下落し，不利な条件で増資が行われるようになれば引受証券会社の評判が傷つけられるから，法による禁止がなくても，引受証券会社はインサイダー取引を許さないはずである。実際の事例では，引受部門が情報を積極的に伝達したわけではなく，営業部門の社員が，「銘柄名さえ聞かなければ銘柄が推測できても問題ない」との安易な考えから，他部門からの情報収集を行っていた。この課題への対策として情報伝達・取引推奨行為が禁止された。

課題の第2は，増資情報を取得した投資運用会社がファンドの資金を運用して多額の損失を免れたのに，インサイダー取引の課徴金が低額（5万円から13万円）であり，インサイダー取引の抑止効果を発揮できなかったことである。これを受けて，課徴金の額の見直しが行われた（→**Column 7-14**）。

公募増資によって株価が下落しなければ，インサイダー取引も起こらないから，より根本的な問題は，公募増資の情報が株価を下落させることである。ファイナンス理論では，発行者が資金調達の手段として公募の方法を選択すると，株価が過大評価されているとの発行者の内部情報が市場に伝わり，株価が下落すると説かれているが[66]，他方で，公募市場において市場原理が働けば，企業価値を増加させる（株価を上昇させる）プロジェクトのみが選択され，そのための資金調達のみが行われるはずである。平成25年中の上場会社の増資について金融庁が行った調査によると，40銘柄から無作為に抽出した15銘柄のすべてにおいて，有価証券届出書の提出から募集価格の決定までの間に，発行者の株価（TOPIXを用いて市場全体の変動要因を除去して調整済み）が下落しており，うち11銘柄において，増資分が全額毀損した（増資によって株数のみが増加した）と仮定した場合の株価よりもさらに株価が下落しているという[67]。このような極端な株価下落の要因を解明し，除去で

65）　個々の案件については，インサイダーWG第1回会合資料4「インサイダー取引に関する課徴金勧告及び告発の状況」（平成24年7月31日）を参照。

66）　リチャード・ブリーリー＝スチュワート・マイヤーズ＝フランクリン・アレン（藤井眞理子＝國枝繁樹監訳）『コーポレートファイナンス（上）〔第10版〕』769頁（日経BP社，2014）。

きなければ，わが国の資本市場はその機能を適切に発揮できないであろう。

平成25年改正に係る167条の2第1項は，重要事実を知った会社関係者が，他人に対し，重要事実の公表前に特定有価証券等に係る売買等をさせることにより利益を得させ，または損失を回避させる目的をもって，重要事実を伝達し，または売買等を勧めることを禁止する。ただし，情報の伝達を受け，または取引を勧められた者が，特定有価証券等の売買等をした場合に限って処罰される（197条の2第14号15号）。情報伝達を禁止する趣旨は，インサイダー取引の防止にある。取引推奨を受けた者による特定有価証券等の売買等はインサイダー取引に該当しないので，取引推奨の禁止の趣旨は，厳密にはインサイダー取引の防止とはいえない。しかし，重要事実を有する者が取引を推奨し，それに沿った取引が行われれば，取引自体に可罰性はないとしても，全体として，一般投資家の市場に対する信頼を損なう不公正な行為であるといえるので，改正法は，不公正な行為を構成する一部である取引推奨を独立に禁止対象にしたと解することができる[68]。

■Column 7-11　目的要件の要否■■

情報伝達・取引推奨行為に，他人に利益を得させるという目的要件を課したのは，企業の通常の業務・活動のなかで行われる情報伝達・取引推奨に支障を来さないようにするためであると説明されている[69]。しかし，そうであれば，「事業を遂行する過程を除いて」とか「正当な目的がないのに」といった消極要件を設ければ足りた。重要事実を知った会社関係者が家族や他人にうっかり（軽率に）話してしまった場合を考えてみると，家族に話した場合には，家族が信頼関係を裏切って有価証券の売買等を行うことは予想されないから，「正当な目的がない」とはいえない（したがって，不可罰である）。そのような信頼関係のない他人に話した場合には，情報伝達の禁止の目的がインサイダー取引の防止にあることを考慮すると，処罰の対象とされてもやむを得ないのではないだろうか。

情報伝達行為に目的要件が挿入されたため，会社関係者が重要事実をうっか

67）　金融審議会「新規・成長企業へのリスクマネーの供給のあり方等に関するワーキング・グループ」第7回会合資料1（事務局説明資料）3-4頁（平成25年10月25日）。
68）　黒沼悦郎「インサイダー取引規制の改正」ジュリ1460号（2013）25頁。
69）　インサイダーWG・前掲注64）3頁。

り伝達してしまった場合には処罰されない。どの程度の積極的な意欲があれば，他人に利益を得させる目的があるといえるかは，状況による。職務上の必要から他人に情報を伝達する者が，当該他人がインサイダー取引を行う可能性を認識していたとしても，目的要件を充足するとは解すべきではないが，職務上の必要等の正当な伝達目的が併存していない場合には，他人に利益を得させる目的が認定されやすくなるだろう[70]。

重要事実を知っている役員等が会社のIR活動を行うことは，違法な取引推奨に当たるだろうか。この点については，IR活動の一環として行う自社への投資を促すような一般的な推奨は，他人に対し，特に重要事実の公表前に売買等を行わせ，それに起因した利益を得させるためのものではないから，目的要件を欠くという金融庁の解釈が示されている[71]。もっとも，未公表の重要事実を知っている上場会社等の役員等が，その事実を無視して，一般的な投資推奨をすることは，人間心理からいって難しい。IR担当者を未公表の重要事実から遮断するか，それができない場合（社長がIR活動を行う場合等）には，特に注意が必要であろう。

取引推奨罪に当たるといえるためには，推奨者が重要事実の存在をほのめかし，または重要事実を知りうる立場にあることを示しつつ取引を推奨することは，条文上，求められていない。これに対しては，知らない者から取引を推奨されても，それによって取引が行われるのは全くの偶然に属することであり，市場に対する投資者の信頼が害される危険は少ないから，取引推奨の目的要件については，客観的に取引が行われる一定程度の可能性が存在していることが必要であり，そのためには，最小限，推奨を受ける者に，推奨者が会社関係者であることの認識が必要であるという見解[72]が主張されている。

情報伝達や取引推奨を受けた者が特定有価証券等の売買等を行った場合に限って，情報伝達・取引推奨者が処罰の対象とされる（197条の2第14号15号，取引要件）。情報伝達・取引推奨の禁止の目的がインサイダー取引の防止にあり，違法行為と侵害利益との距離が遠いことを考慮したものである。この取引要件は構成要件ではなく，講学上，客観的処罰要件と呼ばれるものである[73]。情報

70）　黒沼・前掲注68）25頁。
71）　金融庁「情報伝達・取引推奨規制に関するQ&A」2頁（平成25年9月12日）。
72）　佐伯仁志「刑法から見たインサイダー取引規制」金法1980号（2013）15頁。
73）　構成要件的結果とみる説（佐伯・前掲注72）14頁）もある。

伝達や取引推奨を受けた者が売買等を行わない場合であっても，情報伝達・取引推奨が違法であることには変わりがなく，平成25年改正により新設された氏名公表制度（192条の2）が適用されるし，行為者が金融商品取引業者等であれば行政処分の対象となる[74]。

取引要件は「当該違反行為により……売買等をした場合」と規定されているところから，情報伝達・取引推奨とこれを受けた者による特定有価証券等の売買等の間には，因果関係が必要であるという見解もある[75]。

6　適用除外取引

重要事実を知ったとしても，それと無関係に行われる取引は禁止する必要がないし，これを禁止すると有価証券の取引が過度に抑制されてしまう。会社関係者・情報受領者が重要事実を知って行ってもインサイダー取引には当たらない適用除外取引が定められている（166条6項）。これには，適用除外が理論上当然に認められるべきものと，政策的に認められたものとがある。

⑴　権利行使に基づく有価証券の売買等

株式の割当てを受ける権利・優先出資の割当てを受ける権利を有する者が当該権利を行使して株券・優先出資証券を取得する行為（166条6項1号），新株予約権・新投資口予約権を有する者が当該権利を行使して株券・投資証券を取得する行為（同項2号），特定有価証券等に係るオプションを有する者がオプションを行使して特定有価証券等の売買等をする行為（同項2号の2），および，会社法または投資信託・投資法人法の規定による株式や投資口の買取請求または法令上の義務に基づく売買等（同項3号）が，適用除外取引とされている。

1号～2号の2の行為は，理論上もインサイダー取引にならない。なぜなら，割当権・新株予約権・オプションを取得した時点で既に投資判断が行われており，その権利を行使して株券等を取得してもその者の投資成果に変化が生じないからである。たとえば，100円の払込みを行えば対象株式1株を取得できる新株予約権1個が，対象株式の株価が110円のときに，市場において10円で取引されており，ある投資者が新株予約権1個を10円で取得したとする。重要事実の公表により，1株の株価が150円に上昇すれば，新株予約権の価格も

74）　金融庁・前掲注71）3頁。

75）　中村聡「インサイダー取引規制の平成25年改正と実務上の諸問題」商事1998号（2013）35頁，佐伯・前掲注72）14頁。

1個50円前後に上昇すると想定できる。新株予約権者は，重要事実の公表前に予約権を行使して株式を取得し，公表後に当該株式を150円で売却して40円の利益を得ることができるが，重要事実の公表後に予約権を行使しても，払込み価格は変わらないので40円の利益を得ることができ，あるいは，予約権を行使せずに市場で新株予約権を売却しても同じだけの利益が得られる。このように理論上，不公正取引と非難すべき行為でないため，1号〜2号の2の行為が適用除外取引とされている[76]。

これに対し，新株予約権を買い付ける行為は，特定有価証券の売買等に当たり（新株予約権証券に相当するみなし有価証券の買付けとなる），インサイダー取引規制の対象となるし，新株予約権を行使して得た株券を売り付ける行為も規制の対象となることに注意を要する。

3号は，1号〜2号の2とやや性質が異なる。会社が株主から法定の株式買取請求を受けた場合は，買い取る義務があることからインサイダー取引規制の適用を当然に除外される（会社にとって投資判断がない）。それに対して，株主の側は，重要事実を知っているがゆえに買取請求をすることも考えられないではないが，通常は合併等に反対することが売付けの動機であるところから，会社法上の少数株主の保護を優先してインサイダー取引規制の適用を除外した。

⑵ 対抗買い

公開買付け（**→5章*1*節*1***）・買集め（**→5章*7*節*1***）に対抗するため対象会社の取締役会（投資法人の場合は役員会）が決定した要請に基づいて行う特定有価証券等の売買等（166条6項4号）が適用除外取引とされている。

いわゆる対抗買いを非常時における企業防衛のための正当な行為と位置づけ，対象会社に未公表の重要事実が生じている場合に，対抗買いの要請を受けた者が会社関係者・情報受領者に該当する場合であっても，対象会社の特定有価証券等の買付けが妨げられることのないよう政策的に設けられた規定である[77]。対象会社が，未公表の重要事実を要請先に示し，取引の有利性を強調して対抗買いを要請することも適法に行えることになる。

しかし，対象会社は対抗買いを要請する際に未公開の重要事実を公表するこ

76）　神崎＝志谷＝川口1258頁は，時価が行使価格を上回っている状況では，内部情報の有無にかかわらず，新株予約権の行使がなされるため，内部情報を知っていることと無関係に株券の取得がなされるからであるとするが，不正確な説明と考える。

77）　神崎＝志谷＝川口916頁。

ともできるし，要請を受けた者は対象会社に公表を求めることができる地位にあると考えられるから，本号の適用除外を設ける正当性は疑わしい。公開買付け・買集めの意義については後述する（→*3*節*3*(1)）。本号による適用除外は，実際に公開買付けまたは買集め開始以降の取引についてのみ適用される。

対抗買いの適用除外については，たとえば買収者が対象会社に株式買集めの意図を伝達してきた場合に，株式買集め等（公開買付け等）の事実が存在するかどうかを対象会社の側で確知できないために使いにくいという指摘がある。また，「対抗買いの要請」が取引所によるタイムリー・ディスクロージャーの対象とされているため，株式買集め等の事実が不確かな状態でタイムリー・ディスクロージャーを行いがたい（したがって，対抗買いの要請も行いがたい）という指摘もされている[78]。そこで金融庁は，平成27年にガイドラインを制定し，対抗買いの要請が，公開買付け等の事実があることについて合理的な根拠に基づくものであり，当該公開買付け等に対抗する目的をもって行われたものであるときは，適用除外に該当するとした[79]。

(3)　自己株式・自己の投資口の取得

株主総会または取締役会による自己株式取得の決議が公表されたのち，当該決議に基づいて自己株式を取得する行為は，自己株式の取得についての決定以外の未公表の重要事実がない場合に限って，インサイダー取引規制の適用を除外される（166条6項4号の2）。投資法人における自己の投資口の取得についても同様である。

本号の趣旨については，2通りの説明がされている。第1は，自己株式取得の授権決議ののち自己株式を実際に取得するまでの間に，いつどれだけの自己株式を取得するかについてなんらかの決定（166条2項1号ニ該当）が行われるはずであるが，当該具体的決定を公表すると実際に取得するまでの間に株価が上がってしまい，自己株式の取得が困難になるために，政策的に本号の適用除外が設けられた[80]というものである。これに対して，具体的な自己株式取得の

78）　以上につき，インサイダーWG第5回会合議事録（平成24年11月27日）を参照。これらの問題の検討として，黒沼悦郎「公開買付け等に係るインサイダー取引規制の改正」金法1980号（2013）25-27頁を参照。

79）　金融庁「金融商品取引法等に関する留意事項について（金融商品取引法等ガイドライン）」166-1，167-1。

80）　証券取引審議会公正取引特別部会報告「自己株式取得等の規制緩和に伴う証券取引制度の整備について」（平成6年2月7日）参照。

決定と同時に，その決定が重要事実となるのであって，取得の決定が一般投資家に比べて有利に行われることにはならないから，理論上当然の適用除外であるという説明もある[81]。会社による投資判断は具体的な自己株式取得の決定の際に行われ，それは自己株式の取得決定という重要事実を知ってなされたものではないから，後者の説明が妥当である。

自己株式の取得についての決定以外の重要事実があるときは，それを公表するまで会社は自己株式を取得することができない（166条6項4号の2括弧書）。会社が自己株式を取得する際に自己株式の取得決定以外の重要事実の開示を求められることは，自己株式の取得のように上場会社と当該上場会社の株主とがいわば取引関係に立つ場合には，「完全開示の原則」（→**4章5節*8*(2)**）が働くことを裏づけている。

■ Column 7-12　自己株式取得の外部委託とインサイダー取引■■

上場会社等が余剰資金で自己株式を継続的に買い付ける場合，上に述べたように，会社に重要事実が生じていると，取得を決定した役員等がインサイダー取引をしたものと扱われる危険がある。そこで自己株式の取得資金を信託銀行に信託し，あるいは，証券会社との間で投資一任契約を締結して，信託銀行等が具体的な自己株式の購入を決定・執行することにより，インサイダー取引規制に違反することなく継続的に自己株式を取得しようとする上場会社が多い。信託や投資一任契約を利用して自己株式を取得する仕組みにおいても，自己株券買付状況報告書の提出が1か月ごとであること（→**3章5節*1***）から，1か月ごとに取締役会で自己株式取得の決議を行う例が多い[82]。そして，自己株式取得の授権決議時に上場会社等に重要事実aが生じていたのに（**図表7-8**），これを公表せず，自己株式の具体的な取得が信託銀行等により行われると，決議に参加し，かつ重要事実を知っていた取締役がインサイダー取引をしたものとして処罰の対象となると解されている[83]。重要事実を知っている者は，自己株式取得の投資判断（授権決議）をすべきでないからである。

それでは，授権の後，信託銀行等の担当者が実際に買付けを行うまでの間に，会社に重要事実bが生じた場合（**図表7-8**）には，これを公表しなくてもインサイダー取引は成立しないのであろうか。

この問題について金融庁のQ&Aは，①当該上場会社が契約締結後に注文に係る指示を行わない形の契約である場合，または，②当該上場会社が契約締結後に注文

81）　前田雅弘「自己株式取得とインサイダー取引規制」論叢140巻5＝6号（1997）268頁。
82）　川口恭弘「金庫株制度と内部者取引規制」同志社法学285号（2002）69頁。
83）　インサイダー取引規制違反として課徴金が課せられた例として，平成19年3月30日（小松製作所）などがある。

図表 7-8

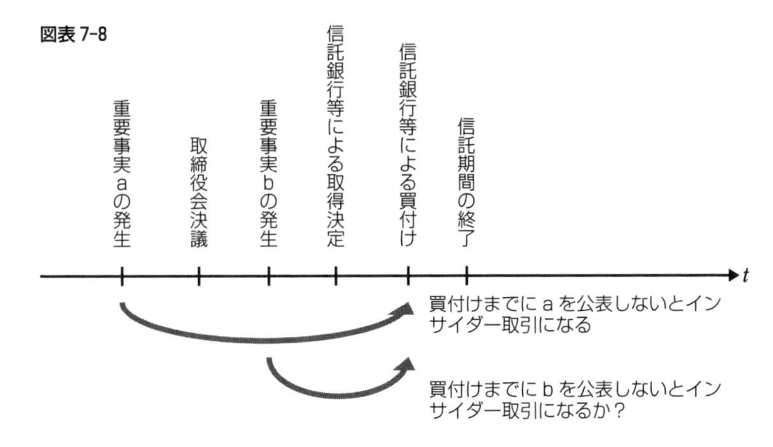

に係る指示を行う場合であっても，指示を行う部署が重要事実から遮断され，かつ，当該部署が重要事実を知っている者から独立して指示を行っているなど，その時点において，重要事実に基づいて指示が行われていないと認められる場合には，インサイダー取引規制に違反しないとする84)。①の要件を満たせばよいのは，自己株式取得の授権後に上場会社が買付けの中止を指示できないのであれば，授権時の投資判断に基づいて買付けが行われることになり，自己株式の取得が，会社関係者が重要事実を知ったことと無関係に行われたと評価できるからであろう。②の要件を満たせばよいのは，授権後に上場会社が指示を行う場合には，当該指示に基づいて自己株式の買付けが行われることになるが，指示を行う部署が重要事実から遮断されていれば，指示が重要事実と無関係に行われたと評価できるからであろう。しかし，そうであれば，自己株式の取得権限を会社外部に出さなくても，会社内で自己株式の具体的な買付け決定を行う者（買付担当者）が重要事実から遮断されていれば，適法に自己株式を取得できるようにも思われるが，Q&A は，そのような方法が適法であるとは述べていない。

たしかに，信託銀行等の担当者による具体的な投資決定は未公表の重要事実を知った状態で行われるものではない。しかし，その取引の結果は最終的には上場会社等に帰属するのであるから，重要事実が公表されたときに当該取引による利益を上場会社等は享受することができるのである。そこで，上に述べた「完全開示の原則」から，会社は重要事実を公表すべきであり，公表せずに取引を行えばインサイダー取引に該当すると解するべきではないだろうか。この考えからは，自己株式の取得を信託銀行や証券会社に委託する上場会社等は，信託契約・投資一任契約の締結後に指示を行わない契約を締結すべきではなく，契約締結後（授権後）に重要事実を知ったときは，指示契約に基づいて売買等を中止しなければならないと解する

84)　金融庁「インサイダー取引規制に関する Q&A」1頁（平成20年11月18日）。

ことになる[85]。未公表の重要事実が生じる度にそれを公表するまでの間，上場会社等による自己株式の取得が禁止されるとすると，自己株式の取得は著しく困難になるが，やむを得ないといえよう。

これに対し，上場会社等が他社株の売買を行うときは，会社が株主と取引関係に立つわけではないので，完全開示の原則は働かず，会社内で売買を担当する者が他社株の発行者に関する重要事実を知ることのないよう情報の隔壁（チャイニーズウォール）が構築されていればよい。

⑷　安定操作・普通社債の売買等・市場外取引

安定操作取引（159条3項，施行令20条～26条，→**Column 8-5**）による売買等が適用除外取引とされている（166条6項5号）。安定操作は法令に定められた厳格な要件に従って行われるため，売買等が重要事実を知っていることと無関係に行われるからであると説明されている[86]。安定操作取引は公募の過程で行われる。公募においては発行者と投資者が取引関係に立つことから，「完全開示の原則」が働き，これが発行者のために安定操作取引を行う金融商品取引業者にも及ぶと考えると，本号による適用除外は妥当でない。

社債は特定有価証券等に含まれるが，新株予約権付社債以外の社債（普通社債）の価格は，株式ほど重要事実の影響を受けやすいものでないことから，普通社債に係る取引を適用除外とした（同項6号）。投資法人の投資法人債券についても同様である。ただし，いわゆる倒産情報は，社債の償還可能性を大きく変動させ，その価格に影響を与えることから，解散についての決定，破産・再生・更生手続開始の申立てについての決定，当該上場会社等以外の者によるこれらの手続開始の申立て，手形の不渡り，手形交換所による取引停止処分を知って行う取引は適用除外とされない（取引規制府令58条）。さらに，経営不振の会社が画期的な新製品を開発した場合のように，普通社債の売買等にインサイダー取引規制を及ぼすべき場合がほかにもあると指摘されている[87]。

重要事実を知っている者の間で，金融商品市場外において，特定有価証券の売買やデリバティブ取引を行う場合には，金融商品市場の公正性を害することはないと考えられるので，適用除外とされている（166条6項7号）。たとえば，

85）この問題を議論したものとして，証券取引法研究会「金庫株と証券取引法改正――インサイダー取引規制」『金庫株解禁に伴う商法・証券取引法』（別冊商事251号，2002）79-85頁を参照。

86）横畠・前掲注11）156頁。

87）川口ほか・前掲注1）90頁注9）。

上場会社の支配株主（売主）からその株式を譲り受ける者が，いわゆる買収監査によって対象会社に関する未公表の重要事実を知った場合，売主も当該事実を知っているときは，その事実を公表せずに株式を譲り受けることができる。ただし，買主が当該株式を市場で売却するなどインサイダー取引を行うことを売主が知っている場合には，売主の行為も処罰の対象となる（同号括弧書）。買主のインサイダー取引を助長するからである。

市場外取引については，仮にインサイダー取引の要件を満たす場合であっても，それが投資者の市場に対する信頼を損なうことにならないであろう。立法論としては，市場外取引はすべてインサイダー取引の適用除外とすべきである。

(5)　組織再編に係る適用除外取引

平成24年改正により，組織再編による特定有価証券等の承継取得がインサイダー取引規制の対象とされたことに伴い，いくつかの適用除外取引が設けられた[88)]。

第1に，承継される財産に比して特定有価証券等の割合の低い合併・会社分割・事業譲渡は，インサイダー取引に利用される危険性が低いことから，承継される特定有価証券等の帳簿価額が合併等により承継される財産の帳簿価額の20％未満であるときは，インサイダー取引規制の適用除外とされる（166条6項8号，取引規制府令58条の2）。

第2に，取締役会において合併契約等の最終決定がなされた後に，会社関係者が重要事実を知ったときには，合併等の行為が重要事実を知ったことと無関係に行われると解されるところから，適用除外とされる（166条6項9号）。重要事実を知ったことによって，合併等の組織再編が妨げられることのないようにするためでもある。

第3に，新設分割により新設分割設立会社に特定有価証券等を承継させる行為は，基本的に第三者との取引という性質を有さないため，インサイダー取引規制の対象としない（同項10号）。

以上とは別に，金融商品取引法は，伝統的に，発行開示，公開買付け，インサイダー取引規制等の場面において，新株の発行と自己株式の交付を区別してきた[89)]。このため，組織再編の対価として，会社が新株を交付する場合にはインサイダー取引規制が適用されないが，自己株式を交付する場合には規制が適

88）　インサイダーWG・前掲注64）6-9頁。
89）　発行開示について不整合が是正されたことにつき，**Column 2-3**を参照。

用されるという不整合があった。この不整合について平成24年改正は，①組織再編は会社間で権利義務を承継させることに主眼があり，新株や自己株式の交付はその対価と位置づけられ，典型的なインサイダー取引とは性質が異なること，②組織再編の対価に関し不正があったとしても，それは組織再編の当事会社間の問題であり，市場取引との関係性が高くないこと，および③組織再編は，原則として株主のチェックを受けており，未公表の重要事実を利用した不公正な取引が行われる蓋然性が類型的に低いことから，合併，会社分割，または株式交換の際の自己株式の交付にインサイダー取引を適用しないこととした（同項11号）[90]。

平成24年改正法は，上記のような組織再編に係るインサイダー取引に特有の理由から，新株の発行と自己株式の交付をともに規制対象としない（従来の新株発行と同じ扱いにする）という判断を行ったのであり，組織再編以外の場面でのインサイダー取引規制や公開買付規制において直ちに同様の扱いをすべきであるということには，ならない（→5章 *2*節 *1*(2)，*5*(1)）。組織再編に係るインサイダー取引に関しても，上記の理由のうち，①③については，組織再編を推進することができる地位にある会社の役員が，組織再編を利用してインサイダー取引を行う可能性は否定できないし，②については，市場外取引を広く適用除外とするかという問題（→(4)）としてみるべきであろう。

(6)　契約または計画に基づく売買等

重要事実を知る前に締結された契約（知る前契約）の履行として売買等を行う場合，または重要事実を知る前に決定された計画（知る前計画）の実行として売買等を行う場合には，重要事実の取得とは無関係に投資決定が行われたといえることから，インサイダー取引規制の適用が排除される（166条6項12号）。ただし，重要事実の取得と投資決定との間に因果関係がない場合をすべて適用除外とすると，情報の利用をインサイダー取引の要件とすることに等しくなるため，内閣府令で定める場合に限って適用除外とされている（取引規制府令59条）。内閣府令では，①上場会社等との間でした書面による契約に基づく売買等，②金融商品取引業者との間の信用取引契約に基づく反対売買，③クレジットデリバティブ取引に関する書面による契約の履行として，当事者間で金銭の授受を行うとともに特定有価証券等を移転させる行為，④従業員持株会・役員

90）　インサイダーWG・前掲注64）9-10頁。

持株会などによる計画的な買付け，⑤信託を利用した従業員持株会・役員持株会などによる計画的な買付け，⑥累積投資契約に基づく計画的な買付け，⑦公告された公開買付けの計画に基づく買付け，⑧公開買付届出書の提出をした自社株公開買付けの計画に基づく買付け，⑨その他書面による契約・計画に基づく売買を定めている（取引規制府令59条1項）。①は，銀行等が融資を行うとともに融資先の発行する株券を保有するいわゆる政策投資を想定した規定であるという[91]。⑨は知る前契約・計画の包括規定として平成27年に定められたものである[92]。その要件は，(a)書面による契約の履行・書面による計画の実行として売買等を行うこと，(b)知る前契約・計画について，金融商品取引業者への提出と確認，確定日付，公表のいずれかの措置がとられること，および(c)売買等の別，銘柄，および期日ならびに当該期日に行う売買等の総額または数が，知る前契約・計画において特定されているか，またはあらかじめ定められた裁量の余地がない方式により決定されることであり，かなり厳格である。

知る前契約・知る前計画の実行として行われる売買等に準ずる特別の事情に基づく売買等であることが明らかな場合には，内閣府令で定めるものでなくても適用除外となる。法が情報の利用をインサイダー取引の要件としていないことから，特別の事情を認めるには，重要事実の取得と無関係に行われる売買等であるという客観的な状況が存在することが必要だとされている[93]。しかし，インサイダー取引の実質犯化に伴い，情報の利用を要件とする法改正が行われるまでの間，本号を利用して，重要事実を知る前に投資決定が行われた場合には，知る前契約・知る前計画に準ずるものとして規制の適用を除外すべきではないだろうか[94]。

91）横畠・前掲注11）162頁。

92）船越涼介「取引規制府令および金商法等ガイドライン一部改正の解説――いわゆる『知る前契約・計画』および『対抗買い』に係るインサイダー取引規制の適用除外規定の見直し等」商事2079号（2015）31頁。

93）横畠・前掲注11）159頁。

94）この問題についての比較法研究として，飯田秀総「インサイダー取引規制における内部情報の保有と利用の違い」江頭先生古稀記念『企業法の進路』（有斐閣，2017）923頁を参照。

第3節　外部情報に係るインサイダー取引

1　規制の構造

金融商品取引法167条は，公開買付け・買集めの実施または中止に関する事実（以下，公開買付け等事実という）を一定の関係を通じて知った公開買付者等関係者または情報受領者が，当該事実の公表前に，対象会社の株券等の買付け等または売付け等をしてはならないと定める。ここに買集めとは，議決権の5％以上の買集めをいう（施行令31条）。公開買付け・買集めに係る事実は株券等を発行する対象会社の外部で発生するから，本条は，いわば外部情報に基づくインサイダー取引を規制するものである。外部情報に基づく取引であっても，当該情報に接近しやすい者が「楽して儲ける」行為は，投資者の市場に対する信頼を害すると考えられたため，インサイダー取引規制の対象とされた。

167条により買付け等または売付け等が禁止される有価証券の範囲は，公開買付規制の対象となる株券等（27条の2第1項柱書）であって金融商品取引所に上場されているもの，または店頭売買有価証券（現在該当なし）であるもの（以上を「上場等株券等」という），上場等株券等の発行者が発行する上場等株券等以外の株券・新株予約権証券等（上場等株券等とあわせて「特定株券等」という），または特定株券等に係るオプション証券等（「関連有価証券」）である。上場等株券等を発行している会社に対する公開買付けや株券等の買集めの情報が対象となるが，取引規制の対象は，当該会社が発行している非上場の株券等に及ぶ。

2　公開買付者等関係者と情報受領者

(1)　公開買付者等関係者

公開買付者・買集め者による公開買付け・買集め行為が行われると，株式の需給関係および対象会社の支配権に影響を与え，通常，株価が上昇する。公開買付け・買集め行為の情報源である公開買付者等の関係者が，その事実をあらかじめ知って対象会社の株式を買付け，これを公開買付者・買集め者に提供したり，株価が上昇した時点で市場で売却したりすれば容易に利益を得ることができる。このような取引は，一般投資家との関係で不公正であると考えられ，インサイダー取引の規制対象とされた。具体的には，167条1項が列挙する次の者が公開買付者等関係者に当たり，公開買付者等関係者でなくなってから1

年以内の者も同じ規制に服する。

①　公開買付者等またはその親会社の役員・代理人・使用人（1号）　公開買付者等とは，(a)他社株公開買付け（27条の2第1項本文により公開買付けをしなければならない場合に限る），(b)自社株公開買付け（27条の22の2第1項により公開買付けをしなければならない場合に限る），または(c)上場会社等の株券等を議決権の5%以上買い集める行為（施行令31条）を行おうとする者をいう。公開買付者等またはその親会社の役員・代理人・使用人（役員等）が，その職務に関し公開買付け等事実を知った場合に，公開買付者等関係者となる。

公開買付けまたは株式買集め決定に基づいて公開買付者等のために，その役員等が株式の買付け等を行う場合，形式的には167条の禁止行為に該当するが，もちろん法は公開買付者等の買付け等を禁止するものではない。人は自己の決定に基づく行動によってインサイダー取引罪に問われることはない（→***2*** 節 ***6*** (3))。公開買付け等事実を知った公開買付者等の役員等が公開買付者等の計算で売買等を行うときは，本号にいう公開買付者等の役員等に該当しないと解するか，167条5項には，そのような場合を対象とする，書かれていない適用除外行為があると解すべきである。同様に，公開買付者・買集め者と共同して公開買付けまたは買集め行為を行う者は公開買付者等に含まれ，対象会社の株券等の取引を制限されることはない。

②　公開買付者等の会社法433条1項に定める権利を有する株主等（2号）

公開買付者等が株式会社である場合に，公開買付者等に対して帳簿閲覧権を有する株主をインサイダーとする規定である（166条1項2号参照，→***2*** 節 ***2*** (1)②)。もっとも，株主が帳簿閲覧権を行使して公開買付け等事実を知る事態は，ほとんど考えられない。

③　上場会社等に対する法令に基づく権限を有する者（3号）　166条1項3号との横並びで設けられた規定であり，この者は権限の行使に関し公開買付け等事実を知ったときに公開買付者等関係者となる。上場会社等に対し許認可権限を有する行政庁の職員等が該当する（→***2*** 節 ***2*** (1)③)。

④　公開買付者等と契約を締結している者・締結の交渉をしている者（4号）

これらの者は，契約の締結・交渉・履行に関し，公開買付け等事実を知った場合に，公開買付者等関係者となる。公開買付け・買集め行為について助言を与える金融商品取引業者や法律顧問，買集め資金を提供する金融機関などが本号に該当しうる（→***2*** 節 ***2*** (1)④)。

⑤　他社株公開買付けまたは株式買集めの対象会社およびその役員等（5号）

わが国の公開買付けの大半は，あらかじめ公開買付者と対象会社とが合意で行う友好的なものであり，敵対的な公開買付けの場合でも，対象会社の賛否を確認するために，公表前に買付者から対象会社に対して公開買付けに関する事実を告知する場合が多い。買集め行為についても，公表前に買集め者が対象会社に対して買集めに関する事実を伝達する場合がある。このような実務を踏まえると，公開買付けや株式買集めの対象会社やその役員は，公開買付け等事実を知りうる特別な立場にあるといえるので[95]，平成25年改正により，本号が公開買付者等関係者に加えられた。

対象会社およびその役員等は，公開買付者等からの伝達により（役員等については，その者の職務に関し伝達により）公開買付け等事実を知った場合に限って，規制の対象となる。対象会社やその役員等は，公開買付者等からの伝達により知りうるという特別な地位にあると考えたからである。しかし，対象会社やその役員等は，少なくとも公開買付者等からの情報受領者と捉えることができるので（処罰の対象となる），問題の核心は，対象会社の役員等から情報の伝達を受けた者にインサイダー取引規制を及ぼすこと，いいかえると，情報の第2次以降の受領者を処罰の対象とすることにあると思われる。また，MBO（→Column 5-7）についてはいわば対象会社が情報源となっているので，公開買付者等からの伝達を要件とせず，167条1項1号と同様，職務に関し知ったことのみを要件とすべきではなかったであろうか[96]。

⑥　法人内部で職務上，公開買付け等事実の伝達を受けた者（6号）　②④⑤に当たる者が法人である場合に，その内部で職務上事実の伝達を受けた者を，情報受領者ではなく公開買付者等関係者と扱うための規定である（→*2*節*2*(1)⑤)。

(2)　情報受領者

情報受領者による取引を禁止する趣旨は，内部情報に係るインサイダー取引の場合と同様である（→*2*節*2*(2))。公開買付者等関係者（公開買付者等関係者でなくなってから1年以内の者を含む）から公開買付け等事実の伝達を受けた者は，その事実が公表された後でなければ，対象会社の株券等の売買等をしてはなら

95)　インサイダー WG・前掲注64) 8頁。

96)　以上につき，黒沼悦郎「公開買付け等に係るインサイダー取引規制の改正」金法1980号（2013) 20-21頁。

ない（167条3項）。第2次以降の情報受領者の取引が禁止されていないこと，職務上，公開買付け等事実の伝達を受けた者が所属する法人の役員等で，その者の職務に関し重要事実を知った者も，情報受領者となることも同じである（→2節2(2)）。

公開買付者・買集め者から公開買付け等事実の伝達を受けた対象会社の役員等が，情報受領者ではなく公開買付者等関係者とされることは前述した（→(1)⑤）。

3　公開買付け等事実

(1)　公開買付けの実施または中止に関する事実

金融商品取引法167条が規制対象とする公開買付け・買集めの実施または中止に関する事実とは，公開買付者等（法人にあってはその業務執行決定機関）が，公開買付け・買集めを行うことについての決定をしたこと，またはいったん決定して公表された公開買付け・買集めを行わないことを決定したことをいう（167条2項）。

実施に関する事実は，「行うことについての決定」であり，公開買付け・買集めを行うことの決定ではない。公開買付け・買集めを行うことの確定的な決定がされるより前に，公開買付け・買集めに関する情報が投資者の投資判断に影響を及ぼすことがありうるために，このような規定振りが採用された。

前述のように，判例は，決定があったといえるためには実現可能性の有無を問わないとしているが，実現可能性は決定が実現した場合の規模（決定事実の規模）と照らし合わせて，投資者の投資判断に影響を及ぼしうるか否かという観点（重要性の観点）から判断すべきである（→Column 7-5）。この重要性を判断する場合に，「決定事実の規模」は，公開買付者や買集め者が具体的に実現を意図した規模を基準とすべきであり，実現可能性は，当該事実が実現される蓋然性が問われるべきである。たとえば，買集め者が対象会社の議決権の3分の1の取得を目指しているときは，買集めに該当する5%以上の取得ではなく3分の1の取得が決定に係る事実であり，5%以上を取得する資金ではなく3分の1を取得する資金の調達可能性が，決定の実現可能性を左右することになる[97]。

97）　この点で，東京地判平成19・7・19刑集65巻4号452頁の判示は妥当でない。

既に開始された公開買付けに関して，買付価格を引き上げる，買付期間を延長するなどの決定は，「行うことについての決定」に該当しないと解するのが立法趣旨と整合的である。なぜなら，公開買付けの実施または中止に関する事実には軽微基準が設けられていないため，もし決定に当たるとすると，ささいな条件変更も決定に該当し不都合が生じるからである。

中止に関する事実は，実施についての決定が公表された公開買付け・買集めを「行わないことを決定したこと」をいう。実施についての決定が公表されていることを要求したのは，そうでない場合には，中止の決定は投資者の投資判断に影響を及ぼさないためである。なお，いったん実施が決定された公開買付け・買集めが中止された場合には，実施についての決定はもはや存在しないと評価すべきである。実施の決定が公表されずに中止された場合には，実施の決定が公表されることはもはや期待できないから，決定がないと解しないと，実施の決定を知らされた情報受領者は，いつまでも対象株券等の買付け等を禁止されることになってしまうからである。また，既に開始された公開買付けの撤回の決定は，中止の決定に当たると解される。

なお，買集め行為のうち，各暦年に買い集める株券等の数が議決権の2.5%未満であるものは，市場の需給関係に及ぼす影響が軽微であるため，公開買付け等事実から除外される（軽微基準，取引規制府令62条）。

⑵　公開買付け等事実以外の外部情報

公開買付け・買集め以外の情報で上場会社の外部で発生する情報を167条は規制の対象としていない。そのような外部情報としては，①取引先以外の他の会社（同業他社）に生じた事実で当該会社の業績にも影響を与えるもの，②規制当局による規制強化・緩和，輸入制限のように特定の産業に属する会社の業績に影響を与えるもの，③政策金利の変更，金融政策の変更，戦争の勃発のように多くの会社の業績に影響を与えるもの，および④金融商品取引業者による特定銘柄の推奨販売，機関投資家による特定銘柄の売買決定のように市場の需給関係に影響を与えるもの（マーケットインフォメーション）が，考えられる。これらの情報をインサイダー取引の規制対象としなかったのは，②③については，個別の銘柄の有価証券の価格に与える影響という点で間接的であるから，④については，投資者の投資判断に与える影響を客観的に評価することが困難であるからと説明されている[98]。しかし，②③のように多数の銘柄の投資判断にとって重要な情報であれば，当該多数の銘柄についてインサイダー取引の成立を認めれば足りるし，④に関する困難性は，重要事実を具体的に列挙して軽微基準・重要基準を定める法制の下でのみ生じる問題ではないだろうか。諸外国でも規制対象となる外部情報を一定のものに限定するやり方はとられておらず，投資判断にとって重要な情報に基づくインサイダー取引をあまねく禁止するためには，外部情報と内部情報の区別をなくすべきであると考える。

もっとも，外部情報が上場会社等の「運営，業務または財産に関する重要事実」と認められれば，内部情報を念頭に置いている166条2項4号（包括条項）を用いて，当該外部情報に基づくインサイダー取引を禁止することができる。ただし，その場合には，当該上場会社等の関係者が会社関係者とされ，情報源である他社や政府の関係者等をインサイダーとして捉えることができないという難点がある[99]。また，④のようなマーケットインフォメーションは，上場会社等の運営，業務または財産に関する重要事実とはいえず，166条2項4号を適用することはできないように思われる。

4　公表概念

公開買付け等事実の公表概念は，重要事実（内部情報）のそれと形式は似ているが，機能的には異なる点がある。公開買付け等事実が公表されたとは，①公開買付けの実施決定または中止決定が公開買付開始公告・公開買付届出書・公開買付撤回届出書に記載され，公衆の縦覧に供されたこと，②公開買付け・買集めの実施決定または中止決定が，2以上の報道機関に公開されてから12時間が経過したこと，③自社株公開買付けの実施決定または中止決定が上場会社から取引所に通知され，取引所のウェブサイトで公開されたことをいう（167条4項，施行令30条1号・3号・5号）とされてきた。したがって，自社株公開買付けの場合は①～③を用いることができるが，他社株公開買付けの場合は①と②のみ，5%以上の買集め決定については②しか公表手段がなかった。

他社株公開買付けについては，買付者または対象会社が上場会社の場合，上場規則に基づいて買付者または対象会社が公開買付けに係る情報（決定事実や賛同表明）の適時開示を行っているのに，インサイダー取引規制が解除されないという問題が実務で生じていた[100]。そこで，平成24年改正により，④上場

98）　横畠・前掲注11）12頁。
99）　黒沼・前掲注36）47-48頁。
100）　インサイダーWG・前掲注64）10頁。

会社である公開買付者が公開買付け等事実を取引所に通知し，取引所のウェブサイトで公開されたこと，および⑤上場会社でない公開買付者が，上場会社である自身の親会社または対象会社に要請して，当該親会社・対象会社から公開買付け等事実を取引所に通知し，取引所のウェブサイトで公開されたことを，公表措置に追加した（施行令30条2号4号）。④⑤において，公開買付者による公表を，金融商品取引所の適時開示を通じたものに限定したのは，適時開示であれば金融商品取引所の規制が働くため，開示情報の正確性を確保できると考えられたからである。このため，敵対的な公開買付けであって，買付者が上場会社または上場会社の子会社でない場合には，対象会社の協力が得られないため，④⑤の方法による公表措置をとることができない。

株式買集めについても，買集め者は④⑤の方法による公表措置をとることができるが（同条同号），上場会社は，そもそも5% 以上の買集め決定について適時開示義務を負わないので，上場会社である買集め者が公表措置をとることは期待できない。この結果，5% 以上の買集め決定を知らされた者が，いつまでも対象株券等の買付け等を禁じられるという不都合は依然として存在する。この問題について平成25年改正法は，適用除外取引を拡大することにより一定の対処をしたが，なお問題は残っている（→***6***）。

5　禁 止 行 為

公開買付者等関係者が禁止される取引は，公開買付け・買集めの実施決定については，対象有価証券（→***1***）に係る買付けその他の政令で定める行為であり，公開買付け・買集めの中止決定については，対象有価証券に係る売付けその他の政令で定める行為である（167条1項柱書，施行令33条～33条の4）。公開買付け・買集めの対象となっていない種類の株券の価格も，それらの実施決定または中止決定により影響を受ける可能性があるので，その取引はインサイダー取引規制の対象となる。政令で定める行為には，会社分割・合併による株券等の承継取得が含まれる（平成24年改正，施行令33条の3）。

167条では，内部情報に係るインサイダー取引と異なり，公開買付け・買集めの実施決定は対象株券等の価格を押し上げ，その中止決定は価格を引き下げることを前提に，禁止される取引類型が整理されている。有価証券関連のデリバティブ取引も禁止の対象となる（施行令33条の3第4号，取引規制府令7条）。

他人に利益を得させ，または損失を回避させる目的で，公開買付け等事実を当該他人に伝達する行為や，当該事実を示さず特定銘柄の売買を他人に推奨する行為が禁止され，当該他人が実際に取引を行った場合に情報伝達者・取引推奨者が処罰の対象とされること（平成25年改正，167条の2第2項）は，内部情報に係るインサイダー取引の場合（同条1項）と同様である（→*2*節*5*(3)）。

6　適用除外取引

公開買付け等事実に係るインサイダー取引規制の適用除外取引は，つぎに掲げる取引である（167条5項）。①〜④，⑦⑧，⑪〜⑮については，内部情報に係るインサイダー取引の適用除外取引について述べたところが当てはまる（→*2*節*6*(1)(4)〜(6)）。

①　株式の割当てを受ける権利・優先出資の割当てを受ける権利を有する者が当該権利を行使して株券を取得する行為（1号）

②　新株予約権を有する者が当該新株予約権を行使して株券を取得する行為（2号）

③　株券等に係るオプションを有する者がオプションを行使して株券等に係る売買等をする行為（2号の2）

④　会社法の規定による株式買取請求または法令上の義務に基づく売買等（3号）

⑤　公開買付者等の取締役会が決定した要請に基づいて当該公開買付け等に係る上場株券等の買付け等をする行為（公開買付者等に売り付ける目的をもって買い付ける場合に限る）（応援買い，4号）。

⑥　公開買付け等に対抗するため対象会社の取締役会（指名委員会等設置会社の執行役を含む）が決定した要請に基づいて対象会社の上場株券等の買付け等をする行為（対抗買い，5号）

⑦　安定操作取引またはその委託（6号）

⑧　会社関係者・情報受領者間の市場外取引（7号）

⑨　公開買付者等関係者から公開買付け等の実施に関する事実の伝達を受けた者が，伝達を受けた事実等を公開買付届出書に記載して行う公開買付けによる株券等の買付け（8号）

⑩　167条1項1号以外の公開買付者等関係者が，公開買付け等事実を知った時から6か月経過後に行う買付け等，または，公開買付者等関係者から情報の伝達を受けた者が，情報伝達から6か月経過後に行う買付け等（9号）

⑪　承継される財産に比して株券等の割合の低い合併・会社分割・事業譲渡により株券等を承継し，または承継させる行為（10号）

⑫　公開買付け等事実を知る前になされた取締役会による合併契約等の最終決定に基づき株券等を承継し，または承継させる行為（11号）

⑬　新設分割により新設分割設立会社に株券等を承継させる行為（12号）

⑭　合併・株式分割・株式交換・株式交付に際して自己株式の交付を受け，または交付する行為（13号）

⑮　契約または計画に基づく売付け等・買付け等（14号）

⑤は，いわゆる応援買いを公開買付者等自身による買付けと同視して規制の対象から除外したものである。適用除外を受けるには，公開買付者等の取締役会の決定による応援買いの要請があることと，公開買付者等に売り付ける目的を有していることが必要である。

■ Column 7-13　公開買付者等・共同買集め者による買付け ■■

公開買付けを行おうとする者は，大量保有報告書または公開買付届出書を提出するまでの間は，公開買付けに係る決定を公表することなく，対象会社の株式を買い付けることができる。前述（→**2**⑴①）のように，公開買付者自身の行為については，理論上，当然に適用除外になると解すべきである。この適用除外を，会社による自己株式の取得と同様に，株式の取得が決定と無関係に行われるからであると説明することもできるが（→**2**節**6**⑶），むしろ，何人も自己が決定したという事実によって当該決定の実行を妨げられることはないというべきであろう[101]。

株式買集め者による買集め対象有価証券の買付け等も，自己の決定に基づく行為として，当然にインサイダー取引規制の適用除外となる。株式買集めについて，5% の算定範囲に含められる共同買集め者（買集め者と共同して買い集める者，施行令31条）の行為も，買集め者と同じく適用除外となる。裁判例は，ある者が共同買集め者に該当するには，少なくとも応援買い（167条5項4号）と同程度の買集め者との一体性が必要であるとする[102]。学説には，応援買いの要件とのバランス上，共同買集め者が買い集めた株式を買集め者に売り付けるか保有し続けることが，共同買集めの合意に含まれている必要があるという見解もある[103]。しかし，共同買集め者の取引が適用除外となるには，買付けが自己の決定に基づくといえれば足り，共同して買い集める合意は必要であるが買集め者に売り付けることの合意まで

101）　黒沼・前掲注36）51頁。
102）　東京地判平成19・7・19刑集65巻4号452頁。
103）　木目田裕監修『インサイダー取引規制の実務〔第2版〕』（商事法務，2014）454頁。

は必要ない[104)]。

また，取引所市場外における交渉によって5%以上の株式が売買されるブロックトレードでは，売主は，買主が5%以上の買集め決定を行ったことを知ることになるが，それによりブロック・トレードが妨げられることはない。ブロックトレードを行うという売主の決定によって，当該取引が行われるからである。売主が買主による買集め決定を知り，市場で当該株式を買い付ける行為も，それが買主の需要に応じるためのものである限りは，自己の決定に基づく理論上の適用除外に当たると解されよう。

⑥は，対象会社から要請を受けた者が対抗買い（→***2*** 節 ***6***(2)）をする場合に，公開買付け等事実を知って行う取引を規制の対象外とするための規定である。現行制度上，対象会社に敵対的な者が買集めを行う場合，対象会社が買集めの事実を公表する手段が設けられていないため，⑥は，内部情報に係る取引についての対抗買いの適用除外（→***2*** 節 ***6***(2)）と比べると，政策的な合理性が認められる。

⑨⑩は，公開買付け等事実を知ってしまった者が，当該事実が公表されないことにより，いつまでも対象会社の株式の買付けを禁じられるという不都合に対処するために，平成25年改正で設けられた。⑨は，公開買付け等事実の伝達を受けた者が，当該事実を自己の公開買付届出書に記載し，これが公衆の縦覧に供されれば，一般投資家に対する取引の有利性が相当程度解消されていると考えて[105)]，適用除外を認めるものである。立法政策としての結論は妥当であるが，事実が公表されることで一般投資家に対する取引の有利性が解消されるのであれば，公開買付者に適用される適用除外規定としてではなく，公開買付者による公表措置として規定すべきであった[106)]。もし，そのように規定するならば，公開買付者以外の者も対象有価証券の取引をすることができるようになる。適用除外の要件を公開買付届出書への記載に限定したのは，公開買付届出書の虚偽記載に対しては民刑事行政上の制裁が及び，情報の正確性が確保されると考えたからである。その結果，公開買付け等事実を知った者が5%以上の買集めを行う場合には，公開買付け等事実を公表したとしても適用除外を受けることができないという不都合が残った。

---

104)　黒沼・前掲注36) 52頁。
105)　インサイダーWG・前掲注64) 9頁。
106)　黒沼・前掲注96) 23頁。

⑩は，公開買付け等事実を知った時または当該事実の伝達を受けた時から6か月間を経過すれば，当該情報の価値は劣化していると考えられるので[107]，情報源（167条1項1号）以外の公開買付者等関係者および情報受領者の取引を規制の適用除外とするものである。これも立法政策としての結論は妥当であるが，6か月の経過により情報の価値が劣化するのであれば，当該情報は投資判断に対する重要性を失っているのであるから，重要性の喪失による公開買付け等事実からの除外と整理すべきであった[108]。もし，そのように整理するならば，最初の情報知得または情報伝達が行われてから6か月が経過すれば，誰の取引もインサイダー取引ではなくなる（その者が情報を知ってから6か月経過前に取引をしたとしても，当該情報は公開買付け等事実に該当しないため，構成要件を充足しない）。

第4節　インサイダー取引に対する制裁

1　刑事責任

インサイダー取引規制は，刑事処罰の根拠規定として1988（昭和63）年に制定された。インサイダー取引罪は故意犯であり，構成要件の認識が必要である。たとえば，166条1項違反の故意があるといえるためには，①自己が会社関係者のいずれかに該当すること，②職務等に関し重要事実を知ったものであること，③重要事実の公表がされていないことを認識して，構成要件に該当する取引を行うことが必要である。軽微基準が定められている重要事実については，当該事実自体の認識があれば足り，軽微基準を超えていることの認識は必要ないと解されている[109]。

制定当初の罰則の水準は，行為者が6か月以下の懲役，50万円以下の罰金，またはそれらの併科，両罰規定が適用される法人が50万円以下の罰金と軽いものであった。これは，インサイダー取引規制が，いわば形式的に，一定の地位にある者の一定の行為を処罰することを考慮に入れたものであった[110]。そ

107）　インサイダーWG・前掲注64）9-10頁。
108）　黒沼・前掲注96）25頁。
109）　横畠・前掲注11）207頁。
110）　横畠・前掲注11）204頁。

の後，数次の改正を経て，犯罪の構成要件は変わらないまま，行為者については5年以下の懲役，500万円以下の罰金，またはそれらの併科，両罰規定が適用される法人については5億円以下の罰金と重罰化が図られた（197条の2）。

行為者のインサイダー取引が法人の業務または財産に関して行われたときは，法人に5億円以下の罰金を科すことができる（207条）。両罰規定により法人を処罰する根拠は，当該法人が違反行為を防止するために必要な注意を尽くさなかったことに求められるので，法人が違反防止のための十分な措置を講じていた場合には法人は処罰を免れる。

インサイダー取引によって得た財産，得た財産を売却して得た財産，得た権利を行使して得た財産は没収の対象となり，没収できないときはその価額を徴収する（198条の2）。刑法19条により，犯罪行為によって得た物やそれを対価として得た物は没収の対象にできるが，本条はインサイダー取引について必ず没収・追徴を行うべき旨（必要的没収）を定めた点で，刑法19条の特則となっている。また，インサイダー取引によって得た財産とは，重要事実の公表前に買い付けた株券，売り付けた株券の対価そのものを意味するが，本条は，取得の状況，損害賠償の履行の状況，その他の事情に照らして，全部または一部を没収しないことができると定めることによって，インサイダーが違法な取引と反対売買とによって得た利益の額または免れた損失の額を追徴できるように工夫している[111]。会社の役員等が会社の計算でインサイダー取引を行い，金融商品取引業者の役員等が投資運用業として顧客の計算でインサイダー取引を行った場合のように，違反者の計算に属しない財産は，刑法19条2項の趣旨から，没収・追徴の対象にならないと解すべきである[112]。

2 民事責任

(1) 私法上の効力

インサイダー取引規制違反の取引の効力について，金融商品取引法は規定を

111）森本滋「不公正取引規制の整備」証券取引法研究会編『金融システム改革と証券取引制度』（日本証券経済研究所，2000）208頁。

112）伊藤栄樹＝小野慶二＝荘子邦雄編『注釈特別刑法(1)』（立花書房，1985）600頁〔藤永幸治〕。ニッポン放送株事件1審判決（東京地判平成19・7・19刑集65巻4号452頁）も，没収ができるのは，没収対象物が犯人以外の者に属しないときに限られるとしつつ，犯人とは行為者と両罰規定の対象である会社を意味し，被告人の資産管理会社名義の財産も実質的には被告人と同旨できるとして，約11億5000万円の追徴を命じた。

置いておらず，学説もこれまでほとんど議論してこなかった。ある取引がインサイダー取引に当たるとしても，それが金融商品市場で執行される場合には，たとえ当事者が自己の取引の相手方がインサイダーであることを知りえたとしても，売買契約が詐欺による取消しの対象となるとは考えられない。インサイダーには相手方に対する開示義務があるとはいえないからである。また，違法であることを理由にインサイダー取引それ自体の効力を否定することについては，①市場取引ではインサイダーが自己の相手方となるか否かは偶然により左右されるところ，それにより救済方法が異なることは妥当でない，②市場取引は連鎖的に行われるので，契約の効力を否定して原状回復を求めることは妥当でないことから，取引の効力は否定されるべきでないと考える。

これに対し，当事者が交渉により有価証券の売買契約を締結する相対（あいたい）取引の場合には，インサイダーが相手方に内部情報を告げる義務があると考えられる状況も存在する。相手方に対する告知義務が生ずる場合には，それを告知しないことが詐欺に当たり，相手方は詐欺による契約の取消し（民 96 条 1 項）をすることができると考えられる。相対取引には，インサイダー取引の効力を否定する障害となる上記①②の事情はないが，市場外のインサイダー取引に投資者の市場に対する信頼を害する強い悪性があるとは考えられないため，インサイダー取引に該当することを根拠に相対取引の効力を否定することは無理があるだろう。

(2) 不法行為責任

インサイダー取引に基づくインサイダーの損害賠償責任について，金融商品取引法は特別の規定を置いていない。行為者の行為がインサイダー取引の構成要件に該当する場合には，一般不法行為（民 709 条）上の「違法性」の要件を満たすと考えられるため，それによって因果関係のある損害を被った者は，インサイダーに対し賠償を請求できる。公開買付け等事実以外の外部情報に基づくインサイダー取引のように，インサイダー取引規制の構成要件には該当しないが，それと実質的に同等の悪性のある行為については，違法性の有無を個別に判断して不法行為の成否を決定するしかない。

インサイダー取引により誰がどのような損害を被ったといえるのかについては，次の①から④のように考え方が分かれうる。

①　**開示義務違反説**　　インサイダーの義務は，開示するか取引を断念する義務（duty to disclose or abstain to trade）[113]であるから，これを開示義務違反

図表 7-9

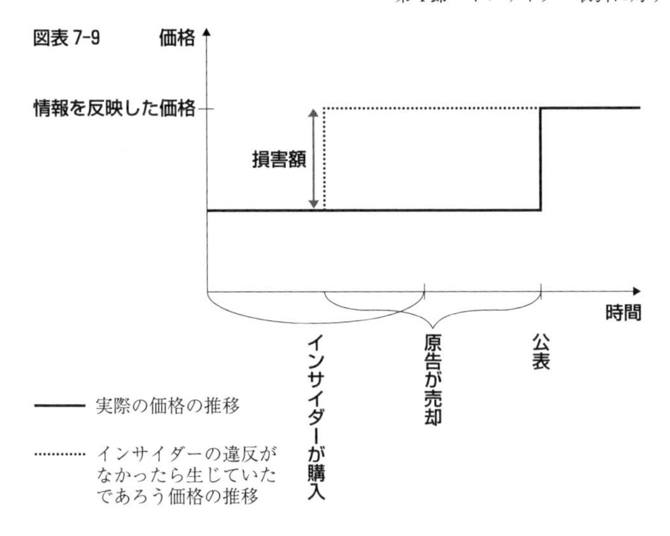

と捉えると，インサイダーが取引をした時から情報が開示された時までの間に，インサイダーと対向する取引をした者は，その時の市場価格と情報が開示されていたら形成されていたであろう価格との差額分の損害を被ったと考えられる（**図表 7-9**）。アメリカの下級審裁判例には，このような開示義務違反説をとるものがあった[114]。

この考え方は，インサイダー取引を情報の不実開示と同様に捉えるものである。インサイダーの義務を開示義務と捉える以上，開示義務の違反と，その違反の継続中に市場で取引をした投資家が被る損害との間の因果関係が認められる。インサイダー自身に損害賠償責任が生じない場合であっても，インサイダー取引が行われていることを知りつつ情報開示を怠った発行会社の関係者が，インサイダーと同様の責任を負う可能性はある（→**4章*5*節*8***）。他方，この考え方によると，インサイダーが負うべき損害賠償額が，インサイダーの得た利益の額と無関係に決まり，かつ莫大なものになる可能性がある。この点を考慮して，開示義務違反説を採りつつ，責任の総額をインサイダーの利益の額に限定したアメリカの裁判例がある[115]。

113）　黒沼・アメリカ 161 頁参照。

114）　Elkind v. Liggett & Myers, Inc., 472 F. Supp. 123 (S. D. N. Y. 1978), 黒沼・アメリカ 169 頁。

115）　Elkind v. Liggett & Myers, Inc., 635 F. 2d 156 (2d Cir. 1980).

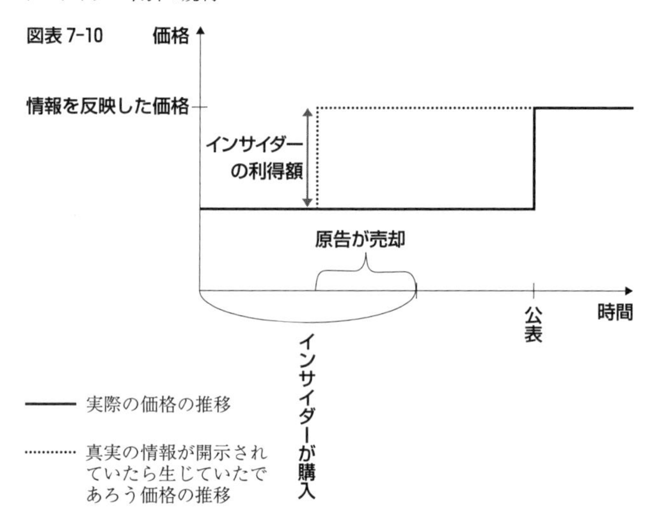

② **取引断念義務違反説――取引相手に対する責任**　インサイダーの義務を取引断念義務と捉えると，インサイダーを相手方として市場で取引をした投資者は，インサイダーがその取引で利益を得た分だけ損失を被っていると考えることができる。相手方のこうした損失は，インサイダーが取引を断念しなかったことから生じたと考えられるので，インサイダーは取引相手に対しその損害を賠償する責任がある（**図表 7-10**）。インサイダーの責任額は，それぞれの取引ごとに利得分――正確には，取得価額と情報を反映した価格との差額――に限定される。

この説に対しては，(a)たまたまインサイダーの相手方となった者だけを保護の対象とするのは不公平である，(b)インサイダーの相手方となった者もインサイダーの取引によって取引をするよう誘引されたわけではないので，インサイダー取引と損害との間に因果関係を認めがたい等の批判[116]がある。

アメリカ連邦証券取引所法は，1988 年の改正により，インサイダー取引と同時期に対向する取引をした者に対して，インサイダーは損害賠償責任を負わなければならないとする規定を新設した[117]。これは取引断念義務違反説を基本としつつ，(a)(b)の欠点を補うものと理解される。

③ **取引断念義務違反説――同方向の取引者に対する責任**　インサイダー

116) *Ibid.*
117) 黒沼・アメリカ 171 頁。

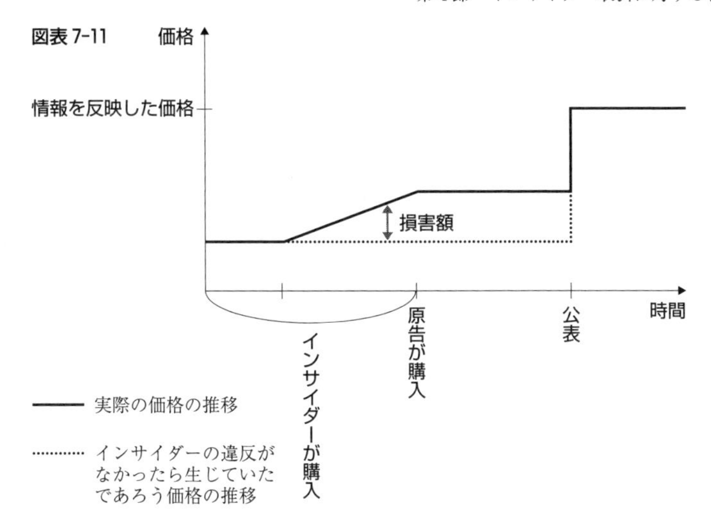

の購入取引によって株価が上昇した場合には，インサイダーと同方向の取引をした投資者が，株価の上昇分だけ損失を被る。インサイダーが取引をしなければこのような価格変動は生じないのであるから，この損失はインサイダーの取引断念義務違反と因果関係のある損害と考えられる（**図表 7-11**）。

この考え方は，インサイダー取引を相場操縦と同様に考えるものである。しかし，相場操縦は情報を反映した価格から市場価格を乖離させる方向に働くのに対し，インサイダー取引は市場価格を情報を反映した価格に接近させる方向に働くという相違点を無視しており，インサイダー取引を相場操縦と同様に扱うことは疑問である。また，インサイダー取引による価格変動がない場合にはインサイダーの責任を認めないことも妥当でないだろう。

④　**流動性低下説**　　インサイダー取引による投資者の損害は，市場で取引をすることで直接的に生じるのではなく，インサイダー取引が市場に対して及ぼす悪影響，すなわち市場に対する投資者の信頼の低下から生じると考えることもできる。特定銘柄の市場に対する投資者の信頼の低下は，当該銘柄の流動性の低下となって現れる。インサイダー取引が行われている銘柄の流動性が低下すれば，当該銘柄の市場価格は下落すると考えられるから，流動性低下説によれば，インサイダー取引が発覚した銘柄の株価の下落分について株主の総体が損害を被ると考えられ，インサイダー取引の行われた期間に取引を行わなかった株主も原告の範囲に含まれる。インサイダー取引から流動性の低下とい

う損害が生じることは理論的には正しく，また，流動性低下説は，開示義務違反説や取引断念義務違反説を排除するものではないが，次のような問題がある。

流動性低下説によると，インサイダー取引の発覚によって観察できる程度の株価の下落が生じないとインサイダーの責任が認められない反面，観察できる株価の下落があると莫大な額の賠償責任をインサイダーが負担することになるという実際上の難点が生じる。また，流動性低下による株価の下落は個々の株主に生じた損害であると考えると，1株当たりの損害額がわずかとなり，個々の株主がインサイダーの責任を追及するインセンティブを欠くことになる。このため，立法論としては，株主全員が被った損害を回復させるために会社に請求権を認め，株主がこれを代位行使できるようにする方が実効的である。ただし，そのように考える場合には，会社がインサイダーの責任を免除できるかどうかが問題になるし，短期売買利益の会社への提供請求（164条，→*5* 節 *1*）との関係を整理する必要が生じるであろう。

以上の投資者に対する責任の考え方を整理すると次表のようになる（**図表7-12**）。

図表 7-12

考え方	原告適格	損　害
開示義務違反説	インサイダーの取引開始から情報の公表までの間にインサイダーと対向する取引をした者	取引価格と内部情報を反映した価格の差額
取引断念義務違反説（1）	インサイダー取引の相手方	取引価格と内部情報を反映した価格の差額
取引断念義務違反説（2）	インサイダー取引が行われた期間にインサイダーと同方向の取引をした者	インサイダー取引により変動した価格分
流動性低下説	総株主または発行会社	インサイダー取引の発覚による株価の下落分

⑤　**情報源に対する責任**　　以上の投資者に対する責任のほかに，インサイダーが情報源に対して民事責任を負う場合がある。インサイダーが情報源に対して信任義務を負う関係にある場合，内部情報の不正利用は通常，信任義務に違反すると考えられるから，信任義務違反に基づく損害賠償責任がインサイダーに生じる。たとえば，会社の取締役が内部情報を不正利用した場合には，会社に対して会社法423条1項の損害賠償責任が生じる。ただし，会社が事前に内部情報の利用を取締役に許容している場合には，取締役の側に任務懈怠が

ないので会社に対する責任は生じない。情報源に対し，契約上，秘密保持義務を負うインサイダーがその情報を利用して証券取引を行う場合も，契約上の義務違反に基づく損害賠償責任が生じる余地がある。

3 課徴金

⑴　取引行為者に対する課徴金

インサイダー取引規制違反は課徴金の賦課対象となる。インサイダーに故意または過失があることは課徴金を課すための要件ではないが，インサイダー取引の構成要件に該当する必要があるから，インサイダーが重要事実を知って取引したことは要求される。

課徴金の額は，166条1項または3項に違反してインサイダーが株券等を売り付けた場合は，売付価格と重要事実公表後2週間の市場価格の最安値との差額に売付数量を乗じて得た額であり，インサイダーが株券等を買い付けた場合は，重要事実公表後の2週間の市場価格の最高値と買付価格との差額に買付数量を乗じて得た額である（175条1項，課徴金府令1条の21，**図表7-13**）。つまり，インサイダーが利益を得たか否かにかかわらず，インサイダーが得ることが可能であったと考えられる利得相当額が課徴金となる。課徴金の額は，インサイダー取引を構成する買付けと売付けの双方について，上記の算定方法により計算されるため，インサイダーが現実に得た利得額よりも多額が算定される傾向にあり，課徴金制度はインサイダー取引の抑止に役立っているといえる（→**12章*1*節*5*⑴**）。

図表7-13

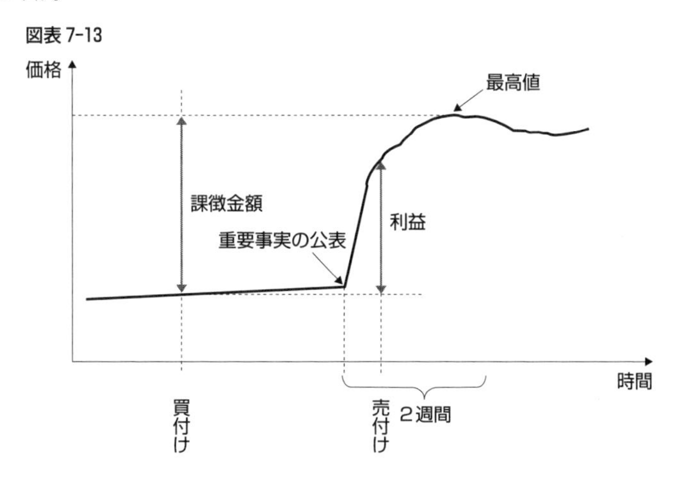

■Column 7-14　他人の計算で行われるインサイダー取引と課徴金■■

A社の役員等が，166条1項または3項に違反して，A社の計算でB社株の取引を行ったときは，同条1項2号・4号および3項は法人にも適用されるため，A社が166条に違反したと評価され，課徴金はA社に課せられる。A社の役員等が，166条1項または3項に違反して，A社の計算でA社の自己株式を取得したときは，A社自身は166条1項1号に該当しないので166条に違反したとはいえないため，A社に課徴金を課すための規定が置かれている（175条9項）。課徴金を支払った会社は，インサイダーに故意または過失があれば，インサイダーの会社に対する責任を追及できるため，そのような責任追及の可能性を通じて会社の役員等のインサイダー取引が抑止されることになる。また，このことから，会社はインサイダー取引を早期に発見して，課徴金の減算制度（185条の7第12項，→**12章*1*節*5*(3)**）の適用を受けるインセンティブを有する。

これに対し，インサイダーが他人の計算で取引を行ったときは，インサイダーは利益を得ていないため，原則として課徴金納付命令の対象とならない。しかし，これではインサイダー取引が抑止されないため，次のようなルールが設けられている。

第1に，違反者が，議決権の過半数を保有している会社や生計を一にする者の計算でインサイダー取引をした場合には，自己の計算による場合と同じ算定方法によって課徴金が課せられる（175条10項，課徴金府令1条の23)。違反者にとって利得を自ら得るのと同様の経済効果が見込まれるからである。

第2に，金融商品取引業者等が他人の計算で違反行為をした場合には，①運用対象財産の運用として当該売買等を行った者は，当該運用対象財産に係るものに限らず当該顧客から得る運用報酬全体の3か月分に相当する額（平成25年改正)，②①以外の者は，当該売買等に係る手数料，報酬その他の対価の額が課徴金とされる(175条1項3号，課徴金府令1条の25)。金融商品取引業者等は違反行為により顧客との契約を維持できたと考えられるからである。

(2)　情報伝達・取引推奨者に対する課徴金

平成25年改正により，未公開情報の伝達およびこれに基づく取引推奨が禁止されたことから，これらの行為に対する課徴金が定められた。167条の2に違反する情報伝達や取引推奨を行った者は，情報伝達・取引推奨を受けた者がインサイダー取引を行った場合に限り，課徴金の対象となる（175条の2)。

課徴金の額は，①金融商品取引業者等の役員等が仲介業務に関して違反行為をしたときは，仲介手数料の3か月分，②仲介業者が，募集等業務に関して違反行為をしたときは，仲介手数料の3か月分に引受手数料の2分の1を加えた額，③①②以外の場合は，インサイダー取引の実行行為者の利得相当額（175

条1項の額）の2分の1とされた（175条の2)。①②は，公募増資インサイダー事例（→Column 7-10）において，仲介業者が増資情報の伝達を行ってインサイダー取引を引き起こしたことを教訓として，課徴金による抑止力を働かせようとするものである。③は，情報伝達・取引推奨がインサイダー取引の教唆・幇助に近い役割を果たすところから，正犯の2分の1の制裁を科すという考えに由来するものであろう。

ところで，インサイダー取引の教唆・幇助行為に対する課徴金の制裁は定められていない。実行行為者との間で意思の疎通がなく教唆・幇助に至らない情報伝達や取引推奨に課徴金が課されるのに，教唆・幇助に課されないのは背理である。教唆・幇助行為を課徴金の対象とすることは金融商品取引法全体にわたる立法上の課題であるが，167条の2第1項・2項の構成要件は，情報伝達や取引推奨が教唆・幇助に該当する場合を排除していないので，これらの行為がインサイダー取引の教唆・幇助に該当する場合にも課徴金を課すことが認められるのではないだろうか[118)]。

第5節　インサイダー取引の防止

1　短期売買利益の提供

(1)　趣　　旨

金融商品取引法164条は，上場会社等の役員または主要株主が，当該上場会社等の特定有価証券等を6か月以内に売買して得た利益を当該上場会社に提供すべき旨を定めている。

本条は，アメリカの連邦証券取引所法16条(b)項に倣って昭和23年証券取引法制定時に導入されたものであり，インサイダー取引の防止を主たる目的とする。上場会社等の役員や主要株主は，会社の内部情報に接近しやすいと考えられることから，そのような内部者が6か月以内に自社株を売買して得た利益を保持させないことにより，内部者が利益を得るために自社株売買をするインセンティブを失わせようとするものである。

118)　黒沼・前掲注68) 26頁。

■ Column 7-15　立法論■■

短期売買利益の提供規定は，直接的にインサイダー取引を禁止する規定がない時代に，インサイダー取引を防止するために設けられたものである。精緻なインサイダー取引規制が導入された現在，短期売買利益提供制度を残しておく理由はないとも考えられる。

この問題を検討したアメリカ法曹協会の1987年の報告書は，連邦証券取引所法16条(b)項は，内部情報に基づく取引を抑止するほかに，①インサイダーが自社証券の取引に没頭し，経営責任を果たさない事態を防止すること，②規則10b-5では捉えられないようなソフト・インフォメーションに基づく取引を抑止すること，③インサイダーが，短期売買差益を最大化するために会社事項（たとえば配当政策）を操作する誘惑を断ち切ることをも目的としており，これらの目的に資するために16条(b)項を廃止すべきではないと結論づけている119)。わが国では，インサイダー取引規制は必ずしも網羅的でないから（→*1*節*3*(2)），形式的にはインサイダー取引に当たらないような取引により会社役員・主要株主が不正な利得を得るのを防止する効果が金商法164条にあることは否定できない。

また，16条(b)項を，本来会社に帰属すべき情報をインサイダーが自己のために用いるという信任義務違反に対処するものと捉える見解も有力であり120)，金商法164条についても同じことがいえるであろう。ただし，会社役員・主要株主の信任義務についての規定を金融商品取引法に置く意義は疑わしい。

(2)　要件と効果

上場会社等は，その役員または主要株主が特定有価証券等の買付け等と売付け等を6か月以内に行って利益を得た場合，その利益を上場会社に提供すべきことを当該役員または主要株主に対して請求することができる（164条1項）。上場会社等が利益の提供を請求しないときは，当該上場会社等の株主が会社に代わって請求権を行使することができる（同条2項）。

上場会社等，役員，特定有価証券等の意義は，インサイダー取引規制におけるそれと同じである（→*2*節*1*，*2*(1)）。主要株主とは，自己または他人の名義をもって総株主等の議決権の100分の10以上の議決権を保有している株主を

---

119)　American Bar Association's Committee on the Federal Regulation of Securities, "Report of the Task Force on Regulation of Insider Trading —— Part II : Reform of Section 16," 42 Bus. Law. 1087 (1987), 黒沼悦郎「短期売買差益の返還規定の合憲性——最高裁大法廷判決を契機として」ジュリ1228号（2002）12頁。

120)　品谷篤哉「内部者取引規制——証券取引法164条に関する考察(1)」名城法学42巻2号（1993）27-37頁。

いう（163条1項）。役員の就任前または辞任後の買付け・売付けは，役員在任中の売付け・買付けと組み合わされて短期売買を構成することはない。主要株主が売付け・買付けのいずれかの時期において主要株主でなかった場合にも，本条は適用されない（164条8項）。

買付け等とは，特定有価証券・関連有価証券の買付け（オプション証券はコールに限る），プットオプション証券の売付け，および内閣府令で定めるものをいい，売付け等とは，特定有価証券・関連有価証券の売付け（オプション証券はプットに限る），プットオプション証券の買付け，および内閣府令で定めるものをいう（163条，施行令27条の5，取引規制府令26条・27条）。特定有価証券等の買付け等または売付け等に該当する取引は，①時期の早いものから，②同一日の買付けについては単価の低いもの（売付けについては単価の高いもの）から，それぞれ売買の数量が合致する部分について順次組合せを行い，利益の額を算定していく。売買の組合せから損失を生じた分は利益から控除されることはないが，売買手数料および有価証券取引税の額は利益から控除される。

役員または主要株主の短期売買利益提供義務は，行為者が無過失であっても負う特別の義務であり，役員・主要株主の取引によって会社に損害が生じたことも要件とされない[121]。

■ Column 7-16　秘密の不当利用の要否■■

164条1項は，「上場会社等の役員又は主要株主がその職務又は地位により取得した秘密を不当に利用することを防止するため」と規定しているが，最高裁平成14年2月13日判決（民集56巻2号331頁）は，本条は，当該取引においてその者が秘密を不当利用したか否か，その取引によって一般投資家の利益が現実に損なわれたかを問うことなく，上場会社等がその役員または主要株主に利益の提供を請求できるものとした規定であるとした。従来，学説には，内部情報の不当利用を要件としていると解さないと，本条の合憲性（財産権の保障）に疑いが生じると指摘するものがあった[122]。

この点に関し，前記最高裁判決は，①秘密の不当利用という要件を課すと立証が困難になり，規制の目的を損なうこと，②164条8項に基づいて内閣府令で定める場合のほか，類型的にみて取引の態様自体から秘密を不当に利用することが認められない場合には本条は適用されないと解すべきこと，③本条は取引自体を禁止する

121）　東京高判平成4・5・27判時1428号141頁。

122）　堀口亘「取締役の不当利益の提供㈦」商事660号（1974）20頁，佐々木秀雄「会社役員等に対する不当利益返還請求権発生の要件」商事789号（1977）33頁。

ものではなく，利益の保持を制限するものにすぎないことから，証券市場の公平性・公正性を維持するとともにこれに対する一般投資家の信頼を確保するという立法目的達成のための手段として必要性または合理性に欠けるものではなく，本条は憲法29条に違反するものではないとした。本条に②のような限定解釈を加えた上で合憲性を認めたものである。

⑶　適用除外取引

164条8項に基づく内閣府令では，1項の適用が除外される場合を列挙している。それらは，①単元未満株式の売買，②金融商品取引業者等に委託して行う従業員持株会・役員持株会等による計画的な買付け，③信託銀行に信託して行う従業員持株会・役員持株会等による計画的な買付け，④累積投資契約による株券の買付け，⑤金融商品取引所で行われる複数の銘柄をパッケージにしたデリバティブ取引，⑥安定操作取引，⑦普通社債券の買戻条件付売買で買戻価格があらかじめ定められているもの，⑧募集新株予約権の募集に応じた取得，⑨新株予約権の行使による株券の買付け，⑩金融商品・金融指標の利率に係るスワップ取引，⑪銀行等保有株式取得機構による上場会社等の株券の買付けである（取引規制府令30条1項，33条）。

これら以外に適用除外とされるべき取引があるか否かが問題となる。まず，内閣府令による適用除外は，「買付け」は有価証券の原始取得を含まないとの解釈を前提に規定されているが，これには有力な異論がある[123)]。また，売付け・買付けは金銭を対価として所有権を移転させることをいい，相続・代物弁済などは含まないと解されている[124)]。このような解釈によると，新株予約権・取得条項・取得請求権の行使による株券の取得・処分，合併・株式交換等組織法上の行為による株券の取得・処分で，それぞれ金銭を対価としないものは，買付け等・売付け等に該当しないことになろう。平成24年改正法は，一定の組織再編による株式の移転をインサイダー取引規制の対象としたが（**→2節*5*⑵**），164条については売付け・買付けという文言を変更していないところから，改正法は従前の解釈を維持しているものと思われる。たしかに，金銭を対価としない場合には短期売買利益を計算しにくいという難点はあるが，会社

---

123)　証券取引法研究会「証券取引法の改正について⑸」インベストメント42巻3号（1989）59頁〔神崎克郎報告〕。

124)　横畠・前掲注11）221頁，河本＝関編1307頁。

の役員が組織再編行為を推進して短期売買利益を収めることもありうるので，これらの取得・処分を買付け等・売付け等に含めた上で，適切な適用除外を定めるべきであろう（→**2**節**6**(5))。

■Column 7-17　類型的適用除外取引■■

前記最高裁判決は，内閣府令による適用除外取引以外にも類型的にみて取引の態様から秘密を不当に利用することが認められない場合には164条の適用が除外されるとする。そこで，そのような類型的適用除外取引がなにかが問題となる。連邦証券取引所法16条(b)項について同様の問題が生じていたアメリカの判例では，取引の任意性，および情報へのアクセス可能性を勘案して，16条(b)項の適用の可否を判断している[125]。前記最高裁判決は，その言い回しからすると，取引が投資者にとって任意に行われたものか強制されたものかという任意性の基準のみを判断基準とするものかもしれない。しかし，後述のように任意性の有無には微妙な場合がありうるので，ここでは情報へのアクセス可能性も加味して，①グループ企業内の取引，②敵対的買収者による取引，③信用取引，④株式買取請求権の行使，⑤組織再編行為による取引について検討しよう[126]。

①について。前記最高裁判決の事案は，Yが市場から買い付けたXの株式を6か月以内にYと同一グループを構成する会社であるBに売り付けたものであった。この売付けはYとBの株式を100%保有するAの立場からすると，短期売買によって利益を生じるような取引ではない。判決はこの点に関する上告理由に直接答えていないが，同一グループ会社間の株式の売付けは類型的適用除外取引に該当しないと解しているのであろう。

②について。敵対的買収者は主要株主であっても，内部情報へのアクセス可能性を欠くことが多い。敵対的買収者が短期売買により得た利益を会社に返還しなければならないとすると，買収が失敗した場合のリスクが大きくなり敵対的買収を過度に抑制する可能性がある。しかし，内部情報のアクセス可能性を欠くことだけでは，「類型的にみて取引の態様から秘密の不当利用が認められない場合」には該当しないであろう。

③について。信用取引（→**6**章**2**節**4**）を行う場合には，取引所の規則により6か月以内に反対売買をしなければならない。したがって，制度信用取引を164条の適用除外としないと制度信用取引による利得を役員および主要株主は保持できないことになってしまう。しかし，信用取引をするか否かは投資者の判断に委ねられて

125）松尾健一「会社内部者の短期売買差益返還義務(1)(2・完)」民商127巻6号40頁，128巻1号84頁（2003)，黒沼・前掲注119）11頁参照。

126）このほか，マーケットメーカーの業務を適用除外とすべきではないかとの指摘がある（証券取引法研究会・前掲注123）59頁〔神崎報告〕)。

いるのであるから，制度信用取引は非任意の取引とはいえず，類型的に秘密の不当利用が認められない場合には該当しない。

④について。株主による株式買取請求権の行使は任意に行われるものであるが，当該株主は組織再編行為に反対し，株式を他の株式その他の対価と交換しないという投資判断を行った者である。したがって，反対株主による株式買取請求の結果，現金を対価とする株式の売付けが行われても，類型的に秘密の不当利用が認められない場合に当たると解すべきである[127)]。

⑤について。組織再編行為による有価証券の交換が買付け等・売付け等に当たると解するときはもちろん，そう解しない場合でも，現金を対価とする組織再編行為による有価証券の処分は売付け等に当たると解される。10% 以上の株主が組織再編行為に賛成して決議が成立した場合には，この取引は非任意のものとはいい難いし，会社の役員は組織再編行為を推進する立場にあるため，組織再編行為は会社役員にとって非任意の取引ではない。したがって，その者の情報へのアクセス可能性を基準に適用除外の可否を判断するしかないであろう。アメリカには，合併交渉を担当した役員には連邦証券取引所法 16 条(b)項を適用し，担当しなかった役員には適用しなかった裁判例がある[128)]。

2　売買報告制度

⑴　趣　　旨

短期売買利益の提供請求は，上場会社等の役員および主要株主による会社株式の売買の状況が明らかにされていなければ，上場会社等やその株主による行使を期待できない。そこで，金融商品取引法 163 条は，上場会社等の役員および主要株主が，自己の計算で特定有価証券等の買付け等または売付け等をした場合に，翌月 15 日までに売買報告書を内閣総理大臣へ提出すべき旨を定める。上場会社等，役員，主要株主，特定有価証券等の意義は，164 条と同じである（→*1* ⑵）。売買報告書の不提出または虚偽記載に対しては罰則が適用される（205 条 19 号）。

⑵　手　　続

売買報告書は，直ちに公衆の縦覧に供されるわけではない。この制度は短期売買利益の提供をエンフォースするためにあるのであり，投資者に投資判断資料を提供することを目的とするものではないからである。もっとも，売買報告

127)　『最高裁判所判例解説民事篇平成 14 年度（上）』（法曹会，2005）199 頁注 7)〔杉原則彦〕。

128)　黒沼・前掲注 119) 11 頁参照。

のモデルであるアメリカ連邦証券取引所法16条(a)項の報告書は，公衆の縦覧に供されて一般投資家の投資判断資料とされている。また，アメリカでは，取引により利益を得る機会をインサイダーから奪うために，役員・主要株主の報告を取引前に求めるべきだとする立法論も主張されている[129)]。

報告書の記載によると短期売買利益が生じているのに（計算方法につき→*1*(2)），役員・主要株主による利益の提供が行われていないときは，内閣総理大臣は，利益に係る部分（利益関係書類）の写しを当該役員または主要株主に送付する（164条4項）。短期売買利益の自発的な提供を促すためである。そして，20日以内に当該役員または主要株主から上場会社等に対して利益が提供されないときは，利益関係書類の写しを当該上場会社等に送付する（同条同項）。上場会社等から利益提供の請求をさせるためである。その後，30日間，利益の提供が行われないときは，内閣総理大臣は，利益関係書類の写しを公衆の縦覧に供する（同条7項）。株主による代位請求を促すためである。このように公衆の縦覧に供されるまでに慎重な手続が定められているのは，株式売買に関する役員・主要株主のプライバシーの保護のためと考えられる。

3　組合等の財産による短期売買

(1)　趣　　旨

短期売買利益の提供規定（163条・164条）の対象となる10％以上の議決権を有する主要株主は，名義にかかわらず利益の帰属主体を捉える概念である。したがって，複数の組合に出資して，間接的にX社の株式の10％以上を保有する組合員Yは，主要株主に該当し，売買報告義務および利益返還義務が適用される（**図表7-14**）。しかし，組合員が誰かは公表されないので，Yが義務に違反していても，Xがそれを発見することは困難である。

そこで，平成18年改正法は，組合自身を主要株主と捉えて短期売買利益の提供ルールを適用することにした（165条の2）。その理由としては，①組合全体として10％以上の議決権を保有している場合には，議決権も一体として行使されると考えられること，および②法人の扱いとの公平性が挙げられている[130)]。

129)　Jesse M. Fried, "Reducing the Profitability of Corporate Insider Trading Through Pretrading Disclosure," 71 S. Cal. L. Rev. 303 (1998).

130)　一問一答392頁。

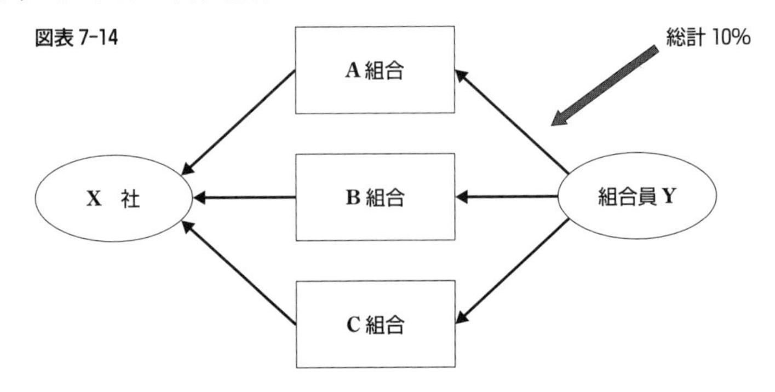

①は，10% 以上の主要株主が規制対象となっているのは，その保有する議決権ゆえに内部情報に接近しやすいと考えられるからである。たしかに，ファンドの運営者が内部情報を知って組合財産を使って取引したときには，個々の組合員の利益は少ないとしても，その利益を吐き出すべきだといえる。しかし，165条の2の規制は，個々の組合員が10% 以上の株主に当たらない場合でも6か月以内の利益を取得できなくする点で，従来よりも広い範囲で規制を及ぼすものである。この制度は，ファンドによる短期利益の追求に歯止めをかけるものといえよう。

⑵　**規制の内容**

165条の2の対象となるのは，民法上の組合，投資事業有限責任組合，有限責任事業組合，組合に類似する外国団体であり（同条，施行令27条の8），これらを特定組合等という。匿名組合（商535条以下）は営業者の名で行為するため，本条を設ける必要がなかった。

組合財産に属する株式に係る議決権が当該上場会社の総株主の議決権の10% 以上に当たる組合について，まず，当該株券等の買付けまたは売付けを執行した組合員は，翌月15日までに売買報告を内閣総理大臣へ提出する（165条の2第1項）。金融商品取引業者等に委託して売買を執行したときは，業者を通じて報告書を提出する（同条2項）。

つぎに，6か月以内の売買によって組合財産に利益が生じたときは，上場会社は特定組合等の組合員に対し，当該組合等の財産をもって，利益を提供すべきことを請求することができる（同条3項）。ここに「組合員」とは「組合員の総体」，すなわち「組合そのもの」を指す。上場会社は組合員の総体に対し，まずは組合財産から利益相当額を支払うよう請求し，組合財産で完済できないときは，同条4項により各組合員に対し各組合員が負う責任に応じて支払うよう請求することができる。各組合員が別の組合であるときは，その組合員の総体が責任を負うこととなり，以後，順次，法人格のある者（法人か個人）に行き着くまですべての者が請求の対象となる。もっとも，有限責任組合員は個別に責任を負うことはない。

なお，組合財産として10％超の株式を所有することにより，当該会社の主要株主となる者については，163条～165条の規定は適用されない（同条16項）。二重取りを避けるためである。1つの組合財産では10％を超えないが複数を通じて10％を超える組合員については，なお165条が適用される。

第8章　不公正取引の禁止

第*1*節　相場操縦

1　総　　説

相場操縦とは，市場における価格形成を人為的に操作することをいう。相場操縦行為は，情報に基づいた市場価格の形成を妨げるので市場の情報効率性（→**1章*2*節*4***）を害することになるし，相場操縦の行われている市場では投資者は取引に参加しようとしないだろうから，市場の取引効率性（→**1章*3*節*2*** ⑸）を害することにもなる。このように相場操縦行為は，金融商品取引法が目的とする市場の機能を情報効率性の面からも取引効率性の面からも害することになるので，法は最も重い制裁をもってこれを禁止している。

法が禁止する相場操縦行為は，①仮装取引，②馴合取引，③変動操作，④表示による相場操縦，⑤安定操作取引に大別される。もっとも，なにが禁止されるべき相場操縦かについては，いろいろな理論上の問題がある（→**Column 8-2**）。たとえば，EUでは，相場操縦として規制されるか否かは，金融商品市場の資源配分機能の歪みという弊害の有無・程度の差から導かれるのではなく，そのような取引を認めることが，別途なにか価値を生み出すかという点によるという考え方がとられていると指摘されている[1]。

---

1)　藤田友敬「相場操縦の規制」金融商品取引法研究会編『金融商品取引法制の潮流』（日本証券経済研究所，2015）292頁。

相場操縦の禁止は，市場における公正な価格形成を確保するための規制であるから，上場有価証券，店頭売買有価証券，取扱有価証券（**→6章 *4* 節 *4***），および市場デリバティブ取引に適用されるのが原則であるが，市場外の取引によって市場の価格形成を害することもありうることから，上場有価証券の市場外での取引や上場金融商品に係る店頭デリバティブ取引も規制の対象とされている。

2　相場操縦の行為類型

(1)　仮装取引・馴合取引

仮装取引とは，権利の移転を目的としない仮装の有価証券の売買・金融商品の先物取引・先渡取引，金銭の授受を目的としない仮装の先物取引・スワップ取引・クレジットデリバティブ，およびオプションの付与・取得を目的としない仮装のオプション取引をいう（159条１項１号〜３号）。たとえば，同一銘柄の有価証券について，同一人が同時期に売り注文と買い注文を有価証券市場に出す行為が仮装取引の典型である。

仮装取引では，権利の移転が生じていないのに，有価証券の売買・デリバティブ取引が活発に行われたように見せかけることができる。仮装取引により取引高が嵩上げされると，その背後に未公開情報が存在しているとの憶測を生じ市場価格が変動するのがふつうであるが，市場価格が変動しなくても，流動性が高いと信じた投資者が取引に参加し不測の損害を被ることがある。つまり，仮装取引の悪性は虚偽の取引高を作出することにあるといえる。そこで法は，一方で，有価証券の売買，市場デリバティブ取引，または店頭デリバティブ取引が繁盛に行われている等，取引の状況に関し他人に誤解を生じさせる目的（誤認目的，繁盛等目的ともいう）をもって仮装取引を行う場合に限定してこれを禁止するが，他方で，１回限りであってもこれらの行為を処罰の対象としている。

馴合取引とは，同一銘柄の有価証券や取引について，他人と通謀して同時期に同価格で売注文と買注文を出す等，他人との間で仮装の取引を行うことをいう（159条１項４号〜７号）。同時期・同価格とは，全く同一の時期・価格である必要はなく，通謀の相手方との間で取引が成立する可能性のある時期・価格であれば足りる[2)]。馴合取引では有価証券の権利等は移転するが，これを繰り返せば，少ない費用で虚偽の取引高を作出することができる点は，仮装取引と同じである。そこで馴合取引の成立についても，誤認目的が求められる。

仮装取引や馴合取引は，相場操縦の方法としては単純であるため発覚しやすく，相場操縦以外の目的でこれらの取引を行う合理性も乏しいから，誤認目的を認定しやすい。もっとも，有価証券のブロック取引（大口注文）を成立させるために売主と買主が同時期に同価格で注文を出す行為は，誤認目的を欠くから違法な馴合取引ではない。

■Column 8-1　オプションの仮装取引■■

証券取引所の副理事長が他の者と共謀して，取引所に上場している株券オプション取引が盛んに行われているよう見せかける目的で仮装取引・馴合取引を行ったとして訴追された事件の地裁判決は，有価証券オプションの売りと買いを同時に建てる自己両建取引は，売建玉（未決済の売約定）と買建玉（未決済の買約定）が別個に処分されうることから仮装取引に該当しないとした[3]。しかし，株券の仮装売買の後に取得した株券を転売しうることによって最初の売買の仮装性が否定されないのと同様に，オプション取引後に取引によって生じた地位を転売できるからといってオプション取引の仮装性が否定されることはない。同事件の控訴審判決は，オプション取引はオプションそれ自体を取引の対象として完結するものであるから，その後においてオプション上の権利義務関係が存続しこれらが各別に処分されうるという事情はオプション取引自体の仮装性の判断に影響しないとし[4]，最高裁もこの判断を維持した[5]。

また同事件地裁判決は，価格操作の目的を伴わない馴合取引は投資者に不測の損害を与える危険がなく相場操縦の目的要件を欠くとした。しかし，馴合取引の悪性は仮装取引と同様，虚偽の取引高を作出することにあるから，取引高について投資者に誤解を生じさせる目的があれば足りるというべきである。同事件の控訴審・上告審判決も，繁盛等目的は出来高を操作する目的で足りるとした。

(2)　変動操作

変動操作とは，上場金融商品等（上場有価証券，市場デリバティブ取引の原資産〔金融商品〕・原指標〔金融指標〕，または上場オプションをいう）の相場を変動させるような一連の取引を行うことをいう（159条2項1号）。株式の大量の買い注

2）　東京地判昭和56・12・7判時1048号164頁。
3）　大阪地判平成17・2・17判タ1185号150頁。
4）　大阪高判平成18・10・6判時1959号167頁。
5）　最判平成19・7・12刑集61巻5号456頁。判批として，松田俊哉『最高裁判所判例解説刑事篇平成19年度』285頁，佐伯仁志・百選110頁，黒沼悦郎・金判1295号2頁。

文を集中的に市場に出すことによって株価を上昇させる行為は，変動操作に当たる。

株式の大量の買い注文を市場に出すと株価が変動するのは市場原理に基づくものであり，そこで形成された市場価格は自然の需給関係を反映したものといえる。また，自己の大量注文によって株価が上昇するであろうことを認識しつつ注文を出しただけで変動操作の罪に問われるとなると，有価証券の大口売買は著しく抑制され市場の効率性はかえって損なわれる。そこで，変動操作の罪が成立するためには，①有価証券の売買，市場デリバティブ取引，または店頭デリバティブ取引のうち，いずれかの取引を誘引する目的（誘引目的）をもって，②相場を変動させるべき一連の売買取引等（変動取引）を行うことが必要とされている。159条2項1号からは，誘引目的をもって「売買等が繁盛であると誤解させるべき一連の売買取引等」（繁盛取引）を行うことも罪に当たると読めるが，繁盛取引という行為類型は相場操縦の訴追に全く用いられていない。

変動操作による相場操縦の違法性をどこに求めるかについては，判例・学説上の争いがあった。従来の通説は，変動操作には自己の売買取引により相場が変動することの認識では足りず，それによって他人を売買取引に誘い込む意図ないし目的が必要であり，この誘引目的の有無こそが適法な取引と違法な変動操作を区別する基準になると解していた[6]。これに対し有力説は，誘引目的については，変動取引により第三者が取引に誘い込まれる可能性を認識していれば足りると広く解するが，変動取引については，高度の違法性を備えた人為的な買付方法を伴う取引でなければならないと限定的に解する[7]。つまり，有力説は，適法取引と違法取引の区別の基準を人為的な取引手法に求めていた。

わが国で最初に相場操縦が摘発された協同飼料事件では，上場会社の役員らが証券会社の役職員と共謀して，時価発行公募増資を成功させるために，公募期間前の約2か月間に会社の資金等により自社株を継続的に買い付けた行為が変動操作の罪に問われた。同事件の最高裁決定は，誘引目的を「人為的な操作を加えて相場を変動させるにもかかわらず，投資者にその相場が自然の需給関係により形成されるものであると誤認させて有価証券市場における有価証券の

6）　鈴木＝河本531頁，神崎克郎「現実取引による相場操縦」曹時44巻3号（1992）7頁。
7）　黒川弘務「相場操縦罪（変動操作）における誘引目的および変動取引の意義」商事1342号（1993）13頁，芝原邦爾「相場操縦罪における『誘引目的』」内藤先生古稀祝賀『刑事法学の現代的状況』（有斐閣，1994）348頁。

売買取引に誘い込む目的」と限定的に捉える一方で，変動取引を「相場を変動させる可能性のある売買取引等」と広く解した[8]。これは通説を採用するものであるといえる。

誘引目的の有無の認定は，行為者の自白がある場合を除いて極めて困難なので，取引の動機や取引の態様といった客観的な状況証拠から誘引目的を認定する手法がとられる。協同飼料事件の1審判決では，時価発行公募増資を成功させるという取引の動機や，寄付き前から前日終値より高い指値で買い注文を出す，立会いの気配をみて直近値段より相当高い指値買いの大量注文を出す，指値を1円刻みに高くした買い注文を同時刻にまとめて発注するなどの取引の態様から誘引目的を認定している[9]。もっとも，この事件で裁判所は，動機・取引態様から「人為的操作の目的」までは認定しているが，そこから「誘引目的」を導く判断過程を示していない。学説では，誘引目的という用語を改めて相場を操作しようとの意図（人為的操作目的）をもって行うことを意味する表現に変えるという立法論も有力であるが[10]，判例も，誘引目的を実質的に人為的操作目的に読み替えてしまっているのではないかと思われる[11]。しかし，誘引目的を人為的操作目的に読み替えることには，**Column 8-2** のような問題点がある。

■Column 8-2　誘引目的を欠く行為■■

有価証券等の一連の売買取引により相場が変動する原因としては，取引圧力によるものと情報動機によるものとが考えられる[12]。取引圧力よる価格変動は，需給のバランスが一時的に崩れるために生ずる。たとえば，直近の成立価格より高い価格または成り行きで大量の買付注文を出すと，買付注文は市場に出されていた売付注文と順次付け合わされてゆき，最も高い売付注文との間で最後の取引が成立するため，相場は直近の成立価格から最後の取引の成立価格まで一気に上昇する。この例で明らかなように，取引圧力による価格変動は，一般投資家が取引に誘い込まれなくても生じうるのである。一時的な需給の不均衡を招く行為もそれ自体投資者の

8）　最決平成6・7・20刑集48巻5号201頁。

9）　東京地判昭和59・7・31判時1138号25頁。

10）　近藤光男「相場操縦規制」鴻先生古稀記念『現代企業立法の軌跡と展望』（商事法務研究会，1995）393頁，409頁。

11）　黒沼悦郎「取引による相場操縦の悪性について」龍田先生還暦記念『企業の健全性確保と取締役の責任』（有斐閣，1997）494-495頁。

12）　Steve Thel, “Regulation of Manipulation Under Section 10 (b): Security Prices and the Text of the Securities Exchange Act of 1934,” 1988 Colum. Bus. L. Rev. 359 (1988).

需要に基づく行為であるから，取引圧力による価格変動は相場操縦として禁止すべきではないであろう。

これに対し情報動機による価格変動とは，大量の売買取引の背後に未公開の重要情報が生じていると一般投資家を誤認させ，それによって利益を得ようと取引に誘い込まれた一般投資家が行う取引によって価格が上昇または下落することである。情報動機による価格変動を狙う取引は，投資者による誤認を利用して自己の利益を実現しようとするものである。仮装取引・馴合取引は行為自体が詐欺的であるのに対し，変動操作は行為自体に詐欺的要素がないという批判があるが[13]，ここでは一種の虚偽情報が作出されているとみることができるから，情報動機による価格変動は詐欺的行為であり，相場操縦として禁止する必要があるといえる。

取引圧力による価格変動を狙った行為には誘引目的がなく，情報動機による価格変動を狙った行為には誘引目的があるのが通常だから，前者を禁圧すべきでないが後者を禁圧すべきであるという結論は，変動操作に誘引目的を要求することにより達成される。そして，この場合の誘引目的は，人為的操作目的に読み替えるべきではなく（人為的操作目的で足りるのであれば，取引圧力による価格変動も禁圧されることになる），他人の取引を利用して自己の取引だけでは作り出せないような相場の変動を生じさせる目的と理解すべきである[14]。

藤田観光事件では，被告人が，買い占めた株券を市場外で第三者に高値で売却するに際して，買主側の税務対策上，市場価格に近い価格で取引する必要があったため，知人と共謀して同社株式を４取引日に大量に買い付けた。裁判で，被告人は，上昇させた株価を利用して市場で一般投資家から不法な利益を得る意図はなかったから誘引目的はなかったと主張したが，裁判所は，人為的に相場を操作する目的があれば誘引目的の要件を満たすと判示した[15]。この判決は協同飼料事件最高裁決定が下される前のものだが，同決定に従えば，この事件で誘引目的はなかったとされていた可能性がある。もっとも，本件の取引は４取引日にわたって行われているから，一般投資家は実際には取引に誘い込まれているはずであり，被告人の誘引目的を認定できた事例であるともいえる。

仮装取引・馴合取引が１回限りの行為でも処罰の対象になるのに対し，変動操作は一連の有価証券売買等（有価証券の売買，市場デリバティブ取引，または店頭デリバティブ取引をいう）が必要とされている。これは，変動操作は現実の需

13)　Daniel R. Fischel & David J. Ross, "Should the Law Prohibit 'Manipulation' in Financial Markets?" 105 Harv. L. Rev. 503, 512 (1991).

14)　黒沼・前掲注 11) 511-512 頁。

15)　東京地判平成５・５・19 判タ 817 号 221 頁。

給に基づく取引なので，一連の取引が行われ背後に未公開の重要事実が生じているとの誤認を生じさせるに至って初めて違法性を帯びるからである。もっとも，「一連の売買等」とは2以上の売買等があれば足りると解されている[16]。

■Column 8-3　見せ玉■■

見せ玉とは，約定させる意思がないのに市場に注文を出し，取引が成立しそうになると注文を取り消す行為をいう。未だ執行されていない注文の動向を一般投資家がインターネットを通じて知りうるようになったため，たとえば大量の買い注文があると見せかけて，他の投資者の買い注文を誘い，株価が上昇した段階で自己が保有する株式を高値で売り抜けるといった見せ玉を利用した相場操縦が可能になった。証券取引法159条2項1号は，変動操作に当たる有価証券売買等の委託等および受託等をも禁止していたが，この規定は委託された取引が市場で執行されなければ適用されないとする説[17]と，注文を出したが取引が執行されなかった場合には委託等に含まれるとする説[18]に分かれていた。平成18年改正法は，見せ玉を禁止する必要があることから，投資者による見せ玉は委託等に当たるという解釈を前提として，証券会社自らが行う見せ玉を処罰するために，159条2項1号の行為類型に「申込み」を加えた。

こうして見せ玉は変動操作の一類型と整理されたため，見せ玉が相場操縦に該当するためには，誘引目的をもって一連の有価証券売買等の委託等または申込みを行う必要がある。しかし，見せ玉の違法性は虚偽の注文を作出して一般投資家に誤解を与えることにあるから，見せ玉は159条1項の仮装取引・馴合取引と同様の行為として構成し，1回きりの行為も処罰の対象とすべきである[19]。

■Column 8-4　HFTと相場操縦行為■■

アルゴリズム・AIを利用して行われるHFT（高頻度取引，**→6章*2*節*6***）が有価証券の市場価格をその本源的価値から著しく乖離させる場合に，現在の相場操縦規制で対処できるだろうか。

まず，HFTは1日のうちに購入した数量のすべてを売却しているので，個別の注文行為が仮装売買（→(1)）に該当しないかどうかが問題となる。しかし，HFTは適法に取引するようプログラムされているので，売り注文と買い注文を同時に出すことはしないだろう。第2にHFTは頻繁に注文を取り消しているので「見せ

16）神崎＝志谷＝川口1302頁。

17）鈴木＝河本529頁。

18）河本＝関編946頁，神崎636頁。

19）証券取引法研究会「平成18年の証券取引法の改正Ⅰ」『平成17年・18年の証券取引法等の改正』（別冊商事299号，2006）102頁，113頁〔黒沼悦郎発言〕。

玉」（→Column 8-3）に該当する可能性があるが，HFT が注文の動向を察知したり，アルゴリズムに従って注文を取り消している限り（見せ玉を意図してアルゴリズムを組んだ場合を除く），理由があって取消しをしているのであり，見せ玉に当たらないだろう。第3に，HFT は小刻みに売買を繰り返しているので，それが変動操作（→(2)）に当たらないかが問題となる。変動操作には誘引目的が必要であるが（→(2)），アルゴリズム自体が一般投資家を取引に誘い込む目的を有するということはあり得ないし，変動操作について人為的操作目的で足りるという説をとったとしても，アルゴリズムにはそのような目的はない。

そこで対応を考えると，第1に，アルゴリズムを利用する人間の主観を捉えて，背後にいる人間に誘引目的があれば相場操縦を処罰できるだろう。しかし，アルゴリズムの作成に AI を利用する場合，AI の行う深層学習によって，人が意図しないアルゴリズムが生成され，それが異常な取引を引き起こす可能性がある[20]。アルゴリズムの生成について認識や認識可能性のなかった者を相場操縦罪で処罰することはできないであろう。HFT は，市場規制の方法としての罰則規定の要件に再考を迫るものといえる[21]。

第2に，有価証券の急激な価格変動を生じさせるアルゴリズムの使用自体を事前に禁止しておくという政策が考えられる。しかし，アルゴリズムだけからそれが良いアルゴリズムなのか急激な価格変動を生じさせるような悪いアルゴリズムなのか事前に判定することは難しい。取引の過程でアルゴリズムが変化する場合はなおさらである。

このように，HFT を始めとするアルゴリズム・AI を利用する取引に金融商品取引法をどのように適用していくべきかについては，多くの難問が残されている。

(3)　表示による相場操縦

重要な事項について虚偽または誤解を生じさせる表示を行うと，上場有価証券等の価格形成に不当な影響を及ぼすため，これらの表示による相場操縦行為は禁止されている（159条2項3号）。表示による相場操縦罪が成立するためには，自己が有価証券売買等を行うに際して，一般投資家を市場取引に誘い込む目的をもって，故意に虚偽または誤解を生じさせる表示を行うことが必要であるが，表示の相手方は有価証券売買等の相手方でなくてもよい。

また，誘引目的をもって，上場金融商品等の相場が自己または他人の操作に

20）　芳賀良「HFT と相場操縦規制」金法 2095 号（2018）60 頁。
21）　アルゴリズム・AI の利用を巡る法律問題研究会「投資判断におけるアルゴリズム・AI の利用と法的責任」金融研究 38 巻 2 号（2019）25 頁は，行政規制の活用を示唆する。

よって変動する旨を流布することも禁止される（同項2号）。2号が3号と別個の相場操縦とされているのは，自己または他人が相場を操作するという表示が真実であっても，これを禁止する必要があるからである。「自己又は他人による相場の操作」が違法な操作に限られるかどうかは，議論の余地がある。もし違法な操作に限られないとすると，たとえば，株価全般が低迷している時期に，公的資金を導入するなどのいわゆるPKO（Price Keeping Operation，株価維持操作）によって「株価指数を○○まで持っていく」旨を政治家等が発言することは，他人による操作によって相場が変動する旨の表示に当たると考えられる[22]。

(4) 安定操作

安定操作とは，金融商品市場に売買等の取引注文を出すことによって上場有価証券等の相場を人為的に固定する行為をいう。安定操作取引は，政令で定めるところに違反して，上場有価証券等の相場をくぎ付けし，固定し，または安定させる目的をもって行う場合にのみ禁止の対象となる（159条3項）。いいかえると，政令で定めるところに従って，有価証券の募集・売出し（**→2章*2*節*1*・*2***）を成功させるために安定操作を行うことができる。

■Column 8-5　募集・売出しを容易にするための安定操作取引■■

有価証券の募集・売出期間内に，募集・売出しに係る有価証券が大量に市場取引に流入することにより，有価証券の市場価格が募集・売出価格を下回ると，誰も募集・売出しに応じて当該有価証券を取得しようとせず，募集・売出しは失敗してしまう。そこで，募集・売出しを容易にするために，取引所金融商品市場または店頭売買有価証券市場において相場を安定させる一連の売買取引を行うことが認められている（159条3項，施行令20条1項）。以下，募集を例にして説明する。

有価証券の募集に係る安定操作は，有価証券届出書に元引受証券会社として記載された証券会社のみがすることができる（施行令20条2項）。発行者は，元引受証券会社に安定操作取引を委託するとともに（同条3項），有価証券届出書および目論見書に，募集に関して安定操作取引が行われることがある旨を記載する（同21条）。

安定操作取引をすることのできる期間は，有価証券の発行価格が決定してから募集期間の終了する日まで（最長で20日間）に限定されている（施行令22条2項）。安定操作に係る買付価格には厳しい制限が課されており，安定操作を開始した日の

22）　株価維持操作が相場操縦に当たるか否かを検討した論文として，川口恭弘「株価維持操作と相場操縦規制」奥島先生還暦記念『近代企業法の形成と展開(2)』（成文堂，1999）365頁を参照。

最初の買付けについては，当該金融商品取引所における前日の最終価格，その後の買付けについては，安定操作開始価格（安定操作を開始した日の最初の約定価格）を超えてはならず，翌日以降の取引については，その前日の最終価格と安定操作開始価格のいずれか低い価格を超えてはならない（同24条）。安定操作では，下落傾向にある有価証券の市場価格を買い支えることのみが許容されており，市場価格を上昇させる取引手法をとることは禁止されているのである。

安定操作取引を行う元引受証券会社は，安定操作開始後，直ちに，約定価格等を記載した安定操作届出書を作成して金融庁長官に提出し（施行令23条），その後は，安定操作取引を行った日ごとに安定操作報告書を提出する（同25条）。これらは金融商品取引所等において公衆の縦覧に供され（同26条），市場で当該銘柄を取引する投資者に注意を喚起することになる。

違法な安定操作の目的要件について，協同飼料事件最高裁決定（→(2)）は，安定操作罪が成立するためには「誘引目的」は必要とされず，「安定目的」で足りると明言した[23]。しかし，安定操作とは，放任すると価格が下落または上昇することが予想される相場について，価格を上昇または下落させる取引であるから，その違法性は変動操作と変わりがない。立法論としては，安定操作にも誘引目的を要求すべきである。

3　相場操縦に対する制裁

(1)　刑 事 責 任

相場操縦行為は，投資者に損害を与えるとともに市場そのものの存立を脅かす行為であるから，行為者には重い刑事制裁が課せられる。157条に違反した行為者は，10年以下の懲役，1000万円以下の罰金，またはこれらが併科される（197条1項5号）。財産上の利益を得る目的で相場操縦を行い，相場を変動させまたは固定させて，その相場で有価証券の売買等を行った者は，10年以下の懲役および3000万円以下の罰金に罰が加重される（同条2項）。会社等の法人の業務または財産に関して相場操縦行為が行われたときは，法人に7億円以下の罰金が科せられる（両罰規定，207条1項1号）。これらの罰則は，上場企業をめぐる一連の不正事件の再発を防止するために，平成18年の改正で強化されたものである。

---

23)　最決平成6・7・20刑集48巻5号201頁。

相場操縦行為により違反者が得た財産は没収され，没収することができないときはその価額が追徴される（198条の2）。違反者から利益を剝奪し違法行為を抑止するためである。相場操縦は有価証券等の売付けと買付けを繰り返すものであるから，買付株式および売却代金が没収・追徴の対象になるが，その全額を没収すると違反行為者に極めて酷な結果になることがある。そこで，全額を没収することが相当でない場合には減額できることとされており（198条の2但書），実際にも，相場操縦行為により得た株式の売却代金からその買付代金相当額を控除した売買差益相当額のみを追徴する例が多い[24]。

⑵　民事責任

相場操縦が行われると，投資者は有価証券等を相場操縦によって上昇した価格で購入し，または下落した価格で売却することにより損失を被る。この損失は，相場操縦が終了し市場価格が正常な状態に戻った時に顕在化するが，理論的には，市場で投資者が取引をした時点で発生すると考えられる。相場操縦行為の禁止は，市場の効率性の維持とともにそれを通じて投資者の利益を図る目的で定められている。したがって，投資者は相場操縦行為者に対して一般不法行為（民709条）に基づく損害賠償請求をすることができると解される。

160条は，相場操縦行為者は，違反行為により形成された価格で有価証券の売買等をした者が売買等について受けた損害を賠償する責任を負うと規定する。この規定を，不法行為の特則を定め，相場操縦行為によって形成された価格により有価証券の売買取引等をした者がその取引により受けた損害と相場操縦行為との因果関係の立証を不要として投資者保護を図ったものと理解する裁判例がある[25]。

この判決が，160条があるために民法709条による請求が妨げられるという趣旨であるならば，それは妥当でない。160条2項は，投資者が違反行為を知った時から1年，違反行為時から3年で請求権が時効消滅すると定めており，一般不法行為の消滅時効規定（民724条，知った時から3年，違反行為から20年）よりも投資者の保護に薄いからである。また，相場操縦により形成された価格で取引したことを証明することは，相場操縦行為と市場の形成価格との間の因果関係を証明することに等しいから，160条は一般不法行為に比べて因果関係

24）　東京地判平成15・11・11判時1850号151頁〔志村化工事件〕，東京地判平成17・3・11判時1895号154頁〔キャッツ事件〕。

25）　大阪高判平成6・2・18判時1524号51頁。

の証明を軽減していることにはならない。

ある銘柄について相場操縦行為が行われると市場で当該銘柄の取引をする者は，相場操縦がなかったとしたら形成されていたであろう価格（想定価格）と実際の取引価格の差額について等しく損害を被る。したがって，市場で取引をした投資者は，取引時の想定価格と実際の取引価格との差額が相場操縦行為と因果関係のある損害であるとして，その賠償を相場操縦行為者に請求することができると解すべきである（**図表8-1**）。このとき，取引時の想定価格がいくらであったかは，相場操縦終了後の市場価格を基準としてマーケットモデルを用いて他の要因による価格変動を除外することにより（→**4章*5*節*5*(7)**），算定することができる。ただし，相場操縦が行われていなかったら当該取引をおよそ行わなかったであろうことを投資者が立証したときは，取引価格と取得した有価証券等の現在価値の差額が因果関係のある損害となる（→**4章*5*節*5*(6)**）。

図表8-1

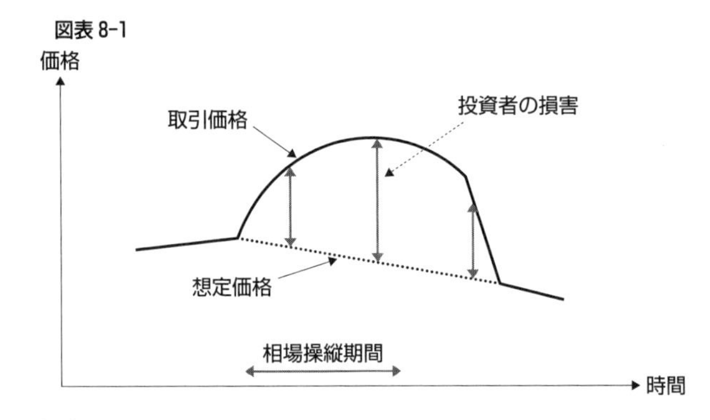

(3)　課 徴 金

平成16年改正で課徴金制度が導入された当時は，相場操縦行為のうち課徴金の対象とされたのは変動操作（159条2項1号）のみであった（現行174条の2）。仮装売買，馴合売買，表示による相場操縦，および安定操作取引は課徴金の対象とされなかった。これらの取引のみから行為者が利得を得ることはできないと考えられたのであろう。しかし，たとえば仮装売買によって高騰した株価で保有株式を売却することにより，違反者は利得を得ることができるから，これらの違反行為も課徴金の対象とすべきであると批判されていた[26]。

そこで平成20年改正は，仮装売買，馴合売買，安定操作取引を課徴金の対

26）　検討例として，「証券取引法における課徴金制度1」「同2」証券取引法研究会編『平成16年の証券取引法等の改正』（別冊商事290号，2005）83頁以下参照。

象に加えた（174条，174条の3）。表示による相場操縦（159条2項2号3号）は依然として課徴金の対象とされていないが，これらは課徴金の対象とされている風説の流布・偽計（→*2*節*3*(3)）に類する違法行為であるから，課徴金制度になじむことは疑いがない。

変動操作に対する課徴金の額は，①違反行為中に売りと買いが行われ確定した利益と，②違反行為終了時のポジションを，違反行為終了後1か月間の最高値（売りポジションの場合は最安値）で反対売買をした場合に得られる利得に相当する額の合計額とされている（174条の2第1項1号2号）。違反行為終了時のポジションとは，違反行為期間の買付数量（違反行為開始時の保有数量を含む）と売付数量の差をいい，買付けが超過しているときは買いポジション，売付けが超過しているときは売りポジションとなる。この算定方法は，違反行為の期間中違反者が変動操作によって実際に得た利得の額と，違反行為終了時のポジションについて1か月以内に有利な価格で処分できたとすれば獲得できた利益とを合計するものといえる。

仮装売買・馴合売買に対する課徴金の額は，違反行為終了時のポジションについて違反行為終了後1か月間の最高値（売りポジションの場合は最安値）で反対売買をした場合に得られる利得に相当する額とされている（174条1項1号2号，変動操作の上記②に相当）。違反行為期間の売買利益については，仮装売買・馴合売買だけを取り出してみると，売りと買いの価格および数量が対当していると考えられるため，課徴金の算定にあたって考慮しない。

■ Column 8-6 実務上の論点 ■■

実際の相場操縦では，仮装売買，馴合売買と変動操作が組み合わせて用いられる。そのような場合，仮装売買等と変動操作を一連の取引とみて，全体に174条の2（変動操作に対する課徴金）を適用することが許容されると考えられ，また，実際にそのような課徴金事例が見られる[27]。両者を分解してそれぞれに174条または174条の2を適用しても結果は変わらないからである。

相場操縦に係る課徴金の算定においては，上記のように，違反行為終了時のポジションをその後1か月間の最高値または最安値と比較することになるため，いつからいつまでを違反行為期間と認定するかが，実務上，重要になる。見せ玉の発注，その指値訂正，株価変動に伴う有利売買という60分前後のサイクルを違反行為期

27） 黒沼悦郎「『課徴金事例集』にみる金融商品取引法上の論点」金法1908号（2010）10頁。

間と認定し，13営業日中の28の違反行為期間についてそれぞれ課徴金を計算して合算した事例がある[28]。違反行為期間を細分化すれば課徴金が高額に算定されることになるが，違反行為期間の切り方が取引の実態に即している限り問題はないであろう。

安定操作に対する課徴金の額は，①違反行為中に反対売買が行われ確定した利益に相当する額と，②「違反行為期間中の平均価格と違反行為後1か月間の平均価格の差額」に違反行為開始時のポジションを乗じた額の合計額とされている（174条の3第1項)。①は，変動操作の場合とほぼ同じであるが，違反行為終了後1か月以内の反対売買も含める（施行令33条の14の8第5項)。②は，違反者が安定操作前に保有していた有価証券を違反行為期間中に高値で売却できたことに着目して利得相当額を計算するものである。

4　その他の相場操縦規制

(1)　空売りの規制

有価証券を有しないで，あるいは借り入れて行う売付けを空売りという。空売りをした者は有価証券を買い戻さなければならないから，空売りは当然に相場操縦行為となるものではない。しかし，株価の下落局面において，空売りは株価の下落を加速させ，他の投資者を取引に巻き込みつつ，実勢を反映しない市場価格の形成させるおそれが大きい。そこで，政令で定める明示・確認義務および価格規制に違反して空売りを行うことが禁止されている（162条1項1号)。信用取引（→**6章*2*節*4***）も空売りに当たるが，これらの規制の適用除外とされている。

第1に，取引所の会員等は委託者に対し注文が空売りに当たるか否かを確認し，当たる場合には取引所に対し空売りであることを明示しなければならない（施行令26条の3)。他の投資者に空売りであることを示し，注意を促すためである。

第2に，株価が基準価格から10%以上変動した場合に，株価上昇局面では直近公表価格未満，株価下落局面では直近公表価格以下の価格での空売りが禁止される（施行令26条の4)。空売りによる売り崩しを防止するためである。

---

28)　証券取引法監視委員会事務局「金融商品取引法における課徴金事例集（平成21年度版)」(2010) 事例29。

また，公募増資インサイダー事例（→Column 7-10）において公募増資公表後に株価が大幅に下落することが多かったのは空売りのせいではないかと考えられた。公募増資における募集・売出価格は，増資公表数日後の株価から3% 程度のディスカウントをして決定される。このため，応募予定者は，増資公表から募集・売出価格決定までの間に空売りを行い，市場価格を下落させ，そうして決定された募集・売出価格で取得した株式で借株を返済すれば確実に利益を得られる。損失を心配することなく空売りすることができてしまうのである。そこで，平成23年の政令改正により，募集・売出しに係る価格未決定の期間に空売りを行った者は，当該募集・売出しに応じて取得した有価証券によって，空売りに係る有価証券の借入れの決済を行ってはならないとされた（施行令26条の6）[29]。公募増資時の空売りは上記のような公募増資の手続から生じるものであり，この規制は妥当であるが，空売りをした者の募集・売出への応募を禁じなければ不徹底ではないかとの批判もある[30]。なお，公募増資時の空売り規制は信用取引にも適用される。

以上の空売り規制の違反については罰則の制裁がある（205条18号）。空売り規制に違反しない売買取引であっても，相場操縦行為の諸類型に該当すれば処罰の対象となることはもちろんである。

⑵　自己株式取得のセーフ・ハーバー

平成13年の商法改正によりいわゆる自己株式の取得が解禁された際，上場企業が相場操縦規制に違反することなく自己株式を取得できるようにしてほしいとの要望が高まった。そこで，金融商品取引法161条の2に，上場会社による上場株券等の取得について，相場操縦行為を防止するため，上場株券等の取引の公正の確保のため必要かつ適当であると認める事項を内閣府令で定めることができる旨の規定が設けられた。内閣府令では，1日に2以上の金融商品取引業者に買付委託を行わないこと，買付価格の制限，1日の買付数量の制限等を定めている（取引規制府令17条）。

この規定は，金融商品取引法159条の適用除外取引を定めるものではないので，厳密な意味でのセーフ・ハーバー・ルールではないが，内閣府令の定めに

29）　齊藤将彦＝三宅朋佳「公募増資時の空売り規制に関する金融商品取引法施行令等の改正の概要」商事1944号（2011）37頁。

30）　若林泰伸「増資の際のインサイダー取引と空売りに対する法規制」商事1962号（2012）34頁。

従って自己株式を取得する限り，上場会社の関係者が相場操縦規制違反を問われることはないといえよう。

第2節　風説の流布・偽計

1　総　　説

風説の流布・偽計を禁止する158条は，相場操縦の防止と詐欺的行為の一般的禁止という機能を併せ持っている。158条がそのような役割を担わされたのは，沿革的理由による。

158条の元になった旧取引所法32条の4（大正3〔1914〕年改正）は，取引所における相場の変動を図る目的をもって虚偽の風説を流布し，偽計を用い，または暴行もしくは脅迫をなすことを禁止していた。旧取引所法は相場操縦を直接禁止する規定を置いておらず，この規定の趣旨は，相場操縦の手段となる行為を禁止することにより，相場操縦を一般的に防止することにあった[31)]。昭和22（1947）年の証券取引法制定の際に，本条に「有価証券の募集若しくは売出しのため」の風説の流布・偽計という類型が追加されたが，これは有価証券の発行市場における相場操縦を防止する趣旨に出たものである。

昭和23（1948）年の証券取引法制定の際には，「募集若しくは売出しのため」に「売買その他の取引のため」という文言が付加され，「虚偽の風説」から「虚偽の」が削除された。同法は，アメリカ法に倣って，相場操縦を直接禁止する規定（125条，現行159条）を設け，また証券取引法に関する一般的な詐欺禁止規定（58条，現行157条）を置いた。この結果，風説の流布の禁止は，一方では相場操縦と要件が重複し，他方では一般的な詐欺禁止規定と要件が重複している[32)]。

以上のような規定の沿革を考慮すると，風説の流布・偽計等の禁止目的を「相場操縦の防止」に限定することは適切でない。相場操縦の禁止の保護法益である「市場における公正な価格形成」のほかに，本条は，「有価証券の取引の相手方の保護」をも目的としているといえよう[33)]。学説は本条の目的を，証

31）　龍田節編『逐条解説商品取引所法』（商事法務，1995）1051頁〔山田廣己〕。

32）　互いに重複する不公正取引規制の整理をあり方を示したものとして，松尾直彦「不公正取引規制の施行5年の軌跡と展望」ジュリ1444号（2012）41頁以下を参照。

券取引に関する不公正な行為を禁止し，公正で自由な証券市場を維持することに求めているが[34]，その内容を分析すれば，市場における公正な価格形成と相手方投資者の保護ということになろう。

2　禁止行為の類型と要件

(1)　風説の流布

風説とは，合理的な根拠を有しない事実をいい，虚偽であることを要しない[35]。合理的根拠なく風評が立てられると，それが客観的事実に合致しているかどうか確知しえないために，投資者を惑わし公正な価格形成を妨げることになるからである。したがって，行為時に行為者が合理的な根拠なく公表した事実がたまたま客観的事実に合致していても，「風説」に該当する。テーエスデー事件判決では，将来実現するかもしれないことを既に実現したとして公表することは明らかな虚偽であるとされた[36]。これは，公表の内容が公表の時点で虚偽であったと判断したものである。東天紅事件判決では，公開買付けを行う意思がないのに公開買付けを行う旨の意思を表明したことが虚偽の事実であり風説に当たるとされた[37]。公開買付けを行う意思の有無は内心の問題であるので認定が難しい。

風説はふつう出所不明の噂の類をいうが，発行会社による記者会見や決算発表の内容が虚偽であった場合も風説に当たる[38]。粉飾決算が法定の開示手段で公表された場合には，有価証券報告書・四半期報告書等の虚偽記載の罪（197条）と，風説の流布罪とは観念的競合の関係に立つ。

風説を「流布する」とは，不特定または多数の者に伝達することをいう。もっとも，行為者が直接に不特定または多数の者に告知することは必要でなく，特定・少数の者に伝達したが，それが不特定または多数の者に伝達される可能

33)　沿革を踏まえて158条の意義を検討したものとして，荒谷裕子「風説の流布をめぐる法的問題の考察」前田先生古稀記念『企業法・金融法の新潮流』（商事法務，2013）337頁以下参照。

34)　平野龍一＝佐々木史朗＝藤永幸治編『注解特別刑法補巻(2)』（青林書院，1996）115頁〔土持敏裕＝榊原一夫〕，伊藤榮樹＝小野慶二＝荘子邦雄編『注釈特別刑法(5)経済法編Ⅰ』266頁（立花書房，1986）〔馬場義宣〕。

35)　平野＝佐々木＝藤永編・前掲注34）115頁。

36)　東京地判平成8・3・22判時1566号143頁。

37)　東京地判平成14・11・8判時1828号142頁。

38)　東京地判平成8・3・22判時1566号143頁〔記者会見〕，東京地判平成19・3・16判時2002号31頁〔四半期決算の発表〕。

性があり，行為者もその点を認識していた場合にも「流布」に当たる[39]。記者会見の相手方は特定少数であろうが，その内容が報道されることが当然に予想されるから，記者会見は流布に当たる（テーエスデー事件判決）。東天紅事件判決は，証券取引所内の記者クラブの幹事社にあてて記者会見の予告をファクシミリ送信する行為を流布とみている。幹事社にあてて情報を発信すれば，不特定多数の者に伝達されることが合理的に予測できるからである。

投資情報を交換するインターネットの掲示板は風説の流布の温床になりやすい。インターネットの掲示板は不特定多数の者が閲覧しうる媒体であるから，そこに特定銘柄の有価証券やその発行者に関する不確かな噂を書き込む行為は，行為者に相場を変動させる等の目的があれば，風説の流布に当たる。ただし，個別の銘柄を推奨するといった意見の表明は，「事実」とはいえないので，行為者に真実は推奨の意思がなくても，また推奨に合理的な根拠がなくても，風説に該当しないと解すべきであろう。

⑵　偽 計 等

偽計等には，偽計・暴行・脅迫の３類型がある。このうち「偽計を用い」とは，人を錯誤に陥れるような手段を用いることをいう[40]。人の不知を利用する手段も偽計に含まれるとする見解もある[41]。

相手方に虚偽の情報を告げることは偽計に当たる。風説の流布とは異なり，不特定または多数の者に当該情報が伝達されうることは偽計の要件ではない。したがって，相手方に有価証券を取得させ，または相手方から有価証券を取得するために，有価証券の価値に関する虚偽の情報を相手方に提供する行為は偽計に当たる。虚偽の説明により投資家に債券を売り付けた事例に偽計罪を適用した裁判例がある[42]。

有価証券等の取引の相手方に積極的に虚偽の情報を告げることはしないが，真実の情報を告げないことが偽計に当たるかという点については，学説は論じておらず裁判例もない。一般に，取引の相手方に，自己の有している取引に関する情報を告げないことが相手方との関係で詐欺的と評価されるのは，その者が相手方に対して，契約上または信義則上，情報提供義務を負っている場合で

39）　伊藤＝小野＝荘子編・前掲注 34）267 頁。
40）　平野＝佐々木＝藤永編・前掲注 34）115 頁。
41）　伊藤＝小野＝荘子編・前掲注 34）267 頁。
42）　東京地判平成 14・10・10 D1-law28168690（証券取引等監視委員会「告発事件の概要一覧表」30 事件）。

ある。したがって，行為者が相手方とそのような関係にない場合には，真実の情報を告げないことは偽計に当たらない。錯誤に陥れる対象が取引の相手方ではなく市場全体であると評価される場合も，市場との関係でその者が情報開示義務，情報提供義務を負っているかどうかが決め手となる。

学説においては，わが国において偽計等の禁止が一般的な詐欺禁止規定の機能を果たしているという認識の下に近時の事例を分析するものや[43]，158条の積極的な適用を唱える見解が現れている。前者の分析によると，偽計は，①取引相手に対する詐欺的行為，②組織再編に係る偽計，③架空増資に対する適用例に大別される。後者の見解は，アーバンコーポレイション社の臨時報告書の虚偽記載（東京地判平成23・2・7判タ1353号219頁，→**Column 4-8**）について，詐欺的要素の非常に強いスキームを組成し，発行者を当該スキームに引き込んだ証券会社の行為は，157条1号所定の不公正取引ないし158条所定の偽計取引に該当するのではないかと指摘する[44]。

■ Column 8-7　組織再編に係る偽計■■

東京地裁平成19年3月16日判決（判時2002号31頁）の事例（ライブドア事件）では，上場会社Aの代表取締役Yが他の役員らと共謀し，Aの子会社Bが投資事業組合を通じて既に実質的に買収していたC会社とAの別の子会社であるD会社との間の株式交換に際し，D社の第3四半期の業績について架空の売上げ等を計上する虚偽の業績を公表するとともに，C社の企業価値を過大に評価した株式交換比率でCをDの完全子会社とし，株式交換により実質的にBが取得するD株式を売却し，同売却益をAの連結売上に計上しようと企て，実行した（**図表8-2**）。

図表8-2

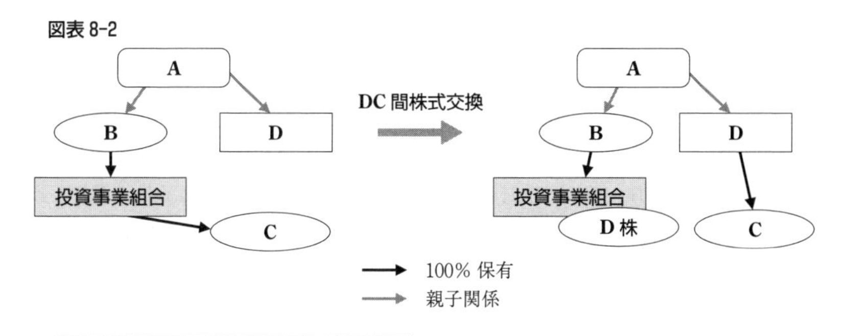

43）　武井一浩＝石井輝久「日本版10b-5としての金商法158条〔上〕」商事1904号（2010）16頁。

44）　太田洋「アーバンコーポレイション・BNPパリバ間の『CB・スワップ組合せ取引』に関する検討」商事1865号（2009）75頁。

裁判所は，株式交換に際して実際にはD社の関連会社の従業員がC社の企業価値を過大評価して株式交換を決めたのに，第三者機関が算出した結果を踏まえてC社D社間で協議の上決定した旨公表し，D社の株式分割に伴い交換比率を100対1に訂正する旨公表し，D社の第3四半期の業績について虚偽の事実を公表した行為が，有価証券の売買その他の取引のため，および有価証券の相場の変動を図る目的をもって，偽計を用いるとともに風説を流布する行為に該当するとして，Yを有罪とした（最高裁で有罪確定）[45]。

この事件では，D社の四半期業績について虚偽の公表を行ったことが風説の流布に当たることは否定しがたいが（→(1)），関係者がDC間の株式交換比率を偽ったことは偽計とみるべきであろうか。これが偽計であるならば欺罔された者がいるはずだが，本件のDC間の株式交換は簡易株式交換であり，D社の株主総会は開かれていないから，D社の株主が欺罔されたとはいえない。実際にBが多額の利益を収めることができたのは，D株について1対100の株式分割を行ったからである。これは，当時，株式分割により一時的な需給の不均衡が生じることを利用した行為であったが，株式分割は事実を公表して行われており偽計とはいいがたい。仮に，株式分割を偽計とみる（あるいは株式分割を含めた一連の行為を偽計とみる）としても，D株は市場外で海外のファンドへ売却されており，市場外の相対取引に応じるファンドが株式分割により欺罔されたとも考えられないのである。

■ Column 8-8　不公正ファイナンス ■■

証券取引等監視委員会は，近時，投資ファンド等が業績の振るわない上場会社に接近し，自らを割当先とする第三者割当増資を行わせた上で，払い込まれた金銭を直ちに社外流出させる一方，取得した株式を市場で売却して利益を得るといった行為を「不公正ファイナンス」と捉え，偽計罪の疑いで告発している[46]。このような架空増資は，従来，公正証書原本不実記載罪（刑157条）で訴追されてきたが，登記の信頼を損なったと評価するよりも，架空増資と虚偽のIRによって市場の公正性と投資者の利益を損なったと評価する方が素直であるという見方に基づいて，架空増資に偽計罪を適用するものであり，行為者を有罪とする判決が現れている。

たとえば，東京地裁平成22年2月18日判決（判タ1330号275頁）の事例（ペイントハウス事件）では，投資顧問業等を営む会社の代表取締役Yは，経営不振に陥った上場会社Aの再建計画の一環として，Yが実質的に統括管理していたB投資事業組合を割当先とする第三者割当増資をAに行わせ，新株予約権の行使によりBが取得した新株式の払込金の大半を，払込期日の翌日になんらの対価もなくA

45）　判批として，大杉謙一・商事1810号4頁，同1811号12頁参照。

46）　証券取引等監視委員会「告発の現場から①――不公正ファイナンスに係る偽計の告発」（https://www.fsa.go.jp/sesc/actions/kokuhatu/main.pdf）。

社から流出させた。裁判所は，YがA会社をして，真実はBが払い込む金額の大半を直ちに社外に流出させるものであるのに，その情を秘し，増資によって相応の資金の確保が図られたものであるかのような虚偽の事実を公表させた行為が，有価証券の売買のため，および有価証券の相場の変動を図る目的をもって，偽計を用いたものであるとして，Yを有罪とした。

(3) 目的要件

風説の流布・偽計等の罪は目的犯であり，「有価証券の募集，売出し若しくは売買その他の取引若しくはデリバティブ取引等のため」，または「有価証券等の相場の変動を図る目的をもって」行う場合に限って処罰の対象となる(158条)。これらの目的は，違法な行為と適法な行為を区別する役割を果たしている。もっとも，本罪が成立するためには，現実に有価証券の取引が成立することや相場が変動することは必要でない。

風説の流布・偽計等のうち，有価証券の募集・売出しのための行為は「違法な安定操作」(159条3項)と，有価証券等の相場の変動を図るための行為は「表示による相場操縦」(159条2項3号)と行為類型が重なる。仮装取引や馴合取引(159条1項)も相場の変動を図るための偽計に該当しうる。このように相場操縦の禁止と風説の流布・偽計とでは，行為類型が重なっているのに主観的要件が少しずつ異なっている点に注意を要する。

「有価証券等の相場の変動を図る目的」にいう相場とは，取引所金融商品市場の相場や店頭売買有価証券市場の相場に限らず，当該有価証券等に市場性があり，当該銘柄に対する需給の動向が客観的に反映されたものであれば足りる[47)]。テーエスデー事件は，平成4年頃の店頭登録株市場の変動を目的とした行為が対象となっており，「相場」に該当するといえた。

本条は，表示による相場操縦(159条2項3号)と異なり，「誘引目的」は必要とされず，代わって「変動目的」が必要とされる。変動目的とは相場を人為的に操作する目的をいい，抽象的には，変動目的よりも誘引目的の方が立証が難しい(→*1*節*2*(2))。このような相違は，変動操作にあっては取引自体に非難しうる実質がないのに対し，風説の流布・偽計取引には取引自体に虚偽や偽計という非難しうる実質が備わっていることに求められるが[48)]，表示による相場

47) 平野＝佐々木＝藤永編・前掲注34) 114頁。
48) 笠原武朗「判批」ジュリ1152号176頁参照。

操縦と風説の流布との間の不均衡は，なお説明がつかない。

相場を変動させる目的は，行為者の動機その他の状況証拠から総合的に認定される。テーエスデー事件では，転換社債の転換を促すことが相場を変動させることの動機であり，判決はこのような動機といくつかの状況証拠から，被告人に相場を変動させる目的があったと慎重に認定している49)。行為者に相場を変動させる目的が欠けている場合としては，当該有価証券の発行者の企業イメージを低下させる目的，発行者やその役員の不正を暴露する目的をもって，虚偽の事実や根拠のない噂を流布する行為が考えられる。

相場を固定させる目的は変動目的に当たらないとする見解がある50)。しかし，相場を固定させる目的とは，下落しつつある相場を上昇させ，上昇しつつある相場を下落させることを意図するものであるから，固定目的のなかに必ず変動目的が含まれているとみることができる。したがって，相場を固定させる目的も変動目的に当たると解すべきである51)。裁判例も，株価の大幅な下落を阻止する目的は「相場の変動を図る目的」に当たるとしている52)。

3　違反に対する制裁

(1)　刑事責任

158条に違反した者は，10年以下の懲役もしくは1000万円以下の罰金が科せられ，またはこれらが併科される（197条1項5号）。財産上の利益を得る目的で，風説を流布し，または偽計を用い，変動または固定させた相場で有価証券の売買等またはデリバティブ取引を行った者は，10年以下の懲役および3000万円以下の罰金に罰が加重される（同条2項）。相場の変動を図る目的で風説の流布・偽計を行った場合でなくても，換言すれば，有価証券の売買等またはデリバティブ取引のために風説の流布・偽計を行った場合であっても，相場の変動または固定という結果が生じ，かつ有価証券の売買等またはデリバティブ取引を行えば，加重された罰則が適用される。

没収・追徴に関する198条の2が適用されるのは，相場操縦の場合と同じである（→*1*節*3*(1)）。

49)　東京地判平成8・3・22判時1566号143頁。

50)　平野＝佐々木＝藤永編・前掲注34) 115頁，大杉・前掲注45) 1811号18頁，荒谷・前掲注33) 352頁。

51)　注釈金商法(3)13頁〔久保田安彦〕，金商法コンメ(4)17頁〔近藤光男〕。

52)　前掲東京地判平成8・3・22，前掲東京地判平成22・2・18。

(2) 民事責任

風説の流布・偽計を行った者に適用される特別の民事責任規定は金融商品取引法には置かれていない。風説の流布・偽計を行うことは民法709条の違法性の要件を満たすと考えられるので，違反行為と相当因果関係のある損害について，違反者は一般不法行為に基づく損害賠償責任を負うと考えられる。

風説の流布・偽計には，相場の変動を目的とするものと，有価証券の売買等またはデリバティブ取引のためのものがあり，また，その手段も，虚偽の情報の開示，相手方に対する詐欺，暴行・脅迫など多様である。したがって，風説の流布・偽計に基づく不法行為責任を考えるにあたっては，具体的な違法行為が，相場操縦，虚偽の情報の開示，詐欺などのいずれに近いか，その行為が市場に向けられたものか，相手方に向けられたものかといった行為類型ごとに，当該行為類型に相応しい不法行為法の法理を当てはめていくことが重要である。たとえば，相場の変動を目的として偽計を用いた場合には，相場操縦の民事責任に関する議論（→*1*節*3*(2)）が参考になるし，タイムリー・ディスクロージャーの違反が風説の流布に該当する場合には，有価証券報告書等の虚偽記載に基づく民事責任の議論（→4章*5*節*5*(6)）が参考になる。

(3) 課徴金

風説の流布・偽計は課徴金の対象とされている。ただし，平成20年改正前は，158条の違反行為により有価証券等の相場を変動させ，変動させた相場により，違反者が有価証券の売買等を行ったことが，課徴金の要件とされていた（平成20年改正前173条1項）。しかし，この要件の立証が難しいために，風説の流布・偽計に課徴金を課す例が現れず，課徴金は十分な抑止効果を発揮できなかった。

そこで平成20年改正では，158条の違反行為により違反者が有価証券等の価格に影響を与えたことのみを要件とし，違反行為が相場を変動させることがなくても，相場になんらかの影響を与えれば足りることにした[53]。また，課徴金の算定方法についても，違反行為期間中に，違反行為とは無関係の理由で有価証券の価格が高騰した場合にも，高騰した相場を基準として課徴金を課すことができるようにした。風説の流布・偽計は，有価証券の取引のため，または相場の変動を図る目的をもって行われるものであり（158条），違反者は利得を

53）　逐条解説2008年337-338頁。

得るために取引をしているのであるから，風説の流布等と無関係の相場の変動から得た利益も課徴金の対象に含めることは，利得相当額を剝奪することにより違反行為を抑止するという課徴金の目的に適っている[54]。

課徴金の額は，違反行為終了時のポジションを違反行為終了後1か月以内の最高値（売りポジションの場合は最安値）で反対売買した場合に得られる利得に相当する額である（173条1項1号・2号）。違反行為終了時のポジションについて変動操作に対する課徴金（→*1*節*3*(3)）と同じ処理をするものである。上述のように（→*2*(2)），近年，偽計の禁止は多様な行為に適用されている。変動操作と同じ課徴金の算定方法で，多様な行為類型に対応して違反者の得た利得をうまく剝奪できるのか，疑問もある[55]。また，インサイダー取引の場合（→Column 7-14）と同様に，他人の計算による風説の流布・偽計の一部が課徴金の対象とされている（173条5項〜7項）。

第*3*節　一般的な詐欺禁止規定

1　総　　説

金融商品取引法157条は3つの行為類型を定めて，これを何人に対しても禁止している。そのうち，有価証券の売買その他の取引またはデリバティブ取引等について，不正の手段，計画，または技巧をすることの禁止（同条1号）は，適用範囲が極めて広く，一般的な詐欺禁止規定と呼ばれている。

■ Column 8-9　規則10b-5 ■■

157条は，アメリカの連邦証券取引所法（34年法）規則10b-5に倣って定められたものである。34年法10条(b)項は，もともと店頭市場における相場操縦行為を規制する権限をSEC（証券取引委員会）に与えるために制定されたものであるが，この権限に基づいて1942年に制定された規則10b-5は，詐欺を行うための策略，計略，または技巧を広く禁止したため，規則10b-5は，ディスクロージャー違反，インサイダー取引，相場操縦，不当な投資勧誘，適合性原則の違反等に広く適用されてきた。規則10b-5は，ディスクロージャー違反や相場操縦のように，個別の

54)　大証金融商品取引法研究会「公正・透明で信頼性のある市場の構築——課徴金制度等に係る平成20年金商法改正」（研究会記録6号，2011）9頁〔黒沼悦郎報告〕。

55)　この点の検討として，論点体系(2)568-569頁〔黒沼悦郎〕参照。

禁止規定があるもののそれがうまく機能しない場合に，個別規定を補完する役割を果たすとともに，インサイダー取引，不当な投資勧誘，適合性の原則のように，それまで個別の禁止規定がない分野について新たに生じた不正行為を禁止する包括条項（catch-all provision）の役割を果たしてきた。

また，規則10b-5違反は刑事罰の対象となるが，SECは規則10b-5違反を理由に違法行為の差止めと利益の吐出しを裁判手続で求めることができ（わが国の緊急差止命令〔192条〕に相当，**→12章*2*節*4***），規則10b-5は主にSECによって執行されてきたといえる。現在，規則10b-5違反は民事制裁金（わが国の課徴金に相当，**→12章*2*節*5***）の対象にもなっている。さらに，判例は，規則10b-5を，違反者に対する私人による損害賠償請求訴訟の訴訟原因になるとしているため，規則10b-5は私人による法執行の手段にもなっている。

Column 8-9に述べた規定の沿革およびアメリカにおける規則10b-5の機能から，わが国においても157条1号は，個別の規定だけでは技術的に捉えられないあらゆる詐欺的行為を禁止するものであると理解されている[56)]。不公正な取引について，あらかじめすべての類型を定めてそれに該当するもののみを違法とすることは不可能であるし，また適当でないことが，このような理解を理論的に支えている[57)]。もっとも，157条1号は実際にはほとんど用いられていない。

2　禁止行為の類型

(1)　不正の手段・計画・技巧

157条1号は，有価証券の売買その他の取引またはデリバティブ取引等について，不正の手段，計画，技巧をすることを禁止する。

有価証券の売買その他の取引とは，有価証券の売買のほか，その募集，売出し，公開買付け，原始取得，承継取得，交換等，有価証券が移転することとなる広い行為を含む。158条の文言との対比から，その他の取引を流通市場における取引に限定する見解[58)]もあるが，158条の文言はその沿革に由来するものであり（**→*2*節*1***），取引の意義をそのように限定解釈する必要はない。公開買

56)　神崎＝志谷＝川口1193頁，金商法コンメ(4)6頁〔近藤光男〕。

57)　神崎＝志谷＝川口1193頁，注釈金商法(3)3頁〔久保田安彦〕，金商法コンメ(4)6頁〔近藤光男〕。

58)　神田監修1136頁。

付けを阻止しようとする対象会社が行う行為は，有価証券の取引に直接関係がないから不正の手段に該当しないとした裁判例があるが[59]，妥当でない。ただし，有価証券に付された議決権の行使は「有価証券の取引」とはいえないであろう。「について」とは「に関して」の意味であり，不正の手段を講じた者が取引の主体であることは要件とされない。

不正の手段・計画・技巧の意義については，詐欺的行為，人を錯誤に陥れる行為を意味するとする見解[60]と，社会通念上不正と認められる一切の手段をいうとする見解[61]があり，判例は後者である[62]。たしかに，アメリカの判例は，SEC 規則 10b-5 を適用するためには詐欺（fraud）の要素が必要であると解しているが[63]，実際には，相当に無理な当てはめをして詐欺性を認定したものもある[64]。不正の手段等に該当するには詐欺性（人を錯誤に陥れる要素）が必要であるとすると，たとえば損失補塡行為（→***4* 節 *1*** (1)）に 157 条を適用するのが難しくなる。また，筆者は，人為的な価格操作のみでは金商法 159 条違反の相場操縦に該当しないと考えているが（→**Column 8-2**），同時に，人為的な価格操作によって市場外で利益を得る行為は 157 条によって禁止すべきであると考えている[65]。こうした考え方からすると，157 条は詐欺性を要件とすべきでないことになる。

金商法 157 条（平成 10 年改正前証取法 58 条）を適用した公表裁判例は，無価値に等しい株式を市場性があるように見せかけるため，有価証券市場で偽装の取引をさせた事案（詳細な事実関係は不明）に係る 2 件[66]があるのみである。このほか，平成 3 年改正法施行前の損失補塡行為が旧 58 条 1 号に違反しないとしたもの[67]，不法行為の違法性を判断するにあたり過当売買が証券会社の旧 58 条 1 号違反に当たるとしたもの[68]がある。

59)　東京地決平成 17・7・29 判時 1909 号 87 頁。
60)　東京高判昭和 38・7・10 下刑集 5 巻 7＝8 号 651 頁，龍田節・新証券・商品取引判例百選 145 頁，神崎＝志谷＝川口 1195 頁。
61)　鈴木＝河本 527 頁，近藤＝吉原＝黒沼 360 頁。
62)　最決昭和 40・5・25 裁判集刑 155 号 831 頁。
63)　Ernst & Ernst v. Hochfelder, 425 U. S. 185 (1976).
64)　United States v. O'Hagan, 521 U. S. 642 (1997)，黒沼・アメリカ 165 頁。
65)　黒沼・前掲注 11) 511 頁。
66)　東京高判昭和 38・7・10 下刑集 5 巻 7＝8 号 651 頁，最決昭和 40・5・25 裁判集刑 155 号 831 頁。
67)　東京地判平成 10・5・14 金判 1043 号 3 頁，東京高判平成 11・1・27 金判 1064 号 21 頁，最決平成 12・7・7 金判 1096 号 9 頁。
68)　東京地判昭和 62・3・31 金判 813 号 28 頁，大阪地判平成 9・8・29 判時 1646 号 113 頁。

(2) 虚偽の表示による財産の取得

157条2号は，有価証券の売買その他の取引またはデリバティブ取引等について，重要な事項に虚偽記載等のある表示を使用して，金銭その他の財産を取得する行為を禁止する。この条文は，SEC規則10b-5条(b)項に相当するが(→**Column 8-9**)，「財産の取得」を要件としている点は米国連邦証券法17条(a)項に似ている[69]。有価証券の売買等の取引のための偽計（158条）と比較すると，157条2号では，取引を成功させるという目的を要しない代わりに，財産を取得することが要件とされている。

本号は，典型的には，有価証券の売買等に関する虚偽記載等のある表示を使用して，相手方から取引の対価を取得したり，手数料を取得したりする行為に適用される。この場合，違反者が得た金銭や財産の価値が相手方が取得した有価証券やサービスの価値より高いこと，すなわち違反者が利得を得たことは要件ではない[70]。また，財産の取得は売買による取得に限られず，原始取得，承継取得，交換などが含まれる。

157条2号違反が問われた事例はないようである。

(3) 虚偽の相場の利用

157条3号は，有価証券の売買その他の取引またはデリバティブ取引等を誘引する目的で，虚偽の相場（有価証券の売買価格やデリバティブの取引価格）を利用する行為を禁止する。この条文の由来は明確でないが，アメリカの連邦証券取引所法15条(c)項(2)の該当部分を移入したのではないかと指摘されている[71]。

本号の違反者が，虚偽の相場を利用して有価証券の売買やデリバティブ取引の仲介を違法に行えば，そのような行為は金融商品市場の無免許開設（80条1項違反）にも該当する。違反者が取引を誘引する対象が上場有価証券等や上場デリバティブ取引である場合には，虚偽の相場の利用は表示による相場操縦(→***1*** 節 ***2***(3))の一形態をなすといえる。159条2項2号の表示による相場操縦と異なるのは，虚偽の相場を利用するときには，それが「自己が有価証券売買等を行うにつき」なされることを要しない点である。

本号に違反する事例も見当たらない。

69）鈴木＝河本553頁。
70）神崎＝志谷＝川口1200頁。
71）鈴木＝河本553頁。

3　違反に対する制裁

157条の違反に対しては，10年以下の懲役もしくは1000万円以下の罰金，またはそれらの併科（197条5号），法人には7億円以下の罰金（207条1項1号）が科せられる。このように重い罰条が定められているのに，構成要件が「不正の手段・計画・技巧をすること」（157条1号）といった抽象的なものであるため，罰則としては使いにくいと考えられており，実際にも適用例は少ない（→***2***）。

しかし，包括条項としての性質上，構成要件がある程度抽象的となるのはやむを得ないし，判例は，不正の手段の意義は文理上明確であって，憲法31条に違反しないとしている[72]。また，罰条に幅があることも構成要件に該当する行為の悪性に高低があることから当然であって，最高刑が重いからといって本条の適用をためらう必要は全くない。

157条違反について，特別の民事責任規定は定められていない。157条に違反する行為から不法行為責任が発生するかどうかについて，学説は分かれている。肯定説が，157条違反の行為には違法性が認められ，当該行為によって利益を侵害された投資者は民法の不法行為に基づいて損害賠償を請求できる[73]とするのに対し，否定説は，157条は被害者救済のための直接的な根拠規定にならない[74]とする。もっとも，否定説も不法行為の要件を満たす限りにおいて損害賠償請求権が発生することを否定するものではない。

本条違反は課徴金の対象とされていない。本条違反を根拠として内閣総理大臣が緊急差止命令の申立て（192条，**→12章*2*節*4***）を行うことは可能である。

4　暗号資産を用いた不公正な行為の禁止

暗号資産（**→1章*5*節*4***(4)）の売買や暗号資産の証拠金取引が盛んになるにつれて，未公開情報を用いた取引や暗号資産の価格を吊り上げて売り抜ける行為が見られるようになった。そこで，令和元年の改正により，暗号資産の売買やそのデリバティブ取引について，相場操縦，風説の流布・偽計等，および不公正取引を禁止する規定を設けることになった[75]。禁止される取引類型は，基本

72）　前掲最決昭和40・5・25。
73）　近藤＝吉原＝黒沼362頁。
74）　河本＝関編1265頁，神田監修1139頁。
75）　改正法の考え方につき，金融庁「仮装通貨交換業等に関する研究会報告書」（平成30年12月21日），解説として，小澤裕史ほか「金融商品取引法の一部改正の概要」商事

的に*1*節，*2*節，および*3*節*2*で述べたものと同じなので，説明を省略する。ただし，注意すべき点がいくつかある。

第1に，暗号資産に係る不公正取引は，暗号資産の売買や他の暗号資産との交換と密接に関連しており，これらと暗号資産の証拠金取引（店頭デリバティブ取引）とをまたいで行われると考えられるため，有価証券に当たらない暗号資産に係る不公正も規制の対象とする必要がある。そこで有価証券およびデリバティブ取引に係る相場操縦の禁止（159条），風説の流布・偽計等の禁止（158条），一般的な詐欺禁止規定（157条）とは別に条文を設け（185条の22～185条の24），暗号資産の売買その他の取引または暗号資産に係るデリバティブ取引等について，相場操縦行為，風説の流布・偽計等，および不正の手段等を禁止している。

第2に，インサイダー取引規制については，多くの暗号資産には発行者が存在しないか，発行者を特定することが困難であること，暗号資産の価格に影響を及ぼす重要事実をあらかじめ特定することが困難であることから[76]，導入が見送られた。

第3に，違反に対する制裁としては罰則のみが用意され（197条1項6号），課徴金の対象とされていない。これは，暗号資産の取引は経済活動上の意義が乏しいので，その監督・監視のために多大な行政コストをかけるべきでないと判断されたためである[77]。

第*4*節　損失補塡の禁止

1　立法の経緯

(1)　損失補塡の横行

損失補塡とは，一般に，証券会社が証券取引によって顧客に生じた損失の全部または一部を負担し，あるいは，証券取引による顧客の利益が一定の水準に達しなかった場合に利益を提供することをいう。

平成3年に，多数の証券会社による大口顧客に対する多額の損失補塡が発覚

2204号（2019）4頁を参照。

76）　金融庁・前掲注75）13頁。

77）　同前11頁参照。

し，暴力団との不適切な取引，特定株式の過剰な勧誘による相場操縦の疑いなどとともに，いわゆる証券不祥事として社会問題化した。大口顧客に対する優遇措置が大規模に，しかも会社ぐるみで行われていたことが，証券取引に対する信頼を揺るがすものとして特に問題とされた。

■Column 8-10　営業特金と損失補塡■■

損失補塡が行われた背景として，営業特金による企業の資金運用を挙げることができる。昭和61（1986）年頃から平成2年頃までのいわゆるバブル経済期において，わが国経済が世界経済において占める地位の重要性やわが国における土地の希少性から，都市部の地価が高く評価され，不動産を保有する企業の株価も高く評価された。株価が高ければ低いコストで資金調達ができるという理解から，株価が高くなった企業は，株式や転換社債・ワラント債（現在の新株予約権付社債）を発行して資金を調達し（エクイティファイナンス），調達した資金を本業ではなく証券市場で運用した（いわゆる財テク）。このとき，調達された資金の多くは営業特金と呼ばれる特定金銭信託によって運用された。多額の財テク資金の証券市場への流入は，それのみでも株価を押し上げる力があり，その結果，市場株価と株式の価値との乖離（バブル）が形成されていった。

株価が長期的に上昇するのであれば，顧客に一時的に生じた損失を証券会社が穴埋めしても，証券会社は顧客とともに利益を上げることができる。そこで，営業特金により顧客に生じた損失について，債券の売買，新規発行証券の割当てなどさまざまな方法で損失の補塡が行われた。特定金銭信託においては，顧客が投資注文について個別に信託銀行に指図することになっていたが，営業特金では，実際には注文を受ける証券会社に運用が一任されていた（一任勘定取引）[78)]。損失補塡の対象となった証券取引は営業特金によるものだけではないといわれているが，損失補塡行為が一任勘定取引と結びついていたことは，注目されてよい。

(2) 損失補塡禁止立法

従来，証券会社またはその役員・使用人が顧客の証券取引による損失を補塡することを約して勧誘する「損失保証」は，証券取引法により禁止されていたが，事前の約束のない「損失補塡」は禁止されていなかった。そこで，直接かつ緊急の措置として，問題となった類型の損失補塡を罰則をもって禁止するとともに，損失補塡の温床となった一任勘定取引を禁止する平成3年改正が行わ

78） 営業特金の実態については，座談会「損失補塡に関する法的諸問題」商事1263号（1991）4頁以下を参照。

れた。損失補塡の禁止はデリバティブ取引によって顧客に生ずる損失についても適用され，また，投資運用業者による運用行為の結果として顧客に生ずる損失についても，禁止が及ぶ（42条の2第6号）。

損失補塡を明文で禁止する立法は諸外国にも例がない。その理由は，損失補塡は証券取引の自己責任原則に違反するものとして当然に禁止されると解されているからであると説明されている[79]。しかし，損失補塡契約を組み込んだ金融商品を組成することは可能であり，それを了知して当該金融商品を購入した投資者に対し契約に従って損失補塡を行うことが，証券取引の自己責任原則に違反するとは考えられない。そこで，損失補塡禁止の立法趣旨を再検討する必要があると思われる（→*2*）。

2　損失補塡の禁止の趣旨

(1)　立 法 趣 旨

平成3年の立法当時，損失補塡を禁止する趣旨は次のように説明された。すなわち，第1に，証券市場における有価証券の価格は，自己責任原則の下で，各投資者が投資判断を行うことにより形成されるところ，証券会社による損失保証・補塡は，投資者に自己責任の原則の下での投資判断を行わなくさせ，市場の価格形成機能を歪めるからであり，第2に，一部の顧客に対する損失保証・補塡行為は，市場仲介者としての証券会社の中立性・公正性を損なう行為であり，投資者間に不公平感を募らせ，その結果，投資者の証券市場に対する信頼感を失わせるからである[80]。最高裁平成9年9月4日判決（民集51巻8号3619頁）[81]もこのような見解に立脚している。

しかし，以下に述べるように[82]，①市場の価格形成機能の維持も，②投資者の証券市場に対する信頼の維持も，損失補塡を罰則をもって禁止する論拠としては正当化することができない。

79）　大蔵省＝法務省内証券取引法令研究会編『損失補てん規制Q＆A』（財経詳報社，1992）10頁。

80）　松田広光「証券取引法等の改正について――証券不祥事の再発防止に向けて」ジュリ992号（1991）62頁，中村明雄「証券取引法等の一部を改正する法律の解説――証券不祥事の再発防止に向けて」商事1264号（1991）4頁。

81）　判批として，尾崎安央・平成9年度重判解103頁，森田章・金法1524号72頁，久保田安彦・百選74頁，黒沼悦郎・金法1506号6頁。

82）　詳しくは，黒沼悦郎「損失補塡の禁止」鴻先生古稀記念『現代企業立法の軌跡と展望』（商事法務研究会，1995）361頁以下を参照。

(2)　市場の価格形成機能の維持

損失補塡行為は市場の価格形成機能を歪めるだろうか。まず，投資判断がなされた後に行われる損失補塡が，市場の価格形成を歪めることは，およそありえない。この点について，証券市場が決定した最終的な結論（投資者の損益）を証券会社が勝手に左右して，そのことにより資金配分ひいては資源配分を歪曲することに損失補塡の反公益性があるとする見解[83]がある。しかし，取引後に証券会社と顧客との間で資金を移動すること（資金配分）が証券市場の価格形成機能を通じた「資源配分」を歪曲することはありえない[84]。

通説は，損失補塡が行われると，投資者は次も損失を補塡してもらえると期待して安易な投資判断を行い，その投資判断が市場価格に反映されるため公正な価格形成が妨げられると説明している[85]。

しかし，投資者が投資判断を行い，当該取引から生じた損失は証券会社が負担するというかたちの損失保証・損失補塡はありえない。そのような取引は証券会社にとってリスクが大きすぎ，たとえ他の取引上の利益を考慮に入れても，証券会社は引き受けないだろうからである。損失保証・損失補塡は，実質的な投資判断が証券会社に委ねられているときにのみ，実行可能なのである。損失補塡の多くが行われた営業特金において一任勘定取引が行われていたという事実は，このことを例証している。もちろん，リスクを度外視した損失保証・損失補塡が外務員レベルで行われる可能性は否定できない。しかし，立法の基礎となったのは，外務員・顧客間の個人的な関係から生ずる損失補塡行為ではなく，会社ぐるみの組織的な損失補塡行為であったことに注意しなければならない。

そうだとすると損失補塡が常態化した証券会社は，売買手数料その他の取引上の利益を享受し損失補塡のリスクを負担しつつ投資判断を行うのであるから，真摯な投資判断が市場に反映するはずである。安易な投資判断が反映することによって市場の価格形成機能が歪められるという論拠には理由がない[86]。損失

83)　上村達男「損失保証・損失補塡の法律問題」商事 1257 号（1991）12 頁。

84)　証券取引法研究会「損失補てん等の禁止に関する証券取引法の改正について（上）」インベントメント 45 巻 3 号（1992）35-36 頁〔前田雅弘報告〕，荒井達夫「損失保証・損失補塡禁止の保護法益」法セ 450 号（1992）55-56 頁。

85)　座談会「損失保証・損失補塡の経済的・法的位置づけをめぐって」資本市場 75 巻 5 号（1991）28 頁〔神崎克郎発言〕，座談会「損失補塡問題と証券取引法」ジュリ 989 号（1991）21 頁〔芝原邦爾発言〕，証券取引法研究会・前掲注 84）36 頁〔前田報告〕。

86)　同旨，荒井・前掲注 84）54 頁。

保証（損失補塡約束）についても同様のことが成り立つ。すなわち，損失保証を伴う勧誘によって，より多額の資金が証券市場に流入するようになるが，実質的な投資判断を証券会社またはその役員・使用人が行う限り，市場の価格形成機能が妨げられることはない。

(3) 投資者の証券市場に対する信頼の維持

証券不祥事の際には，大口顧客に対してのみ損失補塡が行われていたことが問題視された。大口顧客にのみ損失補塡をすることは，証券会社がそのような行為を行わないであろうという一般投資家の信頼を裏切ることであり，いわば一般投資家を騙したことになる点に，損失補塡の悪性を見てとる見解もある[87]。

たしかに，大口顧客に対する損失補塡が一般投資家に不公正感を与えることは否定できない。そのような不公正感が一般投資家を証券市場から遠ざける要因になるのであれば，これを除去する必要があろう。

他方で，損失補塡がどのような点で不公正であるかを，他の行為と比較して検討する必要もあろう。たとえば，インサイダー取引が本質的に不公正か否かについては議論があるところであるが（→**7章*1*節*1***），インサイダーは証券市場で確実に利益を上げることができるから，インサイダーの取引相手となった投資者は損失を被る危険が現実に存在する。これに対して，損失補塡については，一般投資家が損失を補塡してもらえなくても，それは自己責任の原則から当然のことであり，投資者が直接に損失を被るわけではない（ただし，証券会社の健全性が害される場合は別である。→(4)）。また，不平等な取扱いによって小口の顧客に不公正感が生ずるとしても，それは証券会社や証券業界に対する信頼を損ねるものではあっても，証券市場や証券取引に対する信頼を直接に損ねるものではない。証券会社や証券業界に対する信頼の回復は，証券会社または金融商品取引業協会の努力によって図るべきであり，法が罰則の威嚇によって図るべきものとはいえないであろう。

(4) 証券会社の健全性の確保

平成3年改正前証券取引法における「損失保証による勧誘の禁止」の理由の1つとして，損失保証（損失補塡約束）を実行することによって，証券会社の財務の健全性が害されることを防止することが挙げられていた[88]。証券会社の財務の健全性の確保は依然として損失保証禁止の理由の1つであり，同じ要請は

87） 島袋鉄男「損失補塡問題と証券取引法改正の課題」法セ443号（1991）18-19頁。
88） 鈴木＝河本319頁，神崎365頁。

損失補塡の禁止についても当てはまる[89]。損失補塡の約束や損失補塡の実行が法によって禁止されたため，証券会社は，改正法施行後の損失補塡の要求に対しては法がそれを禁止していることをもって，要求を拒むことができるようになった（→**5**(1)）。平成3年改正法は，証券会社の財務の健全性を確保させることを通じて，証券会社の破綻による損害から小口の顧客を間接的に保護するものであるともいえる。

実際，平成2年以来の株価の低迷期に，大口投資家からの損失保証（損失補塡約束）の実行や損失補塡の要求に応じていたら，多くの証券会社の経営が破綻する危険があった[90]。立法当時，損失補塡が平成の徳政令といわれたゆえんである。

3 禁止行為

(1) 金融商品取引業者等の行為

損失補塡の禁止規定は，顧客の行う有価証券の売買やデリバティブ取引の損失について金融商品取引業者等（金融商品取引業者および登録金融機関）に共通して適用される場合（39条）と，投資助言・代理業または投資運用業について適用される場合（38条の2，41条の2第5号，42条の2第6号）とに分けて置かれている。ここでは，39条について説明し，ほかは**11章**で扱う。

金融商品取引法39条1項は，金融商品取引業者等が，次の①から③の行為を顧客または顧客の指定した者に対して，直接または第三者を介して行うことを禁止している。

①　有価証券の売買その他の取引またはデリバティブ取引（以下，有価証券売買取引等という）について，将来，もしも顧客に損失が生じ，またはあらかじめ定めた額の利益が生じないこととなった場合に，損失を補塡し，または利益を補足するため財産上の利益を提供することを，有価証券売買取引等を開始する前に申し込み，または約束する行為（同項1号）　取引前の損失補塡・利益追加の申込み・約束である。

損失補塡・利益追加の約束罪を設けたのは，損失補塡等が実行されない場合

89)　証券取引法研究会・前掲注84) 36頁〔前田報告〕，座談会「改正証券取引法をめぐる諸問題」民商106巻2号（1992）26頁〔森本滋発言〕。

90)　当時の4大証券会社の1つであり，平成9年に自主廃業し，のちに破産した山一證券の破綻の一因は，平成3年改正法施行後も顧客の損失補塡要求に応じていたことにあったといわれている。

にも金融商品取引業者等を処罰するためであり，申込み罪を設けたのは，顧客との間で約束が成立しなかった場合にも業者を処罰するためである。

対象となる有価証券売買取引等からは，買戻価格があらかじめ定められている債券等の買戻条件付売買が除外されている（39条1項1号，施行令16条の5）。顧客には，信託会社等が信託契約に基づいて信託する者の計算において有価証券の売買等を行う場合の「当該信託をする者」が含まれる。信託の委託者に対する損失補塡を禁止するためである。財産上の利益とは，現金や物品の贈与のほか，物品を安値で売却し，または高値で購入する行為，値上がりの蓋然性の高い商品を割り当てる行為を含む[91]。

② 有価証券売買取引等について既に生じた顧客の損失を補塡し，または利益に追加するために財産上の利益を提供する旨を，有価証券売買取引等が行われた後に申し込み，または約束する行為（同項2号）　取引後の損失補塡・利益追加の申込み・約束である。取引の結果をみて行われる損失補塡・利益追加の申込み・約束を禁止するための規定である。

③ 有価証券売買取引等について既に生じた顧客の損失を補塡し，または利益に追加するために財産上の利益を提供する行為（同項3号）　損失補塡・利益追加の実行行為である。39条1項3号が置かれたのは，実行行為前に約束がない場合であっても，損失補塡・利益追加の実行行為を捉えて金融商品取引業者等を処罰するためである。財産上の利益の「提供」があったといえるためには，顧客において利益を受け取ることまでは必要ではなく，顧客が利益を受け取りうる状態に置けばよい。

■Column 8-11　損失補塡への該当性■■

金融商品取引業者等から顧客への財産上の利益の提供が禁止されるのは，それが有価証券売買取引等について生じた顧客の損失を補塡するために行われる場合である。ここに「補塡するため」とは，業者に補塡目的があることを要求するものではなく，客観的に損失の補塡と認められる行為があれば足りる。もっとも，なにが「客観的に損失の補塡と認められる行為」かは微妙な判断を要する。次の例は損失補塡に当たるだろうか。

① X会社はY証券会社の推奨する株式を購入して，損失を被った。その1年後，Xが株式を公募発行する際に，Yは低廉な引受手数料を提案して採用され，

91）松田・前掲注80）63頁，中村・前掲注80）5頁。

引受幹事としての地位を維持することができた。

② X会社はY証券会社の推奨する株式を購入して，損失を被った。X会社は別の資産の運用をYに委ねていたところ，契約更改に際して投資運用契約の条件を見直し，Yに支払う運用報酬を引き下げた。

Y証券会社の行為が損失補塡に当たるといえるためには，事例①の引受手数料の割引や事例②の運用報酬の引下げが，客観的に，株式取引についてのXの損失を補塡する行為と認められる必要がある。その判断はそれぞれの事実関係に依存するが，①では，引受幹事を取得するために通常行われる競争の範囲を超えて，特に低廉な引受手数料が提案されたかどうか，②では，投資運用契約の見直しに際して考慮される要素から通常考えられる運用報酬の引下げ幅を超えて，特に大幅な引下げが行われたかどうかが，判断の分かれ目となろう。同様の議論は，ある顧客に対する売買委託手数料を割り引くことが，当該顧客が受けた損失の補塡に当たるかという問題についても当てはまる。

(2) 顧客の行為

顧客が，金融商品取引業者等に対して，有価証券売買取引等の前または後に損失補塡・利益追加を約束させ，または，損失補塡・利益追加のために財産上の利益を提供させた場合には，顧客も処罰の対象とされる（39条2項1号～3号）。顧客が金融商品取引業者等以外の第三者に約束または利益の提供をさせた場合も同様である。

このように顧客の禁止行為が限定されているのは，金融商品市場の価格形成機能の維持や金融商品市場に対する信頼の確保に責務を負っているのは金融商品取引業者等であって顧客ではなく，したがって顧客は金融商品取引業者等の違法行為を助長した限度で処罰されるべきであるとの考え方による[92)]。いわゆる総会屋が損失補塡を受けた事例[93)]では，実際に顧客も処罰されている。

(3) 事故の認定

金融商品取引業者等の役員・使用人の不当な勧誘によって投資者が有価証券売買取引等について損失を被った場合には，民法715条または金融サービス提供法5条に基づいて金融商品取引業者等は投資者に対して損害賠償責任を負う（→**9章 *3* 節 *1*・*2***）。金融商品取引業者等がこのような損害賠償責任を履行する行為も，形式的には損失補塡に該当するが，これは本来，金融商品取引業者等

92）松田・前掲注80）64頁，中村・前掲注80）5頁，岸田302頁。
93）東京地判平成11・4・21判時1680号142頁。

が履行すべき義務であるから，金融商品取引法39条3項は，一定の事由（事故という）によって生じた顧客の損失の全部または一部を金融商品取引業者等が補塡する行為を禁止の対象から除外している。

ここにいう事故とは，有価証券売買取引等については，①注文内容の不確認，②有価証券・デリバティブ取引の性質，取引の条件，または価格の騰落性について顧客を誤認させる勧誘，③過失または電子情報処理組織の異常による注文執行の誤り，④その他法令に違反する行為をいい，さらに投資助言業務または投資運用業については，⑤過失または電子情報処理組織の異常による事務処理の誤り，⑥任務懈怠，⑦その他法令または投資顧問契約・運用権限の再委託契約の違反が，それぞれ列挙されている（金商業府令118条）。④の法令違反行為のなかに損失補塡約束の債務不履行が含まれるとすると，④の事故の認定を受けることで損失補塡約束を履行させることができてしまう。そこで裁判例は，④の法令違反とは，自己責任の原則に照らしてその損失を顧客に負担させることが不当であるような法令違反，すなわち顧客の意思内容と取引内容との間に齟齬が生ずるような法令違反であって①から③に該当しない場合であると限定的に解している[94]。

損失補塡を行うために金融商品取引業者等と顧客とが通謀して事故があったように装うなど，事故が損失補塡の禁止の脱法として利用されるおそれがある。そこで，金融商品取引業者等が免責を受けるには，確定判決，裁判上の和解，ADRによる和解（→10章*10*節）等が成立している場合を除いて，補塡に係る損失が事故に起因するものであることにつき内閣総理大臣の確認を受けなければならないとされている（39条3項但書）。これに対して，損失が事故に起因することによる顧客側の免責については，確定判決や内閣総理大臣の確認を受けることは要求されていない（39条4項）。

4　違反に対する制裁

金融商品取引業者等が損失補塡の禁止に違反した場合，行為者には3年以下の懲役もしくは300万円以下の罰金，またはこれらが併科される（198条の3）。39条1項の損失補塡禁止の名宛人は金融商品取引業者等であるから，行為者の違反が金融商品取引業者等の行為と評価される場合に限って，39条1項違

94)　東京地判平成6・1・27判時1517号70頁，東京地判平成6・4・28判時1529号90頁等。

反が生じ，行為者が処罰されることになる。そして，違反行為が金融商品取引業者等の業務または財産に関して行われたときは，金融商品取引業者等に対して3億円以下の罰金が科せられる（207条1項3号）。

■Column 8-12　役員・使用人による損失補塡■■

金融商品取引業者等の役員・使用人による損失補塡の行為が，どのような場合に業者の行為と扱われ，また，違反行為が業者の業務または財産に関して行われたと評価されるかが問題となる。有価証券売買取引等について行われる損失補塡行為は，提供される財産の出所を問わず，金融商品取引業者等の業務に関して行われたと扱うべきであるとの考えも成り立つ。しかし，この見解では，外務員がポケットマネーで損失補塡を行ったときも金融商品取引業者等が両罰規定の適用を受けることになり，業者に酷であるし，会社ぐるみの行為に損失補塡の悪性を見出した立法過程を無視することにもなる。そこで，業者の役員・使用人が業者の財産をもって損失補塡を行った場合にのみ役員・使用人の行為を業者の行為と評価して，39条1項の違反を認め，また両罰規定を適用すべきであると考える。

顧客の違反行為に対しては，1年以下の懲役もしくは100万円以下の罰金，またはこれらが併科される（200条14号）。顧客が金融商品取引業者等のような市場仲介者としての責務を有しておらず，また顧客の行為が金融商品取引業者等の違法行為を助長するものと性格づけられることから，金融商品取引業者等より一段軽い刑を定めたものである[95]。

39条2項に違反して顧客または情を知った第三者が受けた財産上の利益は没収され，その全部または一部を没収することができないときは，その価額が追徴される（200条の2）。顧客が当該利益を金融商品取引業者等に返還した場合には，金融商品取引業者等から没収・追徴をすることになる。違法行為をした顧客に財産上の利益を保持させることは妥当でなく，金融商品取引業者等にとっても損失補塡をした意味を失わせるためである[96]。顧客側に犯罪が成立しない場合には200条の2は適用されず，財産上の利益の供与は不法原因給付（民708条）に当たるので，金融商品取引業者等は顧客に対して提供利益の返還を請求することができない。

95）　松田・前掲注80）65頁，中村・前掲注80）6頁。
96）　中村・前掲注80）6頁。

5　損失補塡の私法上の効果

(1)　禁止前に締結された損失補塡約束の効力

平成3年改正証券取引法施行後，証券会社またはその役員・使用人と顧客との間で改正法施行前に損失保証約束（損失補塡約束）または利益追加約束がなされていたとして，顧客が当該約束の履行を求め，あるいは不法行為に基づく損害賠償を請求する事件が多数裁判所に持ち込まれた。裁判所は，一貫して損失補塡約束の履行請求を棄却したが，その法律構成は，①当該約束は公序良俗に反し無効であるとするもの，②改正前は有効であったが，改正法施行後は公序良俗に反して無効になったとするもの，③改正前の約束は有効であるが，改正法施行後は法改正という当事者双方の責に帰すことのできない事由によって履行不能になったとするもの等に分かれていた。

学説は，平成3年に証券不祥事が発覚するまで，違法な損失補塡約束も私法上は有効であると解してきており[97]，その理由は，損失補塡約束を無効とするとかえって顧客が損失を被る危険があることに求められていた。上記②の考え方については，改正前の損失補塡約束を有効と解するならば，なぜ法律の施行によって約束が突然無効になるのかとの批判が寄せられており，平成3年改正後の学説の多くは上記③の考え方を支持していた[98]。また，損失補塡約束が市場の価格形成機能を歪め，投資者の市場に対する信頼を損なうという改正法が依拠した立法事実は法改正の前後で異ならないはずであるとの指摘もなされていた[99]。

このようななか，最高裁平成9年9月4日判決（民集51巻8号3619頁）は，(a)損失保証は，元来，証券市場における価格形成機能を歪めるとともに，証券取引の公正および証券市場に対する信頼を損なうものであって，反社会性の強い行為であり，このことは，平成3年改正証券取引法施行前においても異なるところはなかったこと，(b)平成元年12月の大蔵省証券局長通達や日本証券業協会による規則改正などを通じて，次第に，損失保証が社会的に強い非難に値する行為であることの認識が形成されていったと認められることから，(c)本件で問題となった平成2年8月当時においては，既に損失保証が証券取引法秩序

97)　鈴木＝河本319頁，神崎365頁。

98)　河本一郎「証券取引にかかる損失保証約束の私法上の効力」金法1393号（1994）11頁，菊地雄介「判批」金判947号37頁，神崎克郎「判批」判評434号196頁。

99)　磯村保「損失保証ないし利益保証約束をめぐる裁判例の批判的検討」民商113巻4＝5号（1996）80頁。

において許容されない反社会性の強い行為であるとの社会的認識が存在していたとして，本件の損失保証（損失補塡約束）を公序に反し無効であるとした。

この判決は，契約締結時の公序に照らして損失補塡約束の効力を判断しており，上記裁判例②に対する非難を免れている。しかし，**2**で論じたように，損失補塡には(a)のような反社会性はないと考えられるから，判旨には賛成できない[100]。

■Column 8-13　損失補塡を行った取締役の会社に対する責任■■

平成3年の証券不祥事発覚後，損失補塡行為を決定し執行した取締役の証券会社に対する損害賠償責任が株主代表訴訟によって追及される事件が相次いだ。取引前の約束のない損失補塡の実行行為は当時の証券取引法に違反するものではないと解されていたが，公正取引委員会が証券大手4社に対して，損失補塡の実施が独占禁止法19条（不公正な取引方法）および一般指定9項（正常な商慣習に照らして不当な利益をもって，競争者の顧客を自己と取引するように誘引すること）に違反するとして勧告審決を行ったため[101]，代表訴訟においては，取締役の法令違反に基づく損害賠償責任の成否が争点となった。

最高裁平成12年7月7日判決（民集54巻6号1767頁）は，①取締役の会社に対する責任を生じさせる法令違反には，会社を名宛人とし会社がその業務を行うに際して遵守すべきすべての規定が含まれる，②証券会社が一部の顧客に対して損失補塡をする行為は独占禁止法19条に違反するとした上で，③取締役らが損失補塡を決定し実施した時点において，その行為が独占禁止法に違反するとの認識を有するに至らなかったことにはやむを得ない事情があった（法令違反の認識について過失がない）として，取締役の責任を否定した[102]。ただし，平成3年改正法によって損失補塡の実行は法令違反行為とされたから，現在では損失補塡が法令に反することについて取締役が過失なく認識を欠いていたと認定されることはあり得ない。

他方，法令違反以外の取締役の任務懈怠を検討した裁判例においても，損失補塡を行うについて取締役に善管注意義務・忠実義務の違反がないとして取締役の責任が否定されている[103]。これらの裁判例では，損失補塡の後に，証券会社が取引先との関係を維持し損失補塡額を上回る利益を得ていたと認定されている。

100）黒沼悦郎「判批」金法1506号9頁。

101）公取勧告審決平成3・12・2審決集38巻134頁。

102）判批として，石原全・判評512号（判時1775号）41頁，上村達男・独禁法審決・判例百選〔第6版〕250頁，新谷勝・金判1109号61頁，宮島司・平成12年度重判解91頁，黒沼悦郎・経済法判例・審決百選254頁。

103）東京高判平成11・1・27金判1064号21頁，東京高判平成11・2・23判タ1058号251頁等。

(2)　損失補塡約束と不法行為責任

平成3年改正法施行前の事例において，損失補塡約束が無効であるとすると，損失補塡約束をもって取引を勧誘することが証券会社の役員・使用人による不法行為に当たるのではないかが問題とされた。裁判例では，①証券会社の従業員に損失補塡約束をする権限がないのに，証券会社としてそれが可能であるかのように虚偽の事実を述べ，資金を支出させて損害を被らせたことが不法行為に当たるとするもの，②証券会社の従業員が，保証した利回りによる運用が実現できない可能性があることを認識しながら，それが確実であるかのような虚偽の説明を積極的に行い，契約を締結したことが不法行為に当たるとするものなどがあった。

最高裁平成9年4月24日判決（判時1618号48頁）は，①のタイプの不法行為の成立を認めた[104)]。このような場合，不法行為に基づく損害賠償請求を認めると損失補塡約束の履行をさせるのと同じ結果になるので，民法708条（不法原因給付の返還禁止）を類推適用して損害賠償請求を否定した裁判例もあった。この点について上記最高裁判決は，顧客の不法性に比し，証券会社の従業員の不法の程度が極めて強い場合には，証券会社は不法行為に基づく損害賠償責任を免れず，このように解しても民法708条の趣旨に反するものではないとした。証券会社・顧客の不法性を比較して不法行為の成否を決するという態度は，民法708条に関する通説[105)]に従うものであり，妥当である。具体的には証券会社側が損失補塡約束をもって積極的に勧誘した場合には不法行為が成立し，顧客が積極的に要求した結果として損失補塡約束がなされたときには不法行為の成立が否定されると解される[106)]。

(3)　有効な契約に基づく損失補塡の実行

損失補塡約束が，契約締結の時期によっては有効であるとすると，改正法施行後にその履行を求めることができるかどうか，仮に履行が許されないとすると平成3年改正法は財産権を立法によって奪うものであり，憲法29条に違反

104）　判批として，河内隆史・判評472号32頁，伊勢田道仁・百選78頁，遠藤美光・ジュリ1173号138頁。

105）　谷口知平＝甲斐道太郎編『新版注釈民法(18)』（有斐閣，1991）695頁以下〔谷口知平＝土田哲也〕参照。

106）　証券取引法研究会「証券取引法に関する最近の判例の動向(2)」インベストメント49巻4号30頁（1996）以下，同「証券取引法に関する最近の判例の動向(3)」インベストメント49巻5号（1996）27頁，黒沼悦郎「判批」商事1485号41頁。

して無効ではないかが問題となる[107]。

昭和60年6月に締結された損失保証契約（損失補塡約束）の履行が請求された事件において最高裁平成15年4月18日判決（民集57巻4号366頁）は，有効な契約の履行を求めることも証券取引法50条の3（現金商法39条）第1項3号に反し許されず，また，そう解しても同条項は憲法29条に違反しないとした。合憲判断の理由として判旨は，①改正前の契約による履行を認めると，投資者の証券市場に対する信頼を損ねること，②事故の認定を受ければ履行が認められること（→***3***(3)），③不法行為法上の救済を受けられる余地があること（→(2)），④損失補塡は市場の価格形成機能を歪め，証券取引の公正および証券市場に対する信頼を損なう，反社会性の強い行為であり，法が損失補塡の実行行為自体を禁止したことは，立法目的達成のための手段として必要性・合理性に欠けるとはいえないことを挙げる。

判旨の掲げる理由①は説得力がなく，理由④についても，***2***で論じたように，疑問が残る。いずれにせよ最高裁は，平成3年改正法施行前に締結された損失補塡約束の履行を一切認めず，当事者間の利害の調整は不法行為法に委ねることが明らかとなった。

(4)　損失補塡約束の効力

平成3年改正法施行後に締結された損失補塡約束は，前記最高裁平成9年9月4日判決（民集51巻8号3619頁）によれば公序良俗に反し無効ということになろう。学説も，平成3年改正後は，損失補塡が罰則をもって禁止されたこと，大規模な証券不祥事を経て証券市場に対する社会的認識が変わったことを理由に，違法な損失補塡約束の私法上の効力を否定している[108]。筆者もその解釈に異論はない。

また，金融商品取引業者等の従業員の損失補塡約束によって顧客が有価証券の売買取引やデリバティブ取引に引き込まれた場合には，不当勧誘に基づく不法行為が成立する可能性がある。不当勧誘の類型としては，(2)で紹介したように，従業員に権限がないのに権限があると偽った場合，金融商品取引業者等として実現不可能であるのに実現可能と偽った場合が考えられよう。現行法の下

107）　この問題を検討した文献として，川口恭弘＝木下智史「証券取引における損失補塡の禁止と財産権の保障」金法1443号（1996）6頁以下を参照。

108）　河本・前掲注98）10頁，証券取引法研究会「証券会社の損失補てんに対する証取法上の対応」インベストメント44巻6号（1991）77-78頁〔神崎克郎発言〕，同・前掲注84）41頁〔前田報告〕，座談会・前掲注85）（資本市場）14-17頁。

では損失補塡約束が明文によって禁止され，仮に約束しても無効であることが判例・学説上明らかであるが，投資者が損失補塡を適法または実現可能なものと信じることは現在でもありうる。

■Column 8-14　飛ばしと損失補塡■■

「飛ばし」とは，顧客が市場で購入した株式等を，その評価損が決算に反映しないように操作する行為をいう。平成2年末のバブル崩壊後しばらくの間は，株式市況が持ち直すことを期待して，決算期の異なる顧客間または顧客と証券会社との間で市場外で株式を順次譲渡するタイプの飛ばしが行われていた。

「飛ばし」の具体例は次のようなものである。A社が市場取引により甲社株を1株1000円で1万株買い付けたとする。甲社株の市場価格が1株900円に下落したため，決算期直前に，A社はY証券会社の仲介により，甲社株をB社（飛ばしの受け皿会社）に市場外の相対取引により1株1100円で売却する。このときY社は，B社の決算期までに甲社株の市場価格が1100円まで回復しないときは，Y社が他の飛ばし先を斡旋するか，Y社自身が甲社株を1株1100円で買い取ることを約束する。そして，この約束が実行されないときに紛争が生じる。

「飛ばし」の事例の多くは平成3年改正法施行前に行われたものであり，その約定を公序良俗に反して無効とする裁判例[109]，「飛ばし」の勧誘が不法行為に当たるとする裁判例[110]などがある。「飛ばし」を現行法に照らして検討してみると，①Y社がA社にB社を紹介して1株1100円で甲社株の売買を成立させた行為と，②Y社がB社に飛ばし先の斡旋または甲社株式の買取りを約束した行為が，それぞれ違法な損失補塡に当たるかが問題となる。たしかに①は，甲社株の売買取引についてA社に生じた損失を補塡するために，第三者（B社）をして損失補塡の実行行為をさせたものに当たる（39条1項3号違反）。それに対して②は，形式的には，甲社株の売買取引についてB社に損失が生ずることとなる場合に，自己または第三者（斡旋先）が当該損失を補塡する旨をY社が約束する行為に当たる（39条1項1号違反）が，法が想定する損失補塡の悪性を備えておらず，実質的には損失補塡約束に当たらないと思われる。なぜなら，市場外で市場価格と異なる価格で有価証券の取引を行うことは（それが公開買付規制を発動させない限りは）なんら問題がないし，その際に損失補塡が約束されても，それによって証券市場の価格形成機能が歪められたり，証券市場に対する投資者の信頼が破壊されたりすることは考えられないからである。

しかし，法は市場取引と市場外取引とを区別していないため，②も解釈上は損失

109）東京地判平成6・12・5判タ895号278頁，東京地判平成8・2・19判タ916号226頁。

110）大阪地判平成9・10・24判時1651号106頁，東京高判平成10・4・27判時1651号71頁。

補塡約束に該当してしまう。ここに，損失補塡禁止の立法趣旨と規定ぶりとの齟齬が見られる。

第*5*節　その他の不公正取引規制

1　総　　説

金融商品取引法の167条の2から171条の2において，有価証券の売買その他の取引に関する個別の不公正取引禁止指定が置かれている。これらには，禁止の名宛人が発行者や金融商品取引業者等に限られるものもあれば，何人をも対象とするものもあり，その制定された時期や規制の趣旨もそれぞれ異なっている。各規定の適用範囲には過不足があるほか，一般的な詐欺禁止規定である金融商品取引法157条と適用範囲が重複する部分もあり，将来，規定の整理が必要であると考えられる。

以下では，これらの規定を3つのグループに分類して説明する。

2　無免許市場における取引の禁止・虚偽の相場の公表

(1)　無免許市場における取引の禁止

内閣総理大臣の免許を受けないで金融商品市場を開設することは禁止されている（80条1項）。無免許で金融商品市場を開設した者は処罰されるが（198条4号），167条の3は，投資者が無免許の金融商品市場において，有価証券の売買取引やデリバティブ取引を行うこと自体を禁止する。本条に違反した者は，1年以下の懲役・100万円以下の罰金に処せられる（200条19号）。

投資者が有価証券の売買取引やデリバティブ取引を金融商品市場外で行うことは，それを業として行う場合や賭博に該当する場合を除いて，適法である。適法な取引を投資者が無免許の金融商品市場で行うことを罰則をもって禁止しているのは，無免許の市場においては有価証券の売買取引やデリバティブ取引が公正に行われる保証がないからであり，より詳しくいうと，次のようになろう。

第1に，金融商品市場は投資者が参加してこそ成り立つので，無免許の金融商品市場に参加する投資者は，無免許市場の開設・運営による不公正な取引の成立を助長しているといえる。

第2に，知識の乏しい投資者が無免許の金融商品市場に参加して，不公正な取引によって不測の損害を被ることを防止する観点から，法が後見的に取引自体を禁止する必要があると考えられる。保護されるべき投資者を罰則で処罰することは背理であるという批判も考えられるが，この批判は必ずしも当たっていない。実際に投資者が処罰されるのは，無免許市場の成立を助長したといえる程度に活発な取引を行った場合に限られると予想されるし，取引自体が禁止されることから無免許市場での取引は無効であると解されるので[111)]，投資者は不公正な取引によって被った損害の回復を市場の開設者や取引の相手方に対して請求することができるからである。

金融商品市場とは，有価証券の売買または市場デリバティブ取引を行う市場をいうが（2条14項），なにが「市場」に当たるかは解釈問題である。一般的には，不特定多数の投資者が参加可能な取引形態であって，取引の注文が一定のルールに従って組織的・継続的に処理されている場合には「市場」が存在するといえ，取引のための物的設備が存在することや，競争売買の方法で価格が決定されることは，市場の要件ではない[112)]。

⑵　虚偽の相場の公表の禁止

168条1項は，有価証券等について虚偽の相場を公示し，または公示しもしくは頒布する目的で虚偽の記載をした文書を作成し，もしくは頒布することを，何人に対しても禁止している。違反者は，1年以下の懲役・100万円以下の罰金に処せられる（200条20号）。有価証券等とは，有価証券，金融商品，および金融指標をいう（158条参照）。

これらの有価証券等の相場は，投資者の投資判断に重要な影響を及ぼすことから，本条は，虚偽の相場の公示や虚偽の相場を記載した文書の作成・頒布を，その目的を問わず禁止するものである。虚偽の相場の公表とは，現に金融商品市場において成立している相場について虚偽の公表をすることだけでなく，そのような相場が存在していないにもかかわらず，相場が存在しているかのように虚偽の公表をすることも含む[113)]。有価証券の売買取引等を誘引する目的で虚偽の相場を公表する行為は，157条3号に該当し，より重い刑により処断される（→***3*** 節 ***2*** ⑶）。

---

111)　近藤＝吉原＝黒沼477頁。

112)　金商法コンメ(4)177頁〔加藤貴仁〕。

113)　神崎＝志谷＝川口1204頁。

3　発行市場における不実表示

⑴　虚偽記載のある文書の作成・頒布の禁止

168条2項から171条は，有価証券の発行市場において投資者の判断を歪める不実表示の類型を取り出して，特に禁止規定を設けている。これらのうち168条，170条，または171条に違反した者は，1年以下の懲役もしくは100万円以下の罰金に処せられ，またはこれらが併科される（200条20号21号）。169条に違反した者は，6か月以下の懲役もしくは50万円以下の罰金に処せられ，またはこれらが併科される（205条20号）。いずれも不公正取引の禁止類型のなかでは，罰条がやや軽いといえる。

168条2項は，発行者，売出人，特定投資家向け売付け勧誘等（→**6章*4*節*3*⑶**）をする者，引受人，または金融商品取引業者等の請託を受けて，公示・頒布の目的で，これらの者の発行，分担，取扱いに係る有価証券に関し重要な事項について虚偽の記載をした文書を作成し，または頒布する行為を，何人に対しても禁止する。発行者，売出人，引受人等が自ら虚偽記載のある文書を作成して有価証券の取得勧誘等を行ったときは，虚偽記載のある目論見書の使用者として処罰される（13条5項・205条1号）。

本条は，発行市場における勧誘文書の重要性を考慮して，発行者や募集・売出しの関係者から請託を受けて，虚偽記載のある文書を作成または頒布する行為自体を罰則をもって禁止するものである。虚偽記載のある文書の作成・頒布を請託した発行者，売出人，引受人等も処罰の対象とされている（168条3項）。

⑵　証券記事の規制

169条は，発行者，売出人，特定投資家向け売付け勧誘をする者，引受人，金融商品取引業者等，または公開買付者等（公開買付者とその特別関係者）から対価を受け，または対価を受ける約束をして，有価証券，発行者，または公開買付者に関し投資判断資料となる意見を新聞・雑誌に掲載し，または文書，放送，映画その他の方法を用いて一般に表示する者は，対価を受けていること，または対価を受ける約束をしていることを表示しなければならない旨を定める。有価証券の募集・売出し，または公開買付けに際して，投資者は新聞・雑誌等の記事を参考にすることが多いが，その記事が発行者や公開買付者等から対価を得て掲載されたものであるときには，投資者が誤った投資判断を形成してしまうおそれがあることから，意見を公表する者に対価を受けていることをあわせて表示させ，投資者の判断が歪められるのを防止する規定である[114]。ただし，表示の媒体が広告であることを明示している場合には投資者の誤解を生じないので，対価を受けている旨を表示する必要はない（169条但書）。

適用範囲が有価証券の発行過程と公開買付けの過程に限定されていることに注意を要する。発行者，売出人，引受人，公開買付者等が自ら意見を表明する場合には本条は適用されないが，発行過程または公開買付過程における情報開示の規制（→**2章*5*節*4*，5章*4*節*3*(2)**）が適用される。また，本条の名宛人は意見の表明者であり，その意見を掲載した媒体ではない。

(3)　有利買付け等の表示の禁止

170条は，何人も，新たに発行される有価証券の取得の申込みの勧誘，既に発行された有価証券の売付けの申込み・買付けの申込みの勧誘のうち，不特定かつ多数の者に対するもの（有価証券の不特定多数者向け勧誘等）を行うに際して，不特定かつ多数の者に対して，あらかじめ特定した価格以上で自己が当該有価証券を買い付け，またはあらかじめ特定した価格以上で売り付けることを斡旋する旨の表示，またはこれらの表示と誤認されるおそれのある表示をしてはならないと定める。

有価証券の価格は変動するのが通常であるから，これをあらかじめ特定した価格以上で買い付ける約束をしたり，売付けの斡旋を約束しても実現が困難なことが多い。そこで，その内容を実現することが困難なことを表示するのは詐欺的な行為であるとして禁止されるのである[115)]。有利買付け等の表示の禁止を，不特定かつ多数の者に対する勧誘に際しての不特定かつ多数の者に対する表示に限定したのは，有価証券の募集・売出しでは，一斉に有価証券の取得勧誘等が行われるため，このような表示が使われると，投資者が開示情報をよく吟味せずに，有価証券を取得してしまうおそれが特に高いことを考慮したものである。

あらかじめ特定した価格が募集・売出価格を下回るものであっても，その価格以上での買付け等の表示は禁止される。これに対して，時価によって買い付ける旨の表示は許される[116)]。不特定かつ多数の者に対する表示であることが要件とされるので，個別的に行われる口頭の表示はこれに当たらない。また，

114）　田中＝堀口1069-1070頁。
115）　神崎＝志谷＝川口1208頁。
116）　小田寛＝三輪力＝角政也『改正証券取引法・証券投資信託法解説』（港出版合作社，1954）194頁。

有利買付け等をする旨の表示は，それが真実であっても禁止される。

国債，地方債，特殊債，特殊法人債，特定社債，社債，および内閣府令で定める有価証券（取引規制府令64条）は本条の適用対象とされない。これらの有価証券は確定利付きの有価証券だからであると説明されている[117]。もっとも，本条は元利金の返還が約されている旨を表示することを禁止するものではないから，確定利付きの有価証券を本条の適用対象に含めても不都合は生じないし，確定利付きの有価証券についても有利買付け等の表示の弊害は認められるから，これらの適用除外は立法論としては疑問である。

(4) 一定の配当等の禁止

171条は，有価証券の不特定多数者向け勧誘等（→(3)）をする者，その役員・使用人は，当該勧誘に際して，不特定かつ多数の者に対して，その有価証券について一定額以上の配当その他の金銭の供与が行われる旨の表示，またはこの表示と誤認されるおそれのある表示をしてはならない旨を定める。有価証券に対する配当は確実なものではないから，一定額以上の配当がなされる旨を表示しても実現困難なことが多い。実現困難なことを表示するのは詐欺的な行為であるとして禁止する点で本条の趣旨は170条（→(3)）と同じである。有価証券の募集・売出しが行われる場合を想定して，そのような表示を禁止する趣旨も170条と同じといえる。

確定利付きの有価証券は配当表示は禁止の対象から除外される（171条，取引規制府令65条）。配当の表示が予想に基づくものである旨が明示されている場合も適用除外となるが（本条但書），その予想が合理的根拠に基づかないときは虚偽の表示として，金商法157条が適用される可能性がある（→*3*節*2*(1)）[118]。

4　無登録業者による未公開株の売付け

(1) 趣　　旨

近年，金商法上の登録を受けていない業者（無登録業者）が電話等により，未公開株等を「上場間近で必ず儲かる」などといった虚偽の勧誘を用いて高額で販売するといった被害が多発していた。そこで，無登録業者による未公開株等の取引に関する対応として，平成23年の改正によって本条が設けられた。

無登録業者による未公開株等の売付けは，金商法の規制に違反する無登録業

117） 神崎＝志谷＝川口1209頁（注1）。
118） 神崎＝志谷＝川口1209頁。

者の行う行為であり，また，未公開株等という情報の非対称性の強い有価証券に関する取引であることをふまえると，公序良俗に反する不当な利益を得る行為である蓋然性が高いと考えられることから[119]，本条は，無登録業者が非上場の株券等の売付け等を行った場合には，その売買契約を原則として無効とする。いわゆる未公開株等の勧誘事例では，顧客の錯誤による取消し（民95条），詐欺による取消し（民96条1項），不実告知・断定的判断の提供による取消し（消費契約4条1項）が成立する場合もあるが，顧客が取消しの要件を充足するのが難しいこともある。また，勧誘を行った無登録業者に対して，金融サービス提供法上の説明義務違反（金融サービス5条）や信義則上の説明義務違反（民709条）に基づく損害賠償請求を顧客がなしうる場合も多いであろうが（**→9章*3*節*1*・*2***），投資者の側で説明義務の違反や違反と因果関係のある損害額を立証しなければならない。

これらに比べて，本条によれば，投資者は，無登録業者の勧誘により未公開有価証券を取得したことを主張立証するだけで，契約の無効と代金等の返還請求をすることができる。本条には，被害を被った投資者を迅速に救済するとともに，未公開株の勧誘を無登録業者にとって利益の出ないものとし，違反行為を抑止する効果が期待されている。

⑵ 要　　件

171条の2第1項は，無登録業者が未公開有価証券につき売付け等を行った場合に，対象契約を無効とする。

ここにいう無登録業者とは，金商法29条の規定に違反して内閣総理大臣の登録を受けないで第1種金融商品取引業または第2種金融商品取引業を行う者をいう。登録業者が未公開有価証券の売付け等を行っても本条は適用されないが，登録業者は，金融商品取引業協会の自主規制により，一定の場合を除いて未公開有価証券の投資勧誘を禁止されている（日本証券業協会「協会員の投資勧誘，顧客管理等に関する規則」12条の2）。

未公開有価証券とは，社債券，株券，新株予約権証券その他の政令（施行令33条の4の5第1項）で定める有価証券であって，①金融商品取引所に上場されている有価証券，②店頭売買有価証券（2条8項10号ハ）または取扱有価証券（67条の18第1項4号），③売買価格または発行者に関する情報を容易に取得

119）　逐条解説2011年18頁。

することができるものとして政令（施行令33条の4の5第2項）で定める有価証券のいずれにも該当しないものをいう（171条の2第2項）。

売付け等とは，売付け，売付けの媒介・代理，売出し，募集または売出しの取扱い，および私募の取扱いをいう（171条の2第1項，施行令33条の4の4）。これらの行為は勧誘という事実行為であるから，無登録業者が未公開有価証券の売主であっても仲介者であっても，売付け等に該当する勧誘行為を行う限り，本条が適用される。

無登録業者が顧客から未公開有価証券を買い付ける行為（買付け等）は本条の適用対象とされていない。もっとも，無登録業者が，顧客が発行者から未公開株を購入した場合にそれを高値で買い受けることを約束する行為は，顧客が発行者から未公開株を買い付けるよう促す効果を有するから，未公開株の「売付け等」に当たる。

対象契約とは，売付け等に係る契約または売付け等により締結された契約であって，顧客による未公開有価証券の取得を内容とするものをいう。対象契約上の顧客の相手方が無登録業者以外の者，すなわち発行者または無登録業者以外の売主であっても，当該対象契約が無効とされる。

(3) 効　果

171条の2が無登録業者に勧誘によって成立した未公開株の売買契約を原則として無効としたのは，①無登録業者は金商法の規制に違反する者であるから，不当な利益を得る行為を行うおそれが高く，②未公開有価証券の売買は，証券の価値に関する情報が不十分であって，投資者において適切な投資判断ができないおそれが高いため，無登録業者による未公開有価証券の売付けは，暴利行為に該当し公序良俗（民90条）違反である蓋然性が高いからであると説明されている[120]。もっとも，後述の反証要件を考慮すると，「無登録業者による未公開有価証券の売付け等」だから暴利行為に当たると解すべきではなく，売買契約を無効とする実質的な根拠は，「適合性の原則に違反した勧誘により不当な利得行為となる契約が締結されたこと」に求めるべきであろう[121]。

民法上の錯誤取消しと異なり，顧客に重大な過失があっても無効の主張は妨げられない。171条の2第1項の文言からは，無登録業者等も売買契約等の無効を主張できるように読める。しかし，本条は顧客保護のために契約を無効と

120）　逐条解説2011年73頁。
121）　金商法コンメ(4)196頁〔黒沼悦郎〕。

するものであること，および，もし，無登録業者等からする無効の主張を認めるとすると，契約が有効であるとの反証を顧客に認めるべきであるのにそのような規定が置かれていないことから，本条による無効は顧客に限って主張できると解される。

■ Column 8-15　売買契約が無効とされない場合 ■■

いわゆる暴利行為に関する判例は，他人の窮迫軽率または無経験を利用して著しく過当な利益の獲得を目的とする法律行為を公序良俗違反として無効とする（大判昭和9・5・1民集13巻875頁）。つまり，判例は，①他人の窮迫軽率・無経験につけ込むという主観的要素と②著しく過当な利益の獲得という客観的要素を満たす行為のみを無効とする。そこで，判例法理に基礎を置く171条の2も，1項本文により，無登録業者の売付け等に係る未公開有価証券の売買契約等を原則として無効とした上で，その但書で，無登録業者の側が，売買契約等の締結が主観的要素と客観的要素のいずれかを欠くことを立証したときには，売買契約等は無効にならないとした。

本条1項但書は，上記判例の①②を有価証券の売買取引に即して明文化したものである。無登録業者等が立証すべき要件は，売付け等が顧客の知識，経験，財産の状況および対象契約を締結する目的に照らして顧客の保護に欠けるものでないこと，すなわち適合性の原則（40条1号）に違反しないことである。適合性の原則は登録業者に適用される規制であるが（→**9章*2*節*2***），無登録業者であっても，勧誘行為を業として行う以上はこれを守るべきであるから，適合性の原則は暴利行為の主観的要素を現代的に表現したものといえる。

無登録業者等が立証することが認められるもう1つの要件は，売付け等が不当な利得行為に該当しないことである。立案担当者は，「著しく過当でないこと」を反証の対象とすると容易に反証が可能になってしまうので，「不当な利得行為でないこと」を反証の対象とすることにより，本条の適用範囲が狭まらないようにしたと説明している[122)]。不当な利得行為に該当するか否かは，仲介行為ではなく売買契約等について判定される。すなわち顧客が未公開有価証券を取得するために支払った代金の総額と顧客が得た当該有価証券の経済的価値とを比較して，前者が後者を大きく上回る場合に，当該売付け等は不当な利得行為に該当する。顧客が仲介者である無登録業者に手数料を支払った場合には，当該手数料は顧客が支払った代金の総額に含められる。顧客が得た有価証券の経済的価値は，売買等の行われた時点において，当該有価証券の上場の見込みを勘案して客観的に判断されるから，上場の見込みについて無登録業者に詐欺があったり顧客側に錯誤があったりした場合には，

122)　逐条解説2011年210頁（注2）。

顧客が支払った額と当該有価証券の客観的価値とは大きく乖離しているのがふつうであろう。

売買契約等が有効であるとの反証は，勧誘行為をした無登録業者，売主，対象契約の当事者である発行者のいずれが行ってもよい。

顧客が売買契約等の無効を主張した場合，顧客は未公開有価証券の取得のために支払った代金の返還を売主ないし無登録業者に，支払った手数料の返還を無登録業者に請求することができ，顧客は取得した未公開有価証券を売主に返還する義務を負担する。顧客が当該有価証券を既に転売しているときは，売却によって得た代金の範囲で不当利得の返還義務を負うと解される。未公開有価証券の売買契約等を締結したことについて顧客になんらかの過失があっても，過失相殺の規定（民722条2項）により顧客の回復額が減額されることはない。

第9章　投資勧誘の規制

第*1*節　総　説

1　規制の必要性

金融商品取引業者は，有価証券の発行市場および流通市場において資金の需要者と供給者との間で円滑に資金が移動するよう仲介行為を行うことによって，企業の資金調達と国民の資産形成に資するという重要な役割を担っている。デリバティブ取引の当事者となりあるいはこれを仲介する金融商品取引業者等は，需要者に対して金融リスクのヘッジ手段を提供し，あるいは投資・投機の機会を投資者に提供する役割を担っている。

もし，有価証券の売買取引やデリバティブ取引について，金融商品取引業者が虚偽の情報を提供したり不当な勧誘をして投資者に不測の損失を被らせることがあれば，投資者は当該業者に対する信頼を失うばかりでなく，金融商品取引そのものに対する信頼を失って，金融商品市場を敬遠するようになるだろう。これでは，金融商品市場は企業の資金調達と国民の資産形成という目的を達成することができなくなる。また，金融商品取引業者による虚偽の情報提供や不当な勧誘に基づいてなされた投資者の投資判断が金融商品の価格に反映されれば，市場は金融商品の公正な価格形成を妨げられ，効率的な資源配分を達成できなくなる。このように，金融商品市場に対する投資者の信頼を保護し（市場の取引効率性を高め），金融商品市場における公正な価格形成を確保する（市場の情報効率性を高める）ために，顧客に対する金融商品取引業者の行為を規制する必要がある。

もっとも，金融商品取引業者が顧客を害するような勧誘を行えば，顧客の信用を失うから，そのような業者は競争によって淘汰されていくと考えられる。そこで，金融商品取引業者の行為規制は，罰則が付された厳しいものは少なく，大部分は違反をすれば業者が行政処分の対象となる行政規制とされている。

2　規制の分類

本章は，金融商品取引業者の行為規制を解説する。金融商品取引業者の行為規制には，投資勧誘に直接関わらないものもあるが，*1*で述べたように，勧誘を契機とする業者の行為を規制することが金融商品市場の機能を維持するために必要であることから，本章では，勧誘を契機として生ずる問題に対処するための業者の行為規制を広く取り上げている。

本章では，金融商品取引業者等またはその役員・使用人が負う行為規制を，契約の締結に係る規制（*2*節）と契約の履行過程の規制（*5*節）に分類した。前者には，金融商品取引業者と顧客との接触が始まる場面で機能する広告規制，顧客に適合しない金融商品を勧誘しないという適合性の原則，勧誘に関するルール（不招請勧誘・再勧誘の禁止），契約解除に関するルール（クーリングオフ）が含まれる。適合性の原則は，契約の締結段階でもその履行過程でも適用されるので，ここでは前者に分類した。

適合性の原則は，単なる行政規制ではなく，それに違反した場合に不法行為責任が生じるという私法ルールでもある。また，適合性の原則を業者と顧客との委任契約上の義務として捉えることもできる。このような規制の複合的な性格は，説明義務についても見てとれる。本章は，説明義務を，契約の締結と履行という2つの過程で適用されるルールと考え，両者の間に位置づけたが（*3*節），信義則上の説明義務，金融商品販売法上の説明義務，金融商品取引法上の説明義務といった側面から，多角的に描き出している。なお，信用格付に関する説明義務は，信用格付業者の登録規制を実効的にするために設けられた行政規制であり，他の説明義務と性格が大きく異なるが，信用格付業者の規制とともに本章で扱った（*4*節）。

契約の履行過程の規制（*5*節）も，基本的には行政規制であるが，その性質上，委任契約に基礎を置き受任者の義務と考えられるもの（契約締結時の書面交付義務，フロントランニングの禁止，過当取引の禁止）と，契約関係がない顧客との関係でも適用され，不法行為法の領域に属するもの（虚偽事実の告知・断定的判断の提供，虚偽表示・誤解を生じさせる表示）とに分けて，説明を加えている。

以上に対し，**6節**で扱う市場の公正を確保するための行為規制は，すべての市場参加者に適用される不公正取引の規制（**7章・8章**）を補完する業者の行為規制であり，公正な市場の維持を通じて顧客を間接的に保護しようという規制である。もっとも，これらの不公正取引の防止規定には，業者と顧客との関係に働きかけるものが含まれており，それゆえ，行為規制の違反について業者の顧客に対する不法行為が成立する場合がある。そこで本書では，市場の公正を確保するための行為規制を本章（投資勧誘の規制）で扱うこととした。**7節**では，顧客の属性に応じて行為規制の適用範囲が異なる特定投資家制度について解説を加え，**8節**では，行為規制の直接の名宛人となる金融商品取引業者等の使用人について歴史的に形成されてきた外務員の規制を取り上げ，その今日的な意義を検討している。

3　誠実義務

金融商品取引法36条1項は，金融商品取引業者等ならびにその役員および使用人は，顧客に対して誠実にかつ公正に，その業務を遂行しなければならないと定める。この規定は，IOSCO（証券監督者国際機構）の行為規範原則第1「業者は，その業務に当たっては，顧客の最大の利益及び市場の健全性を図るべく，誠実かつ公正に行動しなければならない。」を採り入れたものであり[1)]，金融商品取引業者等（金融商品取引業者および登録金融機関）に対する個別の行為規制に対する一般規定としての位置づけが与えられている[2)]。

顧客と金融商品取引業者等との間に委任契約が締結されれば金融商品取引業者等は顧客に対して善管注意義務を負うところ，ここにいう誠実義務が，委任契約の締結前の行為や，善管注意義務の及ばない行為についても金融商品取引業者等が顧客のために誠実に行動することを求めるものであることについては，共通の理解がある。その上で，IOSCOの行為規範原則に忠実に，公正性・誠実性は，許容される範囲内で，顧客の最大の利益を確保し，市場の健全性を確

1）　証券取引審議会不公正取引特別部会報告「証券監督者国際機構（IOSCO）の行為規範原則の我が国への適用について」（平成3年2月5日）。
2）　神崎＝志谷＝川口747頁。

保する観点から判断されるべきであると指摘されている[3]。この見解は，誠実義務の目的が単に顧客の利益の最大化だけでなく，市場の健全性の確保を含むことを示唆している。市場の健全性の確保を目的に読み込むことによって，たとえばディーリング業務のみを行う金融商品取引業者に対して，誠実義務違反に基づく行政処分を行うことも可能になる。ただし，個々の行為規制の違反がない場合になにを基準に誠実義務の違反を認定するかは，難しい問題である。

本条の誠実義務は行政規制上の義務として規定されており，その違反は法令違反として行政処分の根拠となる。しかし，そのことは誠実義務違反が委任契約違反や不法行為を構成することを否定するものではない。本条は個別の行為規制の違反によって違法性を根拠づけることができない場合に，顧客に対する損害賠償責任の根拠となると解すべきである[4]。

第2節　契約の締結に係る規制

1 広告規制

(1) 表示事項

平成18年の改正で証券取引の分野に初めて広告規制が導入された。規制の対象となるのは，新聞・雑誌・看板・テレビCM，インターネット上の広告のほか，郵便，ファクシミリ，電子メール，ビラ・パンフレットの配布その他の方法により多数の者に同様の内容で行う情報提供（広告類似行為）である（37条，金商業府令72条)。広告の媒体に限定はなく，多数の者に同様の内容で行われる情報提供といえるかどうかによって規制の範囲が画される。

金融商品取引業者等（金融商品取引業者または登録金融機関，34条）が，金融商品取引業の内容について広告するときには，①商号，名称，②金融商品取引業者等である旨，登録番号，および政令で定める事項を表示しなければならない(37条1項)。表示すべき事項を表示せず，または虚偽の表示をした者に対しては6か月以下の懲役もしくは50万円以下の罰金が科せられ，またはこれらが

3）　神崎＝志谷＝川口747頁。同旨，川村編411-412頁〔芳賀良〕，松尾419頁。

4）　証券取引法研究会「金融商品取引業者の行為規制」『金融商品取引法の検討〔1〕』（別冊商事308号，2007）121頁〔梅本剛正報告〕は，誠実義務は，沿革的にみても，義務に違反すれば損害賠償責任を負うというのが素直な理解だとする。

併科される（205条10号）。広告に必ず表示しなければならない事項を定めたのは，金融先物取引法の規制を参考にしたものである。広告に表示された登録番号によりその者が無登録業者であるか否かがわかるので，広告規制には無登録業者の取締りを容易にする効果もある。もっとも，無登録業者が虚偽の登録番号を表示しても本条の違反とはならず，当該業者が業務を行った場合に無登録業として処罰の対象となるにすぎない（197条の2第10号の4）。

政令で定める事項には，③手数料，④顧客が預託する保証金等の額・計算方法，⑤市場リスクによって損失が生じるおそれ，⑥元本を上回る損失が生じるおそれ（デリバティブ取引等の場合），⑦レバレッジ比率（デリバティブ取引等の場合），⑧業者が提示する売付価格と買付価格に差がある旨（店頭デリバティブ取引の場合）があり（施行令16条），さらに内閣府令で，⑨重要な事項について顧客の不利益となる事実，⑩加入している金融商品取引業協会の名称を記載事項としている（金商業府令76条）。

③には，手数料，報酬，費用その他いかなる名称によるかを問わず，契約に関して顧客が支払うべき対価が含まれる。ただし，広告に手数料をすべて記載することは不可能なので，種類ごとの手数料の上限または計算方法，あるいはそれらの概要を記載すれば足り，さらにこれらを記載できないときは理由を付してその旨を記載すれば足りる（金商業府令74条1項）。

⑤⑥は，広告中の最大の文字と著しく異ならない大きさで表示することが求められる（金商業府令73条）。⑧は顧客にとって費用になると考えられることから，スプレッドのある旨を開示させるものである。スプレッド中，実質的に手数料に相当する部分については手数料としての表示が必要になる。⑨は，典型的な契約と比較して顧客に有利な条件が定められている契約において，そうした条件設定を可能とするため，顧客の不利益となりうる契約条件が内在しているような場合には，その契約条件を意味する[5]。広告効果が減殺されるため，業者の信用リスクによって損失が生じるおそれを広告に表示する必要はないが，有利な条件設定の代償として信用リスクが高くなっているような商品については，当該信用リスクの高さを⑧として表示する必要がある[6]。⑩は，金融商品

5）　金融庁「『金融商品取引法制に関する政令案・内閣府令案等』に対するパブリックコメントの結果等について――コメントの概要及びコメントに対する金融庁の考え方（平成19年7月31日）」264頁No. 228。

6）　金融庁・前掲注5）267頁No. 245。

取引業協会への加入を促す効果も期待されている。

テレビ・ラジオ等の放送媒体によるCMは，広告時間が限定されているところから，表示すべき事項は，元本欠損・元本超過損が生じるおそれがある旨，および「契約締結前交付書面等の書面の内容を十分に読むべき旨」のみに限定される（施行令16条2項，金商業府令77条2項）。

(2) 誇大広告の禁止

広告に際しては，次の事項に関して，著しく事実に相違する表示をし，または著しく人を誤認させるような表示をしてはならない（37条2項，金商業府令78条）。いわゆる誇大広告の禁止であり，投資顧問業法および金融先物取引法の規定を参考にして導入された。

誇大広告が禁止される事項は，①利益の見込み，②契約解除，③損失負担・利益保証，④外国の金融商品市場等，⑤業者の資力・信用，⑥業者の実績，⑦手数料であり，ほかに商品や取引に応じた事項が個別に列挙されている。誇大広告の禁止に違反した場合にも罰則の適用がある（205条11号）。なにが誇大広告に当たるかは，個別に判断するしかない。

■ Column 9-1　勧誘と広告の区分■■

一般に勧誘と広告の区分は，従来，業者と投資者が一対一の関係に立つ場合は勧誘，一対不特定多数の関係に立つ場合は広告と理解されてきた[7]。金融商品取引法も，「多数の者に同様の内容で行う情報提供」が広告であるとするから（金商業府令72条），同じ理解に立つ。さらに，金融商品取引法では「金融商品取引業の内容について」の広告のみが，規制対象とされている。

そこで，一対一の関係に立って行われる場合であっても，多数の者に同様の内容で行うものであり，金融商品取引業の内容についての宣伝効果を持つものであれば，広告に該当することになる。そして，それが同時に，特定の発行者または特定の有価証券（商品）に言及するものであれば，勧誘にも当たり[8]，広告規制と勧誘規制の双方が適用されることになると解される。

2　適合性の原則

適合性の原則とは，顧客の属性に照らして不適当と認められる勧誘を行って

7）神田秀樹「投資サービス法への展望」資本市場研究会編『投資サービス法への構想』（財経詳報社，2005）396頁。
8）川口恭弘「金融商品取引法における行為規制」金法1779号（2006）25頁。

はならないという原則である。顧客の属性に照らして商品の説明を行う義務（広義の適合性の原則）に対比して，狭義の適合性の原則ともいう。狭義の適合性の原則は，単なる説明義務ではなく，投資対象に不適合な投資家には，そもそも投資勧誘を行わない義務を業者に課すものである。

適合性の原則については，証券取引法43条に従来から規定が置かれており，証券会社に対する行政処分の根拠条文となっていた。他方，適合性の原則に違反する勧誘行為は私法上違法と評価され，業者に損害賠償責任が発生するというのが下級審裁判例の一般的な傾向であったが，適合性の原則を説明義務違反の文脈で捉えるものや，説明義務違反とあわせて不法行為が成立するとするものなど，混乱が見られた[9)]。そのようななか，事業会社に対するオプションの売り取引の勧誘が問題となった事例について最高裁平成17年7月14日判決（民集59巻6号1323頁）は，「証券会社の担当者が，顧客の意向と実情に反して，明らかに過大な危険を伴う取引を積極的に勧誘するなど，適合性の原則から著しく逸脱した証券取引の勧誘をしてこれを行わせたときは，当該行為は不法行為法上も違法となると解するのが相当である」と判示した[10)]。これは，①顧客の知識・経験・財産の状況だけでなく，顧客の意向（投資目的）も適合性の判断基準となること，および②適合性の原則から著しく逸脱した勧誘は，不法行為法上違法と評価されることを明言したものである。

この判例を受けて，金融商品取引法の40条1号に「金融商品取引契約を締結する目的に照らして」という語が挿入された。契約締結の目的とは投資目的のことである。適合性の原則は，無登録業者による未公開株の売付けを原則として無効とする根拠としても用いられている（171条の2，**→8章5節4(2)**）。学説では，適合性の原則は，自己責任が妥当する自由競争市場での取引耐性のない顧客を市場から排除することによって保護することを目的としたルールであると理解する説[11)]が有力である。しかし，取引耐性のない顧客の排除という側面を強調することは，顧客の投資目的と不適合な商品の勧誘の禁止を軽視することにつながり妥当でない。

---

9)　大阪地判平成11・3・30判タ1027号165頁，東京地判平成15・5・14金法1700号116頁等。

10)　判批として，潮見佳男・リマークス33号66頁，松井智予・百選40頁，黒沼悦郎・平成17年度重判解119頁。

11)　川濵昇「ワラント勧誘における証券会社の説明義務」民商113巻4＝5号（1996）644頁，潮見佳男『契約法理の現代化』（有斐閣，2004）119頁。

知識・経験・財産が豊富で投資の意欲もある顧客であっても，複雑な取引の仕組みを理解できない顧客にはそのような商品を勧誘すべきではないから，顧客の理解力も適合性の判断基準とすべきである。この点については，後述のように（→*3*節*2*(2)），広義の適合性の原則により顧客の理解力に応じた説明が求められ，その違反から損害賠償責任が生じることからすると，顧客の理解力は，既に狭義の適合性原則の判断基準に含まれている（いくら説明しても理解できないときは販売してはならない）と解することもできる。

適合性の原則に関連して，金融商品取引業者等は顧客の属性を把握する義務があるか否かが問題となる。業者が顧客の属性を聞きだそうとすると，顧客の反感を買い，取引が成立しないおそれもある。そこで，適合性原則の違反の有無は，業者が知ることができたであろう顧客の属性に照らして判断すべきである。日本証券業協会の自主規制では，協会員（証券会社）に顧客カードの備付けを義務づけており，顧客カードには，顧客の職業，投資目的，資産の状況，投資経験の有無，顧客となった動機等を記載しなければならない（日証協「協会員の投資勧誘，顧客管理等に関する規則」〔投資勧誘規則〕5条）。金融商品取引業者は，このような顧客カードに記載された顧客の情報を適合性判断の基礎としてよいと考えられる。もっとも，実務上，顧客カードは定期的に更新するものでもないようであり，何年も前に作成した顧客カードを基礎に勧誘していれば適合性原則の違反を問われる可能性もあろう。

日本証券業協会の自主規制では，また，信用取引，新株予約権証券の取引，有価証券関連デリバティブ取引，店頭デリバティブ取引，非上場有価証券の取引，その他各協会員が定める取引について，各協会員が取引開始基準を定め，基準に適合した顧客との間で各取引等の契約を締結しなければならないとしている（日証協・投資勧誘規則6条）。

■ Column 9-2　適合性原則違反の不法行為と過失相殺■■

適合性原則の違反から不法行為責任が生じるとの判例が確立した後においても，適合性原則の違反と説明義務の違反の双方から不法行為責任を導く裁判例が出ている。そのなかには，適合性の原則から著しく逸脱した勧誘がなされたとして不法行為責任の成立を認めつつ，説明義務の違反も認定し，説明義務違反との関係から顧客にも過失があったとして過失相殺を行うものが見られる[12]。しかし，適合性の

12）大阪地判平成22・8・26金法1907号101頁等。

原則違反による不法行為が成立する場合には，業者に説明義務の違反があったかどうかにかかわらず顧客の損害が賠償されるべきであるし，業者の説明をたやすく信じた点に顧客の過失が認められるとしても，そのような過失は適合性原則違反による不法行為責任との関係では過失相殺の対象にならないと解すべきである。適合性原則の違反が認められる場合には，そもそも当該顧客に当該金融商品を勧誘してはならなかったのであり，勧誘が行われなければ顧客が説明をたやすく信じることもなかったはずだからである。適合性原則違反との関係で顧客に過失が認められるのは，勧誘を受けた金融商品が自己に適合しないことに顧客が気づいたにもかかわらず，当該金融商品の取引を継続した場合であろう。

3　不招請勧誘・再勧誘の禁止

(1)　不招請勧誘の禁止

不招請勧誘とは，勧誘を要請しない者に対する電話・訪問などの方法による勧誘をいい，その禁止は，既に平成17年改正金融先物取引法で導入されていた。ただし，この導入については，外国為替証拠金取引を念頭に置いたものであるのに，金融先物取引一般に適用がある形で規定が置かれたため，一部で批判があった。

金融商品取引法では，投資者保護のため「特に必要なものとして政令で定めるもの」に限って不招請勧誘を禁止することとした（38条4号）。政令では金利・通貨等の店頭デリバティブ取引を指定している（施行令16条の4第1項）。

■ Column 9-3　適合性の原則との関係■■

不招請勧誘の禁止規定を設けるのは，適合性原則（→*2*）の遵守をおよそ期待できないような場合に投資者保護の観点から機動的に対処するためであり，それを適用する対象は，レバレッジが高いなどの商品性，執拗な勧誘や利用者の被害という実態を考慮して決定したと説明されている[13]。たしかに，行政による悪質業者の取締りという観点からみると，適合性原則違反や禁止行為違反を捉えて摘発していたのでは処分が後追いになるおそれがあるところ，不招請勧誘の禁止という形でルールを設定すると，顧客を勧誘したことだけを捉えて行政処分が可能となり，悪質業者の取締りに効果的であるといえる[14]。しかし，ハイリスク・ハイリターンの商品であれば適合性原則の遵守を期待できないとは一般的にはいえないはずである。

13）　金融審議会金融分科会第一部会報告「投資サービス法（仮称）に向けて」15頁（平成17年12月22日）。

14）　証券取引法研究会「業者の禁止行為・特定投資家」『金融商品取引法の検討〔1〕』（別冊商事308号，2007）144頁〔梅本剛正報告〕。

わが国では，このように不招請勧誘の禁止は適合性の原則との関係で論じられているが，諸外国では静謐な生活（プライバシー）の保護の一環と捉えるところが多い[15]。そうだとすると，不招請勧誘が禁止されるべきものは金融商品に限らないはずである。これに対しては，金融商品は値動きが激しいためクーリングオフ（→*4*）になじまないので，クーリングオフの対象から除外する代わりに，勧誘段階で規制を厳しくするという議論も成り立ちうると指摘されている[16]。

被害が表面化してから対象取引を政令指定する点については，投資者保護が被害の後追いになるおそれがある。その反面，不招請勧誘の禁止は営業活動に大きな支障を生じさせるので，金融商品が政令指定されないよう，業界全体として，自主規制を通じて健全な販売・勧誘活動を行おうとするインセンティブが与えられるという見方もできる[17]。

禁止の対象である「勧誘」，禁止の解除原因となる「勧誘の要請」とはなにかについて規定は置かれていない。たとえば，不招請勧誘禁止の対象外の商品を訪問または電話により勧誘していたところ，不招請勧誘禁止の対象商品（外国為替証拠金取引）に話が及ぶことは勧誘に当たるだろうか。一般的には，商品の説明は勧誘に当たると解すべきであるから，この場合，上の例で業者の従業員は外国為替証拠金取引に触れることはできない。そこで，顧客が外国為替証拠金取引の説明を求めたとすると，それは「勧誘の要請」に当たるだろうか。もし当たるとすると，業者は顧客の意思を確認した上で勧誘することができることになる。しかし，これでは勧誘受諾意思確認義務（→(2)）を課すのと同じ結果となり，投資者保護が特に必要な場合に不招請勧誘を禁止した法の趣旨に反する。したがって，勧誘の要請は，訪問または電話をかける前に行われる必要があると解すべきである[18]。

不招請勧誘の禁止に関連して，対象取引の勧誘目的をあらかじめ明示しないで顧客を集めて勧誘する行為が禁止される（38条8号，金商業府令117条1項8

15）川口・前掲注8）29頁，嶋拓哉「ドイツにおける金融商品の不招請勧誘規制とわが国投資サービス法制への示唆（1）～（4・完）」国際商事法務34巻2号177頁，3号327頁，4号463頁，5号627頁（2006）。

16）証券取引法研究会・前掲注14）145頁〔梅本報告〕。

17）証券取引法研究会・前掲注14）144頁〔梅本報告〕。

18）黒沼悦郎「金融商品取引業者の業規制と行為規制」金融商品取引法研究会編『金融商品取引法制の現代的課題』（日本証券経済研究所，2010）232頁。

号)。電話・訪問による勧誘と同様の危険性があるからである。

なお，不招請勧誘の禁止は電子メールによる勧誘には及ばないが，電子メールによる勧誘を拒否した者に対しては，特定電子メールの送信の適正化等に関する法律3条3項により，電子メールの送信が禁止される。

不招請勧誘が禁止される店頭デリバティブ取引と同程度のハイリスク・ハイリターンの金融商品の取引は他にもある。そこで，日本証券業協会の自主規制では，特定投資家（→*7*節*2*(1)）以外の個人顧客に対し，①店頭デリバティブ取引に類する複雑な仕組債に係る販売，②店頭デリバティブ取引に類する複雑な投資信託に係る販売，③レバレッジ投資信託に係る販売を行うときは，各号の販売ごとに協会員が勧誘開始基準を定め，当該基準に適合した顧客に対してのみ不招請勧誘が許されるとしている（日証協・投資勧誘規則5条の2)。

(2)　再勧誘の禁止

再勧誘の禁止とは，電話または訪問による最初の勧誘を禁止しないものの，顧客が契約を締結しない旨の意思または引き続き勧誘を受けることを希望しない旨の意思を表示した場合には，以後勧誘を禁止するものである（38条6号)。既に特定商取引に関する法律において，政令指定商品の電話勧誘販売について，再勧誘の禁止規定が置かれていたが（特定商取引17条)，政令指定商品にはいわゆる金融商品は含まれていなかった。金融商品取引法上，再勧誘が禁止される取引は，投資者保護のため「必要なものとして政令で定めるもの」であり，不招請勧誘の禁止よりも広い範囲の取引を予定している。政令では，金利・通貨等の店頭デリバティブ取引，市場デリバティブ取引，およびこれに類似する外国市場デリバティブ取引を指定している（施行令16条の4第2項)。

顧客の意思に反して勧誘を行ってはならないことは，金融商品の勧誘に従事する金融商品取引業者等の役員・使用人が守るべき当然の規範である。38条6号は，政令で定める金融商品取引契約に限って再勧誘を禁止しているが，立法論としては，再勧誘の禁止はすべての金融商品取引契約について適用すべきである。もっとも，有価証券の売買取引のように，顧客が特定銘柄の勧誘は拒絶するが他の銘柄の勧誘までは拒絶しないという意思を表明する場合もあろうから，金融商品取引契約（34条1項参照）ごとに拒絶の意思を判断する形式を維持することは妥当でない。単に，顧客の意思に反して金融商品の勧誘を継続することを禁止の対象とすれば足りるだろう。

再勧誘禁止の対象取引については，勧誘に先立って顧客が勧誘を受ける意思を有しているかどうかを業者が確認する義務が課される（勧誘受諾意思確認義務，38条5号）。この段階で顧客から勧誘を拒絶された場合には，6号の規定により，以後，勧誘行為が禁止される。勧誘受諾意思確認義務は，再勧誘の禁止を実効的にするために補完的に設けられたものである。

ところで，38条5号は，勧誘と勧誘を受ける意思の有無の確認を区別して規定している。しかし，これは通常の意味における勧誘に先立って意思の確認を行わせるための区別であって，38条5号にいう勧誘を受ける意思の確認も，38条4号（不招請勧誘の禁止）の勧誘に当たると解すべきであろう[19]。そう解しないと，不招請勧誘禁止の対象商品について，たとえば電話をかけて勧誘を受ける意思を確認することは，顧客の要請がなくてもできることとなるが，その結論は不当であるし，法が38条4号と5号の適用範囲を区別した意味がなくなってしまうからである。

再勧誘の禁止に関連して，顧客があらかじめ契約を締結しない旨または勧誘を受けることを希望しない旨の意思を表示したにもかかわらず，当該契約の締結を勧誘する行為も禁止される（38条9号，金商業府令117条1項9号）。勧誘受諾の意思を確認すると称して勧誘が行われる可能性を封じるためである。

(3)　迷惑勧誘の禁止

38条8号に基づく内閣府令において，金融商品取引業者等またはその役員・使用人が，顧客に迷惑を覚えさせるような時間に電話または訪問により勧誘する行為が禁止されている（金商業府令117条1項7号）。迷惑時間勧誘の禁止は投資者のプライバシーに配慮した規制であり，抵当証券業規制法施行規則，商品投資販売業者の業務に関する命令に規定があった。金融商品取引法は，個人については，この規制をすべての金融商品取引契約に及ぼしたが，法人については，抵当証券，商品ファンド，金融先物取引に適用を限定している。最後の点については，個人・法人を問わず，一律に禁止する方法でよかったのではないかと指摘されている[20]。

4　クーリングオフ

クーリングオフとは，契約締結後の一定期間（クーリングオフ期間），顧客が無条件で契約を解除することができる制度をいう。多くの消費者契約では，法

19）　同旨，金融庁「金融商品取引業者等向けの総合的な監督指針」IV-3-3-2(6)②。
20）　川口・前掲注8）37頁。

律上または契約上，無条件の契約解除権が認められている。証券取引の分野では，投資顧問契約の締結について10日間のクーリングオフ期間が設けられていた（投資顧問業17条）。

金融商品取引法では，この制度を引き継ぎ，投資顧問契約の締結について10日間の契約解除権を認めた（37条の6，施行令16条の3）。投資顧問契約は継続的契約であるため，思慮なく契約を締結した顧客を長期間，拘束するのは不当だからである。顧客による契約解除権は書面を発したときに効力を生じ，業者は，内閣府令で定める額を超えて損害賠償または違約金の請求をしてはならず，前払いを受けているときは内閣府令で定める金額を控除してこれを顧客に返還しなければならない（37条の6第3項4項）。内閣府令では，契約解除までに助言を行わなかった場合は契約締結に通常要する費用の額，助言を行った場合には助言の回数または期間に応じた，社会通念上相当と認められる報酬の額を控除できる金額と定めている（金商業府令115条）。

一般に，クーリングオフ制度は取引価格の変動が激しい商品に適しないといわれている。しかし，価格変動の激しい商品については，その差額分を違約金の計算に含めることを認めるなどの方策を講じれば，クーリングオフの対象となしうると考えられる。

第3節　説明義務

1　信義則上の説明義務

証券取引法には，商品内容の説明義務を定めた規定はなかった。裁判例は，一般に，①証券会社と一般投資家との間に情報格差があること，②一般投資家は，証券会社の提供する情報や助言に依存して投資を行っていること，および③証券会社は，一般投資家を取引に誘致することで利益を得ていることから，証券会社が一般投資家に対して投資勧誘を行う際には，信義則上，商品の概要・取引の仕組みや商品・取引のリスクについて説明する義務があるとし，このような信義則上の説明義務違反から証券会社の不法行為責任が生ずると捉えている[21]。裁判例は，証券会社と顧客との間の情報格差のみから信義則上の説

21）　大阪地判平成6・3・30判タ855号220頁，大阪高判平成9・5・30判時1619号78頁等。

明義務が発生すると捉えているわけではなく，②③の事情を考慮に入れていること，および証券会社（金融商品取引業者）は勧誘を行う場合に限って説明義務を負うと捉えていることに注意を要する。また，証券会社に信義則上の説明義務が生ずるか否かは，顧客の知識・経験・財産の状況・投資目的等の属性に応じて判断される。

信義則上の説明義務の対象は，商品の概要（投資信託のように取引の仕組みが商品内容となっているときは取引の仕組み）とその商品・取引のリスクと捉える裁判例が多く，有価証券の価値を判断するのに重要な情報の提供や当該情報の説明を義務づける例はほとんどない。ここで説明義務の対象となるリスクとは，株式や社債等の有価証券がそれぞれ法的に有している抽象的なリスクをいい，発行者の信用状態に応じた具体的なリスクを指すものではない[22]。金融商品取引業者等が一般の投資家に勧誘できる有価証券は，社債を除くと，実際上投資信託証券か上場有価証券に限られており，これらの有価証券については目論見書によって情報が提供されているか，発行者による開示情報が市場価格に反映されているため，自ら情報を収集してそれを顧客に提供する義務を課すのは業者に酷であると考えられたのであろう。もっとも，無担保社債の勧誘に際して，依頼格付以外の格付の存在や流通利回りといった発行者の具体的信用リスクを示す情報を説明する義務を認めた裁判例もあり[23]，注目される。

■Column 9-4　指導助言義務■■

適合性の原則について判示した最高裁平成17年7月14日判決（民集59巻6号1323頁）において，才口裁判官の補足意見は，オプションの売り取引について，これを勧誘して取引し，手数料を取得することを業とする証券会社は，顧客の取引内容が極端にオプションの売り取引に偏り，リスクをコントロールすることができなくなるおそれが認められる場合には，これを改善，是正させるため積極的な指導，助言を行うなどの信義則上の義務を負うと述べた。そこで，金融商品取引業者等がリスクの特に高い特定の取引について，説明義務の履行を超えて，顧客に助言し指導する義務を負うかどうかが議論の対象となり，指導助言義務を認めた裁判例もある[24]。信用取引やデリバティブ取引のように，期限までの反対売買が予定され，

22）東京地判平成23・1・28金法1925号105頁，東京地判平成23・1・28金法1925号117頁。

23）大阪高判平成20・11・20判時2041号50頁。判批として，黒沼悦郎・金判1341号2頁。

24）大阪高判平成20・8・27判時2051号61頁，東京高判平成21・4・16判時2078号25

最初の売買では取引が完了しないタイプの取引では，顧客の属性によっては金融商品取引業者等が顧客に対して信義則上，指導助言義務を負うと解すべき場合があろう。それに対して，有価証券の売買取引のように，1回の売買で完了する取引については，金融商品取引業者等は，購入した有価証券を売却する時期を助言するなどの指導助言義務を負うことは原則としてないと解すべきであろう。指導助言義務を認めた裁判例には，業者が投資不適格者に取引を行わせた場合のように，本来，適合性の原則違反を問うべき事例について指導助言義務の違反を問うたものもあるように思われる。

■ Column 9-5　デリバティブ取引の説明義務■■

近時，デリバティブ取引やデリバティブを組み込んだ有価証券の取引について，適合性原則や説明義務違反が問題とされる紛争が増えている。デリバティブ取引の紛争事例では，金利スワップと通貨オプションが多いが，ここにいう通貨オプションは，実質はオプションの売り取引である。仕組債は，特定の発行者が発行する債券への投資を行い，当初は高いクーポンが支払われ，元本の償還については，参照指標を定め，観察期間の参照指標が一度でもノックイン価格（ワンタッチ水準とも呼ばれる）を下回らなかった場合には，元本全額が償還されるものの，参照指標が一度でもこれを下回った場合には，観測期間末日までの参照指標の変化率に応じて償還額が減額されるものである。ノックイン型投資信託は，分配金の額が運用成績によって変動するほかは，基本的な構造は仕組債と同じである。

法人顧客との間で固定金利と変動金利を交換するプレーンバニラ型の金利スワップ取引を行った金融機関の説明義務について，最高裁平成25年3月7日判決（判時2185号64頁）[25]は，解約清算金については，相手方の承諾を得て中途解約をする場合には投資者が清算金の支払義務を負う可能性があることを説明すれば足り，また，固定金利の水準が妥当な範囲にあるか否かというような事柄は投資者の自己責任に属すべきものであり，金融機関に説明義務はないとした。この判決は事例判決であり，その判示は，法人顧客に単純なプレーンバニラ型の金利スワップ取引を勧誘する場合に射程が限定されるべきであろう。

仕組債やノックイン型投資信託に関する裁判例は，①ノックイン事由が発生する可能性があること，その場合に償還価格が元本割れする可能性があること，および原則として中途解約できないことのみが説明義務の内容であるとするもの，②ノックイン事由が発生する可能性があることだけを説明するのでは足りず，ノックインの場合に参照株価がどの程度下落するとどの程度損失が発生するかの説明（シミュ

頁。

25）判批として，青木浩子・NBL1005号30頁，天谷知子・ジュリ1459号123頁，黒沼悦郎・民商149巻3号324頁。

レーション情報の提供）が必要であるとするもの[26]，③リスクの定性的な説明やシミュレーション情報の提供では足りず，ノックイン確率の説明が必要だとするもの[27]に分かれている。③は，いわゆるデリバティブの時価（理論価格）を顧客の側で計算できるようにするものである。デリバティブを賭博として行う者は別として，これを金融商品として購入するには時価を知る必要があるところから，金融商品取引業者等の信義則上の義務として③を肯定すべきであろう[28]。通貨スワップ取引については，契約上，デリバティブの時価評価額を基準とした担保差入義務が課されているところから時価評価額の説明義務を認めた裁判例があるが[29]，時価評価額は信義則上の説明義務の対象にもなると考えられる[30]。

2　金融サービス提供法上の説明義務

(1)　説明の対象

平成12年に制定された金融商品の販売等に関する法律（令和2年の改正により「金融サービスの提供に関する法律」に名称変更。金融サービス提供法。改正法の施行期日は令和2年6月12日から1年6カ月を超えない範囲とされている。執筆時点で未施行だが，便宜上改正後の名称を使用する）は，金融商品の販売業者に特別の説明義務を課している。同法は，金融商品販売業者は，「金融商品の販売」が行われるまでの間に，顧客に対し，①市場リスク・信用リスクによって元本欠損が生ずるおそれがあること，②販売対象権利の権利行使期間の制限，契約解除期間の制限について，説明しなければならないとする（金融サービス3条1項）。金融サービス提供法は「金融商品の販売」について適用され，「金融商品の販売」とは，預金や保険を含む広義の金融商品の販売契約を含むように定義されている（金融サービス3条1項）。金融商品取引業者等は，有価証券を取得させる行為，または各種デリバティブ取引もしくはその取次ぎを行うから（金融サービス3条1項），金融サービス提供法上の金融商品販売業者等に当たる。「元本欠損が生ずるおそれ」とは，金融商品を購入する際に顧客が支払う金銭の総額を，それによって顧客が得る金融商品の価額が下回るおそれをいう（4条3

26)　広島地判平成23・4・26金判1399号41頁等。

27)　東京地判平成23・2・28金法1920号108頁，東京地判平成24・11・12金法1969号106頁。

28)　黒沼悦郎「デリバティブの勧誘――判例の分析」正井先生古稀祝賀『企業法の現代的課題』(成文堂，2015) 250頁。

29)　東京地判平成24・9・11金判1448号42頁，東京高判平成26・3・20金判1448号24頁。

30)　黒沼・前掲注28) 257頁。

項)。②の権利行使期間の制限の例としては新株予約権の行使期間が挙げられ，契約解除期間の制限の例としては投資信託のクローズド期間（解約制限期間）が挙げられる。

平成18年の改正では，説明対象に，③市場リスク・信用リスクによって当初元本を上回る損失が生じるおそれがあること，④取引の仕組みのうち重要な部分が加えられた（金販4条1項)。③は，デリバティブ取引のように，当初出資した金銭を失うだけでなく追加出資を義務づけられる可能性のある取引について，特別の説明を求めるものであり，④は，元本欠損や当初元本以上の損失がなぜ生じるかを理解するための説明を求めるものである。以上のように，金融サービス提供法上の説明義務も商品内容の一部（権利行使期間・契約解除期間の制限）および商品の抽象的リスクを対象とするものであり，商品の価値の判断にとって重要な情報の提供を求めたり，発行者の具体的信用リスクの説明を求めるものにはなっていない。

④の取引の仕組みのうち重要な部分は，金融サービス提供法4条5項に具体的に定義されている。そこには金融商品の販売によって顧客が取得または負担する権利・義務が列挙されており，同項によると形式的に権利・義務の内容を説明すれば足りるように読める。これについて平成18年改正の立案担当者は，取引の仕組みのうち重要な部分は，実質的に解釈されるべきであり，金融商品販売法（金融サービス提供法）の規定は，そのような実質判断を行ってきた従前の裁判例に近い形での解釈・運用が可能であると指摘する[31)]。

■Column 9-6　取引の仕組みが複雑な金融商品の説明義務■■

金融サービス提供法による金融商品の「取引の仕組みのうち重要な部分」の説明義務は，私法上の説明義務の範囲をカバーできているだろうか。平成12年頃に盛んに販売されたEB債に関する裁判例には，信義則上の説明義務として，①EB債購入者は，評価日における転換対象株式の株価が行使価格を下回った場合には，額面金額と当該株価の差額の損失を被ること，②EB債の購入者は，転換対象株式の株価がいかに上昇してもEB債の額面金額の元本とクーポンを得られるだけであること，③EB債のクーポンの大半を占めるプレミアムの部分が大きければ大きいほど，下落株式による償還リスクは高くなること，④EB債購入者は，購入時から償還時までの間，EB債の転換対象株式の価格変動に応じてEB債を売却するなどして，損失を回避することができないことを，業者は説明する義務がある旨，判示し

31）　池田和世「金融商品販売法の改正」商事1782号（2006）18頁。

たものがある[32]。これらが金融サービス提供法上の説明義務の対象となるかが問題となるところ，①②は，EB債購入者の権利・義務をわかりやすく述べたものであり，金融サービス提供法上の規定を実質的に解釈することにより，それらの説明義務を導くことができるだろう。これに対し③④は，EB債購入者の権利・義務から導かれる事項とは必ずしもいえないので，金融サービス提供法上の説明義務の対象となるか疑問が残る。しかし，①～④は，まさに取引の仕組みであり，法の趣旨からすれば説明対象とすべきである。それが条文の定義からみると必ずしも導けないところに問題がある。

EB債はデリバティブを組み込んだ仕組債であり，同じ問題は近年の仕組債の販売においても生じている。

(2) 説明義務としての適合性の原則

金融商品販売法の平成18年改正により，同法上の説明は，顧客の知識，経験，財産の状況および契約を締結する目的に照らして，当該顧客に理解されるために必要な方法および程度によるものでなければならないとされた（金販4条2項）。説明義務を尽くしたかどうかを判断するにあたっての解釈基準として，いわゆる適合性の原則の考え方を採り入れたものである。適合性の原則には，顧客の属性に即した勧誘・説明を行う義務（広義の適合性の原則）と，顧客の属性によっては勧誘を行ってはならない義務（狭義の適合性の原則，→*2*節*2*）とがあるが[33]，本条項は広義の適合性の原則を定めるものである。

この規定によると，勧誘を受けた当該顧客が現実に業者の説明を理解したことまでは求められないが，説明の基準は一般的な投資家の理解力ではなく「当該顧客」の理解力とされる。当該顧客の理解力とは，その顧客の現実の理解力ではなく，当該顧客の知識，経験，財産の状況，契約締結の目的から客観的に推認される顧客の理解力を意味すると解すべきである。したがって，属性からみて理解力が乏しいと考えられる顧客に対しては，通り一遍の説明では足りない。

説明義務としての適合性の原則は，顧客に対して十分に商品の説明をすれば業者が損害賠償責任を負うことがない点で，そもそも当該商品を当該顧客に勧誘することが不法行為を構成する狭義の適合性の原則と区別される。もっとも，限界的な事例では説明義務の違反と適合性原則の違反とは重なり合う。たとえ

32）　大阪地判平成16・5・28金判1199号24頁。
33）　金融審議会一部会「中間整理（第1次）」14-15頁（平成11年7月6日）。

ば，理解力が乏しいと認められる顧客に対して仕組みが複雑でリスクの高い商品を勧誘する場合には，業者がどのように説明をしても顧客の属性に応じた説明をしたことにはならず，業者は金融商品販売法（金融サービス提供法）上の損害賠償責任を負うことになる。この場合に，当該業者には説明義務の違反があったと認定することと，狭義の適合性原則の違反があったと認定することとは等しいのである。平成18年の金融商品販売法の改正により，事実上，狭義の適合性原則違反に民事効が認められたものとも考えられるとの立案担当者の指摘[34]は，このようなケースを想定していると思われる。

⑶　損害賠償責任

金融商品販売業者等が重要事項（⑴の①～④）を説明しなかった場合には，それによって顧客に生じた損害について無過失の損害賠償責任を負い（金融サービス6条），元本欠損額が顧客に生じた損害の額と推定される（金融サービス7条）。元本欠損額を損害の額と推定したのは，商品のリスクについて説明を受けていたら顧客は当該商品を取得しなかったと考えられるからである。そうすると，たとえば業者が当該取引から元本欠損が生ずるおそれは説明したが，当初元本を上回る損失が生ずるおそれを説明しなかった場合には，当初元本を上回る損失が生じた場合にのみ，かつ当初元本を上回る部分についてのみ損害を推定すべきであるといえるが，現行法上は，元本欠損額は生じたが当初元本を上回る損失を生じていない場合にも，推定規定が適用されるという問題がある（**図表 9-1**）。

金融サービス提供法に規定のない部分については民法が適用されるため，投資者に過失があるときは過失相殺（民722条2項）が行われる[35]。説明は受けなかったもののリスクを把握していた場合が顧客に過失のある典型である。

図表 9-1

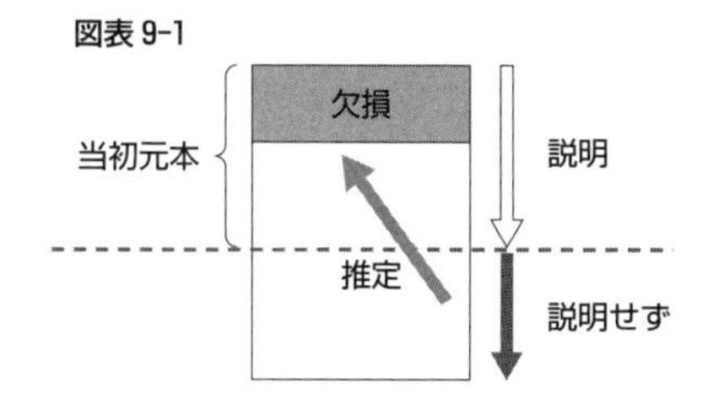

34）　池田・前掲注31）20頁。

35）　東京地判平成15・4・9判時1846号76頁。

3　金融商品取引法上の説明義務

(1)　契約締結前の書面交付義務

金融サービス提供法上の説明義務は民事責任を生じさせるだけで，行政監督の直接の根拠規定にならないと解されてきた[36]。そこで，業者の説明義務を行為規制の1つと位置づけるために，金融商品取引法は，契約締結前の書面交付義務を採用した（37条の3）。金融サービス提供法上の説明義務はその違反から損害賠償責任が生じる私法ルールであるのに対し，金融商品取引法は業者ルールを定めるものであるから，明確化の観点から，違反の有無を容易に判断しうる書面交付義務の形式が採用されたといえる[37]。

金融商品取引業者等は，金融商品取引契約を締結する前に，顧客に対して，①商号，名称，住所，②登録番号，③当該契約の概要，④手数料・報酬等，⑤市場リスクにより損失または元本超過損を生じるおそれがあること，その他内閣府令で定める事項を記載した書面を，あらかじめ顧客に交付しなければならない（37条の3第1項）。交付は電子的方法（34条の2第4項）によってもよい（同条2項）。内閣府令では，⑥契約締結前交付書面の内容を十分に読むべき旨，⑦顧客が預託する保証金等の額・算定方法，⑧信用リスクにより損失・元本超過損を生じるおそれがあること，⑨当該契約に関する租税の概要，⑩契約終了事由，⑪クーリングオフ適用の有無，その内容，⑫業者の概要，⑬業者の行う金融商品取引業の内容および方法の概要，⑭顧客からの連絡方法，⑮加入している金融商品取引業協会，認定投資者保護団体の名称，⑯指定紛争解決機関の名称または苦情処理措置・紛争解決措置の内容を挙げている（金商業府令82条）。これらの記載事項は，業者に関する情報，業者との契約に関する情報，商品のリスクに関する情報，手数料・租税等の費用に関する情報に分けられよう。契約締結前交付書面を交付せず，または虚偽もしくは記載漏れのある書面を交付した者は，6か月以下の懲役もしくは50万円以下の罰金に処せられ，またはこれらが併科される（205条12号）。

(2)　説明の対象

金融商品取引法上の説明義務の対象を，金融サービス提供法上の説明義務の

36）　川口・前掲注8) 27頁。これに対しては，金融商品販売法上の義務に従うことは業者の負う誠実義務（33条）に含まれるから，誠実義務違反を理由に業者に行政処分を科すことも可能であると解することもできよう。

37）　証券取引法研究会・前掲注4) 135頁〔松尾健一発言〕。

それと比較すると，商品のリスクの開示については金融サービス提供法と同等のものが要求されている。それに対して，金融サービス提供法で求められている「取引の仕組みのうち重要な部分」の開示は，金融商品取引法では求められていない。金商法では金融商品取引契約の概要の開示のみを求めているが，ここにいう金融商品取引契約とは，業者が顧客を相手方として，または顧客のために法2条8項各号に掲げる行為（金融商品取引業を構成する行為）を行うことを内容とする契約である（34条参照）。したがって，たとえば上場有価証券の委託売買であれば，委託契約の概要がこれに相当し，取引の対象である有価証券の内容は説明されない。ここに金融サービス提供法との違いがある。また，契約締結前交付書面による開示と目論見書（→**2章*4*節*1***）による開示の違いも，ここに表れている。ただし，店頭デリバティブ取引については，業者と投資家との間の契約が商品そのものと考えられるので，契約の概要を記載することは商品内容を説明することに等しい。

■Column 9-7　みなし有価証券の公募の場合■■

金融商品取引法2条2項各号列挙のみなし有価証券（組合持分など）は，主として有価証券に対する投資を行うものを除いて，ディスクロージャー制度の適用を除外される（3条，→**2章*1*節*4***）。その典型は事業に対する投資を行うファンド（事業型ファンド）である。事業型ファンドでは，多数の者に対する販売が行われても，有価証券届出書は提出されず，投資者に目論見書は交付されない。そこで金融商品取引法37条の3は，2条2項各号列挙のみなし有価証券の募集・売出しを行う場合には，あらかじめ契約締結前交付書面の内容を内閣総理大臣に届け出なければならないとした。これは，有価証券届出書という公衆縦覧型の開示がなされない場合に，それに代えて契約締結前交付書面という直接開示の手段により投資者に対する情報提供を確保しようとするものである。そして法執行の手段としては，届出書の効力停止処分といった発行者に対する規制ではなく，業者に対する規制によって情報開示が適切に行われるよう確保するものである（→**Column 2-1**）。

みなし有価証券に係る契約締結前交付書面の記載内容は，有価証券届出書・目論見書と同等の投資判断資料を提供するものになっているだろうか。たとえば集団投資スキーム持分（2条2項5号6号）の取引に係る契約締結前交付書面には，①持分の取得契約に関する事項，②組合等（出資対象事業）の運営に関する事項，③組合等の経理に関する事項をも記載する（金商業府令87条）。これらは，集団投資スキーム持分の価値を判断するのに資する情報であるといえる。集団投資スキーム持分以外のみなし有価証券に係る契約締結前交付書面の記載内容も，有価証券届出書・目論見書と同等の投資判断資料を提供するものとなるよう確保されている（金商業府令88条～91条）。以上のような扱いからも，法が，みなし有価証券について，契約締結前交付書面を有価証券届出書・目論見書と同じ機能を営むよう位置づけていることがわかる。

(3) 書面交付に付随する説明義務

金融商品取引法では，同法上の書面交付義務（37条の3，→(1)）を金融サービス提供法上の説明義務と同等のものとするため，金融商品取引業者等が37条の3第1項3号から7号に掲げる事項について顧客の知識，経験，財産の状況および金融商品取引契約を締結する目的に照らして当該顧客に理解されるために必要な方法および程度による説明をすることなく，金融商品取引契約を締結する行為を禁止した（38条9号，金商業府令117条1項1号）。これにより，商品やリスクの説明が顧客の属性に照らして十分でない場合に，業者に金融サービス提供法上の損害賠償責任が生じるとともに，業者が行政処分の対象になる。

■ Column 9-8　書面交付が免除される場合の説明義務■■

金商法37条の3の書面交付にはコストがかかることから，過去1年以内に上場有価証券の売買に関するリスク情報を記載した書面（上場有価証券等書面）を交付しているなどの場合には，契約締結前交付書面を交付する必要はないとされた（37条の3，金商業府令80条1項）。そして，上場有価証券等書面を交付してから1年以内に上場有価証券等売買等に係る契約を締結していれば，当該締結の日において上場有価証券等書面を交付したものとみなされる（金商業府令80条3項）。この結果，1年以上間を置くことなく上場有価証券等の取引が行われていれば，書面交付義務はなく，書面が交付されない以上，書面交付に伴う説明義務の規定（金商業府令117条1項1号）も適用されないと解されている[38)]。

しかし，1年以上取引を継続する間に顧客の財産が減少したり，契約締結の目的が変化することも考えられる。新たな取引に際しては，その時点の顧客の属性に即した説明を行うことが法の趣旨に合致する。そこで，金商業府令80条3項の要件に該当すれば上場有価証券等書面の交付は不要であるが，金商業府令117条1項1号の「書面の交付に関し」とは書面交付がみなされる場合を含むと解釈し，新規取引に際して金商法上の説明義務は免除されないと解することはできないだろうか[39)]。

38)　実務論点124頁，金融庁・前掲注5) 392頁。
39)　黒沼・前掲注18) 229頁。

⑷　信用格付に関する説明義務

平成21年の金融商品取引法改正によって，信用格付業の登録規制が導入された（66条の27，→*4*節）。これに伴い，信用格付業の登録の効果として，金融商品取引業者等が，登録を受けている信用格付業者の付与した格付を提供して投資勧誘を行う場合には，格付に関する特別の説明を要しないこととされた。いいかえると，登録を受けていない者の付与した信用格付を金融商品取引業者等が提供して投資勧誘をする際には，一定事項の説明をしなければならない（38条3号）。

説明の対象事項は，①信用格付を付与した者が登録を受けていない者である旨，②信用格付業者の登録の意義，③信用格付を付与した者の商号，役員の氏名，本店・主たる事務所の名称・所在地，信用格付の方針および方法の概要，④信用格付の前提・意義・限界である（38条3号，金商業府令116条の3）。①は，登録を受けていないことに伴い課されていない規制の概要，④は，信用評価の基礎となるもの（前提），表示される記号等が意味するもの（意義），および信用評価の対象に含まれるものと含まれないものの境界（限界）を意味するとされている[40]。

登録を受けていない者が付与した信用格付を用いる際の金融商品取引業者等の説明義務は，無登録業者の格付は登録制度に伴う規制が適用されないためにその旨を明らかにするとともに，格付の方法や前提，格付の限界等を説明させて，投資者の投資判断が歪められないようにすることを目的としている[41]。それと同時に，無登録業者の付与した信用格付の利用にコストを課すことによって，無登録業者の信用格付が広く利用されることを防ぐ目的もあると考えられる。

■Column 9-9　説明事項に係るグループ指定制度■■

信用格付業者の登録制度は，投資勧誘に広く用いられている信用格付を付与する業者の登録を期待したものであった（→*4*節*2*）。ところが，外資系の格付会社グループについては，グループ内の日本法人のみが信用格付業者として登録し，グループ内の他の法人については登録を行わなかった。この場合，グループ内の日本法人以外の法人は無登録業者となり，当該法人が付与した信用格付は無登録格付として

40）　三井秀範監修・野崎彰編著『詳説　格付会社規制に関する制度』（商事法務，2011）170-171頁。

41）　逐条解説2009年225頁。

取り扱われることになる。

しかし，そのような無登録業者が，グループ内の登録業者と共通の格付方法を用いて信用格付の付与を行っているのであれば，いわば「信頼のおける格付である」といえるから，重い説明義務を課して投資者に注意を喚起する必要はない。そこで内閣府令では，「説明事項に係るグループ指定制度」を創設し，信用格付業者の関係法人であって金融庁長官が指定した者については，無登録業者の名称・代表者・所在地に代えてグループ名称・グループ内登録業者の名称・登録番号を，信用格付の方法および方法の概要に代えて当該情報をグループ内登録業者から入手する方法を，それぞれ説明すればよいこととした（金商業府令116条の3第2項）。金融庁長官がグループを指定する際には，①業務内容・方法，信用格付に関する情報の公表方法がグループ内登録業者と無登録業者とで基本的に同水準であること，②グループ共通の格付方法等が採用されていること，③グループ内登録業者を通じて「グループ共通の格付方法等」の情報開示が確保されていることが要件となるとされている[42]。

第*4*節　信用格付業者の規制

1　立法の背景

2008年に世界的な金融危機を引き起こしたのはアメリカのサブプライムローン市場の崩壊であるが（→**Column 2-23**），その原因の1つは，投資者がサブプライムローンの証券化商品の評価を誤ったことにある。投資者が判断を誤ったのは，証券化商品に高い格付が付されていたからであるが，格付会社が高い格付を付した背景として，①証券化商品の格付ビジネスに利益相反の可能性が内在していたのではないか，②格付モデルの内容や妥当性等につき適切な検証やディスクロージャーがなされていないのではないか，③投資者が格付の限界を理解せず，これに過度に依存していたのではないかといった指摘がなされた。

そこで，世界の主要国において格付会社を規制する枠組みが模索された。IOSCO（証券監督者国際機構）は，格付会社が自主ルールに盛り込むべき具体的な事項を定める「信用格付機関の基本行動規範」（以下，基本行動規範という）を2004年に定めていたが，これを2008年5月に改訂した[43]。アメリカでは2007

42）　三井監修・前掲注40）175頁。

43）　"IOSCO to implement changes to Code of Conduct for Credit Rating Agencies"

年より格付会社の登録制を導入していたが，この登録制の下でSEC規則を改正し[44]，同時に，格付会社に対する規制の強化を含む包括的な金融規制法であるドッド＝フランク法を2010年に制定した[45]。欧州では，2008年5月以降に，欧州委員会，欧州議会等で検討が進められ，2009年4月に「格付会社に関する欧州議会および理事会規則」（以下，欧州規則という）が採択された[46]。

わが国においては，格付会社が証券化商品の格付に失敗し投資者に損害を与えるといった事例は生じていないが，今後，証券化商品が普及すれば投資判断における格付の重要性が増すと考えられること，格付会社の多くは国際的に活動しているため規制の国際的な整合性を図る必要があることから，金融審議会での検討を経て[47]，平成21年改正によって格付会社の規制が導入された。格付会社の規制は，格付会社に対し体制整備義務，利益相反回避措置，情報開示義務等を課して格付プロセスの公正性・中立性・独立性を高めようとするものであり，個々の格付の実質的内容自体を規制の対象としない点に特色がある。

2 登録規制

信用格付業を行う法人（法人でない団体で代表者または管理人の定めのあるものを含む）は，内閣総理大臣の登録を受けることができる（66条の27）。信用格付業とは，信用格付を付与し，かつ提供しまたは閲覧に供する行為を業として行うことをいい（2条35項），信用格付とは，金融商品または法人の信用状態に関する評価の結果について，記号または数字を用いて表示した等級をいう（2条34項）。信用格付を付与する行為のみで，第三者に対する提供や閲覧に供する行為がないときには，信用格付が投資判断資料として利用されないので信用格付業から除外される。

平成21年改正においては，一定の要件を満たす業者は，信用格付業者としての登録を受けることができるという「登録できる」規制が採用され（66条の27），格付を付与するためには登録を受けなければならないという参入制限的

（IOSCO/MR/006/2008）.

44）　SEC Release No. 34-61050.

45）　Dodd-Frank Wall Street Reform and Consumer Protection Act of 2010.

46）　Regulation（EC）No 1060/2009 of the European Parliament and of the Council on Credit Rating Agencies.

47）　金融審議会金融分科会第一部会報告「信頼と活力ある市場の構築に向けて」（平成20年12月17日）。

な登録制度は採用されなかった。

たしかに，信用格付とは金融商品や発行者の信用状態について意見を表明する行為であるから，何人も登録を受けなければ信用格付を業として行うことができないという業規制を採用すると，言論の自由の大きな制約になるし，言論の自由を制約しないように参入要件を緩和すると，格付の質を向上させる法的枠組みの構築が難しくなる[48]。法が，投資者の投資判断に大きな影響を及ぼしうる格付会社を規制対象とし，その格付プロセスの公正性，中立性，独立性の確保を規制目的としたのは妥当と考えられる[49]。

信用格付業を行う者が登録を受ける効果は，金融商品取引業者が格別の説明なしにその信用格付を投資勧誘に用いることができる点に存する（→*3*節*3*⑷）。このような登録の効果が，信用格付業者が登録を申請する十分なインセンティブになりうるかどうかは，説明すべき事項の内容および信用格付業を行う者の活動規模に依存するであろう。

3　信用格付業者の義務

信用格付業者の登録制度は，その格付が広く投資判断資料に利用される格付会社について，IOSCO の基本行動規範および欧米の規制動向を踏まえた体制整備義務，情報開示義務等を課し，格付の信頼性を高めることを目的としている。

⑴　誠 実 義 務

信用格付業者は，独立した立場において公正かつ誠実にその業務を遂行しなければならない（66 条の 32）。信用格付業者は，個別に顧客と契約を締結して金融商品の売買について直接的な関与を行うものでないことから，顧客に対する誠実義務の形式を採らなかった[50]。もっとも，独立した立場とは，発行者や格付を利用して勧誘を行う金融商品取引業者等から独立した立場という意味であるから，信用格付業者は，そうした独立した立場で業務を遂行する義務を，格付を投資判断資料として利用する投資者に対して負っているといえる。

48）　金融商品取引法上の投資助言業の規制のあり方にも，同様の問題が内在している。

49）　黒沼悦郎「証券法制の見直し」金法 1903 号（2010）40 頁。

50）　逐条解説 2009 年 260 頁。

⑵　体制整備義務

信用格付業者は，内閣府令で定めるところにより業務管理体制を整備しなければならない（66条の33第1項）。内閣府令では，①ローテーションルール，②格付プロセスの品質管理・利益相反防止措置，③資産証券化商品（金商業府令295条3項1号）の格付に関する検証措置，④監督委員会の設置などを定めている（同306条）。

①は，主任格付アナリストが同一の格付関係者（金商業府令306条1項，発行者およびオリジネーターを指す。以下，発行者等という）の案件に5年間継続して関与した場合に2年間のインターバル取得を義務づけるものと（同条1項2号イ），格付委員会（格付付与に係る最終的な意思決定を行う合議体）の委員の3分の1のローテーション制のいずれかの措置をとればよい（同条1項2号ロ）。信用格付業者は評判の仲介者（reputational intermediary）であり，特定の発行者の格付に協力して評判を毀損する動機を有しないが，個々のアナリストにはそのおそれがあるため，アナリストレベルのローテーション制が求められる。監査法人ではなく公認会計士レベルでローテーション制が設けられているのと同じ趣旨である（→**4章*2*節*2*⑵**）。

②では，専門的知識・技能を有する人員の確保など信用格付の品質管理に関する措置（金商業府令306条1項6号）のほか，格付対象商品の発行者等との間で融資関係，資本関係，有価証券の引受関係等がある場合についての利益相反回避措置，担当アナリスト等が格付対象商品の発行者等の役員等に就任することを目的として自ら働きかけを行うことの防止措置，転職した格付アナリストが過去2年間に関与した転職先の案件の検証に関する措置といった利益相反回避措置（同条1項7号）を講ずることが求められている。

③は，資産証券化商品の格付の妥当性について，第三者が独立した立場から検証できるようにするものであり，具体的には，当該信用格付の妥当性を第三者が評価するために重要と認められる情報の項目を整理して公表すること，発行者等に対し資産証券化商品に関する情報の公表等の措置を講じるよう働きかけを行うこと，および信用格付業者が行った働きかけの内容および結果を公表することが求められている（金商業府令306条1項9号）。この規制は，資産証券化商品の評価が難しく投資者が格付に依拠して投資判断を行わざるを得ないことから，基本行動規範，欧州規制，および米国SEC規則の内容をも考慮して特に設けられたものである。ただし，公表情報の内容，相手方および義務づけ

の程度は国によって温度差があり[51]，わが国では，格付会社には重要な情報の項目の公表義務を課し，具体的な情報については発行者等が公表するよう働きかけを行うことを格付会社に課している。

④は，格付会社に，委員の過半数が金融に係る専門的知識を有し，委員の3分の1以上が独立委員であり，委員の報酬が格付会社の業務の実績の影響を受けない監督委員会の設置を義務づけるものである（同条1項17号）。監督委員会は，格付自体の公正性を確保するというよりも，格付会社の業務管理体制の整備が適切に行われているかについて社外者の視点を踏まえて検証する仕組みとして導入された[52]。

⑶　禁止行為

体制整備義務に加えて，信用格付業者の独立性確保，利益相反回避，格付プロセスの公正性確保の観点から，特に要請の強い事項については[53]，一定の行為を行うことが禁止される（66条の35）。その主なものは次の2つである。

①　密接な関連を有する発行者等の格付の禁止　信用格付業者が格付対象商品の発行者等と内閣府令で定める密接な関係を有する場合には，格付を提供することが禁止される（66条の35第1号）。利益相反の疑いが特に強いからである。内閣府令では，担当アナリストが発行者等の役員等またはその親族である場合，担当アナリストが格付対象商品を保有している場合などを挙げている（金商業府令308条1項）。

②　コンサルティング行為の同時提供の禁止　信用格付業者が格付対象商品の発行者等に対し，当該商品の格付に重要な影響を及ぼす事項について助言を行った場合には，格付を提供することが禁止される（66条の35第2号，金商業府令310条）。信用格付業者がコンサルティング行為を提供した上で格付を行うと，独立した立場からの公平な格付がなされない可能性が高いからである。たとえば，証券化商品の原資産の構成について，組成者等から提案された構成では高格付が得られない場合に，どのような資産を組み込めば高格付の取得が可能かについて具体的な助言を行った上で格付を提供する行為は禁止の対象となる[54]。

51）黒沼・前掲注49）42頁。

52）野崎彰＝徳安亜矢「格付会社規制に係る政令・内閣府令の整備」商事1890号（2010）16頁。

53）金融審議会・前掲注47）6頁。

54）逐条解説2009年266頁。

ただし，発行者等からの求めに応じ，発行者等から提供された情報・事実が格付に与える影響につき，信用格付業者が格付付与方針等（→⑷）およびこれに関連する事項に基づいて説明をする行為は禁止の対象から除外される（金商業府令311条）。信用格付業者と発行者等との間のコミュニケーションが過度に阻害され，格付の質が低下することのないようにするためである。信用格付業者およびその役員・使用人は，提供された情報・事実を前提とすると格付付与方針に照らしてどのような格付が得られるかは説明してよいが，それを超えて高格付を取得する方法を助言してはならないことになる。

⑷　情報開示義務

平成21年改正法は，信用格付業者に対し，①適時の情報開示として，格付方針等の公表を義務づけ，②定期的な情報開示として，事業年度ごとに説明書類を作成し，公表することを義務づけている。これらの情報開示は，投資者が信用格付を利用して投資判断を行う際の参考情報とするために求められるものであり，投資者が格付に過度に依存することなく投資判断を行うために重要な機能を発揮すると考えられる。また，②の開示は，信用格付業者の業務の透明性を高め，市場規律の下で信用格付業者に格付の質を向上させる取組みを促すという機能も有している。

①　**格付方針等の公表**　　信用格付業者は，内閣府令で定めるところにより，格付の付与・提供についての方針および方法（格付方針等）を定めて公表しなければならず（66条の36第1項），また，公表した格付方針等に従って信用格付業の業務を行わなければならない（同条2項）。格付付与方針には格付符号（等級）の定義，格付方法の概要などが含まれ，また，格付を公表するよりも前に，格付に用いられた主要な情報について事実誤認がないか発行者等が確認できるよう確保しなければならない（金商業府令313条）。

格付の提供に関しては，格付を遅滞なく広く一般に公表することが求められるが，その際，信用格付業者の代表者および主任格付アナリストの氏名，発行者・アレンジャー・オリジネーターの氏名・名称，採用した格付方法，格付の前提・意義・限界に関する説明，格付付与にあたり利用した主要な情報などをインターネットその他の方法により公表しなければならない（金商業府令313条3項）。さらに資産証券化商品の格付については，損失，キャッシュ・フローおよび感応度の分析に関する情報の公表が求められ，その格付には原則として資産証券化商品以外の格付と異なる格付符号を用いなければならない（同条）。

② **説明書類の作成・公表**　信用格付業者は，事業年度ごとに，業務の状況に関する事項を記載した説明書類を作成し，事業年度末から4か月経過した日から1年間，すべての営業所または事務所に備え置いて公衆の縦覧に供するとともに，インターネット等を通じて公表しなければならない（66条の39，施行令18条の4の3）。説明書類の記載事項は業務の状況と業務管理体制の整備状況に大別される。業務の状況では，投資者が格付の信頼性を検証するのに役立つ情報が開示され，業務管理体制の整備状況を記載させるのは，投資者の投資判断に資するというよりも，市場規律の下で信用格付業者に業務管理体制の整備を促すためである[55]。

4 監督規制

平成21年改正法は信用格付業者に登録制を導入したことから，監督規定として，①業務改善命令（66条の41），②登録取消・業務停止命令（66条の42第1項），③役員解任命令（同条2項），④報告徴取・立入検査権（66条の45）等の規定を設けている。

金融商品取引業者の監督規制と比べると，信用格付業者の監督規制には次のような特色がある。

第1に，信用格付業者の制度が「登録できる」規制であることから，処分事由に該当する業者に監督上の処分を課すことができる理由は，事情を知らない投資者が，当該業者が適正に登録され規制を遵守していると認識したままその付与した信用格付を利用して投資判断を行いかねないことに求められる[56]。

第2に，金融庁長官が上記①～④の監督権限を行使する場合には，個別の信用格付または信用評価の方法の具体的な内容に関与しないよう配慮することとされている（金商業府令325条）。法は，体制整備義務と情報開示義務により格付精度の向上を目指しているのであり，信用格付業者の格付内容や格付方法に行政が直接的に介入することは予定していないからである。諸外国においても，米国1934年証券取引所法15E条(c)(2)は「信用格付，格付手続，格付方法の実質について，当局は規制をすることができない」旨を定め，欧州規則23条1項は「信用格付の内容と方法について，当局は干渉すべきではない」旨を定め

55）逐条解説2009年272頁。
56）逐条解説2009年278頁。

ている[57]。

第5節　契約の履行過程の規制

1　委任契約上の義務に基礎を置く規制

顧客から有価証券の売買やデリバティブ取引を受託した金融商品取引業者等は，顧客に対して委任契約上の善管注意義務・忠実義務を負う（以下，両者を合わせて信任義務といい忠実義務〔→(2)〕と区別する）。金融商品取引業者またはその役員・使用人に対する行為規制には，このような委任契約から生ずる信任義務を具体化した規定が置かれている。金融商品取引業者等の委任契約上の義務のうち最良執行義務，および同義務を行為規則化した最良執行書面の交付義務については，**6章*2*節*1*(3)**で説明した。

(1)　契約締結時等の書面交付義務

委任の終了時に，受任者が委任事務の経緯および結果を報告することは，受任者の委任契約上の重要な義務である（民645条）。このような受任者による報告義務に対応する行為規制として，金融商品取引業者等は，金融商品取引契約が成立したときその他内閣府令で定めるときは，遅滞なく，内閣府令で定めるところにより書面を作成し，顧客に交付しなければならないとされる（37条の4第1項）。

契約締結時の書面交付は，顧客が締結した取引の内容を確認できるようにするために求められる。内閣府令では交付書面の共通記載事項および取引の種類ごとの記載事項を定めている（金商業府令99条～107条）。たとえば有価証券の委託売買に係る交付書面の記載事項は，銘柄，約定数量，単価，顧客が支払うこととなる金銭の額および計算方法等である。つまり，ここで内容の確認が求められる取引は，顧客と金融商品取引業者等との間の委託契約ではなく，委託の実行として行われた有価証券の売買取引となっている。それに対して，たとえば投資一任契約締結時の交付書面には，投資判断の一任の範囲および投資の実行に関する事項，報酬の額・支払時期，契約の解除に関する事項，損害賠償額の予定，契約期間等が記載される。すなわち，投資一任契約に基づいてなさ

57）　野崎＝徳安・前掲注52）22頁。

れた有価証券の売買取引ではなく，投資一任契約の内容それ自体が確認の対象となっている。

契約締結時交付書面の交付は，電子的方法（34条の2第4項）によりすることができる（37条の4第2項）。

⑵　フロントランニング等の禁止

有価証券の売買やデリバティブ取引について顧客の委託注文を受けた受託者が，自己の計算によって自己に有利な取引を成立させる行為は，顧客の利益を優先すべき受託者の忠実義務（duty of loyalty）に違反するものである。そこで，金融商品取引業者等またはその役員・使用人が，顧客から受けた有価証券の売買・市場デリバティブ取引を成立させる前に，自己の計算で，顧客の委託価格と同じかそれよりも有利な価格で，同一銘柄の有価証券の売買や同一の市場デリバティブ取引を成立させることが禁止される（金商業府令117条1項10号）。顧客の注文に先回りして自己の注文を成立させることを禁止することから，これをフロントランニングの禁止という。

また，顧客の信用取引に対し受託者が自己の計算による信用取引を対当させるときは，信用取引について，顧客と金融商品取引業者等がいわば「勝負する」ことになる。顧客との利害が対立するこのような状況に自らを置くことは受託者の忠実義務に反すると認められるので，内閣府令では，金融商品取引業者等の行う，このような「信用取引の自己向かい」の決済のための反対売買を禁止している（金商業府令117条1項24号）。

⑶　過当取引の禁止

過当取引とは，金融商品取引業者等が，手数料稼ぎの目的で，顧客の属性に照らして不適切に多量・頻回の取引を顧客の計算で行うことをいう。投資運用業を行う業者が顧客との間で投資一任契約を締結した場合や，第1種金融商品取引業または第2種金融商品取引業を行う業者が適法に一任勘定取引を行う場合（→Column 6-6）には，業者が投資判断の一部を委ねられているところ，過当取引を行うことは投資一任契約または委託契約の趣旨に反すると考えられる。そこで，これらの場合に，金融商品取引業者等が，当該契約の委任の本旨または契約の金額に照らして過当と認められる数量の有価証券の売買またはデリバティブ取引を行うことが禁止されている（161条1項，取引規制府令9条）。

過当取引は投資一任契約や一任勘定取引が締結されている場合に限って生じる現象ではない。金融商品取引業者等の役員・使用人が顧客を過当取引へ勧誘し，顧客がこれに従った結果，顧客に不測の損害が生じることがある。このような過当取引への誘致は，その態様によっては，これを私法上違法と評価し業者の顧客に対する損害賠償責任を認める裁判例が多い。

過当取引を違法とする法律構成としては，①これを委託契約上の善管注意義務違反とみるもの（東京高判昭和63・10・20金判813号24頁，大阪高判平成20・8・27判時2051号61頁），②誠実義務（36条1項）違反とみるもの（大阪高判平成12・9・29判タ1055号181頁，東京地判平成14・12・2判タ1145号167頁，東京地判平成15・6・27判時1856号122頁等），③適合性の原則（40条1号）違反とみるもの（東京高判平成19・5・30金判1287号37頁），④157条違反を指摘するもの（東京地判平成12・3・27金判1096号39頁）等があり，これらを組み合わせて違法性を根拠づけるもの（福岡地判平成11・3・29判タ1026号227頁）や，これらから信義則上の義務違反を導くもの（大阪地判平成9・8・29判時1646号113頁）もある。過当取引は，顧客の属性や契約の目的に照らして多量・頻回の取引を行わせることに違法性が認められるから，適合性の原則違反の一類型と捉えることができ，それが契約上の義務違反または不法行為責任を生じさせると解するのが妥当であろう[58)]。

どのような態様の過当取引であれば，損害賠償責任を生じるか。裁判例では，取引の数量・頻度が顧客の投資知識・経験や投資目的に照らして過当であること（過当性の要件），業者が一連の取引を主導していたこと（口座支配の要件），業者が顧客の信頼を濫用して自己の利益を図ったこと（悪意性の要件）の3要件を充足しているかどうかにより判断するものが多い。このような要件は，アメリカにおいてチャーニング（churning）と呼ばれる過当取引に関する判例法として形成されてきたものであるが，わが国においても妥当するのか検討が必要であろう[59)]。

過当取引への誘致に違法性が認められる場合，過当取引から顧客に生じた取引上の損失（支払った手数料を含む）を賠償の対象となる損害と捉えた上で，業者の助言にたやすく従った等の点に顧客の過失があるとして，過失相殺をする裁判例が多い。しかし，適合性の原則に違反して過当取引に誘致したことに過当取引の違法性が認められるのであるから，理論的には，勧誘が適法であった

58）　黒沼悦郎「判批」商事1642号64頁。

59）　アメリカとわが国の裁判例の分析として，今川嘉文『過当取引の民事責任』（信山社，2003）を参照。

としても負担すべき手数料および取引損を全取引損から控除した残額が賠償の対象となるべきである[60]。また，過当取引へ誘致されたことにつき顧客に過失があっても過失相殺の対象とはならず（→**Column 9-2**），顧客が，取引開始後に，当該取引が自己の属性・投資目的に適合しないことに気づくべきであったにもかかわらず取引を継続したという事情があれば過失相殺の対象になると考える。

(4)　その他の禁止規制

契約の履行に関するその他の禁止行為として，次のものがある。

金融商品取引契約に基づく債務の履行を拒否し，または不当に遅延させる行為（金商業府令117条1項5号）。契約違反の行為であり，誠実義務（36条1項）にも違反するが，金融商品取引業者等に対して行政処分を下しやすくするために規定が置かれた。債務の履行の拒否に正当な理由がある場合には該当しない。

あらかじめ顧客の同意を得ずに，顧客の計算で有価証券の売買その他の取引またはデリバティブ取引等をする行為（金商業府令117条1項11号）。無断売買が許されないのは当然であるが，本号の禁止の対象には，無断売買を行った後で顧客の同意を取り付けて，取引の結果を顧客に帰属させる行為も含まれる。なお，事前・事後の承認のない無断売買は当然に顧客の計算に帰属しない[61]。

金融商品取引契約に基づく顧客の計算に属する金銭，有価証券その他の財産を虚偽の相場を利用することその他不正の手段により取得する行為（金商業府令117条1項6号）。この規定は，不公正取引の禁止を補完する規制というよりは，信用取引やデリバティブ取引において，虚偽の相場を告げて顧客の取引に損が生じたように見せかけて委託証拠金等を横領する行為を禁止するものである。

2　不当勧誘の禁止

ここでは金融商品取引業者等またはその役員・使用人により，不当な勧誘が行われ顧客の投資判断が歪められることによって顧客が損失を被ることを防止するために，38条および同条9号に基づく金商業府令117条1項において設けられている規制を説明する。

60）証券会社が過当取引によって取得した手数料額のみが損害額であるとしたものとして，東京地判平成15・6・27判時1856号122頁がある。

61）最判平成4・2・28判時1417号64頁。

(1)　虚偽事実の告知・断定的判断の提供の禁止

金融商品取引業者等またはその役員・使用人が，金融商品取引契約の締結またはその勧誘に関して顧客に虚偽のことを告げる行為は禁止される（38条1号）。これに違反した者は1年以下の懲役もしくは300万円以下の罰金に処せられ，またはそれらが併科される（198条の6）。保険業法300条1項1号は，保険会社等が保険契約者または被保険者に対して虚偽のことを告げる行為を罰則をもって禁止しているが，そこにいう「告げる」とは口頭の表示に限られないと解されていることから[62]，38条1号の告知も口頭の表示に限られないと解すべきであろう。

ある金融商品の価格が必ず上がるとか，いくらまでは上がるなど，不確実な事項について断定的判断を提供し，または確実であると誤解させるおそれのあることを告げて勧誘する行為も禁止される（38条2号）。金融商品の価格変動リスクをよく理解している顧客であっても，特定の金融商品取引業者等の役員・使用人が「必ず上がる」といった判断を示した場合に，その判断に依拠して投資決定を行うことはよくあることだからである。

金融商品取引業者等の役員・使用人により，虚偽事実の告知や断定的判断の提供が行われた場合には，以下に述べるように，金融商品取引業者等に損害賠償責任が生じることがある。

■Column 9-10　断定的判断の提供等による不法行為責任■■

裁判例は一般に，金融商品取引の勧誘にあたって，金融商品取引業者の役員・使用人が断定的判断を提供したり，金融商品取引につき重要な事項について虚偽の表示や誤解を生じさせる表示をすることは，投資者の冷静な判断を誤らせ投資者の自己責任の原則の基礎を損なうものとして不法行為を構成すると解してきた[63]。もっとも，断定的判断の提供や虚偽事実の告知のみで不法行為責任を認定した裁判例は少なく，それらの不当勧誘行為が説明義務の違反などとともに全体的に不法行為を構成するとするものが多い[64]。断定的判断が未公開情報や仕手戦などの市場情報に基づいており，市場価格が上昇または下落することに一定の根拠があると認められるときであっても，その事情は断定的判断への該当性を失わせるものではな

62）　安居孝啓編著『改訂版最新保険業法の解説』（大成出版社，2010）988頁。

63）　東京地判平成13・11・30金判1156号39頁，東京高判平成9・5・22判時1607号55頁等。

64）　大阪高判平成6・2・18判時1524号51頁，福岡地判平成11・3・29判タ1026号227頁，奈良地判平成11・1・22判時1704号126頁等。

い[65]。

損害賠償の対象となる投資者の損害は，不当な勧誘によって投資者が有価証券の売買取引等を行って受けた損失の全額であると考えられる[66]。ただし，断定的判断を信じたことについて投資者に過失がある場合には過失相殺が行われる。

平成18年の金融商品販売法の改正により，断定的判断を提供した業者は，それによって顧客が被った損害を賠償する責任を負うこととされた（金販4条5条）。この規定は，上述の不法行為責任の特則を定めるものであり，この場合の業者の責任は無過失責任とされ，かつ元本欠損額が顧客に生じた損害と推定される。したがって，たとえば，投資者が株式投資のリスクを十分承知しており，またリスクに関する説明を受けていても，金融商品取引業者等の役員・使用人から特定の銘柄が○○円まで上がるとの断定的判断の提供を受けて，これによって当該銘柄の購入を決定したときは，値下り損が因果関係のある損害と推定されることになる。

さらに，重要事項について事実と異なることを告げられ，または断定的判断を提供された結果，顧客が誤認をして契約を締結したときは，顧客は当該契約を取り消すことができる（消費契約4条1項）。ただし，契約の取消しは，誤認に気づいたときから6か月以内にしなければならない（同7条1項）。

⑵　虚偽表示・誤解を生じさせる表示の禁止

虚偽事実の告知に類するものとして，契約締結または勧誘に関して，虚偽の表示をし，または重要な事項について誤解を生じさせる表示をする行為も禁止される（金商業府令117条1項2号）。虚偽告知に該当しない行為も禁止の対象とすべきであるというパブリックコメントを受けて設けられたものである[67]。この違反については罰則はない。

この規定は，口頭によらない虚偽の表示が，38条1項1号の虚偽告知に当たらないという解釈を前提に作られたものであろう。しかし，ふつう表示には口頭の表示が含まれると解されるし，虚偽告知は虚偽の表示を含むと解すべきであるから（→⑴），本条の存在意義は，誤解を生じさせる表示を禁止するこ

65）　大阪地判平成5・10・13判時1510号130頁，東京地判平成6・2・15判時1525号87頁，大阪高判平成6・2・18判時1524号51頁等。研究・判批として，座談会「証券会社の投資勧誘と自己責任原則」民商113巻4＝5号(1996) 506頁，黒沼悦郎・ジュリ1123号142頁参照。

66）　河本一郎「証券・商品取引の不当勧誘と不法行為責任」上柳先生還暦記念『商事法の解釈と展望』(有斐閣，1984) 498頁。

67）　金融庁・前掲注5) 381頁No. 2。

とにあると考えられる。

(3)　特別利益の提供の禁止

金融商品取引契約について，顧客もしくはその指定した者に対し，特別の利益の提供を約し，または特別利益を提供する行為が禁止される（金商業府令117条1項3号）。特別利益の提供により投資者の投資判断が歪められることを防止するための規定である。平成18年改正では，損失補塡の禁止規定（39条，→8章*4*節*3*(1)）と同様に，第三者に利益を提供する行為や第三者に利益を提供させる行為も対象になることが明文化された。

特別利益の提供と損失補塡約束等との区別は難しい問題である。損失補塡の禁止が投資者の自己責任原則に反することを1つの理由として立法され（→8章*4*節*2*(1)），罰則が付されていることを考慮すると，顧客に生じる損失と関連づけて利益を提供する行為が損失補塡約束等に当たり，顧客の損失とは無関係に，取引に関連づけて利益を提供する行為が特別利益の提供に当たると一応整理することができよう。

第*6*節　市場の公正を確保するための行為規制

1　相場操縦行為の禁止・防止規定

相場操縦は誰が行うことも罰則をもって禁止される行為であるが（197条1項5号，→8章*1*節*1*），金融商品取引業者は効率的な市場価格の形成と金融商品市場の信頼性の確保に責務を有していると考えられるところから，厳密には相場操縦行為に該当しないが相場を不当に変動させる行為に関与することが，以下のように特別に禁止される。これらの規定に違反しても罰則は適用されない。

(1)　大量推奨販売の禁止

不特定かつ多数の顧客に対し，特定かつ少数の銘柄の有価証券の買付け・売付け・デリバティブ取引またはこれらの委託等を，一定期間継続して一斉にかつ過度に勧誘する行為で，公正な価格の形成を損なうおそれがあるものを，金融商品取引業者等またはその役員・使用人が行うことが禁止される（金商業府令117条1項17号）。このような行為を大量推奨販売という。

金融商品取引業者等が特定の銘柄の有価証券を顧客に一斉に推奨する行為は，

推奨が当該業者の情報分析に基づいているものであれば顧客の利益になるが，推奨を受けた顧客が，金融商品取引業者等が一斉に推奨しているがゆえに需給関係のバランスが崩れて当該銘柄が値上がりすることを期待して，推奨に従うことも考えられ，有価証券の価値とはかけ離れた市場価格が形成されるおそれがある。そこで，大量推奨行為またはこれに基づく顧客の取引注文が相場操縦行為に該当しない場合であっても，そのような推奨をすること自体を一定の要件の下で禁止したのが本条である。ただし，本条には「一定期間継続して一斉にかつ過度に」勧誘するとか，「公正な価格の形成を損なうおそれがある」といった要件を定めており，行政処分の根拠規定としても適用しにくい面がある。

投資運用業を行う金融商品取引業者等が，投資運用業の顧客の取引による市場価格の変動を利用して，第1種金融商品取引業の顧客に対して大量推奨販売を行うことも禁止されている（金商業府令117条1項18号）。

(2) 作為的相場形成取引の禁止

金融商品市場における有価証券の相場を変動させ，安定させ，または取引高を増加させることにより，相場が実勢を反映しない作為的なものとなることを知りながら，金融商品取引業者等またはその役員・使用人が，顧客の注文の受託等をする行為が禁止される（金商業府令117条1項20号）。これを作為的相場形成取引の禁止という。

顧客の注文が相場操縦行為に該当することを知りつつ金融商品取引業者が注文を受託する行為は，罰則をもって禁止されているが（159条1項9号・2項1号・3項），本条は，顧客の注文が，主観的な要件を欠くために相場操縦行為に該当しない場合であっても，それが作為的な相場を形成することを知りながら金融商品取引業者が注文を受託する行為を禁止の対象とする。実勢を反映しない相場の形成を防止するためである。その典型は，相場を作為的に変動または固定させようとする投資者からの注文の受託の禁止であるが，作為的相場が形成されつつあることを知りながら，それに便乗して利益を得ようとする投資者からの注文も受託してはならない。そのような注文に基づく取引は作為的相場の形成を促すことになるからである。

(3) 金融商品取引業者等による相場操縦の禁止

金融商品取引業者等またはその役員・使用人が，相場を変動させ，安定させ，または取引高を増加させる目的で，有価証券の売買その他の取引（デリバティブ取引を含む）を行うことも禁止される（金商業府令117条1項19号）。相場操縦のうち変動操作には誘引目的が必要であるが（159条2項，**→8章*1*節*2*(2)**），ここでは相場を変動させる目的があれば足りる。もっとも，安定操作取引については，罰則が適用される行為（159条3項）と本条により禁止される行為の要件に差が設けられていない。

2　インサイダー取引の禁止・防止規定

金融商品取引業者等は，インサイダー取引を防止して金融商品市場における公正な取引を実現する責務を負っていることから，法令上禁止されるインサイダー取引に該当しない取引であっても，インサイダー取引につながるような取引や勧誘は，内閣府令によって禁止されている。なお，これらの禁止規定に違反しても，金融商品取引業者等またはその役員・使用人が行政処分の対象となるにとどまり，罰則は適用されない。

(1)　インサイダー取引の禁止・防止

金融商品取引業者等の役員・使用人は，職務上の地位を利用して，顧客の注文動向その他職務上知りえた特別の情報に基づいて，有価証券の売買その他の取引等をしてはならない（金商業府令117条1項12号）。顧客の注文動向等はインサイダー取引の重要事実に該当しない場合が多いが（166条2項各号，**→7章*2*節*3*・*3*節*3*(2)**），そのような職務上知りえた特別の情報に基づいて金融商品取引業者等の役員・使用人が有価証券の取引等を行うことは，投資者との関係で不公正であるので，禁止の対象とされている。本来は，インサイダー取引規制の対象とすべきである。

金融商品取引業者等またはその役員・使用人は，顧客の注文がインサイダー取引に該当するおそれがあることを知りながら，当該取引の受託等をしてはならない（金商業府令117条1項13号）。インサイダー取引の防止のためである。

(2)　法人関係情報の提供による勧誘等の禁止

金融商品取引業者等またはその役員・使用人は，顧客に対して有価証券の発行者の法人関係情報を提供して，有価証券の売買その他の取引（デリバティブ取引を含む）を勧誘してはならない（金商業府令117条1項14号）。インサイダー取引の重要事実を提供して取引を勧誘する行為は，インサイダー取引が行われた場合には共犯（教唆犯）に該当する可能性があるが，ここではインサイダー取引の未然防止の観点から，情報の提供による勧誘行為自体を禁止の対象としている。インサイダー取引規制の平成25年改正によって，情報伝達行為・取引推奨行為が禁止され（167条の2，→**7章2節5**⑶・**3節5**），これに違反したときは業者も処分の対象となるが，以下に述べるように，法人関係情報の範囲がインサイダー取引の重要事実・公開買付け等事実よりも広いので，なお本条の規制には意義がある。

法人関係情報とは，上場会社等の運営，業務または財産に関する公表されていない重要な情報であって顧客の投資判断に影響を及ぼすと認められるものと公開買付け・株式買集めの実施または中止の決定に係る公表されていない情報をいい（金商業府令1条4項14号），軽微基準・重要基準が定められていない点，投資判断に影響を及ぼすと認められれば足り「著しい影響」が不要である点で，インサイダー取引の重要事実よりも広い。もっとも，この定義では，公開買付け・株式買集め以外のマーケット・インフォメーションに基づく取引が規制の対象とならないという問題がある（→**7章3節3**⑵）。

法人関係情報に基づいて自己の計算で有価証券の取引を行うことも，当然，禁止される（金商業府令117条1項16号）。

■ Column 9-11　株式売買の仲介と法人関係情報に基づく取引■■

ある行政処分の事例[68]では，X証券会社が，B社の有するC社株（発行済株式総数の13.5%の保有割合）の全部をA社が買い付けるという情報を知って，これが公表されるよりも前に取引所の立会外市場においてB社から当該株式を取得したことが，法人関係情報に基づいて自己の計算で有価証券の取引を行う行為に当たるとされた。しかし，この事例では，X社はA社の依頼に基づいて，B社からC社株を取得してこれをA社に譲渡したのであり，ただ，A社の取締役会決議による正式の依頼を受けるよりも前にC社株を取得したにすぎない。5%以上の株式買集めを決定した者は自らの決定によって買集め行為を妨げられることはなく（→**Column 7-12**），買集め者のために買集めの実行行為を行う証券会社の取引も同様である。およそインサイダー取引としての悪性を欠くこのような取引が法人関係情報に基づく証券会社の自己勘定取引として禁止されるという解釈には，疑問がある。

⑶　プレ・ヒアリングの規制

有価証券の募集を予定している発行者のために，金融商品取引業者等が機関投資家等を相手方として需要調査（プレ・ヒアリング）を行うときに，情報の管

68）　金融庁「三菱UFJ証券株式会社に対する行政処分について」。http://www.fsa.go.jp/news/18/syouken/20070131-3.html

理体制を整えずに，相手方投資家等に発行者の法人関係情報を提供する行為が個別に禁止の対象に挙げられている（金商業府令117条1項15号）。プレ・ヒアリングの相手方によるインサイダー取引を防止するためである[69]。情報の管理体制としては，たとえば金融商品取引業者等が自ら調査を行うときは，①当該業者の法令遵守管理部門から，調査対象者，提供する法人関係情報，提供の時期・方法についてあらかじめ承認を受け，②法人関係情報または募集が公表されるまで特定有価証券等の売買等を行わないこと，法人関係情報を他に提供しないことを，あらかじめ調査対象者に約束させ，③調査の責任者，事務担当者，調査対象者，提供した法人関係情報の内容等を記載した書面を作成し5年間保存することが求められる（同号イ）。

3　不公正取引の禁止規定を補完する規制

金融商品取引法157条および158条は，不公正取引を禁止する一般規定として，何人に対しても適用される（→**8章*2*節*1*・*3*節*1***）。これらの規定は，有価証券の売買その他の取引やデリバティブ取引についての詐欺的行為を対象とするところ，金融商品取引業を構成する他の行為（28条8項各号，→**10章*1*節*2*⑵**）であって投資者を相手方とするものについて詐欺的な行為が行われた場合に，適用することができない。そこで，不公正取引の禁止規定を補完する規定が，金融商品取引業者等の行為規制として置かれている。

⑴　投資一任契約等の偽計

金融商品取引法38条の2第1号は，投資運用業，投資助言・代理業を行う金融商品取引業者等が，投資顧問契約，投資一任契約，または投資法人の資産運用契約の締結・解約に関し，偽計を用い，または暴行・脅迫をする行為を禁止する。金商法158条（偽計）に対応する規定であり，平成18年改正時に投資信託・投資法人法から移された条文である。

業者が虚偽の運用報告書を示して資産運用契約の解約を妨げたり，新たな資産運用契約を締結する行為は，本条に該当する。平成24年に発覚したAIJ投資顧問の詐欺事件では，このような偽計が用いられていた。金商法158条違反の罰則（10年以下の懲役・1000万円以下の罰金，法人は7億円以下の罰金）に比べると，違反に対する罰則が3年以下の懲役・300万円以下の罰金，法人は3億円

69）制定の経緯と問題点につき，若林泰伸「増資の際のインサイダー取引と空売りに対する法規制」商事1962号（2012）26頁参照。

以下の罰金（198条の3）と軽い。この相違は，規定の沿革によるものにすぎないので，是正すべきである。

もっとも，投資一任契約や資産運用契約から生ずる権利を2条2項5号6号の集団投資スキーム持分（→**1章5節4**(3)）に当たると解することができれば[70]，投資一任契約や資産運用契約の締結は，有価証券である集団投資スキーム持分の販売と考えられるから，契約の締結・解約に関し偽計が用いられた場合には，同時に，有価証券の売買に関して偽計が用いられたこととなり，158条を適用できることになろう。

(2)　金融商品取引契約の偽計

金商業府令117条1項4号は，金融商品取引業者等またはその役員・使用人が，金融商品取引契約の締結または解約に関し，偽計を用い，または暴行もしくは脅迫をする行為を禁止する。ここにいう金融商品取引契約とは，2条8項各号に掲げる行為を行うことを内容とする契約をいうので（34条，金商業府令1条3項24号），その適用範囲は157条・158条より広いが，罰則による制裁はない。立法論としては，(1)のように罰則を伴う禁止規定とすることも考えられるが，刑法上の詐欺・暴行・脅迫を捉えて処罰の対象とすれば足りよう。

第*7*節　特定投資家と一般投資家

1　区分の目的

投資に関する専門知識のあるプロ投資家とそのような専門知識のない一般投資家とを区分し，プロ投資家向けの販売行為については規制を緩和し，一般投資家向けの販売行為については，商品横断的に規制を整備することは，金融商品取引法制（平成18年改正）の1つの目標であった。いわゆる規制の柔軟化・柔構造化である。

規制の柔構造化を進める趣旨・目的として，金融審議会の報告書は，①プロ投資家と一般投資家の区分により，適切な利用者保護とリスクキャピタルの供給の円滑化を両立させる必要がある，②プロ投資家は，その知識・経験・財産の状況などから保護を必要としておらず，当事者も行政規制による保護を望ん

70)　アメリカにそう解する裁判例があることにつき，黒沼・アメリカ22-23頁を参照。

でいない，③プロ投資家については，行政規制ではなく市場規律に委ねることにより，過剰規制による取引コストを削減し，グローバルな競争環境に置かれているわが国の金融・資本市場における取引の円滑化を促進することができると指摘している[71]。

プロ投資家（法律上の用語は，「特定投資家」）の概念は，現在では，プロ向け市場への参加者の画定（→**6章*4*節*3***）にも用いられている。

2　投資家の分類

投資家は，特定投資家と一般投資家を出口として，選択により移行できる中間層を入れると，①一般投資家に移行できない特定投資家，②一般投資家に移行できる特定投資家，③特定投資家に移行できる一般投資家，④特定投資家に移行できない一般投資家に分類される。法律上は，一般投資家という語は用いられておらず，「特定投資家以外の顧客」と表現されている。

⑴　特定投資家

一般投資家に移行できない特定投資家には，適格機関投資家，国，および日本銀行が該当する（2条31項1号～3号・34条の2第1項）。適格機関投資家とは，有価証券投資に係る専門的知識・経験を有する者として内閣府令で定める者であり（2条3項1号），元々は，私募となる適格機関投資家向け勧誘を定めるための概念である。適格機関投資家の範囲については，**2章*2*節*3*⑴**で述べた。

このカテゴリーに属する特定投資家は一般投資家と同レベルの投資者保護を受けることができない。EUでは，一般投資家に移行できないプロ投資家というカテゴリーは存在しないことから，適格機関投資家にも一般投資家へ移行する道を開くべきだとの批判がある[72]。しかし，適格機関投資家のうち，金融機関のように届出によらずに適格機関投資家になる者は，高度の専門的知識を有しているから格別の保護を必要としないし，事業法人や個人のように多額の投資資産を有するがゆえに適格機関投資家になれる者は，そのために自ら届出をしなければならない。したがって，届出を行った事業法人や個人が一般投資家と同じレベルの投資者保護を受けることができないとしても仕方のないことだ

71）　金融審議会金融分科会第一部会報告「投資サービス法（仮称）に向けて」18頁（平成17年12月22日）。

72）　証券取引法研究会「特定投資家・一般投資家について」（日本証券経済研究所研究記録19号，2007）4頁〔青木浩子報告〕。

といえる[73]。

一般投資家に移行可能な特定投資家は，申し出なければ特定投資家と扱われることから，金融商品取引に関するリスクを的確に管理できると考えられる者が類型的に定められている。これには，①特殊法人・独立行政法人，②投資者保護基金，③預金保険機構，④農水産業協同組合貯金保険機構，⑤保険契約者保護機構，⑥特定目的会社，⑦上場会社，⑧取引の状況等から合理的に判断して資本金の額が５億円以上であると見込まれる株式会社，⑨金融商品取引業者・特例業務届出者である法人，および⑩外国法人が該当する（定義府令23条）。地方公共団体は，当初このカテゴリーに分類されていたが，投資失敗事例が頻発したところから，「特定投資家へ移行可能な一般投資家」（→⑵）に分類が変更された。

⑦は，上場会社であれば，金商法上の内部統制報告制度が適用されること，⑧は，資本金５億円以上の株式会社であれば，会社法上の内部統制システム構築義務が課せられることから，それぞれ一定のリスク管理能力があると見込まれる。５億円の資本金が，取引状況等から合理的に判断して見込まれることで足りるとされたのは，業者が顧客の資本金の額を常時把握することが困難だからである[74]。⑩は，外国に所在する顧客との関係でも当然に金融商品取引法の適用が除外されるとは限らないという解釈を前提として[75]，外国法人であってわが国の金融商品取引業者の顧客となるものは，⑦⑧の内国法人と同様に扱ってよいと判断された。

⑵　一般投資家

特定投資家に移行可能な一般投資家は，申出により特定投資家として扱われても保護に欠けることがないと考えられる者を類型的に定めるものである。これには，①特定投資家以外の法人，②出資総額が３億円以上の組合の業務執行者である個人，③純資産が３億円以上かつ投資資産が３億円以上の個人であって取引開始から１年を経過した者が当たる（34条の３・34条の４，金商業府令62条）。

ここでも証券投資に対する知識ではなく，リスク負担能力が，特定投資家に

73）　証券取引法研究会・前掲注 72）43頁〔前田雅弘発言〕。

74）　松尾直彦ほか「金融商品取引法制の政令・内閣府令等の公表と主な変更点」金法1810号（2007）69頁，金融庁・前掲注 5）128頁 No. 17。

75）　松尾ほか・前掲注 74）69頁。

移行できない一般投資家との区分の基準とされている。ただし，後述（→Column 9-12）のように金融商品取引業者が移行を承諾するにあたっては適合性の原則が適用されると解されており，そこでは財産だけでなく知識や経験も基準となる。

特定投資家に移行できない一般投資家は，金融商品取引法による投資者保護の規定を強行法として適用する必要があると考えられる者であり，上記③以外の個人がこれに当たる（34条の4）。

3　移行の手続

(1)　特定投資家から一般投資家へ

金融商品取引業者は，一般投資家へ移行可能な特定投資家と，金融商品の取引を初めて行う場合，契約締結までの間に，顧客に対し，顧客が一般投資家へ移行できる旨を告知しなければならない（告知義務，34条）。そして，移行可能な特定投資家は，契約の種類ごとに，自己を特定投資家以外の顧客（一般投資家）として取り扱うよう申し出ることができる（34条の2第1項）。このような告知義務および移行の申出は，「契約の種類」ごとに行われ，契約の種類とは，①有価証券関係，②デリバティブ取引関係，③投資顧問契約関係，④投資一任契約関係の4種類である（34条，金商業府令53条）。契約の種類ごとに移行を認めるのは，個々の投資家のリスク管理能力等が取引の種類ごとに異なるからである[76]。①と②ではリスクが異なり，③④は①②と取引の性質が異なり，さらに③④の間でも一任が行われるかどうかという違いがある。契約の種類を4つに限定したのは，あまりに細かく規定すると，移行の手続に要する費用が嵩むし，トラブルの原因にもなるからであろう。

告知義務の違反について罰則はなく，主として行政による監督処分の面で考慮される。告知義務の前提として，金融商品取引業者には，顧客が「移行可能な特定投資家」に当たることを把握する義務があるといえるが，多くの場合，顧客カードの記載事項から判断すれば告知義務の違反はないと考えられる。

特定投資家と最初に取引を開始する際に，金融商品取引業者として，顧客をすべて一般投資家として扱う旨を告知したとしても，34条の告知義務を履行したことにはならない[77]。また，顧客を，その意思に反して一律に一般投資家

76）　澤飯敦ほか「行為規制」商事1777号（2006）22頁。
77）　金融庁・前掲注5）184頁No. 8。

として扱うことは，法適用の柔軟化を図る特定投資家制度の趣旨に反し許容されないと説明されている[78]。しかし，顧客を一律に一般投資家と扱うことを法は禁じておらず，一般投資家として扱われたくない者は他の金融商品取引業者と取引をすればよいのであるから，一律に一般投資家と扱うことが制度の趣旨に反し許されないとは思われない。

一般投資家への移行の申出を受けた金融商品取引業者は，対象契約の勧誘または締結を行うまでに，当該申出を承諾しなければならない（承諾義務，34条の2第2項）。平成21年改正前は，正当な理由があれば，金融商品取引業者は移行の申出を拒絶できたが，同改正により拒絶できないこととされた。しかし，正当理由による移行の拒絶を認めないと，特定投資家向けに特化した金融商品取引業者の事業展開を妨げることになると考えられる。

移行の承諾にあたっては，あらかじめ，承諾日，契約の種類，当該顧客の取扱いについて記載した書面を顧客に交付しなければならない（34条の2第3項，金商業府令55条）。一般投資家に移行した特定投資家は，特定投資家への復帰を申し出るまで一般投資家として扱われる（34条の2第10項）。

(2)　一般投資家から特定投資家へ

一般投資家から特定投資家への移行手続は，一般投資家による申出から始まる。申出を受けた金融商品取引業者は，その者が個人である場合には，特定投資家へ移行可能な一般投資家であることを確認しなければならない（34条の4第2項）。

法人の場合は，必ず移行可能であるから資格の確認手続は不要であるが，承諾を行う場合には，①金融商品取引業者等に対する一定の行為規制が適用されなくなること，②特定投資家として取り扱われることにより顧客の保護に欠けることとなるおそれがあることを当該顧客が理解している旨を記載した書面による同意を，あらかじめ顧客から得なければならない（34条の3第2項，金商業府令59条1項）。個人顧客についても，同様の書面による同意が必要になる（34条の4第2項）。これらの手続に違反した場合には，特定投資家への移行は効力が生じないから，当該顧客について一般投資家としての行為規制が適用されるほか，手続違反行為自体が行政処分の対象となる。

特定投資家へ移行した一般投資家は，申出によっていつでも一般投資家に復

78)　金融庁・前掲注5) 184頁No. 8。

帰することができる（34条の3第9項・34条の4第4項）。

■ Column 9-12　移行の勧誘・承諾と適合性の原則■■

一般投資家から特定投資家への移行を承諾するか否かは金融商品取引業者の任意であるが，相手が個人であれ法人であれ，適合性の原則（40条1号，→*2*節*2*）が適用されると解されている[79]。移行前の一般投資家に対し40条は適用されるが，「移行の承諾」が40条1号の適用対象である「勧誘」に当たるか，疑問がある。金融商品取引業者に勧誘行為がなく，顧客の自発的申出に基づいて手続が進められた場合には，適合性の原則は適用されないように思われる[80]。

これに対し，金融商品取引業者が特定投資家への移行を勧誘する場合には，適合性の原則が適用されると考えられる[81]。特定投資家への移行の勧誘は，特定の商品や取引の勧誘を含んでいると解することが可能であるし[82]，仮にそうでないとしても，特定投資家への移行は，書面交付義務や適合性原則がないという特徴をもった取引を勧誘することに他ならないからである。

特定投資家への移行の勧誘や承諾に適合性原則が適用される場合には，顧客の知識・経験・財産の状況・契約締結の目的に照らして，顧客が特定投資家としての扱いに適合しないと認められる場合には移行を勧誘または承諾してはならないこととなる。特定投資家に対する適用が除外される規制は情報の格差を是正するための規制であるから（→*4*(1)），適合性の判断にあたっては顧客の知識が最も重要となる。ここにいう顧客の知識には理解力も含まれると解すべきであろう。したがって，法人顧客における担当者や個人顧客の理解力が乏しく，商品のリスクを十分理解できないと認められるときは特定投資家への移行を勧誘し，または承諾してはならない。

4　特定投資家に対する特則

特定投資家に対する適用が除外される行為規制は，金融商品取引法45条に列挙されている。

(1)　情報格差の是正を目的とする行為規制

金融商品取引業者に適用される行為規制のうち，情報格差の是正を目的とする行為規制については，特定投資家に対する適用が除外される。金融商品取引業一般に適用される行為規制については，①広告の規制（37条），②取引態様

79)　金融庁・前掲注5) 196頁No. 5。

80)　同旨，証券取引法研究会・前掲注72) 33頁〔青木発言〕。

81)　一問一答273頁，澤飯ほか・前掲注76) 22頁。

82)　証券取引法研究会・前掲注14) 162頁〔龍田節発言〕。

の事前明示義務（37条の2），③契約締結前の書面交付義務（37条の3），④契約締結時の書面交付義務（37条の4），⑤保証金の受領に係る書面交付義務（37条の5），⑥クーリングオフ（37条の6），⑦不招請勧誘の禁止（38条4号），⑧勧誘受諾意思確認義務（38条5号），⑨再勧誘の禁止（38条6号），⑩最良執行書面の交付（40条の2第4項），⑪有価証券の転担保につき顧客の同意を得る義務（43条の4，→**Column 6-13**）が，これに当たる。ただし，⑩に関し，取引後に顧客の求めに応じて最良執行説明書面を交付する義務（40条の2第5項）は免除されない。

また，38条9号による委任を受けた金商業府令117条1項が定める行為規制のうち，⑫契約締結前書面交付時の説明義務（1号），⑬顧客を集めてから勧誘する行為の禁止（8号），⑭あらかじめ勧誘を拒絶した顧客への勧誘の禁止（9号），⑮英語開示に伴う説明義務（25号）等も，特定投資家には適用されない（上記各号参照）。もっとも，⑨⑭は特定投資家との関係でも禁止されるべきであるし，はなはだしい場合には不法行為が成立する可能性があろう。

投資助言業務・投資運用業に関する規制の特則としては，顧客から金銭または有価証券の預託を受けることの禁止（41条の4・42条の5），および顧客に対し金銭または有価証券を貸し付けることの禁止（41条の5・42条の6）が，特定投資家との関係で解除される。これらは情報格差の是正を目的とするものではなく，業者の不正行為から顧客の財産を守るための予防規定である（**→11章*3*節*2*⑸・*4*節*4*⑵⑶**）。これらの禁止を特定投資家に対する関係でのみ解除することは，特定投資家に対してのみ利便性を与えることになるのではないかと危惧される。また，投資運用業に関する運用報告書の作成・交付義務（42条の7）が特定投資家との関係で免除される。

⑵　適合性の原則

適合性の原則（40条1号）を適用除外とすべきか否かについては，金融審議会において議論が分かれていたが[83]，結局，特定投資家に対する関係で適用されないものとされた。しかし，適合性の原則のような一般原則の適用に差を設けると，誠実義務（36条）が特定投資家にも適用されることと整合的でなくなる。また，仮に適合性の原則を特定投資家に適用しても，ある商品を特定投資家に勧誘すること自体が適合性の原則に反する場合はほとんどないと予想され

83）　金融審議会・前掲注71）20頁。

るから，実際上の不都合は生じないと思われる。

特定投資家に対する勧誘行為に適合性の原則が適用されない結果，適合性の原則に反すると認められる勧誘が行われていても，内閣総理大臣は業者に対して業務改善命令等を発することはできない。しかし，民事責任との関係では，適合性の原則に著しく違反する勧誘が不法行為法上違法となるとする判例法（最判平成17・7・14民集59巻6号1323頁，→*2*節*2*）に変更はなく，特定投資家に対する勧誘から金融商品取引業者に不法行為責任が生じることもあると解すべきである。

⑶　金融サービス提供法上の説明義務

特定投資家は，金融サービス提供法の説明義務が除外される「特定顧客」に含まれる（金融サービス4条7項，金販令10条）。

金融サービス提供法上の説明義務が特定投資家に適用されない結果，その義務違反に基づく業者の無過失損害賠償責任規定（6条）および損害額の推定規定（7条）も特定投資家には適用されない。ただし，私法上の説明義務違反による損害賠償責任が生じうることは，もちろんである。

⑷　適用が除外されない行為規制

市場の公正確保をも目的とする行為規制は，特定投資家との関係でも適用される。特定投資家の投資判断を歪める行為が行われると，特定投資家の取引注文が市場の価格形成に寄与することを通じて，市場の価格形成が歪められるおそれがあるからである。また，インサイダー取引の受託禁止や相場操縦に当たる取引の受託禁止のように，特定投資家の投資判断を歪めないものの，市場における不公正な取引を防止するための規制は，その目的を達成するために特定投資家との関係でも適用される必要がある。

これに当たるものには，①虚偽告知の禁止（38条1号），②断定的判断の提供の禁止（38条2号），③信用格付けに係る説明義務（38条3号），④損失補塡の禁止（38条の2・39条）があり，金融サービス提供法上の断定的判断の提供の禁止規定（金融サービス5条）も同法上の特定顧客に対して適用される。38条9号の委任により金商業府令117条1項が定める行為では，⑤虚偽または誤解を生じる表示の禁止（2号），⑥特別利益の提供の禁止（3号），⑦顧客のインサイダー取引受託の禁止（13号），⑧法人関係情報を提供して勧誘する行為の禁止（16号），⑨大量推奨販売の禁止（17号），⑩作為的相場形成取引の受託の禁止（19号）等が適用される。

ただし，個別的にみると疑問もある。特定投資家は専門的知識があるはずであるから，虚偽の事実を告知されても嘘を見破る能力があり，断定的判断を提供されてもたやすくそれを信じることはない。そうだとすると，①②には特定投資家に対して適用を除外すべき理由がある。もっとも，①は罰則をもって禁止しているところから適用を除外することが難しいであろうし，特定投資家が②（断定的判断）を信じなかったことは，民事責任追及の場面で考慮すれば足りるともいえる。また，④（損失補塡）は，一般には市場の価格形成機能を害すると考えられているが，筆者はそうは考えないので（→**8章*4*節*2*(2)**），損失補塡の禁止が市場の公正確保をも目的とするという理由で，④を特定投資家に対して適用することは疑問である。ただし，特定投資家に対する損失補塡を禁止することは，投資家の不平等取扱いを防止し，金融商品取引業に対する投資者の信頼を確保するという意味で正当化できると考えられる。

(5)　特定投資家に与えることのできる特典

金融商品取引業者の書面交付義務などが免除される見返りとして，特定投資家に対してどのような特典を与えることができるかについて，法は規定していない。まず，各種の書面交付や説明義務が免除されるため，特定投資家に係る勧誘費用が節約されるから，その見返りとして，特定投資家と一般投資家との間で手数料体系に差を設けることは，正当化されるであろう。また，アナリストレポート等の無償提供など，一般投資家に対しては与えられない付加的なサービスを特定投資家に対して与えることも許容されるであろう[84)]。

一定の商品について特定投資家に限定して販売することが認められるか。その商品が適格機関投資家向け勧誘により私募発行されたものや，特定投資家向け勧誘により発行されたプロ向け証券であれば，そもそも，適格機関投資家や特定投資家に対してのみ販売することが求められる。これら以外の一定の商品を特定投資家に限定して販売することも，当該商品の仕組みが複雑でリスクが高いため，特定投資家以外の投資家には一般的に適していないと認められる場合には，正当化されると考える[85)]。

これに対して，一般投資家も適合性を有する商品を，特定投資家に優先的に販売することは許されるであろうか。どの商品を誰に販売するかは金融商品取引業者の自由であって，法令に違反しない限り許されると，原則的には考えら

84)　証券取引法研究会・前掲注 14) 157 頁〔梅本報告〕。
85)　同旨，証券取引法研究会・前掲注 72) 25 頁〔前田雅弘発言・永井智亮発言〕。

れる。この考え方によれば，特定投資家への優先販売は，それが特別利益の提供（→(4)）に当たらない限り許されるといえる。しかし，特定投資家制度の趣旨から考えると，知識・経験・財産の状況・投資目的を基準として特別の保護の要否を判断するという考え方とは無関係の基準で，特定投資家と一般投資家とを差別的に扱うことは，金融商品取引業者の誠実義務（36条）違反に該当すると考えるべきではないだろうか。

第8節　外務員制度

1　外務員とは

(1)　沿　革

証券会社の営業所以外の場所で，証券会社のために有価証券の売買の勧誘等の証券業務を行う者のことを，元来，外務員（証券外務員）といった。外務員を用いることは証券会社の営業拡大につながるが，外務員の証券業務は営業所の外で行われ証券会社による監督が及びにくいため，顧客との紛争が絶えなかった。そこで，昭和40（1965）年改正証券取引法は，外務員の登録制を定め，外務員を直接的な監督規制の対象とするとともに，外務員は証券業務について証券会社を代理する権限があるとみなすことにより，実効的な監督と紛争の防止を図ることにした。

平成10年の証券取引法改正により，証券会社は免許制から登録制に移行し，証券会社の営業所の規制も撤廃されたので，外務員の定義規定から「その営業所以外の場所で」という語が削除された。この結果，証券会社の役員・使用人がその営業所で業務を行う場合にも外務員に該当することになった。

また，市場デリバティブ取引を規制する金融先物取引法は外務員制度を設けており，金融商品取引法の外務員制度に合流した。

(2)　外務員の定義

金融商品取引法64条は，金融商品取引業者等の役員または使用人のうち，金融商品取引業者等のために次に掲げる行為を行う者を外務員と定義する。それらの行為とは，①有価証券（2条2項2号各号のみなし有価証券を除く。以下同じ）に係る，イ）売買，売買の媒介・取次ぎ・代理，有価証券等清算取次ぎ，有価証券の売出し，特定投資家向け売付け勧誘等，有価証券の募集・売出しの取扱い，私募・特定投資家向け売付け勧誘等の取扱い，ロ）(1)「売買または売買の媒介・取次ぎ・代理」の申込みの勧誘，(2)「市場デリバティブ取引・外国市場デリバティブ取引またはその媒介・取次ぎ・代理」の申込みの勧誘，(3)「市場デリバティブ取引・外国市場デリバティブ取引」の委託の勧誘，②イ）店頭デリバティブ取引またはその媒介・取次ぎ・代理，有価証券の引受け，私設取引システムによる有価証券の売買またはその媒介・取次ぎ・代理，ロ）「店頭デリバティブ取引またはその媒介，取次ぎ（店頭デリバティブ取引等）」の申込みの勧誘，③政令で定める行為である（64条1項）。③の政令では，(1)市場デリバティブ取引・外国市場デリバティブまたはその媒介・取次ぎ・代理，(2)「市場デリバティブ取引・外国市場デリバティブ取引」の委託の媒介・取次ぎ・代理，(3)「市場デリバティブ取引・外国市場デリバティブ取引」の委託の勧誘が定められている。

これらを見ると，有価証券に係る各種の行為が網羅されているが，それだけでなく，有価証券関連以外の市場デリバティブ取引・外国市場デリバティブ取引に係る行為を行う者も外務員となる（上記③）。したがって，第2種金融商品取引業を行う金融商品取引業者の役員・使用人がみなし有価証券の取得の勧誘を行うときは外務員の登録を要しないが，市場デリバティブ取引を行うときは外務員の登録が必要になる。投資助言・代理業を行う金融商品取引業者の役員・使用人が助言を行うときは，外務員登録は求められない。投資助言業者は顧客と有価証券の売買等をすることができず顧客の資産を預かることもできないので（41条の3・41条の4，**→11章*4*節*4*(1)(2)**），顧客の利益を保護するために外務員登録を求めるまでもないと考えられたからであろう。投資運用業を行う金融商品取引業者の役員・使用人も，同様の理由から外務員とはされていない。

2　外務員の登録制

外務員の定義に該当する役員・使用人がいるときは，それが勧誘員，販売員，外交員その他いかなる名称を有する者であるかを問わず，金融商品取引業者等は，外務員登録原簿に外務員の登録を受けなければならず，登録を受けた者以外に外務員の職務をさせてはならない（64条1項2項）。外務員が歩合制か固定給制かは問わない。外務員の登録義務に違反した金融商品取引業者等には罰則が適用される（201条7号）。

登録の申請に係る外務員が外務員登録を取り消されてから5年を経過しない

など一定の場合には，登録は拒否される（64条の2）。外務員の登録制度は，外務員に不適当な行為があった場合に監督処分の対象とすることによって，投資者の保護を図ろうとするものである。したがって，外務員が法64条1項各号の業務またはこれに付随する業務に関し法令に違反し，あるいは外務員の職務に関して著しく不適当な行為をしたときは，内閣総理大臣は外務員登録の取消し，2年以内の業務停止処分をすることができる（64条の5）。外務員の職務に関し著しく不適当な行為をしたときとは，金融商品取引業協会の規則に違反した場合が考えられる。この処分は金融商品取引業者等を名宛人とするが，外務員に不利益を課すものであるから，外務員も取消訴訟を提起することができる[86]。

内閣総理大臣は，金融商品取引業協会に外務員の登録事務を委任することができる（64条の7第1項）。平成4年の証券取引法改正により証券業協会の自主規制機能が強化されたことに伴い，証券業協会に所属する協会員の外務員に係る登録については，外務員の資格試験制度や研修制度を運営している証券業協会に移管することが適当と考えられたからである。現在，日本証券業協会と金融先物取引業協会が外務員の登録事務を行っている。金融商品取引業協会が委託を受ける登録事務には，登録の取消しや業務の停止といった監督上の処分が含まれている（同項）。金融商品取引業協会が外務員に対して必要な処分を行わないときは，内閣総理大臣は協会に対して処分を行うよう命じることができる（64条の7第7項）。金融商品取引業協会による処分に不服のある金融商品取引業者等は，内閣総理大臣に対し，行政不服審査法による審査請求をすることができる（64条の9）。

■Column 9-13　外務員に対する自主規制■■

外務員の資質の向上は，顧客の金融商品取引業者等に対する信頼を高め，金融商品取引を公正に行わせるために重要な役割を担っている。そこで金融商品取引業協会は，各種の外務員資格試験を実施し，金融商品取引についての知識および経験に関する一定の要件を満たす者のみが外務員としての資格を有すると定めている。金融商品取引業者等は外務員資格を有しない者を外務員として登録することができないが（日証協「協会員の外務員の資格，登録等に関する規則」3条），そのことは登録拒否事由が限定されている外務員登録制度と矛盾するものではない[87]。

86）東京地判平成25・2・19判時2211号26頁。
87）神崎＝志谷＝川口971頁（注5）。

さらに，日本証券業協会では法令または協会規則に違反した協会員の従業員を，審査手続を経た上で不都合行為者と認定し（日証協「協会員の従業員に関する規則」12条），協会員による不都合行為者の再雇用を禁止または5年間制限している（同規則4条）。証券会社の従業員には，多くの得意先を抱える者がおり，証券会社としては，利益を上げるために，多少の法令違反には目をつぶり当該従業員を雇用し続けることも考えられる。日本証券業協会の上記の取組みは，業界の信頼を向上させるものと評価できよう。

3　外務員の代理権

(1)　立法の経緯と趣旨

証券会社の外務員が営業所の外で証券業務を行うとき，外務員は証券会社から代理権を与えられていたものの，その代理権にはなんらかの内部的制限があることが多かった。昭和40（1965）年改正前の証券取引法には外務員の代理権に関する規定がなかったため，外務員の行為について証券会社が契約上の責任を負うか争いが絶えず，外務員が証券会社の業務に関し代理権を有すると解すべきか否かにつき，判例・学説上，さまざまな議論があった。最高裁昭和38年12月3日判決（民集17巻12号1596頁）は，外務員は，特別の事情の存しない限り，営業所の内外において証券業者の使用人として，保護預りや名義書換のために株券の預託を受けるなど株式取引の付随事項について，証券業者から個別的に明示の代理権授与を受けなくても，一般に証券業者を代理する権限を有するものと解するのが相当であると判示した。この最高裁判決は，当時の裁判例の傾向をまとめたものであり，当時の学説の多数はこの判決の見解を支持していた[88)]。

そこで，昭和40年改正証券取引法64条（現行金商法64条の3）は，それまでの判例・多数説の立場を明文化し，「外務員は，その所属する証券会社に代わって，その有価証券の売買その他の取引に関し，一切の裁判外の行為を行う権限を有するものとみなす」としつつ（1項），1項の規定は「相手方が悪意であった場合には適用しない」こととした（2項）。この規定は，証券会社は外務員を利用することによって営業を営んでおり，証券外務活動に関して外務員が証券会社を代理するようなやり方で外務員が使用されてきたこと，および投資者

88）　龍田節「証券取引法と外務員」ジュリ500号（1972）564頁。

保護と証券会社の信用向上につながることから，外務員に代理権ありと信じた顧客との間で外務員がした行為の効果を所属証券会社に帰属させるものである[89)]。これに対し，本条の規定の位置等から，本条は個々の外務員の行為につき，それを証券会社の行為とみなして証券会社に対する行政規制をなす根拠規定であり，外務員の代理権の範囲を規定したものではないとする見解もあるが[90)]，立法経緯を無視しているばかりか文言解釈にも反しており，賛成できない。

⑵　代理権が擬制される範囲

金商法64条の3は，外務員の職務行為である64条1項各号に掲げる行為に関し，外務員が金融商品取引業者等を代理する権限があるとみなしている。このため，金融商品取引業者等は，相手方が悪意であった場合を除いて，外務員に対し代理権を付与していなかった事実を証明して外務員の行為が金融商品取引業者等に帰属することを争うことはできない。本条は法64条1項の外務員に該当する者の行為について適用され，その者が同項の登録を受けているか否かは問われない。

■ Column 9-14　現に行っていない業務と代理権の擬制■■

平成10年改正前の証券取引法64条についての学説は，外務員が所属する証券会社が現実に営んでいない業務については外務員の代理権は擬制されないと解していた[91)]。過去の裁判例には，証券会社が割当てを受けていない公募株をその外務員が勧誘したケースにおいて，代理権の擬制を肯定するもの[92)]と否定するもの[93)]があるが，当該証券会社が一般的に有価証券の募集の取扱いを業務として行っていれば代理権の擬制を肯定することができ，当該公募について当該証券会社に割当てがあったかなかったかは問題とすべきではない[94)]。現行金商法64条の3第1項各号の掲げる行為についても，業務の種類からみて，当該金融商品取引業者等が現に行っていない業務については代理権の擬制は働かないと考えられる。

---

89)　神崎克郎「有価証券外務員──投資者保護と制度の健全性の向上」経済法8号（1965）2頁，小島孝「有価証券外務員」大系363頁。東京地判平成7・2・16判時1550号65頁も一般論として同旨を述べる。

90)　神田監修673頁。

91)　神崎・前掲注89) 4頁，龍田・前掲注88) 566頁，小島・前掲注89) 364頁。

92)　東京地判昭和57・4・27判時1066号140頁。

93)　大阪地判昭和57・11・26金判674号41頁。

94)　並木俊守「判批」金判695号47頁。

■Column 9-15　承認業務・兼業業務・付随業務と代理権の擬制■■

平成10年改正前証券取引法64条は,「有価証券の売買その他の取引」について外務員の権限を認めていた。そこで,外務員の定義を定める「2条8項各号の一に該当する行為,43条但書の承認に係る業務に関する行為」がこれに該当することはもちろん,これらの行為や外務員による有価証券の売買等の勧誘行為に関連して顧客から有価証券や金銭の引渡しを受ける行為も「有価証券の売買その他の取引」に含まれることについて,学説上異論がなかった[95]。ところが,平成10年の改正では「43条但書の承認に係る業務に関する行為」が外務員の定義から除外され,平成18年の改正では「その他の取引」という語が削除された[96]。このような改正の経緯に照らすと,金融商品取引法64条の3第1項の解釈としては,金融商品取引業者の承認業務,兼業業務,および付随業務に係る行為について外務員の代理権は擬制されないと考えられる[97]。ただし,有価証券の売買等やその勧誘行為に関連して顧客から金銭や有価証券の預託を受ける行為については,「64条1項各号に掲げる行為に関し」に該当するので,外務員の代理権が擬制される[98]。

64条1項各号列挙の行為以外については,外務員の代理権は擬制されない。たとえば,利息を付して返済する約束をして顧客から金銭を借り入れる行為には本条は適用されない[99]。もっとも,外務員による金銭の受入れが金融商品取引業者の業務の執行について行われたときは,外務員の不法行為について金融商品取引業者に使用者責任(民715条)が成立する可能性がある[100]。

(3)　悪意の意義

顧客が悪意であった場合には外務員の代理権は擬制されない(64条の3第2項)。ここにいう悪意とは,当該外務員に金融商品取引業者等の代理権が授与されていなかったことを知っていることをいう。悪意に重過失(代理権がないことを知らなかったことについての重過失)を含めるか否かについては,肯定説[101]と否定説[102]とに分かれているが,顧客に代理権の有無についての調査義

95)　神崎・前掲注89)2頁,龍田・前掲注88)566頁,鈴木＝河本370頁。
96)　この結果,「その他の取引」について判示した最判平成15・3・25判時1822号63頁は,判例としての意義を失った。
97)　黒沼・前掲注18)221頁。
98)　川村編510頁〔古山正明〕は本条が類推適用されるとする。
99)　大阪地判昭和43・9・26判タ228号192頁,大阪地判昭和46・5・22判タ271号333頁,最判平成15・3・25判時1822号63頁。
100)　前掲大阪地判昭和43・9・26,前掲大阪地判昭和46・5・22。
101)　高松高判昭和58・4・12判タ498号106頁,大阪高判平成元・3・30判タ701号265

務を課すことは妥当でないから，悪意は重過失の場合を含まないと解すべきである。

外務員が金融商品取引業者等を代理するというよりは，顧客の代理人として行動する場合がある。そのような場合は顧客に本条2項の悪意があると扱って，外務員の行為の結果を証券会社に帰属させないことも考えられるが[103]，外務員に金融商品取引業者等の代理権があっても顧客の代理人として行動することもありうるのであるから，そのような場合は，代理の一般法理により，本人たる顧客にその効果が帰属するといえば足りる[104]。ただし，外務員が安易に顧客の代理人と認められるべきではなく，そう認められるためには，外務員と顧客との間に個人的信頼関係があり，そのような個人的信頼関係のために，外務員が顧客の求めに応じ金融商品取引業者等の使用人たる立場を去って顧客のために行為したと認められるだけの特別事情があることが必要であるとするのが判例の立場である[105]。

頁。

102）　名古屋高判昭和51・12・27判時856号85頁，東京地判昭和57・2・26判タ474号132頁，神崎＝志谷＝川口973頁，川村編510頁〔古山正明〕，近藤＝吉原＝黒沼255頁。

103）　神崎・前掲注89）4頁，前掲東京地判昭和57・2・26。

104）　龍田・前掲注88）567頁。

105）　最判昭和38・12・3民集17巻12号1596頁。

第10章　金融商品取引業の規制

第*1*節　金融商品取引業の登録制度

1　総　　説

金融商品取引法は，金融商品取引に関する広範な行為を金融商品取引業と捉え，登録を受ければこれらの行為をすることができるとする包括的な登録制度を採用している。法律上は，さまざまな業者が金融商品取引業者として規制を受けることになるが，歴史的には，これらの業者は，証券取引法，証券投資信託法，投資顧問業法によって別個に免許制の下で規制されてきた。ここでは，金融商品取引業の主な担い手として，証券会社，投資信託委託会社，および投資顧問業者を取り上げ，これらの業者に対する規制が免許制から登録制へ移行してきた様子を概観する。

⑴　証 券 会 社

①　**登録制から免許制へ**　　昭和23（1948）年制定の証券取引法は，アメリカの1934年証券取引所法に倣って証券業の登録制を採用していた。登録制の下では，要件を満たす者はすべて登録を受けることができるため，多数の証券会社が登録を受けた。ところが，昭和30年代後半（1960年代前半）に株価が下落傾向に転じ証券不況が到来すると，証券会社の財務体質が悪化し，登録を取り消されたり廃業したりする会社が続出し，そのなかには，投資者保護に反す

るような不当・違法な行為を行っていた会社もあった。

そこで，昭和40年の証券取引法改正では，開業段階での不適格者の排除，過当競争の防止，行政監督権限の円滑な行使を目的として，証券業を登録制から免許制に変更した。証券会社の免許は，①自己売買業務，②委託売買業務，③引受業務，④売捌業務の4つの業務ごとに与えられるものであり（平成10年改正前証取28条），これらの業務を併営することもできた。また，このときの改正で証券会社の監督規制が証券取引法に盛り込まれ，わが国の証券取引法は業法のウェイトを高めることになった。証券会社の役員・使用人の行為規制（→**9章**），証券会社の財務規制（→***4*** **節**），監督是正命令などの監督規制（→***6*** **節**）は昭和40年改正で導入されたものである。また，証券会社には，証券業以外の業務を営むことができないという専業義務が課せられ，例外的に，証券業に関連する業務については，大蔵大臣の個別の承認を受けて営むことができるとされていた。証券業について専業制を採用したのは，証券会社と顧客の利益相反の事前防止や専業による証券業の質の向上を図るためであった[1]。

免許制の下において，証券業の4種類の免許は，(a)業務を健全に遂行するに足りる財産的基礎を有すること（財産的基礎），(b)業務を公正かつ適確に遂行することができる知識と経験のある人的構成を有すること（人的構成），および(c)申請に係る証券業がその地域の状況に照らし必要かつ適当であること（地域的合理性）の3つの基準に照らして付与された。もっとも，昭和40年改正法の施行後，免許制の下，証券業への参入は実質的にはほとんどなかった[2]。

②　免許制から登録制へ　　いわゆる金融ビッグバン（金融・証券取引制度の抜本的改革）を目指した証券取引法の平成10年改正は，証券業における自由な競争を促進する観点から，できるだけ自由な参入を保障する仕組みを採用することとし，証券業を免許制から原則として登録制に再び移行させた。ただし，店頭デリバティブ取引および元引受業務については，業務の専門性に配慮して，認可制を採用した。認可制も免許制も，講学上の許可制（ある行為や業務を行うことを一般的に禁止した上で，特定の要件を満たす場合または満たす者に限ってその禁止を解除する制度）に相当するものである。

1）　証券取引審議会総合部会「市場仲介者ワーキング・パーティー報告書」3(4)（平成9年5月16日）。

2）　証券取引法研究会「金融ビッグ・バン――証券市場の抜本的改革」インベストメント51巻2号（1998）39頁〔神崎克郎報告〕。

平成10年改正は，証券業の専業制を廃止し，証券会社による投資顧問業，投資一任業，投資信託委託業などの資産運用サービスを届出制の下に認めるとともに，それ以外の業務についても，内閣総理大臣の承認を受ければ営むことができるようにした。これは，一方において，証券会社が多用なサービスを組み合わせて提供できるようにするためであり，他方において，他の業態からの証券業への参入を容易にするためである。

⑵　投資信託委託会社

昭和26（1951）年制定の証券投資信託法は，投資信託（→11章*1*節*1*）の委託会社について登録制を採用していたが，昭和28（1953）年の改正により免許制へ移行した。不適格者を排除するとともに，証券市場の状況を勘案して新規参入を認めることができるようにするためである[3)]。

わが国の証券投資信託制度は，当初，証券会社が投資信託委託会社を兼営する形で始まったが，証券投資信託が証券会社の利益のために証券投資信託の受益者の犠牲において運営される危険があることから，昭和34（1959）年から昭和36（1961）年にかけて，委託会社の証券会社からの分離独立が図られた[4)]。

平成10年改正の際に，委託会社の免許制は認可制にその名称が改められたが，証券業の登録制への移行と異なり，実質的な変更は行われなかった[5)]。投資信託委託業の専門性に配慮したものである[6)]。投資信託委託会社についても専業制が採られており，平成10年改正により兼業の範囲が拡大されたものの，内閣総理大臣の承認を受けて営むことのできる他業が投資信託委託業に関連するものに限定されていた点で，なお専業制が維持されていたといえる。

⑶　投資顧問業者

昭和61年制定の投資顧問業の規制等に関する法律（投資顧問業法）は，投資助言業務のみを行う業者と，投資一任業務をも行う業者とで異なる開業規制を設けた。投資助言業務では，業者は顧客に助言を与えるが，それに基づいて取引をするかどうかは顧客が判断する。そこで，投資助言業務のみを行う投資顧

3)　小田寛＝三輪力＝角政也『改正証券取引法・証券投資信託法解説』（港出版合作社，1954）213頁。
4)　神崎105頁。
5)　証券取引法研究会「金融システム改革法について(3)」インベストメント51巻6号（1998）42頁〔黒沼悦郎報告〕。
6)　証券取引審議会総合部会「証券市場の総合的改革」Ⅳ3(5)②（平成9年6月13日），証券取引法研究会・前掲注2）40頁〔神崎克郎報告〕。

問業者については，悪質な業者を排除できる最低限度の開業規制が適当であるとの判断から，登録制を採用した。これに対し，投資一任業務では，契約上，顧客から業者に一定の裁量が与えられ，業者自身が顧客のために投資決定を行うことになる。そこで，顧客の保護と証券市場への影響を考慮して，投資一任業務を行うには，投資顧問業者としての登録のほか投資一任業の認可が必要とされた。

投資顧問業法では，投資助言業務のみを行う投資顧問業者については，兼業の規制を置かなかったが，投資一任業を行う認可投資顧問業者については専業義務を課していた。同法の平成10年改正により，認可投資顧問業者の兼業の範囲は拡大されたものの，内閣総理大臣の承認を受けて営むことのできる他業は投資顧問業および投資一任業務に関連する業務に限定されていた。最後の点については，顧客の便宜を図るという趣旨を重視すれば疑問であり[7]，平成15年の改正により「関連する」という承認業務の範囲の限定が廃止された。

2　登録が必要な行為

(1)　業 の 意 義

金融商品取引法は，2条8項に列挙する行為を行うことを金融商品取引業と定義し，金融商品取引業を行うには内閣総理大臣の登録を受けなければならないとする（29条）。平成18年改正による金融商品取引業の定義は，それ以前の証券業，金融先物取引業，抵当証券業，商品投資販売業，投資顧問業，投資一任業，投資信託委託業，投資法人資産運用業などを含む包括的なものとなっている。

金融商品取引業の登録を受けずに2条8項列挙の行為を業として行うと，5年以下の懲役もしくは500万円以下の罰金に処せられ，またはこれらが併科される（197条の2第10号の4）。ここに「業として行う」とは，反復継続して行う意思をもって行うことをいい，反復継続の意思があれば第1回目の行為から金融商品取引業の登録が必要になると解されている。もっとも，後述（→(2)）のように列挙された行為ごとの検討が必要だろう。

平成18年改正は，「営業として行う」を「業として行う」に変更したので，営利性（営利の目的）は要件とされなくなった。手数料等を得る目的がなくて

7)　神崎克郎＝志谷匡史＝川口恭弘『証券取引法』（青林書院，2006）428頁（注8）。

も，反復継続すれば業に当たりうる。業の定義から営利性を削除したのは，①無登録業者による詐欺的な金融商品の販売行為が営業に該当するか否か明らかでない[8]，②自己募集・自己私募（→(2)⑦）を金融商品取引業として規制するため，③金融機関による有価証券関連業の禁止との関係で，営利目的をもって事業を行うことが禁止されている金融機関にも規制が及ぶことを明確にするため[9]，といった説明がされている。主な理由は②であろう。

(2)　個別列挙行為

金融商品取引業の登録を要する行為は次の①～⑱である（2条8項）。ただし，①～⑱に該当する行為であっても，政令で定めるもの（施行令1条の8の6，→(3)），銀行その他の金融機関が行う一定の行為は，業として行っても金融商品取引業を構成しない（2条8項柱書）。後者は，金融機関が本体で行うことを禁止される行為（33条1項）を列挙するものであり，それらの禁止行為については，金融機関が金融商品取引業の登録を受けて行うことも許されない（登録を受けることができない）旨を明らかにするものである。

①　有価証券の売買・市場デリバティブ取引・外国市場デリバティブ取引（1号）　自己の計算で，有価証券の売買，市場デリバティブ取引（2条21項，→**1章*6*節*1***），外国市場デリバティブ取引（2条23項），を行うことをいい，金融商品取引業者の自己売買（ディーリング）業務がその典型である。

自己の計算で行う取引をなぜ業規制の対象とするのかは，必ずしも明らかでない。金融商品取引業者は有価証券の売買やデリバティブ取引を公正かつ円滑に行わせる市場の仲介者として，他人の計算により有価証券の売買やデリバティブ取引を行うことを本来の業務としているので，自己売買業務を仲介業務よりも優先させる行為を防止するために，業者の自己売買業務を規制の対象とする必要がある。しかし，その者は仲介行為を業として行うことにより登録が必要となるので，自己売買を理由に登録を求めるまでもないであろう。

■ Column 10-1　対公衆性の要件■■

事業会社や個人が自己の計算で行う有価証券の売買やデリバティブ取引（自己売買等）は，2条8項1号に当たらないと解されてきた。その説明の仕方として第1に，証券業（金融商品取引業）に該当するには，不特定多数の者を相手方とするこ

---

8)　金融審議会金融分科会第一部会「中間整理」8頁（平成17年7月7日）。
9)　尾崎輝宏＝中西健太郎「業規制・登録金融機関制度等」松尾・解説44頁。

と（対公衆性）が必要であり，事業会社や個人の自己売買等は対公衆性に欠けると理解するものがある[10]。平成18年改正金融商品取引法も，金融商品取引業の要件に対公衆性が含まれることを前提とし[11]，事業会社や個人の自己売買等を金融商品取引業の適用除外取引に指定していない。この見解に対しては，対公衆性がないことを不特定多数を相手方としないことと広く捉えることは適当でなく，対公衆性の要件を欠くか否かについては慎重な検討が必要であるとする指摘があり[12]，また，私募の取扱いのように対公衆性のない行為も金融商品取引業とされているとの批判がなされている[13]。第2に，事業会社や個人による自己売買等は「投資目的」で行うものであるから金融商品取引業に該当しないと説明する見解がある[14]。事業会社が自己のポートフォリオを改善するために行う売買は金融商品取引業に当たらないとする見解も，投資目的を理由とするものと思われるが，自己のポートフォリオ改善目的の売買は「対公衆性」に欠けると説明するものもあり[15]，混乱を生じている。投資目的を基準とする見解に対しては，委託売買業務を行う金融商品取引業者による自己売買業務のように，投資目的で行われる場合であっても規制対象とすべき場合があることは否定できないし，デリバティブ取引をリスクヘッジ目的で行う場合に投資目的があるのかといったあいまいさを否定できない[16]。

対公衆性を要件とする見解は，事業会社や個人が市場外で不特定多数との間で取引を行うときにも対公衆性がないと考えているが，それは，取引の相手方を保護する必要がないからであろう。自己のポートフォリオを改善するために行う売買が金融商品取引業に当たらないのも，それが投資目的で行われるからではなく，相手方を保護する必要がないからであろう[17]。このように対公衆性の要件も投資目的の（除外）要件も相手方の要保護性の要件に置き換えることができる。もっとも，相手方が保護を必要としているか否かは取引類型ごとに判断しなければならない上，直接の取引相手方以外の者の保護を目的としている規制も存在するから，結局，金融商品取引「業」に該当するか否かは，取引類型ごとに規制の必要性を検討して判断せざるを得ないと考えられる。

10）小田ほか・前掲注3）66頁，河本一郎＝大武泰南『金融商品取引法読本〔第2版〕』（有斐閣，2011）200頁。

11）一問一答217頁。

12）松尾直彦「金融商品取引法における業規制」ジュリ1368号（2008）15頁。

13）加藤貴仁「金融商品取引業」河本一郎＝龍田節編『金融商品取引法の理論と実務』（別冊金融・商事判例，2007）60頁（注11）。

14）神崎＝志谷＝川口・前掲注7）395頁（注5）。

15）一問一答217頁，松尾321-322頁。

16）黒沼悦郎「金融商品取引業者の業規制と行為規制」金融商品取引法研究会編『金融商品取引法制の現代的課題』（日本証券経済研究所，2010）215頁。

17）黒沼・前掲注16）216頁。

②　①の取引の媒介・取次ぎ・代理（2号）　他人間の有価証券の売買または市場デリバティブ取引を仲介する行為をいい，金融商品取引業者の行う受託売買（ブローカレッジ）業務がその典型である。有価証券の売買を例にとると，媒介とは，他人間の有価証券の売買が成立するように尽力する事実行為をいう。企業買収を成立させるような大口の株式の取引を仲介する行為も有価証券の売買の媒介に当たるから，金融商品取引業の登録が必要になる。ただし，有価証券の売買の媒介を伴わない企業買収（事業譲渡や組織再編行為）の仲介は金融商品取引業の付随業務と位置づけられており（35条1項11号，→***3*** 節 ***1***(2)），これらを業として行っても金融商品取引業の登録は要らない。

取次ぎとは，自己の名義で，他人の計算で（経済的効果を他人に帰属させる形で）有価証券の売買を行うことである（商502条11号参照）。金融商品取引業者が顧客の売買注文を金融商品市場に出すときは，取次ぎの形式がとられ，金融商品取引業者は業として取次ぎを行うことにより，商法上の問屋（商551条）となる。これに対して売買の代理とは，他人の名義で，かつ他人の計算で有価証券の売買をすることをいう。

媒介・取次ぎ・代理を業として行う者がいることによって，有価証券の売買やデリバティブ取引の円滑な執行が可能になる。そこで法は，これらの仲介行為を適切に規制して取引の公正で円滑な執行と取引の注文をした投資者の保護を図るために，これらの行為を金融商品取引業を構成する行為としたのである。

③　取引所金融商品市場・外国金融商品市場における有価証券の売買取引・デリバティブ取引の委託の媒介・取次ぎ・代理（3号）　金融商品取引所の会員・取引参加者（→**6章** ***1*** **節** ***2***(1)）となっていない者が，顧客の注文を会員・取引参加者である金融商品取引業者に，媒介，取次ぎ，または代理の形式で仲介する行為をいう。これらの行為も，有価証券の売買やデリバティブ取引を円滑に執行するために必要な行為であり，同時に委託者である投資者を保護する必要があることから，金融商品取引業の登録を要することとされた。したがって，投資者の注文を取りまとめて金融商品取引業者に売買注文を出す行為は，金融商品取引業の登録がなければすることができない。

また，取引所金融商品市場に類似する市場で外国に所在するもの（外国金融商品市場）における取引の公正・円滑を図ることは金融商品取引法の目的ではないが，その取引委託に際して投資者の利益が害されないよう保護する必要があることから，外国金融商品市場へ取引をつなぐ行為を業規制の対象としている。

④　**店頭デリバティブ取引またはその媒介・取次ぎ・代理（4号）**　①と同じ理由から店頭デリバティブ取引（2条22項，→**1章*6*節*1***）が，②と同じ理由から店頭デリバティブ取引の仲介行為が，金融商品取引業を構成する行為とされている。自己の計算で行う店頭デリバティブ取引については，①で述べたのと同じ問題がある。

⑤　**有価証券等清算取次ぎ（5号）**　金融商品取引清算機関（2条29項，→**Column 6-9**）の参加者でない金融商品取引業者の行った有価証券等の取引について，金融商品取引清算機関を通じた決済を可能にするために，当該金融商品取引業者が同機関の清算参加者を代理して有価証券等の取引を成立させる行為をいう（2条27項）。清算取次ぎを行う者は投資者と取引関係に立たないが，取引の円滑な執行のために不可欠の行為であるところから業規制の対象とされた。

⑥　**有価証券の引受け（6号）**　有価証券の募集（2条3項，→**2章*2*節*1***），売出し（2条4項，→**2章*2*節*2***），私募（2条3項，→**2章*2*節*3***），または特定投資家向け売付け勧誘等（2条6項，→**2章*2*節*3*(3)**）に際して，(a)他に取得させる目的をもって当該有価証券の全部または一部を取得する行為（2条6項1号），(b)他にこれを取得する者がいない場合にその残部を取得する行為（同項2号），および(c)ライツ・オファリングのコミットメント行為（同項3号，→**Column 2-2**）をいう。(a)(b)(c)には，発行者または売出人から直接有価証券を買い取り，または残部を取得する契約を締結する元引受行為（28条7項）と，そのような元引受業者から一定の有価証券を買い取り，または元引受業者と残部取得の契約を締結する下引受行為とが，含まれる。引受けを行う者は2条6項の「引受人」となる。

有価証券の新規発行や分売に際して，その売残りリスクを負担しつつ消化を請け負う行為は，発行者と発行市場をつなぐ重要な行為であり，有価証券の発行を円滑かつ公正に行わせるために規制する必要がある。そこで，引受人は投資者と取引関係に立たない場合もあるが，業規制の対象とされている。

⑦　**投資信託・集団投資スキームの自己募集・自己私募（7号）**　投資信託や集団投資スキーム（→**1章*5*節*4*(3)**）の募集や私募においては，投資信託の関係者や集団投資スキームの関係者が投資者に対する勧誘を行うことがある。そのような場合にも関係者に行為規制を適用するために，平成18年改正金融商

品取引法は，一定の有価証券の自己募集・自己私募を業規制の対象とした。

本号にいう募集・私募とは，発行者自らが勧誘を行う自己募集・自己私募を意味する。投資信託では委託者が，集団投資スキームが組合形式をとるときは組合の業務執行者が，それぞれ発行者とみなされるから（2条5項，定義府令14条参照，→**2章 *3* 節 *1*** ⑴），これらの者の勧誘行為は自己募集・自己私募に当たる。一定の有価証券とは，委託者指図型投資信託受益証券（有価証券が発行されないものも含む，2条8項7号イロ，→**11章 *1* 節 *2*** ⑴），抵当証券（同号ハニ），これらのみなし有価証券（同号ホ），集団投資スキーム持分（同号ヘ），政令で定める有価証券（同号ト，施行令1条の9の2）であり，外国で組成された同様の証券・権利もこれに含まれる。自己募集・自己私募の対象をこのように限定したのは，委託者指図型投資信託や集団投資スキームは投資手段として広く用いられている上，商品組成と販売が一体として行われることが多く，投資者を保護する必要性が高いこと，および，もし事業会社による株式や社債の自己募集・私募まで業規制の対象とすると，事業会社による資金調達の道を著しく狭めてしまうことを考慮したものである。

自己募集・自己私募を「業として行う」といえるためには，たとえばA組合の持分の募集を行う者が，A組合の持分の募集を複数回行う意思を有しているか，他の組合の持分の募集をも行う意思を有していることを要し，どちらの意思もない場合には，その者は金融商品取引業の登録を要しないと解すべきであろう。

⑧　有価証券の売出し（8号）　既発行証券の分売に際して買付けの勧誘を行うことをいう（2条4項参照）。既発行証券の所有者（売出人）が行う勧誘行為は，開示規制を発動させる売出しに該当する場合がある（2条4項，→**2章 *2* 節 *2***）。しかし，発行者の行う募集という勧誘行為は，原則として業規制の対象にならないのであるから（例外は2条8項7号，→⑦），売出人の行う売出しという勧誘行為も金融商品取引業を構成しないというべきである。業規制としての売出しの概念から，証券所有者による勧誘行為を除外すると，「売出し」と「売出しの取扱い」（2条8項9号，→⑨）の定義が一致することになる。平成10年改正前証券取引法では，「売出し」は売出しに際して引受けを行うことと解されていたが[18]，同年改正により，従来の「有価証券の売出し」は「有価証券

18）　鈴木＝河本245頁，神崎331頁。

の引受け」に含まれることとなり，これを証券業とする本号は意義を失った。本号に該当する典型例としては，金融商品取引業者が海外で発行された有価証券を買い取って国内で放出する場合が挙げられているが[19]，以上の本書の整理によれば，このような海外発行証券の売出しは，「有価証券の引受け」か「有価証券の売買」のいずれかに当たることとなる。

⑨　有価証券の募集の取扱い・売出しの取扱い，私募の取扱い等（9号）
有価証券の募集・売出しの取扱いとは，有価証券の募集（2条3項）または売出し（2条4項）が行われる際に，発行者または証券所有者（売出人）のために勧誘行為を行うことである。募集・売出しの取扱いは企業による資金調達を成功させるために不可欠の行為であるが，勧誘者が業者としての成績を上げるために過剰な勧誘を行い投資者の利益を損なうこともありうるので，法は募集・売出しの取扱いを業規制の対象とした。

私募の取扱いは，有価証券の私募の仲介行為であり，私募の相手方を見つけ出して発行者の元へ連れて行く行為を意味する。私募の相手方は投資者としての保護を必要としていないことが多いから（→**2章*2*節*3*(1)**），私募の取扱いを業規制の対象としないことも考えられる。沿革的には，私募の取扱いは証券業に該当しないと考えられてきたが，これに投資者保護のための不公正取引禁止規定を適用するために，平成4年の改正により証券業に含めることとし，同時に，金融機関も私募の取扱い業務を従前通り行うことができるよう手当てをした（33条2項4号イ，銀行10条2項6号等参照）。なお，売出しに該当しない既発行証券の買付けの勧誘や私募により発行された有価証券の転売の仲介は，有価証券の売買の媒介（2条8項2号）として金融商品取引業を構成する。

⑩　私設取引システムの運営（10号）　私設取引システム（→**6章*3*節*2***）を金融商品取引業として規制するための規定である。

⑪　投資顧問契約を締結し，有価証券の価値等，または金融商品の価値等の分析に基づく投資判断について助言をする行為（11号）　投資顧問契約に基づいて行われる投資助言を業規制の対象とするものであり，平成18年改正前投資顧問業法上の投資助言業に該当する行為である。投資助言を行うことは，本来，自由な行為であるが，投資者の投資判断を歪め投資者に不測の損害を及ぼすこともありうるので，法は一定の投資助言を業規制の対象にしている。

19）　河本＝関編45頁。

第*2*節　開 業 規 制

1　業務の分類

(1)　総　　説

金融商品取引業の内容は，その取扱商品や業務内容によって第1種金融商品取引業，第2種金融商品取引業，投資運用業，投資助言・代理業の4つに分類される（28条）。この分類は，4つの業種に応じて登録要件や兼業規制に差を設けるためのものである（特例につき→*5*節）。これらの業種に当たる行為は，金融商品取引業を構成する2条8項の行為を再分類して定められている。それぞれの行為を業として行おうとする者は，業務の種別を示して内閣総理大臣に登録を申請し（29条の2），業に応じた要件を満たしている場合に金融商品取引業の登録が認められる。業務の種別を新たに追加するには変更登録の手続が必要であり（31条4項），その際，新たな業務に応じた登録審査が行われる。

このような業務の分類をしたのは，業務の内容によって業者の財産的基礎等を確保する必要性の程度が異なることを考慮して，業規制の柔軟化を図るためである。概括的にいうと，第1種金融商品取引業および投資運用業の参入要件は厳しく兼業の範囲も制限されているが，第2種金融商品取引業および投資助言・代理業の参入要件は緩やかで兼業も自由である。

(2)　第1種金融商品取引業

次の行為のいずれかを業として行う者は，第1種金融商品取引業の登録要件を満たさなければならない（28条1項，括弧内は同項の号数）。

①　有価証券（2条2項各号のみなし有価証券を除く）の売買，売買の媒介・取次ぎ・代理，取引所金融商品市場・外国金融商品市場における同有価証券の売買の委託の媒介・取次ぎ・代理，有価証券等清算取次ぎ，売出し，募集・売出しの取扱い，私募の取扱い等（1号）

②　商品関連市場デリバティブ取引の媒介・取次ぎ・代理，取引所金融商品市場・外国金融商品市場における取引の委託の媒介・取次ぎ・代理，有価証券等清算取次ぎ（2号の2）

③　店頭デリバティブ取引，その媒介・取次ぎ・代理，店頭デリバティブ取引の清算取次ぎ（2号）

④　有価証券の元引受け，元引受け以外の引受け（下引受け）（3号）

⑤　私設取引システムの運営（4号）

⑥　2条8項1号から10号までの行為に関し顧客から金銭または有価証券の預託を受ける行為（5号）

⑦　社債・株式等の振替業務（5号）

これらは，従来，証券会社の本業と位置づけられてきた業務に，②⑥⑦（⑥⑦を有価証券等管理業務という〔28条5項〕）を加えたものである。②は，金融商品取引所で行う商品先物取引の仲介行為を第1種金融商品取引業とするもの（→**6章*4*節*5***），④の「有価証券の元引受け」とは，有価証券の引受け（2条8項6号，→***1*節*2*(2)⑥**）のうち，発行者または売出しをする者から直接に有価証券を取得し，これらの者との間で残額引受契約を締結し，またはライツ・オファリングのコミットメント（→**2章*1*節*1*(4)**）行為をすることをいう（28条7項）。⑤を行うには，登録のほか認可を受けなければならない（30条）。

(3)　第2種金融商品取引業

次の行為のいずれかを業として行う者は，第2種金融商品取引業の登録要件を満たさなければならない（28条2項，括弧内は同項の号数）。

①　投資信託・集団投資スキーム等の自己募集・自己私募（1号）

②　2条2項各号のみなし有価証券の売買，売買の媒介・取次ぎ・代理，取引所金融商品市場・外国金融商品市場におけるみなし有価証券の売買の委託の媒介・取次ぎ・代理，みなし有価証券の清算取次ぎ，売出し，募集・売出しの取扱い，私募の取扱い等（2号）

③　市場デリバティブ取引，市場デリバティブ取引の媒介・取次ぎ・代理，取引所金融商品市場・外国金融商品市場における市場デリバティブ取引の委託の媒介・取次ぎ・代理（いずれも有価証券に関連するものを除く）（3号）

④　政令で定める行為（4号）

①が第2種金融商品取引業とされたのは，発行者自らが勧誘を行う自己募集・自己私募では，発行者を仲介業者とみてこれに高度の財産要件を課す必要はないと考えられたからである。②は，流通性の低い商品のみを販売・勧誘し，有価証券の預託を受けないことから，やはり高度の財産要件を課す必要はないと考えられた[22)]。しかし，流通性の低い商品だからといって投資者保護の必要性が低いとはいえない。また，販売・勧誘に際し顧客から金銭の預託を受ける

22)　金融審議会・前掲注8）12頁。

場合には，第1種金融商品取引業の要件を満たす必要がある（→(2)⑥）ことに注意を要する。③が第2種金融商品取引業とされたのは，金融商品市場における取引は規格化されており，投資者保護の仕組みが整えられているからであろう。しかし，外国金融商品市場における市場デリバティブ取引は日本法の規制対象でなく，投資者保護の仕組みが整えられているとは限らないから，外国金融商品市場における市場デリバティブ取引の受託を第2種金融商品取引業としたことには疑問が残る。また，同じ市場取引のうちで，有価証券の取引の受託（第1種金融商品取引業）とデリバティブ取引の受託（第2種金融商品取引業）とで区別をする理由はないし，同じ市場デリバティブ取引のうちで，有価証券に関するもの（第1種金融商品取引業）と有価証券に関しないもの（第2種金融商品取引業）とで区別をする理由もないように思われる。

(4)　投資助言・代理業

次の行為のいずれかを業として行う者は，投資助言・代理業の登録要件を満たさなければならない（28条3項，括弧内は同項の号数）。

①　投資顧問契約を締結して，有価証券の価値等，または金融商品の価値等の分析に基づく投資判断について助言をする行為（1号）

②　投資顧問契約または投資一任契約の締結の代理または媒介（2号）

これらの行為の意義については，***1*** **節** ***2*** (2)⑪⑬で説明した。①を業とするのが投資助言業であり，②を業とするのが投資助言代理業である。

(5)　投資運用業

有価証券またはデリバティブ取引に対する投資として，次の行為のいずれかを業として行う者は，投資運用業の登録要件を満たさなければならない（28条4項，括弧内は同項の号数）。

①　投資法人との契約に基づき，投資法人の財産を運用する行為（1号）

②　投資信託の受益権の保有者から拠出を受けた金銭等を運用する行為（2号）

③　投資一任契約に基づき，顧客の財産を運用する行為（1号）

④　集団投資スキーム持分の保有者から拠出を受けた金銭等を運用する行為（3号）

⑤　信託の受益権の保有者から拠出を受けた金銭等を運用する行為（3号）

①は投資法人の運用会社（→**11章** ***2*** **節** ***1***）の行為，②は投資信託の委託会社（→**11章** ***1*** **節** ***2*** (1)）の行為である。投資法人や投資信託の財産を有価証券または

デリバティブ取引以外の対象に投資して運用する場合には，上記の定義に当てはまらない。そこで，これらの行為に金融商品取引法を適用するため，投資信託・投資法人法上，運用会社・委託会社が有価証券またはデリバティブ取引以外への投資として運用する行為を①②に該当するとみなすことにしている（投信223条の3第2項3項）。

③の投資一任契約の意義については，*1*節*2*⑵⑫で述べた。投資一任契約に基づく運用行為は，従来，投資顧問業法により規制されていたが，専門家が投資者の委託を受けてその財産を運用する点で，投資信託の委託会社や投資法人の運用会社による運用行為と変わりがないので，ともに投資運用業という業種に包括して横断的な規制を及ぼすことにした。

④⑤は，いわゆる自己運用行為である（→*1*節*2*⑵⑮）。④の組合型ファンドについては，従来，業務執行組合員が，ファンドの運営者となり他の組合員から投資判断を一任されて組合財産の運用を行っている場合には，投資顧問業法上の投資一任業の認可を要すると解されていたが，金融商品取引法はその解釈を明文化した。ただし，出資者の全員が投資判断に関与している組合型ファンドの持分は，集団投資スキーム持分の定義に該当しないため（2条2項5号イ），その運用も投資運用業とならない。また，主として有価証券またはデリバティブ取引に対する投資以外の投資を行う「事業型ファンド」は，投資運用業に該当せず，登録を要しない。⑤について，信託会社の行う運用行為のうち信託業法により規制されているものは，金融商品取引法の業規制や行為規制の適用が除外される（65条の5第5項）。

2　登録手続

⑴　登録の申請

金融商品取引業の登録を受けようとする者は，業務の種別を明らかにして内閣総理大臣に登録を申請する（29条の2第1項）。業務の種別とは，第1種金融商品取引業，第2種金融商品取引業，投資助言・代理業，投資運用業の別，および第1種金融商品取引業においては，28条1項列挙の個々の行為の別をいい（同項5号），複数の業務についての登録を申請することもできる。登録制の下では，所定の登録拒否事由（29条の4第1項）に該当する場合を除いて，内閣総理大臣は登録を拒否してはならない（29条の3）。したがって，金融商品取引業の登録要件は，登録拒否事由によって裏側から定められることになる。

⑵　一般的な登録拒否事由

金融商品取引業の一般的な登録拒否事由として，申請者が，①金融商品取引業の登録を取り消されてから5年を経過しない場合（取消しに係る通知後取消処分前に廃業した場合を含む），②金融商品取引法その他の投資関連の法律またはこれらに相当する外国の法令の規定に違反し，罰金刑に処せられ，その刑の執行を終わってから，または刑の執行を受けることがなくなった日（典型は執行猶予期間が経過した日）から5年を経過していない場合，③他に行う事業が公益に反すると認められる場合，④金融商品取引業を適確に遂行するに足りる人的構成を有しない場合，⑤金融商品取引業を適確に遂行するのに必要な体制が整備されていない場合，または⑥申請者の役員・使用人もしくは自然人である申請者が一定の欠格事由に該当する場合には，登録を受けることができない（29条の4第1項1号）。

①②は，不適格者が金融商品取引業に参入することを防止するためである。③は，兼業を広く認める（ただし，***3*** **節** ***1*** ⑴も参照）条件として，公益に反しないことを求めるものである。④も，不適格業者が金融商品取引業に参入することを防止するための要件であり，登録後もこれを継続的に満たすことが求められる（52条1項1号・52条の2第1項1号，**→*6*** **節** ***1***）。人的構成の要件は，証券業が免許制であった時代から審査の対象とされていた要件であり，行政当局による実質的な判断が加えられる余地が残されている[23)]。審査基準を明確にするために，内閣府令では，業務に関する十分な知識・経験を有する役員・使用人の確保の状況，役員・使用人のうちに業務運営に不適切な資質を有する者がいるか否かといった一般的な基準のほか，業務の内容に応じた個別の登録拒否事由を定めている（金商業府令13条）。なお，平成18年改正当時は，投資助言・代理業について④が登録拒否事由とされていなかった。これは，言論の自由への配慮から，金融商品取引法が投資助言の質を確保する法制になっていないためであった。しかし，投資助言・代理業の登録を受けた者が登録外の業務を行う事例が頻出したことから，平成23年改正により，投資助言・代理業についても④が登録拒否事由とされた。⑥も，業務にあたる個人の欠格事由を定めることにより，業務を適確に遂行できる人材の確保を求めるものであり，政令および内閣府令では，対象となる使用人の範囲を定めている（施行令15条の4，

---

23)　神崎＝志谷＝川口638頁。

金商業府令6条)。⑤は，クラウドファンディングの仲介業者に対して発行者やその事業計画を審査するための措置等を講じることを義務づける観点から，平成26年改正により導入された[24]。

(3) 業種別の登録拒否事由

以上の一般的な登録要件に加え，申請者は，業務の種別に応じて次の要件を満たすことが求められる。第1種金融商品取引業，第2種金融商品取引業，および投資運用業（個人を除く）については，①資本金の額または出資総額が一定額以上であること，②国内に事業所・営業所を有し，外国法人については国内の代表者を定めていること，③金融商品取引業協会に加入するか，社内規則を定めその遵守体制を整備していること（29条の4第1項4号）。第1種金融商品取引業および投資運用業については，④申請者が一定の形態の法人であること，⑤純資産額が一定額以上であること，⑥他に行っている事業（付随業務・兼業業務に該当するもの以外に限る）に係る損失の危険の管理が困難でないこと，および⑦主要株主が一定の欠格事由に該当しないこと（29条の4第1項5号）が必要である。第1種金融商品取引業については，さらに，⑧自己資本規制比率が120% 以上であること，および⑨他の第1種金融商品取引業を行う業者と誤認されるおそれのある商号でないこと（同項6号）が必要である。

これらの拒否事由のうち，②は外国証券業者に関する法律（外証法）を引き継ぐとともに，MRI事件（→***6*** 節 ***1***）を教訓として第2種金融商品取引業にも適用範囲を拡大したものである。③も，MRI事件を契機として，自主規制ルールを考慮した社内規則に基づく規制の適用範囲を第2種金融商品取引業に拡大するとともに（平成26年改正前56条の4参照），これを登録拒否事由として定めることによって金融商品取引業への参入段階から内閣総理大臣のチェックを及ぼせるようにしたものである[25]。

④では，内国法人については，取締役会・監査役を置く株式会社であるか監査等委員会設置会社または指名委員会等設置会社であること，外国法人については，取締役会設置会社と同種の法人であることが求められる（29条の4第1項5号イ）。第1種金融商品取引業および投資運用業は，一般投資家との接点が多く公共性の高い事業を行うことから，事業主体がコーポレートガバナンス体制の整った法人であることを要件とするものである（適格投資家向け投資運用業

24）逐条解説2014年107頁。
25）逐条解説2014年111頁。

の例外につき，→11章3節3(2))。いいかえると，第2種金融商品取引業や投資助言・代理業は，株式会社以外の法人や個人でも営むことができる。

⑥の要件は，第1種金融商品取引業および投資運用業では財務の健全性を確保する必要があること（→4節2(1)）から，他に行っている事業のリスクが上記の業務に波及するのを防止するために置かれている。⑨は証券取引法から引き継いだ規定である。平成18年改正前証券取引法の下で証券業の登録を受けた者，および第1種金融商品取引業を行う金融商品取引業者であって有価証券関連業（28条8項，→8節2(1)）を行う者は，商号中に「証券会社」の語を使用することができるので（証取法等改正附則25条），証券会社の語を含む商号は第1種金融商品取引業を行う業者と誤認されるおそれのある商号と解される。①⑤⑧については財務規制（→4節）で，⑦については業務規制（→3節）で説明する。

以上のように，金融商品取引法では，どの業務の種別にも適用される登録拒否要件のほかに，業務の種別に応じた登録拒否要件を定め，参入規制の柔軟化を図っている。なお，クラウドファンディングの仲介業者の登録要件については，5節で説明する。

(4)　登録簿への記載等

内閣総理大臣が金融商品取引業者の登録を認める場合には，申請者にその旨を通知し（57条3項），金融商品取引業者登録簿に，申請に係る一定の事項，および登録年月日・登録番号を記載して公開する（29条の3）。登録を拒否する場合には，登録申請者に通知して内閣府の職員に審問を行わせなければならず（57条1項），登録拒否の結果を申請者に通知する（同条3項）。

登録が認められると，その者（金融商品取引業者）は申請した種別の業務を行うことができるが，私設取引システム（2条8項10号，→6章3節2）を運営するには，登録のほかに認可を受けなければならない（30条）。平成18年改正前は，有価証券店頭デリバティブ取引に係る業務，有価証券の元引受業務も認可の対象とされていたが，規制緩和が図られた。私設取引システムの運営は，免許を要する金融商品市場の開設（80条1項）に類似するところから，認可制が維持された。

金融商品取引業者が，業務の種別を変更したり新たな種別の業務を追加して行うには，変更登録を受けなければならない（31条4項）。変更登録の手続においては，金融商品取引業者が登録拒否事由に該当していないかが，改めて審査される（同条5項）。

第3節　業務規制

1　兼業の規制

(1)　第2種金融商品取引業および投資助言・代理業

金融商品取引業のうち，第2種金融商品取引業と投資助言・代理業については兼業の規制がない。つまり，第2種金融商品取引業または投資助言・代理業のみを行う金融商品取引業者は，内閣総理大臣に対して届出をしたり承認を受けたりすることなしに，他の業務をすることができる（35条の2第1項）。投資助言業に兼業規制がないのは，投資顧問業法の規定を受け継いだものであり（**→*1*節*1*(3)**），投資助言代理業についても格別の兼業制限は必要ないと考えられた。第2種金融商品取引業は，みなし有価証券や市場デリバティブ取引に関する売買業務であるところ，金融商品取引業者がこれらの行為を顧客の財産を預かることなく行う場合には，他業のリスクを反映させて業者の財務の健全性をチェックする必要がないために兼業規制が設けられなかった。顧客の財産を預かる場合には，第1種金融商品取引業としての登録を受け，その規制に服することになる（2条8項16号，**→*2*節*1*(2)**）。

(2)　第1種金融商品取引業および投資運用業

金融商品取引業のうち，第1種金融商品取引業と投資運用業については，次のような3段階の兼業規制が設けられている。

①　**付随業務**　　35条1項各号に列挙された業務，およびその他の付随業務については，届出・承認なしに行うことができる。具体的には，有価証券の貸借・その仲介（1号），信用取引に付随する貸付け（2号），保護預り有価証券を担保とする貸付け（3号），有価証券に関する顧客の代理（4号），投資信託の収益金・解約金の支払等の業務の代理（5号），投資法人の配当・払戻金の支払等の業務の代理（6号），累積投資契約（投資者が少額の資金で単元株を買い付けるための金融商品取引業者・投資者間の契約）の締結（7号），有価証券に関連する情報提供・助言（2条8項11号に該当するものを除く）（8号），他の金融商品取引業者または登録金融機関（以上を「金融商品取引業者等」という）の業務の代理（9号），投資法人の資産の保管（10号，**→11章*2*節*3*(1)**），M＆Aの相談業務（11

号)，経営相談（12号)，デリバティブ取引の原資産の売買・その仲介（13号)，譲渡性預金その他金銭債権の売買・その仲介（14号)，および投資運用業における一定の資産への投資による運用（15号）が，付随業務として列挙されている。

付随業務の範囲は，平成18年改正により拡大されており，上記の10号から13号が新たに加えられた。他方，証券会社の付随業務とされていた有価証券の保護預かりや社債株式等の振替業務は，それだけで第1種金融商品取引業の登録を要する本業と整理された（2条8項16号17号，→***2*** 節 ***1*** ⑵)。なお，35条1項各号の列挙は例示であり，これらに該当しなくても「金融商品取引業に付随する業務」であれば，届出・承認なしに行うことができる。2条8項各号の金融商品取引業および35条2項の届出業務以外の業務のうち，なにが「金融商品取引業に付随する業務」に当たるかは，金融商品取引業に関連した業務であるか，金融商品取引業を行う上で必要な業務であるか，という観点から判断されるべきである。

② **届出業務**　届出業務は，金融商品取引業者が内閣総理大臣に届け出ることにより行うことのできる業務をいう（35条2項)。具体的には，商品先物取引に係る業務（1号)，商品相場に基づく差金取引・オプション取引（2号)，貸金業（3号)，宅地建物取引業（4号)，不動産特定共同事業（5号)，商品ファンド運用業（5号の2)，投資運用業における有価証券またはデリバティブ取引以外に対する運用財産の運用（6号，付随業務に該当するものを除く)，および内閣府令で定める業務（7号）が，届出を要するものとして列挙されている。内閣府令では，個別の業務を列挙した上で，法令に個別列挙された業務に附帯する業務にも届出を求めている（金商業府令68条)。「附帯する」の解釈にもよるが，個別列挙された届出業務以外に附帯業務の届出をも求めることは疑問である。平成18年改正前までに届出業務に分類されていた投資顧問業，投資一任業務，投資信託委託業，投資法人資産運用業，金融先物取引業，有価証券関連以外のデリバティブ取引，商品ファンド販売業などは，平成18年改正により金融商品取引業の本業とされたため，届出業務からは削除され，投資法人の資産保管業務は付随業務とされた。

これらの業務に届出を求める理由は，兼業のリスクを考慮して当該業者の金融商品取引業の健全性を内閣総理大臣がチェックできるようにするためである。これらの業務について金融商品取引業者は，兼業の届出をするほか，それぞれの業務を規制する法律に基づく認可・登録等があれば，それを受けることが求められ，認可・登録後もそれぞれの法律による規制を受けることになる（35条7項参照）。

③　**承認業務**　付随業務または届出業務以外の業務については，内閣総理大臣の承認を受けて行うことができる（35条4項）。承認を受けて行うことのできる業務の範囲に，法律上の制限はない。内閣総理大臣は，承認が申請された業務を行うことが公益に反すると認められるとき，または損失の危険の管理が困難であるために投資者保護に支障が生じると認められるときに限り，承認を拒否することができる（同条5項）。この場合，反公益性の有無は業務の性質から判断されるであろうが，リスク管理が困難な業務であっても適切な管理体制を敷けば投資者保護に支障が生じないこともあるから，投資者保護の支障の有無は金融商品取引業者ごとに判断されることになろう。

⑶　2以上の業務を行う場合の禁止行為

金融商品取引業者は登録を受けた複数の業務を行うことができるので，投資運用業から得た情報を利用して第1種金融商品取引業を行うなど，一方の業務の顧客の利益を図るために他方の業務の顧客の利益を害する行為がなされるおそれがある。そこで金融商品取引法は，複数の業務の間の利益相反行為を禁止している。

金融商品取引業者が2以上の業務を行う場合には，業者またはその役員・使用人は，次の行為をしてはならない（44条，金商業府令147条）。①投資助言業務・投資運用業に関する情報を利用して，有価証券の売買その他の取引の委託等を勧誘する行為。②投資助言業務・投資運用業以外の業務による利益を図るために，不適切な助言や不必要な運用を行うこと。③投資助言業務・投資運用業に係る有価証券の売買その他の取引等を結了させ，または反対売買を行わせるために，その旨を説明することなく，他の顧客に対して有価証券の売買その他の取引等を勧誘する行為。④投資助言業務・投資運用業に関して，有価証券の発行者または他の業務に係る顧客に関する非公開情報に基づいて，助言・運用を行うこと（発行者等の同意を得ている場合を除く）。⑤有価証券の引受けに係る主幹事会社が，有価証券の募集等の条件に影響を及ぼすために，投資助言業務・投資運用業に関し作為的な相場を形成することを目的とした助言・運用を行うこと。⑥有価証券の引受け等を行っている金融商品取引業者が，顧客による有価証券の取得の申込みの額が予定額に達しないと見込まれるときに，投資助言業務・投資運用業に関し当該有価証券を買い付ける内容の助言・運用を行うこと。

以上の①～⑥は，いずれも投資助言業のうちの投資助言業務または投資運用業と，第1種金融商品取引業との間の利益相反行為を禁止するものであり，①②⑤⑥は第1種金融商品取引業の利益を図る行為，③は投資助言業務・投資運用業の利益を図る行為，④は発行者や顧客情報の非公開情報の無断利用である。①の例としては，投資運用業において大量に買付けを行う予定の有価証券を，それと知って第1種金融商品取引業の顧客に勧める行為が，③の例としては，投資助言業務に関し顧客に購入させた有価証券の売却を可能にするために，第1種金融商品取引業の顧客に当該有価証券の購入を勧誘する行為が考えられる。⑤⑥は，有価証券の募集や売出しに際して，売残り有価証券を減らし引受業務を成功させるために，不当な助言・運用を行うことを禁止するものである。①～③および⑤は，投資助言業務・投資運用業と第1種金融商品取引業との間に業務隔壁を設けることにより，「利用して」とか「利益を図るために」といった要件を満たさなくするようにできるから，比較的容易に防止することができる。もっとも，⑤は，有価証券の募集等の条件に影響を及ぼす目的がなくても禁止されるべきであるし，⑥の禁止は，申込みの額が予定額に達しないと見込まれることを金融商品取引業者が認識していた場合に限られると解すべきであろう。なお，④については***8*節*4*(6)**で説明する。

これらの禁止行為の違反について罰則は用意されておらず，金融商品取引業者およびその役員・使用人（外務員登録をしている場合）が行政処分の対象となるにとどまる。

■Column 10-3　列挙されていない利益相反行為■■

2以上の業務から生ずる不適切な行為は，上記①～⑥に限られない。たとえば，投資助言業務にはデリバティブ取引の助言業務も含まれるから，投資助言業務と第2種金融商品取引業との間で①③に類する利益相反行為を想定することができるし，投資助言業務と投資運用業務との間の利益相反行為も考えられる。金融商品取引法令の定める禁止行為は，それまで証券取引法や投資顧問業法に置かれていた禁止規定を集めたものにすぎないため，禁止されるべき利益相反行為が網羅されていないのである。他方で，禁止されるべき利益相反行為をすべて法令に列挙することも現実的でない。それでは，列挙されていない利益相反行為を行った金融商品取引業者やその役員・使用人は行政処分を受けないのであろうか。第1種金融商品取引業者には利益相反管理体制の整備義務が課されるため（36条2項，→*2*），第1種金融商品取引業者が整備義務に違反した結果として利益相反行為が行われた場合には，行政処分の対象になる。さらに一般的にいえば，利益相反行為は，金融商品取引業を構成する業務のうち，ある業の顧客の利益を害する行為であるから，その行為は金融商品取引業者またはその役員・使用人の顧客に対する誠実義務（36条1項）に違反すると考えられるから，内閣総理大臣は36条1項違反を理由として行政処分を課すこともできるだろう。

(4)　届出業務・承認業務を行う場合の禁止行為

金融商品取引業者が届出業務や承認業務を行う場合に，それらの業務の利益を上げるために金融商品取引業の顧客の利益を害するおそれのある行為を行う可能性がある。そこで金融商品取引法は次の行為を具体的に禁止している（44条の2第1項，金商業府令149条）。

①信用取引以外の方法で信用を供与することを条件として有価証券の売買の受託等をする行為。②届出業務・承認業務による利益を図るために，投資助言業務に関して不適切な助言を行い，または投資運用業に関し不必要な運用を行うこと。③資金の貸付け・手形の割引の仲介または信用取引以外の方法で信用を供与することを条件として，金融商品取引契約の締結またはその勧誘をする行為。④有価証券の発行者である顧客の非公開融資等情報の授受。

①は，たとえば貸金業を兼業する金融商品取引業者が，有価証券の売買を受託する条件として顧客に自社からの借入れを求める行為であり，利益相反行為の禁止というよりも，借入金による有価証券投資の危険から顧客を保護することを目的としている。②は，届出業務・承認業務と投資助言業務・投資運用業の利益相反行為を一般的に禁止するもの，③は，①の禁止を金融商品取引契約の締結・勧誘一般に拡大するものである。④については ***8*** **節** ***4***(6)で説明する。利益相反行為が金融商品取引業の利益を図り届出業務・承認業務の顧客の利益を害する性質のものである場合は，届出業務・承認業務に適用される法令に禁止規定が置かれるため，金融商品取引法上の手当はされていない。

届出業務・承認業務は多様であるから，禁止されるべき利益相反行為をすべて法令に列挙することは現実的でない。届出業務・承認業務との間の利益相反行為についても，**Column 10-3** で述べたことが当てはまる。

以上の禁止行為の違反について罰則は用意されておらず，金融商品取引業者およびその役員・使用人（外務員登録をしている場合）が行政処分の対象となるにとどまる。

2　体制整備義務

金融商品取引業者は，業務を適確に遂行するための必要な体制を整備しなければならない（29条の4第1項1号へ，→***2*** 節 ***2***⑵）。これを受けて，具体的には金融商品取引法40条2号に基づく金商業府令123条が，金融商品取引業の業務運営上の体制整備義務を定めている。

まず，金融商品取引業者が共通して整備すべき体制の主なものとして，①法人関係情報の管理，②顧客情報の管理，③電子情報処理組織の管理，④同一建物で営業を行う金融機関との間の誤認防止措置，⑤インターネットを通じて業務を行う場合の誤認防止措置が列挙されている。これらのうち②については，金融商品取引業者等が取得した個人顧客の財産に関する非公開情報を，事前に顧客の書面による同意を得ることなく，委託先の登録金融機関や金融商品取引仲介業者に提供する行為などが禁止の対象とされている（金商業府令123条1項18号・19号・24号）。つまり，顧客の非公開情報の授受については体制整備義務というより，一定の禁止行為が置かれており，その適用対象はかなり狭いことがわかる。

つぎに，第1種金融商品取引業を行う金融商品取引業者に適用される体制整備義務の対象事項として，⑥元引受けを行う場合の審査，⑦作為的相場形成取引（→**9** 章 ***6*** 節 ***1***⑵）を防止するための売買管理があり，第1種または第2種金融商品取引業を行う業者に適用されるものとして，⑦一任勘定取引（→**Column 6-6**）の売買管理，⑧委託先の金融商品仲介業者の法令遵守体制などがある。なお，投資助言業・投資運用業に限って適用される体制整備事項が金商業府令123条に定められていないのは，投資助言業・投資運用業については個別の行為規制を詳しく定めたためであろう（→***1***⑶）。

さらに，第1種金融商品取引業を行う金融商品取引業者のうち有価証券関連業を行う者は，利益相反管理体制を整備すべき義務を負う（36条2項）。この規定は，グループで金融業を行う金融コングロマリットを念頭に平成20年の改正で設けられたものであるが，グループ企業を持たない金融商品取引業者も適用対象とされている。このため，同条が適用される金融商品取引業者は，利益相反行為の禁止を目的とする個別規定（→***1***⑵⑶）に該当しない行為についても，利益相反防止の観点から管理を行うことが求められることになる。利益相反管理体制の整備義務については，***8*** 節 ***4***(5)で説明する。

3　主要株主規制

(1)　趣　旨

主要株主規制とは，金融商品取引業者本体だけでなく，その株主についても適格性の維持を求めることによって，金融商品取引業者の業務の健全性を確保し，金融商品取引業への信頼性を高めることを目的とする規制である。金融機関のうち，銀行や保険会社については平成13年より主要株主規制が導入されていた。証券会社の主要株主規制は，平成15年の証券取引法改正により，証券会社，証券投資信託委託会社，および認可投資顧問業者について導入され[26]，金融商品取引法では，第1種金融商品取引業または投資運用業を行う金融商品取引業者に引き継がれている。

もっとも，銀行は大衆から預金を集めることができるから，大株主はその影響力を行使して預金を自らの事業資金に転用する危険があるのに対し，金融商品取引法は顧客資産の分別管理を命じているので（→***4*** 節 ***3***(2)），金融商品取引業者に預託された有価証券や資金の流用を，大株主が影響力を行使して行う危険性は低い[27]。金融商品取引業者の主要株主規制は，法令遵守のために必要な最低限の資質を確保する観点から行われ[28]，その内容も銀行の主要株主規制よりも緩やかなものになっている[29]。

(2)　参入時の規制

第1種金融商品取引業または投資運用業を行う金融商品取引業者の登録審査において，申請者の主要株主が欠格事由に該当するときは，登録が拒否される(29条の4第1項5号ニ～ヘ)。ここに主要株主とは，申請者である会社の議決権の20%以上，会社の財務・業務の方針の決定に重要な影響を与えると推測される事実があるときは15%以上の議決権を保有している者をいう（同条2項，金商業府令15条)。主要株主の要件である議決権の計算は，保有目的，親族関

26)　金融審議会第一部会報告「証券市場の改革促進」8頁（平成14年12月16日)。

27)　神崎＝志谷＝川口696頁。

28)　金融審議会第一部会「市場仲介者のあり方に関するワーキング・グループ報告」II（平成14年12月16日)。

29)　両者の比較につき，証券取引法研究会「平成15年の証券取引法等の改正（4）――証券会社・証券取引所の株主規制」『平成15年の証券取引法等の改正』（別冊商事275号，2004）58-59頁〔川口恭弘報告〕を参照。

係，株式の所有関係を考慮して実質的に行われ（金商業府令16条），申請者が持株会社の子会社であるときは，持株会社の株主が主要株主規制の対象となる（29条の4第1項5号ニ参照）。

そして，主要株主が個人であるときは，申請者の役員についての欠格事由と同様の事由が欠格事由とされ，主要株主が内国法人であるときは，主要株主およびその役員について，申請者およびその役員についての欠格事由と同様の事由が欠格事由とされる（29条の4第1項5号ニホ）。主要株主が外国法人であるときは，主要株主が金融商品取引業の健全かつ適切な運営に支障を及ぼすおそれがない者であることについて外国の金融商品取引規制当局による確認が得られていないことが欠格事由となる（同号ヘ）。

⑶　登録後の規制

登録後も金融商品取引業者が適格性のない主要株主に支配されることのないよう，規制が加えられている。

第1種金融商品取引業または投資運用業を行う金融商品取引業者の主要株主になった者は，議決権の保有割合，保有の目的等を記載した届出書を内閣総理大臣に提出しなければならず，その際⑵で述べた登録拒否事由に該当しないことを誓約する書面を添付しなければならない（32条）。金融商品取引業者を子会社とする持株会社の株主も同様である（32条の4）。

届出後に主要株主が登録拒否事由に該当することとなった場合，内閣総理大臣は主要株主に対し3か月以内の期間を定めて，主要株主でなくなるための措置その他必要な措置をとることを命じることができる（32条の2）。典型的には，株式の売却を命じることが考えられる。登録拒否事由への該当性を調査することができるように，内閣総理大臣には主要株主に対する報告徴取・検査権が付与されている（56条の2第2項）。

第*4*節　財務規制

1　総　　説

金融商品取引業者との取引から生じる投資者の債権の弁済の最終的な引き当てになるのは，金融商品取引業者の財産である。金融商品取引業者と取引を行う債権者の利益を保護するには，まず，金融商品取引業者にその財務の状況を開示させ，投資者が取引相手の選択を自らの責任で決定できるようにすることが必要であろう。そこで，金融機関のディスクロージャー（銀行 21 条等）に倣って，金融商品取引業者にも開示規制が設けられている。

金融商品取引業者は事業年度ごとに事業報告を内閣総理大臣に提出しなければならない（46 条の 3・47 条の 2)。事業報告は，直接的には行政監督の資料とするために作成・提出されるものである。第 1 種金融商品取引業を行う金融商品取引業者は，事業報告とは別に，事業年度ごとに，業務および財務の状況に関する事項を記載した説明書類（いわゆるディスクロージャー誌）を作成し，すべての営業所・事務所に備え置き，公衆の縦覧に供しなければならない（46 条の 4)。説明書類は，投資者が金融商品取引の相手方または仲介者を選択する資料とするために作成・公表されるものである。ただし，説明書類の記載内容では十分でない場合があるため，内閣総理大臣は，事業報告についても公告を命じることができるとされている（46 条の 3 第 3 項)。

第 1 種金融商品取引業を行わない金融商品取引業者は，事業報告を説明書類として公開する（47 条の 3，金商業府令 183 条 2 項)。このように第 1 種金融商品取引業を行う業者とそれ以外の業者とで，説明書類の作成・公開義務に差を設けているのは，第 1 種金融商品取引業は一般投資家を相手方として取引することが多いからである。

金融商品取引業者の財務の状況の開示は，当該業者と取引を行う投資者に，取引相手選択の結果を負担させる必要条件であるが，十分条件であるとはいえない。そこで，金融商品取引法は，*2* 以下に述べるような，金融商品取引業者の財務状況について一定の水準を要求する一般的な規制から，投資者との間の個別の取引ごとに顧客資産の保護を図る個別的な規制まで，さまざまなレベルの財務規制を金融商品取引業者に課している。

2　一般的財務規制

(1)　資本金・純資産額の規制，営業保証金の供託

金融商品取引業者の最低限の財産的基礎を確保するための規制である。

第 1 種金融商品取引業または投資運用業の登録を受けることができるのは法人（内国法人にあっては株式会社）に限られるが，当該法人・会社には業務の種別に応じた一定の資本金および純資産が備わっていなければならない（29 条の 4 第 1 項 4 号イ・5 号ロ)。その額は，有価証券の元引受けを行う者のうち幹事会

社となる者（28条1項3号イ）が30億円，幹事会社以外の元引受けを行う者（同号ロ）が5億円，これら以外の第1種金融商品取引業または投資運用業を行う者（同号ハ）が5000万円である（施行令15条の7第1項）。

第1種金融商品取引業や投資運用業では顧客の資産を預かって取引を行うため，求められる最低限の財産的基礎の水準が，第2種金融商品取引業や投資助言・代理業よりも高く設定されている。また，第1種金融商品取引業のうち有価証券の引受行為は特にリスクが高いので，リスクの緩衝材（バッファー）とするため，より多額の純資産を有することが求められる。純資産額だけでなく資本金の額に最低限度を要求しているのは，そうしないと資産がたやすく株主に分配されてしまうからである。もっとも，元引受けを行う幹事会社が他の種別の第1種金融商品取引業の登録も受けている場合であっても，最低資本金・純資産額は30億円を超えることはなく，元引受けを行わない第1種金融商品取引業が投資運用業を兼業しても，最低資本金・純資産額は5000万円である。

純資産額・資本金の要件は登録後も維持しなければならず，資本金の額を変更し，または純資産が減少して要件を満たさなくなった場合には，登録の取消しを含む監督上の処分の対象となる（52条1項2号3号）。

第2種金融商品取引業を行う者は，法人の場合，1000万円の資本金および純資産額の維持が求められる（施行令15条の7第1項）。個人については，一定の資産の保持を義務づけても個人財産との区別が困難で実効性を期待できないので，代わりに，法人の場合と同額の営業保証金を供託所へ供託させることにしている（31条の2）。投資助言・代理業を行う金融商品取引業者については，法人についても資本金・純資産の額の規制は適用されず，法人・個人を問わず営業保証金制度が適用される（31条の2第1項）。その額は，投資助言・代理業のみを行う場合には500万円である（施行令15条の12）。

営業保証金を供託させる目的は，①零細な者を金融商品取引業から排除すること，②金融商品取引業者の財産的基礎を一般的に確保すること，および③投資者の債権の弁済を個別に確保することにある。③の点について見ると，金融商品取引業者と投資顧問契約を締結した者，金融商品取引業者の代理・媒介により投資顧問契約または投資一任契約を締結した者，および金融商品取引業者による有価証券の売買またはその媒介・取次ぎ・代理により有価証券の売買契約を締結した投資者は，これらの契約により生じた債権に関し，営業保証金について他の債権者に先立って弁済を受けることができる（31条の2第6項）。具体的には，投資者から営業保証金に関する権利の実行の申立てを受けた金融庁長官が，公示によって他の投資者による権利の申出を募り，権利の存否・額についての調査を行い，配当表を作成して，配当を実施する（施行令15条の14）。このように，投資者は金融庁長官が実施する手続により債権の弁済を受けることができ，裁判手続を要しない点に，営業保証金の供託制度の利点がある。

Column 10-4　保護される債権者および債権の範囲

営業保証金から優先弁済を受けることができる投資者は，投資顧問契約，投資一任契約，または有価証券の売買契約を締結した者に限られる（31条の2第6項）。営業保証金制度が適用される第2種金融商品取引業者は市場デリバティブ取引も行うが，市場デリバティブ取引関連業務の顧客となった投資者は，営業保証金から弁済を受けることができない。これは沿革的な理由によるものであり，立法論としては営業保証金制度の対象とすべきであろう。

投資者が営業保証金から優先弁済を受けることができる債権は，上記の契約により生じた取引上の債権である。したがって，有価証券の売買契約が無効となったことから投資者が金融商品取引業者に対して取得する不当利得返還請求権や，投資者が金融商品取引業者に対して有する不法行為に基づく損害賠償請求権などは，営業保証金から優先弁済を受けることができないと解される。第2種金融商品取引業や投資助言・代理業を行う金融商品取引業者は，顧客から金銭や有価証券の預託を受けることができないので（2条8項16号参照），もし，違法に顧客資産の預託を受けた場合に顧客が業者に対して有する債権が保護の対象にならないのでは，投資者の保護に著しく欠ける。立法論としては，優先弁済を受けることができる債権の範囲も見直すべきであろう。

(2)　自己資本比率規制

金融商品取引法は，第1種金融商品取引業者の財務の健全性を監視するための指標として，自己資本規制比率を設定している。自己資本規制比率を用いた規制を自己資本比率規制という。第1種金融商品取引業者は，自己資本規制比率を算定し，毎月，内閣総理大臣に届け出なければならず（46条の6第1項），自己資本規制比率が120％を下回ることのないように業務を行わなければならない（同条2項）。

ここにいう自己資本規制比率とは，資本金，準備金等の合計額から固定資産等の合計額を控除した額（固定化されていない自己資本）の，保有する有価証券の価格の変動その他の理由により発生しうるリスクに対応する額（リスク相当額）に対する比率をいう（46条の6第1項，金商業府令176条・177条）。リスク相当額は，保有する有価証券の価格変動等から生ずる市場リスク相当額，取引先の債務不履行等から生ずる取引先リスク相当額，日常的な業務執行上発生しうる基礎的リスク相当額に分類され，それぞれ金融庁長官が定める方法により算出される（金商業府令178条）。つまり，自己資本規制比率とは，第1種金融商品取引業から生ずるリスクに対して，業者が緩衝材（バッファー）としてどれだけの資産を有しているかを示す比率といえる。自己資本比率規制は，金融商品取引業者に，将来生じうる損失に対応できる自己資本を維持させるとともに，自己資本規制比率を財務状況悪化の早期警戒指標として用いようという規制である。

自己資本規制比率の悪化に応じて，内閣総理大臣は次のような措置をとることができる（53条）。①自己資本規制比率が120％を下回った場合には，業務方法の変更，財産の供託，その他監督上必要な事項を命ずることができ，②同比率が100％を下回った場合には，3か月以内の業務の全部または一部の停止を命ずることができる。③②の業務停止命令後3か月を経過しても同比率が100％を下回っており，回復の見込みがないときは，金融商品取引業者の登録を取り消すことができる。金融商品取引業者の財務状況が悪化し①ないし③に該当する場合には，業者側に違反行為や非難されるべき点がなくても，投資者の財産を守るために行政処分が発動される点に，自己資本比率規制の特徴がある。もっとも，行政処分を下したからといって業者の財務状況がよくなるとは限らないのは，いうまでもない。

自己資本比率規制は，第1種金融商品取引業者に対してのみ適用される。第1種業においては，業者がリスクの高い有価証券を自己勘定で保有することが多く，しかも一般の投資家を相手として，その財産を預かって取引することも多いため，厳格，かつ，リスクに対応した柔軟な財務規制を適用する必要があるからである。

(3)　連結財務規制

2008年秋以降の世界的な金融危機では，証券会社や保険会社などの非銀行部門の金融機関の経営が破綻したことが，他の金融機関の経営困難を引き起こした。そこで，金融システム上重要な非銀行部門の金融機関を，個々の金融機関の財務上の健全性（ミクロ健全性）の観点だけでなく，金融システム全体への深刻な影響を排除するというマクロ健全性の観点から規制し監督する仕組みが，欧米でも日本でもとられた。わが国では，平成22年改正による証券会社（第1種金融商品取引業者）の連結規制・監督，および保険会社の連結財務規制がこれに当たる。

従来の自己資本比率規制は，第1種金融商品取引業者単体を対象とする（→(2)）。これに対して，第1種金融商品取引業者が大規模で複雑な業務をグループ一体として行っている場合に，当該業者がグループ内の親会社・子会社・兄弟会社からもたらされる財務・業務上の問題によって突然の破綻に至り，金融システムへ悪影響を及ぼすことがありうるので，第1種金融商品取引業者からみて子会社側（川下）と親会社側（川上）の双方について，連結の財務および業務規制を課すことにした[30]。

まず，一定規模以上の総資産を有する第1種金融商品取引業者については，当該第1種業者とその子会社を対象とする連結の規制・監督が行われる。これを川下連結という。当該第1種業者を頂点とする企業グループに対して連結自己資本比率規制が適用され，当該第1種業者の子会社も内閣総理大臣による報告徴取・検査の対象となる（57条の2～57条の11）。このような規制を及ぼすために，総資産が一定の金額を超えた第1種金融商品取引業者は，内閣総理大臣にその旨を届け出なければならないとしている（57条の2第1項）。この届出をした第1種業者を特別金融商品取引業者という（同条2項）。

他方，川下連結規制が適用される特別金融商品取引業者の親会社が特別金融商品取引業者の経営管理を事業として行っているか，グループとして当該業者に資金援助を行っている場合に，内閣総理大臣が指定を行うと（57条の12），指定を受けた会社（指定親会社）を含めたグループ全体について連結の規制・監督が行われる。これを川上連結という。持株会社を頂点とするグループのみを規制するのではなく，川上連結の対象となる親会社を指定する方式を採用したのは，銀行や保険会社と異なり金融商品取引業者の親会社となれるのは持株会社に限らないからである。ただし，大規模な証券会社の親会社が銀行持株会社や保険持株会社であるなど，他の業法により既にグループ・ベースの規制・監督を受けている場合には，連結規制・監督の目的が達せられているので，指定を行わないことができる（同条2項）。また，外資系の証券会社グループについても，第一義的にはその母国当局により適切な規制・監督が行われるべきで

30）　立法趣旨につき，逐条解説2010年49頁。

図表 10-1

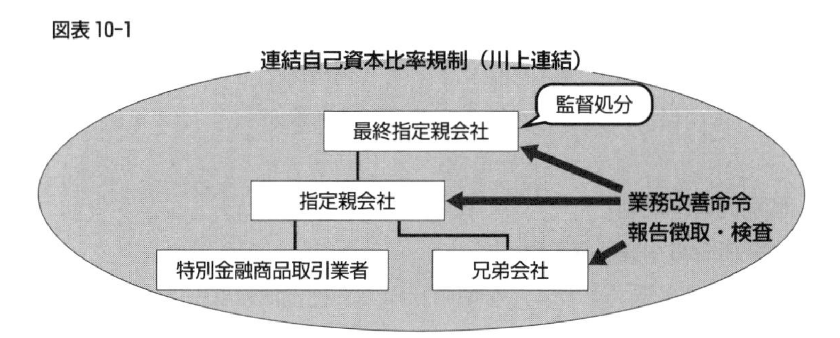

あるという考え方に立って[31]，外国の行政機関による適切な監督を受けていると認められる場合には，指定を行わないことができる（同項）。

指定が行われると，指定親会社のうちグループ最上位にある最終指定親会社を頂点とする企業グループに対して連結自己資本比率規制が適用され，指定親会社や特別金融商品取引業者の兄弟会社も内閣総理大臣による報告徴取・検査の対象となる（57条の13〜57条の25）。川上連結の対象となるグループ内の企業の経営の健全性が悪化している場合には，内閣総理大臣は指定親会社に対し，特別金融商品取引業者の業務運営または財産状況の改善に必要な措置をとるよう命ずることができ（57条の19），経営の健全性が改善しない場合には，親会社が企業グループから離れる等の措置をとることを最終指定親会社に命ずることができる（57条の21）（**図表 10-1**参照）。これらは，グループ内企業の健全性の悪化により第1種金融商品取引業者が破綻することを防止するための規制であり，主要株主規制（→***3*** 節 ***3***）の特則をなしている。

(4)　外国法人の資産の確保

外国法人が国内で金融商品取引業を行う場合，国内の営業所・事業所に相応の財産が確保されなければ，外国業者と取引を行う国内の投資者の保護が事実上，図られないおそれがある。そこで，第1種金融商品取引業を行う外国法人は，最低純資産額と同額に達するまで国内の主たる営業所・事業所において損失準備金を積み立てなければならず（49条の4第1項，金商業府令196条），この損失準備金は，内閣総理大臣の承認を受けて，業務に係る純損失の補塡に充てる場合を除いて使用できないとされている（同条2項）。

また，これとは別に，第1種金融商品取引業を行う外国法人は，金融商品取

31)　逐条解説 2010 年 60 頁。

引責任準備金・損失準備金に国内の営業所・事務所の負債に応じた額を加えた金額に相当する資産を，日本国内において保有することが求められる（49条の5）。資産の国内保有に違反した場合には過料の制裁がある（208条8号）。

3　個別的財務規制

⑴　金融商品取引責任準備金

第1種金融商品取引業者は，有価証券の売買その他の取引またはデリバティブ取引等の量に応じて，内閣府令で定められた額を金融商品取引責任準備金として積み立てなければならない（46条の5第1項）。この制度は昭和40（1965）年の証券取引法改正により設けられたが，同時期に設けられたディーラー業務（自己売買業務）に係る損失に備える売買損失準備金や商法の特則を定める利益準備金の制度が平成10年改正時に廃されるなか，現在まで存続している。内閣府令では，顧客から受託した有価証券の売買等の金額を基準とし，有価証券の価格変動リスクを勘案して責任準備金の額を定めていることから（金商業府令175条1項），責任準備金制度は主としてブローカー業務（委託売買業務）に係る責任の発生に備える目的を有している。

金融商品取引責任準備金は，特に金融庁長官等の承認を受けた場合を除き，事故による損失の補塡（→**8章*4*節*3*⑶**）に充てる以外に使用してはならない（46条の5第2項，金商業府令175条2項）。責任準備金制度は，第1種金融商品取引業者の財務の健全性を一般的に確保する機能と，事故によって損失を被った顧客を個別に保護する機能を併せ持っている。しかし，第1種金融商品取引業者の財務の健全性は自己資本比率規制により達せられるから，責任準備金の規制を用いる必要性は乏しい。また，顧客の第1種金融商品取引業者に対する不法行為債権は顧客資産の分別管理によっては十分に確保されないから（→⑵），個別の顧客の保護を図る必要性はあるものの，事故の起きるリスクは業者によって異なるから，法令の定めにより一律に責任準備金を積み立てさせることには疑問がある。

なお，金融商品取引責任準備金の制度は，登録金融機関についても設けられている（48条の3）。

⑵　顧客資産の分別管理

金融商品取引の過程において，第1種金融商品取引業者は顧客から有価証券や金銭の預託を受けることが多い。預託される有価証券としては，①保護預かり有価証券，②買付け実行後引取り前の有価証券，③売付け実行前の有価証券，④信用取引の委託保証金代用証券，⑤市場デリバティブ取引の委託証拠金代用証券などがあり，預託される金銭としては，⑥有価証券の売却代金，⑦有価証券の買付代金，⑧信用取引の委託保証金，⑨市場デリバティブ取引の委託証拠金などがある。上場株券等の一定の有価証券についてはペーパーレス化が行われているので①から③はなくなったが，顧客が振替株式を④⑤として第1種金融商品取引業者に担保差入れすることはある（→6章*2*節*3*(2)・*4*(3)）。

預託された有価証券に対する顧客の権利，すなわち顧客に有価証券の所有権があるのか，顧客は委託契約上の引渡請求権を有するにすぎないかは，それぞれの預託関係によって決まる。これに対し，占有を離れた金銭に対する所有権を観念することはできないので，顧客が預託した金銭や金融商品取引業者が顧客の計算で有する金銭については，顧客は金融商品取引業者に対して債権を有するにとどまる。いずれにせよ，顧客が確実に有価証券や金銭の引渡しを受けられるようにするためには，それらの有価証券や金銭が金融商品取引業者の財産とは分別されて顧客ごとに保管・管理されていることが必要である。そこで，平成10年改正証券取引法は，顧客資産についての証券会社の分別管理義務を明確に規定し，金融商品取引法は，これを第1種金融商品取引業者または登録金融機関（33条の2）の行う有価証券等管理業務に付随する義務として規定している（43条の2・43条の3）。

(3)　有価証券関連業についての分別管理

金融商品取引業者等（金融商品取引業者および登録金融機関をいう）は，(i)有価証券関連の市場デリバティブ取引の委託証拠金または信用取引の委託保証金として顧客から預託を受けた有価証券，(ii)有価証券関連業またはこれに付随する取引に関し，(a)顧客の計算において金融商品取引業者等が占有する有価証券，(b)金融商品取引業者等が顧客から預託を受けた有価証券（(i)を除く）については，確実かつ整然と管理する方法として内閣府令で定める方法によって，自己の固有財産と分別して管理しなければならない（43条の2）。

(2)に掲げた④⑤は(i)に，②③は(ii)(a)に，①は(ii)(b)に，それぞれ該当する。信用取引により買い付けた有価証券も(ii)(a)に当たるが，契約により金融商品取引業者等が費消できる有価証券（43条の2第1項2号括弧書）であるため（→**Column 6-13**），分別管理の対象とならない。有価証券店頭デリバティブ取引については，これまで，主に金融商品取引業者等と機関投資家との間で行われてきたことから，分別管理義務の対象から除かれていた。ところが，その後，金融商品取引業者が個人を相手として，少額の証拠金の預託を受けて有価証券や有価証券指数などを対象資産とし，差金決済を行う証券CFD取引（Contract for Difference）を行っている例が見られたことから，平成21年の改正により，金融機関を相手方とするものを除き，有価証券店頭デリバティブ取引も分別管理義務の対象とすることにした（同号括弧書，金商業府令137条の2）。

これらの特定性のある有価証券については，金融商品取引業者等が自己で保管する場合には，自己の固有財産と保管場所を明確に区分し，保管場所や帳簿によって顧客ごとの有価証券を判別できる方法で保管しなければならない（金商業府令136条）。金融商品取引業者等が(i)として預託を受けた振替株式等は，第三者である振替機関の下で保管されることになるが，この場合には，顧客のための口座を自己のための口座と区分する方法により分別がなされる（同条）。

つぎに，(iii)有価証券関連の市場デリバティブ取引の委託証拠金または信用取引の委託保証金，(iv)有価証券関連業またはこれに付随する取引に関し，(a)顧客の計算に属する金銭，(b)金融商品取引業者等が顧客から預託を受けた金銭（(iii)を除く），(v)(i)(ii)の有価証券のうち顧客の同意を得て担保に供されたものについては，金融商品取引業を行わないこととなった場合に顧客に返還すべき額に相当する金銭（顧客分別金）を信託会社等に信託することによって，金融商品取引業者等の固有財産と分別して保管しなければならない（43条の2第2項）。

(2)に掲げた⑧⑨は(iii)に，⑥は(iv)(a)に，⑦は(iv)(b)に，それぞれ該当する。(v)は，有価証券が金融商品取引業者の支配下を離れているため，顧客分別金の信託を求めることにしたものである。

顧客分別金の信託は，顧客を受益者として設定され，顧客分別金は金融商品取引業者等の財産から切り離される。顧客分別金は週に1回以上再計算され（値洗い），不足がある場合には3営業日以内に信託財産を追加することが求められる（金商業府令141条1項7号参照）[32]。この結果，委託者である金融商品取引業者等が支払不能に陥った場合でも，顧客は信託財産から払戻しを受けることができる。

金融商品取引業者等が分別管理義務に違反すると，行政処分の対象になるだけでなく（52条1項6号），刑事罰も科せられる（198条の5第1号）。

32）　顧客分別金信託の実務については，証券取引法研究会「分別管理について――投資対象に係る問題点」インベストメント52巻4号（1999）93頁以下を参照。

なお，金融商品取引所で商品関連デリバティブを上場できるようになったこと（→**6章4節5**）に伴い，金融商品取引業者等が商品関連デリバティブ取引に関して顧客から預託を受け，または顧客の計算で占有する有価証券および金銭についても，同様の分別管理義務が課せられている（43条の2の2）。

⑷　有価証券・商品関連以外のデリバティブ取引についての分別管理

⑶に対し，有価証券・商品関連以外のデリバティブ取引については，金融先物取引法上，証券取引法と同程度の厳格な分別管理義務を課してこなかったことを考慮して，金融商品取引法上も緩やかな分別管理義務を課すこととされた（43条の3）。

有価証券・商品関連以外のデリバティブ取引について，「顧客から委託証拠金として預託を受けた金銭または有価証券」その他の保証金または有価証券が，分別管理の対象となる。市場デリバティブ取引の委託証拠金だけでなく，店頭デリバティブ取引の保証金・代用証券がこれに含まれる。金融商品取引業者等は，これらを自己の固有財産と区分して管理しなければならない（同条）。具体的な管理方法として，有価証券については⑶と同等の厳格な方法が定められている（金商業府令144条）。金銭の管理については，通貨関連デリバティブ取引等に関しては信託会社等への金銭信託が求められるが，それ以外に関しては，金銭信託のほか，保証金であることが明らかな名義による金融機関への預金等の方法によることも認められる（金商業府令143条）。

デリバティブ取引等に関し，金融商品取引業者が有する顧客の計算に属する金銭・金融商品の価額に相当する財産については，自己の固有財産と区分して管理することも求められていない（43条の3第2項）。これらについては，その価額が，①有価証券以外のデリバティブ取引に係るものとして区分管理している業者の金銭・有価証券等，②顧客から預託を受けた有価証券等，③銀行等への預金等，および④元本保証のある金銭信託等の合計額を超えないように管理する（金商業府令145条）。つまり，この規制は，顧客の計算に属する金銭・財産が業者の区分管理された財産の合計額を上回らないよう求めるのみであり，顧客資産が返還されるよう確保するものとはいえない。

このように有価証券・商品関連のデリバティブ取引と有価証券・商品関連以外のデリバティブ取引とで分別管理義務の厳格さに相違が生じているのは，歴史的経緯によるものであり，理論的に正当化できるものではない。また，有価証券・商品関連以外のデリバティブ取引は投資者保護基金の保護対象から除外されている（→*11* 節 *1*(1)）。投資者の保護の必要性からすれば，有価証券関連以外のデリバティブ取引についても，有価証券関連業と同等の分別管理義務を適用し，かつ，投資者保護基金への加入を強制すべきであろう。

金融商品取引業者等が43条の3の分別管理義務に違反した場合にも，罰則が科せられる（198条の5第1号）。

以上に述べた財務規制は，*3* 節 *3* で述べた主要株主規制とあいまって，金融商品取引業者等の監督の基礎となる。本章で説明した主な規制の適用範囲を整理すると**図表10-2**のようになる。

図表10-2

	第1種金融商品取引業者	**第2種金融商品取引業者**	**投資運用業者**	**投資助言・代理業者**	**登録金融機関**
主要株主規制	○	×	○	×	○（銀行法等による）
財産的基礎の確保	最低資本金・純資産額の規制	法人：最低資本金・純資産額の規制 個人：営業保証金の供託	最低資本金・純資産額の規制	営業保証金の供託	銀行法等による最低資本金・純資産額規制
自己資本比率規制	○	×	×	×	○（銀行法等による）
連結財務規制・連結監督規制	○（一定規模以上に限定）	×	×	×	○（銀行法等による）
金融商品取引責任準備金	○	×	×	×	○
顧客資産の分別管理	○	×*1	○（→11章3節 *2*(4)）	×（→11章4節 *4*(2)）*2	○

*1 顧客資産の預託を受ける場合には第1種金融商品取引業の登録を要する。
*2 投資助言業に関して顧客資産の預託を受けるには，第1種金融商品取引業の登録を要する。

第*5*節　クラウドファンディングの仲介業者の特則

1　総　　説

クラウドファンディングとは，ベンチャーキャピタルから資金供給を受ける前の段階にある新規・成長企業と投資家をウェブサイト上で結びつけ，多数の投資家から少額ずつ資金を集める仕組みをいう。匿名組合型のクラウドファンディングは，第2種金融商品取引業の登録を受けた業者によって行われているが，株式型は行われていなかった。投資家と事業者を結ぶプラットフォームの運営業者の行為は，株式の募集の取扱いまたは私募の取扱いに該当し，参入要件の厳しい第1種金融商品取引業の登録が必要になるからである（→***2*** 節 ***2*** (2)(3)）。

アメリカでは，2012年4月に，Jumpstart Our Business Startups Act（JOBS法）が成立し，一定の要件を満たす証券募集を届出の適用除外とし，それまで事実上困難であった投資型クラウドファンディングによる資金調達の道が開かれた。わが国では，金融審議会における審議を経て[33]，平成26年の改正により，クラウドファンディングによる資金調達の円滑化を促進する法制が制定された。

金融審議会では，匿名組合型と株式型の双方を含む制度設計を念頭に置き，①仲介者の参入が容易であり，②発行者の負担が少ないこと，および③インターネットを通じた手軽な資金調達手段であるところから，詐欺的な行為に利用されない仕組みが検討された。改正法は，①については，第1種金融商品取引業および第2種金融商品取引業に登録の特例を設け，クラウドファンディングのみを行う業者について業規制の一部を緩和し，②については，クラウドファンディングの募集総額を1億円未満（少額免除，→**2**章 ***2*** 節 ***6*** (5)）とすることによって，発行者が有価証券届出書の提出義務を負ったり，爾後，継続開示義務を負ったりすることがないようにした。③については，仲介者が発行者のデューディリジェンスを行い，インターネットを通じた発行者や仲介者自身に関する情報の提供を義務づけることにした。

①③は，金融商品取引業の規制の特則となっているので，***2*** 以下で説明する。

2　少額電子募集取扱業者の登録

クラウドファンディングの仲介業務は次のように定義される。まず，電子情報処理組織を使用する方法その他の情報通信の技術を利用する方法であって内閣府令（金商業府令6条の2）で定めるものにより2条8項9号に掲げる行為を業として行うことを電子募集取扱業務という（29条の2第1項6号）。電子募集

33）　改正の経緯・趣旨につき，金融審議会「新規・成長企業へのリスクマネーの供給のあり方等に関するワーキング・グループ報告」（平成25年12月25日）を参照。

取扱業務のうち，非上場の株券・新株予約権証券の募集の取扱いまたは私募の取扱いであって，発行総額が1億円未満，投資者が払い込む額が50万円以下のもの，または電子募集取扱業務に関して顧客から金銭の預託を受けることを，第1種少額電子募集取扱業務という（29条の4の2第10項，施行令15条の10の3)。

第1種少額電子募集取扱業務のみの登録を受けた第1種少額電子募集取扱業者には，兼業規制，自己資本比率規制，責任準備金の積立義務は適用されず(29条の4の2第3項〜8項)，これらの規制に係る登録拒否事由も適用されない(同条1項2項)。備えるべき資本金および純資産の額は，1000万円とされた(施行令15条の7第1項6号)。標識の掲示義務も免除されるが（同条5項)，代わりに，インターネット上に，商号，登録番号等を掲載する（29条の4の2第8項)。これに対して，主要株主についての欠格事由や主要株主規制は第1種少額電子募集取扱業者にも適用される。

組合契約型についても，第2種少額電子募集取扱業務を定義し（29条の4の3第4項，第1種電子募集取扱業務と比較すると，金銭の預託を受けることができない)，登録を受けて第2種少額電子募集取扱業務のみを行う第2種少額電子募集取扱業者の標識掲示義務を免除している（同条2項)。もっとも，第2種金融商品取引業者の登録要件は既に十分に緩和されているので，最低資本金の額を500万円とする（施行令15条の7第1項8号）ほかは登録要件の緩和は行われない。

3　電子募集取扱業者の情報提供義務

クラウドファンディングについては，発行者の事業に関する公衆縦覧型の開示は行われない（→***1***)。そこで，ディスクロージャーの行われていない有価証券の電子募集取扱業務に係る行為規制の特則として，契約締結前交付書面の記載事項のうち内閣府令（金商業府令146条の2第3項）で定める事項について，インターネットを通じた情報提供を行う義務が金融商品取引業者等に課せられた（43条の5)。情報提供義務の違反には罰則が適用される（205条14号)。

提供義務の対象となる情報には，発行者の事業内容に関するもの（発行者情報）も含まれる（金商業府令83条1項3号〜6号参照)。従来，契約締結前交付書面の記載事項は，株式等の1項有価証券の売買については，取引の仕組みと取引のリスクに限定されていた（**→9章*3*節*3*⑵**)。平成26年改正法は，クラウドファンディングに係る契約締結前交付書面の記載事項を発行者情報を含むものに拡大した上で，業者に発行者情報の真実性を確保させようとするものといえる。もっとも，契約締結前交付書面の虚偽記載については特別の民事責任規定は用意されておらず，このように業者規制でディスクロージャー規制を代替させることによって十分な投資者保護が図られるのか，疑問も残る。

■Column 10-5　投資額の制限■■

クラウドファンディングがインターネットを通じた手軽な資金調達手段であることから，平成26年改正法は，投資家保護の観点から，一人当たり1件当たりの投資額を50万円以下に制限した（29条の4の2第10項，施行令15条の10の3第2号）。50万円の上限額は，同一発行者の同一種類の有価証券への1年間の出資額についてのものである。投資額の制限という発想はアメリカのJOBS法に倣ったものであるが，アメリカでは，投資者一人当たりの投資総額規制が置かれており，年収10万ドル未満であれば，2000ドルまたは年収の5%のいずれか大きい方が限度となる。

投資額の制限をどう位置づけるかは難しい問題である。まず，多数の者から少額の資金を調達するというクラウドファンディングの特徴に即した投資者保護のあり方であるという見方が考えられる。しかし，伝統的なディスクロージャーの考え方からは，少額の資金といえども多数の者に勧誘する以上，販売圧力が生じており，被勧誘者は情報を必要としているはずである（→**2章*1*節*2*(2)**）。これに対しては，インターネット上のポータルを通じて募集が行われるため「勧誘」がないという反論が考えられるが，個別的な勧誘は行われないとしても，インターネット上に発行者情報を開示して募集を行うのであるから，勧誘がないとはいえない。また，ディスクロージャーの考え方からは，一人当たりの投資額が大きくなれば，その者は情報を獲得する能力（取引力）を取得するから，むしろディスクロージャーは不要となる（→**2章*2*節*3*(4)**）。募集総額を限定した上で投資者保護を図るためには，むしろ一人当たりの投資額の下限を定めるべきだということになる。この考え方によれば1億円未満，50人未満が基準となるので，一人当たりの投資額を200万円以上とすべきことになる。もっとも，この条件で多数の者から資金を調達すると「少額免除」の基準を超えてしまうから，多数の者からの少額の資金の調達という特徴を維持するために一人当たりの投資額を制限しているという見方も成り立つだろう[34]。

また，金融商品取引法の伝統的な考え方からは，投資は自己責任であり，投資額の限定は自己責任の原則に反するという批判が考えられる。これに対しては，クラ

34）以上の整理につき，黒沼悦郎「新規・成長企業へのリスクマネーの供給」ジュリ1473号（2014）25頁を参照。

ウドファンディングの規制は，投資者保護というよりは，消費者保護の理念に基づいているのだという反論が可能であろう。もっとも，一人1件当たり50万円以下の投資だからといって，詐欺が放置されてよいことにはならない。

4　電子募集取扱業者の体制整備義務

クラウドファンディングが詐欺に利用されないためには，仲介業者が発行者の情報を収集し開示するだけでは不十分である。そこで，クラウドファンディングの仲介業者には，次の事項を含む体制整備義務の具体的内容が定められた(35条の3，金商業府令70条の2)。

①発行者の事業計画や資金使途を適切に審査すること。②顧客の応募額が申込期間に目標募集額に到達しなかった場合の取扱いの方法を定め，顧客に誤解を与えないようにすること。③応募額が目標募集額に到達しなかった場合に有価証券の発行を認めない場合には，目標募集額に到達するまで発行者が応募代金の払込みを受けることがないようにすること。④8日間のクーリングオフを認めること。⑤発行者に顧客に対し定期的に情報を提供させること。⑥発行者の募集総額1億円，投資者の投資額50万円の制限を遵守させること。

これらのうち①から⑤は，有価証券の取得の勧誘から申込みまでが一貫してインターネット上で行われる「電子申込型」に限って求められる。電子申込型は投資者にとって意思決定の心理的障壁が低く保護の必要性が高いことがその理由とされる[35)]。規制内容を見ると，電子募集取扱業者の体制整備義務というよりは，クラウドファンディングの方法そのものの直接規制となっており，クラウドファンディング規制の消費者法的な性格が顕れている。

第*6*節　金融商品取引業者に対する監督

1　監督上の処分

登録制の下では，登録拒否事由に該当しない限り業者の登録が認められるため，登録後の行政による検査・監督体制がとりわけ重要になる。金融商品取引法は，行政による金融商品取引業者に対する監督規定を，個別の監督上の処分

35)　田中智之ほか「金融商品取引法施行令等改正についての解説」商事2071号（2015）7頁。

と一般的な業務改善命令に分けて整備している。

まず，内閣総理大臣は，金融商品取引業者が次のいずれかに該当する場合に，金融商品取引業の登録を取り消し，私設取引システムの運営業務の認可を取り消し，または6か月以内の期間を定めて業務の全部もしくは一部の停止を命ずることができる（52条1項）。

①　金融商品取引業の登録拒否事由に該当することとなったとき。

②　不正の手段により金融商品取引業の登録を受けたとき。

③　金融商品取引業または付随業務に関し法令（46条の6第2項を除く）または行政官庁の処分に違反したとき。

④　業務または財産の状況に照らし支払不能に陥るおそれがあるとき。

⑤　投資助言・代理業または投資運用業の運営に関し，投資者の利益を害する事実があるとき。

⑥　金融商品取引業に関し，不正または著しく不当な行為をした場合において，その情状が特に重いとき。

⑦　私設取引システムの運営業務の認可に付された条件に違反したとき。

⑧　私設取引システムの運営業務の認可基準に適合しなくなったとき。

これらには，登録・認可の趣旨から当然に処分の対象とすべきもの（①②⑦⑧），違反行為に対して制裁を加えることにより違反行為の抑止を狙うもの（③⑥），投資者の被害拡大を防止することに処分の主眼が置かれているもの（④⑤）といった性質の異なる処分事由が含まれている。③は，金融商品取引法やこれに付随する法令に業者が違反したときだけでなく，金融商品取引業や付随業務を行うについて広く法令に違反した場合を指す。法令から46条の6第2項が除かれているのは，これに違反した場合には53条に基づく監督上の処分が行われるからである（→***4*** 節 ***2***(2)）。ただし，届出業務や承認業務に関し法令に違反した場合は③に含まれない。⑥は，平成18年改正で加えられた処分事由であり，金融商品取引業者が金融商品取引所や金融商品取引業協会の自主ルールに違反した場合や，金融商品取引業協会に加入していない業者が，登録時に作成した社内規則（→***2*** 節 ***2***(3)）に違反した場合を想定した規定であるが，もとよりそれらに限られるわけではない。⑥に基づく行政処分の例として，ファンドに対する顧客からの出資金が目的外に流用されていることを知りながらファンドの販売を継続した第2種金融商品取引業者の登録が取り消された例（MRI事件）がある。

監督上の処分の内容は，業務の一部停止から登録の取消しまで幅広いものであるが，処分事由の軽重に比例した処分がなされなければならないのは当然である。金融庁の監督指針では，行政処分にあたっては，(a)当該行為の重大性・悪質性（公益侵害の程度，利用者被害の程度，行為自体の悪質性，当該行為の期間・反復性，故意の有無，組織性の有無，隠蔽の有無，反社会的勢力の関与の有無），(b)当該行為の背景となった経営管理態勢・業務運営態勢の適切性（法令遵守に関する認識や取組み，内部監査部門の体制，コンプライアンス部門・リスク管理部門の体制）および(c)軽減事由の有無を考慮するとしている[36]。

つぎに，内閣総理大臣は，金融商品取引業者の役員がその欠格事由に該当することになったとき，または上記③，⑤〜⑦のいずれかに該当することとなったときは，金融商品取引業者に対して役員の解任を命ずることができる（52条2項）。違反行為者を排除するためである。役員解任命令の名宛人は金融商品取引業者であるが，金融商品取引業者が当該役員を解任しない場合には業者自身が上記③（行政処分の違反）にあたり，処分の対象となる。

2　業務改善命令

1で述べた個別の監督上の処分のほかに，金融商品取引業者の業務または財産の状況からみて，公益または投資者保護のために必要かつ適当と認められるときは，内閣総理大臣は，金融商品取引業者に対して，業務の方法の変更その他業務の運営または財産の状況の改善に必要な措置をとるよう命ずることができる（51条）。このような一般的な要件に基づく業務改善命令は，金融先物取引法や投資信託・投資法人法に規定があり，平成18年改正の際に，それを幅広く金融商品取引業者に及ぼすことにしたものである。登録業者である金融商品取引業者に対する業務改善命令は，免許業者である銀行・保険会社に対するそれ（銀行26条1項，保険業132条1項）とは異なり，「その必要の限度において」行うものであり，行政に広範な裁量権を付与するものではない[37]。51条に基づいて業者の登録を取り消すことはできないが，業者が必要な措置をとらないときは，***1***の③に該当することとなり登録の取消しを含む処分が行われる。

行政処分の適法性を確保するために，***1***の監督上の処分や業務改善命令を行う前に，内閣総理大臣は金融商品取引業者に通知して聴聞を行わなければなら

36）　金融庁「金融商品取引業者等向けの総合的な監督指針」II-5-2（令和2年6月）。
37）　一問一答323頁。

ない（57条2項）。処分後，金融商品取引業者は，行政事件訴訟法の規定に従い行政処分の取消訴訟を提起することによって，行政処分の効力を争うことができる。

■Column 10-6　自主規制機関の会員等でない金融商品取引業者に対する監督■■

金融商品取引法は，金融商品取引業者が自主規制機関である金融商品取引業協会に加入することを法的に義務づけていない（→***9*** 節 ***1***(1)）。もっとも，自主規制機関の定める自主ルールが法令よりも高いレベルの規範の遵守を求めていることを考慮すると，自主規制機関に加入していない金融商品取引業者についても，自主ルールを遵守させる仕組みが望ましいと考えられた[38]。

そこで金融商品取引法（平成18年改正）は，金融商品取引業協会に加入していない第1種金融商品取引業者，登録金融機関，または投資運用業者に対し，協会の定款その他の規則を考慮し，当該業者およびその役員・使用人が遵守すべき規則（社内規則）の作成・変更を内閣総理大臣が命ずることができるようにした（平成26年改正前56条の4第2項）。ところが，平成26年改正法は，協会規則に準じた規則の作成義務を，一部の金融商品取引業者等の登録要件としたため（29条の4第1項4号ニ・33条の5第1項4号，→***2*** 節 ***2***(3)），56条の4第2項の社内規則の作成・変更命令権を同条1項とともに削除した。

平成26年改正は，社内規則の制定義務の適用範囲を第2種金融商品取引業者に拡大したが，それ以外の点について見ると，金融商品取引業協会の規則の改正により登録業者の社内規則が時代遅れのものになった場合には，登録拒否事由に該当し業者は登録を取り消されることとなるから（→***1***），社内規則の制定・変更に関する従前の規律は維持されていると考えられる。また，自主規制規則を考慮した内閣総理大臣の監督義務を定めた改正前56条の4第1項は，社内規則を遵守する体制の整備を登録要件とする29条の4第1項4号ニにより代替されよう。もっとも，考慮すべき自主規制の制定主体から金融商品取引所が除外された点は，規制の後退であるし，投資助言・代理業を行う金融商品取引業者が依然として適用対象とされていない点には不満が残る。

38）　金融審議会金融分科会第一部会報告「投資サービス法（仮称）に向けて」31頁（平成17年12月22日）。

第7節　金融商品仲介業の規制

1　金融商品仲介業者

証券会社の販売チャネル機能を拡大し，幅広い投資者の市場参加を促すことを目的として，平成15年の証券取引法改正により，証券仲介業制度が創設された[39)]。アメリカでは，証券外務員に近い性質のインディペンデントコントラクター（IC）や証券会社であるイントロデューシングファーム（IF）が多数存在し，投資者と取引所の会員証券会社をつなぐ役割を果たしており，証券仲介業制度はこれらを参考にした。金融商品取引法は，金融商品の定義の拡大に従い，証券仲介業者の業務範囲を拡大して金融商品仲介業者とした。

金融商品仲介業とは，金融商品取引業者または登録金融機関の委託を受けて，委託者のために，①有価証券の売買の媒介（私設取引システムの運営を除く），②取引所金融商品市場・外国金融商品市場における有価証券の売買取引・デリバティブ取引の委託の媒介，③有価証券の募集・売出しの取扱い，私募の取扱い，特定投資家向け売付け勧誘等の取扱い，または④投資顧問契約・投資一任契約の締結の媒介を行うことをいう（2条11項）。①から③は有価証券・デリバティブ取引の勧誘行為であり，④は投資助言・代理業者の媒介行為と同じであるから，いずれも金融商品取引業を構成する。金融商品仲介業の制度は，これらの行為について，登録要件の緩やかな金融商品仲介業としての登録（66条）を受ければ，金融商品取引業としての登録を受ける必要がないとすることによって，金融商品仲介業への参入要件を緩和し，投資者の市場へのアクセスを拡げようとするものである。

金融商品仲介業者は，金融商品取引業者等から委託を受けて当該業者（所属金融商品取引業者等）のために，顧客との間の契約の締結を仲介する独立の商人である。法人・個人を問わず，内閣総理大臣の登録を受ければ金融商品仲介業を行うことができる（2条12項・66条・66条の3）。登録の欠格事由として，業務を適確に遂行することができる知識および経験を有しないことが挙げられている（66条の4）。兼業は原則として自由だが，届出を要し（66条の5），兼業内容が公益に反する場合には金融商品仲介業者の登録が取り消される（66条の

39）創設の趣旨については，金融審議会・前掲注28）を参照。

20)。金融商品仲介業者には，金融商品取引業者の外務員が独立して開業する例，損害保険代理店やファイナンシャルプランナーが兼営する例などが見られる。

2 業務規制

金融商品仲介業者は，顧客と金融商品取引業者の間の取引を媒介するのみであり，自らは売買契約や売買取引の委託契約の当事者にはならず，金融商品取引業者の代理権もない。そこで，仲介業者は顧客から金銭や有価証券の預託を受ける必要がないので，トラブル防止の観点から，預託を受けること自体が禁止される（66条の13）。もっとも，このような規制が顧客の利便性を損なう可能性もある[40]。顧客が仲介業者を金融商品取引業者と混同しないよう，仲介業者は仲介行為を行う前に，所属金融商品取引業者等の商号・名称，所属業者の代理権がないこと等を顧客に対して明らかにしなければならない（66条の11）。

金融商品取引業者は商法・会社法上の代理商（商27条以下，会社16条以下）に当たり，所属業者の同意を得れば（商28条，会社17条），他の金融商品取引業者からも委託を受けることができる（乗合代理店）。乗合代理店では，顧客に支払う手数料が所属金融商品取引業者等によって異なる場合にはその旨を明らかにし，さらに，仲介業者がどの業者に注文をつなぐことになるかを示さなければならない（66条の11，金商業府令272条）。これらの開示・確認義務は，金融商品仲介業者およびその役員・使用人の誠実義務（66条の7）の現れであるが，金融商品仲介業者は顧客から委託を受けていないので，金融商品仲介業者が複数の金融商品取引業者のうち顧客にとって最も有利な業者に注文をつなぐ義務（最良執行義務）を顧客に対して負っているとは，直ちには解されない[41]。

なお，金融商品仲介業者の役員・使用人が仲介業者のために有価証券の売買・その委託の勧誘等を行う場合には，仲介業者としての登録とは別に，外務員としての登録を受けなければならない（66条の25）。

40）　証券取引法研究会「平成15年の証券取引法等の改正(3)――証券仲介業制度」『平成15年の証券取引法等の改正』（別冊商事275号，2004）37頁以下〔洲崎博史報告〕参照。

41）　証券取引法研究会・前掲注40）42頁〔洲崎報告〕。金融商品仲介業者の誠実公正義務との関係につき，金商法コンメ(2)966頁〔洲崎博史〕を参照。

3　金融商品取引業者の損害賠償責任

金融商品仲介業者は，金融商品取引業者が有価証券やデリバティブ取引の販売チャネルを拡げるために用いる手段であり，その利益は金融商品取引業者が享受する。そこで，金融商品取引業者は，金融商品仲介業者が金融商品仲介業に関し顧客に損害を被らせた場合，仲介業者への委託について相当の注意をし，かつ損害発生の防止に努めたときを除き，仲介業者が加えた損害を賠償しなければならないとされている（66条の24）。仲介業者による不当な投資勧誘の結果，顧客に取引損が生じた場合や，仲介業者が仲介業に関連して違法に顧客資産を預かり，これを横領した場合などが考えられる。乗合代理店の場合で，どの金融商品取引業者から委託を受けた業務に関して顧客に損害が生じたのか明らかでないときは，所属金融商品取引業者が連帯して顧客に対する損害賠償責任を負担すべきである。

■Column 10-7　登録金融機関による金融商品仲介業■■

登録金融機関は，第1種金融商品取引業者の委託を受けて，当該業者のために，***1***の①から③の行為をすることができ（33条2項3号ハ・4号ロ），その際，金融商品仲介業の登録を受ける必要がない（66条参照。金融機関を登録の対象から除外している）。登録金融機関が扱うことのできる有価証券の種類や取引行為には限定があるが（→*8*節*2*(2)），登録金融機関が仲介行為を行うことのできる有価証券やデリバティブ取引に限定はない。このような登録金融機関による金融商品仲介業は，顧客の利便性の向上と銀行顧客の市場参加を促すことを目的に，平成16年の証券取引法改正により認められた[42]。

この結果，たとえば，銀行等の登録金融機関は，株式の売買に関する顧客の注文を系列の証券会社につなげることができる。これは銀行を窓口とする株式の販売を認めることに等しい。登録金融機関の金融商品仲介業については，顧客資産の預託を受ける行為を禁止する66条の13は適用されないので，登録金融機関は顧客から金銭や有価証券を預かることもできる。このように，登録金融機関に対する金融商品仲介業の解禁は，それまでの金融機関による有価証券関連業の禁止（→*8*節*2*(1)）の境界を大きく踏み出すものである。したがって，登録金融機関への登録を審査する際には，登録を受ければ金融商品仲介業をも行うことができることを前提として，その適確性を判断すべきであろう（→*8*節*2*(4)）。

42）　改正の経緯・趣旨につき，金融審議会金融分科会第一部会報告「市場機能を中核とする金融システムに向けて」30-31頁（平成15年12月24日），神崎＝志谷＝川口・前掲注7）578-580頁を参照。

なお，登録金融機関が金融商品仲介業に関し顧客に加えた損害の賠償責任を，登録金融機関へ金融商品の仲介業務を委託した第1種金融商品取引業者が負うことはない（66条の24参照）。登録金融機関が損害賠償責任を負えば，顧客の保護として十分と考えられたからである。

4　金融サービス仲介業の規制

IT企業の金融分野への参入が進んでいる（フィンテックの進展）。たとえば，スマートフォンのアプリケーションを通じ，自身の預金口座等の残高や収支を利用者が簡単に確認できるサービスを提供するとともに，そのサービスを通じて把握した利用者の資金ニーズや資産状況を基に，利用可能な融資の紹介や個人のライフプランに適した金融サービスの比較・推奨等を行うなどの新たなビジネスが展開されることが想定される[43)]。この場合，業者は，融資の紹介には銀行代理業の許可を，保険商品の紹介には保険募集人または保険仲立人の登録を，金融商品の紹介には金融商品仲介業者の登録を受けなければならず，負担が大きかった。その結果，1つの業者を通じて様々な金融サービスへアクセスを提供することができておらず，利用者にとっての利便性を欠いていた。

そこで，簡易な登録制の下に，銀行，保険，証券の分野にまたがって金融サービスの仲介を業として行うことのできる金融サービス仲介業者の制度が，令和2年の金融商品販売法の改正（同改正により法律名を「金融サービスの提供に関する法律」に変更。金融サービス提供法。改正法の施行期日は令和2年6月12日から1年6カ月を超えない範囲とされている。執筆時点で未施行だが，便宜上改正後の名称を使用する）により創設される[44)]。

金融サービス仲介業者がすることのできる業務は，①預金等媒介業務，②保険媒介業務，および③有価証券等仲介業務である（金融サービス11条）。ここにいう仲介とは，金融機関と顧客との間をつなぐ行為（媒介）であり，顧客を代理する行為は認められない。本書に関係する③の業務には，(a) 有価証券の売買の媒介，(b) 金融商品市場における注文の委託の媒介，(c) 有価証券の募集・売出の取扱い，(d) 投資顧問契約または投資一任契約の締結の媒介（同条4項，→***1*** **節** ***2*** (2)，**11章** ***4*** **節** ***1***）が含まれる。

---

43)　金融審議会「決済法制及び金融サービス仲介法制に関するワーキング・グループ報告」（令和元年12月20日）20頁。

44)　改正法の考え方につき，金融審議会・前掲注43）を参照。

金融サービス仲介業者は，金融の各分野にまたがるサービスを提供するので，その利用者保護のための行為規制は，仲介業者に共通に求められる事項と金融サービスの特性ごとに求められる事項とに分けて規定されている。共通の行為規制としては，①顧客に対して誠実・公正に業務を遂行する義務（誠実義務），②顧客から求められたときに金融機関から受け取る手数料等を開示する義務，③重要事項の顧客への説明，顧客情報の取扱い等について適切な措置を講じる義務，④顧客から金銭その他の財産の預託を受けることの禁止などがある（金融サービス24条〜28条）。②は，顧客が仲介業者の中立性を評価できるようにするために設けられた。④は，業務が「媒介」に限定されており，顧客資産の預託を受ける必要性が高くないからである。金融サービスごとの行為規制としては，それぞれ銀行法，保険業法，金融商品取引法の規定を準用しているが，有価証券等仲介業務については，(a) 法人関係情報を提供した勧誘の禁止，(b) 損失補塡の禁止，(c) 顧客の注文情報を利用した自己売買の禁止（→**11章*4*節*3*(3)**）等の規定を準用している（金融サービス31条）。

第*8*節　金融機関による有価証券関連業

1　総　　説

アメリカ法に倣って制定された昭和23（1948）年証券取引法には，銀行，保険会社等の金融機関が証券業を営むことを禁止する規定が置かれていた（旧65条）。この規定は，グラス＝スティーガル法（Glass-Steagall Act）と呼ばれたアメリカの1933年銀行法の規定に倣ったものである。グラス＝スティーガル法は，それまで証券業を兼営していた多くの銀行が1930年代初期の大恐慌により閉鎖されたことを教訓として，銀行業と証券業の分離を定めたものであり[45]，その目的は次の3つにあった。

第1に，銀行がリスクの高い証券業を営むことによって，預金者を害することがないようにするため（預金者の保護）である。旧証取法65条にいう金融機関には保険会社も含まれるから，わが国ではこれに保険契約者の保護が加わることになろう。

45）アメリカにおける経緯につき，川口恭弘『米国金融規制法の研究——銀行・証券分離規制の展開』（東洋経済新報社，1989）を参照。

第2に，預金者と投資者という性格の異なる顧客を相手に同一の法人が取引をすると，一方の顧客に有利で他方の顧客に不利な取引や行為が行われやすいので，そういった利益相反行為を防止することである。利益相反の防止は，銀行と証券の相互乗入れが認められた平成4年の証券取引法改正の際に，分離政策の目的として強調された[46]。

第3に，企業に対して貸付けを行い，大きな発言権を有する金融機関が証券業を兼営すると，企業の資金調達の際に株式や社債の発行よりも貸付けを優先する傾向が生ずるので，これを防止し，資本市場を育成することである。個人や企業の資金運用が金融機関の関与の下に行われると，金融機関は有価証券への投資よりも預金や保険の購入を勧め，その結果，資本市場が発展しないということも考えられる[47]。以上から導かれる目的は，「金融機関の経済への過度の支配を排除する目的」と表現されることもあるが[48]，資本市場の育成という目的と実質的に同じであるといってよい。

わが国では，これらの3つの目的は概ね達成された。EU諸国では，銀行と証券の兼営を認めるユニバーサルバンク制度がとられている。EU諸国では上場企業の数がわが国より少なく，イギリスを除いて株式所有の分散化は進んでいないから，わが国における銀行と証券の分離（銀証分離政策）は資本市場の育成に役立ったといえよう。ただし，銀証分離政策の目的は，金融機関が証券業を兼営する場合に得られる競争，顧客にとっての利便性，専門的知識の活用という効用を犠牲にして達成されていることも，以前より指摘されていた[49]。つまり，銀証兼営から生ずる弊害を防止しつつ，顧客の利便性の向上や公正な競争による金融業の発展のために，銀証分離政策を廃棄することも十分に考えられるのである。

1980年代に金融の証券化が進むと，融資に代わって登場した新しい資金調達手段を証券会社だけでなく金融機関も扱えるようにすべきではないかといった議論や，資本市場の競争条件が整ったことから銀行と証券の相互参入を認めるべきではないかとの議論が活発化した。これらを受けて，証券取引法の平成4年改正では，銀行等の金融機関と証券会社がそれぞれの子会社を通じて相手

46）金融制度調査会制度問題専門委員会報告「新しい金融制度について」4章1(1)（平成3年6月4日）。
47）神崎＝志谷＝川口908頁。
48）神崎＝志谷＝川口908頁。
49）神崎402頁。

方の分野の業務を営むことができるようにするとともに（相互参入），金融機関が本体で営むことができる証券業の範囲を拡大した。

平成9年の独占禁止法の改正で純粋持株会社が解禁されたことに伴い，平成10年の証券取引法改正により，金融持株会社が銀行，保険会社，証券会社を子会社として保有することができるようになった。アメリカにおいても，1999年グラム＝リーチ＝ブライリー法（Gramm-Leach-Bliley Act）が銀証分離規定の一部を廃止して，銀行を含む金融グループ内の証券会社が行うことのできる証券業務の制限を撤廃したが，銀行が本体で営むことのできる証券業務は，預金者保護のために，依然として制限されている。

2　有価証券関連業等の規制

(1)　有価証券関連業・投資運用業の禁止

金融機関は，有価証券関連業および投資運用業を行ってはならないとされる（33条1項）。適用対象となる金融機関とは，銀行，保険会社，信用組合・信用金庫・協同組合などの協同組織金融機関，無尽会社[50]，証券金融会社，および短資会社である（施行令1条の9）。これらの金融機関のうち預金者・保険契約者のような資金提供者のいない業者については，有価証券関連業等の禁止を預金者・保険契約者等の保護によって説明することはできず，金融機関の業務分野の調整として規制が適用されると理解するほかない。

有価証券関連業は，28条8項に定義されており，①有価証券の売買，売買の媒介・取次ぎ・代理，②金融商品市場における有価証券の売買の委託の媒介・取次ぎ・代理，③デリバティブ取引のうち有価証券または有価証券指標に係るもの（有価証券関連デリバティブ取引），④有価証券関連デリバティブ取引の媒介・取次ぎ・代理，有価証券関連市場デリバティブ取引・外国市場デリバティブ取引の委託の媒介・取次ぎ・代理，⑤有価証券の売買または有価証券関連デリバティブ取引に係る清算取次ぎ，⑥有価証券の引受け・売出し，⑦有価証券の募集・売出しの取扱い，⑧有価証券の私募の取扱いをいう。これらの行為が禁止されるのは，リスクが高く，金融機関が業として行うと預金者等の利益を損ねるからである。

ただし，2つ注意すべき点がある。第1に，⑤⑧のように，有価証券関連業

50)　加入者が定期的に掛金を支払い，1回ごとの抽選により掛金の合計分に相当する給付を受ける無尽（相互金融）を運営する会社をいう。

とされながらその全部（⑤）またはほとんど（⑧）について，金融機関が登録を受けてすることができる行為がある（33条2項，→(2)）。これらの場合に当該行為を有価証券関連業に含める意味は，その行為を行う金融機関に登録を求めることにある。

第2に，(a)金融機関が投資目的で行う有価証券の売買・有価証券関連デリバティブ取引，および(b)信託契約に基づいて他人の計算で行うこれらの取引は，登録なくして，金融機関の本体ですることができる（33条1項但書）。(a)については，金融機関が一般投資者と同じ立場で投資の目的をもって有価証券の売買をすることは，特に規定がなくても当然のことであるとして[51]，あるいは，投資目的で行う場合には「業として」の要件を欠くとして[52]，当然に有価証券関連業に該当しないと説明されている。投資目的であっても「業」と認められるほど反復継続して行うことは許されないとする見解[53]もある。「業」に当たるかどうかを取引類型ごとに判断する本書の見解（→**Column 10-1**）からすると，「業」に当たる場合に金融機関の行為が33条の違反とならないための「投資目的」とは，計算を自己に帰属させる目的のように広く解すべきではなく，余剰資金運用の目的と狭く解すべきであろう。

(b)は，信託業を兼営する金融機関にとっての本業であるし，リスクが信託財産に限定されており預金者の保護に反しないので認められる。なお，33条但書は(a)(b)を同条本文の禁止の対象から除外するだけであり，各種の金融機関が(a)(b)の業務を行うことができるかどうかは，当該金融機関の業務範囲を画する法令の定めによる。

■ Column 10-8　金融機関による株式保有 ■■

アメリカにおいては銀行の株式保有は原則として禁止されている。これに対しわが国では，有価証券への投資は銀行にとって貸付業務を補完するための重要な資金運用手段であることから金融機関による株式保有は禁止されなかった。企業も取引先の金融機関に自社株を保有してもらうことを欲したため，金融機関は上場会社の株式の20%～25% 程度（信託銀行名義の投資信託を除く）を保有している[54]。金融機関が有価証券の売買業務を行うのと同様に，金融機関が株式を始めとする有価証

51）鈴木＝河本270頁。
52）神崎＝志谷＝川口・前掲注7) 570頁。
53）神崎403頁。
54）東京・名古屋・福岡・札幌証券取引所「2018年度株式分布状況調査の調査結果について」（令和元年6月26日）参照。

券を大量に保有すると，相場の変動により金融機関の財務の健全性が害されるおそれがあり，預金者等の保護の観点から問題がある。

もっとも，金融機関による株式保有については，既に次のような制限がある。銀行は，個々の会社の株式をその総議決権の5%を超えて保有することを，保険会社は同じく10%を超えて保有することを，原則として禁止される（独禁11条1項）。金融機関による産業支配を防止するためである。また，金融機関の健全性を確保するために平成13年に「銀行等の株式等の保有の制限等に関する法律」が制定され，銀行等とその子会社等は合算して自己資本の額を超える株式等を保有してはならないとされている。

平成18年改正は，金融機関が投資運用業を行うことができない旨を明文化した（33条1項）。投資運用業は，有価証券の売買の代理といった有価証券関連業を伴うことが多いためである[55]。ただし，信託銀行については，登録金融機関としての登録を受けて投資運用業を行うことができる（33条の8第1項）。

⑵　**登録によりすることができる有価証券関連業等**

33条2項は，金融機関が登録を受けることにより同条1項による禁止を免れることができる業務を列挙している。また，2項列挙の行為以外で，金融機関が行うには登録を受ける必要のある行為が33条の2に列挙されている。これらは，銀行等の金融機関と証券会社のいずれもが扱うことのできる業務として歴史的に形成されてきたものである。これらの行為を金融機関が業として行うには，33条の2による登録を受けるほかに，金融機関の業務範囲を定める法令に，当該行為を行いうる旨が定められていなければならない（銀行10条2項・11条参照）。

①　**書面取次ぎ行為**　　銀行の顧客が，預けてある資金を使って有価証券を購入したり，預託してある有価証券を売却したいと銀行に申し出た場合に，銀行がこれを断る理由はない。銀行は顧客の計算で有価証券の売買を行うから銀行預金者を害するおそれはないし，顧客にとっても便利だからである。そこで，顧客の書面による注文を受けて顧客の計算で，金融機関が有価証券の売買や有価証券関連デリバティブ取引を行うことは，禁止される有価証券関連業の範囲から除外され（33条2項柱書），内閣総理大臣の登録を受ければ，業としてすることが認められる（33条の2第1号）。顧客が金融商品市場における売買や

55）　一問一答251頁。

取引を希望する場合には，金融機関は，顧客の委託売買・取引の注文を金融商品取引業者に取り次ぐことになるが，そのような委託の媒介・取次ぎ・代理ももちろんすることができる。

書面取次ぎ行為は顧客の利便性のために認められる行為であるから，顧客から受動的に注文を受ける必要があり，金融機関が有価証券の売買等を勧誘することは許されない。法が書面による注文を求めているのも，金融機関による受注を受動的なものにするためである[56]。

②　公共債に係る一定の有価証券関連業　昭和50年代以来，大量の国債が発行され金融機関がその大部分を保有するようになると，新規発行の国債を金融機関が投資家に募集したり，保有する国債の売買業務を行う必要が生じてきた。そこで昭和56(1981)年の証券取引法および銀行法の改正により，公共債に関する一定の有価証券関連業を金融機関が行えることを明確にした[57]。具体的には，国債，地方債，および政府保証債（以上を公共債という）の売買，売買の媒介・取次ぎ・代理，金融商品市場における売買の委託の媒介・取次ぎ・代理，引受け，売出し，募集・売出しの取扱い，私募の取扱い，および公共債を原資産・原指標とする市場デリバティブ取引・外国市場デリバティブ取引がこれに当たる（33条2項1号）。公共債はリスクが小さいので，これらの取引を金融機関に行わせても預金者を害するおそれが小さいことが，有価証券関連業を許容する根拠となる。

③　金融の証券化・資産の流動化から生じた有価証券に係る一定の有価証券関連業　従来，金融の証券化から生じた商品を有価証券の定義に含めると，旧証取法65条により金融機関がこれを取り扱えないこととなるため，新しい金融商品が開発される度に業際問題が生じていた。そこで，平成4年改正証券取引法は，コマーシャルペーパー，外国貸付信託受益証券を有価証券に含めつつ（→**1章*4*節*2*(2)**），金融機関にもこれらについての有価証券関連業を認めた。コマーシャルペーパーは銀行による融資の変形物とみられることが，金融機関による取扱いを許容する根拠といえる。

平成10年制定の資産流動化法は，特定目的会社または特定目的信託の仕組みを利用する以上，資産がどのようなものであっても，上記の仕組みにより発行される権利を有価証券としたが（→**1章*4*節*2*(2)**），それらの有価証券につい

56)　鈴木＝河本268頁。
57)　銀行法改正の経緯につき，鈴木＝河本278-290頁を参照。

ても金融機関が専門的能力を生かして関与できるように[58]，金融機関にも取扱いを認めた。

③に該当する業務は，コマーシャルペーパー，短期社債（無券面化されたコマーシャルペーパー），海外発行コマーシャルペーパー，外国譲渡性預金証書，外国貸付信託受益証券，特定目的会社の優先出資証券・特定社債券，特定目的信託の受益証券，受益証券発行信託の受益証券，および抵当証券についての売買，売買の媒介・取次ぎ・代理，金融商品市場における売買の委託の媒介・取次ぎ・代理，引受け，売出し，募集・売出しの取扱い，私募の取扱い，これらの有価証券を原資産・原指標とする市場デリバティブ取引・外国市場デリバティブ取引である（33条2項1号，施行令15条の17）。これらのうち，譲渡性預金証書は，金融の証券化とは直接の関係はないが，金融機関に取扱いを認めるのが自然であり，専門的能力の発揮を期待できるために，登録業務の対象に加えられたものである。

④　**有価証券の私募の取扱い**　　募集・売出しによらないで発行される社債を，発行者と機関投資家との間に立って仲介する「私募債の取扱い」は，融資業務の変形物として，銀行が主として行ってきた。ところが，平成4年改正前までは私募の定義が不明確であり，銀行が私募の取扱いを行うことができる根拠についても不明確であった。そこで同年改正により，募集の定義を明確化し（→**2章*2*節*1***），新たに発行される有価証券の取得の申込みの勧誘で有価証券の募集に該当しないものを私募とした。金融機関による私募の取扱いが認められる範囲は，社債（私募債）に限られず，ほとんどの種類の有価証券に拡大されている（33条2項1号・2号・3号ロ・4号イ，施行令15条の18）。もっとも，上場会社の第三者割当増資は募集に該当し（→**Column 2-7**），上場株式については私募を行う余地はないので，金融機関が株式の私募の取扱いをなしうるのは未公開株に限られる。

私募の取扱いは，有価証券の売残りリスクを負担しない仲介業務であることから，金融機関に行わせても預金者を害するおそれが小さいことが，これを許容する根拠となる。

⑤　**投資信託商品の窓口販売**　　投資信託は，比較的少額の投資資金しか有しない投資者に対して，多数の有価証券に分散投資をする機会を提供するこ

58）　近藤＝吉原＝黒沼447頁。

とができる（→**11章*1*節*1***）。こうした株式投資への導入という投資信託の役割に期待して，投資家層の拡大を通じた金融商品市場の活性化を目的として，平成10年改正証券取引法は，金融機関における投資信託商品の窓口販売を解禁した[59]。窓口販売に加えて，投資信託商品を換金したいという顧客のニーズに応えるために，金融機関による投資信託商品の売買や売買の媒介も認められた。対象となる有価証券は，投資信託の受益証券，外国投資信託受益証券，投資法人の投資証券・投資法人債券，外国投資証券であり，金融機関は，これらについて売買，売買の媒介・取次ぎ・代理，金融商品市場における売買の委託の媒介・取次ぎ・代理，募集の取扱い，私募の取扱いをすることができる（33条2項2号）。

金融機関に投資信託の窓口販売を許容する根拠として，金融機関は投資信託の売残りリスクを負担しないので預金者の利益を害するおそれが小さいといえる。金融機関が投資信託ビジネスに参入することが資本市場の育成を妨げないかという疑念に対しては，投資信託を通じて間接的に資本市場に参加する投資者が増えれば，資本市場は活性化すると反論することが可能であろう。

金融機関による投資信託商品の販売については，なお2つの問題に着目する必要がある。第1に，金融機関が販売する預金商品等とは異なり，投資信託には元本保証がなく預金保険の対象でもないため，顧客の誤認を防ぐ措置が必要である。この点については，元本保証がない等の事項について金融機関に説明義務を負わせ，説明事項を窓口に掲示するなどの措置を講ずることが，銀行法等の金融機関を規制する法令において求められている（銀行規13条の5，保険規53条の2）。第2に，銀行等の金融機関は預金や融資に関する顧客情報を有しているために，これを利用して投資信託商品の勧誘を行うことが許されるかという問題がある。この問題は，窓口販売解禁前は「銀行と証券間の公正な競争条件の確保」という観点から論じられていたが，現在では，公正な競争条件確保のための規制はほとんどが撤廃されたため，個人情報保護の観点から論じられている（→***4***(6)）。

⑥　有価証券店頭デリバティブ取引　平成10年改正証券取引法が有価証券店頭デリバティブ取引を解禁した際，店頭デリバティブ取引は原資産の価格

59）改正の経緯につき，証券取引法研究会「金融システム改革法について（4）――銀行による投資信託商品の販売」インベストメント51巻6号（1998）63頁以下〔川口恭弘報告〕を参照。

変動に基づくキャッシュ・フローを顧客のニーズに合わせて適切に組み替えることを可能にする取引であることから，顧客の利便性を図り，また競争を促進するために，金融機関にも取引が認められた[60]。金融機関は，33条2項1号に掲げる有価証券（公共債，証券化・流動化商品）について店頭デリバティブ取引をすることができ，同項2号から4号に掲げる有価証券（投資信託商品，外国国債，その他の有価証券）については，原資産の受渡しを伴わない差金決済の方法によってのみ店頭デリバティブ取引をすることができる（33条2項5号）。後者は，原資産である当該有価証券の取扱いを金融機関本体ですることができないことを考慮したものである[61]。金融機関は，投資目的をもって有価証券店頭デリバティブ取引をすることができるのであるから（→(1)），本号は，顧客の利便性を図るために行う有価証券店頭デリバティブ取引を，一定の範囲・条件の下で許容するものである。

⑦　**その他の有価証券関連業**　①から⑥以外の有価証券関連業のうち，金融機関は，登録を受けて，(a)外国国債の取引，(b)金融商品仲介業，(c)有価証券等清算取次ぎをすることができる（33条2項3号・4号ロ・6号）。(a)は，公共債の取引と同様の趣旨で金融機関に認められたものである。(b)については，**Column 10-7** で述べた。(c)は，金融商品取引清算機関の会員となっている金融機関が会員でない者のために，有価証券関連の清算取次ぎ（2条27項，→***1*** 節 ***2*** (2)⑤）をすることができる旨を明示するものである。

②から⑦までの行為は，28条8項各号の有価証券関連業であり，金融機関が行う場合に金融商品取引業を構成する行為の定義から除外されている（2条8項柱書）。したがって，金融機関が33条の2による登録を受けずに，29条による金融商品取引業の登録を受けてすることは認められない。

(3)　登録によりすることのできる有価証券関連業以外の行為

有価証券関連業以外の行為であって，金融機関が当該行為を業としてするときに内閣総理大臣の登録を要する行為として，33条の2は，次の4つを挙げている。①から④までの行為は，金融商品取引業を構成する行為であるが，金融機関が行う場合に29条の適用を除外されている（33条3項）。したがって，金融機関が①から④の行為をするのに，金融商品取引業の登録を受ける必要は

60）　近藤＝吉原＝黒沼449頁。

61）　証券取引審議会デリバティブ特別部会報告「有価証券関連の店頭デリバティブ取引について」8 (3)（平成9年5月13日）。

なく，登録を受けることもできないが，32条の2による登録を受けなければならないこととなる。

① **投資助言・代理業**　平成18年改正前までは，金融機関が投資顧問業の登録を受けることができるかどうかは，明らかでなかった。金融商品取引法は，投資助言・代理業であれば有価証券の売買の代理を伴わず，弊害が少ないと判断し[62]，金融機関が登録を受けてすることができるものとした（33条の2柱書）。グループ内の金融商品取引業者のために金融機関が金融商品取引仲介業を行う場合に，投資助言業を兼営する実際上の意義もあるだろう。

② **有価証券等管理業務**　金融機関は，従前から，付随業務として，有価証券の保護預かりや社債株式振替法上の振替業務を行っていた。金融商品取引法はこれらの業務（有価証券等管理業務，28条5項，→*2*節*1*⑵）を金融商品取引業を構成する行為としたため，金融機関が行うことができる旨を定める必要が生じた（33条の2柱書）。

③ **有価証券関連デリバティブ取引以外のデリバティブ取引とその清算取次ぎ**　金利や通貨に関するデリバティブ取引は，金融機関が金融先物取引法上の登録を受けて，することができた。金融先物取引法が金融商品取引法に統合されたため，有価証券関連以外のデリバティブ取引を，金融機関の登録業務として規定し直す必要が生じた（33条の2第3号）。また，これに伴い，有価証券関連以外の市場デリバティブ取引の清算取次ぎを行わせるために，有価証券等清算取次ぎ以外の清算取次ぎを金融機関の登録業務とした（同号）。

④ **投資信託・集団投資スキーム等の自己募集・自己私募**　投資信託・集団投資スキーム等の自己募集や自己私募が金融商品取引業を構成する行為とされたのに伴い（→*1*節*2*⑵⑭⑮），金融機関が行う場合に登録を求めたものである（33条の2第4号）。なぜ自己募集・自己私募を有価証券関連業に含めなかったのかは，明らかでない。

⑷ 登録規制

金融機関が⑵⑶に掲げた行為を業として行うには，内閣総理大臣の登録を受けなければならない（33条の2）。登録の欠格事由は，金融商品取引業の登録に関する法29条の4第1項1号とほぼ同じであるが，最低資本金の規制，法人要件，主要株主についての要件等は定められていない（33条の5第1項）。これ

62）　一問一答250頁。

は，申請者が免許等を受けた金融機関であり，銀行法等の法令により規制を受けているからである。ただし，金融機関が有価証券店頭デリバティブ取引を業として行うときはその旨を登録申請書に記載しなければならず（32条2項5号，金商業府令44条4号），内閣総理大臣がこれを登録する場合には，株式に係る取引の公正確保のために内閣府令で定める条件を付さなければならない（33条の5第2項，金商業府令50条）。銀行等が大量の株式を保有しており，株式関連の店頭デリバティブ取引を業として行う場合に，投資者としての立場と担い手（顧客に対するサービスの提供者）としての立場とで利益相反が生ずることを懸念したものである[63]。

登録を受けた金融機関を登録金融機関といい（2条11項），登録金融機関と金融商品取引業者を合わせて金融商品取引業者等という（34条）。36条以下の行為規制が金融商品取引業者等を名宛人としているところから明らかなように，登録金融機関は，顧客に対して誠実義務を負い（36条1項），登録金融機関業務に関して，金融商品取引業者と同様の行為規制（36条の2～40条の5）の適用を受ける。登録金融機関が投資助言業務を行うときは，投資助言業務に関する特則（41条の2～41条の5）が適用され，有価証券等管理業務を行うときは，顧客資産の分別管理の規定（43条の2・43条の3）が適用される。

登録金融機関は，内閣総理大臣による報告徴取・検査権の対象となり（56条の2），法令違反行為等があったときは，登録の取消し，業務の停止，役員の解任等の行政処分の対象となる（52条の2）。登録金融機関の財務規制については本章***4*節**でも触れたが，大部分は銀行法等による規制に委ねられている。

■Column 10-9　登録金融機関における利益相反行為の規制■■

登録金融機関においては，金融機関としての業務と登録金融機関業務とを同一の法主体が行うから，一方の業務の顧客の利益を犠牲にして他方の業務の顧客の利益を図るような利益相反行為が行われやすい。そこで，金融商品取引法は，登録金融機関またはその役員・使用人の禁止行為として次のものを列挙している（44条の2第2項，金商業府令149条の2～150条）。もっとも，これらの禁止行為の内容を見ると，利益相反行為の防止というよりも，金融機関の優越的地位の濫用の防止を目的とするものもある。

①　金銭の貸付けその他信用の供与をすることを条件として有価証券の売買等の受託等をする行為

63）　神崎＝志谷＝川口928頁（注1）。

銀行が資金を貸し付けて顧客に有価証券の売買を行わせるのが典型である。銀行業の顧客に不利で登録金融機関業務の顧客に有利な行為とは言い切れず，むしろ，不当な投資勧誘として，登録金融機関業務の顧客にとっても不適切な行為ではないだろうか。

②　登録金融機関業務以外の業務による利益を図るために，不必要な取引を行うことを内容とする投資助言をする行為（信託銀行が投資運用業を行うときは，不必要な取引を行うことを内容とする投資運用をする行為を含む）

44条２号（→***3*** 節 ***1*** (3)）と同趣旨の利益相反行為の防止規定である。

③　資金の貸付け，信用の供与を条件として，金融商品取引契約の締結またはその勧誘を行う行為

金融商品取引契約を締結しなければ（たとえば，国債を購入しなければ），顧客が求める事業資金の貸付けに銀行が応じないことが典型である。利益相反行為というよりも，優越的地位の濫用行為であろう。

④　自己の取引上の優越的な地位を不当に利用して金融商品取引契約の締結またはその勧誘を行う行為

⑤　自己に対して借入金に係る債務を有する者が有価証券を発行する場合であって，その手取金が当該債務の弁済に充てられることを知っているか，自己が主たる借入先である者が有価証券を発行する場合において，その旨を顧客に説明することなく，有価証券の売買の媒介（当該有価証券の引受けを行った委託金融商品取引業者が引受人となった日から６か月以内に当該有価証券を売却するものに係るものに限る），有価証券の募集・売出しの取扱い，私募の取扱い等をする行為

銀行が貸付先に有価証券を発行させて手取金で借入金を返済させる行為が典型であり，融資業務の利益を登録金融機関業務の顧客の利益に優先させる利益相反取引といえる。ただし，株式に係る募集・売出しの取扱いは登録金融機関に認められておらず，私募の取扱いは未公開株に限られる。それに対して括弧内は，登録金融機関がグループ内の金融商品取引業者の委託を受けて金融商品仲介業を行う場合を想定し，顧客に事情を説明せずに，委託業者が保有する売残り有価証券を顧客が取得するよう勧誘することを禁止するものであり，株式の募集についても当てはまる。

⑥　金融商品仲介業に従事する役員・使用人が，有価証券の発行者である顧客の非公開融資等情報を融資業務に従事する役員・使用人から受領し，または融資業務に従事する役員・使用人に提供する行為

顧客情報利用のルール（→***4*** (6)）に従って情報の授受を行う場合は禁止の対象から除かれるから，利益相反行為の禁止というよりも顧客の個人情報保護のための規制であるといえる。

3　子会社・兄弟会社による有価証券関連業の規制

(1)　子会社による場合

銀行と証券の相互参入は，平成4年の証券取引法改正により，まず，子会社を通じた方式が認められた。すなわち，銀行その他の金融機関は証券専門会社および証券仲介専門会社を子会社とすることができる（銀行16条の2第1項，保険業106条1項）。証券専門会社とは，金融商品取引業者のうち有価証券関連業（28条8項）および内閣府令で定める業務を専ら営む者をいい，証券仲介専門会社とは，金融商品仲介業および内閣府令で定める業務を専ら営む者をいう（銀行規17条の2第2項，保険業規56条2項）。このように子会社となる金融商品取引業者を証券専門会社等に限定したのは，金融商品取引業者は業務範囲が広く兼業も認められるため（→*3*節*1*），金融機関の業務範囲が子会社を通じて無限定に拡張するのを防ぐためである。金融商品取引業者を子会社とすることは親会社が有価証券関連業を行っているとも解釈されうるので，33条の規定は内閣総理大臣が金融機関の子会社に金融商品取引業者の登録を付与することを妨げない旨の規定が33条の7に置かれている。

証券専門会社が行うことのできる有価証券関連業の範囲は，平成4年改正により相互参入が認められた頃は，既存の証券会社の業務を圧迫しないように制限されていたが，現在では制限はなく，リスクの高い有価証券の引受けもすることができる。預金者等の保護は，有価証券関連業のリスクが，親銀行等が出資した証券専門会社の株式の価額に限定されること（株主有限責任の原則）により図られる。金融機関の顧客と有価証券関連業の顧客との間で利益が相反する行為の規制は，異なる種類の業務が別法人によって行われるので，それらが金融機関本体によって行われるよりも，管理がしやすいといえよう（→(2)）。なお，独占禁止法に基づく株式保有制限のため（→Column 10-8），銀行または保険会社が証券専門会社を子会社とするときは，公正取引委員会の認可を受けなければならない（独禁11条1項但書）。

他方，有価証券関連業を行う金融商品取引業者は，銀行，保険会社その他の金融機関の議決権の過半数を取得し，保有することができ，そうしたときは内閣総理大臣に届け出なければならない（50条1項4号）。有価証券関連業を行うと否とにかかわらず，金融商品取引業者が銀行の20%以上の株主になろうとするときは内閣総理大臣の認可を受けなければならず（銀行52条の9・2条9項），議決権の過半数を取得したときは内閣総理大臣の監督是正命令の対象になるなど（銀行52条の14第1項），厳しい行政監督の下に置かれることになる。

⑵　**金融持株会社傘下の兄弟会社による場合**

平成9年の独占禁止法改正により純粋持株会社が解禁されたことを受けて，金融の各分野においても同年に業法が改正され，持株会社方式で金融業を営むことができるようになった。その際，金融持株会社が銀行，証券会社，保険会社を同時に保有する方式（金融持株会社方式）を通じて各分野への相互参入が可能になった。子会社方式に比べて金融持株会社方式では，有価証券関連業から生ずるリスクを金融機関が直接負担することがなく，リスク遮断の点で優れている。他方，金融持株会社方式では，金融グループが持株会社の統一的な指揮の下に置かれることになるから，預金者，保険契約者，投資者のいずれかが集中的に害される可能性もあり，弊害を防止する必要性は子会社方式に劣らない。

持株会社と金融業を行う子会社の規制は，金融の各分野によって異なる。たとえば，銀行持株会社（銀行を子会社とする持株会社）について見ると，持株会社による子会社の経営管理のあり方や，グループ全体の財務の状況は，子銀行の経営の健全性に大きな影響を与えることから，銀行持株会社の設立はあらかじめ内閣総理大臣の認可を受けることを要する（銀行52条の17）。銀行持株会社の業務範囲は子会社の経営管理およびこれに附帯する業務に限定され（同52条の21），子会社とできる会社も，証券専門会社（→⑴），証券仲介専門会社（→⑴），保険会社，信託専門会社などに限定されている（同52条の23）。

保険持株会社（保険会社を子会社とする持株会社）の設立にも内閣総理大臣の認可が必要であり（保険業271条の18），保険持株会社の業務範囲は子会社の管理等に制限されているが（同271条の21），保険会社は銀行等と異なり決済システムを担っていないことから，保険持株会社は，金融業関連の会社以外を子会社にすることもできる（同271条の22）。ただし，有価証券関連業関係では，証券専門会社および証券仲介専門会社しか子会社にすることができない。

以上に対して，金融商品取引業者の業務は基本的に仲介業であり，顧客財産の分別管理さえしっかりしていれば顧客に大きな損害をもたらすことがないので，証券持株会社（金融商品取引業者を子会社とする持株会社）を設立するのに内閣総理大臣の認可は不要であり，持株会社に主要株主の届出義務が生ずる場合があるだけである（→***3*** 節 ***3***）。ただし，平成22年の改正により，一定規模以上の総資産を有する第1種金融商品取引業者については，当該会社の親会社や持株会社を頂点とする連結監督規制が行われるようになった（→***4*** 節 ***2***⑶）。

4　弊害防止措置

(1)　総　　説

たとえば，銀行が証券専門会社を子会社とする場合や銀行持株会社の傘下に銀行と証券専門会社を置く場合には，銀行が，銀行顧客の利益を犠牲にして証券専門会社の顧客の利益を図るような行為をしたり，銀行が証券専門会社を支援して，証券の分野における公正な競争を阻害することなどの弊害が生じうる。そこで，利益相反行為の禁止，公正な競争の確保の観点から，弊害防止措置とかファイアーウォール（業務隔壁）規制と呼ばれる規制が置かれている。

弊害防止措置のうち金融商品取引法に置かれているのは，金融商品取引業者の親法人等または子法人等が関与する行為であって，金融商品取引業の顧客の利益を害するおそれのある行為の禁止規定である（44条の3第1項，金商業府令153条）。親法人等には，金融商品取引業者の親会社，当該親会社の子会社，当該親会社の関連会社などが含まれる（31条の4第3項，施行令15条の16第1項）。子法人等には，金融商品取引業者の子会社や関連会社が含まれる（31条の4第4項，施行令15条の16第2項）。

銀行業または保険業の顧客の利益を害するおそれのある行為の禁止規定は，それぞれ銀行法または保険業法に規定が置かれている。ここでは金融商品取引法の規定についてのみ説明する。

(2)　利益相反取引の禁止

金融商品取引業者の顧客の利益を害するような利益相反取引としては，まず，金融機関に対する借入金を発行者に返済させるために，証券会社が引受人となって発行者に有価証券を発行させる行為が考えられる。金融商品取引法は，親法人等または子法人等に対して借入金債務を有する発行者が手取金を当該債務の弁済に充てることを知っている金融商品取引業者が，引受人となり，その旨を顧客に説明することなく引受けに係る有価証券を売却する行為を禁止している（金商業府令153条1項3号イ）。このような行為は，発行者の倒産によるリスクを金融機関から金融商品取引業者の顧客に移転するものだからである。ただし，顧客が利益相反関係を知って有価証券を取得するときは，顧客の利益が不当に害されないので，禁止規定の違反とはならない。

つぎに，金融商品取引業者が，その親法人等または子法人等が有価証券を発行する際に引受主幹事になることが，一定の場合を除いて禁止される（同項4号）。親法人等または子法人等の利益を図るために引受審査が甘くなり，金融商品取引業の顧客を害するおそれがあるからである。

第3に，有価証券の引受人となった金融商品取引業者は，親法人等または子法人等が顧客に当該有価証券の買入代金を貸し付けていることを知りながら，その顧客にその有価証券を売りつけることが，6か月間，禁止される（同項5号）。この行為は金融商品取引業者が親法人等や子法人等の利益を図るためにする行為とはいいがたいが，金融商品取引業者の引受けリスクを，銀行業等を利用して顧客に転嫁するという意味で利益相反行為である。

第4として，金融商品取引業者が，親会社等または子会社等の利益を図るために，不必要な取引を行うことを内容とする投資助言や運用を行うことが禁止される（44条の3第1項3号）。投資助言業務・投資運用業の顧客と親会社等・子会社等との間で利益が相反する行為に対処する規定である（→***3*** 節 ***1*** (3)(4)）。

以上に列挙された行為以外にも，親法人等・子法人等と顧客との間または金融商品取引業者と顧客との間で利益が相反する行為があると考えられるが，それらについては，金融商品取引業者の定める利益相反管理体制のなかで対応が図られる（→(5)）。

(3)　公正な競争の確保

証券会社（金融商品取引業者）の親会社や兄弟会社である銀行等の金融機関が，証券会社を積極的に支援することが，証券業（金融商品取引業）の公正な競争を害するとして規制の対象とされてきた。平成4年の証券取引法改正の直後は，企業が社債を発行する際にメインバンクの関連証券会社が引受主幹事となることを禁止するメインバンク規制や，銀行と関連証券会社の役員・使用人が共同で顧客を訪問してはならないとする共同訪問の禁止のように，極端なファイアーウォール規制が定められていた。これらの規制は平成11年4月に廃止されたが，現在でも，公正な競争の確保のために，金融機関が金融商品取引業者を積極的に支援する行為は個別に禁止の対象とされている。

金融機関が金融商品取引業者を支援する方法としては，金融商品取引業者と直接に取引する方法と金融商品取引業者の顧客と取引する方法とがある[64]。前者に対する規制として，金融商品取引業者またはその役員・使用人は，①通常の取引の条件と異なる条件であって取引の公正を害するおそれのある条件で，親法人等または子法人等と有価証券の売買その他の取引または店頭デリバティ

64）　神崎＝志谷＝川口953頁。

ブ取引を行うこと（44条の3第1項1号），②通常の取引の条件と著しく異なる条件で，親法人等または子法人等と資産の売買その他の取引を行うこと（金商業府令153条1項1号），③引き受けた有価証券を，6か月以内に，親法人等または子法人等に売却すること（同項6号）が禁止される。

①②は，親子会社間またはグループ企業間の取引を対等当事者間の取引と同じような条件で行うことを求めるもので，アームズ・レングス・ルールという。アームズ・レングス・ルールが金融商品取引法に置かれている趣旨は，取引条件が金融商品取引業者に有利に設定され，金融商品取引業者が同業他社との競争上，優位に立つことを防止する点にある。他方，親法人等または子法人等である金融機関の業務を犠牲にして取引条件が設定されるときは当該金融機関の健全性が害される。そこで，銀行法，保険業法等においてもアームズ・レングス・ルールが定められているが（銀行13条の2第1号2号，保険業194条），その趣旨は公正な競争の確保というよりも金融機関の健全性の確保にあるといえよう[65]。③は利益相反行為にも当たるが，親法人等または子法人等に不利な取引であるから，金融商品取引法がこれを禁止する趣旨は，有価証券の引受けリスクを親法人等または子法人等に移転することを通じて金融商品取引業者を支援する行為を禁止することにある。

金融商品取引業者の顧客と取引することによる間接的な支援の禁止として，金融商品取引業者またはその役員・使用人は，親法人等または子法人等が，金融商品取引業者との間で金融商品取引の契約を締結することを条件として，④顧客に信用を供与していることを知りながら（44条の3第1項2号），または⑤通常の取引の条件よりも有利な条件で資産の売却その他の取引を行っていることを知りながら（金商業府令153条1項2号），金融商品取引契約を締結することを禁止される。

■Column 10-10　公正な競争の確保の意義■■

親子関係に立つ金融機関や金融グループ内の金融機関が金融商品取引業者を支援する行為は，なぜ禁止されなければならないのだろうか。それが金融商品取引業の公正な競争を害するのであれば，独占禁止法によって対処すべきであるとも考えられる。ところが，独占禁止法は私的独占やカルテルなど，一定の取引分野における

65）銀行法上のアームズ・レングス・ルールの趣旨につき，神作裕之「金融コングロマリットにおけるグループ内取引に係る監督法上の規制」岩原紳作＝山下友信＝神田秀樹編『会社・金融・法（下）』（商事法務，2013）410頁以下を参照。

競争を実質的に制限する行為を禁止しているけれども（独禁2条5項6項・3条），親法人等や子法人等がある事業者を支援する行為は禁止行為に掲げられていない。また，金融機関が金融商品取引業者を支援することによって，金融商品取引業者の顧客が直接に利益を害されるわけではないし，それだけで金融商品取引業における競争が実質的に制限されるともいえないだろう。このように，金融商品取引法が確保しようとしている「公正な競争」は独占禁止法にいう競争とは異なる意味で用いられているようである。

それでは，公正な競争の確保のための規制は，中小の証券会社が新たに参入してくる金融機関グループの証券会社との競争に敗れて退出することを防止し，既存の中小証券会社を保護する目的で定められたのであろうか。もし，そうだとすれば，銀行と証券の相互参入が認められた当初は別として，現在では，公正な競争確保のための規制は廃止すべき時代遅れの規制ともいえる。しかし，金融機関による金融商品取引業者の支援を制限するこれらの規制は，金融機関のグループに属さない金融商品取引業者の存立をある程度確保することを通じて，資本市場の発展に役立っているといえるだろう。現代の金融業はグループが一体として経営されているから，もし，金融商品取引業がすべて金融グループの一部門として行われるようになると，ユニバーサルバンク制度（→*1*）と同様に，発行者に間接金融を勧め，資本市場の発展を阻害するおそれが生じると予想されるからである。このように考えると，公正な競争確保のための規制をすべて廃止すべきということにはならない。

⑷　銀行による優越的地位の濫用の禁止

銀行は融資を通じて企業に事業資金を供給しており，企業の事業経営に大きな影響力を有している。このような銀行の企業に対する優越的地位を考慮して，銀行法は，銀行が顧客に対し，自己やその子会社等と取引を行うことを条件として信用を供与する行為や，優越的地位を不当に利用して取引の条件や実施について不利益を与える行為を，明文で禁止している（銀行13条の3第3号4号，銀行規14条の11の3第3号）。

平成20年の府令改正では，銀行による優越的地位の濫用防止を徹底する観点から，有価証券関連業を行う第1種金融商品取引業者が，その親銀行等または子銀行等の取引上の優越的地位を不当に利用して金融商品取引契約の締結または勧誘を行うことを禁止行為に掲げた（金商業府令153条1項10号）。金融グループ内の銀行等の顧客に対する優越的地位を，グループ内の金融商品取引業者が不当に利用することを禁止するものであり，顧客の利益を保護するとともに，公正な競争条件の確保にも資すると考えられる。

⑸　利益相反管理体制の整備

従来，証券会社（有価証券関連業を行う金融商品取引業者）とその親銀行・保険会社との間，および証券会社とその子銀行・保険会社との間で，役員・使用人の兼職が禁止されていた（平成20年改正前31条の4)。兼職制限については，利益相反行為の防止という目的に照らして過剰な規制となっているとともに，兼職を制限しただけで利益相反行為を防げるものでもないので，規制目的達成の実効性の観点からも疑問があり，さらに，兼職制限が金融グループとしての総合的なリスク管理やコンプライアンスの障害になっていると指摘されていた[66]。そこで，平成20年に金融商品取引法，銀行法，保険業法等を改正して，兼職制限を撤廃する代わりに，金融グループに対して利益相反管理体制の整備を求めることにした。

特定金融商品取引業者等は，当該業者またはその親金融機関等もしくは子金融機関等が行う取引に伴い，金融商品関連業務に係る顧客の利益が不当に害されることのないよう，内閣府令で定めるところにより，業務に関する情報を管理し，業務の実施状況を適切に監視するための体制を整備しなければならない(36条2項)。ここに特定金融商品取引業者等とは，第1種金融商品取引業を行う金融商品取引業者のうち有価証券関連業を行う者と登録金融機関をいう（36条3項，施行令15条の27，以下，証券会社等という)。従前の兼職制限の適用範囲を考慮して，適用対象が証券会社等に限定されている。親金融機関等には，金融持株会社傘下の銀行・保険会社等が含まれており（36条4項，施行令15条の28)，これによって一法人を超えた金融グループにおける利益相反管理体制の整備が求められることになる。親金融機関等や子金融機関等を有しない証券会社等も利益相反管理体制を整備しなければならない。なお，36条2項は，文言上，顧客の利益を不当に害さないための体制を整備する義務を証券会社等に課しているが，内閣府令や監督指針を見る限り，いわゆる利益相反から生ずる顧客の不利益を念頭に置いて取引の管理を求めるものとなっている。

どのような利益相反管理体制を整備すべきかについて，内閣府令では，①利益相反のおそれのある取引を特定するための体制，②特定された取引について，一定の方法により顧客を保護するための体制，③①②の方針を策定し公表すること，④①②の体制の下で実施した措置を記録し保存することを求めてい

66）　金融審議会金融分科会第一部会報告「我が国金融・資本市場の競争力強化に向けて」12頁（平成19年12月18日）参照。

る（金商業府令70条の4）。(2)に掲げた個別の禁止規定に違反する行為が許されないのは当然であるが，ここではそれに該当しない利益相反行為について，証券会社等が自ら管理の対象と管理の方法を定めて利益相反の管理を実施することが求められる。そして，内閣総理大臣は，利益相反管理体制が適切に整備されているか，利益相反管理体制に沿った利益相反行為の管理が行われているかという観点から，証券会社等を監督することになる。つまり，法令に列挙された利益相反行為についてはルールベースで，それ以外の利益相反行為についてはプリンシプルベース（原則ベース）で規制および監督を行うことが予定されているのである[67]。

■ Column 10-11　プリンシプルベースの規制■■

利益相反管理体制の対象となる取引の例として，金融庁による監督指針改正時の公表資料は，①有価証券に係る顧客の潜在的な取引情報を知りながら，当該有価証券について自己勘定取引を行うこと，②競合関係または対立関係にある複数の顧客に対し，資金調達やM＆Aに係る助言等を提供する場合など，15の場合を例示している[68]。証券会社等は，これらを必ず管理の対象としなければならないわけではなく，これら以外を管理の対象としてはならないわけでもない。そもそも管理の対象となる利益相反とはなにかは，難しい問題である。たとえば，証券会社等が有価証券の売主，顧客が買主となるとき，販売価格が適正な価格よりも高ければ業者に有利で顧客に不利な取引となる関係が生じているので，業者・顧客間の取引には常に利益相反関係が認められるともいえる。利益相反管理体制の整備義務は，親金融機関等や子金融機関等を有しない証券会社等にも課されているので，法は，業者と顧客が対等当事者の関係にある場合を含めて利益相反管理体制の整備を求めているともいえる。しかし，他方で，法はどのような場合に利益相反の管理が必要かを金融商品取引業者の選択に委ね，その選択の適否を含めて金融庁が管理体制を監督することにしている。そこで実務では，私法上，「顧客が自己の利益を優先させてくれると合理的な期待を抱かせるような関係」，すなわち，契約や取引の内容，当事者関係等から，金融商品取引業者が顧客に対して善管注意義務・忠実義務を負うと考えられる関係が認められる場合に利益相反があるとの見解が示されている[69]。

67）　プリンシプルベースの利益相反管理体制と民事責任との関係を扱ったものとして，神作裕之「金融業務における利益相反——業法上の行為規範と民事法上の規律」金法1927号（2011）36頁，松井智予「利益相反取引とベター・レギュレーション」岩原＝山下＝神田編・『会社・金融・法（下）』（商事法務，2013）445頁を参照。

68）　金融庁「ファイアーウォール規制の見直しに係る主な改正内容」（平成20年11月14日）。

69）　渡邉雅之『利益相反管理体制構築の実務』（商事法務，2009）159頁。

基本的にはこの見解に賛成するが，限界事例では，利益相反がないと誤って判断した証券会社等に注意義務の違反がなかったと判断される場合もあろう。

つぎに，利益相反管理の方法として，内閣府令は，(a)対象取引を行う部門と当該顧客との取引を行う部門を分離する方法，(b)対象取引または当該顧客との取引の条件または方法を変更する方法，(c)対象取引または当該顧客との取引を中止する方法，(d)対象取引に伴い当該顧客の利益が不当に害されるおそれがあることを当該顧客に開示する方法を，例示している（金商業府令70条の4第2号）。内閣府令は，利益相反の管理方法として，特定の取引についてどの方法を用いるかをあらかじめ定めるよう求めるのではなく，特定された取引の性質に応じて，どの方法（の組合せ）を採用するかを判断できる態勢を整えることを求める。たとえば，顧客（買収者）が買収対象の株式を購入することをＭ＆Ａの助言業務に関して知った証券会社等が，自己勘定で当該株式を購入することを管理対象取引として特定した場合（上記①），利益相反の管理方法としては，自己勘定で投資を行うプリンシパル投資部門とＭ＆Ａ部門をあらかじめ分離する（(a)），顧客情報を知った場合に自己勘定による取引を行わない（(b)），自己勘定取引に伴い顧客の利益が害されるおそれがあることを開示した上で，Ｍ＆Ａの助言業務を行う（(d)）などの選択肢が考えられる[70]。

(6)　顧客の非公開情報の授受

従来，有価証券関連業を行う第1種金融商品取引業者が，①有価証券の発行者または顧客に関する非公開情報を，書面による事前の同意なく，親法人等または子法人等との間で授受することや，②親法人等または子法人等から取得した顧客に関する非公開情報を，書面による事前の同意なく利用して金融商品取引契約の締結を勧誘することは，禁止されていた（44条の3第1項4号，金商業府令153条7号8号）。顧客の非公開情報の授受・利用の禁止は，顧客の個人情報の保護と，親銀行等・子銀行等を有する証券会社とそうでない証券会社との間の競争条件を公平にすること（公正な競争の確保）を目的としている。他方，顧客の非公開情報の金融グループ間での利用制限は，(a)金融グループとしての総合的なサービスの提供を困難にし，利用者の利便性を損なっている，(b)金融グループとして要求される統合的リスク管理やコンプライアンスの障害となっている，(c)わが国金融機関の競争力の観点からみたとき，欧米の金融グループとの競争条件を不利なものとしている等の指摘もされていた[71]。

70）　渡邉・前掲注69）165頁参照。

71）　金融審議会・前掲注66）12頁。

そこで，平成20年の府令改正では，個人顧客については，従来どおり，顧客の書面による事前の同意がある場合（オプトイン）に限って，金融グループ内での情報の共有を認めるが，法人顧客については，顧客が非公開情報の提供の停止を求める（オプトアウト）までは，書面による事前の同意なしに，金融グループ内での情報の共有を認めることにした（金商業府令153条2項）。ただし，後者のためには，業者は法人顧客に対しオプトアウトの機会を適切に提供していなければならない（同項）。

ところで，非公開情報とは，発行者である会社の運営・業務・財産に関する公表されていない情報であって顧客の投資判断に影響を及ぼすと認められるもの，および，金融商品取引業者等・親法人等・子法人等の役員・使用人が職務上知りえた顧客の有価証券の売買その他の取引等に係る注文の動向その他の特別の情報をいうとされている（金商業府令1条4項12号）。この定義によれば，投資判断にとっては重要でないが親法人等または子法人等が取引をするか否かを判断する上で重要な発行者に関する情報は，非公開情報に該当しないことになるし，顧客リストは，役員・使用人が職務上知りえた顧客の「特別の情報」とはいえないだろうから[72]，グループ内の金融商品取引業者へ提供してよいことになる。公正な競争条件を確保する観点からは，非公開情報の範囲が狭すぎるのではないかと懸念される。

また，金融グループ内において内部管理に関する業務を行うために顧客情報を授受することは，従来は，金融庁長官の承認を得た場合に限って認められてきたが，平成20年の府令改正では，利益相反管理体制が整備されること（→(5)）を前提に，金融庁長官の承認なしに情報の共有が認められるようになった（金商業府令153条1項7号リ）。ここに内部管理に関する業務とは，法令遵守，リスク管理，内部監査業務，および財務・経理・税務に関する業務をいうと定義されている（同条3項）。上に述べた立法趣旨に照らすと，財務・経理・税務に関する業務まで内部管理業務に含めるのは，広すぎるきらいがある。

72）渡邉・前掲注69）17頁。

第*9*節　金融商品取引業協会

1　総　　説

(1)　沿　　革

金融商品取引業者の自主規制を行う仕組みとして金融商品取引業協会の制度がある。証券取引の分野では法は業者規制のすべてに直接介入することはせず，一定の分野を自主規制機関による自主規制に委ねてきた（→6章*6*節*1*(1)）。証券取引の分野における主要な自主規制機関は，証券取引所と証券業協会であり，金融商品取引法の下では，これらは金融商品取引所と金融商品取引業協会となっている。

金融商品取引法によって法律が統合される前は，証券会社を会員とする証券取引法上の証券業協会，投資信託委託業者・信託銀行・証券会社等を会員とする投資信託・投資法人法上の投資信託協会，投資顧問業者を会員とする投資顧問業法上の投資顧問業協会，金融先物取引業者を会員とする金融先物取引法上の金融先物取引業協会があった。これらのうち，証券業協会以外の各協会は民法上の社団法人であり，それぞれの業法で登録を求めた上で一定の規制を及ぼしていた。証券業協会については，平成4年の証券取引法改正により民法上の社団法人から証券取引法上の認可法人に位置づけが変更され，自主規制機関としての権限が強化されるとともに，証券業協会に対する行政の監督権限も強化された[73)]。

金融商品取引法では，金融商品取引業者の規制について行政規制と自主規制が補完し合うことにより，より高いレベルの投資者保護を達成できるとの考えに基づき[74)]，金融商品取引分野における自主規制の仕組みを維持することにした。自主規制機関を金融商品取引法上の認可協会（→*2*(1)）に一本化することも考えられるところであるが，従来ある自主規制機関がスムーズに移行できるように社団法人形態の自主規制機関（→*2*(2)）も並存させ，認可協会と認定協会が実質的に同等の権限を行使できるように規定を整えた[75)]。

73)　証券業協会に係る平成4年改正の内容につき，証券取引法研究会「平成4年証券取引法の改正について(12)～(16)」インベストメント47巻2号，4～6号（1994）参照。

74)　金融審議会・前掲注38) 30頁。

75)　金融審議会・前掲注38) 31頁。

金融商品取引法の立法過程では，金融商品取引業者に金融商品取引業協会への加入を義務づけることも検討されたが[76]，見送られた。この結果，いずれの協会にも加入していない金融商品取引業者も存在するが，それらの業者（投資助言・代理業を除く）は協会ルールに準じた社内規則を作成し，これを遵守する体制を整えなければならない（→*2*節*2*(3))。

(2)　自主規制機関としての特徴

金融商品取引所が金融商品市場における取引に関し会員・取引参加者の行為を規制する自主規制機関であるのに対し，金融商品取引業協会は，金融商品取引業者の金融商品市場外の取引および業者と顧客との関係について規制する自主規制機関である。自主規制のメリット・デメリットについて述べたこと（→6章*6*節*1*(1)）は，金融商品取引業協会にも当てはまる。

自主規制機関とは，一定の公益を達成する目的をもって自治的に規制を行う私的団体のことをいうが（→6章*6*節*1*(1)），金融商品取引業協会の場合，目的とする公益とは，「有価証券の売買その他の取引及びデリバティブ取引等を公正かつ円滑にし，並びに金融商品取引業の健全な発展及び投資者の保護に資すること」（67条1項・78条1項1号）である。私的団体であることは，金融商品取引業協会が金融商品取引業者を構成員とする法人である点に表れており，規制が自治的に行われるとは，協会が自ら規則を定めて会員に適用し，会員がそれに従わない場合には協会から排除されるなどの制裁を科す点に表れている。

自主規制の内容は，同業者間の商業倫理に基づいた，法令よりも高いレベルのものであることが期待されている（→6章*6*節*1*(1)）。法令で商業倫理の基準を定め，それを一律に適用することはできないからである。業者が商業倫理の基準に従っていれば法令に違反することもないはずであるから，自主規制が法令による規制を補完する（→(1)）といっても，自主規制は法令に比べ瑣末なことを定めているわけではない。他方で，投資者被害の未然防止のために業者の行為を過度に制約するような自主規制を定めると，自主規制を遵守できるのは一部の金融商品取引業者のみとなり，自主規制が一部の業者による業務の独占の隠れ蓑として利用されてしまう。このように，理想的な自主規制の内容とその執行の水準を設定するのは難しい作業である。

また，自主規制がうまく機能するには，自主規制の違反に対する制裁が効果

76）　金融審議会・前掲注38）31頁。

的であることも必要である。自治的規制を行う自主規制の性質上，業者に対する最も重い制裁は自主規制機関からの除名であるから，強制加入制度を採らない金融商品取引業協会においては，金融商品取引業者にとって協会に加入するメリットがなければ，除名でさえ効果的でない。金融商品取引所の会員・取引参加者については，金融商品取引所の開設する金融商品市場に直接参加できることが，自主規制機関に加入する大きなメリットであるし，取引所の会員・取引参加者であることが，顧客に対する金融商品取引業者の評判を高める効果を発揮する。それに対し，自主規制機能に特化した金融商品取引業協会については，業者が協会に加入するメリットがあまりないことが問題である。

■Column 10-12　金融商品取引業協会に加入するメリット■■

金融商品取引業者が金融商品取引業協会に加入する理論上のメリットとしては，協会への加入によって高い商業倫理を反映した規則を遵守することを自ら選択し，かつ実際に遵守することにより，業者との関係で顧客が公正に扱われるという評判を確立することが考えられる。つぎに，協会への加入によって，金融商品取引業者は，金融商品取引業協会が提供する各種のサービスを受けられるというメリットが考えられる。金融商品取引業協会は，歴史的には業界団体として成立したものであり，業界団体としての性質を有することは自主規制機関であることと矛盾しない[77)]。

たとえば，日本証券業協会は，協会員の役員・従業員の研修，金融商品等に関する知識の普及・啓蒙，政府に対する建議要望，協会員間の意思の疎通・意見の調整などを業務として掲げ（定款7条），これらの事項に関する決議権限を，理事会から，その下部組織である証券戦略会議に委任している（定款56条3項）。これらの業務は，自主規制規則の制定および執行（それらの決定権限は理事会から自主規制会議に委任される。定款56条2項）とは性質の異なる別の業務と考えられているわけである。金融商品取引法も，金融商品取引業協会の目的に「金融商品取引業の健全な発展」を含め（67条1項），協会員の役員・使用人の資質の向上を金融商品取引業協会の業務の1つと定めている（67条の8第1項9号）。そして，このような金融商品取引業協会から金融商品取引業者への直接間接のサービスの提供は，強制加入制度を採らない自主規制機関にとって，自主規制の違反に対する制裁を効果的なものとするのに不可欠の業務であると考えられる。

77）　証券取引法研究会「平成4年証券取引法の改正について(12)」インベストメント47巻4号（1994）87頁〔河本一郎発言〕，89頁〔神崎克郎発言〕。

2　金融商品取引業協会の組織

金融商品取引業協会の組織形態には，認可金融商品取引業協会と認定金融商品取引業協会とがある。

(1)　認可金融商品取引業協会

認可金融商品取引業協会（認可協会）は，金融商品取引業者が内閣総理大臣の認可を受けて設立する（67条・67条の2）。認可協会の認可の手続（67条の2～67条の5），認可協会の定款の記載事項（67条の8），役員の職務権限（69条），役員の秘密保持義務（72条）は法律に規定されている。認可協会は金融商品取引法上の法人であるが，金融商品取引法は，認可協会の組織についてほとんど規定を置かず（たとえば，協会員の議決権や役員の選出方法に関する規定がない），その代わり定款に，協会員・総会・役員・理事会その他の会議に関する事項を記載するよう求めている（67条の8第1項）。定款の内容は認可協会の認可の際に審査の対象となるから（67条の4第1項），法は，定款内容のコントロールを通じて認可協会の組織運営の適正（いわゆるガバナンス）を確保しようとしていることがわかる。

認可協会を設立し，その会員になれるのは金融商品取引業者と登録金融機関のみである（67条の2・68条1項）。金融商品仲介業者は認可協会の会員ではないが，その所属金融商品取引業者を通じて，認可協会の自主規制に服する。認可協会は営利の目的をもって業務を行ってはならない（67条の7）。ここにいう営利の目的とは，積極的に利益を得る目的をいい，構成員に分配しない限り利益を得るための事業を行ってもよいという意味ではないと説かれてきた[78)]。しかし，一般社団法人である認定協会について本条の定めが置かれていないことからすると，本条にいう営利の目的とは，利益を構成員に分配することを意味すると解すべきである。認可協会形態をとる自主規制機関としては，日本証券業協会がある。

金融商品取引業者は，原則として認可協会の会員になることができるが，認可協会は，地理的条件または業務の種類に関する事由により協会員の加入を制限することができる（68条2項）。たとえば，日本証券業協会は，協会員の資格を第1種金融商品取引業を行う金融商品取引業者および登録金融機関に限っているので（定款5条），第1種金融商品取引業を行わない金融商品取引業者は

78)　証券取引法研究会「平成4年証券取引法の改正について(13)」インベストメント47巻5号（1994）25頁〔森本滋発言〕，26頁〔河本一郎発言〕参照。

日本証券業協会に加入することができない。協会員が，法令，行政庁の処分，認可協会の規則に違反し，または取引の信義則に違背した場合には，認可協会は協会員に対して，過怠金を課し，協会員の権利の制限・停止を命じ，またはこれを除名することができる（68条の2）。除名された金融商品取引業者は，再加入を拒否されることがある（68条5項）。除名に伴って金融商品取引業協会の提供するサービスを受けられなくなるという不利益が，一定期間，金融商品取引業者に課されなければ，自主規制の遵守を期待できないからである。

認定金融商品取引業協会と比較した場合の認可協会の業務の特徴は，認可協会のみが，取引所に上場されていない有価証券（店頭売買有価証券）の売買のための市場（店頭売買有価証券市場）を開設することができる点（67条2項）にある。この規定は，証券業協会が店頭売買有価証券市場の開設・運営を行ってきたという歴史的経緯によるものであり，法は，店頭売買有価証券市場の開設・運営に係る規則を内閣総理大臣の認可に係らしめるなどの規制を行っている（67条の11～67条の20）。従来の店頭売買有価証券市場は平成16年に証券取引所になったため，現在，店頭売買有価証券市場は存在しない。したがって本書では，店頭売買有価証券市場の開設・運営の規制についての説明を省略する。

(2) 認定金融商品取引業協会

認定金融商品取引業協会（認定協会）は，金融商品取引業者が設立した一般社団法人について，内閣総理大臣が自主規制業務を行うものとして認定した自主規制機関である（78条1項）。認定にあたっては，定款の内容，業務の実施方法の内容，自主規制を行うに足りる知識・能力・財産的基礎の有無が審査される（同項）。認定協会の自主規制業務の内容（同条2項），会員に対する処分権限（79条の2）は，認可協会とほぼ同じであるが，金融商品取引業者の加入権・再加入の要件については，法律による規制はなく，定款による自治に委ねられている。認定協会は一般社団法人であるから，営利の目的をもって事業を行ってはならない。

現在ある認定協会のうち，金融先物取引業協会は，有価証券関連以外の市場デリバティブ取引に係る業務を行う金融商品取引業者・登録金融機関を協会員とする。投資信託協会は，投資信託の運用と販売に関与する業者，すなわち投資運用業として投資信託・投資法人の財産を運用する金融商品取引業者，第1種金融商品取引業を行う金融商品取引業者，および登録金融機関を協会員とする。日本投資顧問業協会は，投資運用業または投資助言・代理業を行う金融商品取引業者を協会員とし，第2種金融商品取引業協会は，自己募集その他の取引等を業として行う金融商品取引業者・登録金融機関を協会員としている。

3　金融商品取引業協会の業務

(1)　自主規制業務

金融商品取引業協会の自主規制業務は，性質上，協会員の法令遵守体制を確保すること，自主規制規則を制定しこれを執行すること，および投資者の苦情・紛争の解決にあたることといえるが，自主規制規則はさらに内容によって細分化される（たとえば下記②〜⑥）。

自主規制業務の内容は，加入している金融商品取引業者の種別や業務内容によって協会ごとに異なるので，以下では，日本証券業協会の規則を例に挙げて，自主規制業務の主な内容を説明する。

①　**内部管理体制の整備**　　法令遵守のための内部管理体制を整備することは金融商品取引業者の法令上の義務であるが（40条2号，金商業府令123条，**→*3*節*2***），内部管理体制の整備にはコストがかかるから，各業者に整備のレベルを委ねていたのでは投資者に不測の損害を与えかねない。そこで「協会員の内部管理責任者等に関する規則」は，協会員の内部管理体制を強化するために，協会員が法令遵守体制の整備に責任を負う内部管理統括責任者を選任して協会へ登録すること，営業責任者の配置を協会へ届け出て承認を受けることを求め，内部管理統括責任者・営業責任者の資格要件・責務などについて定めている。

②　**売買管理体制の整備**　　金融商品取引業者が顧客の注文が相場操縦やインサイダー取引などの不公正取引に該当することを知って当該注文を受託することは法令によって禁止されているが（159条1項9号，金商業府令117条13号，**→9章*6*節*2*(1)**），金融商品取引業者が売買管理体制を整えて顧客の注文が不公正取引に該当することを知ることができるようにすれば，不公正取引を一層防止することができる。市場の取引が公正に行われるよう確保することは，市場と顧客とを結ぶ金融商品取引業者の重大な責務である。そこで「不公正取引防止のための売買管理体制の整備に関する規則」は，協会員が社内規則を制定して売買管理を行い，協会が定める抽出基準に従って売買審査を行った結果，不公正取引につながるおそれを認識した場合には注文の受託の停止をするなどの措置を講じ，あわせて協会に報告をすることを求めている。

また，インサイダー取引を防止するため，協会員は顧客に上場会社等の役員に該当するか否かの届出を求め，該当する者については内部者登録カードを作成し，売買管理を行うこととされている（「協会員の投資勧誘，顧客管理等に関する規則」15条）。

さらに，平成17年12月に協会員による大量の誤発注を契機として金融商品市場が混乱に陥ったことを教訓として，注文内容の確認や注文の発注制限について協会員が社内規則を定め，一定の規模を超える注文については発注を不可とし，あるいは管理者による承認を得ることを求める「協会員における注文管理体制の整備に関する規則」が制定されている。

③　**投資勧誘・顧客管理**　　金融商品取引業者の役員・従業員の投資勧誘については，法令による規制（**→9章*2*節〜*5*節**）に加えて，「協会員の投資勧誘，顧客管理等に関する規則」が次のようなルールを設けている。

協会員は，特定投資家（**→9章*7*節*2*⑴**）以外の顧客と取引を開始するにあたって，顧客の氏名，住所，職業，投資目的，資産の状況，投資経験の有無，取引の種類，顧客となった動機等を記載した顧客カードを作成し，保存する（同規則5条）。適合性の原則（**→9章*2*節*2***）に従った投資勧誘を可能にするためである。信用取引，有価証券関連デリバティブ取引，新株予約権証券等の取引は特にリスクが高いため，協会員において定めた取引開始基準に適合する顧客との間でのみ取引を行い（同規則6条），取引を開始する際に，顧客がリスクを理解し，自己の判断と責任において取引を行う旨の確認書を徴求する（同規則8条）。協会員は，仮名取引であることを知りながら顧客からの注文を受けてはならず，また，自己の名義を顧客に貸与してはならない（同規則13条）。

さらに，「協会員の従業員に関する規則」も次のような投資勧誘に関するルールを定めている（同規則7条3項）。証券従業員は，法令による禁止に加えて，損失補塡を申し込み，約束し，または財産上の利益を提供してはならない。これは，損失補塡の禁止（39条）は証券従業員が自己の計算で行う損失補塡にまで及んでいないことから，自主規制で手当てをしたものである。証券従業員は，顧客カードから知りえた情報に照らして過当な数量の有価証券の取引の勧誘をしてはならず，また，顧客と損益を共にすることを約束して勧誘し，またはそれを実行してはならない。

④　**店頭有価証券の取引**　　金融商品取引業協会は，上場されていない有価証券の流通を円滑にすることが，自主規制機関としての目的の1つであるから，上場されていない有価証券（店頭有価証券）の取引のためのルールを設け

ている（「店頭有価証券に関する規則」，→**6章4節4**）。

「店頭売買事故証券の処理に関する規則」は，店頭売買で引渡しを受けた株券等が盗品であって名義書換えができない場合（事故がある場合）の協会員間の処理を定め，「株式の名義書換失念の場合における権利の処理に関する規則」は，協会員が失念株について配当を受けた場合の協会員間の処理を定める。これらは，協会員の事務の取扱い方法を統一することにより事務コストの軽減を図るもので，統一慣習規則と呼ばれる。上場会社について株券が廃止された現在では，店頭有価証券についてのみ適用される。統一慣習規則の効力が協会員に取引を委託した顧客にも及ぶかという点について，裁判例は分かれている[79]。

⑤　引受業務・自己売買業務の適正確保　金融商品取引業者の行う引受業務が適正に行われないと，本来，資本市場で資金調達ができないはずの発行者が資金を調達できてしまうなど，資源の効率的配分に歪みを生じる。そこで「有価証券の引受け等に関する規則」は，有価証券の募集・売出しに際して引受けを行う協会員が，引受体制を整備すること，引受けにあたって規則の定める項目を審査すること，調達資金の使途を確認すること，発行者が指定する者への売付け（親引け）をせず，応募した顧客に有価証券を公平に配分すること等を定めている。顧客への引受株券等の配分については，「株券等の募集等の引受け等に係る顧客への配分に関する規則」が細目を定めているが，そこでは抽選以外の方法による配分も許容している。これは，自主規制の限界であるともいえ，公募証券の配分については法が介入すべきであるとの見解も主張されている[80]。

証券会社の引受業務については，かつて，増資が集中することによる株式市況の悪化を防ぐとともに，株主の利益を損なうような増資を阻止することを狙いとして，一定の条件を充足する増資しか引き受けないという慣行があり，その慣行は，一部，「有価証券の引受け等に関する規則」に引き継がれていた。しかし，このような自主規制は発行市場の自由を制約し，資源配分に歪みをもたらしかねないと認識されるようになり，現在では撤廃されている。

---

79)　大阪地判昭和45・2・26判時612号89頁（肯定），東京地判昭和56・6・25判時1028号106頁（否定）。

80)　若林泰伸「証券取引法における公正な公募について――米国における証券の不正な配分行為をめぐって」早稲田法学77巻3号（2002）125頁。

■Column 10-13　MSCBへの対応■■

平成15年から平成17年にかけて盛んに発行されたMSCB（下方修正条項付転換社債型新株予約権付社債）については，公募の引受審査を通らない企業がこれを利用することで，株式価値のさらなる下落を招き，既存の株主の利益を損ねているのではないかとか，MSCBの買受人が，買受後にとる行動（リスクヘッジのための空売り等）によって市場に混乱が生じているのではないかといった懸念が指摘されていた[81]。そこで，日本証券業協会は平成19年に「第三者割当増資等の取扱いに関する規則」を制定し，発行者の直近の第三者割当増資において，買受人の投資行動が開示された内容と異なる場合には，当該事実を公表しない限り，買受けを行ってはならないこと，買受人において，新株予約権の行使価額の設定・修正の基準となる株価参照期間中に，直近の公表価格以下での空売りを行わないこと，新株予約権の行使は1か月に上場株式数の10%を超えないこと等を定めた。これは，金融商品取引業者の自己売買業務に対して規制を課すものである。

⑥　協会による処分の手続　自主規制規則の執行手続は，各金融商品取引業協会によって異なるが，日本証券業協会の場合は次のような手続が行われる。協会員が法令，法令に基づく行政処分，定款，もしくは自主規制規則に違反し，または取引の信義則に反する行為をしたときは，弁明の手続を経た上で，協会員に対し，除名，会員権の6か月以内の停止・制限，5億円以内の過怠金，譴責の処分を科すことができる（定款28条1項～7項）。違反行為から協会員が不当な利得を得ているときは，その額を過怠金の上限の額に加算することができる（同条4項）。違反行為の「やり得」を防ぐためである。処分に不服の協会員には再審査の機会が与えられる（同条10項）。

協会員の従業員が法令または自主規制規則に違反したときは，当該従業員に弁明の機会を与えた上で，不都合行為者の決定をすることができ，この決定がなされると当該従業員は，外務員登録の前提条件である外務員資格を取り消される（「協会員の従業員に関する規則」9条～13条の2）。不都合行為者のうち，金融商品取引業の信用への影響が特に著しい行為を行った者は，協会員がこれを雇用することが禁じられ，それ以外の者も5年間は雇用が禁じられるという不利益が課される（同規則4条）。

以上とは別に，金融商品取引業協会は国から外務員登録事務を委任されてお

81）日本証券業協会・会員における引受審査のあり方等に関するワーキング・グループ最終報告「会員における引受審査のあり方・MSCBの取扱いのあり方等について」17頁（平成19年2月22日）。

り（64条の7，→**9章8節2**），外務員が法令に違反し，または職務に関して著しく不適当な行為をしたときは，登録を取り消すなどの外務員の処分をすることができる。外務員の処分は国の委任事務であるが，事実上，協会員の役員に対する自主規制上の制裁として機能している。

■ Column 10-14　制裁・検査の重複■■

金融商品取引業協会は，協会の定めた自主規制規則の違反だけでなく，法令や行政処分に違反した金融商品取引業者にも制裁を科すことが求められている（74条1項・79条の2参照）。このため，たとえば金融商品取引所の取引参加者である協会員が法令に違反した場合には，行政処分，金融商品取引所の自主規制による制裁，金融商品取引業協会の自主規制による制裁を受けることになる。このことが，金融商品取引業者にとって大きな負担となっているという声がある。自主規制機関の科す制裁が当該機関独特の判断に基づくものであれば，二重三重の制裁にも意味があるが，法令違反については，金融庁が強制力を背景とした調査に基づいて違反の有無や違法性の大きさを判断しており，自主規制機関が独自の判断をする余地はほとんどない。いきおい，行政庁や他の自主規制機関による処分を睨みながら，過大な制裁にならないように処分内容を決定することになってしまう。このような規制の重複による非効率を避けるには，自主規制機関は自主規制規則の執行のみを行い，法令違反に対する制裁を行わないように，法律を改正するしかないであろう。

また，金融商品取引業協会は，協会員の法令，諸規則，取引の信義則の遵守状況を調査することを任務としているから（67条の8第1項14号・78条2項3号参照），定期的に協会員の事務所に赴いて「監査」を行っている。金融商品取引所も会員・取引参加者の法令，取引所規則の遵守状況や財務の健全性を管理するために（84条2項2号），会員等に対して「考査」を行い，証券取引等監視委員会も内閣総理大臣および金融庁長官から委任された権限に基づいて（56条の2第1項等・194条の7），金融商品取引業者の「検査」を行っている。これらの検査等は，それぞれ異なる目的から行われるので重複してもやむを得ない面もあるが，金融商品取引業者からすると負担が大きい。行政当局と自主規制機関の間で検査等の結果を共有して，できるだけ重複の無駄を省くことが重要だろう。

⑦　**苦情・紛争の解決**　　金融商品取引業に関して顧客から出された苦情に誠実に対応し，業者と顧客との間に争いがあるときに，これを迅速に解決することは，金融商品取引業に対する顧客の信頼を高める上で重要な事柄である。そこで金融商品取引法は，苦情や紛争の解決を金融商品取引業協会の業務として掲げるとともに，次のように，苦情・紛争の解決方法について法律による規

制を加えている。

投資者から協会員の業務に関する苦情について解決の申出があったときは，金融商品取引業協会は，その相談に応じ，申出人に必要な助言をし，協会員に対し迅速な処理を求めるなどの対応をしなければならず，苦情の解決のために必要があるときは，協会員に対し説明や資料の提出を求めることができる（77条・78条の6）。協会員の行う有価証券の売買その他の取引またはデリバティブ取引等について争いがある場合，当事者は争いの解決を図るために協会に斡旋を求めることができる（77条の2・78条の7）。これを受けて協会は斡旋委員を選任し，斡旋委員は当事者や参考人から意見を聴取するなどして斡旋案を作成し，その受諾を勧告する（77条の2第3項・78条の7）。当事者が斡旋案を受諾するかどうかは，原則として任意である。

金融商品取引業協会は，苦情・紛争の解決業務を第三者に委託することができる（77条の3・78条の8）。現在，すべての認可協会と認定協会は特定非営利活動法人である「証券・金融商品あっせん相談センター」（FINMAC）へ苦情・紛争の解決業務を委託している。平成22年の金融商品取引法改正により，金融ADR制度が創設され，第1種金融商品取引業の分野ではFINMACが紛争解決機関に指定された（→**10節*2***）。このため，金融商品取引業協会による紛争解決制度は存置されているものの，その重要性は低くなった。

⑵　法令により行う業務

金融商品取引業協会は，取引所金融商品市場外で成立した上場有価証券の売買について，協会員から報告を受け，売買に関する情報を公表する義務を負っている（67条の18第7号・67条の19・78条の3・78条の4，→**Column 6-17**）。この義務に伴う業務は，金融商品取引業協会が，金融商品市場外での有価証券の売買取引を円滑にするという目的を有していることから，法が特に同協会に求めたものである。

認可金融商品取引業協会は，店頭売買有価証券市場を開設・運営するときは当該市場で成立した売買取引の情報を集約して公表する義務を負うほか（店頭売買有価証券市場は現在開設されていない），取扱有価証券の売買についても，協会員から報告を受け，取引情報を公表する（67条の18第4号～6号・67条の19）。

金融商品取引業協会が国から委任される外務員の登録事務も，法令による業務といえる（→**9章*8*節*2***）。このほか，海外発行証券の少人数売出しが認められる要件として，金融商品取引業者等が当該有価証券の所有者数を認可協会へ報告し，認可協会が銘柄ごとの所有者数の総数を公表することが求められている（2条4項2号ハ，施行令1条の8の4第4号，→**Column 2-8**）。このように，金融商品取引業協会がわが国の金融商品取引法制において果たす役割は拡大しつつある。

4　金融商品取引業協会に対する監督

自主規制が仲間内の微温的なものにならないように（→**6章*6*節*1*⑴**），自主規制機関である金融商品取引業協会は法律によるコントロールの下に置かれている。

⑴　認可金融商品取引業協会の監督

認可協会は，定款を変更しようとするときに内閣総理大臣の認可を受けなければならず（67条の8第2項），規則を作成，変更，または廃止したときは内閣総理大臣に届出なければならない（同条3項）。内閣総理大臣は，公益または投資者保護のため必要と認めるときは，定款その他の規則の変更その他監督上必要な措置をとることを認可協会に対して命じることができる（73条）。変更その他監督上必要な措置に，規則の廃止が含まれるとしても，新たな規則の制定が含まれるかについては争いがある。認可協会の自主規制機関性を重んじ消極に解すべきである[82]。

認可協会が法令，行政処分，協会の規則に違反したときは，内閣総理大臣は，協会の認可の取消し，業務の全部または一部の停止，役員の解任等を命じることができる（74条1項）。役員の解任命令は，認可協会に対して役員を解任するよう命じるという意味であり，命令によって役員解任の効果が直接生じるわけではない。認可協会の協会員が法令，行政処分，協会の規則に違反したにもかかわらず，協会が協会員に対して必要な措置をとることを怠った場合には，協会自身が内閣総理大臣による監督上の処分の対象となるだけでなく，内閣総理大臣は，協会が協会員に対して必要な措置をとるよう命じることができる（同項）。このように法は，認可協会を行政監督の対象とすることで，協会員に対する自主規制の適切な運用を確保しようとしている。そして，監督権限を適切に行使できるように，認可協会，店頭売買有価証券・店頭取扱有価証券の発行者，認可協会から業務の委託を受けた者から報告を受け，これらを検査する

82）　証券取引法研究会「平成4年証券取引法の改正について⒃」インベストメント47巻6号（1994）34頁〔黒沼悦郎発言〕。神崎＝志谷＝川口1151頁も同旨か。

権限（報告徴取・検査権）が内閣総理大臣に与えられている（75 条）。

⑵　認定金融商品取引業協会の監督

認定協会は一般社団法人であるから，社員総会の決議によって定款を変更することができ（一般法人 146 条），これに加えて内閣総理大臣の認可を要するといった特別の規制は設けられていない。認定協会の業務規程については，その制定・変更について内閣総理大臣の認可を受けなければならない（79 条の 3）。内閣総理大臣には，認定の取消し，業務の全部または一部の停止，業務改善命令等の行政処分を下す一般的な権限が与えられているが（79 条の 6），規則の変更等を命じることができるとする具体的な規定は置かれておらず，業務改善命令により規則の変更等を命じることができるか否かは明らかでない。

このように金融商品取引業協会に対する監督権限の行使については，認可協会と認定協会とで規定に形式的な差が設けられているが，そのことが監督権限の実際の行使に影響を与え，ひいては自主規制機関としての機能に差を生じるのであれば，問題である。法が認可協会と認定協会の並存を認めたのは，いずれの協会も実質的に同等の権限を行使できることが前提だったからである（→*1*⑴）。なお，内閣総理大臣には，認可協会の場合と同様の報告徴取・検査権が与えられている（79 条の 4）。

第 *10* 節　紛争解決機関

1　総　　説

金融商品・サービスに関する紛争を簡易・迅速に解決する手段として，裁判外紛争解決制度（ADR，Alternative Dispute Resolution）が注目されている。金融分野における苦情の処理や紛争の解決は，業界団体による自主的な取組みにより行われてきたが，実施主体の中立性・公正性および実効性の観点から必ずしも万全でなく，利用者の信頼感・納得感が得られていない状況にあった。金融審議会では，平成 12 年 6 月 27 日の答申「21 世紀を支える金融の新しい枠組みについて」以来，議論が積み重ねられてきたが，その結果として平成 21 年に，銀行法，保険業法，金融商品取引法など金融関連の 16 本の法律が改正され，金融分野における裁判外紛争解決制度（金融 ADR）が導入された[83]。

金融 ADR のあり方として，1 つの金融 ADR 機関が金融のすべての分野で生じた苦情・紛争を取り扱うことも考えられる。しかし，ある分野の金融機関が異なる分野の紛争解決のコストを負担することにならないか，専門性をどう確保するか，紛争解決の結果を業務の改善にうまく結びつけることができるかといった問題があり，横断的・包括的な金融 ADR は将来の課題とされた。

そこで，金融 ADR 機関が取り扱う金融商品・サービスの範囲については，これまでの自主的な取組みを踏まえて，業法ごとに規定されている金融機関の業務を範囲とすることとした。つまり，金融 ADR 機関は業態ごとに設けられる。また，金融 ADR 機関の設置を法律によって強制することも考えられるが，業界団体への加入率が低い業態もあることを考慮し，ADR 機関の設置を強制することはせず，業界団体・自主規制機関等の申請を受けて内閣総理大臣が指定を行うことによって，金融 ADR の実施主体の中立性・公正性を確保することとした。以下では，金融商品取引業に関する紛争を解決する金融商品取引法上の金融 ADR 制度について説明する。

2　紛争解決機関の指定

内閣総理大臣は，法人または法人でない団体で代表者等の定めのある者で，紛争解決業務の実施能力を有する者を，その申請に基づき紛争解決機関と指定することができる（156条の39）。指定は，金融商品取引業の4つの種別（**→2節*1*(1)**）に登録金融機関業務および証券金融会社業務を加えた6つの種別ごとに行われるが（156条の38第12項），同一の紛争解決機関が複数の種別に係る指定を受けることもできるし，他の法律に基づく指定紛争解決機関の指定をあわせて受けることもできる。

紛争解決機関の指定がなされると，つぎに述べるように，関係業者は指定紛争解決機関が内容を定める手続実施基本契約に拘束されることになる。そこで，紛争解決機関の申請者は，関係業者に対し業務規定の内容を説明しなければならず，異議を述べた業者の数の割合が3分の1を超えるときは指定を受けることができないとされている（156条の39，施行令19条の8）。

金融商品取引業者は，自己の行う業務について指定紛争解決機関が存在するときは，これとの間で手続実施基本契約を締結しなければならない（37条の7

83）改正の趣旨につき，金融審議会金融分科会第一部会・第二部会合同会合報告「金融分野における裁判外紛争解決制度（金融 ADR）のあり方について」（平成20年12月17日）を参照。

第1項1号イ等)。指定紛争解決機関が存在しないときは，内閣府令で定める苦情処理措置および紛争解決措置を自ら定めなければならない（同項)。後者は，紛争解決機関が設置されていない業務分野の投資者を保護するとともに，金融商品取引業者に指定紛争解決機関の設置を促すという機能も有している。金融商品取引業者が指定紛争解決機関と契約を締結しないと法令違反となり，登録・免許の取消しを含む行政処分が課される可能性がある。

現在，金融商品取引業の分野では，FINMAC（→**9**節**3**(1)⑦）が，第1種金融商品取引業についての紛争解決機関の指定を受けており，これ以外の種別の業務については指定紛争解決機関が存在しない。

3　紛争解決手続の実施

金融商品取引業者が指定紛争解決機関と手続実施基本契約を締結すると，当該業者の業務に関連する紛争について，当該業者またはその顧客は，指定紛争解決機関に対して紛争解決手続の申立てをすることができるようになる（156条の50第1項)。申立てがなされると，紛争解決機関は当事者と利害関係のない紛争解決委員を選任する（同条2項)。中立性・公正性を確保するため，紛争解決委員のうち少なくとも一人は，弁護士・認定司法書士または消費生活相談員でなければならない（同条3項)。紛争解決委員は，非公開の手続で，当事者や参考人から意見を聴取して和解案を作成し，当事者に受諾を勧告する（同条6項7項)。和解が成立する見込みがないときは，紛争解決委員は特別調停案を作成し，理由を付して当事者に提示することができる（156条の44第2項5号)。当事者が和解案や特別調停案を受諾すると紛争解決手続は終了する。

紛争解決手続の利用には時効中断効が付与される（156条の51)。紛争解決手続が不調となった場合に，訴訟による解決の途を確保しておく必要があるからである。紛争解決手続は訴訟と並行して行うこともできるが，その場合には訴訟手続は中断される（156条の52)。指定紛争解決機関は，紛争解決手続に要した費用を当事者から徴収することができる（156条の44第1項5号)。もっとも，紛争解決機関の運営費用の大部分は，手続実施基本契約を締結した加入金融商品取引業者が負担することが予定されている（同項4号・同条5項)。

紛争解決手続では，金融商品取引業者と顧客との間に情報の格差や交渉力の格差があることを考慮して，金融商品取引業者に各種の義務を課している。第1に，顧客の申立てにより紛争解決手続を開始した場合に，業者は正当な理由なく手続に応じることを拒んではならない（手続応諾義務。同条2項2号）。第2に，指定紛争解決機関または紛争解決委員から，報告または書類・物件の提出を求められた場合に，業者は正当な理由なくこれを拒んではならない（調査協力義務。同項3号）。第3に，紛争解決委員が提示した特別調停案を顧客が受諾した場合は，1か月以内に訴訟を提起するなど一定の場合を除いて，これを受諾しなければならない（結果尊重義務。同項5号・同条6項）。これらの義務は，手続実施基本契約の記載事項として法定されているものである。

金融商品取引業者が，上述の手続応諾義務，調査協力義務，または結果尊重義務に違反した場合，指定紛争解決機関は，違反の事実を公表する（156条の45）。義務違反に対する過怠金の賦課，手続実施基本契約の解除などを同契約に定めておき，これを実行することもできる[84]。金融商品取引業者が結果尊重義務等に違反したとき，内閣総理大臣は，これを直ちに法令違反とみて業務停止命令等を発することはできないと解される[85]。ただし，義務違反を理由として指定紛争解決機関が手続実施基本契約を解除すれば，金融機関は契約締結義務に違反することになり，行政監督上の処分を受けることになる。

なお，自主規制機関や業界団体が指定紛争解決機関となっている場合に，金融機関の手続実施基本契約上の義務違反をもって，自主規制上の制裁を発動したり業界団体から除名できるかが問題となるが，自主規制機関や業界団体と指定紛争解決機関は別個の制度であるから，否定的に解さざるを得ないであろう[86]。

4　苦情の処理

苦情の処理は，紛争解決委員による和解的仲裁的な判断になじむものではないが，苦情の申立ては紛争の前段階の状態ともいえるので，紛争解決機関が苦情の処理にも当たる制度が作られた。

指定紛争解決機関は，加入金融商品取引業者の顧客から苦情について解決の申立てがあったときは，その相談に応じ，必要な助言をし，苦情に係る事情を調査するとともに，当該金融商品取引業者に苦情の内容を通知してその迅速な

84）　逐条解説2009年380-381頁。
85）　金商法コンメ(3)918頁〔中島康夫〕。
86）　シンポジウム「金融ADRの設計と課題」仲裁とADR6号（2011）121頁〔黒沼悦郎発言〕。

処理を求めなければならない（156条の49）。金融商品取引業者の手続応諾義務（156条の44第2項2号）および調査協力義務（同項3号）は，苦情の処理についても適用される。苦情の処理に顧客が納得しない場合は，紛争解決手続に移行することになる（同条4項1号参照）。

金融商品取引業者の業務について指定紛争解決機関が存在しないときは，消費生活相談員の助言を受けて当該業者の従業員が苦情の処理にあたるなど，当該業者の定める苦情処理措置に従って苦情の解決を図ることになる（37条の7第1項1号ロ）。

5　認定投資者保護団体

指定紛争解決機関制度（金融ADR）が導入されるより前，平成18年改正に係る金融商品取引法は，民間団体による紛争解決の自主的な活動を促進するために認定投資者保護団体の制度を設けた。

金融商品取引業者または金融商品仲介業者の行う金融商品取引業に関する苦情の解決，紛争の解決の斡旋（認定業務）を行う法人または団体であって，業務を遂行するに足りる知識・能力および経理的基礎を有する者は，業務の実施方法を定めて，内閣総理大臣から認定投資者保護団体としての認定を受けることができる（79条の7〜79条の9）。認定を受けた投資者保護団体（認定団体）は，内閣総理大臣による報告徴取の対象となり（79条の16），認定の取消し，業務改善命令などを通じて内閣総理大臣の監督を受ける（79条の18・79条の19）。

認定団体は，対象事業者の業務に関し苦情の解決，紛争解決の斡旋をすることができる。認定団体は，対象事業者に対して説明を求め，または資料の提出を求めることができ，対象事業者は，正当な理由がないのにこれを拒むことができない（79条の12・79条の13・77条2項3項・77条の2第3項5項）。

認定投資者保護団体の制度は，業界横断的な紛争解決を実現することを目指していたが，実際に認定を受けたのは，社団法人生命保険協会，社団法人損害保険協会，全国銀行協会，信託協会であり，業界ごとの取組みしか行われなかった。これらの団体は指定紛争解決機関へ移行し，現在はFINMAC（→***9*** **節** ***3*** ⑴⑦）のみが，認定投資者保護団体として，指定紛争解決機関が存在しない第2種金融商品取引業の分野で活動している。認定投資者保護団体は，指定紛争解決機関が設立・指定される前段階における業界団体等の苦情処理・紛争解決の枠組みとして利用されることが想定されている[87]。

第 *11* 節　投資者保護基金

1 総　　説

(1) 沿　　革

投資者保護基金とは，証券会社の経営が破綻した際に顧客に資産を円滑に返還するために，平成 10 年の証券取引法改正により創設された制度である。金融の他の分野で業者の経営が破綻したときに契約者を保護する仕組みとしては，金融機関の破綻時に預金者を保護するための預金保険機構，保険会社の破綻時に保険契約者を保護するための保険契約者保護機構が存在する。しかし，金融機関や保険会社は預金者・保険契約者から預かった資金を運用して払戻しに備えるのに対して，証券会社は自ら顧客の投資資金を運用するのではなく，有価証券の取引を仲介するにすぎない。顧客資産の分別管理（→*4* 節 *3* (2)）を徹底していれば，証券会社は顧客資産を返還できないことはない。ところが，平成 9 年の金融危機時に破綻したいくつかの証券会社において，顧客資産を円滑に返還できない例が見られたこと，平成 10 年改正で証券会社が登録制へ移行すると参入・退出する業者が増加すると予想されたことから，それまでの寄託証券補償基金に代わるものとして投資者保護基金制度が創設された。このように，投資者保護基金の趣旨・目的は，預金保険機構や保険契約者保護機構のそれと大きく異なる点に注意しなければならない。

金融商品取引法（平成 18 年改正）は，証券業の範囲を大幅に拡大して金融商品取引業の範囲を定めたが，投資者保護基金の適用対象を，証券取引法時代と同様に，有価証券関連業および有価証券関連業デリバティブ取引等に関する顧客資産に限定した（79 条の 20 第 3 項参照）。投資者保護基金制度は，証券会社の顧客資産の分別管理の徹底を原則としつつ，これを補完するものとして設けられたという立法の経緯に鑑みて，高度の分別管理義務が定められていない，有価証券関連デリバティブ取引等（33 条 3 項）以外のデリバティブ取引等については適用対象から除外したと説明されている[88]。さらに，平成 24 年改正により，金融商品取引所が商品デリバティブを上場できるようになったこと（→6 章 *4* 節 *5*）から，商品関連市場デリバティブ取引が投資者保護基金の適用対象

87） 逐条解説 2009 年 69 頁。

88） 一問一答 361 頁。

とされた。

金融商品取引業者の参入・退出が容易であるという事情は，業者の扱う取引の種類によって異なることはない。分別管理義務が徹底していなければ，顧客資産の保護の必要性はむしろ増すのであるから，分別管理義務および投資者保護基金の制度のあり方については再整理が必要であろう[89]。

(2)　投資者保護基金の組織

投資者保護基金は，顧客資産を円滑に返還して投資者の保護を図り，証券取引または商品関連市場デリバティブ取引に対する信頼を維持することを目的とし（79条の21），20以上の金融商品取引業者が発起人となって設立した金融商品取引法上の法人であり（79条の29），その設立には内閣総理大臣の認可を要する（79条の30）。法律上は，複数の投資者保護基金が設立されることがありうる。実際，平成10年改正法施行直後には2つの投資者保護基金が設立されたが，平成14年に両基金は統合した。有価証券関連業を行う金融商品取引業者はいずれかの基金に加入しなければならず（79条の27），金融商品取引業の廃業・解散・登録の取消しによって脱退する場合，および内閣総理大臣の承認を受けて他の基金の会員となる場合を除いて，所属する基金を脱退することができない（79条の28）。このように金融商品取引業者に基金への加入を強制したのは，どの業者と取引する顧客にも基金制度による保護を与えるという理由とともに，強制加入・強制拠出としなければ顧客保護に必要な基金を集めることができないという実際上の理由に基づくものと思われる[90]。

もっとも，業務の種類ごとに投資者保護基金を設立することが可能である上，投資者保護基金は，財務上，一定の条件を満たさない金融商品取引業者の加入を制限することができると解されるから（79条の26第2項）[91]，強制加入が実現しない事態も考えられる。

基金の会員となった金融商品取引業者は，業務規程の定めるところにより，基金に負担金を納付する（79条の64）。負担金の算定方法は，将来の基金の支払予測に照らして基金の財政が均衡し，かつ，特定の金融商品取引業者に差別的取扱いをしない基準による（79条の65）。会員に負担金の納付を強制する以

89）黒沼・前掲注16）225-226頁。

90）証券取引法研究会「平成10年証券取引法改正について(5)」インベストメント53巻1号（2000）36頁〔龍田節報告〕。

91）北村雅史「証券会社破綻時のセーフティーネット」金融法研究資料編（15）（1999）210頁。

上，負担の公平を図る規定を法律に置いたものである。もし，顧客への支払等のために基金に不足が生じたときは，基金は金融機関等から借入れをすることができる（79 条の 72）。平成 12 年 3 月 31 日までに破綻した証券会社については，顧客資産は限度額なく保護され，その支払に備えて基金の日本銀行からの借入れや，政府による債務の保証が認められていたが，これらは同年 4 月 1 日のいわゆるペイオフ解禁（→Column 10-16）によって廃止された。

2　投資者保護基金の業務

投資者保護基金の業務は，顧客に対する支払と金融商品取引業者に対する融資に大別される。

(1)　保護の対象となる顧客債権

基金は，登録取消し等の一定の事由が生じた金融商品取引業者について，その一般顧客の請求に基づき，一般顧客の顧客資産に係る債権のうち当該業者による円滑な弁済が困難であると認められるものについて，当該業者に代わって一般顧客に対して支払を行う（79 条の 56）。ここに一般顧客とは，金融商品取引業者と有価証券関連取引または商品デリバティブ関連取引をする者のうち，適格機関投資家，国，地方公共団体，その他政令で定める者を除いた者をいう（79 条の 20 第 1 項，施行令 18 条の 5）。適格機関投資家等は自己を守る能力があると考えられたため，保護の対象から除外された。これに対し，法人顧客は一般顧客に当たる。金融商品取引業者 A が一般顧客の計算で他の金融商品取引業者 B と取引をするときは，A は B の一般顧客とみなされる（79 条の 20 第 2 項）。そうしないと，A の一般顧客が保護されないからである。

顧客資産とは，①有価証券関連市場デリバティブ取引・商品関連市場デリバティブ取引の取引証拠金，信用取引の委託保証金として一般顧客から預託を受けた金銭および有価証券，②有価証券関連業（28 条 8 項）に係る取引（店頭デリバティブ取引を除く）・商品デリバティブ取引関連業務（79 条の 20 第 1 項）に係る取引に関し，一般顧客の計算に属する金銭・有価証券または金融商品取引業者が一般顧客から預託を受けた金銭・有価証券，および③その他政令で定めるものに限定されている（79 条の 20 第 3 項）。①の「預託を受けた」とは，金銭や有価証券が口座振替によって顧客から金融商品取引業者へ差し入れられた場合も，これに該当する。②の「一般顧客の計算に属する」とは金融商品取引業者の口座に入れられているが顧客に帰属すべき金銭や有価証券をいい，有価証券の売却代金や顧客が購入し引渡し前の有価証券がこれに当たる。金融商品市場における上場株式の売買取引のように代金の支払と有価証券の引渡しとが同時に行われる場合（→**6章*2*節*3*(3)**）には，金融商品取引業者が顧客の計算に属する有価証券や金銭を保持することはない。

これらの金銭・有価証券は，すべて，有価証券関連業または市場デリバティブ取引関連業務に係る分別管理規制の対象とされ，金融商品取引業者における分別管理や顧客分別金の信託を義務づけられている（→***4*節*3*(3)**）。したがって，金融商品取引業者が分別管理義務を履行している限り，顧客資産の返還が不可能になることはない。もっとも，顧客分別金の計算は1週間ごとに行われるため，信託すべき金額の全額が破綻時に信託されていない場合があり，その場合に，金融商品取引業者が自己の資産を換金して返済義務を履行するとしても，それには時間がかかること，さらには，そもそも金融商品取引業者が分別管理義務を履行していない事態も考えられるため，破綻時において一般顧客が金融商品取引業者に対して有する，顧客資産に係る債権であって円滑な弁済が困難なものについて，基金が金融商品取引業者に代わって一定の金額の支払をなしうるようにしたのである（79条の56）。

登録を受けた金融機関は一定の有価証券関連業をすることができ（→***8*節2(2)**），その場合には登録金融機関は顧客資産の分別管理義務を負うが（→***4*節*3*(3)**），登録金融機関は投資者保護基金制度の適用対象とされていない。このため，登録金融機関は投資者保護基金の会員になることができず，破綻した場合に投資者保護基金による支払も行われない。

■ Column 10-15　有価証券関連業に係る取引■■

顧客が自己の判断で行った有価証券の取引により生じた取引損失は，投資者保護基金の補償対象にはならない。顧客は金融商品取引業者に対して取引損失の損害賠償請求をなしえないので，補償対象となる債権がないからである。それでは，顧客が金融商品取引業者の役員・使用人の不当な勧誘によって被った取引損失は，補償の対象となるであろうか。海外の法制には，不当勧誘によって生じた顧客の損害を補償の対象とするものもある[92)]。わが国では，厳格な分別管理の対象となっている顧客資産に限って補償の対象としていることから，分別管理をしていても生じるような不法行為や債務不履行に起因する損害賠償請求権は，「顧客資産に係る債権」

92）イギリスの例につき，北村・前掲注91）201頁参照。

に該当しないと解される[93]。「委託により生じた債権」を補償の対象とする平成16年改正前商品取引所法上の受託業務保証金制度について，最高裁平成19年7月19日判決（民集61巻5号2019頁）は，委託者資産の引渡請求権とはいえない債務不履行または不法行為に基づく損害賠償請求権は「委託により生じた債権」に該当せず，補償の対象にならないと判示した。この結論は，補償対象債権を委託者資産に係るものに限定している平成16年改正後の商品取引所法（現商品先物取引法）上の委託者保護基金制度にも妥当すると考えられ，条文の文言は異なるが，同じ理は投資者保護基金にも当てはまるといえよう。

これに対して，投資者が架空の社債取引により払込金を証券会社に預託したと主張した事例において，最高裁平成18年7月13日判決（民集60巻6号2336頁）は，当該取引が証券会社によって証券業に係る取引のように仮装されたものであるとしても，投資者が，取引の際，そのことを知っていたか，知らなかったことにつき重大な過失があるという事情がない限り，当該取引は証券業に係る取引に当たると解すべきであり，預託金の返還請求権は投資者保護基金の補償対象債権に該当しうるとした。証券会社が会社ぐるみで投資者を騙した場合に投資者の救済を図ろうとするものである。投資者保護の徹底を図る立場からは判決は妥当であると評価できるが，分別管理義務を補完することを主な目的とする投資者保護基金制度の趣旨からは疑問も残る[94]。

⑵　顧客に対する支払

顧客に対する支払は次のような手続を経る。まず，金融商品取引業者の登録が取り消されたとき，破産手続開始・再生手続開始・更生手続開始等の申立てを行ったとき，金融商品取引業を廃止したとき，支払不能を理由とする業務停止命令が下されたときなど，一定の事由が生じた場合に，金融商品取引業者や内閣総理大臣から基金へその通知がなされる（79条の53）。基金は，顧客資産の返還に係る債務の円滑な履行が困難かどうかの認定を行い，円滑な履行が困難と認定した場合には，一般顧客の請求の届出期間・届出場所等を公告する（79条の54・79条の55）。同時に基金は，顧客ごとの支払額を算定し，顧客の届出に応じて補償対象債権の支払を行う（79条の56・79条の57）。顧客に返還すべき資産が有価証券の場合は，内閣府令で定める方法でその時価を評価して評価額を支払う（投資者保護基金令3条）。

93）北村・前掲注91）218頁。

94）投資者保護基金の制度趣旨から判決を批判するものとして，川口恭弘「判批」リマークス37号91頁を参照。

顧客ごとの支払額は，政令で定める金額（1000万円）を限度とする（79条の57第3項，施行令18条の12）。これは，金融商品取引業者の破綻の際にその業者と取引を行っていたことについて，顧客にも一定の負担を求めようとする趣旨に出たものと説明されている[95]。顧客に対して支払を行った基金は，補償対象債権を取得し（79条の57第4項），破綻金融商品取引業者に対してその弁済を求めることになる。この結果，金融商品取引業者に対しては，顧客による限度額を超える債権の行使と基金による補償対象債権の行使とが競合することになる。

■Column 10-16　ペイオフの機能■■

金融機関が破綻し預金者に対する払戻原資が不足する場合に，預金保険機構が預金者に対して一定金額の払出しのみを行うこと，いいかえると預金の全額保護を行わないことをペイオフという。預金保険法上の支払限度額は1000万円であるが，従来，破綻金融機関の処理にペイオフが用いられたことはなく，結果的に預金は全額保護されていた。平成12年の預金保険法の改正により金融機関の破綻処理制度が整備され，その後，段階的にペイオフが解禁された。すなわち，預金保険による預金の保護は1金融機関1預金者当たり1000万円までの元本とその利息に限られるようになった。

預金保険が存在すると，その分だけ金融機関のリスク負担が減るため，金融機関にとって，リスクの高いプロジェクトがより高い価値を持つこととなり，金融機関の経営者は高い利息を支払って資金を集め，リスクの高い事業に資金を貸し出すようになる。このように保険があるために生じる非効率な行動をモラルハザードという。ペイオフを行う（払出しに上限を設ける）ことは，預金保険に起因するモラルハザードを抑える機能がある。これを預金者の側について見ると，高い利息を支払う金融機関と取引する預金者は，危険な運用によって金融機関が破綻するというリスクの一部を負担すべきだということになる。

投資者保護基金によるペイオフ（1000万円の上限額）についても，補償を一定金額に限定することによってモラルハザードを防ぐことが必要であると説明されている[96]。しかし，金融商品取引業者は金融機関のように顧客資産を運用しているわけではないから，補償制度の存在によって危険な資産運用が助長されるわけではない。金融商品取引業者の経営が破綻しても，業者が分別管理を徹底していれば顧客資産の返還は確保されるのであるから，支払限度額を設けた趣旨は，顧客に分別管理をする金融商品取引業者を選別させようというのであろうか。しかし，分別管理

95）　証券取引審議会・前掲注1）9(4)①。
96）　証券取引審議会・前掲注1）9(4)②。

は法律で義務づけられているのであって義務違反のリスクを顧客に負担させるのはおかしいし，顧客にそのような選別能力があるとも思われない[97]。基金による支払限度額をモラルハザードの防止から説明することは難しく，支払限度額は，基金の財政が破綻したり，会員の負担金が過度に高額にならないようにするために設けられているというべきであろう。

⑶　金融商品取引業者・信託受益者代理人に対する融資

基金の主な業務の第 2 は，破綻した金融商品取引業者が顧客資産の迅速な返還を行えるように，業者に対して融資を行うことである（79 条の 59 第 1 項）。基金による融資制度が設けられたのは，破綻金融商品取引業者が顧客資産の管理を厳格に行っており，顧客資産の返還に支障を生じない場合であっても，資産の換金等に手間取り迅速な返還をなしえないことがありうるからである。

破綻の通知が行われた金融商品取引業者であって基金の融資を受けようとする者は，①返還資金融資が債務の迅速な履行に必要であること，および②貸付金が顧客資産の返還に係る債務の迅速な履行のために使用されることが確実であることについて，内閣総理大臣から適格性の認定を受けなければならない（同条 2 項）。適格性の認定が得られると，金融商品取引業者または顧客分別金の信託受益者代理人（→*4* 節 *3* ⑶）は返還資金の融資を申し込むことができ，それに対して基金が融資をするか否かを決定する（同条 4 項）。

顧客資産の返還債務の円滑な履行が困難であると基金から認定された金融商品取引業者（認定金融商品取引業者）は基金に融資を申し込むことができない（79 条の 59 第 1 項参照）。融資制度は，返還債務の円滑な履行は困難ではないが，迅速な履行ができない場合に限って適用されることが予定されている。

3　投資者保護基金の監督

投資者保護基金は，会員から徴収した負担金を用いて，顧客に対する支払や金融商品取引業者に対する融資を行う。基金は，破綻金融商品取引業者と取引した顧客を一定の範囲で保護することにより金融商品取引業に対する信頼を維持することを目的として設立されており，支払や融資が行われることにより破綻していない会員業者も間接的な利益を受けるはずである。他方，支払や融資

97）　証券取引法研究会・前掲注 90）34 頁〔川口恭弘発言〕，北村・前掲注 91）218 頁。

の原資は会員業者が拠出した負担金であるから，基金の運営を会員である金融商品取引業者に委ねておくと，会員業者が支払や融資に消極的になり，投資者の信頼を損なうおそれがある。支払や融資の判断が適切に行われるとしても，複数の投資者保護基金の設立が可能であるから，会員の負担金の少ない基金に会員が集中し，資金不足のために投資者保護基金がその目的を達成できない場合も考えられる。そこで，公益の観点から投資者保護基金の組織と運営について次のような規制が加えられている。

投資者保護基金には，役員として，1名の理事長，2名以上の理事，および1名以上の監事が置かれる。役員は定款の規定に従って総会で選任・解任され，内閣総理大臣および財務大臣の認可が効力要件とされている（79条の37）。投資者保護基金の業務執行は，原則として理事長および理事の過半数をもって決するが（79条の35），顧客資産の円滑な返還が困難か否かの認定，返還資金の融資の決定など，一定の重要な業務執行については，内閣総理大臣・財務大臣の認可を受けて選任された学識経験者から成る運営審議会の意見を聴かなければならない（79条の45）。

会員金融商品取引業者は，業務規程の定めるところにより，基金に負担金を納付しなければならない（79条の64）。既に述べたように（→*1*(2)），負担金の算定方法について規制が定められているほか，負担金の算定方法の定めを含む業務規程は，基金設立の認可申請書の添付書類として内閣総理大臣・財務大臣の審査を受ける（79条の30）。業務規程の変更には総会の承認を要し（79条の42），かつ内閣総理大臣・財務大臣の認可を要する（79条の51第2項）。また，内閣総理大臣・財務大臣は公益または投資者保護のため必要かつ適当と認めるときに，定款または業務規程の変更その他の命令をすることができる（79条の75）。このように負担金の算定方法は，内閣総理大臣・財務大臣の強い監督下にある。

4　倒産手続と投資者保護基金

金融商品取引業者が会社更生手続・破産手続等の倒産手続に入った場合に，金融商品取引業者の顧客を保護するために，投資者保護基金は一定の権限を与えられている。

まず，金融商品取引法上のものとして，基金は一般顧客の顧客資産に係る債権の実現を保全するために必要な一切の裁判上または裁判外の行為を行う権限を有するとされている（79条の60第1項）。ここにいう顧客資産に係る債権とは，支払のための認定（→*2*(2)）がされなかったり，支払限度を超えているために基金による支払が行われなかった一般顧客の債権を意味する。これにより基金は，顧客資産が差し押さえられた場合に顧客を代理して第三者異議の訴えを提起したり，顧客資産が破産財団に組み込まれてしまった場合に取戻権を行使したりすることができる。基金は，これらの権限を一般顧客のために公平・誠実に，かつ善良な管理者の注意をもって行使しなければならない（同条2項3項）。基金が一般顧客を代理して裁判上の行為をするときは，その旨を顧客に通知しなければならず，顧客は基金の代理権を消滅させて自ら裁判上の行為をすることができる（同条4項5項）。

つぎに，金融機関等の更生手続の特例等に関する法律（更生特例法）は，適用対象に金融商品取引業者を含め，投資者保護基金に一般顧客保護のための一定の役割を担わせている。すなわち，金融商品取引業者の更生・破産手続の開始決定を下す際に，裁判所は基金の意見を聴かなければならず（更生特例403条・514条），基金が裁判所に顧客表を提出すると，債権の届出があったものとみなされる（更生特例412条）。基金は，金融商品取引業者の更生・破産手続について，顧客に代理して参加することができる（更生特例414条）。ただし，この場合も，顧客は基金の代理権を消滅させて，自ら権利を行使することができる（更生特例413条・523条）。

5　金融機関の秩序ある処理の枠組み

(1)　総　　説

日本では，平成9年の金融危機後に，上述の投資者保護基金制度を含む金融機関の破綻処理の枠組みが作られた。しかし，このときできたのは，預金者保護，保険契約者保護，投資者保護のための仕組みであり，銀行業，保険業，証券業についてそれぞれ別個の手続によるものであった。また，破綻の危機に陥った銀行については，信用秩序維持のための資金援助措置が定められていたが（預金保険102条），保険会社や証券会社についてはそのような仕組みはなかった。

これに対して，2008年の世界的な金融危機への対応では，市場を通じてグローバルに伝播する危機を食い止めるための処理が要請されており，そこでは金融機関の種類は問われない。2011年10月にFSB（金融安定理事会）において

「金融機関の実効的な破綻処理の枠組みの主要な特性」（主要な特性）[98]が策定され，同年11月のG20サミットにおいて国際的に合意された。この合意を実施するために，わが国においても平成24年に預金保険法等が改正され，既存の破綻処理制度とは別に，銀行業，保険業，金融商品取引業に共通の処理制度が設けられた[99]。

(2)　処理制度の内容

処理制度の発動にあたっては，金融危機対応会議の議を経て，内閣総理大臣が，特定の金融機関に対し，金融システムの安定を図るために秩序ある処理が必要かどうかを認定する（預金保険126条の2第1項）。措置を講ずる主体には，これまでの破綻処理のノウハウを有する預金保険機構があたる。

具体的な措置の内容は，金融機関が債務超過の場合とそうでない場合とで分けて定められ，債務超過でない場合には，金融機関が市場で行っている金融商品の取引やデリバティブ取引について，預金保険機構が流動性を供給し，規模の縮小と取引の解消を図る（同126条の19等）。債務超過の場合は，金融システムの安定を図るために不可欠な債務等を承継金融機関に引き継がせ，その際に預金保険機構が資金援助することにより，当該債務等を履行させ（同126条の34〜126条の38），これ以外の債務は，基本的に倒産手続等のなかで処理を行う。また，いずれの場合においても，デリバティブ取引等の早期解約により市場が著しく混乱するおそれのあるときは，内閣総理大臣は，早期解約条項の発動を一定期間，制約することができる（同137条の3第1項）。

■Column 10-17　株主・債権者の利益との調整■■

FSBの「主要な特性」では，破綻処理を行う当局が有すべき権限のなかに，金融機関の財産の処分，債務の削減や株式化（ベイルイン）の実行が含まれていた。前者については，既に預金保険法において，債務超過に陥っている破綻金融機関の事業譲渡を裁判所の許可を得て株主総会の決議を経ずに行うことが認められていた（預金保険87条）。平成24年の改正では，金融機関が債務超過に陥っていない場合

98）The Financial Stability Board, “The Key Attributes of Effective Resolution Regimes for Financial Institutions” (“Key Attributes”) (2011).

99）改正の経緯・趣旨につき，金融庁金融審議会金融システム安定等に資する銀行規制等の在り方に関するワーキング・グループ「金融システム安定等に資する銀行規制等の見直しについて」（平成25年1月25日）を参照。解説につき，梅村元史「金融機関の秩序ある処理の枠組み（上）（下）」商事2009号（2013）22頁以下，同2010号（2013）30頁以下を参照。

にも，裁判所の許可を得て株主総会の決議なしに事業譲渡をすることを認めた（同126条の13）。この点は，株主の利益に反しないかといった議論を呼ぶ可能性がある。後者については，「主要な特性」のいうベイルインの実行とは，債権者と金融機関との契約等に基づくもののみを指すのか，規制当局等の命令によるものを含むのかが明らかでなく，当局の命令で債務の削減や株式化を行わせることに理論的な疑義もあることから，今回の改正では契約上のベイルインのみを発動させることにした（同126条の2第4項）。

預金保険機構が金融機関の処理を行っている間に債権者から倒産手続や強制執行等の申立てが行われると，迅速な処理ができなくなり金融危機を招きかねない。他方，行政の権限により債権者の権利を奪うことはできないはずである。この問題について改正法では，①破産手続開始等の申立てが行われたとき，内閣総理大臣は，裁判所に対し，申立てについての決定または命令の時期等について意見を述べることができる（同126条の15），②金融機関等の業務に係る動産または債権であって，救済金融機関等に承継または譲渡されるものを差押禁止の対象とする（同126条の16）ことで対応している。

金融機関の秩序ある処理に係る法改正は，国際的な合意に基づく責務を果たすために行うものであり，制度設計上の選択の余地は少ない。また，わが国の金融機関に対してこの制度が実際に発動されることは，ほとんど考えられない。もっとも，発動されると，破綻に至っていない金融機関（預金取扱金融機関，保険会社，金融商品取引業者，金融持株会社等）に対しても強権的な監督・命令が行われることになる。上で触れたものを含めて議論しておくべき問題が多い[100]。

100）倒産法制の観点からの検討として，山本和彦「金融機関の秩序ある処理の枠組み」金法1975号（2013）26頁以下を参照。

第11章　投資運用の規制

第*1*節　投 資 信 託

1 総　　説

投資信託は，投資者からの小口の資金を集めて合同運用する集団投資スキームの１つである。小口の投資資金しか持っていない投資者は，少数の銘柄へ集中して投資せざるを得ず，リスクの分散ができない。小口の資金を合同運用すれば，多数の銘柄への分散投資が可能となり，投資者が望むリスクとリターンの組合せを得ることができる。また，小口の投資者が専門家に運用を委託することは難しいが，投資資金を集積することによって専門家に運用を委託する費用を捻出できるから，投資者は専門家による投資判断の成果を享受することができる。集団投資スキームは，有価証券投資について十分な知識のない投資者にとって極めて有用な投資の手段であるといえる。

このような集団投資スキームをわが国で初めて導入したのは，昭和26（1951）年制定の証券投資信託法であった。この法律は，信託の仕組みを利用した契約型の集団投資スキームである証券投資信託について，その仕組み，投資者からの出資の募集，運用の方法と運用成果の分配，運用業者の義務等を定めるものであった。

委託者指図型の証券投資信託においては，投資信託委託会社（委託会社）が投資者から集めた資金を信託銀行等（受託会社）に信託した上で，主として有価証券に対する投資として運用するという仕組みが採用されている。委託会社と受託会社との間で証券投資信託契約を締結し，これによって生じた受益権を均等に分割して，受益証券に表示する。投資者は受益証券を取得することによって受益者の地位を得る（**図表 11-1**）。このように，法形式上は，投資信託委託会社が委託者となり，投資者は委託会社と直接の契約上の関係に立たない。しかし，証券投資信託における信託財産は本来，受益者である投資者の拠出したものであって，最終的には受益者に帰属すべきものであるから，受益者と委託者との間にも信託的関係があるということができる[1]。そこで，投資信託・投資法人法は投資者の委託者としての利益を保護するために，主として受益者と委託者との関係を規律している。わが国において，投資者を委託者兼受益者とし信託会社を受託者とする投資信託が登場しなかったのは，信託会社が自ら運用を行う証券投資信託に積極的でなく，証券会社がそれを行おうとしたこと，信託形式以外に投資者の持分を小口化し証券化するのに適切な法形式が存在しなかったためであると指摘されている[2]。

図表 11-1

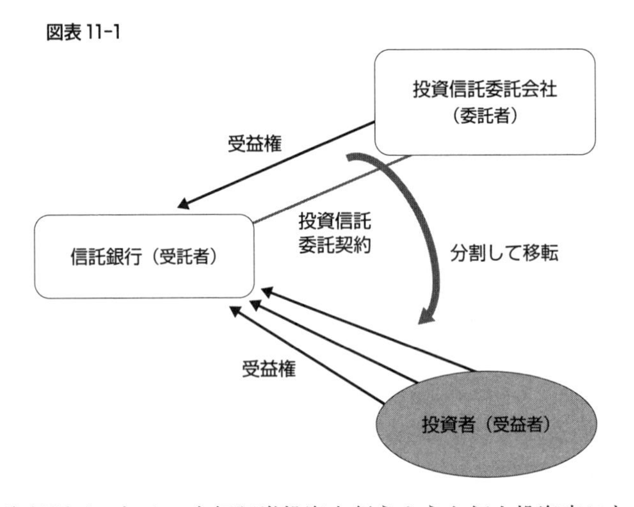

証券投資信託は，初めて有価証券投資を行うような個人投資家にとって有効な投資手段であり，証券投資の裾野を拡大する牽引車としての役割を期待されていたが，わが国の個人金融資産に占める投資信託の比率は諸外国に比べて低い水準にとどまっていた。そこで，個人投資家の証券市場への参加を容易にす

1）岸田雅雄「証券投資信託」大系 541 頁。
2）岩原紳作「証券投資信託　コメント」鴻常夫編『商事信託法制』（有斐閣，1998）162 頁。

るために，平成10年の証券投資信託法改正では，投資法人制度という新しい集団投資スキームを導入するとともに（→2節），契約型の投資信託についても，信託約款を承認制から届出制に変更し，運用指図の外部委託を認めるなど，多様な投資信託を組成できるように改正が行われた（この改正で，法律名が「証券投資信託法」から「証券投資信託及び証券投資法人に関する法律」に改められた）。

さらに，同法の平成12年の改正では，投資信託および投資法人の運用対象資産を不動産その他の政令で定める資産に拡大した（この改正で，法律名は「投資信託及び投資法人に関する法律」に改められた）。資産運用ニーズの高まりに応じるとともに，不動産に対する集団的投資について投資信託・投資法人制度による投資者保護を及ぼすためである。また，このときの改正で，信託銀行が受託者として自分の判断で運用を行う委託者非指図型投資信託の制度が設けられた（→2(2)）。

平成25年の改正では，投資信託・投資法人制度について平成12年以来大きな改正が行われておらず，投資者や業者のニーズにそぐわない面が出てきたことから，投資信託の内容の変更や併合を行いやすくする，投資法人の資金調達手段を多様化するといった改正が行われた[3]。

2　投資信託の組成

(1)　委託者指図型投資信託

信託財産を委託者の指図に基づいて，主として有価証券，不動産その他の資産で政令で定めるもの（特定資産）に対する投資として運用することを目的とする信託で，受益権を分割して複数の投資者に取得させるものを「委託者指図型投資信託」という（投信2条1項）。特定資産とは，有価証券，デリバティブ取引に係る権利，不動産，不動産の賃借権，地上権，約束手形，金銭債権，匿名組合出資持分，商品先物取引法上の商品，商品ファンドに係る権利である（投信令3条）。「主として」とは，運用財産の総額の2分の1超を特定資産に対する投資として運用することを目的とする場合をさすと解されている[4]。

委託者指図型投資信託の委託者になれるのは，投資運用業を行う金融商品取引業者であり（投信3条），これを投資信託委託会社という（同2条11項）。受

3）　改正の経緯・趣旨につき，金融審議会「投資信託・投資法人法制の見直しに関するワーキング・グループ最終報告」（平成24年12月7日）を参照。

4）　乙部辰良『詳解　投資信託法』（第一法規出版，2001）14頁。

託者になれるのは，信託会社または信託業務を営む金融機関（以下，信託会社等という）である（同3条）。そして法は，信託財産を主として有価証券（2条2項各号のみなし有価証券を除く）に対する投資として運用する場合に，委託者指図型投資信託以外の信託を利用することを原則として禁止している（同7条）。投資信託の投資対象として有価証券が一般的であることを考慮して，悪質な業者が証券投資信託と同様の金融商品を作り出すことを防ぐための規制である[5]。

受益権を分割して少数の投資者に取得させる「私募投資信託」も委託者指図型投資信託に当たる。受益権を一人の者に取得させる場合はこれに当たらず，したがって，主として有価証券に対する投資として運用する投資信託としては組成することができない。この場合，投資者は投資運用業を行う金融商品取引業者と投資一任契約を締結して，有価証券に対する投資として資産を運用することができる（→*3* 節 *2*(5)）。

委託者指図型投資信託は，原則として，運用財産を金銭で受け入れ，信託終了時に受益者に金銭で返還する「金銭信託」でなければならない（投信8条1項）。もっとも，受益者が受け取る財産が換価の容易なものであれば受益者を害することがないので，換価の容易な資産に対する投資として運用する投資信託であって，受益証券を投資対象である現物と交換できるETF（→**Column 11-1**）等を金銭信託の例外として認めている（投信令12条）。

■Column 11-1　ETF ■■

ETF（Exchange Traded Fund，上場投資信託）とは，投資成果が株価指数，金価格などに連動するように組成・運用される投資信託で，その受益証券が金融商品取引所に上場されるものをいう。たとえばTOPIXに連動する投資信託を購入すれば，TOPIX銘柄（東証一部上場銘柄）に分散投資したのと同じ成果が得られる。ETFは，投資者にとって低コストで分散投資が可能になる投資手段であり，また，金融商品市場でタイムリーに取引できるメリットもある。諸外国の取引所では，ETFの多様化が急速に進展し，有価証券以外に投資するものや商品との現物交換が可能なものが上場されている[6]。わが国でも，投資者の利便性の向上と取引所の国際競争力の強化を目指して，平成20年の投資信託・投資法人法の改正によりETFの多様化が図られた。具体的には，従来，有価証券を投資対象とする証券投資信託についてのみ認められていた金銭設定・現物交換型または現物設定・現物交換型の投

5）乙部・前掲注4）59頁。
6）2008年時点の海外の状況につき，逐条解説2008年58頁を参照。

資信託を，金などの換価の容易な商品と現物交換を行うETFに拡大した。

(2) 委託者非指図型投資信託

同一内容の信託契約に基づいて，受託者が複数の委託者との間で締結する信託契約により受け入れた金銭を合同して，委託者の指図に基づかず，主として特定資産に対する投資として運用するものを委託者非指図型投資信託という（投信2条2項）（**図表11-2**）。委託者非指図型投資信託は，投資者を委託者兼受益者，信託会社等を受託者として設定され（同47条1項），受託者の判断により資金の合同運用が行われる。しかし，有価証券投資を目的とする委託者非指図型投資信託は禁止されており（同48条），したがって主として有価証券以外の特定資産に対する投資として運用するものが想定されている。

図表11-2

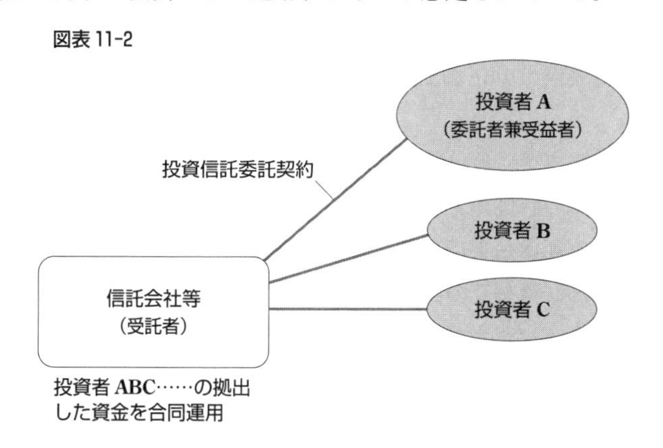

■Column 11-2　合同運用指定金銭信託と委託者非指図型投資信託■■

証券投資信託以外の有価証券投資を目的とする信託の禁止（投信7条）には例外があり，信託の受益権を分割して複数の者に取得させることを目的としないものは禁止されない（同条但書）。これは，信託銀行が複数の投資者から金銭の信託を受けて，一定の方針にしたがって有価証券への投資を行う「合同運用指定金銭信託」を想定した規定である。合同運用指定金銭信託では，個々の委託者と信託銀行が信託契約を締結し受益権の分割が行われないため，平成10年改正前投資信託・投資法人法3条但書（現行7条但書相当）に該当すると解されてきた。信託銀行は，信託兼営法，信託法，信託業法の規制下に置かれているので受益者の保護に欠けることはないと考えられたからである7)。

平成12年の改正により委託者非指図型投資信託が導入されたが，依然として委託者非指図型投資信託は主として有価証券に対する投資として運用することが禁止されている。信託銀行による合同運用指定金銭信託を認めながら，委託者非指図型投資信託による有価証券投資を認めない立法には疑問が呈されている[8]。

以下では，委託者指図型投資信託を中心に説明する。

(3)　信託契約の規制

委託者指図型投資信託の内容は，投資信託委託会社と信託会社等との間で締結される信託契約によって決定される。そこで，法は信託契約が基礎とする信託約款の記載事項を定め，投資信託委託会社が信託約款を内閣総理大臣に届け出る旨を定める（投信4条）。かつては，信託約款について承認制が採られていたが，自由な商品開発を促す観点から，平成10年改正により届出制に改められた。信託約款の内容が法令に違反し受益者を害するおそれがあるときは，裁判所は内閣総理大臣の申立てに基づいて受益証券の販売を差し止めることができる（同26条）。

信託約款の記載事項には，委託者・受託者の商号または名称，運用対象資産の種類，運用財産の評価の方法，元本の償還および収益の分配に関する事項，信託契約期間，受託者および委託者が受ける信託報酬等の計算方法など，投資信託の購入，売却，償却等の判断にとって重要な事項が記載される。投資信託には，当初に集まった資金でファンドが形成され運用開始後は新しい資金の追加を行わない単位型と，資金の追加を行う追加型とがあり，また，委託会社がいつでも受益証券の償還に応じるオープンエンド型と，受益証券の償還に応じず受益者は市場で受益証券を売却して換金するクローズドエンド型とがある。

委託者と受託者の間で結ばれた信託契約によって生じた受益権は均等に分割され，受益証券によって表示される（同6条1項）。受益権の譲渡を容易にするためである。もっとも，受益権を振替投資信託受益権とする場合には受益証券は発行されず，受益権の移転は口座管理機関における受益者の口座の振替によって行われる（社債株式振替121条）。現在，投資信託の受益権はそれが取引所に上場されるものであれ，そうでないものであれ，ほとんどが振替投資信託受益権として発行され，受益証券は発行されていない。

信託期間中に信託約款を変更することによって，運用対象資産の種類や収益

7)　神崎＝志谷＝川口996頁。
8)　神崎＝志谷＝川口997頁。

の分配方法などの商品内容を変更することもできる。受益権の償還によって信託財産が減少した複数の投資信託を併合することもできる。それらの場合，委託会社は変更・併合の内容を内閣総理大臣に届け出た上で（投信16条），受益者の書面決議による承認を受けなければならない（同17条1項）。商品性の変更は受益者の利益に大きく影響するからである。他方で，商品性の変更について，受益者の承認を受けるには時間と費用を要することから，投資信託の運営の機動性が阻害されているか，当初から運用方針等について幅広な記載にしておくことで後の約款変更を回避する傾向があると指摘されていた[9)]。そこで平成25年改正に伴う内閣府令の改正により，信託約款の変更に受益者の承認決議を要するか否かの基準を「商品としての同一性を失わせる」か否かから，「商品としての基本的な性格の変更」に当たるか否かに緩和することにした（投信規29条）。また，非効率な小規模投資信託の併合を促すために，併合の前後で「商品としての基本的な性格」に相違がない投資信託については受益者の承認決議を不要とする改正が行われた（投信17条1項，投信規29条の2第1項1号）。現在，投資信託の受益証券の多くは電子化されているが，REIT（→**Column 11-3**）と異なり受益権が上場されていないため，保管振替機関の総株主通知制度（総受益者通知制度）を利用することができない。書面決議のコストが高いことは理解できるが，まずは，総株主通知制度の利用を可能にし書面決議のコストを削減することが筋であろう。

書面決議において受益者は受益権の口数に応じて議決権を有し，信託約款の変更決議は議決権の3分の2以上に当たる多数によって行う（投信17条8項）。平成25年改正前は，小口投資者の利益を保護するために，受益者の半数以上の賛成という受益者数要件も定められていたが，投資信託において大口投資者の利益と小口投資者の利益が相反する状況は考えにくいことから[10)]，受益者数要件は同年の改正により廃止された。また，決議の成立を促すため，委託会社は知れている受益者（振替投資信託受益権の保有者は知れているのがふつう）が議決権を行使しないときは，決議について賛成するものとみなす旨の定めを投資信託約款にすることができる（同条7項）。

(4)　受益権の販売

投資信託の分割された受益権を表示する受益証券は有価証券であり（2条1

9)　金融審議会・前掲注3) 4頁。
10)　逐条解説2013年52頁。

項10号），受益証券が発行されない受益権はみなし有価証券（2条2項柱書の有価証券表示権利）である。したがって，受益権の発行が募集に該当するときは（2条3項，→**2章2節1**），受益権の発行者が内閣総理大臣に有価証券届出書を提出しているのでなければ，何人も受益証券の取得勧誘をすることができない（4条1項）。投資信託の受益証券は，いわゆる資産金融型証券であり，投資者の投資判断に重要な影響を及ぼす情報がその発行者の行う資産の運用に関する情報であるため，受益権に係る有価証券届出書の記載事項（→**2章3節3**⑵）は，株式などの企業金融型証券の場合とは異なる。受益権の発行者は，委託者指図型投資信託においては投資信託委託会社，委託者非指図型投資信託においては信託会社等である。

投資信託の受益権の取得勧誘は，発行者である委託会社が第1種金融商品取引業を行う金融商品取引業者（証券会社）に委託して行うことが多いが，委託会社が自ら募集または私募を行うこともできる。この場合の委託会社の行為（自己募集・自己私募）は第2種金融商品取引業に当たる（28条2項，→**10章2節1**⑶）。以上に加えて，平成10年の証券取引法改正では，銀行等の金融機関が本体で，投資信託・外国投資信託の受益証券，投資法人の投資証券・外国投資証券等の販売に関する業務を行えるようにした（33条2項2号，→**10章8節2**⑵⑤）。それまで証券市場に無縁であった預金者等が，投資信託等に投資をすることで，間接的に証券市場に資金が流れ込むことを期待した改正である[11]。最近では，金融機関の窓口を通じた投資信託の販売が全体に占める割合は5割を超えている。

金融商品取引業者等が受益権を募集によって投資者に取得させるときには，目論見書を交付しなければならない（15条2項）。追加型の投資信託（→⑶）では，常に受益権の募集が行われているため，目論見書の情報を最新のものに更新して受益権の取得者に交付するコストは高い。そこで，主として投資信託の目論見書を念頭に置いて，平成15年の証券取引法改正により，目論見書制度の改革が行われた（→**2章4節2**⑵・**5節3**⑶）。

これに加えて投資法人・投資信託法では，金融商品取引業者は，投資信託の受益権を取得しようとする者に対して，投資信託約款の内容その他内閣府令で

11）　神崎＝志谷＝川口925頁。投資信託の窓口販売に伴う問題の検討として，証券取引法研究会「金融システム改革法について⑷――銀行による投資信託商品の販売」インベストメント51巻6号（1998）63頁以下を参照。

定める事項を記載した書面を交付しなければならないと定める（投信5条1項）。本条にいう金融商品取引業者とは，投資運用業を行う金融商品取引業者（同2条11項），すなわち委託会社のことを指し，内閣府令では投資信託財産に含まれる不動産に関する事項が定められている（投信規9条）。ただし，目論見書にこれらの事項が記載されている場合には，目論見書によるディスクロージャーとの重複を避けるため，書面交付義務はなく，また，投資信託の勧誘が適格機関投資家私募等による場合には，受益者が情報を有していると考えられるところから，やはり書面交付義務はない（同10条）。委託会社は，受益者の承諾を得れば，電子的な方法で情報を提供することもできる（投信5条2項）。

受益証券の募集の取扱い等，私募の取扱い等が，投資法人・投資信託投信法の法令に違反し，もしくは法令に基づく処分に違反している場合において，投資者の損害拡大を防止する緊急の必要性がある場合には，内閣総理大臣の申立てにより，裁判所は，募集・私募の取扱い等を行い，または行おうとする者に対して，その行為の禁止または停止を命ずることができる（投信26条，緊急差止命令）。信託約款の内容が法令に違反している場合や有価証券届出書を提出しないで募集の取扱いをしている等の場合に，当該行為を緊急に差し止めて，投資家の被害拡大を防止するためである。目論見書の交付義務違反のように，募集が金商法の法令に違反する場合には，金商法上の緊急差止命令（192条，**→12章 *2* 節 *4***）が用いられることになろう。

3　投資信託の運用

(1)　委託者の運用権限

委託者指図型投資信託では，委託者が受託者に対して信託財産の運用を指図する。一般の投資者は，投資信託に対し，合同運用による分散投資とともに専門のファンドマネージャーによる運用を期待しているので，委託者の専門性を確保することが重要である。そこで法は，投資信託委託会社の業務を投資運用業と位置づけ（28条4項），一定の要件を満たした金融商品取引業者でなければ投資信託委託会社になれないとした（投信2条11項）。それに加えて，投資対象資産に不動産が含まれる場合は宅地建物取引業の免許（宅建業3条1項）が必要であり，信託財産を主として不動産に対する投資として運用するときは同法50条の2第1項の認可（取引一任代理等に係る特例の認可）も必要となる。このほか，投資対象資産の取引が各種の業法上の行為に該当するときは，それぞれの業法の規定に従うことが必要になるが，商品投資による運用については，委託者が兼業業務としての承認を受ければ商品ファンド法の適用が除外される（商品投資33条但書・40条）。

投資信託の運用財産の種類によっては，委託者が自ら運用の指図をするよりも運用権限を専門家に委託する方が受益者の利益になると考えられる。投資運用業を行う金融商品取引業者が運用権限の全部または一部を委託する場合，その委託先は他の投資運用業者または外国の投資運用業者に限られるが（42条の3第1項，→**3**節**2**(3)），投資信託委託会社は，信託会社等，商品投資顧問業者，または外国の商品投資顧問業者に運用権限を委託することもできる（投信2条1項，投信令2条）。ただし，投資信託委託会社が運用の指図を行うすべての投資信託について，その運用権限の全部を他に委託することはできない（投信12条1項）。

(2)　運用行為の規制と委託会社の責任

委託者指図型投資信託の委託者は投資運用業を行う金融商品取引業者であるから，その忠実義務・善管注意義務を具体化した委託者の行為規制が金融商品取引法に置かれている（42条の2，→**3**節**2**(2)）。それらに加えて投資信託・投資法人法では，委託者指図型投資信託の委託者について次のような行為規制を特則として定めている。

①　**同一法人への集中投資の禁止**　　投資信託委託会社は，運用を行うすべての委託者指図型投資信託について通算した場合に，信託財産として有する同一法人の株式に係る議決権が当該法人の議決権総数の2分の1を超えることとなる場合には，当該法人の株式を取得してはならない（投信9条，投信規20条）。他方，ある投資信託の財産のすべてを同一銘柄の株式に投資しても，それが当該法人の議決権総数の2分の1未満であれば本条違反にはならない。したがって，この規制は，投資信託委託会社が投資信託を利用して株式会社を支配することを禁止したものであり，投資信託の分散投資を義務づけたものではない[12]。

②　**議決権等の指図行使**　　投資信託委託会社が投資信託財産として有する有価証券に係る議決権や会社法上の株主の権利等の行使については，投資信託委託会社が指図を行う（投信10条）と定められている。投資信託財産の法律

12）　乙部・前掲注4）39頁。

上の所有者は受託会社であるが，議決権等の信託財産上の権利の行使は財産の運用によって利益を上げるために重要であるため，委託会社が権利を行使すべき旨を明らかにするものである。委託会社はこの権限を受託者の利益のために忠実に行使する義務を負う（42条，→**3**節**2**(1)）。

③　**特定資産の価格の調査**　投資信託財産のうち市場性のある有価証券のように価値評価が容易なもの以外の財産については，適切な価格で取引が行われたのかを受益者が知ることは難しい。そこで法は，投資信託財産のうち一定の種類の資産（特定資産）について，その取得・処分等が行われたときに，投資信託委託会社は，利害関係のない第三者に当該資産の価格の調査を行わせるよう求めている（投信11条，投信規22条）。調査を行うことができるのは，弁護士，公認会計士，不動産鑑定士等である（投信令18条）。この調査の結果は受益者に開示される。

④　**特定資産に係る取引の通知**　投資信託委託会社は，(a)自己またはその取締役・執行役と信託財産との間で，もしくは(b)信託財産相互間で，客観的な価値評価が困難な特定資産の取引を行ったとき，または(c)自己の計算で，不動産・不動産の賃借権・地上権の取引を行ったときは，同種の対象資産で運用を行っている投資信託の受益者に書面を交付して取引に関する情報を提供しなければならない（投信13条1項）。運用業者が(a)または(b)の方法で信託財産を運用することは禁止されているが（42条の2，→**3**節**2**(2)），運用に該当しない取引であっても，評価の困難な特定資産の取引であれば委託会社と受益者との間で利益が衝突する可能性があるので，委託会社に，受益者に対して情報を提供するよう求め，受益者にチェックをさせるための規定である。(c)の場合に情報提供を求めるのは，投資対象のなかでも不動産等は個性が強いところから，投資信託の投資機会が妨げられなかったか受益者にチェックをさせるためである[13)]。ただし，受益証券の取得勧誘が適格機関投資家私募の方法で行われる場合には，書面交付の要否を投資信託委託会社と機関投資家の交渉により定めさせても投資者の保護に欠けることにはならないから，書面交付をしない旨を投資信託約款で定めることが認められる（投信13条3項）。

投資信託の受益者と委託者との間には信託的関係があるが，契約上の関係は存しない（→***1***）。このような経済実態と法律形式の乖離を埋めるために，法は

13)　乙部・前掲注4) 82頁。

委託者が受益者に対して忠実義務および善管注意義務を負うことを明らかにしている（42条，→*3*節*2*⑴）。投資信託・投資法人法では，このような義務を前提として，投資信託委託会社およびその運用権限を委任された者は，任務を怠ったことにより受益者に生じた損害について，受益者に対して連帯して賠償する責任を負うと定めている（投信21条）。この規定は強行規定であり，信託約款によって委託者等の損害賠償責任を軽減することはできない。

投資信託の受益者は，投資判断の結果を自己が負担することに納得した上で，投資判断を委託会社に委ねたのだから，運用成績が振るわず受益権の価値が下落したとしても直ちに委託会社に損害賠償を求めることはできない。もっとも，委託会社が信託約款に定める運用方針に反する運用を行ったとか，投資運用を行う金融商品取引業者に通常求められる注意を欠いた投資運用を行い受益者に損失を被らせた場合には，委託会社の受益者に対する損害賠償責任が発生する。

⑶　収益の分配と受益権の払戻し

投資信託において，信託財産の運用成果を受益者にどのように分配するかは信託約款が定めている。投資信託では計算期間ごとに信託財産の決算を行い，収益（利子・配当収入，売買損益，評価損益など）から信託報酬等の費用を減じて得られた利益を，約款に定める分配方針に従って，受益者に分配するか再投資する。オープンエンド型の投資信託（→*2*⑶）では，受益者は受益権の払戻しによって投資成果を回収することもできる。受益権の払戻しは，受益者の申出に基づいて委託会社が信託契約の一部解約を行い，解約された受益権の口数に相当する信託財産（基準価額）から一定の額を差し引いた解約金（解約によって払い戻される金額）を委託会社が受益者に支払うことによって行われる。実際には，受益者と投資信託の販売会社との間の取引約款上，解約金の支払は販売会社を通じてなされることとなっており，受益者の債権者は，受益者の販売会社に対する一部解約金支払請求権を差し押さえて，その取立として解約実行請求の意思表示を行う（最判平成18・12・14民集60巻10号3914頁）。信託契約の解約が「一部解約」であるのは信託契約が投資信託につき一個であるからであり，一部解約をすると当該受益者の有する受益権が消滅する。

このように，オープンエンド型の投資信託では受益権の払戻しによって信託財産が減少するが，当該投資信託が追加型であれば，受益権の追加募集によって信託財産を増加させることができる。委託会社は，受益権の払戻金額や追加募集の払込金額を算定するために，受益権１口当たりの信託財産の純資産額

（基準価額）を毎日計算し，投資者の照会に応じている。基準価額は投資信託の運用財産の価値を反映した受益権１口当たりの価格であるから，基準価額で受益権の払戻しを行い，または追加募集することによって他の受益者の利益を害することはない。受益者は受益権を他の投資者に譲渡することによって投資成果を回収することもできるが，オープンエンド型の投資信託では委託者が基準価額による受益権の償還を保証しているので，受益者は通常は譲渡よりも解約（一部解約）によって換金を行う。委託会社が一部解約に応じないクローズドエンド型の投資信託では，受益権の譲渡による換金の手段を提供するために，投資信託の受益権が上場される。

信託期間が終了した場合には，約款の定めに従い，たとえば信託終了時の信託財産の純資産総額を受益権口数で除した金額の償還金が受益権１口に対して支払われる。受益権の償還を運用対象財産で行う現物交付型の投資信託も認められる（→***2***⑴）。一部解約により受益権口数が減少した等，約款に定めた繰上げ償還事由に該当する場合には，委託会社は投資信託契約を解約して投資信託の清算を行い，すべての受益権を払い戻す。この場合には，委託会社は内閣総理大臣に届出をしなければならない（投信 19 条）。委託会社が投資信託契約を解約するには，原則として，受益者の書面決議による承認が必要であるが（同 20 条 1 項・17 条），約款に定めた事由に基づく解約については，受益者の書面決議による承認を受ける必要はない（同 20 条 2 項・投信規 43 条 1 号）。

⑷　運用成績の報告

投資信託の委託会社が受益者に対して信託財産の運用成績の報告をする義務は，委託会社の忠実義務・善管注意義務（42 条，→***3*** 節 ***2***⑴）から導かれる。金商法は，投資運用業者の運用成績の報告義務を定めているが（42 条の 7，→***3*** 節 ***2***⑴），投資信託・投資法人法ではその特則として，委託会社は，投資信託財産の計算期間ごとに運用報告書を作成し，知れている受益者に交付しなければならないとする（投信 14 条 1 項）。運用報告書には，受益者が受益権を保有するか解約するかの判断資料を提供する機能がある。

ただし，①適格機関投資家私募による投資信託で約款上運用報告書を交付しないとされているもの，②受益証券が金融商品取引所に上場されているもの等については，委託会社に運用報告書の作成・交付義務を課されない（同項但書）。①の場合は，運用報告の方法を委託会社・受益者間の交渉に委ねても投資者保護上，支障が生じないからであり，②の場合は，有価証券報告書，半期報告書などの継続開示書類が公開されており（24条1項5項・24条の5第1項・25条），受益者は運用成績を知ることができるからである。もっとも，受益証券を公募したために継続開示を行っている投資信託については，運用報告書の作成・交付義務が免除されていないことに注意を要する。

投資信託の運用報告書には，①計算期間末における信託財産の資産・負債の状況，②計算期間中の損益の状態，③計算期間中における資産の運用の経過，④計算期間中における株式・公社債等の運用対象有価証券の数・時価総額の変動の状況等を記載する（投資信託財産の計算に関する規則58条）。

4　受託会社の規制

(1)　委託者指図型投資信託の場合

信託の受託者は，信託の本旨に従い，信託事務を処理しなければならず，善良な管理者の注意をもって信託事務を処理しなければならない（善管注意義務，信託29条）。受託者は，また，受益者のために忠実に信託事務の処理その他の行為をしなければならない（同30条）。投資信託の受託者である信託会社等は，信託業法上も，善管注意義務および忠実義務を負うとされている（信託業28条1項2項）。信託法上のこれらの規定は任意規定であるのに対し，信託業法の規定は強行規定であり，特約で義務内容の軽減を図ることは許されない。

委託者指図型投資信託の受託会社は，委託会社の指図に基づいて信託財産の運用を行う。信託財産は受託者が自己の名義で所有するが，受託者が破産手続・再生手続・更生手続の開始決定等を受けた場合であっても，信託財産に属する財産は破産財団・再生債務者財団・更生債務者財団に属しないという効果が生ずる（信託25条）。いわゆる倒産隔離である。また，受託者は，財産ごとに定められた方法で，信託財産と固有財産および他の信託の信託財産に属する財産とを分別管理しなければならない（同34条1項）。その結果，たとえば不動産については信託の登記をすることにより，有価証券については信託勘定で管理することにより，受託者の信託財産を債権者の追及から守ることができる。受託会社はまた，信託約款に基づいて信託財産の計算を行い委託者に報告し，収益分配金，償還金，一部解約金の支払事務を担当する。このように委託者指図型投資信託の受託会社の行為は受動的であり，裁量の余地が乏しいので，投資信託・投資法人法は，受益者保護のために受託会社を規制する特別の規定を置いていない。

(2) 委託者非指図型投資信託の場合

委託者非指図型投資信託では，投資者を委託者，信託会社等（→2(1)）を受託者として信託契約が締結される（投信47条1項，→2(3)）。受託者は信託財産を主として有価証券以外の特定資産（デリバティブ，不動産，金銭債権等）に対する投資として運用することになるので（同48条，→2(2)），委託者の利益を確保するためには受託者の運用行為を規制する必要がある。そこで，同一法人への集中投資の禁止（同9条），特定資産の価格の調査義務（同11条），特定資産に係る取引の通知義務（同13条），運用報告書の作成・交付義務（同14条）など委託者指図型投資信託の委託会社の行為規制が委託者非指図型の受託者に準用されている（同54条）。

これらに加えて，受託者が信託法・信託業法上の善管注意義務・忠実義務を負い，信託によって倒産隔離が生ずること，および信託法上の分別管理義務を負うことも，委託者指図型の受託会社の場合（→(1)）と同様である。

なお，現在，委託者非指図型で設定・運用されている投資信託はない。

第2節　投資法人

1 総　説

投資法人は，営利法人制度を利用して，投資資金の合同運用とその成果の分配を実現する集団投資スキームであり，会社型投資信託と呼ばれてその導入が提唱されてきたものである。会社型投資信託は諸外国で用いられており，アメリカではミューチュアルファンドと呼ばれている[14]。平成10年改正証券取引法は，租税上の考慮等から，これを株式会社ではなく証券投資信託法に基づく証券投資法人制度として創設した[15]。その後，平成12年改正によって投資対象が不動産その他の資産へ拡大されたことにより，証券投資法人は投資法人となった。

契約型の投資信託と会社型の投資法人との相違点として，契約型ではあらかじめ定められた信託約款によって商品設計がされ，投資者の保護が図られるの

14) 諸外国の法制につき，落合誠一編著『比較投資信託法制研究』（有斐閣，1996）を参照。
15) 創設の経緯につき，前田雅弘「証券投資法人制度」証券取引法研究会編『金融システム改革と証券取引制度』（日本証券経済研究所，2000）233-235頁を参照。

に対し，会社型では，投資者が法人の構成員となり，法人の私的自治（コーポレートガバナンス）により商品設計や投資者の保護が図られる。

投資法人制度では，投資者が出資して設立した法人が，資産の運用を運用会社に委託して，運用の収益や財産を投資者に分配する。契約型の投資信託と同様に，単位型と追加型，オープンエンド型とクローズドエンド型，公募型と私募型のいずれのタイプも設計可能である。投資法人は主として不動産に対する集団投資に利用されている。投資法人では，設立企画人が資産運用会社を誰にするか，運用方針，金銭の分配方法等を定めて投資者を募集するが，投資法人設立後は，資産運用会社や設立企画人から独立した者が法人を運営する。投資法人は，資産運用，資産の保管のほか，その業務のほとんどを外部委託し，投資法人自身は投資のための器となる（**図表11-3**）。

図表11-3

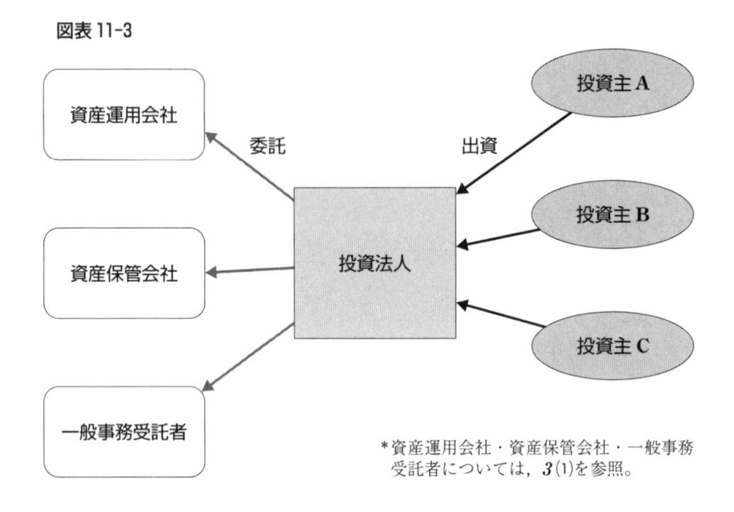

■Column 11-3　不動産投資法人（J-REIT）■■

不動産投資法人とは，投資者から集めた資金を，主として不動産，不動産を対象とする信託の受益権等へ投資し，その賃料収入，運用収入や売買益を投資者へ分配することを目的として合同運用する投資法人をいい，J-REIT（日本版リート）ともいう。J-REITは平成13年にスタートし，REITとは，アメリカにおいて不動産投資信託を意味するReal Estate Investment Trustの略語であるが，アメリカにおいても日本においても信託ではなく法人（わが国では投資法人）形態をとることが多い。

不動産投資法人では，運用資産を換金して投資者への払戻しに応じることが難しいので，投資証券（→*2*）を上場して，投資者は投資証券を譲渡することにより投下資本を回収する。金融商品取引所は不動産投資法人の上場要件として，運用資産の総額に占める不動産関連資産の組入比率が70% 以上であることを求めている。投資法人は借入れや投資法人債の発行によって外部資金を調達することができるが，投資法人では，2008 年の金融危機後に金融機関からの借入れが逼迫した。また，投資法人は導管性（→*3*(3)）を維持するために内部留保をほとんど持たないので，一度欠損が発生すると配当を再開するまでに長期間を要することになる。このような不都合を解消するために，ライツ・オファリング，無償減資，および自己投資口取得を投資法人に認める平成 25 年改正が行われた（→*3*(3)）。

2 投資法人の設立

投資法人は，投資者から受け入れた資金を，主として有価証券，不動産その他の資産で政令で定めるもの（特定資産，投信 2 条 1 項）に対する投資として運用し，その成果を投資者に分配する目的で設立された営利社団法人である（同 2 条 12 項）。投資法人の社員を投資主（株式会社の株主に相当）といい，投資法人の社員の地位を投資口（株式会社の株式に相当）という（同 2 条 14 項・16 項）。

投資法人を設立するときは，設立企画人が内閣総理大臣に届け出なければならない（投信 69 条 1 項）。設立過程について内閣総理大臣が監督できるようにするためである。投資法人は，1 または複数の設立企画人が規約を作成し，投資口を引き受ける者を募集し，払込みの手続を行わせ，設立登記をすることによって成立する（同 66 条～75 条）。設立企画人には資格要件があり（同 66 条 3 項），通常は，金融商品取引業者，信託会社等，これらの者の役員・使用人が設立企画人となる。不動産投資法人では，設立後の投資法人の資産運用会社になる予定の株式会社が設立企画人となることが多い[16]。

会社の定款に相当する「規約」には，投資主の請求により投資口の払戻しをするか否か（オープンエンド型かクローズドエンド型か），発行可能投資口総数，投資運用の対象および方針，金銭分配の方針，執行役員・監査役員・会計監査人の報酬の額，資産運用会社の報酬の額，一般事務委託者・資産運用会社・資産保管会社の名称・住所・締結する契約の概要等を記載する（投信 67 条 1 項）。

投資口を表示する投資証券（投信 2 条 15 項）は金融商品取引法上の有価証券なので（2 条 1 項 11 号，→1 章 *5* 節 *2*(4)），その取得の勧誘が募集に該当すれば，

16） 大串淳子＝田澤治郎＝半田太一監修『不動産投資法人（REIT）の理論と実務〔第 2 版〕』（弘文堂，2019）9 頁。

設立企画人は内閣総理大臣に有価証券届出書を提出し（4条1項），被勧誘者に目論見書を交付しなければならない（15条2項）。クローズドエンド型の投資法人で投資口を上場するときは，投資口は振替制度の適用を受けるため投資証券は発行されず，オープンエンド型で規約により投資証券の不発行を定めたとき（投信86条1項）も同様である。これらの場合でも，投資口は投資証券に表示されるべき権利であるから，有価証券とみなされる（2条2項柱書）。

追加型の投資法人では，成立後も投資口を公募または私募により発行することができる。追加発行の条件は募集ごとに均等に定められ，募集投資口の払込金額は投資法人の資産の内容に照らして公正な金額でなければならない（投信82条5項6項）。

3　投資法人の業務

(1)　業務の委託

投資法人は投資者の資金を特定資産で運用することを目的とする法人であるから，投資主が予想外の損失を受けることがないように，資産の運用以外の行為を営業として行うことができず，本店以外の営業所を設けたり，使用人を雇用することもできないとされている（投信63条）。これに対応して，投資法人が行うことのできる資産の運用行為は法律に列挙されており（同193条），しかも，投資法人は資産運用に係る業務を資産運用会社に委託しなければならない（同198条1項）。

資産運用会社になれるのは金融商品取引業者であり，それに加えて，運用対象に不動産が含まれているときは宅地建物取引業の免許が（宅建業3条1項），主として不動産に対する投資として運用するときは同法50条の2第1項の認可（取引一任代理等に係る特例の認可）も必要となる（投信199条）。投資法人の資産運用会社からの独立性を確保するために，投資法人の監督役員をその役員・使用人とし，またはしたことのある金融商品取引業者などは資産運用会社になることができない（投信200条）。資産運用会社は業務の一部を再委託することができるが（同202条参照），委託先は資産運用業を行う他の金融商品取引業者または外国の投資運用業者に限られる（42条の3第1項，→***3*** 節 ***2***(3)）。

ところで，資産運用会社が投資法人の委託を受けて不動産に対する投資として財産の運用を行う行為は，金融商品取引業に該当しない。そこで，投資法人・投資信託法223条の3第3項は，資産運用会社の不動産に対する運用行為を金商法2条8項12号に掲げる行為（有価証券またはデリバティブ取引に対する運用行為）とみなすことによって，後者の行為に適用される金商法上の行為規制が資産運用会社の不動産に対する運用行為にも適用されるようにしている。

投資法人は，運用資産を自ら保管することができず，資産保管会社に委託しなければならない（投信208条1項）。投資法人の役員等による財産の費消を防ぐためである。ここにいう保管とは，投資法人名義の財産を資産保管会社が管理することを意味する。運用資産は，資産保管会社においてその固有財産と分別管理される（同209条の2）。資産保管会社になれるのは，信託会社等，有価証券等管理業務を行う金融商品取引業者（有価証券，デリバティブの保管をさせる場合），一定の財産的基礎および人的構成を有する法人（不動産，金銭債権等の保管をさせる場合）である（投信208条2項，投信規252条）。資産保管会社の利害が投資法人と対立することはまず考えられないため，特別の欠格事由は定められていない。不動産投資法人では信託銀行が資産保管会社になることが一般的である[17]。

資産の運用・保管以外の事務についても，投資法人は自らすることができず，他の者に委託して行わせなければならない（投信117条）。これには，投資口・投資法人債の募集，投資主名簿の管理，投資証券の発行，機関の運営，計算等に関する事務が含まれる（同条）。たとえば，クローズドエンド型の投資法人は資金調達のために投資法人債を発行することが認められているが（同139条の2第1項），投資法人債を発行するか否か，およびその発行条件の決定は投資法人の役員会が決定し，具体的な事務手続は一般事務受託者が行うことになる。これらの事務を受託する一般事務受託者に資格要件はない。投資法人は複数の事務受託者を用いてもよいし，資産運用会社・資産保管会社が一般事務受託者を兼任することもできる。不動産投資法人では，証券代行会社，信託銀行，金融商品取引業者，税理士法人等が分担して一般事務を受託する例が多いようである[18]。

以上のように，集団投資のための器（ビークル）として特化するために，投資法人は業務上の大きな制約を課されている。そこで，投資法人が外部に委託した業務を含めて投資法人の業務を監督するために，投資法人が資産運用を開始するには内閣総理大臣の登録を受けなければならないとされている（投信

17）　大串ほか監修・前掲注16）47頁。
18）　大串ほか監修・前掲注16）48頁。

187条)。

⑵ 運用行為の規制と資産運用会社等の責任

投資法人の資産の運用について，投資信託の場合と同様に（→*1* 節 *3*⑵），同一法人への集中投資の禁止（投信194条），特定資産の価格調査（同201条），特定資産に係る取引の通知（同203条）の規制が置かれている。この場合の通知の相手方は，投資主ではなく投資法人である。投資信託の場合と異なり，運用資産に含まれる株式の議決権を誰が行使すべきかは規定されていないが，運用業務の一環として資産運用会社が行使することになろう。

投資法人の資産の運用が適正に行われるためには，投資運用，資産の保管，一般事務を担当する者が，それぞれ投資主の利益になるように注意を払って業務を行わなければならない。資産運用会社は，金融商品取引業者として，投資法人のために忠実に，かつ善良な管理者の注意をもって投資運用業を行わなければならない（42条1項1号・同条2項)。このような義務を前提として，投資運用会社またはその権限の再委託を受けた者が任務を怠ったことにより投資法人に損害を生じさせたときは，連帯して，当該投資法人に生じた損害を賠償する責任を負うと定められている（投信204条1項)。再委託先の任務解怠について運用会社も責任を負うことに注意を要する。資産保管会社および一般事務受託者については，投資信託・投資法人法に，それぞれの投資法人に対する善管注意義務・忠実義務（同209条・118条)，および損害賠償責任（同210条・119条）が定められている。

資産運用会社，資産保管会社，および一般事務受託者の投資法人に対する責任のうち，資産運用会社と一般事務受託者の責任については投資主が代表訴訟を提起することができる（投信204条3項・119条3項，会社847条1項)。また，資産運用会社については，取締役の第三者に対する責任規定（会社429条1項）も準用されている（投信204条3項)。投資運用会社の任務解怠によって投資主に直接的に損害が生じた場合は，投資主は資産運用会社の損害賠償責任を追及できることになろう。

投資法人および投資主は，投資判断の結果を自己が負担することを納得した上で，投資判断を資産運用会社に委ねたのだから，運用成績が振るわず投資口の価値が下落したとしても直ちに資産運用会社に損害賠償を求めることはできない。もっとも，資産運用会社が投資法人の規約に定める運用方針に反する運用を行ったとか，投資運用業を行う金融商品取引業者に通常求められる注意を欠いた運用を行い投資法人や投資主に損失を被らせた場合には，資産運用会社の投資法人または投資主に対する損害賠償責任が生じると考えられる。

(3)　金銭の分配と投資口の払戻し

投資法人の資産運用成果の分配は，営業期間ごとに作成され（投信129条），会計監査人の監査を受け（同130条），役員会の承認を受けた計算書類および金銭の分配に係る計算書（同131条2項）に基づいて行われる。投資法人は投資者による投資の導管として用いられる限りにおいて，投資法人レベルでの租税の軽減措置が認められている。配当金の損金算入が認められるためには，配当可能利益の90%以上を配当しなければならない（租特67条の15）。これを導管性の要件という。金銭の分配は利益（貸借対照表の純資産額から出資総額等の合計額を控除した額）を超えてすることもできる（投信137条1項）。これは出資の払戻しを認めることを意味するが，投資法人の債権者を保護するために，金銭の分配は純資産額から基準純資産額（最低1億円）を控除した額を上回ることができないとされている（同項但書）。

オープンエンド型の投資法人では，投資主の請求に応じて出資の払戻しが行われる。払戻しは，投資法人の保有する資産の内容に照らして公正な価額によらなければならない（投信125条1項）。投資法人は，払戻価額をあらかじめ公示しておくことができ，その場合には公示価額によって払戻しを行う（同126条）。ただし，純資産の額が基準純資産額を下回ったときは，その後の払戻しを停止することができる（同124条1項3号）。クローズドエンド型の投資法人では，投資口の売却によって投下資本の回収が行われる。平成25年の改正により，投資法人は，規約にその旨の定めがあるときは，役員会の決議により市場取引または公開買付けの方法で自己投資口を取得できるようになった（同80条～80条の5）。株式会社と同様の機動的な資本政策の発動を可能にするためである。

投資法人では導管性を維持するため損失のバッファーがほとんどなく，出資総額等に欠損が生じやすい。このとき，欠損をそのままにし次期以降の利益で塡補することもできるが，損失を出資総額等から控除し，次期以降の配当を行いやすくすることもできる（投信136条2項）。いわゆる無償減資である。

(4)　運用成績の報告

投資法人は，営業期間ごとに計算書類等とともに資産運用報告を作成し，会計監査人の監査を受けなければならない（投信129条2項・130条）。資産運用報告は，株式会社の事業報告に相当するものであり，運用資産として有する有価証券や不動産の内容を詳細に記載するものとなっている（投資法人の計算に関する規則71条～75条）。

資産運用報告は，計算書類，金銭の分配に係る計算書，会計監査報告とともに，株主に対して，書面または電磁的方法によって提供される（投信131条5項，投資法人の計算に関する規則81条）。私募であっても運用成績の報告が強制される点に投資信託との違いがある。

投資口を上場している等，投資法人が金融商品取引法上の継続開示義務を負っている場合には，有価証券報告書，半期報告書，および臨時報告書が提出され公開される（→**3章2節*1*(1)**）。投資法人の資産の運用状況は，有価証券報告書においても詳しく開示される。

4　投資法人の統治機構

(1)　投資主総会

投資法人においては，その運営に投資者（投資主）を関与させることによって，役員や関係業者の行為により投資主の利益が害されることを防止し，また投資成果の向上を図っている。投資法人の役員，資産運用会社，財産の運用・成果の分配等に関する事項は設立時の規約に定められ，投資者は規約の内容を前提として投資口に出資するか否かを判断する。投資法人の設立後に，資産運用の対象・方針を変更したり資産運用会社を変更したりする場合には規約の変更が必要になるが，それには投資主総会の承認を要する（投信93条の2第2項3号・140条）。資産運用会社の交替に伴って生ずる運用委託契約の解約と新たな運用委託契約の締結にも，投資主総会の承認が必要である（同198条2項・205条2項）。

投資法人の組織に関わる事項として，執行役員・監督役員・会計監査人の選解任（投信96条1項・104条1項），他の投資法人との合併（同149条の2第1項・149条の7第1項等），解散（同143条3号）も投資主総会の承認を要する。執行役員の任期は2年を超えることができないので（同99条），2年に1回は投資主総会が開かれる。投資主が分散しているために投資主総会決議が成立しないことがないよう，投資主が総会に出席せず，かつ議決権を行使しないときは，当該投資主は議案に賛成したものとみなす旨を規約に定めることが認められている（同93条)。「みなし賛成制度」を採用したのは，投資運用が順調に推移し投資法人の運用が滞りなく行われている場合には，投資者は投資法人の運営全般について包括的な了承を与える意思があるのが一般的であるところから，議決権を行使しない投資主については，議案に異議を述べる意思がなく議案の内容を黙示的に了承していると考えることができるからである[19]。このような趣旨から，投資主総会に提出された複数の議案（会社提案と投資主提案等）が互いに「相反する趣旨」のものである場合には，投資主が議案の内容を黙示的に了承しているとはいえないため，みなし賛成制度は適用されない（同項括弧書）。ただし，このような「みなし賛成制度」が必要なようでは，投資法人のガバナンスは現実には機能しないのではないかと懸念されている[20]。

⑵　執行役員と監督役員

執行役員は投資法人の業務を執行し，かつこれを代表する（投信 109 条 1 項）。執行役員は 1 名でもよく，兼任規制もないので，設立企画人や資産運用会社の関係者であってもよい。監督役員は執行役員の職務の執行を監督する（同 101 条 1 項）。監督役員が執行役員から独立して監督権限を行使できるよう，法は，設立企画人の関係者，投資口の募集の委託を受けた金融商品取引業者等・金融商品仲介業者の関係者等が監督役員に就くことを禁止し（同 100 条），監督役員が関係する金融商品取引業者は資産運用会社になることができないとした（同 200 条）。監督役員は，執行役員の法令・定款に違反する行為や目的外の行為によって投資法人に著しい損害が生ずるおそれがあるときは，当該行為を差し止めることができるなど（投信 111 条 3 項，会社 385 条），執行役員に対する強い監督権限を有し，その権限を行使するために，執行役員のほか，一般事務受託者，資産運用会社，資産保管会社に対し報告を求め，必要な調査をすることができる（投信 111 条 2 項）。

執行役員と監督役員とで投資法人の役員会を構成する。監督役員の員数は執行役員の員数に 1 を加えた数以上でなければならないため（投信 95 条 2 号），役員会においては監督役員が過半数となる。役員会は投資法人の重要な職務の執行を決定する（同 109 条 2 項）。投資法人が役員会の決議だけで（投資主総会の決議なしに）できる事項として，一般事務の委託，資産保管会社との事務委託

19)　額田雄一郎編著『逐条解説　投資法人法』（金融財政事情研究会，2012）131 頁。

20)　証券取引法研究会「金融システム改革法について⑵——証券投資信託法の改正」インベストメント 51 巻 5 号（1998）111 頁〔河本一郎発言〕〔神崎克郎発言〕，前田・前掲注 15）246 頁。

契約の締結・変更（以上，同項），投資主に対する金銭の分配（同 131 条 2 項）などがある。

役員会は執行役員の職務の執行を監督する（同 114 条）。この権限を基礎として，役員会は執行役員が職務上の義務に違反し，または職務を怠った等の場合に執行役員を解任することができる（同条 2 項）。監督役員は執行役員の職務執行を個別に監督するとともに（同 111 条 1 項），役員会を通じて監督権限を行使することができ，執行役員は役員会のメンバーとしてこれを通じて他の執行役員の職務を監督することになる。役員会は，投資法人・投資信託法 114 条 2 項の場合を除いて執行役員を変更することができないことから，役員会は職務執行の妥当性に関する監督を行うことはできず，もっぱら職務執行の違法性に関する監督を行うとする見解がある[21)]。しかし，監査役員に執行役員の解任権がなくても，妥当性の観点から執行役員に指示や注意を与える権限を否定する理由はないし[22)]，執行役員の善管注意義務違反のなかには職務執行が適法であった場合も含まれるから，役員会による監督は妥当性の監督に及ぶと解すべきである。

⑶　役員等の責任

執行役員および監督役員は，投資法人に対し善管注意義務および忠実義務を負う（投信 109 条 5 項・111 条 3 項，会社 355 条）。会計監査人は，委任契約の受任者として投資法人に対し善管注意義務を負う。これらの役員等が任務を怠ったときは，任務懈怠によって投資法人に生じた損害を賠償する責任を負い（投信 115 条の 6），これらの責任は投資主による代表訴訟の対象となる（同 116 条，会社 847 条 1 項）。

執行役員の任務懈怠としては，運用成果が振るわないのに資産運用会社を交替させる手続をとらなかったこと[23)]などが考えられ，監督役員の任務懈怠としては，執行役員の上記の任務懈怠を見過ごしたことなどが考えられる。投資法人においては，資産の運用，資産の保管，一般事務といった本来法人内で行うべき事務を外部に委託しているのであるから，委託先の監督は執行役員の職務であり，執行役員の当該職務の監督は監督役員の職務であると考えられる[24)]。

21）　神作裕之「会社型投資信託の導入──証券投資法人制度」資本市場 165 号（1999）46 頁，大串ほか監修・前掲注 16）19 頁。

22）　前田・前掲注 15）245 頁。

23）　神崎＝志谷＝川口 1017-1018 頁。

24）　証券取引法研究会・前掲注 20）89 頁，92 頁〔黒沼悦郎報告〕，102 頁〔神崎克郎発言〕。

そして，執行役員・監督役員がこれらの職務を怠ったときは，委託先と連帯して損害賠償責任を負うことになる（投信204条2項・210条2項・119条2項）。

役員等の任務懈怠が悪意または重過失によるときは，役員等はそれにより第三者に生じた損害を賠償する責任を負う（投信115条の7第1項）。役員等の任務懈怠によって投資主に直接的に損害が生じた場合の投資主は，「第三者」に含まれる。計算書類，資産運用報告に虚偽の記載をした執行役員または監督役員，会計監査報告に虚偽の記載をした会計監査人は，注意を怠らなかったことを証明しない限り，第三者に対する責任を免れることはできない（同条2項）。

■ Column 11-4　スポンサー企業との取引■■

資産の運用業務は，資産運用会社の裁量に委ねられており，投資法人が決定すべき行為ではない。ところが，不動産投資法人では，資産運用会社の親会社等のいわゆるスポンサー企業が投資物件の供給を担っているため，資産運用会社の指示に基づいて不動産投資法人がスポンサー企業から運用対象不動産を取得することが不可欠となる。このとき，不動産取得の取引条件が投資法人に不利であれば，投資主が損失を受けることになる。このような取引は，投資主に対する通知制度（投信203条2項，→***3***(2)）の対象となっているが，事後の通知だけでは不利な取引を阻止することはできない。そこで，平成25年改正法は，投資法人と資産運用会社の利害関係人等との間の重要な取引について，投資法人は役員会の承認を受けなければならないとした（同201条の2)。役員は投資法人の業務や運営等を把握する立場にあること，役員会は資産運用会社からの独立性が要求される監督役員が過半数を占めていることを踏まえ，役員会の監視機能に期待したものである[25]。利害関係人等には，資産運用会社の親会社（スポンサー企業）や資産運用会社が運用を行っている他の投資法人等（投信令126条，投信規244条の3）が含まれる。

この規定は，資産運用会社の業務である資産運用の一部を構成する投資法人・利害関係人間の取引について，取引条件の妥当性を投資法人の役員会に判断させようとするものであるから，執行役員が資産運用会社に委託した業務を監督する職務を有することを前提としており，また，役員会が妥当性監査権限を有することを前提としていると理解される。したがって，役員会が本条の承認を行う際に，執行役員または監査役員に任務懈怠があれば，当該役員は投資法人に対して損害賠償責任を負うことになるだろう。

25）逐条解説2013年382頁。

第*3*節　投資運用業の規制

1　総　　説

投資信託制度や投資法人制度において投資者が拠出した資金を運用する行為や，投資一任契約に基づいて顧客の資産を有価証券などへの投資として運用する行為は，投資運用業と呼ばれる。投資運用業を行う者は金融商品取引業の登録を受けなければならず，それには投資運用業を行うための登録要件を充足する必要がある。投資運用業を行う金融商品取引業者は，投資運用業向けに用意された兼業規制，業務規制，および財務規制に服し，金融商品取引業者に共通に適用される行為規制にも服する（→**10章*1*節〜*4*節，9章**）。

本節では，投資運用業を行う金融商品取引業者に適用される行為規制の特則について説明する。金融機関は原則として投資運用業を行うことができないが，例外として，信託業を兼営する金融機関は投資運用業を行うことができる（33条の8）。そこで，行為規制の特則は「投資運用業を行う金融商品取引業者等」に適用されることとされているが，他方で，信託業を兼営する金融機関の行う運用行為のうち信託業法により規制されているものについては，金融商品取引法の行為規制の適用が除外される（65条の5第5項）。そこで，以下では，「投資運用業を行う金融商品取引業者」（運用業者）のみを対象として説明する。

なお，運用業者の行動規範としては，日本版スチュワードシップコードおよび運用業者がこれを実施するために自ら策定した方針も重要である（→**Column 12-2**）。

2　行為規制の特則

(1)　忠実義務・善管注意義務

金融商品取引業者は，権利者のために忠実に投資運用業を行わなければならず，また，権利者に対し，善良な管理者の注意をもって投資運用業を行わなければならない（42条1項・2項）。ここに権利者とは，①その資産の運用を委託された投資法人，②投資一任契約の相手方，③投資信託・信託の受益者，および④集団投資スキーム持分の保有者をいう（42条1項各号）。

本条は平成18年改正で新設された規定であるが，その趣旨は第1に，権利者に対する忠実義務・善管注意義務違反の行為を行った投資運用業者に行政処分を課す根拠規定とすることにある[26]。その際，投資運用業者と必ずしも契約関係に立たない者をも権利者に含め，投資運用業者が誰の利益を図るように行為すべきかを明らかにする意味があった。このような規定の趣旨からすると，投資法人との間で資産運用委託契約を締結する運用業者が忠実義務・善管注意義務を負う相手方は，投資法人ではなく投資主と解すべきであろう。第2に，本条は公法上の義務（上記第1の義務）を定めたものにすぎないとする見解[27]もあるが，私法上の義務をも規定するものであり，その違反は，債務不履行責任または不法行為責任を生じさせると考えられる[28]。

忠実義務とは，委任者と受任者の利益が衝突するときに委任者の利益を優先させる義務をいう。運用業者については，利益相反を防止するための個別の行為規制が用意されているが（→(2)），本条は，個別の行為規制の違反がなくても，運用業者が権利者に対して忠実義務に違反しないように行為すべきことを明らかにしている。善管注意義務とは，委任の受任者が他人（委任者）の事務を処理する際に相当の注意を払う義務をいい，委任者の受任者に対する信頼，受任者の専門性，委託される業務の難易度によって，善管注意義務の水準は異なりうる。一般に，運用業者は投資運用のプロであるから，求められる善管注意義務の水準は高いといえよう。

運用業者が権利者に対して運用成績の報告を行う義務も，受任者の忠実義務・善管注意義務から導かれる。金融商品取引法は，運用業者は，年に2回以上，内閣府令で定める事項を記載した運用報告書を作成し，知れている権利者に交付しなければならないとする（42条の7，金商業府令134条）。ただし，投資信託や投資法人の運用報告書（→***1*** 節 ***3***(4)，***2*** 節 ***3***(4)）のように他の法令により年2回以上，同等の報告が行われている場合は除かれる（42条の7但書）。運用業者の運用報告書は，運用財産の権利者の数が499名以下または運用財産につき有価証券報告書を提出しなければならない場合を除いて，内閣総理大臣にも提出される（42条の7第3項，金商業府令135条）。

26）　善管注意義務・忠実義務違反を理由とする行政処分事例につき，金商法コンメ(2) 422-428頁〔石田眞得〕を参照。

27）　中村聡「金融商品取引法と実務上の課題」商事1791号（2007）27頁，同「集団的投資スキームに関する規制について――組合型ファンドを中心に」証券取引法研究会編『証券・会社法制の潮流』（日本証券経済研究所，2007）83頁。

28）　金商法コンメ(2)416頁〔石田眞得〕。

(2) 禁止行為

運用業者の忠実義務・善管注意義務を具体化した規定として，42条の2は投資運用業に共通する次のような禁止行為を定めている。これらの禁止規定は，特定投資家との関係でも適用される（45条参照）。また，1号・3号・6号の違反に対しては罰則による制裁がある（198条の3）。

①　自己取引および運用財産間取引の禁止（1号・2号）　運用業者またはその取締役・執行役と運用財産の間の取引により運用を行うことや，運用財産相互間の取引により運用を行うことは，特に利益相反のおそれが強いことから禁止される。ただし，権利者の利益となる自己取引，運用財産間取引もあることから，内閣府令で詳細な適用除外の要件を定めている（42条の2但書，金商業府令128条・129条）[29]。

②　スキャルピングの禁止（3号）　運用業者が保有する有価証券を高値で売り抜けるために運用財産で当該有価証券を買い付ける行為のように，取引に基づく価格等の変動を利用して運用業者または第三者の利益を図る目的で，正当な根拠を有しない取引を行うこと（スキャルピング，→*4* 節 *3* (3)）が禁止される。

③　通常の取引の条件と異なる条件での取引（4号）　通常の取引の条件と異なり，かつ権利者の利益を害することとなる条件での取引により運用を行うことが禁止される。善管注意義務違反の典型を示そうとした禁止規定である。運用業者が権利者の利益を害するような取引によって運用を行えば，長期的には，その者に資産の運用を委託する投資者はいなくなるから，あえて個別規定により禁止する必要はないとも思われるが，投資者の被害を防止するために禁止の対象とした。借入金によるレバレッジ比率を極端に高くした取引で資産を運用する行為も本号に該当すると解される。

④　運用取引情報を利用した自己の計算による取引（5号）　投資一任契約に基づいて投資を行ったのと同一の銘柄について投資一任業者が自己の計算で売買を行うことは，一般に，利益相反のおそれが強いと考えられることから，投資顧問業法では，そのような取引を行った事実の有無等について定期的に顧客に対して書面で開示するよう投資一任業者に求めていた。他方，証券業を兼業する投資一任業者については，書面交付義務が煩瑣すぎることから，内閣総

29）　内容については，実務論点168-172頁，金商法コンメ(2)439-446頁〔石田眞得〕を参照。

理大臣の承認を受けた場合に書面交付義務を免除してきた。金融商品取引法では，運用業者の顧客に対する書面交付義務を廃止するとともに，それに代わり，第1種金融商品取引業を兼業すると否とを問わず，運用として行う取引に関する情報を利用して自己の計算で有価証券の売買その他の取引等を行うことを禁止することにした[30]。「運用取引情報を利用した自己売買」とは，運用財産をもって購入することにより特定銘柄の有価証券の価格が上昇することを見込んで，あらかじめ当該有価証券を購入しておく行為などが，これに該当する。

⑤　損失補塡等（6号）　まず，金融商品取引法38条の2第2号により，運用業者は，顧客を勧誘する際に，運用によって生ずる損失の全部または一部を補塡する旨を約束する行為が禁止される。これに違反した者には3年以下の懲役もしくは300万円以下の罰金またはこれらが併科される（198条の3）。これに加えて，42条の2第6号は損失補塡の実行行為を禁止し，その罰条は損失補塡約束と同等である（同条）。損失補塡の禁止の趣旨については，**8章*4*節**を参照。有価証券の売買等に関する損失補塡の禁止（39条）と比較すると，本号では，損失補塡の申込みの禁止や損失補塡の要求の禁止等が規定されていない。投資運用業に関し投資運用業者が顧客に損失補塡の申込みをする行為については，39条が適用されるとする説[31]と適用されないとする説[32]に分かれている。

⑥　内閣府令で定める禁止行為（7号）　内閣府令では，①から⑤に類する行為を定めて禁止を及ぼすほか，有価証券の取引高を不当に増加させ，または作為的に値付けすることを目的とした運用行為，一定の場合に公募投資信託をデリバティブ取引等により運用する行為などを禁止している（金商業府令130条）。

⑶　運用権限の委託

運用業者は，その専門性に着目して権利者（投資者）から財産運用を委ねられているのであるから，自ら運用権限を行使するのが原則である。他方，有価証券やデリバティブ取引の概念が拡大され，多様な投資対象がそこに含まれるようになってきているので，運用業者が運用権限を他の専門家に委ねた方が権利者の利益になる場合もある。そこで金融商品取引法は，運用業者は運用に係

30）　松本圭介＝堀弘＝太田昌男「投資運用業の規制」商事1779号（2006）77頁。
31）　河本一郎＝大武泰南『金融商品取引法読本〔第2版〕』（有斐閣，2011）316頁。
32）　松尾457頁。

る権限の全部または一部を他の者に委託することができると定めている（42条の3第1項）。ここにいう「運用に係る権限」には，運用財産として保有する有価証券の議決権の行使も含まれる[33]。

運用業者が運用権限を委託するときには，権利者の利益を図るために次の条件を満たさなければならない。第1に，投資法人の資産運用契約，投資一任契約，投資信託契約，集団投資スキームに係る契約等において，運用権限を委託する旨，委託先の商号・名称，委託の概要，委託に係る報酬の額またはその算定方法を定めておかなくてはならない（42条の3第1項，金商業府令131条）。運用権限の委託が予定されているか否か，および委託の内容について，権利者が知りうるようにするためである。委託先が運用権限の一部を再委託する場合にも，委託元の契約において同様の定めが必要である。

第2に，委託先は，投資運用業を行う金融商品取引業者等，または外国法人で外国において投資運用業を行う者に限定される（42条の3第1項，施行令16条の12）。委託先の専門性を確保するとともに，委託先に直接，金融商品取引法の規定が適用されるようにするためである。すなわち，委託先は権利者に対して直接に忠実義務・善管注意義務（42条1項2項）を負うことになるが（42条の3第3項），このような形式で外国の投資運用業者に法42条1項を適用することができるのか，疑問もある。また，委託先が金融商品取引業者等である場合には，各種の禁止行為（42条の2）の適用を受けることになる。

第3に，42条の3からは明らかでないが，委託先が運用権限の全部を再委託することは禁止されると解されている[34]（金商業府令131条1号参照）。それならば，委託元が再委託先へ運用権限を委託すればよいからである。また，運用業者は，すべての運用財産についての運用権限の全部を他に委託することを禁じられている（42条の3第2項）。運用業者の専門性に対する信頼を裏切る行為だからである。

■Column 11-5　組合型ファンドの運用権限の全部委託■■

集団投資スキーム（2条2項5号6号）である組合型ファンドの運営者（業務執行組合員）がファンド財産の運用権限の全部を第三者に委託する場合の扱い方につい

33）　金融庁「『金融商品取引法制に関する政令案・内閣府令案等』に対するパブリックコメントの結果等について――コメントの概要及びコメントに対する金融庁の考え方（平成19年7月31日）」440頁No. 4。

34）　松尾直彦ほか「金融商品取引法の行為規制（下）」商事1815号（2007）11頁。

ては，考え方が分かれうる。まず，ファンドの運営者は第三者に運用を委託して間接的に投資判断を行っていると捉えると，当該運営者は自己運用を行うものとして，運用業者としての登録を要することになる（委託先も運用業者としての登録を要する）[35]。この考え方によると，ファンドの運営者は，その運用を行うすべての運用財産について運用権限の全部を第三者に委託することはできなくなる（42条の3第2項）。これに対して，委託先を選択して運用権限を全部委託することをもって，「金融商品の価値等の分析に基づく投資判断に基づいて……財産の運用を行う」（自己運用の定義，2条8項15号，**→10章 *1* 節 *2*** ⑵⑮）とはいいにくいとも考えられる[36]。ファンドの運営者は，金融商品の価値等の分析をしていないからである。投資法人は運用権限を委託先（運用会社）に全部委託しているが，投資法人は自己運用を行っているとはいわないし，投資法人が運用業者として金融商品取引業の登録を求められるわけでもない（ただし，同号括弧書を参照）。この考え方によれば，運用権限を全部委託する組合型ファンドの運営者は運用業者としての登録を要しないことになる（委託先は運用業者としての登録を要する）。

内閣府令の制定者は，前者の考え方をとりつつ，委託先において出資者への受託者責任（忠実義務・善管注意義務）が適切に果たされるのであれば，委託元の運営者に投資運用業の規制を及ぼす必要はないと考え[37]，①運営者が投資一任契約に基づいて運用業者に運用権限の全部を委託し，②投資一任契約において，委託先が出資者に忠実義務・善管注意義務を負う旨を定めること，③投資一任契約において，委託先による自己取引・運用財産相互間取引を制限するための所要の定めを置くこと，④委託先が，あらかじめ，運営者に関する所要の事項を当局に届け出ることといった要件を満たす場合には，当該運営者の業務を，例外的に投資運用業の定義から除外している（定義府令16条1項10号）。ファンドの運営者が金融商品取引業の登録を受ける負担を軽減しつつ，委託先である運用業者の規制を通じて投資者保護を図ろうとするものである。

⑷　分別管理義務

運用財産を運用業者の固有財産および他の運用財産から分別して管理することは，他人の財産を預かる運用業者が当然に守るべき事柄である。委託者指図型投資信託では，委託会社が受託会社を兼ねることができないという規制，および信託財産と受託者の固有財産を峻別する信託の仕組みによって，運用財産の分別管理が図られる。投資法人では，投資法人の財産を運用会社の財産から

35）　松本ほか・前掲注30）75頁。
36）　中村・前掲注27）（商事）29頁，同・前掲書注27）78頁。
37）　松尾ほか・前掲注34）18頁。

独立させること（別の法人に帰属させること）により，運用財産の分別管理が達成される。投資一任業では，顧客から有価証券や金銭の預託を受けることを原則として禁止することにより（→(5)），分別管理の目的を達成している。これに対して，組合型ファンドでは，組合の仕組みだけでは財産の分別管理を達成できないし，信託財産の自己運用（2条8項15号）では，信託財産の運用者からの法的な独立性は確保でき，受託者は分別管理義務を負うものの（信託34条），その分別の方法は必ずしも十分でない。そこで金融商品取引法は，運用業者は，内閣府令で定めるところにより，運用財産と自己の固有財産および他の運用財産とを分別して管理しなければならないと規定している（42条の4）。

内閣府令では，運用財産が金銭であるときは，有価証券等管理業務を行う他の金融商品取引業者への預託，預金取扱金融機関への預貯金，信託兼営金融機関への信託などにより管理し，運用資産が有価証券等であるときは，固有有価証券等の保管場所と明確に区分するなどの方法で管理すべき旨を定めている（金商業府令132条）。これらの分別管理方法は，金融商品取引業者が有価証券等管理業務として行う分別管理の方法（43条の2，→**10章*4*節*3***(3)）ほど厳格なものではない。

■Column 11-6　事業型ファンドの運用業者の分別管理義務■■

「主として有価証券またはデリバティブ取引に対する投資」以外の投資を行う事業型ファンドは投資運用業に該当せず（2条8項15号，→**10章*2*節*1***(5)），したがって，事業型ファンドの運営者には，上述のような運用財産の分別管理義務は課されない。しかし，出資者の保護のためには，事業型ファンドにおいても，出資者の財産と事業を行う者の財産が分別されていることが必要であると考えられる。そこで金融商品取引法は，集団投資スキーム持分に関し出資され，または拠出された金銭を，これを充てて事業を行う者（事業者）の固有財産やその者の他の事業に係る財産と分別して管理することが，内閣府令で定めるところにより確保されていなければ，金融商品取引業者等は，そのような集団投資スキーム持分を販売してはならないと定めている（40条の3）。内閣府令では，事業者の定款等において，対象事業に係る財産を区分して経理すべきこと，事業に充てられる金銭を，有価証券等管理業務を行う他の金融商品取引業者への預託，預金取扱金融機関への預貯金，信託兼営金融機関への信託などにより管理すべきことを定めるよう求めている。

この規制は，集団投資スキーム持分の販売を行う金融商品取引業者等の行為規制を通じて，事業型ファンドの運営者に分別管理義務を及ぼそうとするものである。もっとも，事業者の定款に規定を置くだけで，事業者における資金の適切な管理を確保できるわけではないし，事業者がこれに違反しても金融商品取引業者等には罰則が科されないから，規制の実効性はあまり高くなかった。そこで平成26年改正により，金融商品取引業者等が，運用財産が流用されていることを知りながら，集団投資スキーム持分を販売することを禁止する規定（40条の3の2）が追加された。

(5)　投資一任業務の特則

投資運用業のうち，顧客との間で投資一任契約（2条8項12号ロ）を締結して，金融商品の価値等の分析に基づく投資判断に基づいて，有価証券またはデリバティブ取引への投資により金銭その他の財産の運用を行う業務を投資一任業務という。投資一任業務では，契約上，顧客から業者に一定の裁量権が与えられ，業者自身が顧客のために投資決定を行う。この点が，業者から助言を受けて，顧客自らが投資決定を行う投資助言業（→***4*** **節**）との違いである。

投資一任業務に関しては，金融商品取引業者が遵守すべき行為規制（37条の3～40条の3，→**9章**），投資運用業に係る特則（42条～42条の4・42条の7，→(1)～(4)）が適用されるほか，次のような特則が定められている。

第1に，金融商品取引業者は，その投資一任業務に関して顧客から金銭・有価証券の預託を受け，または自己と密接な関係を有する一定の者に金銭・有価証券を預託させてはならない（42条の5，施行令16条の10）。投資助言業務に関する41条の4と同様に（→***4*** **節** ***4*** (2)），業者の不正行為から顧客の財産を守るための予防規定である。ただし，第1種金融商品取引業を行う金融商品取引業者が，有価証券等管理業務（→**10章** ***1*** **節** ***2*** (2)⑯）として顧客の金銭・財産の預託を受ける等の場合は，顧客保護のための規制が適用されるので，本条の禁止規定は及ばない（42条の5，施行令16条の9）。したがって，第1種金融商品取引業と投資運用業について登録を受けた金融商品取引業者は，顧客と投資一任契約を締結して，顧客から預託を受けた金銭・有価証券を用いて投資一任業務に係る顧客資産の運用をすることができる。また，業者が顧客のために行った有価証券の売買またはデリバティブ取引の決済のために金銭・有価証券の預託を受けることは，預託が一時的なものにとどまるので，認められる（42条の5）。

第2に，金融商品取引業者は，その投資一任業務に関して顧客に対し金銭・有価証券を貸し付け，または顧客への金銭・有価証券の貸付けを仲介してはならない（42条の6）。投資助言業務に関する41条の5と同様に（→***4*** **節** ***4*** (3)），顧客の取引損失が拡大するのを防止するための規制である。ただし，信用取引

（→**6章*2*節*4***）に付随して金銭・有価証券を貸し付ける場合や，第1種金融商品取引業を行う業者が，その付随業務として貸付けを行う場合のように，法令による顧客保護が確保されている場合は，禁止の対象から除外される（42条の6，施行令16条の13）。

以上の禁止規定の違反に対しては，罰則による制裁がある（201条4号）。ただし，これらの禁止規定は，顧客が特定投資家である場合には適用されないことに注意を要する（45条4号，→**9章*7*節*4***）。

また，投資顧問業法上，投資助言契約にはクーリングオフ制度が設けられていたのに対し，投資一任契約には設けられていなかった。これは，投資一任業務は投資顧問業者のうちで認可を受けた者のみが営む上，顧客も相当額の資産の運用を委ねるのが通例であるから，投資一任契約の締結は対等当事者間の取引となることを考慮したものであった[38]。現行の金融商品取引法においても，投資助言契約のみがクーリングオフの適用対象とされている（37条の6，施行令16条の3）。もっとも，金融商品取引法上は，投資一任契約を締結する投資運用業も投資助言契約を締結する投資助言・代理業も登録制の下で営むことができること，投資一任契約も投資助言契約も継続的契約でありクーリングオフ制度になじむこと，仮にクーリングオフの対象としても，業者と対等な地位に立つような特定投資家との関係ではクーリングオフ制度が適用されないこと（45条2号）を考慮すると，投資一任契約をクーリングオフ制度の適用対象とすることも十分に考えられる。

3　プロ向けファンドの特例

(1)　総　　説

金融商品取引法は，集団投資スキーム持分をみなし有価証券とし（2条2項5号6号），従来規制が及ばなかった民法上の組合等を利用したファンドを，主として業規制の対象とすることにより，投資者の保護を図ることにした。他方，プロ投資家のみを出資者とするファンドについては，一般投資家を念頭に置いた規制を相当程度簡素化し，金融イノベーションを阻害するような過剰な規制とならないよう，十分な配慮が必要と考えられた[39]。

38）　山下友信「開業規制と勧誘規制」金融法研究〔資料編〕3号（1987）24頁。
39）　金融審議会金融分科会第一部会報告「投資サービス法（仮称）に向けて」21頁（平成17年12月22日）。

そこで，適格機関投資家等を相手方として行う集団投資スキーム持分に係る私募，および当該私募により得た金銭等を，主として有価証券またはデリバティブ取引に対する投資として運用する行為は，それぞれ第2種金融商品取引業，投資運用業を構成せず，金融商品取引業の登録を要しないものとした（63条1項）。

ここに適格機関投資家等とは，適格機関投資家と49名以下の適格機関投資家以外の者をいう（63条1項1号，施行令17条の12）。適格機関投資家以外の者が一定数含まれる場合を許容したのは，こうしたファンドにファンド運営会社の役員等が出資する場合が多いことを考慮したものである[40]。

金融商品取引法の制定過程では，ファンド自体の登録制または届出制を採用するかどうかが議論された。そして，有価証券またはデリバティブ取引に対する投資運用を行う公募ファンドについてはディスクロージャー規制が適用されるし（→**2章** *2* 節 *1*・*2*），投資型であると事業型であるとを問わず公募ファンドについて，投資勧誘の際の契約締結前交付書面の届出が行われること（37条の3第3項，→**Column 2-1**），私募ファンドについても，特例業務の届出が行われることを考慮して，ファンド自体の登録制または届出制の採用は見送られた。

さらに，平成23年の改正では，国民のさまざまな資産運用ニーズに応える投資運用ファンドの立上げを促進するために[41]，適格機関投資家よりも広い範囲のプロ投資家を相手として小規模なファンドの運用を行う業者についての規制緩和が行われた（→(5)）。これらの制度は金融商品取引法における規制の柔構造化の現れであるといえる。

ところが，プロ向けファンドの特例業務について，設立が容易な投資事業有限責任組合を適格機関投資家とし，49名以下の一般投資家を主なターゲットとして出資を集め，出資金を契約とは異なる投資に用いたり，他の顧客等の償還・配当等に流用するなどの詐欺的事例が多く発生した[42]。特例業務を届出だけですることができ，業者が行政処分の対象となっていないことが投資者被害が多発した一因であるが，届出業者の数が増えすぎたため，たとえ規制対象と

40）金融審議会「投資運用等に関するワーキング・グループ」第1回会合資料3（事務局説明資料）7頁。

41）逐条解説2011年13頁。

42）被害の実例について，金融審議会「投資運用等に関するワーキング・グループ」第2回会合資料2（国民生活センター説明資料）を参照。

してもエンフォースメントが追いつかないという問題もあった[43]。そこで，平成27年の改正では，①特例業務の出資者の範囲を限定し，②届出者に行為規制を適用し，③届出者に対する監督体制を整備することにより，制度本来の使われ方がされるようにした[44]。

(2) 適格機関投資家等特例業務の届出

プロ向けファンドの私募または運用行為をするには，金融商品取引業の登録は不要であるが，それに代えて，適格機関投資家等特例業務の届出が必要とされる（63条2項）。

届出をするのは，ファンドへの出資を投資者に勧誘する者やファンドの財産を運用する者，具体的には，民法上の組合の業務執行組合員，匿名組合の営業者，投資事業有限責任組合の無限責任社員等である。金融商品取引業者等がプロ向けファンドの私募または運用行為を行う場合にも，届出をすることにより，行為規制の適用を原則として除外される（63条の3）。届出書の記載事項は，金融商品取引業者等以外の者の場合は，商号・名称，資本金の額，役員の氏名，その行う業務の種別（私募，運用行為），他に行っている事業の種別等であり（63条2項，金商業府令238条），金融商品取引業者等の場合は，その行う業務の種別（私募，運用行為）のみである（63条の3第1項）。

特例業務の出資者の範囲は，1名以上の適格機関投資家と49名以下の一般投資家であり，平成27年改正法に基づく政令・内閣府令により次の者に限定される（施行令17条の12第1項2項，金商業府令133条の2～133条の4）[45]。適格機関投資家が参加することでファンドの運用状況の適正性を確保する目的から，投資事業有限責任組合が唯一の適格機関投資家となる場合には運用資産残高（借入れを除く）が5億円以上であることを要件とする。49名以下の一般投資家は，届出者と密接に関連する者としてファンド運用者またはその親会社・子会社等の役職員と，投資判断能力を有する者として，上場会社，資本金または純

43）　金融審議会「投資運用等に関するワーキング・グループ」第1回会合資料4（事務局説明資料）によると，平成26年8月末現在において，特例業務の届出者の数は3022社，金融庁が「問題があると認められた届出業者リスト」に掲載・公表した業者数は527社，警告書を発出した業者は29社であった。

44）　改正法の解説として，梅村元史「平成27年改正金融商品取引法の解説」商事2074号（2015）17頁以下を参照。

45）　金融審議会「投資運用等に関するワーキング・グループ」報告「投資家の保護及び成長資金の円滑な供給を確保するためのプロ向けファンドをめぐる制度のあり方」（平成27年1月28日）6頁。

資産額5000万円以上の法人，上場会社等の子会社・関連会社，投資性金融資産を1億円以上有する個人投資家とに限定される。ただし，ベンチャーキャピタル・ファンドについては，成長資金を供給するなどの役割があることやアメリカ等においても別途の扱いがなされている例があることを踏まえ[46]，上場会社等の役員・元役員・大株主，弁護士・公認会計士・税理士等，会社の役員・使用人等として会社の設立，増資，新規事業の立上げ，株式の上場等に関する実務に一定期間，直接携わった者などを49名以下の一般投資家に含めることとしている。

特例業務には，金融商品取引業者と同様の欠格事由が新たに設けられた（63条7項）。欠格事由に該当する者が特例業務を行った場合には，金融商品取引業の無登録営業として処罰の対象となる（197条の2第10号の4）。

⑶　特例業務届出者の行為規制

特例業務の届出者には，登録業者の行為規制は適用されないはずであるが，平成27年改正法は，届出による詐欺的行為を防止するために，届出者を金融商品取引業者とみなして，行為規制の大部分を適用することとした（63条11項）。

適用される行為規制は，金融商品取引業者一般に適用される規制のうち，顧客に対する誠実義務（36条1項），名義貸しの禁止（36条の3），広告規制（37条），契約締結前の書面交付義務（37条の3），契約締結時等の書面交付義務（37条の4），虚偽告知の禁止（38条1号），断定的判断の提供禁止（38条2号），内閣府令で定める行為の禁止（38条9号），損失補塡の禁止（39条），適合性の原則（40条），分別管理が確保されていない場合・金銭の流用が行われている場合の募集の禁止（40条の3・40条の3の2）である。もっとも，特定投資家に対する行為規制の適用範囲が制限される点は金融商品取引業者と同じである（63条11項による45条の適用）。また，投資運用業に係る規定のうち，権利者に対する忠実義務・善管注意義務（42条），運用における個別の禁止行為（42条の2），分別管理義務（42条の4），運用報告書の交付（42条の7）も特例業務の届出者に適用される。

特例業務届出者がこれらの規制に違反したときは，一部の規定について罰則が適用されるほか，業務停止命令，業務廃止命令等の監督上の処分（→⑷）の対象となる。なお，プロ向けの運用行為は投資運用業に該当しないので，第三

46）　金融審議会・前掲注45）7頁。

者に運用権限の全部を委託することができるが（42条の3参照），委託先の行為は投資運用業に当たるので，委託先は金融商品取引業の登録が必要になる。特例業務の届出者が運用財産の全部を他の集団投資スキームに出資する場合，集団投資スキーム持分への投資により財産の運用を行っていることになるが（→**2**(3)），特例が適用されるので，その投資行為は投資運用業には該当しない。投資先である集団投資スキームも，その出資者が適格機関投資家等に限定されていれば，当該集団投資スキームの運用業務は特例業務に該当するため，特例業務の届出だけで済むことになる。

(4)　特例業務届出者に対する監督

特例業務の届出をさせる目的は，市場の公正性・透明性を確保することにあると説明されていた[47]。しかし，透明性を確保するだけでは，業者の健全性が確保されないことが明らかになったため，平成27年改正法は，届出者に金融商品取引業者に対する（→**10章*4*節*1***）のと同等の，事業報告書の作成・提出義務（63条の4第2項），投資者向けの説明書類の作成義務・公開義務（63条の4第3項）を課した。業務の健全性について金融庁や投資者がチェックできるようにするためである。行政処分のための情報を収集するために，内閣総理大臣は届出者に対して報告や資料の提出を求めることもできる（63条の6）。

これらの書類や報告徴取・検査権の行使によって得た情報を基に，内閣総理大臣は，届出者に対し必要に応じ業務改善命令を発し（63条の5第1項），届出者が法令，行政庁の処分等に違反したときは業務停止命令を発し（同2項），業務停止命令では監督上の目的を達成することができないときは業務廃止命令を発することができる（同3項）。届出者は登録業者ではないので，登録を取り消すように届出を取り消すことはできないが，それに代わる業務廃止命令を発することができ，これらの命令の実効性は罰則によって担保される（197条の2第10号の9等）。

■Column 11-7　業規制の柔軟化の理論と実際■■

プロ向けファンドの特例業務制度は，金融商品取引法制定（平成18年改正）時に，業規制の柔軟化（柔構造化）の一環として導入された。制定時の勧誘対象は，適格機関投資家と49名以下の一般投資家であった[48]。一般投資家としてファンド運営

47）　一問一答326頁。

48）　一般投資家の参加が認められた経緯については，金融商品取引法研究会「金商法にお

会社の役員等の参加を想定していたのであれば（→(1)），届出者と密接な関連を有する者と規定すれば足りた。後に導入された適格投資家向け投資運用業では，そのような規定方法を採用している（→(5)）。49名以下の一般投資家という限定は「少人数私募」（2条3項2号ハ，**→2章2節3**(4)）を参照したものとも考えられる。少人数私募は，被勧誘者が少人数であれば，一人一人の被勧誘者の投資規模が大きく取引力もあるから，ディスクロージャーによる保護を必要としないという考え方に立脚している。しかし，投資運用業では相手方となる一般投資家が少人数でも，運用額が多額となり取引力もあるとは限らないから，投資運用業の柔軟化の場面では少人数私募を参照すべきではなかった。このように考えると，特例業務は「プロ私募」を参照して，対象を適格機関投資家と届出者の密接関連者に限定すべきであったといえ，当初よりそうしていれば届出制の下でも投資者被害を生まなかった可能性がある。

実際には届出制の下で49名以下の一般投資家の参加が認められ，投資者被害を生じたため，規制強化のための平成27年改正が行われた。日本の経済社会においては，投資者のリスクテイク促進よりも投資者保護が重視されることから，投資者保護を緩やかにする制度を構築する際には，その利用要件が厳格化される傾向にあり，結局，当該制度は利用されない結果になってしまうという見方がある[49)]。この見方によれば，平成27年改正は，プロ向けファンドの特例業務の投資者保護を重視して利用要件を厳格化したことから，今後は利用されなくなるおそれもあろう。ただし，今回の改正では，プロ向けファンドの特例業務が広く用いられ一定の成果も挙げているところから，対象者を上記のように限定することはせず，一部の個人投資家を取り込むことになっている（→(2)）。

また，監督規制については，届出制といっても実質的には登録制に等しい制度に変更された（→(3)(4)）。そこでは，届出制にもかかわらず，業務廃止命令に至る行政権限が内閣総理大臣に与えられ，それを罰則で担保するという法制上の工夫がされていることが注目される。

(5)　適格投資家向け投資運用業

通常の投資運用業と，金融商品取引業の登録を要しない適格機関投資家等特例業務との中間に位置するものとして，適格投資家向け投資運用業の特例が設けられている。この特例では，適格機関投資家よりも範囲の広い適格投資家を相手方として行う投資運用業について，登録要件を緩和し，投資運用業への参

いて利用されない制度と利用される制度の制限」（日本証券経済研究所研究記録52号，2015）14-17頁〔松尾直彦報告〕を参照。

49)　金融商品取引法研究会・前掲注48）2頁〔松尾報告〕。

入を促している。

登録要件が緩和されるためには，適格投資家のみが出資をした一定規模以下のファンドを運用することが求められる。ここにいう適格投資家とは，特定投資家概念（→**9章*7*節*2*(1)**）を基準としつつ，①投資運用業者と密接な関連を有する者を含め（29条の5第3項），②申出によって特定投資家に移行した一般投資家を除外して定められる（34条の2第5項8項の括弧書・34条の3第4項6項の括弧書参照）。②は，特定投資家・一般投資家間の移行により登録要件が不安定になるのを避けるためである。また，適格投資家かどうかは，投資法人であれば投資主，集団投資スキームであればその出資者について判断する（29条の5第4項）。

特例が適用される業者の運用財産の総額は，200億円を限度とする（29条の5第1項2号，施行令15条の10の5）。特例適用業者の資本金・純資産要件が緩和されることから，投資家保護のために確保される資力・信用に限界があるため，このような要件が設けられた[50)]。

こうした適格投資家要件および運用総額要件を満たす投資運用業者の登録については，取締役会が設置された株式会社であることまでは求められず，最低資本金・純資産要件は5000万円以上から1000万円以上に緩和される（29条の5第1項，施行令15条の7・15条の9，→**10章*2*節*2*(3)・*4*節*2*(1)**）。前者の緩和は，取締役を3名以上揃えることが，小規模な投資運用業を始めようとする新規参入者の制約になっていたためである[51)]。

なお，運用財産の出資者が取得する有価証券が投資信託の受益証券のように1項有価証券である場合，その私募の取扱いは第1種金融商品取引業に該当することになる（2条8項9号・28条1項1号，→**10章*2*節*1*(2)**）。投資法人の資産運用業を行う者が当該投資法人の投資証券等を勧誘する行為は，投資信託の委託会社が自ら勧誘を行う自己募集・自己私募が第2種金融商品取引業とされていること（→2条8項7号・28条2項1号，→**10章*2*節*1*(3)**）との均衡上，これを第2種金融商品取引業とみなす規定が置かれている（投信196条2項）。そこで，適格投資家向け投資運用業を行う金融商品取引業者が，投資信託の委託会社から投資一任契約によって運用を全部委託される場合についても，当該投資運用業者が行う受益証券の販売を第2種金融商品取引業とみなすこととした（29条

50)　逐条解説2011年182頁。
51)　逐条解説2011年41頁。

図表 11-4

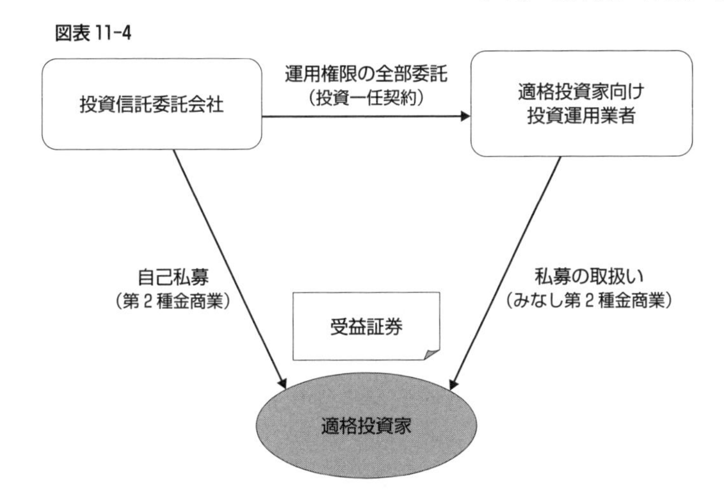

の5第2項2号）。投資運用業者による私募の取扱いを「自己私募」と同列に扱うのである（**図表 11-4**）。

第4節　投資助言・代理業の規制

1　総　　説

投資顧問契約を締結して投資判断について助言をする行為や，投資顧問契約・投資一任契約の締結の代理・媒介を業として行うことを投資助言・代理業という。投資助言・代理業を構成する行為，登録要件，兼業の範囲については，**10章*1*節**から***3*節**において述べた。投資助言・代理業を行う金融商品取引業者には，金融商品取引業に共通に適用される行為規制が適用される（**→9章**）。

もっとも，金融商品取引業の通則規定には，投資顧問契約についてのみ適用される規定もあるため，本節では，投資助言・代理業に適用される行為規制の全体像を，その業務に沿って説明することとする。なお，金融商品取引業者が投資助言・代理業と他の業務を兼業する場合の弊害防止措置については，**10章*3*節*1***(3)で記載したところに譲る。

2　投資顧問契約の規制

投資顧問契約は，顧客との基本契約に基づいて，個々の投資助言が行われる継続的契約であるから，その基本契約の勧誘が適切に行われるように規制がなされる必要がある。規制の内容を投資顧問契約の締結過程にそって説明すると次のようになろう。

第1に，広告規制が適用され，助言の内容および方法についての誇大広告が禁止される（37条，金商業府令78条9号）。

第2に，不当勧誘の規制として，損失補償や特別の利益提供を約して契約の締結を勧誘することが禁止される（39条・38条8号，金商業府令117条1項3号）。

第3に，契約締結前の交付書面（37条の3）には，金融商品取引業者に共通する記載事項のほかに，クーリングオフの権利（後述），顧客を相手として有価証券の売買等をすることができない旨，顧客から金銭・有価証券を受け入れることができない旨等を記載しなければならない（金商業府令95条）。これは，契約内容に関するトラブルを未然に防止するとともに，クーリングオフの権利を周知させて，その実効を図るための規制である。

第4として，契約を締結したときは，業者は遅滞なく一定の事項を記載した書面を改めて顧客に交付しなければならない（37条の4）。この書面には，契約締結前交付書面の記載事項の一部が繰り返し開示されるほか，契約解除に関する事項，契約解除に伴う賠償額の予定があればその内容が記載され，営業保証金に対する優先弁済権（31条の2第6項）の説明がなされる。

第5として，投資顧問契約については，顧客に無条件の契約解除権（クーリングオフの権利）が与えられる（37条の6，施行令16条の3，**→9章*2*節*4***）。すなわち，投資顧問契約を締結した顧客は，契約締結時の書面を受領した時から10日を経過するまでの間，書面により契約を解除することができる。これは，投資顧問契約の締結について，顧客が必ずしも冷静な判断をしていない可能性があり，また継続的な契約であることを考慮して，長期間の拘束から離脱する権利を顧客に保証するものである。

ただし，契約締結と同時に投資助言が与えられることもあり，契約が解除されると原状回復が困難なので，金融商品取引業者が顧客から違約金をとることも認められているが，その額は，内閣府令で定める額を超えることができない（37条の6第3項，金商業府令115条）。

3　投資助言の規制

(1)　忠実義務・善管注意義務

投資助言・代理業に係る業務のうち，投資顧問契約を締結して，有価証券の価値等または金融商品の価値等の分析に基づく投資判断について助言をする行為に係る業務を投資助言業務という（28条6項，**→10章*2*節*1*(4)**）。投資助言業務を行う金融商品取引業者は，顧客のために忠実に業務を行わなければならず，顧客に対し善良な管理者の注意をもって業務を行わなければならない（41条）。ここにいう顧客とは投資顧問契約の相手方であるから，本条は金融商品取引業者が契約相手方以外に対して忠実義務・善管注意義務を負うことを明らかにするための規定ではないが，忠実義務・善管注意義務の違反が行政処分の対象となることを明確にする意義は有しているといえる（**→*3*節*2*(1)**）。もっとも，金融商品取引業者は顧客に対して誠実義務を負うとされており（36条，**→9章*1*節*3***），本条がどのような意味で誠実義務の特則となっているかは，必ずしも明らかでない。

また，本条には，個別の禁止行為（→(3)）に該当しない行為を行政規制の対象とする一般条項としての機能が認められるため，忠実義務の解釈が本条違反の行為の判断に影響を与えることになる。忠実義務の内容は，これを利益相反状況において自己の利益を顧客の利益に優先してはならない義務であると狭く捉える立場と，助言に関し自ら利得を得てはならない義務を含むと広く捉える立場とがある。そして，投資助言業者が有価証券の発行者と利害関係を有する場合，たとえば推奨することに対し発行者から対価が支払われている場合や発行者と投資顧問契約を締結している場合に，顧客に当該発行者の有価証券の購入を助言する行為は前者の立場では忠実義務の違反にはならず，後者の立場では違反になると指摘されている[52]。

(2)　適合性の原則

適合性の原則を定める40条は，投資助言業務を行う金融商品取引業者の金融商品取引行為にも適用される。この場合の金融商品取引行為とは，投資顧問契約を締結し，当該契約に基づき助言を行うことであるから（34条・2条8項11号），業者が顧客との間で投資顧問契約を締結する際にも，投資顧問契約に基づいて具体的な助言をする際にも，顧客の知識，経験，財産の状況，契約締

52)　金商法コンメ(2)392-393頁〔舩津浩司〕。

結の目的に照らして不適当と認められる勧誘・助言を行ってはならないこととなる（40条1号）。具体的な助言が顧客に適合するかどうかは，個々の助言を取り出して個別的に判断すべきではなく，特定の顧客に対して行った一連の助言の全体について判断すべきであると指摘されている[53]。

また，投資助言業務を行う金融商品取引業者が投資に関する専門的知識・経験を有することは法律上要求されていないが，根拠のない助言をすることは，いかなる顧客に対する関係でも善管注意義務に違反する行為であると考えられる。

⑶　禁止行為

投資助言業務を行う業者が前もって買い付けておいた有価証券を顧客に推奨し，顧客の買付けによって価格が上昇したのを利用して，自己の有する当該有価証券を売り抜ける行為は，投資助言業務を行う業者が陥りやすい利益相反行為（忠実義務違反）である。業者が自己の有する有価証券を売り抜けた後は，顧客が買い付けた有価証券の価格が下落する可能性が高いし，特に，有価証券の推奨が合理的根拠なく行われるときは，まさに顧客を喰い物にする悪質な行為であるといえる。このように，自己の提供する助言等を利用して顧客に損害を与えつつ，自己の利益を図る行為をスキャルピング（scalping）という。

そこで金融商品取引法は，特定の金融商品，金融指標，またはオプションに関し，顧客の取引に基づく価格等の変動を利用して自己または第三者の利益を図る目的で，正当な根拠を有しない助言を行ってはならないとし（41条の2第2号），その違反に対しては罰則をもって対処している（198条の3）。

このほか，投資助言に関する禁止行為としては，①顧客相互間で他の顧客の利益を図るために特定の顧客の利益を害する助言（→***3*** 節 ***2*** ⑵①参照），②通常の取引条件と異なり，かつ，顧客の利益を害することとなる条件で取引を行うことの助言（→***3*** 節 ***2*** ⑵③参照），③助言を受けた顧客が行う取引に関する情報を利用して自己の計算で取引を行うこと（→***3*** 節 ***2*** ⑵④参照），④助言を受けた取引に関する損失補塡（→***3*** 節 ***2*** ⑵⑤参照），⑤内閣府令で定める行為があり（41条の2），内閣府令では，41条の2各号列挙の禁止行為に類する行為を定めて禁止を及ぼすほか，有価証券の取引高を不当に増加させ，または作為的に値付けすることを目的とした助言行為を禁止している（金商業府令126条）。

53）　神崎克郎「投資顧問業者の助言・運用活動の規制」金融法研究〔資料編〕3号（1987）29頁。

以上の禁止規定は，特定投資家との関係でも適用される（45条参照）。また，④については罰則による制裁がある（198条の3）。

■Column 11-8　ロボアドバイザー■■

ロボアドバイザー（Robo-Adviser）とは，投資助言や資産運用サービスを提供するAIを搭載したロボット，またはそのようにして提供されるサービスのことをいう。ロボアドバイザーの特徴は，投資勧誘や運用がスマートフォン等を通じて非対面で行われる点と，資産運用サービスの場合，分配金の再投資やポートフォリオの組換えが自動的に行われる点にある。ロボアドバイザーの中心的な業務は，従来の投資助言業や投資運用業と変わりがないので，投資助言・代理業または投資運用業の登録を受けなければすることができない（金商法28条3項・4項，29条）。投資助言サービスを受けるには，従来，最低預かり資産の額が高かったが，ロボアドバイザーは投資額10万円程度から利用でき，中低所得層に簡便なサービスを提供する点にロボアドバイザーの意義がある。

投資経験の乏しい層に勧誘を行うこと，勧誘が非対面で行われることから，ロボアドバイザーについては，取引の開始に当たり，投資のリスクに関する説明義務が問題となり，資産運用サービスについては，どのような種類の金融資産に投資をするかを顧客に選ばせることになるため，知識・経験・財産の状況・投資目的といった顧客の属性に適した投資対象を勧誘しているかという適合性の原則が問題となる。

実際に提供されているサービスをみると，投資のリスクに関する説明は一般的抽象的なリスクがオンラインで提供されるのみであるが，これはネット証券を通じて取引を開始する場合と同じで，特に問題はない。ロボアドバイザーに特に求められる説明事項として，ロボットが搭載するアルゴリズムの機能の説明や限定条件・限界，アルゴリズムの開発・管理等に対する第三者の関与，顧客口座の管理への人の関与，顧客情報の利用方法が指摘されている54)。これらは投資対象の説明とは別の事項の説明であり，現在，法規制が存在しない分野である。

適合性の原則についてみると，ロボアドバイザーは顧客の状況について6つ程度の単純な質問を発し，その回答を分析して，投資助言や投資対象資産の振り分けを行う。質問が単純であり非対面で行われることから，業者が顧客の適合性を十分に知ることができていないのではないかとの疑問も生ずる。他方，助言や運用の対象は，日本株，米国株，欧州株，新興国株，外国債券，オルタナティブ投資といったカテゴリーに分けられ，それぞれのカテゴリー内においては，個別銘柄を購入するのではなく，指数に連動するETFを購入するものが多い。したがって，投資手法もいわゆるパッシブ運用であって，売買を頻繁に繰り返すようなことはしない。リ

54)　角田美穂子「ロボアドバイザーと金融業者の法的義務」金法2095号（2018）38頁。

スクの低い金融商品には多くの投資家が適合性を有している。金融商品取引業者による適合性原則の遵守は，推奨する金融商品のリスクに応じて判断されるとすると，このように分散投資を推奨する現在のロボアドバイザーは適合性の原則を遵守しているといえそうである。

4　投資助言以外の行為の規制

投資助言業務は投資者にとって金融商品取引の窓口となりうる業務であり，そのあり方次第では，金融商品取引に対する投資者の信頼を著しく損なうおそれがある。そこで投資顧問業法では，投資ジャーナル事件等[55]の教訓に鑑みて，いくつかの予防的な規制を設け，金融商品取引法はそれらを受け継いでいる。

⑴　顧客を代理し，または相手方とする取引の禁止

投資助言業務を行う金融商品取引業者は，顧客を相手方として，または顧客のために有価証券の売買やデリバティブ取引等を行ってはならないとされている（41条の3）。

投資助言業務では，自らが顧客の取引相手となって有価証券等の取引等を行う必要はないし，過去の事件において，業者が顧客を代理して有価証券の売買を行っていたことが被害を生じる契機となったことから，これらの行為を禁止して被害の発生を防止しようとするものである。

ただし，金融商品取引業者が第1種金融商品取引業として顧客との間で有価証券の売買を行う場合や，第1種金融商品取引業として注文を他の証券会社に取り次ぐ場合のように，金融商品取引業者，金融商品仲介業者，登録金融機関等が登録を受けた業務として行う場合には，顧客保護のための規制が適用されるので，禁止の対象から除かれる（同条但書，施行令16条の8）。

⑵　金銭・有価証券の預託の受入れの禁止

金融商品取引業者は，その投資助言業務に関して顧客から金銭・有価証券の預託を受け，または自己と密接な関係を有する一定の者に金銭・有価証券を預託させてはならない（41条の4，施行令16条の10）。過去の事件において，業者が顧客から金銭・有価証券を預かってそれを横領したり，返還できなくなった

55）　投資ジャーナル事件に関連する裁判例として，東京地判昭和62・9・8判時1269号3頁，東京高判昭和63・11・17判時1295号43頁，東京地判平成元・12・25判タ731号208頁，東京地判平成2・11・26判タ763号252頁，名古屋地判平成10・6・22判時1727号126頁等がある。

ことを教訓とする規定である。この結果，投資助言業務においては，原則として，投資助言を受けた顧客が自らの判断で証券会社（第1種金融商品取引業者）に金銭・有価証券を預託して注文を出すことになる。

ただし，第1種金融商品取引業を行う金融商品取引業者が，有価証券等管理業務（**→10章*1*節*2*⑵⑯**）として顧客の金銭・財産の預託を受ける場合のように，金融商品取引業者等が登録を受けた業務として行う場合には，禁止の対象から除かれる（41条の4，施行令16条の9）。

⑶　金銭・有価証券の貸付け等の禁止

金融商品取引業者は，その投資助言業務に関して顧客に対し金銭・有価証券を貸し付け，または顧客への金銭・有価証券の貸付けを仲介してはならない（41条の5）。業者が取引を拡大したいあまり，顧客に対して資金を融資すると，投資が失敗したときに顧客の被害を大きくするばかりでなく，悪質な業者の場合，証券投資のための融資を持ちかけて担保を騙取する例が見られたので[56)]，金銭・有価証券の貸付け自体を禁止したのである。

ただし，信用取引（**→6章*2*節*4***）に付随して金銭・有価証券を貸し付ける場合や，第1種金融商品取引業を行う業者が，その付随業務として貸付けを行う場合等，投資助言業務以外の業務として貸付けが行われる場合には，禁止の対象から除外される（同条，施行令16条の11）。

⑷　禁止の態様

⑴から⑶までの行為は，それ自体が顧客の利益を害する行為でないにもかかわらず，禁止の違反に対しては罰則が用意されている（201条4号）。そこに，投資者の被害を未然に防止しようとする法の態度がうかがわれる。ただし，金銭・有価証券の預託の受入れ・貸付けの禁止は，顧客が特定投資家である場合には適用されない（45条3号）。特定投資家に適用されない規定として45条に列挙されたものは，大部分が業者と顧客との間の情報格差の是正を目的とする規定であるが（**→9章*7*節*4***⑴），預託受入れ・貸付けの禁止は，投資顧問契約や投資対象に関する情報格差の是正を目的とするものではなく，悪質な業者とそうでない者とを見分ける能力が一般投資家に備わっていないことに着目するものといえる。その反面，一般投資家は，投資助言業を行う金融商品取引業者に金銭・有価証券を預託したり，業者から貸付けを受けるといった利便性を得

56）　神崎・前掲注53）49頁。

られないことになる。

第12章　金融商品取引法の執行

第1節　総　　説

1　規制機関の変遷

金融商品取引法は多くの行政的規制を含んでいるので，法の執行には行政の関与が不可欠である。昭和23 (1948) 年に証券取引法が制定された当初の証券行政は，アメリカのSEC (Securities and Exchange Commission，連邦証券諸法を所轄する) をモデルとする証券取引委員会が担当していた。他の行政官庁から独立して行政権限を行使する機関を独立行政機関ないし独立行政委員会というが，証券取引委員会は，証券行政全般に関し権限を行使し，政省令に準ずる規則の制定権限を有する独立行政委員会であった。ところが，昭和27 (1952) 年の証券取引法改正により，証券取引委員会は廃止され，その権限は大蔵大臣に移管された。

その後の証券行政は，長い間，大蔵大臣と大蔵省証券局によって行われてきたが，バブル崩壊後の証券不祥事を契機として，平成4年に証券取引等監視委員会が設置され，証券市場のルール遵守の監視は，大蔵省から独立して，この委員会が行うようになった (→3節)。その後，住宅専門金融機関の不良債権の処理のために公的資金を導入する問題 (いわゆる住専問題) が契機となり，国の予算や財政を担当する大蔵省の財政部門と金融機関の監督を担当する金融部門を分離すべきであるとの機運が高まった。この結果，平成9年に，金融監督庁が設置され，大蔵省から金融部門の一部が移管された。

さらに，平成9年秋に証券会社や銀行が相次いで破綻する事態が生じたことから，その処理を速やかに執行するために金融再生委員会が設置され，金融監督庁は一時的にその傘下に入った。平成12年には，金融行政の企画・立案部門が大蔵省から金融監督庁に移管されて金融庁が発足し，翌年の金融再生委員会廃止後は，金融庁は内閣府の下に置かれ，証券取引等監視委員会は金融庁の下に置かれている。この結果，金融商品取引法の下での金融行政の大部分は，金融庁と証券取引等監視委員会によって担われることになった。ただし，金融破綻処理制度および金融危機管理に関する事務は財務省との共管とされている。

2　金融規制のモデル

銀行，保険，証券に大別される金融部門を単一の行政機関が規制するか，別々の機関が規制するかという問題とは別に，金融機関に対する規制のうち健全性規制と投資者保護のための行為規制を別の機関に担当させるべきか否かという問題がある。健全性規制とは，金融機関の財務的な健全性を維持するための規制であり，自己資本比率規制がその典型である（**→10章*4*節*2*(2)**）。行為規制とは，金融機関の対顧客業務を適正に行わせるものであり，金融商品取引業者の行為規制（**→9章**）がその典型である。

イギリスでは，1997年に発足したFSA（金融サービス機構）が1998年にイングランド銀行から銀行監督権限を譲り受け，銀行・保険・証券に対する単一の規制機関になるとともに，健全性規制と行為規制の双方を担当した。イギリスでは，1997年当時から健全性規制と行為規制を別の機関に委ねるツインピークスモデル（二元的監督モデル）を支持する議論があり，オーストラリア，オランダではこれが採用された。ツインピークスモデルを支持する議論は，単一規制機関では金融機関の健全性維持のために顧客の利益が犠牲にされやすいというものであったが，2008年の金融危機後のイギリスの報告書では，むしろ，FSAが行為規制に注力し健全性規制が不十分であったことが金融危機を招いた一因と分析されている[1]。いずれにせよ，イギリスでは2012年の機構改革によりツインピークスモデルを採用し，FSAはイングランド銀行傘下に新設されたPRA（Prudential Regulation Authority，健全性規制機構）に金融機関の健全性規制権限を委譲し，自らはFCA（Financial Conduct Authority，金融行為規制機

1)　FSA, "The Turner Review: A regulatory response to the global banking crisis", March 2009.

構）となった[2)]。

また，2008年の金融危機では，個々の金融機関がその資産を流動化させることによって，リスクが他に移転し，相互に依存する金融機関の間で連鎖倒産の危機が生じた。この教訓から，個々の金融機関の健全性のみを確保するミクロ健全性（ミクロプルーデンス）規制だけでは足りず，金融システム全体への深刻な影響を排除するという観点からのマクロ健全性（マクロプルーデンス）規制の必要性が認識された。イギリスでは，マクロ健全性規制の担当者として，イングランド銀行内にFPC（Financial Policy Committee，金融政策委員会）が設置された。アメリカでは，規制権限が州と連邦に分かれている上，銀行，保険，証券の規制機関も分かれている。2008年の金融危機後，アメリカでもツインピークスモデルへの転換が議論され，預金金融機関の健全性規制と行為規制を分離するため，連邦準備制度（FRS, Federal Reserve System）の下に金融消費者保護局（CFPB: Bureau of Consumer Financial Protection）を置き，行為規制を担当させることとした。しかし，SECの行為規制権限は金融消費者保護局に委譲されず，SECは依然として証券関係業者の健全性規制（ミクロプルーデンス）と行為規制の双方を担当している。また，マクロプルーデンスの監視機関として，財務長官を議長とし，FRB（Federal Reserve Bank，連邦準備銀行）議長，FDIC（Federal Deposit Insurance Corporation，連邦預金保険公社）総裁，金融消費者保護局長，SEC委員長等をメンバーとする金融安定監督評議会（FSOC: Financial Stability Oversight Council）を置いている[3)]。

わが国の金融庁は，イギリスのFSAと同じ単一規制機関であるが，証券およびデリバティブ分野についての市場規制は第1次的には証券取引等監視委員会が担っている。また，***1***で述べたように，平成9年の金融危機以降は，銀行・保険・証券の破綻処理については金融庁と財務省とが担っており，銀行に対する日本銀行（日銀）の検査とあわせると，金融庁，財務省，日銀による緩やかな三極の監督体制をとっているともいえる。平成20年の世界的な金融危機後の改革においては，マクロ健全性規制の重要性が認識され，証券会社に対する連結財務規制（→**10章*4*節*2*(3)**）の導入や，平成9年の金融危機後に設置

2）イギリスの機構改革については，河村賢治「金融業者の規制――日本とイギリス」法時81巻11号（2009）28頁以下，坂東洋行「イギリスにおける金融規制改革の現状」金融財政事情62巻33号（2011）45頁以下を参照。

3）アメリカの機構改革については，松尾直彦『Q＆Aアメリカ金融改革法――ドッド＝フランク法のすべて』（金融財政事情研究会，2010）31-92頁を参照。

された金融危機対応会議（内閣総理大臣を議長とし，金融庁長官，財務大臣，日銀総裁等をメンバーとする）が危機時の金融機関の処理（→**10章*11*節*5***）を行うこととされた。しかし，金融庁の健全性規制（ミクロプルーデンス）権限と行為規制権限を分離するという議論は行われていない。

第*2*節　金　融　庁

1　組　　織

金融商品取引法の執行を担当する行政機関として金融庁が置かれている。金融庁は内閣府の外局であり（内閣府49条3項，金融庁設置法2条1項），その任務は，わが国金融の安定の確保，預金者・保険契約者・投資者等の保護，および金融の円滑を図ることとされている（金融庁設置法3条）。ここにいう金融とは，銀行，協同組織金融機関，証券，保険を含む広い意味での金融を意味し，金融庁の所管は，法律でいうと，銀行法，保険業法，金融商品取引法，信託業法，貸金業法，資金決済法などに及ぶ。

金融庁の内部には，総務と業態横断的な課題を扱う総合政策局，金融制度の企画・立案を行う企画市場局，金融機関の検査・監督を担う監督局が置かれている。かつては，大蔵省内に銀行局と証券局が置かれ，いわゆる縦割り行政が行われていたが，現在では，上記のような機能別の組織形態となっている。また，金融機関に対する検査と監督は金融庁発足以来別の局が担っていたが，オンサイトモニタリングとオフサイトモニタリングを一体化するために，平成30年の組織改革により監督局の下にまとめられた。

2　準立法作用

金融商品取引法制には技術的要素が多いため，きめの細かい規制をするために，法が政令・内閣府令に規制内容を委任している場合も少なくない。実際の立法作用は政令・内閣府令の制定によっているといってもよいほどである。たとえば，ディスクロージャー制度について金融商品取引法は，開示義務者と大まかな開示項目を定めているが，具体的な開示内容は「企業内容等の開示に関する内閣府令」（企業内容等開示府令）に委任している（4条・5条，→**2章*3*節*2*・*3*，3章*3*節*1***）。政令・内閣府令は，法律が委任する範囲で法律と同等の効力を有するが，その内容が法の委任の範囲内に収まっているかどうかについては司法審査に服する。

また，法令の適用にあたって留意すべき事項を示した「企業内容等の開示に関する留意事項」（企業内容等開示ガイドライン）が金融庁から示されており，たとえば第三者割当増資を行う場合の一定の事前調査が有価証券の取得勧誘・売付け勧誘等に該当しないことに留意するとされている（企業内容等開示ガイドライン 2-12，→**Column 2-16**）。これは，2条3項の「取得勧誘」および2条4項の「売付け勧誘等」の解釈を示したものである。このような事務ガイドラインは，行政機関内部で法の解釈・運用のあり方を連絡するものであり，行政機関外の関係者を法的に拘束するものではないが，法の解釈・運用に事実上大きな影響を及ぼしている。事務ガイドラインの内容が法の趣旨に合致しているかどうかは司法審査に服する。

さらに，金融庁は制度や法律に関するQ＆Aを公表しているが，そのなかには「インサイダー取引規制に関するQ＆A」（平成20年11月18日）（→**Column 7-12**），「株券等の公開買付けに関するQ＆A」（平成21年7月3日），「株券等の大量保有報告に関するQ＆A」（平成22年3月31日）のように，一般の投資者や発行者向けに金融商品取引法の解釈を示したものもある。これらは，課徴金制度を運用する際に金融庁が採用する解釈を明らかにし，投資者や発行者の予測可能性を高める目的で発せられたものである。もっとも，Q＆Aで示された解釈が裁判所を拘束するものでないことはいうまでもない。

3 行政規制

(1) 行政規制の適用範囲

金融商品取引法の特徴の1つは，法の執行手段として行政規制が広く用いられていることである。

ディスクロージャーに関する行政規制の例としては，発行者に対する開示書類の訂正命令（9条・10条等），有価証券届出書の効力停止命令（10条1項），公開買付者に対する開示書類の訂正命令（27条の8第4項），大量保有者に対する大量保有報告書の訂正命令（27条の29）などがある。

業者に対する監督規制の手法は，他の業法によるものと大きく変わるものではなく，その典型は業務改善命令（51条・51条の2等）と業務停止命令・登録の取消し等（52条・52条の2）である。前者は，業者による違法・不当な業務を是正することを直接の目的とするのに対し，後者は，業者が違法・不当な業務を行った場合の制裁を定めることによって，業者が法令に違反しないで適正に業務を行うよう間接的に確保しようとする手法である。このような業法的規制に服する者には，金融商品取引業者，登録金融機関，金融商品仲介業者，信用格付業者，証券金融会社，投資法人，高速取引行為者などがある。登録制の下に置かれていない業者に対する行政規制として，プロ向けファンド特例業務の届出者に対する規制がある。

金融商品取引所や金融商品取引業協会といった金融商品取引機関に対しても，業者に対するのと同様の業務改善命令（153条・79条の6第1項），業務停止・免許等の取消し等（152条・79条の6第2項）が用意されているほか，規則の認可・変更命令（149条1項・153条・67条の2第2項・73条）といったより直接的な行政介入の規制が定められている。金融商品取引機関の業務の公益性に鑑みて，業務自体に行政の監督を及ぼすためである。金融商品取引所・金融商品取引業協会と同様の規制に服する者としては，外国金融商品取引所，金融商品取引清算機関，外国金融商品取引清算機関，指定紛争解決機関，取引情報蓄積機関などがある。

不公正取引の規制には刑事罰が用意されており，法の執行は検察官による刑事訴追によって行われる。ただし，犯則事件の調査・告発は証券取引等監視委員会も行うこと（→***3*** 節 ***2***），および課徴金の対象とされている不公正取引規制については，課徴金制度という行政規制によっても法が執行されること（→***5***）に注意を要する。

■Column 12-1　顧客本位の業務運営に関する原則■■

現代の金融商品は，組成，勧誘，販売，運用といった多段階のインベントメント・チェーンから成り立っている。このため，たとえば(a)投資信託を組成する運用業者は，その販売段階で想定される顧客に適した商品を開発しているとは限らないし，(b)投資信託を販売する銀行は，運用業者から得る販売手数料が高い商品や系列の運用業者が組成する商品を他の金融商品よりも熱心に勧誘するかもしれない。このように金融商品取引業者等が，直接に善管注意義務・忠実義務を負わない顧客に対する関係において（(a)），あるいは顧客に対して善管注意義務・忠実義務を負う場合であっても，法的に義務があるとはいえない行為について（(b)），顧客の最善の利益に適うように行動することが重要である。金融庁は，そのような顧客本位の業務運営のベストプラクティスを原則（プリンシプル）の形でまとめ，各金融事業者がこれを採択し，採択した場合には各原則を実現するための方針を策定・公表し，あわせて当該方針に係る取組み状況を公表するように求めた[4]。

この「顧客本位の業務運営に関する原則」（以下，原則という）は，①方針の策定・公表，②顧客の最善の利益の追求，③利益相反の適切な管理，④手数料等の明確化，⑤重要な情報の分かりやすい提供，⑥顧客にふさわしいサービスの提供，⑦従業員に対する適切な動機付けの枠組み等から成り，③⑤⑥には細則に相当する注が付されている。具体的には，③の注は上記(b)の事情を考慮すべきであるとし，④は，名目を問わず，顧客が負担する手数料その他の費用の詳細を，当該手数料等がどのようなサービスの対価に関するものかを含め情報提供すべきであるとする（上記(b)への対応)）。⑥の注は，金融商品の組成に携わる金融事業者は，商品の組成に当たり，商品の特性を踏まえて，販売対象として想定する顧客属性を特定するとともに，商品の販売に携わる金融事業者においてそれに沿った販売がなされるよう留意すべきであるとする（上記(a)への対応)。

金融商品取引業者や金融機関が原則を遵守しているかどうかは金融庁がモニタリングしているが，遵守しなくても金融商品取引業者等の誠実義務（36条）違反，善管注意義務・忠実義務（41条・42条）違反とはいい難いため，実効性に欠けるきらいがある。また，原則自体，「考慮すべきである」とか「留意すべきである」とするにとどまり，何をどこまでするかは金融事業者の判断に委ねられている（つまり，プリンシプルベースである）ことから，期待通りの成果は上がっていない。そこで，2020年に原則の改訂を行い，商品・サービスの業法の枠を超えた横断的な比較（重要情報シートの活用），運用業者による想定顧客の公表等について注を追加するとともに，取組状況を項目ごとに公表することとした[5]。

■ Column 12-2　日本版スチュワードシップコード■■

業者以外に対するプリンシプルベースの規制として，機関投資家に対する日本版スチュワードシップコードが挙げられる。これは，機関投資家の投資行動や議決権の行使が上場会社に影響を与えていることを考慮し，イギリスのスチュワードシップコードを参考に，金融庁が平成26年に作成・公表したものである[6]。コードは，機関投資家が，投資先企業の価値向上や持続的成長を促すことにより，受益者の中長期的なリターンの拡大を図る責任（スチュワードシップ責任）を果たすための諸原則であり，平成29年と令和2年に改訂されている。現在のコードは次の8つの原則からなる。

4）金融庁「顧客本位の業務運営に関する原則」（平成29年3月30日）。

5）金融審議会「市場ワーキング・グループ報告書――顧客本位の業務運営の進展に向けて」（令和2年8月5日）。

6）笠原基和「『責任ある機関投資家の諸原則』〈日本版スチュワードシップコード〉の概要」商事2029号（2014）59頁。

① 機関投資家は，スチュワードシップ責任を果たすための明確な方針を策定し，これを公表すべきである。

② 機関投資家は，スチュワードシップ責任を果たす上で管理すべき利益相反について，明確な方針を策定し，これを公表すべきである。

③ 機関投資家は，投資先企業の持続的成長に向けてスチュワードシップ責任を適切に果たすため，当該企業の状況を的確に把握すべきである。

④ 機関投資家は，投資先企業との建設的な「目的を持った対話」を通じて，投資先企業と認識の共有を図るとともに，問題の改善に努めるべきである。

⑤ 機関投資家は，議決権の行使と行使結果の公表について明確な方針を持つとともに，議決権行使の方針については，単に形式的な判断基準にとどまるのではなく，投資先企業の持続的成長に資するものとなるよう工夫すべきである。

⑥ 機関投資家は，議決権の行使も含め，スチュワードシップ責任をどのように果たしているのかについて，原則として，顧客・受益者に対して定期的に報告を行うべきである。

⑦ 機関投資家は，投資先企業の持続的成長に資するよう，投資先企業やその事業環境等に関する深い理解のほか運用戦略に応じたサステナビリティの考慮に基づき，当該企業との対話やスチュワードシップ活動に伴う判断を適切に行うための実力を備えるべきである。

⑧ 機関投資家向けサービス提供者は，機関投資家がスチュワードシップ責任を果たすに当たり，適切にサービスを提供し，インベストメント・チェーン全体の機能向上に資するものとなるよう努めるべきである。

コードは法的拘束力を持つものではなく，機関投資家はコードを受け入れるか否かを決定し，コードを受け入れる場合でも，実施することが適切でないと考える原則については実施しない理由を説明する「コンプライ・オア・エクスプレイン」（遵守するか，説明する）の考え方がとられている。なお，ここにいう機関投資家には，運用業者のほか企業年金のようなアセットオーナーが含まれる。また，⑧のサービス提供者は議決権行使助言会社や年金コンサルタントを念頭に置いている。

コードには，機関投資家が顧客・受益者に対して負う義務を述べた当然の原則と，機関投資家は企業の持続的成長に資するように行動すべきであるという政策的な原則が混在している。この結果，コードは全体として，機関投資家による短期的な利益の追求を戒める内容になっているといえよう。

(2) 権限の行使

行政規制は内閣府の主務大臣である内閣総理大臣によって執行される。もっとも，内閣総理大臣の権限の大部分は金融庁長官に委任されており，金融庁長官が委任された権限を単独で行使する（194条の7第1項。以下，金融庁長官に委任されている内閣総理大臣の権限の説明については，「内閣総理大臣（金融庁長官）」と記載する）。内閣総理大臣に権限が留保されている事項は，①金融商品取引業協会の設立の認可とその取消し，②投資者保護基金の設立の認可とその取消し，③金融商品市場開設の免許とその取消し，④金融商品取引所持株会社の認可とその取消し，⑤閣議決定を経てする金融商品取引所の業務の全部または一部の停止命令，⑥外国金融商品取引所の認可とその取消し，⑦金融債務引受業の免許とその取消し，⑧金融商品取引所による有価証券債務引受業の承認とその取消し，⑨外国金融商品取引清算機関の免許とその取消し，⑩金融商品取引清算機関の連携の認可とその取消し，⑪証券金融会社の免許とその取消し，⑫財務大臣等に対する一定の通知である（施行令37条の3）。

内閣総理大臣または金融庁長官が行政処分を行うには，行政手続法の規定に従わなければならない。たとえば，登録の取消し等の不利益処分を業者に科すときは，原則として，対象者の意見陳述のための聴聞を行わなければならない（行手13条1項）。もっとも，金融商品取引法に特則が置かれているときはそれによる。たとえば，内閣総理大臣（金融庁長官）が一定の手続をとっても業者の所在を確知できなかったときは，聴聞なしに登録取消処分をすることができる（52条4項・5項）。また，各種開示書類の訂正命令を発するについては，行政手続法13条1項の区分にかかわらず，聴聞を行わなければならない（9条1項・10条1項等）。

下された行政処分について処分対象者は，金融庁に対する異議申立て（行審6条），および取消訴訟（行訴8条）を提起することができる。

■ Column 12-3　法令適用事前確認制度■■

行政処分の透明性を確保するために，2001（平成13）年より，各行政機関において法令適用事前確認制度が導入されている。この制度は，民間企業等が，自己の事業活動が特定の法令の違反に当たるかどうかを，事前に所轄の行政機関に確認を求め，行政機関がその回答を公表するものであり，ノーアクションレターとも呼ばれている[7]。金融商品取引法についていうと，あらゆる規定が確認の対象となるのではなく，申請に対する処分の根拠規定であってその違反に罰則が付されたものや，行為者に不利益処分を科す根拠規定などが確認制度の対象となる。行政機関の回答

7）アメリカにおけるノー・アクション・レター制度の研究として，常岡孝好「ノー・アクション・レターの法的性質(1)～(6・完)」商事1578号12頁，1580号28頁，1581号33頁，1585号29頁，1586号33頁，1587号36頁（2000-2001）を参照。

は，照会者が提示した事実に法令を適用した結果（法令の事案への当てはめ）を示すものであり，法令の解釈そのものではないが，理由中において法令の解釈が示される。この制度は，理由を含めた回答を公表することによって，照会者と同じような地位にある者の予測可能性を高めることも目的としている。法令適用事前確認制度で公表された解釈は，もちろん裁判所を拘束するものではない。

(3)　報告徴取・検査権

内閣総理大臣または金融庁長官が行政権限を適切に行使できるように，金融商品取引法はこれらの者に情報収集のための権限を与えている。すなわち，内閣総理大臣（金融庁長官）は，それぞれの場合に応じて必要があると認めるときは，関係者に参考となるべき報告や資料の提出を命じ，あるいは金融庁の職員にその者の帳簿書類その他の物件を検査させることができる（26条等）。ただし，金融庁長官の報告徴取・検査権は，後述（→***3*** **節** ***3***）のように一定の範囲内で証券取引等監視委員会に委任されている。

このような報告徴取・検査権の対象となる者は，(1)に掲げた業者および金融商品取引機関のほか，有価証券報告書等の提出者（提出義務者を含む。以下同じ）・有価証券の引受人（26条），公開買付者（公開買付義務者を含む）・その特別関係者・意見表明報告書の提出者（27条の22），大量保有報告書の提出者・その共同保有者・対象証券の発行者（27条の30）に及び，さらに，それぞれの条項に従い，これらの者の取引相手，子会社，親会社，業務の委託を受けた者，関係人，および参考人にまで及ぶとされている。

報告徴取・検査権の実効性は罰則によって確保される。内閣総理大臣（金融庁長官）に命じられたのに報告や資料の提出に応じず，または虚偽の報告をし，もしくは虚偽の資料を提出した者には罰則が科される（198条の6第10号12号・205条5号）。また，金融庁職員による検査を拒み，妨げ，または忌避した者も処罰の対象となる（198条の6第11号13号16号・205条6号）。報告徴取・検査権は行政権限を行使するためのものであるから，検査対象に自己負罪特権（憲38条1項）が認められない代わりに，刑事訴追の目的で報告徴取・検査権を行使することは許されない。報告徴取・検査権の行使によって得られた資料を刑事手続において用いることができるかどうかについては，租税法の分野で議論の蓄積がある[8]。

4　緊急差止命令

(1)　総　　説

行政規制の対象となっていない者を含めて，金融商品取引法違反を早い段階で差し止め，被害の拡大を防止する手段として，192条の緊急差止命令がある（緊急停止命令ともいう）。金融商品取引法または同法に基づく命令に違反する行為を行い，または行おうとする者があるとき，内閣総理大臣（金融庁長官）が単独で，または内閣総理大臣（金融庁長官）と財務大臣が共同で裁判所に申し立て，裁判所が，緊急の必要があり，かつ，公益および投資者保護のため必要かつ適当であると認めるときは，その行為の禁止または停止を命ずることができる（192条1項1号）。

緊急差止命令制度は，アメリカの連邦証券諸法上のインジャンクション（injunction, 差止命令）に倣って，昭和23（1948）年証券取引法制定時に設けられた。緊急差止命令制度は，命令違反の行為を差止めの対象に含み，将来の行為の差止めも認めている点で，違反行為の抑止手段として相当に広汎かつ効果的であるが，最近まで用いられることがなかった。

緊急差止命令の申立権は内閣総理大臣から金融庁長官に委任されているが（194条の7第1項），平成20年の改正では，緊急差止命令申立権限とそのための調査権限（187条）が証券取引等監視委員会に委任された（194条の7第4項）。違反行為の現場に近い証券取引等監視委員会であれば，迅速に調査・申立てを行うことが期待できるからである。平成22年の改正では，命令違反に法人の両罰規定が設けられた（207条1項3号）。法人形態で金商法違反行為を行っている者に対し3億円以下の罰金を科すことによって，違反者が違法に得た利益を事実上，剝奪することができる。このように実効性確保手段が整備されたことから，緊急差止命令制度は，平成22年11月以降，証券取引等監視委員会によって活発に利用されるようになった。緊急差止命令は，無登録業者による未公開株の勧誘，発行者による無届募集，無登録業者によるファンド持分の募集・私募・運用，適格機関投資家特例業務届出者の行為規制違反などについて申し立てられている（**図表12-1**）。

さらに，平成27年改正では，ファンド運用業者の業務執行が著しく適正を欠き，現に投資者の利益が著しく害されている場合を緊急差止命令の対象にし

8）　金商法コンメ(4)471頁〔藤田友敬〕参照。

図表 12-1　証券取引等監視委員会による緊急差止命令申立件数

年度（平成・令和）	4-24	25	26	27	28	29	30	R1	2
無登録業者等	5	2	6	3	1	2	2	3	0
無届募集	1	0	0	0	0	0	0	0	0

（出典：証券取引等監視委員会ウェブサイト〔令和2年5月末現在〕）

た（192条1項2号）。プロ向けファンドの特例業務届出者（→**11章*3*節*3***）を念頭に置き，直ちに法令違反・命令違反を認定できない場合にも，投資者被害の拡大防止のために差止命令を使えるようにするためである。このような場合にこそ，一般的な詐欺禁止条項（157条，→**8章*3*節**）違反を理由に行為を差し止めるべきであり，特定の業者に限って法令違反以外に差止対象を拡大するやり方は疑問である。

■Column 12-4　インジャンクションとの比較■■

アメリカの連邦証券法・証券取引所法は，それぞれ違反行為の差止め（インジャンクション）を裁判所に求める権限をSEC（→*1*節*1*）に付与している（証券法20条(b)項，証券取引所法21条(d)項）。SECの申立てに応じて裁判所は違反行為の差止めを命じるとともに，衡平法裁判所の権限に基づいて付随的救済命令（ancillary relief）を命じることができる。付随的救済命令には，違法行為によって違反者が得た利益の吐出し（disgorgement）や，管財人の指名などが含まれる。管財人は，裁判所の監督の下に，違反者から利益を取り立てて基金を設立し，分配計画を策定し，基金を被害者に分配する。SECによる提訴の真の理由がインジャンクションではなく付随的救済命令にあることも少なくない。

これとは別に，行政上の排除命令（cease and desist order）が1990年改正により導入されている（証券法8A条，証券取引所法21C条）。排除命令は行政上の審判手続を経て行政法判事またはSECにより発せられる。行政法判事やSECは排除命令とともに利益の吐出し，その他法遵守を確保するための措置を命じることができる。この吐出し利益も被害者に分配される。

アメリカのインジャンクション・排除命令とわが国の緊急停止命令を比較すると，アメリカでは裁判手続と行政手続が併存しているのに対し，わが国では裁判手続による差止制度のみが設けられている点に相違がある。また，アメリカでは違法利益の剝奪とその被害者への分配が行われるのに対し，わが国の緊急差止制度にはそのような機能がない。ただし，違反者が金融商品取引業者であり破産状態にあるときは，金融庁長官に破産申立権が認められているので（更生特例490条），破産手続を通じて違反者の財産の保全と被害者の救済を図ることは可能である。また，違法利益の剥奪は課徴金制度によって行われるが（→*5*(1)），課徴金が被害者に分配されることは予定されていない（→*5*(5)）。

(2) 要件と効果

192条1項に基づく緊急差止命令の要件と効果については，いくつかの解釈問題がある。

第1に，裁判所が差止命令を発するには「緊急の必要性」がなければならない。緊急差止命令を最初に発した東京地裁平成22年11月26日決定（判時2104号130頁）は，違反者が金融商品取引業者でないため行政処分を講じることができないことと，被害の規模が大きいことから緊急の必要性を認めた。違反者が金融商品取引業者である場合には，業務停止命令等により違反行為を停止させることができるから緊急の必要性は認められないとの見解[9]もある。しかし，登録業者に対して未だ行政処分が下されていない場合には緊急差止命令を活用しないと被害の未然防止という制度目的を達成できないから，登録業者を緊急差止命令の適用対象から一般的に除外するのは適当でない[10]。

第2に，緊急差止命令の対象は①違反する行為を行い，または②行おうとする者であるが，①には「過去に違反行為を行った者」も含まれるだろうか。この点については，違反行為が繰り返される場合に緊急差止命令を発することができないのでは被害の拡大を阻止できないので，文言上は疑義も指摘されているが[11]，違反行為が既に行われた場合も「違反する行為を行い」に当たると解した上で，違反行為が繰り返されるおそれがあるときには緊急の必要性が認められるので差止命令の対象になると解すべきであろう。

第3に，差止対象行為は違反が行われた行為と厳密に一致する必要があるだろうか。前掲東京地裁平成22年11月26日決定は，無登録業者による未公開株等の勧誘の事例について，名宛人に対して，「適式の登録を受けないで，株券，新株予約権証券またはこれらに表示されるべき権利について，売買，売買の媒介もしくは代理または募集もしくは私募の取扱いを業として行ってはならない」という命令を発した。実際に勧誘が行われたのは特定銘柄の株券・新株

---

9)　萩原秀紀「緊急差止命令（金商法192条1項）の活用」商事1923号（2011）20頁。

10)　黒沼悦郎「判批」判時2123号192頁。

11)　神崎580頁。ただし，神崎教授は，同時に，アメリカの裁判例が，違反行為が既に行われかつ将来も行われる相当の可能性がある場合にもインジャンクションを発しうると解していることを紹介されていた（同書582頁注4）。

予約権証券であるが，無登録業者が違法な勧誘をするときには株式等の銘柄を選ばないから，差止対象行為の銘柄を特定しては差止めの実が上がらない。192条は「その行為」の禁止または停止を命ずることができるとしているが，上に述べたように，過去の違反行為に基づいて将来の違反行為を禁止することができると解する以上，禁止対象行為は違反行為と厳密に一致する必要はないといえる。上の事件では，有価証券一般についての上記行為を禁止する命令を発することもできたと考える[12]。

緊急差止命令の実効性は罰則によって担保される。差止命令に違反した者には，3年以下の懲役もしくは300万円以下の罰金が科され，またはこれらが併科され（198条8号），法人には3億円以下の罰金が科せられる（207条1項）。差止命令を受けた個人は，たとえ別法人を設立して違反行為を継続したとしても，当該法人が両罰規定の適用対象となるため，罰金は差止命令を受けた個人に対し絶大な威嚇効果を発揮することになる。

金融商品取引業者の行為規制のように罰則の付されていない法令違反も緊急差止命令の対象となり，命令違反があれば上記の罰則が適用される。したがって，命令違反に対する罰則の適用は，罰則の付されていない法令違反を罰則をもって抑止するという機能をも有していることになる。このような仕組みの適否は，別途，検討の対象となりうるが，そのことをもって登録業者の行為規制違反は緊急差止命令の対象にならないと解する必要はない[13]。

5　課徴金制度

(1)　概　　説

わが国の旧証券取引法の執行は不十分ではないかという指摘が，かねてよりされてきた。特に，行政規制が投資者に及ばないこと，および刑事罰は高度の立証を要求されるため適用が難しい上，罰金の額が低いので十分な抑止効果を発揮できないことが問題である。また，業者規制にしても，顧客に迷惑がかかる登録取消しや業務停止よりも，金銭的負担を課す方がよいのではないかと考えられる。そこで，違反行為の程度態様に応じた機動的なサンクションを可能にするものとして，行政上の措置としての課徴金制度が，平成16年の改正により設けられた[14]。

12）　以上の議論につき，黒沼・前掲注10）193頁。

13）　黒沼・前掲注10）193頁。

諸外国の例を見ると，違反行為の抑止のための制裁金の制度としては，裁判手続を経る民事制裁金（civil penalty）と行政手続による行政制裁金ないし行政罰（administrative penalty）とがある。わが国では，裁判手続に時間がかかることから，迅速な執行を可能にするために，行政上の審判手続を経て内閣総理大臣（金融庁長官）が課徴金の納付を命じる行政制裁金の形式が採用された。

課徴金の対象は，導入時には，①発行開示書類の虚偽記載，②風説の流布・偽計（158条），③変動操作型の相場操縦（159条2項），および④インサイダー取引（166条・167条）であったが，平成17年の改正で，⑤継続開示書類の虚偽記載が加わった。課徴金の額は，違反者が違反行為により得た経済的利得相当額を想定して，一義的に計算できる算定式によって定められた。法令の違反は必ず発見されるとは限らないので，違反者から剝奪する課徴金の額を経済的利得相当額に限定するのでは，違反行為の十分な抑止とはならない。それにもかかわらず，課徴金の額を経済的利得相当額に限定したのは，刑事罰に加えて課徴金を課すことが憲法39条の禁止する二重処罰に該当するという疑義を払拭するためである（→(4)）[15]。

平成16年の導入以来，課徴金は特にインサイダー取引に対して活発に執行されたが，課徴金の額はあまり高くなく，インサイダー取引がやり得になっている可能性があった。継続開示書類の虚偽記載に対する課徴金の額は発行開示書類の虚偽記載に対するものに比べて高くなく，抑止効果が十分に発揮されているか疑わしかった。そこで，エンフォースメント（法執行）の手段として課徴金が有効に機能しているとの認識の下，実効性を高める観点から，課徴金の対象範囲を拡大し，課徴金の額を引き上げ，課徴金の加算・減算制度を導入する平成20年改正が行われた[16]。これにより新たに，⑥発行開示書類の不提出，⑦継続開示書類の不提出，⑧公開買付規制違反，⑨公開買付け・大量保有に関する開示書類の虚偽記載・不提出，⑩変動操作型以外の相場操縦・安定操作が課徴金の適用対象とされた。課徴金の額については，それぞれの算定式が改正

14）　金融審議会金融分科会第一部会報告「市場機能を中核とする金融システムに向けて」15-16頁（平成15年12月24日）。

15）　課徴金の性格と二重処罰の関係については，証券取引法研究会「証券取引法における課徴金制度1」『平成16年の証券取引法等の改正』（別冊商事290号，2005）85-87頁〔芳賀良報告〕を参照。

16）　金融審議会金融分科会第一部会法制ワーキング・グループ報告「課徴金制度のあり方について」（平成19年12月18日）参照。

されたが，概していうと，違反者が実際に得た利得相当額を想定した算定方式から，違反者が得ることのできる利得相当額を想定した算定方式に改正されている。

課徴金の額は，このように違反者の利得相当額を基準に定められているが，違反者が経済的利得を得たか，経済的利得を得る可能性があったことは課徴金納付命令の要件ではないとする裁判例[17]がある。しかし，経済的利得が生じる一般的，抽象的な可能性がない場合にまで常に課徴金を課す行為は，比例原則に反していると評価すべきではないだろうか（→**Column 4-26**）[18]。

課徴金を課すためには，違反事実について違反者に故意または過失があることを要しない[19]。課徴金は刑罰でないことから責任非難の観点を考慮する必要がないからであると説明されている[20]。行為者が無過失でも違反という事実が発生した以上，課徴金を課せられるため，行為者がより大きな注意を払って違反事実が生じないように行動するようになるという意味において，課徴金は刑事責任や民事責任よりも違反行為を抑止する効果が高い。

⑵　納付命令手続

課徴金が適用される規定の違反があると内閣総理大臣（金融庁長官）が認めるときは，審判手続開始の決定を行わなければならない（178条1項）。違反の事実があると認めるのに，内閣総理大臣（金融庁長官）が審判手続開始の決定を行わないことは許されない。もっとも，課徴金の調査は通常，証券取引等監視委員会が行い，証券取引等監視委員会が課徴金納付命令の勧告をしなければ，金融庁長官は規定の違反を知ることができないから，証券取引等監視委員会のレベルで行政裁量が働く余地はある。審判手続開始決定書には違反事実および納付すべき課徴金の額が記載され，相手方（被審人）に送付される（179条）。これに対し被審人は答弁書を提出しなければならないが（183条），被審人が違反事実と課徴金の額を争わないときは審判期日は開かれず，課徴金納付命令が下される。

審判では，内閣総理大臣（金融庁長官）が指定した原則3名の審判官が，被審人の違反事実の有無と課徴金の額について審理を行う（180条1項）。金融庁

17）　東京地判平成26・2・14判時2244号6頁。
18）　黒沼悦郎「判批」判評680号157-158頁。
19）　前掲東京地判平成26・2・14。
20）　三井秀範編著『課徴金制度と民事賠償責任』（金融財政事情研究会，2005）53頁。

の指定職員（181条2項）が訴追役として加わることもある。審判官の中立性を確保するため，当該事件の調査に関与した者は審判官になることができない（180条4項）。審判手続の後，審判官は決定案を作成し，内閣総理大臣（金融庁長官）に提出する（185条の6）。このように課徴金納付命令という行政処分を下す前に裁判手続に類似する審判手続を求めているのは，被審人に手続的な防御権を行使する機会を与え，行政過程における適正手続を確保するためである[21]。

内閣総理大臣（金融庁長官）は，決定案に基づき，違反事実があると認めるときは課徴金納付命令を発しなければならず（185条の7），違反事実がないと認めるときはその旨を明らかにする決定を行う。決定案の内容は金融庁長官を拘束し，決定案において違反事実があるとされているのに課徴金納付命令を発しないことや，課徴金の額を変更することは許されない。審判制度を採用している以上，金融庁長官には行政裁量を認めないのである。行政裁量を排除するのは利得相当額を剝奪するという課徴金制度の趣旨から導かれると理解し，平成20年改正後の課徴金制度が制裁の効果を有するようになったことから，行政裁量排除の見直しを示唆する見解[22]も唱えられている。課徴金納付命令に不服のある者は，訴訟を提起して処分の取消しを求めることになる。

⑶　課徴金の加算と減算

課徴金の対象行為について，誰にいくらの課徴金が課されるかは，それぞれの対象行為の箇所で説明した。独占禁止法上の課徴金制度では，違反行為を繰り返したときは課徴金を5割加算し，違反行為を早期にやめた場合には2割減算する仕組みがとられている（独禁7条の2第6項）。平成20年の改正では，これに倣って課徴金の加算・減算制度が導入された。

違反者が過去5年以内に金融商品取引法上の課徴金納付命令を受けたことがあるときは，課徴金の額が5割増額される（185条の7第15項）。この改正の理由は，違反行為を繰り返した者は，1回目に課した課徴金の水準では当該違反者の抑止には不十分であり，当該違反者は違反行為であると認識しつつ当該行為を行っていると推認できるから，より強い抑止が必要であると説明されている[23]。しかし，行為者が以前に課徴金納付命令を受けた行為と異なる種類の違反行為をした場合にも課徴金の額が加算されることを，上の理由で説明するこ

21）　橋本博之「証券取引法における課徴金制度の導入」商事1707号（2004）6頁。
22）　金商法コンメ(4)401頁〔川口恭弘〕。
23）　逐条解説2008年403頁。

とは難しい[24]。違反行為を繰り返した者については，1回目に課した課徴金の水準では違反者に利得が残存していると考えられるから，2回目の納付命令の機会を捉えて残存する利得を剝奪するという利得の剝奪に着目した説明[25]のほうが説得力がある。

一定の違反類型について，違反者が違反行為を証券取引等監視委員会が調査に着手する前に申告した場合には，課徴金の額は半額に減額される（185条の7第14項）。対象となる違反行為は，①発行開示書類・継続開示書類の虚偽記載，②プロ向け市場の開示書類の虚偽記載，③大量保有報告書・変更報告書の不提出，④法人による自己株式に係るインサイダー取引に限定されている。このような限定をした理由は，これらの違反行為は繰り返される可能性が高いことから，早期発見がなされることの公益性が高く，課徴金を減じてもなお早期発見のインセンティブを与えることが必要だからであると説明されている[26]。しかし，これらの違反行為は繰り返される可能性が高いからではなく，これらの違反行為は，会社の役員・使用人の違反行為により会社が課徴金を課される類型の行為であり，会社はコンプライアンス（法令遵守体制）を整えて課徴金を回避することに利益を有しているので，会社にコンプライアンスを整えるインセンティブを与えるために課徴金の減額を認めたものと理解すべきである[27]。いずれにせよ，減算制度は監督官庁に協力的な態度をとった被審人の情状を考慮するものではなく，特定の情報提供の見返りとして処分を軽減するいわゆる司法取引とも性格を異にすること[28]に注意を要する。

課徴金の減算を受ける要件は行為類型に即して規定されているが，たとえば開示書類の虚偽記載であれば，報告徴取・検査権の行使による調査が行われるよりも前に，発行者が虚偽記載の事実を報告書にして証券取引等監視委員会に提出しなければならない（185条の7第14項，課徴金府令61条の7）。

(4)　刑事罰との関係

課徴金（民事制裁金・行政制裁金）と刑事罰の併科については，諸外国で扱いが異なっている[29]。イギリスでは，併科ができるが，運用上，いずれか一方の

24)　大証金融商品取引法研究会「公正・透明で信頼性のある市場の構築――課徴金制度等に係る平成20年金商法改正」（研究会記録6号，2011）19頁〔黒沼悦郎報告〕。

25)　金商法コンメ(4)409頁〔川口恭弘〕。

26)　逐条解説2008年402頁。

27)　大証金融商品取引法研究会・前掲注24）20頁〔黒沼報告〕。

28)　金商法コンメ(4)409頁〔川口恭弘〕。

手続がとられているようである。ドイツでは刑事処分が科されないときに限って，行政制裁金を課すことができるとされている。フランスでは行政制裁金と刑事罰は併科されうるが，罰金および行政制裁金の金額がいずれかの上限を超えてはならない旨を憲法院が判示している。アメリカでは，民事制裁金を刑事罰と併科することができ，そうしても二重の危険（double jeopardy）に当たらないというのが判例である。

わが国の課徴金制度は，違反者の故意・過失を要件とせず，課徴金の額を違反者の利得相当額を基準として算定することから，刑事罰と併科しても二重処罰の禁止（憲39条）には違反しないとの解釈を前提とし，罰金と課徴金との間で金額の調整を行わない。ただし，継続開示書類の虚偽記載については，先に罰金の確定判決が下されたときは罰金額を控除して課徴金の額を決定し（185条の7第16項），後から罰金の確定判決が下されたときは罰金額を控除した額に課徴金納付命令を変更する（185条の8第6項）形で，調整を行う。これらの調整規定については，課徴金と罰金とは違法行為の抑止という点で共通する側面を有するためであるという説明があるが[30]，これでは継続開示書類の虚偽記載についてのみ調整を行うことを説明できない。継続開示書類の虚偽記載の課徴金の額は，違反者の利得相当額を基準とした算定方式によるとは言い切れないことに配慮したものというしかない[31]。

実務上は，違反行為の調査を行う証券取引等監視委員会が，違反に対する処分として課徴金が相当であると判断した場合には金融庁長官に対して課徴金の勧告を行い，違反行為が悪質であり刑事罰が相当であると判断した場合には検察官に対して告発を行うため，課徴金と刑事罰の事実上の振り分けが行われる。実際に刑事罰と課徴金が併科されるのは，課徴金の納付命令が下されたのちに，違反行為の悪質性を示す証拠が現れたために刑事訴追が行われるような場合に限られ，そのような場合に刑事処分の可能性を否定しないためにも，課徴金と罰則の併科が認められるべきである。

これに対して，刑事罰に付加される没収・追徴との関係では課徴金の額の調整が行われる。すなわち，先に刑事罰が確定した場合には没収・追徴額を控除

29）　諸外国の制度につき，三井編著・前掲注20）168頁以下を参照。

30）　吉田尚弘「継続開示義務違反に対する課徴金制度の概要」JICPAジャーナル602号（2005）41頁。

31）　この点につき，証券取引法研究会「継続開示における課徴金制度の導入」『平成17年・18年の証券取引法等の改正』（別冊商事299号，2006）26頁〔芳賀良報告〕参照。

図表 12-2　証券取引等監視委員会による最近の課徴金納付命令勧告件数（事件数ベース）

年度（平成・令和）	26	27	28	29	30	1
開示規制違反	8	6	5	2	10	5
風説の流布・偽計	0	1	0	0	3	0
相場操縦	11	11	8	5	5	5
インサイダー取引	16	15	19	14	13	14

（証券取引等監視委員会ウェブサイトの公表資料より作成）

して課徴金の額を決定し（185 条の 7 第 17 項），後から刑事罰が確定した場合には没収・追徴額を控除した額に課徴金納付命令を変更する（185 条の 8 第 7 項）。このような調整規定を置いたのは，違反者に利得を保持させない点で課徴金と没収・追徴との間に共通性が認められるからである。

⑸　課徴金制度の課題

課徴金制度は活発に活用されており（**図表 12-2**），違反行為の抑止の点で一定の効果を挙げていると評価できる。

課徴金制度の課題として次の 3 点を指摘することができる。

第 1 に，課徴金の額は，必ずしも違反行為の規模に応じた額になっていないため，違反行為に対する抑止効果が十分でない点に改善の余地がある。たとえば，継続開示書類の虚偽記載に対する課徴金は，上場時価総額に応じた額になっているので発行者の規模に応じた額にはなっている（→**4 章 *6* 節 *3* ⑵）。しかし，資産を 1 億円過大評価した粉飾決算と 1000 億円過大評価した粉飾決算とでは，市場に対する影響が異なるはずであるから，このような虚偽記載の規模を考慮して課徴金の額を算定できるように改めるべきである[32)]。

第 2 に，金融商品取引業者の行為規制のように罰則の付されていない規制が課徴金の適用対象とされていない。しかし，課徴金制度は規制違反の態様に応じたきめの細かい制裁を課すように設計することが可能であるから，行為規制の違反を抑止する手段として適当であるし，行為規制の法執行が十分に行われれば，反射的に，市場の公正性が確保され投資者が保護されることになる。さらに罰則のない行為規制については，課徴金を課しても二重処罰の問題は生じない。したがって，業者の行為規制を課徴金の適用対象とすることが望まれ

32）　黒沼悦郎「ディスクロージャー違反に対する救済――民事責任と課徴金」新世代法政策学研究 9 号（2010）305 頁。

る[33]。

第3に，課徴金は国庫に納入され，投資者が受けた被害の回復には用いられない。アメリカでは，民事制裁金は投資者救済のための公正基金（Fair Fund）に組み入れることができる。課徴金納付命令は，違反事実を認定する点で投資者による被害の回復に資する面があるが，他方，課徴金の支払によって違反者の資力が失われ，投資者による損害賠償請求の実効性が失われる危険もある。納付された課徴金を被害を受けた投資者に分配する仕組みを構築すべきであると考える[34]。

■Column 12-5　アメリカの民事制裁金制度■■

わが国の課徴金に相当する制度がアメリカの民事制裁金（civil money penalty）である。民事制裁金は，1984年にインサイダー取引規制について導入され，1990年改正により証券法・証券取引所法違反のあらゆる行為に適用範囲が拡大された（証券法20条(d)項，証券取引所法21条(d)項）。SECが民事の裁判手続により違反者に対する支払命令を求めることがその名の由来である。民事制裁金の額は，自然人・法人に分け，違反行為の類型により段階的に上限が定められているが，違反者の利得額が上限を越えるときは利得額が上限となる。1990年には，行政手続による民事制裁金の制度も創設されたが，こちらは登録業者のみを適用対象とする。

民事制裁金は，原則として国庫に納められるが，2000年頃の不正会計事件に対応する2002年の改正で，民事制裁金を吐出し基金（→**Column 12-4**）に加えて公正基金（Fair Fund）を創設し，民事制裁金を被害者に分配できるようにした（サーベンス＝オックスリー法308条）。さらに世界的な金融危機に対応する2010年の改正（ドッド＝フランク法）で，違反者が利益を得ておらず，吐出しのためのインジャンクションをかけることができないときでも，民事制裁金を単独で被害者に分配できるようにした（同条）。分配は裁判手続による制裁金については裁判所の監督の下で，行政手続による制裁金についてはSECの監督の下で行われる。

民事制裁金が創設され，それを被害者救済に利用できるようになったのは比較的最近のことであり，このように違反行為の抑止と被害者救済の効果をともに高める方向で改正が行われてきたことは，わが国においても参考にすべきであろう。

33）黒沼悦郎「ディスクロージャーの実効性確保――民事責任と課徴金」金融研究25号（2006）93頁。

34）森田章「証券取引法上の民事救済としての課徴金制度のあり方」商事1736号（2005）18頁，黒沼・前掲注33）94頁。課徴金を投資者に分配する仕組みを設ける際の法的論点について，黒沼悦郎「投資者保護のための法執行」商事1907号（2010）45頁以下を参照。

第3節　証券取引等監視委員会

1 組　　織

バブル崩壊後の証券不祥事を契機として，証券行政のあり方が議論された。それまで大蔵省が，証券会社の育成と証券市場の監督の両方を担ってきたが，1つの行政機関がコーチ（育成）とアンパイア（監督）を兼ねることが批判の対象とされた。大蔵省から独立して権限を行使する機関としては，省と同格の委員会（行組3条）と省に置かれる委員会（同8条）とが考えられるが，証券取引等監視委員会（以下，「監視委員会」という）は，公正取引委員会のような3条委員会ではなく，8条委員会として当時の大蔵省に設置された[35)]。監視委員会は証券市場のルール遵守を監視することを任務とし，現在は金融庁に置かれている（金融庁設置法6条）。監視委員会の任務は，市場における取引の公正を図り投資者を保護するために金融商品取引を監視することである。具体的には開示および市場取引の調査・検査とそれに基づく行政処分や課徴金納付命令の勧告（→2節5(2)），犯則事件の調査・告発等，緊急停止命令の裁判所への申立て（→2節4(1)），金融商品取引業者・機関の調査・検査，金融庁長官等に対する建議等，多岐にわたる。

監視委員会は委員長および2名の委員から構成される合議制の機関であり，その下に事務局が置かれる。監視委員会は金融庁から独立して権限を行使することが求められ（金融庁設置法9条），これを確保するために，委員長および委員は両議院の同意を得て内閣総理大臣が任命し（同12条1項），在任中は一定の場合を除いて罷免されることはなく（同14条），その給与は法律で定めるものとされている（同17条）。独立性が確保されている点において，監視委員会は3条委員会である公正取引委員会と比較して差は存在しない[36)]。

監視委員会の事務局は，総務課，市場分析審査課，証券検査課，証券検査管理室，取引調査課，開示検査課，特別調査課に分かれ，監視委員会のスタッフは401名（令和2年度定員）である。

---

35)　証券取引等監視委員会の法的な性格につき，河本一郎「証券取引等監視委員会の設置および自主規制機関の機能強化」商事1294号（1992）2頁を参照。

36)　川口恭弘「証券市場の監視システム」ジュリ1235号（2002）25頁。

2　犯則事件の調査

監視委員会にあって金融庁にはない職務が犯則事件の調査である。監視委員会は，任意調査権および強制調査権を行使して犯則事件を調査し（210条・211条），犯則の心証を得たときは告発を行う（226条）。ここにいう犯則事件とは，刑事罰の付された違法行為のうち，有価証券の売買その他の取引またはデリバティブ取引等の公正を害するものとして政令で定める事件をいい（210条1項），具体的には，開示書類の虚偽記載・不提出，無届募集，目論見書の交付義務違反，インサイダー取引，風説の流布，相場操縦，損失補塡，取引の公正確保のために付された業務の制限の違反などがこれに当たる（施行令45条）。

犯則事件を調査するために監視委員会の職員は，犯則嫌疑者や参考人に①出頭を求め，②質問し，③その者が所持し，もしくは置き去った物件を検査し，または，④その者が任意に提出し，もしくは置き去った物件を領置することができる（210条1項）。これらはあくまでも任意調査であるから，①②の処分については嫌疑者・参考人の同意を要する。また，③④の過程で強制力が行使されてはならない[37]。また，監視委員会は，官公署または公私の団体に照会して必要な報告を求めることができる（同条2項）。この規定も，任意調査を行いうることを明らかにした規定にとどまる。

さらに，監視委員会の職員は，犯則事件の調査のために必要があるときは，裁判所の許可状を得て，臨検，捜索または差押えをすることができる（211条1項）。監視委員会の強制調査権限を定めるものである。臨検，捜索，差押えは強制力の行使を伴うものであることから，嫌疑者等の人権擁護の観点から，刑事手続における強制捜査と同様に，裁判所の許可状を得る必要があるとされた。そして，強制調査の手続について国税犯則取締法と同様の手続規定が設けられている（211条〜225条）。

このような調査の結果，犯罪が行われたとの心証を得たときには，監視委員会は事件を検察官に告発しなければならない（226条）。このとき，領置物件・差押物件があるときは検察官に引き渡さなければならず，それらは刑事訴追に用いられることになる（同条）。

平成4年に発足して以来，監視委員会による刑事告発は，有価証券届出書・報告書の虚偽記載，相場操縦，インサイダー取引などについて活発に行われて

37）　金商法コンメ(4)694頁〔芳賀良〕。

図表 12-3　最近の告発件数

年度（平成・令和）	24	25	26	27	28	29	30	1
有価証券報告書等の虚偽記載等	0	0	2	3	0	0	3	3
風説の流布・偽計	1	1	1	2	2	0	0	0
相場操縦・相場固定	0	1	2	1	3	2	0	0
インサイダー取引	2	1	1	2	2	2	5	1
その他	4	0	0	0	0	0	0	1

（出典：証券取引等監視委員会のウェブサイト〔令和 2 年 7 月末現在〕）

いる（**図表 12-3**）。

3　行政権限行使のための調査・検査

金融庁長官は，金融商品取引業者，金融商品仲介業者，登録金融機関，金融商品取引業協会，金融商品取引所，証券金融会社等に対して報告聴取・検査権を有しているが（→***2*** 節 ***3***(3)），それらのうち有価証券の売買その他の取引またはデリバティブ取引等の公正の確保に係るものとして政令で定める規定に関するものは，監視委員会に委任される（194 条の 7 第 2 項）。ただし，報告の聴取については金融庁長官が自ら行うこともできる。政令で定める規定は報告徴取・検査権ごとに規定されているが，たとえば金融商品取引業者については，業者の行為規制に係る規定，一般的な詐欺禁止規定，相場操縦の禁止規定等が列挙されている（施行令 38 条）。また，金融庁長官は，開示書類の届出者，公開買付者等に対する報告徴取・検査権を監視委員会に委任することができる（194 条の 7 第 3 項）。これらの権限を監視委員会に委任したのは，監視委員会に市場監視機能を十分に果たさせるためには，市場の行為者である金融商品取引業者等の法遵守状況や開示書類を検査する権限を持たせた方がよいとの判断による。

さらに，平成 16 年の改正によって，監視委員会は上記の業者や機関に対する検査権限を，金融庁長官から一般的に委任されることとなった（194 条の 7 第 3 項）。関係業者や関係機関の財務状況に関する検査を監視委員会が担当することにより，検査体制を一元化し，市場監視機能を強化するためである。

検査の結果，業者等の規制違反を発見した場合，監視委員会は自ら行政処分を行う権限はないが，内閣総理大臣および金融庁長官に行政処分その他の措置をとるよう勧告することができる（金融庁設置20条1項）。検査や犯則事件の調査により，課徴金納付命令などの行政処分が必要と認められるときは金融庁長官に勧告を行い，これに基づき課徴金審判手続が開始されることになる。なお，勧告をしたときは，監視委員会は金融庁長官等に対して，勧告に基づいてとった措置について報告を求めることができる（同条2項）。

4　金融庁長官等に対する建議

監視委員会は，犯則事件の調査や検査の結果に基づいて，***3***に述べた勧告をするほか，取引の公正確保のために必要と認めるときは，内閣総理大臣，金融庁長官，または財務大臣に施策を建議することができる（金融庁設置21条）。

これまでに監視委員会の建議に基づいて法令改正が行われた例としては，見せ玉による相場操縦行為の禁止（159条2項1号），プレ・ヒアリング（事前需要調査）に係る情報管理体制の整備（38条6号，金商業府令117条1項15号），投資助言・代理業の登録拒否要件の拡大（29条の4第1項1号ニ），顧客の計算で不公正取引を行った者に対する課徴金の賦課（175条1項3号），適格機関投資家特例業務の規制強化（63条）などがある。

なお，金融商品取引行政の透明性を高めるために，監視委員会は毎年の事務処理状況を公表しなければならないとされている（金融庁設置22条）。これによって，監視委員会の事務処理の状況が明らかになるだけでなく，それが金融庁長官等による行政に生かされたかどうかがわかるという付随的効果もある。

事項索引

さ　行

た 行

ま 行

や 行

判例索引

大審院・最高裁判所

高等裁判所

地方裁判所

■著者紹介
黒 沼 悦 郎（くろぬま・えつろう）

1960 年，神奈川県生まれ
1984 年，東京大学法学部卒業
名古屋大学助教授，神戸大学教授を経て，
2004 年より早稲田大学法学学術院教授

金融商品取引法〔第２版〕
Financial Instruments and Exchange Law, 2nd ed.

2016 年 10 月 15 日　初　版第 1 刷発行
2020 年 12 月 5 日　第 2 版第 1 刷発行

著　者　黒　沼　悦　郎

発行者　江　草　貞　治

発行所　株式会社　有　斐　閣
郵便番号 101-0051
東京都千代田区神田神保町 2-17
電話 (03)3264-1314〔編集〕
(03)3265-6811〔営業〕
http://www.yuhikaku.co.jp/

印刷・株式会社三陽社／製本・牧製本印刷株式会社

ISBN 978-4-641-13847-6